PORTUGAL

Nom officiel : République portugaise
Capitale : Lisbonne
Superficie : 88 944 km^2, 92 152 km^2
avec Madère et les Açores
Population : 10 699 000 habitants
Monnaie : euro
Langue officielle : portugais

D1444505

Collection sous la responsabilité d'Anne Teffo
Ont contribué à l'élaboration de ce guide :

Édition	Stéphanie Vinet
Rédaction	Séverine Cachat, Philippe Bourget, Tiphaine Cariou, Emmanuelle Lepetit
Cartographie	Michèle Cana, Géraldine Deplante, Patrick Matyja, Thierry Lemasson, Stéphane Anton, Véronique Aissani, Philippe, Cochard, Olivier Guinet, Fabienne Renard, Apex Cartographie
Informations pratiques	Nacional de Estatística *(chiffres de population Portugal)*
Conception graphique	Laurent Muller (couverture), Agence Rampazzo (maquette intérieure)
Relecture	Sophie Jilet
Régie publicitaire et partenariats	michelin-cartesetguides-btob@fr.michelin.com *Le contenu des pages de publicité insérées dans ce guide n'engage que la responsabilité des annonceurs.*
Contacts	Michelin Cartes et Guides
	Le Guide Vert
	46, avenue de Breteuil
	75324 Paris Cedex 07
	✆ 01 45 66 12 34 – Fax 01 45 66 13 75
	www.cartesetguides.michelin.fr
	www.ViaMichelin.com

Parution 2009

Votre avis nous intéresse

Vous souhaitez donner votre avis sur nos publications ou nous faire part de vos expériences ?
Rendez-vous sur **www.votreaviscartesetguides.michelin.fr**

Note au lecteur

L'équipe éditoriale a apporté le plus grand soin à la rédaction de ce guide et à sa vérification. Toutefois, les informations pratiques (prix, adresses, conditions de visite, numéros de téléphone, sites et adresses Internet…) doivent être considérées comme des indications du fait de l'évolution constante des données. Il n'est pas totalement exclu que certaines d'entre elles ne soient plus, à la date de parution du guide, tout à fait exactes ou exhaustives. Elles ne sauraient de ce fait engager notre responsabilité.

Le Guide Vert,

la culture en mouvement

Vous avez envie de bouger pendant vos vacances, le week-end ou simplement quelques heures pour changer d'air ? Le Guide Vert vous apporte des idées, des conseils et une connaissance récente, indispensable, de votre destination.

Tout d'abord, **sachez que tout change**. Toutes les informations pratiques du voyage évoluent rapidement : nouveaux hôtels et restaurants, nouveaux tarifs, nouveaux horaires d'ouverture… Le patrimoine aussi est en perpétuelle évolution, qu'il soit artistique, industriel ou artisanal… Des initiatives surgissent partout pour rénover, améliorer, surprendre, instruire, divertir. Même les lieux les plus connus innovent : nouveaux aménagements, nouvelles acquisitions ou animations, nouvelles découvertes enrichissent les circuits de visite.

Le Guide Vert **recense** et **présente ces changements** ; il réévalue en permanence le niveau d'intérêt de chaque site afin de bien mesurer ce qui aujourd'hui vaut le voyage (distingué par ses fameuses 3 étoiles), mérite un détour (2 étoiles), est intéressant (1 étoile). Actualisation, sélection et appréciation sur le terrain sont les maîtres mots de la collection, afin que Le Guide Vert soit à chaque édition le reflet de la réalité touristique du moment.

Créé dès l'origine pour **faciliter et enrichir vos déplacements**, Le Guide Vert s'adresse encore aujourd'hui à tous ceux qui aiment connaître et comprendre ce qui fait l'identité d'une région. Simple, clair et facile à utiliser, il est aussi idéal pour voyager en famille. Le symbole 👪 signale tout ce qui est intéressant pour les enfants : zoos, parcs d'attractions, musées insolites, mais également animations pédagogiques pour découvrir les grands sites.

Ce guide vit pour vous et par vous. N'hésitez pas à nous faire part de vos remarques, suggestions ou découvertes ; elles viendront enrichir la prochaine édition de ce guide.

L'ÉQUIPE DU GUIDE VERT MICHELIN
LeGuideVert@fr.michelin.com

ORGANISER SON VOYAGE

COMPRENDRE LE PORTUGAL

SOMMAIRE

DÉCOUVRIR LES SITES

VILLES ET SITES

À l'intérieur du premier rabat de couverture, la carte générale intitulée
« **Les plus beaux sites** » donne : une **vision synthétique** de tous les lieux traités ;
les **sites étoilés** visibles en un coup d'œil ; les **circuits de découverte**, dessinés en vert,
aux environs des destinations principales.

Dans la partie « **Découvrir les sites** » : les **destinations principales** sont classées par
région ; les **destinations moins importantes** leur sont rattachées sous les rubriques
« Aux alentours » ou « Circuits de découverte » ; les **informations pratiques** sont
présentées dans un encadré vert dans chaque chapitre.

L'**index** permet de retrouver rapidement la description de chaque lieu.

Rose des vents au pied du monument des Découvertes (Lisbonne).

P. Renault/Hemis. fr

QUAND ET OÙ PARTIR

Le Portugal au fil des saisons

QUAND VOYAGER AU PORTUGAL ?

Le climat du Portugal est relativement doux. Le pays compte en moyenne 220 jours de soleil par an ! Toutefois, la période la plus favorable pour y voyager dépend de la région que l'on souhaite visiter. Le nord est plus froid que le sud, en particulier la région du Trás-os-Montes, où les hivers peuvent être très rigoureux. Pour une visite d'ensemble du pays, on préférera le printemps et l'automne.

Paysage de l'Alentejo.

F. Almeida Dias/Turismo de Portugal

Printemps – C'est l'époque des maisons fleuries et des paysages verdoyants. C'est une excellente saison pour visiter le **sud du pays**, en évitant ainsi les fortes chaleurs et les foules en Algarve. Au mois d'avril ont lieu les cérémonies de la Semaine sainte et les nombreuses manifestations folkloriques.

Été – Sec et chaud à l'intérieur, le climat est tempéré sur le **littoral** par des brises marines. *Romarias*, festivals, compétitions sportives se succèdent. C'est la meilleure saison pour profiter des plages, du nord au sud du pays. Température moyenne de l'eau : 16/19 °C sur la côte ouest, 21/23 °C sur la côte de l'Algarve. Températures moyennes de l'air : Porto 20 °C, Lisbonne 26 °C, Évora 29 °C, Faro 28 °C.

Automne – Dans le **nord** du pays en particulier, le paysage (où poussent châtaigniers et vignes) prend de jolis tons. La vallée du Douro s'anime au moment des vendanges (mi-septembre à mi-octobre).

C'est le moment idéal pour visiter le Minho et le Trás-os-Montes. Températures moyennes dans ces régions : 13 °C et 8 °C respectivement (entre octobre et décembre).

Hiver – En **Algarve**, où l'on peut se baigner de mars à novembre (mer à 17 °C et air à 18 °C), sur la Costa do Estoril (mer à 16 °C et air à 17 °C) et surtout à **Madère** (mer et air à 21 °C), l'hiver est très doux et ensoleillé. La floraison des amandiers d'Algarve, vers fin janvier, métamorphose le paysage. On peut pratiquer les sports d'hiver dans la serra da Estrela.

Nos propositions d'itinéraires

Voici quelques suggestions d'itinéraires pour découvrir les différentes régions du pays *(voir carte p. 10)*. Comptez une semaine pour chaque circuit.

👁 **Bon à savoir** – Certains voyagistes *(voir p. 14-15)* proposent des circuits à thème. Renseignez-vous auprès d'eux.

1️⃣ LE MINHO

Circuit de 450 km au départ de Porto – La nature exubérante du Minho et ses vignes omniprésentes en font une zone de tourisme rural fort apprécié. Ce circuit vous fait découvrir **Viana do Castelo**, où la rivière Lima rencontre l'Océan. Une échappée jusqu'à la frontière espagnole vous permet de longer la côte atlantique puis le **Parque Nacional de Peneda-Gerês** avant de rejoindre **Ponte de Barca** et **Ponte de Lima**. Enfin, le retour sur Porto traverse le berceau historique du pays, dont le principal centre religieux, **Braga,** et la première capitale du Portugal, **Guimarães**.

2️⃣ TRÁS-OS-MONTES ET LA VALLÉE DU DOURO

Circuit de 500 km au départ de Porto – Pour les amateurs de vin… Le long du Douro, au cœur de vignes en terrasses, s'élaborent deux vins fameux, le *vinho verde* et le porto. De **Porto** à **Vila Real** s'étend la basse vallée, celle où est conçu le *vinho verde*. Tout près, le manoir de **Mateus** est un joyau de l'architecture baroque. À partir de là, les vignobles du porto prennent place jusqu'à **Torre de Moncorvo**. Lors de votre remontée vers **Bragança**, vous verrez de nombreux barrages sur le fleuve, dans des paysages à consonance désertique.

La fin de l'itinéraire passe par la ville fortifiée de **Chaves** et la **haute vallée du Cávado**, avant de rejoindre le centre religieux de **Braga**. Dans les environs, ne manquez pas le sanctuaire de **Bom Jesus do Monte**.

③ CENTRE ET BEIRA LITTORALE

Circuit de 350 km au départ de Coimbra – Les Beiras présentent de forts contrastes. La partie littorale est bordée de vastes plages et de villages de pêcheurs : **Figueira da Foz**, **Mira** et **Ílhavo**. **Aveiro** est connu pour sa lagune et ses bateaux très colorés, les *moliceiros*, qui voguent sur les canaux de la ville. Plus au centre, **Viseu** est à la fois une vieille ville au cachet ancien et un centre artisanal et agricole encore important. Après la station thermale de **Luso**, la **forêt (mata) de Buçaco** cache un palais royal du 19e s., aujourd'hui transformé en palace.

④ SERRA DA ESTRELA ET BEIRA BAIXA

Circuit de 350 km au départ de Coimbra – Plus on s'éloigne de l'Atlantique, plus la densité de la population diminue. À l'extrême orient, une ligne de forteresses datant du 12e s. part de **Guarda** (« la gardienne ») et se poursuit jusqu'à **Castelo Branco**. Elle révèle l'importance stratégique et la splendeur médiévale de ces villes frontalières avec l'Espagne.

Au cœur de la région, la **serra da Estrela** (ou « montagne de l'Étoile ») est la plus haute chaîne du Portugal continental. Randonneurs et skieurs y trouveront leur bonheur.

⑤ L'OUEST HISTORIQUE

Circuit de 400 km au départ de Lisbonne – Le long des côtes rocheuses de l'Atlantique, en passant par **Sintra**, dont la forêt abrite des palais anciens, vous traverserez des villages de pêcheurs comme **Ericeira**. Plus au nord, dans une région agricole, une belle abbaye cistercienne s'élève à **Alcobaça**, et un monastère fait la renommée de **Batalha**. Le site de **Nazaré** est magnifique, tenaillé entre falaises abruptes et belles plages de sable. L'itinéraire passe ensuite par **Fátima** et **Tomar**, tous deux abritant de beaux édifices religieux. Enfin, le retour sur Lisbonne se fait le long de la **vallée du Tage**.

⑥ VALLÉE DU TAGE ET HAUT-ALENTEJO

Circuit de 450 km au départ de Lisbonne – D'abord, les rives du Tage, domaine des taureaux et des petits villages ensoleillés, bordées de localités intéressantes : **Alpiarça**, le petit château d'**Almourol**, les maisons soulignées de jaune d'**Abrantes**. Puis, en s'éloignant du bord du fleuve, vers l'est, le paysage devient plus vallonné : on est dans l'Alentejo, « au-delà du Tage ». En s'approchant

---

Routes des vins

Le Portugal est sillonné d'une dizaine de routes des vins, notamment la route du Porto, la route des Vinhos Verdes entre Porto et Vigo ou la route du vin du Ribatejo, une région agricole très fertile. Ces routes font découvrir de jolies *quintas* hors des sentiers battus dont vous pourrez visiter les caves et déguster les vins. Pour tout renseignement, contactez les bureaux de l'Institut de tourisme du Portugal de Porto et de Lisbonne ou les offices de tourisme locaux qui vous fourniront des brochures détaillant les circuits. Vous pouvez aussi les suivre librement car ils sont bien indiqués sur les routes.

Vins d'Alentejo – De nombreux vignobles émaillent les **plaines de l'Alentejo**. Le temps de parcourir une route historique, qui traverse notamment la belle ville d'Évora, dégustez les vins de la région. Ce sont des blancs fruités, légèrement acidulés, et des rouges doux et équilibrés lorsqu'ils sont jeunes. Des coopératives (Adegas Cooperativas) se trouvent à Borba, Redondo et Reguengos.

Le porto – C'est dans les haute et moyenne vallées du Douro, à l'est de la ville de Porto, qu'est fabriqué ce fameux vin né au 18e s. L'aire de production du porto s'étend sur 240 000 ha, de **Vila Real à la frontière espagnole**. En bateau, en train ou en voiture, la remontée du Douro avec pauses-dégustation est grandiose.

Le vinho verde – Autre vin du nord du Portugal, le *vinho verde* (blanc ou rouge) de la région du Minho, de **Porto à Vila Real** : il est obtenu à partir d'un raisin pas encore arrivé à maturité. Faiblement alcoolisé, frais et pétillant, il a un goût fruité et légèrement aigrelet.

Pour en savoir plus sur les vins portugais, voir p. 89 à 92.

Propositions d'itinéraires

★ Valença do Minho
Monção
Parque Nacional da Peneda-Gerês
Caminha
N 13
Bravães ✕
Ponte da Barca
Montalegre
Bragança ★
★★ **Viana do Castelo**
Ponte de Lima
N 103
Carvalhelhos
Chaves
IP 4
Barcelos
1
Póvoa de Varzim
2
★ **Braga**
Bom Jesus ★★
Guimarães ★★
Mirandela
N 213
Vila do Conde
A 3
Amarante
Vila Real ★
Peso da Régua
MATEUS ★★★
Torre de Moncorvo
A 4
★★ **PORTO**
DOURO
Lamego
VALE
DO
DOURO
Parque Arqueológico do Vale do Côa ★★

★ **Aveiro**
N 16
Viseu ★
IP 5
A 62
Ílhavo
3
Caramulo
IP 3
Mira
Curia
Luso
Seia
Penhas da Saúde
Guarda ★
Cantanhede
Mata do Bucaço
N 17
Belmonte
Sabugal
A 14
COIMBRA ★★
★**Torre**
Covilhã
IP 2
Sortelha ★
Figueira da Foz
SERRA DA ESTRELA ★
Penamacor
★ Conímbriga
Lousã
N 112
Monsanto ★★
Idanha-a-Velha ★
N 233
Leiria
Zêzere
★★★ BATALHA
★ **Fátima**
★ **Nazaré**
Tomar ★★
Castelo Branco
Caldas da Rainha
Alcobaça ★★
Constância ★
TEJO
N 114
IP 6
IP 6
5
Golegã
Abrantes
Castelo de Vide ★
Peniche
Almourol ★★
N 118
Marvão ★★
★ **Óbidos ★★**
Alpiarça
S. de São Mamede ★
N 247
★ **Santarém**
Almeirim
Portalegre
Ericeira ★
N 116
6
N 246
★ **Mafra ★**
Vila Franca de Xira
SINTRA ★★★
LISBOA ★★★
★ **Estremoz**
Elvas ★
★ **Cascais ★**
Costa da Caparica
★ Evoramonte
Vila Viçosa ★
S. DA ARRÁBIDA
Setúbal ★
Montemor-o-Novo
N 18
ÉVORA ★★★
★ Cabo Espichel
Sesimbra
N 5
Ruínas Romanas de Cetóbriga
Alcácer do Sal ★
N 256
Monsaraz ★★
Sado
N 386
Sines
IP 8
Santiago do Cacém
7
Porto Covo
★ **Beja**
IP 8
★ Vila Nova de Milfontes
★★ *Parque Natural do Sudoeste Alentejano e Costa Vicentina*
Serpa ★
Zambujeira do Mar
Odemira
IP 2
Mértola
Odeceixe
Aljezur
Monchique
Alcoutim
N 122
★ Arrifana
★ Silves
Alte ★
Castro Marim
Vila do Bispo
Portimão ★
N 124
S. Brás de Alportel
Loulé
★★
Tavira
Lagos ★
Albufeira
8
Vila Real de Sto António
CABO DE S. VICENTE E PONTA DE SAGRES ★★★
N 125
★ **Faro**
Olhão
Monte Gordo

0 — 80 km

1 Le Minho : 250 km (7 jours)

2 Trás-os-Montes et la Vallée du Douro : 500 km (7 jours sans randonnée)

3 Centre et Beira Littorale : 350 km (5 jours)

4 Serra da Estrela et Beira Baixa : 350 km (5 jours)

5 L'Ouest historique : 400 km (5 jours)

6 Vallée du Tage et Haut-Alentejo : 450 km (5 jours)

7 Alentejo : 400 km (5 jours)

8 Algarve : 450 km (4 jours)

de la frontière castillane, les cités protègent leurs ruelles pavées médiévales : **Castelo de Vide**, **Marvão**, **Portalegre**, **Elvas**, **Vila Viçosa** et **Estremoz**. Et, pour finir en beauté, la capitale **Évora**, précieux témoignage du mélange des influences tout au long de l'histoire.

7 ALENTEJO

Circuit de 400 km au départ de Lisbonne – Loin de l'activité de Lisbonne, en route vers les grandes plaines de blé du sud portugais… Direction l'Espagne *via* la belle **Évora** et sa voisine fortifiée **Monsaraz**. De ces confins, redescendez vers **Beja**, perchée sur une colline. Puis ralliez la côte atlantique, de **Zambujeira do Mar** à **Setúbal**, pour découvrir la côte alentejane. Avant Lisbonne, l'**estuaire du Sado** est aujourd'hui une réserve naturelle.

8 ALGARVE

Circuit de 450 km au départ de Faro – De **Faro** à **Cabo de São Vicente**, reportez-vous aux propositions de séjours de 3 à 4 jours *(ci-dessous)*. Du cap, la côte ouest est restée plus sauvage, avec de belles plages et des villages ou des petits ports de pêche qui ont gardé un certain cachet : **Vila do Bispo**, **Arrifana**, **Aljezur**. Du beau village blanc d'**Odeceixe**, reprenez vers l'est, à travers l'arrière-pays. La **serra de Monchique** est un havre de fraîcheur, avec de jolis points de vue sur la région. À côté, la **serra do Caldeirão** est parsemée de cités à la physionomie traditionnelle : **Silves**, **Alte**, **Loulé**, **São Brás de Alportel**. Enfin, de **Mértola** à **Vila Real de Santo António**, le long de la vallée du Guadiana, c'est un parcours bucolique, entre sérénité et tradition.

Nos propositions de séjour

MADÈRE

La « perle de l'Atlantique » est une île subtropicale, dont la douceur du climat, la variété des paysages et la beauté de la flore constituent les ingrédients d'un séjour réussi. Funchal est la capitale de l'île de Madère, et la seule grande localité, d'où vous pouvez aisément rayonner dans les environs. Pour réaliser le tour de l'île, comptez 2 jours minimum, mais prévoyez 2 ou 3 jours supplémentaires pour effectuer des randonnées le long des *levadas*, ces canaux d'irrigation

qui sillonnent l'île pour le plus grand bonheur des amoureux de la nature. Sur l'île voisine de Porto Santo, à 40 km au nord-est, une plage de sable s'étale sur 8 km le long de la côte sud (pour une excursion à la journée).

⏱ *Reportez-vous à la partie « Madère ».*

Le marché des cultivateurs à Funchal sur l'île de Madère.

LA CÔTE DE L'ALGARVE

Porte de la région sud de l'Algarve, **Faro** occupe le point le plus méridional du Portugal.

Après la visite de la vieille ville, un itinéraire jusqu'au **cap Saint-Vincent** vous offre des vues splendides sur la côte atlantique, tour à tour escarpée et bordée de belles plages. Passez une journée à Lagos, une cité tranquille bordée de superbes criques.

L'arrière-pays de Faro ne manque pas de charme avec des paysages plantés de figuiers, d'amandiers et d'orangers : vous pourrez faire plusieurs haltes pour découvrir les ruines de Milreu, la magnifique église de São Lourenço, ou encore le charmant village d'Alte.

Plus à l'est, la petite ville de **Tavira**, dont le patrimoine a été préservé, ravira les touristes à la recherche d'un peu de calme et de beauté. Vous pourrez également faire une promenade d'une journée dans la vallée du Guadiana, en longeant le fleuve jusqu'à Mértola.

⏱ *Voir la partie « l'Algarve ».*

Nos idées de week-end

Lisbonne et Porto sont des destinations privilégiées pour passer un week-end. Disposant d'un aéroport international, elles sont facilement accessibles. En prolongeant le week-end d'un jour ou deux, vous pourrez également profiter de leurs environs immédiats.

Les façades colorées sur les quais de la Ribeira à Porto.

LISBONNE ET SINTRA

Ville dynamique, méditerranéenne, où se mêlent affaires et culture ; lieu fascinant où il fait bon se perdre… Deux jours à **Lisbonne** vous permettront de découvrir les quartiers de la **Baixa**, de l'**Alfama**, de **Belém**, du **Chiado** et du **Barrio Alto**. Vous pourrez également visiter, selon vos centres d'intérêts, le musée des Arts anciens, la fondation Gulbenkian ou le monastère des Jerónimos.

Atmosphère tout autre lors d'une journée à **Sintra**, véritable havre de paix entre parcs romantiques et exubérants palais perdus dans la serra.

Voir « Lisbonne » et « Sintra ».

PORTO ET LA VALLÉE DU DOURO

Malgré des apparences de ville austère et industrieuse, **Porto** se révèle une cité très attachante avec son **vieux quartier** pittoresque et ses agréables **quais** qui courent le long du Douro. Sur l'autre rive, à Vila Nova de Gaia, se répartissent les chais des grandes maisons de porto qui ont fait la célébrité de la ville. Dans le « **Porto moderne** », à l'ouest, la fondation de Serralves mérite également une visite. De Porto à Vila Real, 177 km le long de la **basse vallée du Douro** vous offriront une escapade enivrante entre vignes du *vinho verde* et patrimoine religieux.

Voir « Porto » et « Vallée du Douro ».

WEEK-END DE GOLF

L'Algarve, qui compte 19 terrains de haut niveau, accueille tous les ans l'Algarve Open de Portugal. Dans un rayon de 10 km entre Albufeira et Vilamoura, six terrains de golf séduisent les amateurs du monde entier. Vous aurez notamment le choix entre le Pine Cliffs, qui s'étend le long de hautes falaises, et le Pinhal Golf Course, situé en pleine pinède. Les plus grands golfeurs européens font régulièrement l'éloge des greens du terrain de Vila Sol. Plus à l'est, le terrain de San Lorenzo est considéré par des revues spécialisées comme le second meilleur terrain de golf de l'Europe continentale.

Après avoir amélioré votre technique du *dogleg*, ne manquez pas de vous rendre sur l'une des magnifiques plages de la côte et de faire une excursion dans l'arrière-pays : vous pouvez sans hésiter partir à la découverte de la serra de Monchique et de ses villages d'un blanc éclatant.

Voir aussi la rubrique « Golf » p. 30.

Avec les Cartes et Guides Michelin, donnez du relief à vos voyages

Avec les cartes Michelin, choisissez la route de vos vacances.
Avec le guide vert et les guides Voyager Pratique,découvrez notre dernière sélection des sites étoilés Michelin et les plus beaux itinéraires.
Avec le guide MICHELIN, dans toutes les catégories de confort et de prix, savourez les bonnes adresses.

À FAIRE AVANT DE PARTIR

Où s'informer ?

OFFICES DU TOURISME

Paris – *135 bd Haussmann - 75008 Paris - Mᵒ Miromesnil -* ℰ *01 56 88 30 80 - lun.-vend. 9h30-17h30.*

Bruxelles – *5 r. Joseph-II - boîte 3 - 1000 Bruxelles - Mᵒ Arts-Loi -* ℰ *02 230 52 50.*

Toronto – *60 Bloor Street West - Suite 1005 - Ontario - M4W 3B8 -* ℰ *(416) 921 73 76.*

Zürich – *Badenerstraße 15 - 8004 Zürich -* ℰ *01 241 03 00/9.*

👆 Vous retrouverez contacts et informations sur le site très complet de l'office de tourisme du Portugal : **www.visit-portugal.com**.

ORGANISMES OFFICIELS

Paris (ambassade) – *3 r. de Noisiel - 75016 Paris - Mᵒ Porte-Dauphine -* ℰ *01 47 27 35 29 (voir ci-contre).*

Genève (consulat) – *220 rte de Ferney - 1218 Le Grand-Saconnex -* ℰ *(41 22) 791 05 11.*

Bruxelles (ambassade) – *55, av. de la Toison-d'Or - Bruxelles 1060 -* ℰ *02 533 07 00.*

Montréal (consulat) – *2020 r. de l'Université - Suite 1725 - Montréal - Québec - H3A 2A5 -* ℰ *(514) 499 06 21.*

CENTRES CULTURELS ET LIBRAIRIES

Centre culturel (Instituto Camões) – *26 r. Raffet - 75016 Paris -* ℰ *01 53 92 01 00 - www.instituto-camoes.pt.* Le petit centre culturel de l'ambassade propose des cours et stages de langue pour adultes.

Fondation Calouste Gulbenkian – *51 av. d'Iéna - 75016 Paris -* ℰ *01 53 23 93 93 - www.gulbenkian-paris.org.* Elle abrite une bibliothèque et organise des expositions ainsi que des conférences. Les ouvrages publiés par la fondation sont en vente à la librairie Jean Touzot à Paris (*38 r. Saint-Sulpice, 75006*).

Librairie Portugaise – *10 r. Tournefort - 75005 Paris -* ℰ *01 43 36 34 37 - www.librairie-portugaise.com.* Littérature, histoire, beaux-arts : tout pour satisfaire votre curiosité sur le monde lusophone, en français et en portugais.

Librairie Lusophone – *22 r. du Sommerard - 75005 Paris -* ℰ *01 46 33 59 39.* Uniquement dédiée à la langue portu-gaise, cette librairie propose de nombreux ouvrages en version originale ou traduits en français.

Librairie Portugal – *146 r. Chevaleret - 75013 Paris -* ℰ *01 45 85 07 82 - www.presseportugaise.com.* Avec des ouvrages en version originale et de nombreux titres de la presse portugaise, mais aussi des CD et des DVD, elle est très fréquentée par les Portugais de Paris. Plusieurs adresses en province également.

SITES INTERNET

Outre celui de l'office du tourisme *(voir ci-contre)*, de nombreux sites Internet peuvent vous aider à organiser votre voyage, obtenir des informations et approfondir votre connaissance du Portugal.

www.ambafrance-pt.org – Site de l'ambassade de France à Lisbonne. Brèves d'actualité sur le pays (en français).

www.missioneco.org/portugal – Site de la Mission économique. Cartes et fiches de synthèse sur l'économie et la société portugaises (en français).

www.embaixada-portugal-fr.org – Site de l'ambassade du Portugal à Paris. Informations sur la situation socio-politique, données touristiques générales (en français et portugais).

www.ipmuseus.pt – Tous les musées et agendas culturels du Portugal, informations pratiques et résumés des collections (en portugais).

jn.sapo.pt, **www.dn.pt**, **www.publico.clix.pt** – Sites des principaux organes de presse (en portugais).

www.meteo.fr – Prévisions météorologiques de la péninsule Ibérique et des principales villes portugaises (en français).

www.pai.pt – Équivalent portugais des Pages Jaunes (en anglais et portugais).

www.portugalmania.com – Site très bien conçu proposant toutes sortes d'informations pratiques en français (numéros utiles, plans en ligne, etc.). Également des forums et des petites annonces.

AGENCES DE VOYAGES À PARIS

Spécialistes du Portugal

Lusitania – *Plusieurs agences à Paris et en région, une à Lyon -* ℰ *01 42 89 42 99 - www.lusitania.fr.* Propose diverses formules de séjours (week-ends, circuits) en individuel, et des villas à louer sur le Portugal continental et les archipels.

Estrela – *131 r. Cardinet - 75017 Paris -* ☎ *01 47 63 49 30 - www.estrela.fr.* À son catalogue notamment : des circuits famille et des séjours thématiques (croisière, golf, pêche). Location de villas.

Voyages « Culture »

Association Arts et Vie – *Cinq agences en France (Paris, Grenoble, Lyon, Marseille et Nice) -* ☎ *01 40 43 20 21 - www.artsvie. asso.fr.* De nombreuses propositions allant du week-end à Lisbonne au séjour randonnée à Madère.

Clio – *27 r. du Hameau - 75015 Paris (Mᵒ Porte-de-Versailles) -* ☎ *0 826 10 10 82 - www.clio.fr.* Visiter le pays avec un conférencier vous tente ? Voyage historique et culturel de Porto à Lisbonne ou le temps d'une croisière sur le Douro.

Voyages « Aventure »

Nomade Aventure – *Diverses agences en France -* ☎ *0 825 701 702 - www. nomade-aventure.com.* Organise des treks à pied dans l'archipel de Madère, pour individuels ou en famille.

Terre d'Aventures – ☎ *0 825 700 82 - www.terdav.com.* Organise aussi des treks dans les archipels portugais et un sur le continent.

Formalités

DOCUMENTS IMPORTANTS

Pièces d'identité – Les **ressortissants de l'Union européenne** doivent être en possession d'une carte d'identité en cours de validité ou d'un passeport (en cours de validité ou périmé depuis moins de 5 ans). Les mineurs voyageant seuls doivent présenter un passeport en cours de validité. S'ils n'ont que la carte d'identité, une autorisation parentale sous forme d'attestation délivrée par la mairie ou le commissariat de police est demandée.

La carte d'identité nationale ou un passeport en cours de validité est requis pour les **Suisses**. Les **Canadiens**, exemptés de visa pour un séjour inférieur à trois mois, doivent présenter leur passeport en cours de validité.

Permis de conduire – Le conducteur d'une voiture de tourisme doit être en possession d'un permis de conduire à trois volets ou d'un permis international. Il doit pouvoir présenter les papiers du véhicule, ainsi que la carte verte, délivrée par la compagnie d'assurances. La plaque réglementaire de nationalité est obligatoire à l'arrière du véhicule.

ASSURANCES SANTÉ

Vérifiez que vous êtes assuré à l'étranger. Si ce n'est pas le cas, souscrivez un contrat d'assurance rapatriement. Les titulaires d'une carte de crédit internationale (Premier, Gold, etc.) bénéficient d'un contrat d'assistance sanitaire s'ils payent leur titre de transport avec celle-ci.

Sécurité sociale

Depuis juin 2004, la **carte européenne d'assurance maladie** remplace le formulaire E 111. Nominative et individuelle, elle permet aux ressortissants de l'Union européenne et aux Suisses de bénéficier d'une prise en charge sur place de leurs frais médicaux. Pensez à faire votre demande auprès de votre caisse d'assurance maladie deux semaines au moins avant votre départ.

DOUANES

La réglementation concernant les importations (alcools, cigarettes, etc.) est la même dans toute l'Europe.

ANIMAL DE COMPAGNIE

Depuis juillet 2004, les chiens, chats et autres animaux domestiques doivent être munis d'un **passeport** pour voyager librement en Europe (à l'exception du Royaume-Uni, de l'Irlande et de la Suède). Ce passeport délivré par les vétérinaires a valeur de document officiel. Il fournit la preuve que l'animal a bien été immunisé contre la rage et peut, le cas échéant, attester d'autres vaccinations. Enfin, sachez que les animaux de compagnie sont souvent refusés dans les hôtels et les restaurants, et interdits dans la plupart des lieux publics (y compris les plages).

Se rendre au Portugal

🔸 *Les renseignements pratiques spécifiques à l'archipel de Madère se trouvent dans les chapitres le concernant.*

PAR AVION

Compagnies régulières

Il est conseillé de réserver les billets plusieurs mois à l'avance pour les départs en été compte tenu des nombreux retours des Portugais résidant à l'étranger, surtout au mois d'août.

La **TAP** (compagnie aérienne portugaise) et Air France assurent plusieurs liaisons quotidiennes directes de Paris (ou Genève et Bruxelles) vers Lisbonne, Porto et Faro, avec correspondance pour Funchal (île de Madère). Il n'existe pas de vols directs du Canada vers le Portugal : envisagez une correspondance à Paris.

TAP Air Portugal – *23 bd Poissonnière - 75002 Paris -* ℰ *0 820 319 320 - www. tap.fr.*

Air France – *49 av. de l'Opéra - 75002 Paris - centrale de réservation en France* ℰ *0 820 820 820 - www.airfrance.fr.*

Aigle Azur – *7 bd Saint-Martin - 75003 Paris -* ℰ *0 810 797 997 - www. aigle-azur.fr. Vols de Paris vers Lisbonne, Porto et Faro.*

Ryanair – *www.ryanair.com.* La compagnie irlandaise à bas coûts propose des vols directs vers Porto depuis Paris-Beauvais, Marseille et Bruxelles, et entre Faro et Bruxelles.

Easyjet – *www.easyjet.com.* Dessert Porto et Lisbonne à partir de Paris, Lyon ou Genève à bas prix.

Vols dégriffés et charters

Vous pouvez également consulter les organismes suivants, qui proposent des voyages dégriffés à prix doux.

Anyway, Expedia – ℰ *0 892 302 301/301 300 - www.anyway.com ou www.expedia.fr.*

Lastminute – ℰ *04 66 92 30 29 - www. lastminute.fr.*

GoVoyages – *14, rue de Cléry - 75002 Paris -* ℰ *01 53 404 404 - www. govoyages.com.*

En été, de nombreux vols charters desservent Faro, Lisbonne et Porto. Adressez-vous par exemple aux organismes suivants, présents dans toute la France :

Look Voyages – ℰ *01 45 15 31 70 - www. look-voyages.fr.* Les catalogues disponibles dans les agences de voyages proposent des vols secs à prix compétitifs, des circuits et des séjours.

Nouvelles Frontières – ℰ *0 825 000 747 (centrale de réservation) - www. nouvelles-frontieres.fr.* Vols secs ou formules de séjours à tous les prix, que vous pourrez consulter dans les différentes brochures à thème (séjours, circuits, escapades, etc.).

Wasteels – ℰ *01 55 82 32 33 - www. wasteels.fr.*

Informations sur Internet

Opodo – *www.opodo.fr.* Ce site, fruit d'un partenariat entre diverses compagnies aériennes, permet d'étudier et de comparer les différentes possibilités et les tarifs en fonction de votre date de départ, et de passer votre commande en ligne.

Easyvols – *www.easyvols.fr.* Le site recherche les vols, les disponibilités et les classes du moins cher au plus cher, parmi les offres proposées par les agences partenaires (Opodo, Govoyages, Lastminute, Anyway, etc.).

PAR LE TRAIN

De Paris – *www.voyages.scnf.com.* Il n'existe pas de train direct pour se rendre au Portugal. De Paris-Montparnasse, un **TGV** part quotidiennement à 15h50 vers Irún en Espagne, où vous prendrez le **Sud-Expresso** jusqu'à Lisbonne (comptez au moins 19h de trajet). Pour Porto, changement supplémentaire à Coimbra (19h30 de voyage).

De Bruxelles – *www.thalys.com.* Aucune liaison directe, prenez le Thalys jusqu'à Paris.

De Genève ou Zürich – Direct jusqu'à Barcelone, changements à Barcelone et Madrid.

P. de Franqueville/MICHELIN

La gare de Porto.

PAR AUTOCAR

De France – *Gare routière internationale Paris-Gallieni - 28 av. du Général-de-Gaulle - 93541 Bagnolet -* ℰ *0 892 89 90 91 (n° national de réserv.) - www. eurolines.fr.* La compagnie **Eurolines** dessert une centaine de villes portugaises. Les cars partent des gares routières de nombreuses villes de province.

De Belgique – ℰ *02 274 13 50 (centrale de réserv.) - www.eurolines.be.* Liaisons avec les principales villes portugaises depuis la place de la Constitution ou la rue du Progrès à Bruxelles, et quelques autres villes belges.

EN VOITURE

Le service de calcul d'itinéraires sur le site **www.viamichelin.com** indique des trajets selon votre préférence (le plus court, le plus rapide, sans péage, etc.), et les distances entre localités.

Distances en km	Bragança	Coimbra	Évora	Faro	Guarda	Lisbonne	Porto
Bragança	-	322	473	746	188	512	211
Coimbra	322	-	251	435	149	201	115
Évora	473	251	-	227	289	135	354
Faro	746	435	227	-	551	277	549
Guarda	188	149	289	551	-	318	207
Lisbonne	512	201	135	277	318	-	305
Porto	211	115	354	549	207	305	-

De Paris – La route la plus directe passe par Bordeaux, Bayonne, Vitoria, Burgos, Salamanque, ce qui représente 1 360 km jusqu'à la frontière portugaise, à **Vilar Formoso**. Pour aller dans le sud, suivez le même parcours jusqu'à Salamanque (1 284 km), où vous bifurquerez par Cáceres et Badajoz pour passer par le poste frontière de **Elvas-Caia** (plus 316 km).

De Bruxelles – Rejoignez Paris (310 km) et suivez les indications ci-dessus.

De Genève – 1 400 km jusqu'à Salamanque. Le trajet le plus court passe par Lyon, Clermont-Ferrand, Bordeaux. Suivez ensuite les indications données pour rejoindre le Portugal depuis Paris.

Bon à savoir – Outre votre permis de conduire et la carte verte d'assurance, vous devez posséder un triangle de présignalisation.

Réserver son hébergement

Si vous voyagez en haute saison (juin-août, Pâques et fêtes de fin d'année) dans des régions touristiques telles que l'Algarve, vous devez absolument réserver votre hébergement longtemps à l'avance. En ce qui concerne Lisbonne, vous devez réserver plusieurs semaines à l'avance entre les mois d'avril et d'octobre, surtout dans les hôtels très référencés. Si vous souhaitez visiter la région de Tomar et de Leiria pendant les pèlerinages de Fátima, notamment celui de mai, sachez que vous aurez beaucoup de mal à trouver un hébergement, même à l'avance.

Hôtels

Il existe plusieurs **sites** vous permettant de réserver. Si vous ne souhaitez pas planifier vos étapes à l'avance, ces services vous permettront d'affiner vos choix.

Mais Turismo – *www.hotelguide.pt*. Site complet et multilingue qui offre un large choix d'hôtels (photos et informations pratiques).

Portugal Hotels – *www.portugal-hotels. com*. Sélection d'établissements. Cartes des plus grandes villes du pays et offres « dernière minute ».

Pousadas

Voir description p. 24.

Enatur – *11 r. Blanche - 75009 Paris - 01 44 63 18 30 - www.pousadas. pt*. Promotions « dernière minute » et « week-end ».

Auberges de jeunesse

Movijovem – *www.pousadasjuven-tude.pt*. Ce site répertorie l'ensemble des auberges de jeunesse du Portugal. **Réservations** par téléphone – *707 20 30 30* ou fax *213 56 81 29*.

Agritourisme

Central Nacional de Turismo no Espaço Rural – *www.center.pt*. Il recense un grand nombre d'hébergements en milieu rural, de la demeure rustique au manoir.

Associação do Turismo de Habitação – *Praça da República - 4990-062 - Ponte de Lima - 258 74 16 72/28 27 - www.turihab.pt ou www.solaresdeportugal.pt*.

Voir aussi « Se loger » p. 24-25.

Argent

MONNAIE

Membre de la zone euro, le Portugal a remisé ses *escudos* pour l'**euro** en janvier 2002.

En 2008, pour les voyageurs suisses, un **franc suisse** vaut 0,62 € (ou 1 € = 1,61 CHF).

Pour les Canadiens, un **dollar canadien** vaut 0,64 € (ou 1 € = 1,55 CAD).

Pour connaître les taux de change actuels : www.fr.finance.yahoo.com/convertisseur.

Info pratique

TÉLÉPHONER AU PORTUGAL

Depuis la France, la Belgique et la Suisse, composez le 00 + 351 + numéro à 9 chiffres du correspondant.

Depuis le Canada, composez le 0011 + 351 + numéro à 9 chiffres du correspondant.

DÉCALAGE HORAIRE

L'heure légale du Portugal est celle du méridien de Greenwich, soit **une heure de moins** par rapport à la France.

CHANGE ET CARTES DE CRÉDIT

Le change de monnaies étrangères en euros peut se faire dans les banques et les bureaux de change. Il existe également des machines automatiques de change devant certaines banques. Très courants, les distributeurs automatiques de billets appelés *multibanco* permettent de retirer du liquide avec la plupart des cartes de crédit. Sachez cependant que la plupart des pensions n'acceptent pas les cartes de crédit, de même que de nombreux petits restaurants.

Pensez à demander à votre agence le numéro à composer de l'étranger pour faire **opposition** si besoin est. En cas d'oubli, un serveur vocal est valable pour tous les types de cartes : ✆ *0 892 705 705 (0,34 €/mn)*.

👆 *Voir la rubrique « Banques » p. 27.*

CHÈQUES DE VOYAGE

Pratiques pour les sommes importantes, ils existent en coupures de 50, 100 et 200 €. Ils sont acceptés dans toutes les banques et la majorité des bureaux de change portugais. En revanche, leur usage n'est pas très courant dans les hôtels. D'autre part, les frais de commission sont élevés (notamment la part fixe, près de 12 €).

Budget

HÉBERGEMENT ET RESTAURATION

Malgré un alignement progressif sur les prix européens, Lisbonne reste l'une des capitales les moins chères d'Europe.

Les budgets indiqués **par jour et par personne** comprennent la nuit dans une chambre double (en principe le petit-déjeuner est inclus), le déjeuner et le dîner. Les autres types de frais (transports, visites des monuments) n'ont pas été pris en compte. Cependant, voici quelques prix à titre indicatif : un café à partir de 0,60 €, un thé à partir de 1 €, un ticket de bus à l'unité 1,35 €, un ticket de cinéma autour de 5 €, un journal quotidien 1 €, les entrées de musées de 2 à 5 €. Pour assister à une *tourada* ou à un spectacle de fado, comptez au moins 20 €.

Petits budgets

Environ **50 €** : choisissez votre hébergement dans la catégorie ⊖. Vous descendrez dans une pension, un *residencial* ou un hôtel simple et convivial. L'un des deux repas sera pris dans un établissement de restauration légère et le dîner, dans un restaurant simple de bon rapport qualité-prix (moins de 15 €).

Budgets moyens

Environ **90 €** : avec ce budget journalier, vous pourrez faire étape dans des établissements ⊖⊖. Dans cette catégorie, vous trouverez des hôtels confortables et agréablement aménagés. Vous effectuerez un repas léger et l'autre sera pris dans un restaurant plus haut de gamme (entre 16 et 30 € par personne).

Budgets plus larges

À partir de **120 €** : votre séjour s'effectuera dans des conditions très confortables. Vous passerez la nuit dans des hôtels de standing, dans de très jolies *quintas* de l'arrière-pays ou dans de splendides *pousadas* de la catégorie ⊖⊖⊖. Vous pourrez également vous offrir un repas gastronomique dans un établissement renommé (plus de 30 €).

👆 *Voir le tableau des prix p. 25.*

VOYAGER MOINS CHER

Voyager en train à tout âge

La **carte InterRail** permet de circuler à moindre coût en Europe, à des tarifs plus avantageux pour les −26 ans. Elle se décline en plusieurs formules. InterRail One Country Pass permet d'explorer le Portugal de façon illimitée pendant 3, 4, 6 ou 8 jours au choix sur une période d'un mois. InterRail Gobal Pass, valable dans 30 pays, permet de voyager de façon illimitée et continue pendant 22 jours ou un mois, ou bien de voyager de façon illimitée pendant 5 jours au choix sur une période de 10 jours, ou pendant 10 jours au choix sur une période de 22 jours. Procurez-vous cette carte auprès de la SNCF – ✆ *36 35 (0,34 €/mn) - www. interrailnet.com.*

La **carte Eurail Pass** offre également plusieurs formules. L'Eurail Pass Portugal

Tarif ombre ou soleil ?

permet de voyager de façon illimitée dans le pays pendant 3, 4 ou 6 jours sur une période d'un mois. L'Eurail Pass régional Espagne-Portugal permet de voyager dans la péninsule Ibérique de façon illimitée pendant 3 à 10 jours sur une période de deux mois. Enfin les cartes Eurail Global Pass et Eurail Select Pass permettent de voyager de façon illimitée, continue ou non, dans plusieurs pays d'Europe dont le Portugal. La carte n'est pas valable sur le réseau SNCF ; elle est moins onéreuse pour les –26 ans.

Voyager jeune...

Sur place, certaines cartes de réductions réservées aux jeunes donnent droit à des tarifs préférentiels sur les transports, l'hébergement, l'entrée des musées et des sites.

Les collégiens, lycéens et étudiants peuvent se procurer l'**ISIC** (International Student Identification Card) moyennant 12 € sur présentation d'une pièce d'identité, d'un document attestant leur statut d'étudiant et de deux photos. Cette carte valable un an est délivrée par les agences Wasteels Voyages *(voir p. 16)*, l'OTU, les CROUS et les centres d'information jeunesse.

Pour plus d'informations, adressez-vous à ISIC-France – *2 r. de Cicé - 75006 Paris - ℘ 01 40 49 01 01 - www.isic.tm.fr.* Pour ceux qui ne sont pas étudiants, et pour le même prix, la **carte Go 25**, ou Carte jeune internationale de voyage (IYTC), offre aux –26 ans les mêmes réductions que l'ISIC.

Pour vous la procurer, contactez l'OTU – *119 r. Saint-Martin - 75004 Paris - ℘ 01 40 29 12 22 - www.otu.fr ou bien l'ISIC (voir ci-dessus).*

... et moins jeune

Munis de leur **carte Senior**, les ressortissants de l'Union européenne de 60 ans et plus ont droit à une réduction sur les billets de train ainsi que sur certaines entrées de musées et de sites.

Qu'emporter ?

Tout dépend évidemment de la saison à laquelle vous partez et du type d'activité que vous comptez y pratiquer.

L'été, emportez des vêtements légers, mais aussi quelques habits un peu plus chauds pour les soirées qui peuvent parfois être plus fraîches, selon la région. Si vous envisagez de lézarder sur les plages atlantiques ou de l'Algarve, n'oubliez pas bien sûr vos lunettes de soleil et un chapeau.

En automne et au printemps, pensez à prendre un imperméable. En hiver, il peut faire froid, surtout dans l'arrière-pays. Sachez en outre que les pensions les plus modestes sont mal chauffées.

Enfin, quelle que soit la saison, mettez dans votre valise une bonne paire de chaussures de marche qui sera très utile à Lisbonne.

PORTUGAL PRATIQUE

Adresses utiles

OÙ S'INFORMER

Offices de tourisme – Les offices de tourisme municipaux *(postos de turismo)*, pratiquement présents dans toutes les villes du pays, sont gérés par les cinq régions de tourisme *(Região de Turismo)*. Plusieurs villes dont Lisbonne, Porto, Estoril et Sintra possèdent un office de tourisme indépendant, qui dépend directement de la municipalité. En général, ils fournissent peu de brochures (portugais et anglais). Le personnel parle plusieurs langues dont, souvent, le français.

👁 **Bon à savoir** – Dans les villages, un bureau paroissial tient lieu d'office du tourisme *(junta da freguesia)*.

ITP (Instituto de Turismo de Portugal) – L'office national de tourisme dispose de bureaux d'information dans les trois aéroports du pays et dans le centre de Lisbonne et de Porto. Le personnel souvent multilingue vous aidera à trouver un hébergement, louer une voiture, etc.

EN CAS DE PROBLÈMES

Ambassades et consulats

Ambassade de France – R. de Santos-o-Velho, 5 - 1249-079 Lisboa - ☎ 213 93 91 00 - www.ambafrance-pt.org.

Consulat de France – Av. da Boavista, 1681-2º - 4100-132 - Porto - ☎ 226 07 82 20 - www.consulfrance-porto.org.

Ambassade/Consulat de Belgique – Praça do Marquês de Pombal, 14-6º - 1269-024 Lisboa - ☎ 213 17 05 10 - www.diplomatie.be/lisbonfr.

Ambassade du Canada – Av. da Liberdade, 196/200-3º - 1269-121 Lisboa - ☎ 213 16 46 00 - www.dfait-maeci.gc.ca/lisbon.

Ambassade de Suisse – Travessa do Jardim, 17 - 1350-185 Lisboa - ☎ 213 94 40 90.

Numéros d'urgence

SOS et police – ☎ 112.

Assistance médicale – ☎ 115.

Se déplacer au Portugal

EN AVION

En raison de leur coût élevé et des faibles distances à parcourir, les vols domestiques présentent peu d'intérêt à l'exception de l'archipel de Madère *(voir ce nom)*.

Aéroports internationaux

Sur le continent – Lisbonne, Porto, Faro.

À Madère – Funchal, Porto Santo.

Exemples de durée des trajets : Lisbonne-Porto 50mn ; Lisbonne-Faro 40mn ; Lisbonne-Funchal 1h40.

👁 *Voir l'encadré pratique des villes pour localiser l'aéroport et connaître les liaisons avec le centre-ville.*

Compagnies aériennes

TAP-Air Portugal – Av. Duque de Loulé, 125 - Lisbonne - réserv. : ☎ 707 205 700 - www.tap.fr.

SATA – Air Açores - Av. da Liberdade, 261 - Lisbonne - réserv. : ☎ 707 22 72 82 - www.sata.pt.

Air France – Aéroport - ☎ 707 202 800 - www.airfrance.fr.

EN TRAIN

Le réseau ferroviaire portugais, assez bon marché, est surtout intéressant sur la bande littorale (entre Faro et Braga). L'**Alfa-pendular** relie deux fois par jour Lisbonne à Faro (3h), et Lisbonne à Porto toutes les une à deux heures (3h, avec escale à Coimbra). Les **trains Intercidades** effectuent les mêmes trajets, avec des arrêts plus fréquents et des tarifs plus intéressants, et desservent également Beja, Leiria, Covilhã, Guarda, Peso da Régua. Enfin les trains régionaux, interrégionaux

---

Mises en garde

Si vous vous baignez sur les plages bordées par l'océan Atlantique, surtout sur la côte ouest, faites attention aux courants, parfois violents. Choisissez de préférence les plages surveillées *(area concessionada)*, signalées par un panneau vert.

À Lisbonne, une certaine vigilance est recommandée, surtout la nuit, dans les quartiers de Penha de França, de Campolide et de Campo Grande. Les pickpockets sont particulièrement nombreux dans les tramways 25 et 28. À Porto, la nuit, évitez les quartiers avoisinant le port et les quais.

et suburbains desservent les lignes secondaires.

Pour toute **information** : ✆ 808 208 208 - www.cp.pt (en anglais et portugais).

🎧 *Voir aussi les cartes InterRail et Eurail Pass p. 18.*

EN AUTOCAR

Le Portugal dispose d'un réseau très dense de lignes d'autocars : toutes les localités sont desservies, et les tarifs sont souvent inférieurs à ceux du train. Si vous n'avez pas de voiture, c'est le meilleur moyen de visiter le sud du pays. Les **lignes express** relient les principales villes du Portugal ; les **lignes régionales** effectuent des arrêts plus fréquents. Les bureaux de vente des gares routières sont ouverts tous les jours.

Rede Nacional de Expressos – *Praça Marechal Humberto Delgado (r. das Laranjeiras) - 1500-543 - Lisboa -* ✆ *707 223 344 - www.rede-expressos.pt (en portugais).* Principale compagnie, elle propose des lignes express.

La gare d'Aveiro.

J.-Y. Grégoire/MICHELIN

EN TAXI

Reconnaissables à leur **couleur beige**, les taxis portugais sont relativement bon marché. Le tarif de prise en charge est de 2,80 €, auquel s'ajoutent une taxe de 1 € en cas de réservation téléphonique et de 1,60 € pour les bagages.

EN TRANSPORT EN COMMUN

Dans les grandes villes, vous aurez le choix entre le tramway, l'autobus et le métro pour Lisbonne.

Il existe des cartes journalières, hebdomadaires et mensuelles, ainsi que des formules destinées aux visiteurs.

🎧 *Voir aussi les encadrés pratiques de Lisbonne et de Porto.*

EN VOITURE

Permis de conduire

Pour conduire au Portugal, vous devez être en possession de votre permis de conduire national ou d'un permis international.

Location de voitures

Les principales compagnies de location de voitures sont bien représentées au Portugal dans les aéroports et les gares ferroviaires ayant des départs internationaux. L'âge minimum pour louer une voiture est 21 ans.

Avis – ✆ *217 54 78 25 et 800 20 10 02 (depuis le Portugal) - www.avis.com. pt.* **Europcar** – ✆ *218 40 11 76 (aéroport de Lisbonne) - www.europcar.pt.*

État du réseau routier

Depuis que le Portugal est entré dans l'Union européenne, le réseau routier s'est beaucoup amélioré. Les autoroutes, toutes neuves, ne sont pas très fréquentées en raison du prix élevé des péages.

Cartes et plans

La carte Michelin **National 733** (au 1/400 000) couvre le Portugal et Madère ; elle comprend aussi des plans de villes et un index des localités. Autrement, vous pouvez vous procurer l'Atlas Espagne, Portugal n° 460 (au 1/400 000) ou le Mini Atlas Espagne, Portugal n° 28 (au 1/1 000 000). Enfin, pour arpenter **Lisbonne** choisissez le plan de ville Michelin n° 39 (au 1/11 000).

Le site **www.viamichelin.fr** offre une multitude de services et d'informations pratiques d'aide à la mobilité (calcul d'itinéraires détaillés avec leurs temps de parcours, cartes de pays, plans de villes, sélection d'hôtels, etc.).

Code de la route

La **vitesse** est limitée à 120 km/h sur autoroute, 90 km/h sur route, 50 km/h en agglomération. **Si vous tractez une caravane**, les limitations sont de 100 km/h sur autoroute, 70 km/h sur route et 50 km/h en agglomération.

Le port de la **ceinture** de sécurité est obligatoire à l'avant et à l'arrière. La carte verte est obligatoire. La circulation se fait à droite. Dans les croisements, la **priorité** appartient en principe aux véhicules venant de droite. Les sens giratoires fonctionnent comme en France. Attention, les **passages cloutés** sont matérialisés sur la chaussée par un stop.

Le **taux d'alcoolémie** dans le sang ne doit pas être supérieur à 0,5 gramme/ litre.

Vous avez
la bonne adresse !

Du palace à la maison d'hôte, du grand restaurant au petit bistrot, la collection des guides MICHELIN, ce sont 45.000 hôtels et restaurants sélectionnés par nos inspecteurs en Europe et dans le monde. Où que vous soyez, quel que soit votre budget, vous avez la bonne adresse !

www.cartesetguides.michelin.fr

Consignes de sécurité

Une **grande prudence** est recommandée aux automobilistes. En effet, les Portugais roulent à vive allure. En traversant les villes et les villages, il faut faire très attention aux enfants qui gambadent au bord de la chaussée et se frayer lentement un passage dans la soirée, lorsque les Portugais sont dans la rue. Dans le nord, un grand nombre de routes sont encore pavées. De nombreux camions, chariots ou bicyclettes encombrent les routes, rendant la circulation difficile. Pour réduire le nombre d'accidents, le programme **« Tolérance zéro »** est appliqué sur certaines grandes voies par un renforcement des contrôles de police et une application rigoureuse du code de la route (par exemple, tout dépassement de la vitesse autorisée est sanctionné par une amende).

👁 **Bon à savoir** – Sur l'IP 5, qui relie Aveiro à Vilar Formoso, il est obligatoire de rouler avec **les feux de croisement allumés**, même de jour !

Routes payantes

Au Portugal, la majeure partie des autoroutes sont payantes, mais quelques tronçons sont libres de péage.

Sur les **cartes Michelin**, les sections de routes payantes et leur longueur sont signalées en rouge ; les sections gratuites, en bleu.

Stationnement

Il existe des places exclusivement réservées aux handicapés. Le non-respect de ces places est puni d'amendes importantes.

Carburant (gasolina)

Les stations d'essence sont généralement ouvertes de 7h à 0h ; certaines fonctionnent 24h/24. Depuis janvier 2005, les pompistes font payer une taxe de 0,50 € aux automobilistes qui prennent de l'essence entre 22h et 7h.

En 2008, les prix au litre étaient d'environ : sans plomb 95 *(sem chumbo)* 1,50 € et 1,60 € le sans plomb 98 ; gasoil 1,40 € ; GPL 0,70 €.

Assistance automobile

Le numéro national d'urgence : **112**.

La carte internationale d'assurance, dite « carte verte », est valable. Les véhicules circulant dans l'Union européenne doivent être assurés au moins au tiers.

Automóvel Club de Portugal (ACP) – 📞 808 502 502 (service 24h/24 : 📞 707 509 510) - www.acp.pt. Il met à disposition de ses membres un service d'assistance médicale, juridique et technique.

Pour faire réparer votre véhicule, vous pouvez vous informer auprès des succursales, des concessionnaires ou des agents des grandes marques d'automobiles que vous trouverez dans la plupart des villes.

Se loger

Notre sélection de lieux d'hébergement est répartie en trois catégories, sur la base du prix d'une chambre double en haute saison. À noter l'éventualité d'un écart de prix important entre les périodes de haute et de basse saison, surtout dans les régions très touristiques (comme l'Algarve) ; c'est pourquoi nous vous recommandons de bien vérifier le tarif lors de la réservation.

HÔTELS

Au Portugal, il existe différentes catégories d'hôtels, depuis la **pensão** (pension), modeste, le **residencial**, plus confortable mais sans restaurant, jusqu'à l'**estalagem**, plus luxueux, et l'**hôtel**, de une à cinq étoiles. Le prix du petit-déjeuner est presque toujours compris dans le tarif de la chambre. Seules les pensions les plus modestes ne proposent pas de petit-déjeuner. Nous recommandons dans ce guide une sélection d'hôtels dans les « encadrés pratiques » des villes.

POUSADAS

Comparables aux *paradors* espagnols, ces 45 établissements dépendent de l'ENATUR. Aménagées dans des sites prestigieux comme des châteaux, les *pousadas* offrent des prix contrôlés et un accueil particulièrement soigné. Elles sont souvent complètes et il est prudent de réserver.

Adressez-vous directement à **ENATUR –** *R. Santa Joana Princesa, 10 - 1749-090 Lisboa -* 📞 *218 44 20 01 - www.pousadas.pt (en anglais ou en portugais).*

♿ *Voir le symbole* 🏨 *sur la carte Michelin nº 733.*

CHAMBRES D'HÔTE

Il existe plusieurs possibilités de logement chez l'habitant. La plus luxueuse est le **« Turismo de Habitação »**. Particulièrement développé dans le nord du Portugal, cette formule offre une magnifique opportunité de loger dans des fermes paisibles de campagne ou dans de splendides manoirs (*solar* ou *quinta*).

Réservez auprès de l'**Associação do Turismo de Habitação** *(voir p. 17).*

HÉBERGEMENT À PETIT PRIX

Auberges de jeunesse

Les auberges de jeunesse *(pousadas de juventude)* sont au nombre de 41 au Portugal (dont 39 sur le continent). Attention, la carte de membre des auberges de jeunesse (Hostelling International Card) est exigée partout. Il est possible de se la procurer lors de son arrivée à l'auberge de jeunesse.

MOVIJOVEM – *Pousadas de Juventude - r. Lúcio de Azevedo, 29 - 1600-146 Lisboa - ℘ 217 23 21 00 - www.pousadas-juventude.pt (en anglais, espagnol et portugais).*

Le camping-caravaning

Le camping « sauvage » n'est pas autorisé. Les offices de tourisme fournissent une liste des terrains aménagés : ceux-ci sont classés officiellement par ordre de confort croissant de une à quatre étoiles et en campings privés. On peut se procurer le *Roteiro campista*, guide décrivant les terrains de camping et leur accès, pour 6,50 € (ou sur Internet) auprès de **Roteiro campista** – *R. do Giestal, 5 - 1300-274 Lisboa - www.roteiro-campista.pt (en français et portugais).*

Le règlement du séjour s'effectue le plus souvent en espèces.

Pour tout renseignement, s'adresser à la **Federação Portuguesa de Campismo e Montanhismo** – *Av. Coronel Eduardo Galhardo, 24 D - 1199-107 Lisboa - ℘ 218 12 68 90 - www.fcmportugal.com.*

LE GUIDE MICHELIN ESPAÑA, PORTUGAL

On trouve dans l'édition annuelle de cet ouvrage un choix d'hôtels agréables, tranquilles, bien situés, avec l'indication de leurs équipements : piscine, tennis, golf, jardin. Il propose aussi une sélection de restaurants gastronomiques.

Se restaurer

Vous trouverez une sélection de restaurants dans les « encadrés pratiques » des principales villes. Ils sont répartis en catégories de prix *(voir le tableau ci-dessous)*.

Pour plus d'informations sur la gastronomie et les vins du Portugal voir p. 9 et p. 87 à 89.

AVERTISSEMENTS

Dans les restaurants populaires, surtout dans le nord, deux prix différents sont affichés pour le même plat. L'un concerne la **demi-portion** *(meia dose)*, déjà bien copieuse, et l'autre, la **portion entière** *(dose)*, qui conviendra largement à deux personnes. Pour les **poissons**, les tarifs peuvent indiquer le prix au kilogramme.

Avant le plat choisi, on vous apportera très souvent des petits **hors-d'œuvre** *(acepipes)* composés de fromage, jambon cru, *chouriço*, olives, pâté de thon, etc. Attention, ils ne sont pas offerts en guise de bienvenue, mais sont inclus dans l'addition lorsqu'ils sont consommés. Si vous n'en voulez pas, dites-le simplement quand le serveur les disposera.

Il arrive que le pain et le beurre soient facturés. De même, la carafe d'eau n'existe pas, il vous faudra donc commander de l'eau en bouteille.

DIFFÉRENTS ÉTABLISSEMENTS

Au Portugal vous goûterez assurément aux saveurs locales. Les **restaurantes** (restaurants) affichent une cuisine traditionnelle ou moderne. Hormis à Lisbonne, la restauration étrangère ou exotique se fait rare.

Les **tasca** (taverne) ou **casa de pasto** (petit établissement de quartier) servent des plats simples et bon marché. Un peu plus cher, cependant très abordable, la **cervejaria** (brasserie) propose des

NOS CATÉGORIES DE PRIX				
	Se restaurer (prix déjeuner)		Se loger (prix de la chambre double)	
	Province	Grandes villes Stations	Province	Grandes villes Stations
⊖	14 € et moins	16 € et moins	40 € et moins	60 € et moins
⊖⊖	plus de 14 € à 25 €	plus de 16 € à 30 €	plus de 40 € à 65 €	plus de 60 € à 90 €
⊖⊖⊖	plus de 25 € à 40 €	plus de 30 € à 50 €	plus de 65 € à 100 €	plus de 90 € à 130 €
⊖⊖⊖⊖	plus de 40 €	plus de 50 €	plus de 100 €	plus de 130 €

spécialités locales à apprécier avec une bière ; dans les *churrasqueiras,* les viandes sont à l'honneur tandis que dans les *marisqueiras* vous vous régalerez de poissons. Enfin, l'**adega** (littéralement « cave vinicole ») s'apparente au bar à vins. Tous offrent une ambiance conviviale.

👁 **Bon à savoir** – Dans les établissements populaires, il est courant de manger au comptoir.

Pour une simple pause, vous préférerez les cafés ou les **pastelarias** (pâtisseries) qui disposent généralement de places assises et font office de salon de thé.

HORAIRES DES REPAS

Trois repas principaux. On commence avec le **pequeno almoço**, ou petit-déjeuner, en général peu copieux (sauf dans les *pousadas* et grands hôtels). Puis vient l'heure de l'**almoço**, ou déjeuner : servi vers 13h, il peut durer deux heures… Enfin, le **jantar** (dîner) se prend entre 19h et 22h, voire plus tard dans les grandes villes ou centres touristiques.

POURBOIRE

Sachez qu'on laisse généralement un pourboire d'environ 10 % du montant de l'addition.

Commander un café

Bica : très serré (type espresso)
Carioca : café plus léger
Galão : café au lait servi dans un grand verre
Descafeinado : décaféiné

SPÉCIALITÉS

Açorda de marisco – Panade de palourdes et de gambas mélangée à de l'ail, des œufs, de la coriandre et des épices.

Amêijoas à bulhão pato – Petites palourdes cuites dans l'huile d'olive, avec de l'ail et de la coriandre.

Arroz de marisco – Riz cuisiné avec des palourdes, des crevettes, des moules et de la coriandre.

Bacalhau – Morue.

Cabrito – Chevreau rôti.

Caldeirada – Sorte de bouillabaisse.

Caldo verde – Bouillon de pommes de terre et de choux.

Canja de galinha – Bouillon de poulet avec riz et jaunes d'œufs bouillis.

Carne de porco à alentejana – Dés de porc cuits dans une sauce à l'huile d'olive, ail, et coriandre, avec pommes de terre coupées en dés et petites palourdes.

Cataplana – Fruits de mer cuits à l'étouffée, avec des morceaux de jambon.

Chouriço – Saucisse fumée.

Cozido – Pot-au-feu avec viandes, saucissons et légumes.

Feijoada – Fèves avec viande de porc, choux et saucisson.

Gaspacho – Soupe de légumes froide.

Leitão assado – Cochon de lait grillé, servi chaud ou froid.

Presunto – Jambon fumé.

Salpicão – Saucisson fumé et épicé.

Sopa à alentejana – Soupe à l'ail et au pain, avec œuf poché et coriandre.

Sopa de feijão verde – Soupe de haricots verts.

Sopa de grão – Soupe de pois chiches.

Sopa de legumes – Soupe de légumes.

Sopa de marisco – Soupe de fruits de mer.

Sopa de peixe – Soupe de poisson.

👁 *Le lexique général se trouve à l'intérieur du 2e rabat de couverture.*

Santé

HÔPITAUX

Les hôpitaux sont modernes et bien équipés, mais comme en France, ils sont souvent surpeuplés. Préparez-vous à attendre assez longuement avant de vous faire soigner.

URGENCES

En cas d'urgence, composez le **112** ou adressez-vous au *Serviço de Urgência* de l'hôpital le plus proche.

PHARMACIES

Reconnaissables à leur croix blanche sur fond vert, les *farmácias* sont ouvertes du lundi au vendredi de 9h à 13h et de 15h à 19h, et le samedi matin. On y trouve les mêmes médicaments qu'en France. Les pharmacies de garde *(farmácias de serviço)* sont ouvertes toute la nuit et le dimanche.

MÉDECINS

Les médecins portugais sont aussi compétents que leurs homologues français. Si vous logez dans un grand hôtel, le personnel pourra vous mettre en contact avec un médecin parlant anglais ou français. De même, l'ambassade de France possède une liste de médecins francophones *(voir p. 21)*. Une consultation chez un généraliste coûte 40 € à 50 €.

Achats

HEURES D'OUVERTURE

Les magasins sont, dans l'ensemble, ouverts de 9h à 13h et de 15h à 19h, et ferment en principe le samedi après-midi et le dimanche. Les centres commerciaux sont généralement ouverts tous les jours de 10h à 22h.

POINTURES ET TAILLES

Les tailles des vêtements et les pointures des chaussures sont les mêmes que celles affichées en France.

Vie quotidienne de A à Z

BANQUES

Les guichets sont généralement ouverts de 8h30 à 15h du lundi au vendredi. La plupart des banques proposent des guichets automatiques, en service 24h/24.

ÉLECTRICITÉ

220 volts/50 Hz. Les prises sont de type continental avec deux fiches rondes, semblables aux prises françaises.

HANDICAP

Le Portugal s'équipe peu à peu selon les normes de l'Union européenne afin de faciliter le quotidien des personnes handicapées. Si les nouvelles installations possèdent des infrastructures adaptées, les autres n'ont pas encore modifié les leurs.

L'aéroport et les grandes gares disposent d'un accès pour fauteuils roulants, tout comme la majorité des stations du métro lisboète.

Secretariado Nacional de Reabilitação – *Av. Conde Valbom, 63 - Lisbonne - 𝄞 217 93 65 17/95 95 45 - www.snripd. mts.gov.pt.* Il propose un guide des transports adaptés et des accès dans les musées, téléchargeable sur le site Internet (en portugais uniquement). Vous trouverez aussi des informations sur www.pcd.pt, le portail du citoyen handicapé (en portugais).

Les bureaux d'informations touristiques fournissent des adresses d'hébergement sans problèmes d'accessibilité (ce sont souvent des établissements de catégorie supérieure, et quelques auberges de jeunesse).

HORAIRES DE VISITE

Le jour de fermeture hebdomadaire des **musées** est en général le lundi. Dans les villes, beaucoup de musées sont ouverts entre 12h et 14h.

Les **monuments** se visitent généralement entre 10h et 12h et entre 14h et 17h (18h en été). Dans les villages, certaines **églises** ne sont ouvertes que pendant les offices religieux.

🕭 *Se reporter aux conditions de visite de chaque site ou monument pour plus de détails.*

G. Biudzin/MICHELIN

INTERNET

Beaucoup de villes possèdent un espace Internet municipal dont l'accès, limité, est gratuit. En outre de nombreux musées, bibliothèques et certains bureaux de poste disposent de bornes, parfois gratuites. Ce guide vous indique des adresses d'accès Internet et de cybercafés dans les « encadrés pratiques » de chaque grande ville.

JOURNAUX

Les principaux **quotidiens** sont le *Diário de Notícias*, le *Correio da Manhã*, le *Público* et, à Porto, le *Jornal de Notícias*. Les hebdomadaires sont l'*Expresso*, le plus lu, et *O Independente*.

JOURS FÉRIÉS

Le 1er janvier – Nouvel An.

Mardi gras

Vendredi saint

Le 25 avril – Anniversaire de la révolution des Œillets, fête de la Liberté.

Le 1er mai – Fête du Travail.

Le 10 juin – Fête nationale : mort de Camões et fête des communautés portugaises.

Corpus Dei – Date variable.

Le 15 août – Assomption.

Le 5 octobre – Proclamation de la république.

Le 1er novembre – Toussaint.

Le 1er décembre – Restauration de l'indépendance.

Le 8 décembre – Immaculée Conception.

Le 25 décembre – Noël.

En outre, chaque ville célèbre le jour de la fête patronale (saint Antoine à Lisbonne le 13 juin ; saint Jean à Porto le 24 juin) et le férié municipal.

Pour le calendrier festif, reportez-vous p. 34 à 36 et aux « encadrés pratiques » des différentes villes.

POSTE

On trouvera les bureaux de poste *(correios)* à l'enseigne CTT. Ils sont en général ouverts du lundi au vendredi, de 8h30 à 18h. La poste de l'aéroport de Lisbonne est ouverte 24h/24.

Pour envoyer du courrier en poste restante, indiquez : « Posta Restante » et « Estação de Correios Central » avec le nom de la ville où on l'adresse.

Les timbres *(selos)* sont en vente dans les bureaux de poste et certains kiosques à journaux.

TABAC

Les cigarettes sont en vente partout. Il existe notamment des distributeurs dans les cafés et les supermarchés.

Bon à savoir – Il est désormais interdit de fumer dans les lieux publics, en dehors des zones réservées quand elles existent. Les restaurants et les bars de plus de 100 m² doivent disposer d'un espace fumeur, mais les autres peuvent choisir de rester fumeur (ce sont les plus nombreux) ou de devenir non-fumeur.

TÉLÉPHONE

Avant le départ – La **carte France Télécom** permet d'appeler de n'importe quel pays, de n'importe quel téléphone, sans payer directement. Les communications sont reportées sur votre facture habituelle France Télécom. Renseignez-vous dans une agence France Télécom ou sur www.agence.francetelecom.com.

Sur place – La plupart des cabines téléphoniques sont équipées pour recevoir des cartes : la carte **Portugal Telecom** fonctionne surtout à Lisbonne et Porto, tandis que **Credifone** est plus courante dans le reste du pays. Certaines cabines permettent l'utilisation des cartes de crédit. Les cartes téléphoniques sont en vente dans les boutiques Telecom Portugal, dans les bureaux de poste et dans certains kiosques et bureaux de tabac.

Téléphones portables

Les opérateurs de **téléphonie mobile** proposent des options internationales, variables selon votre forfait habituel. Les appels hors forfait sont extrêmement onéreux. Informez-vous auprès de votre service client.

Bouygues Télécom : le changement de réseau se fait automatiquement au passage des frontières européennes.

Orange : vous devez appeler votre service client à l'avance pour activer l'option « Orange sans frontières » et capter une fois dans le pays.

SFR : selon votre forfait (option « monde » ou non), il est préférable d'appeler votre service client 48h à l'avance.

Bon à savoir – Sur place, vous pouvez aussi acheter une puce chez l'un des trois opérateurs (Optimus, Vodaphone, TMN) et recharger votre crédit téléphone dans leurs boutiques respectives, à la poste ou dans les guichets automatiques des banques avec votre carte bancaire.

Appels en PCV

Pour appeler en PCV *(pagar no destino)* et passer par un opérateur qui parle plusieurs langues, composez le **172**.

Appels locaux

Il faut composer l'intégralité du numéro, avec l'indicatif régional, soit 9 chiffres où que vous soyez.

Les numéros commençant par 800 (ligne verte) sont gratuits, ceux qui commencent par 808 (ligne bleue) sont facturés au prix d'un appel local.

Appels internationaux

Pour appeler du Portugal à l'étranger, composez le 00 + indicatif du pays (33 pour la France, 32 pour la Belgique, 41 pour la Suisse et 1 pour le Canada) + numéro du correspondant (sans le premier 0 pour la France, la Belgique et la Suisse).

TÉLÉVISION

La **télévision** comprend cinq chaînes : RTP1, RTP2, SIC, TVI et RTPI sur satellite, s'adressant plus particulièrement aux communautés portugaises à travers le monde.

Partez à la découverte des circuits du Guide Vert

© C.Bowman Scope

Le Guide Vert :
- un guide simple et précis adapté à chaque type de séjour pour voyager en famille ou entre amis
- des circuits détaillés conçus sur le terrain
- une sélection des plus beaux sites étoilés
- des cartes et plans de villes.

www.cartesetguides.michelin.fr

À FAIRE ET À VOIR

Les activités et les loisirs de A à Z

CHASSE

La chasse est très pratiquée dans le Portugal continental, surtout au sud. Selon la saison, on chasse le pigeon, le canard, la caille, la perdrix, le lièvre, le lapin et le renard.

Permis de chasse temporaire délivré par la **Direcção Geral dos Recursos Florestais** – *Av. João Crisóstomo, 26-28 - 1069-040 Lisboa - ✆ 213 12 48 00 - www. dgrf.min-agricultura.pt.*

👁 **Bon à savoir** – Pour emporter son fusil, il faut payer une caution à la douane portugaise. Si l'on passe par l'Espagne, un permis de port d'arme est nécessaire.

COURSES DE TAUREAUX

La saison commence à Pâques et s'achève en octobre. Pour obtenir des renseignements concernant les dates et les lieux où l'on peut assister à une **tourada** (corrida à cheval), adressez-vous aux offices de tourisme locaux.

GOLF

La douceur du climat et les nombreux terrains de golf de haut niveau du Portugal (en particulier ceux de l'Algarve, réputés dans le monde entier) permettent de pratiquer ce sport toute l'année.

♿ *Voir aussi notre suggestion de week-end p. 11-12.*

Renseignements auprès des offices de tourisme et de la **Federação Portuguesa de Golfe** – *Av. das Túlipas, 6 - 1495-161 Algés - ✆ 214 12 37 80 - www. fpg.pt.*

Pour la région de Lisbonne, guide à télécharger sur www.visitliboa.com et, pour Madère, sur www.madeiratourism.org.

👁 **Bon à savoir** – Les terrains de golf les plus renommés sont répertoriés dans **Le Guide Michelin España, Portugal**.

MUSÉES

Les musées nationaux sont **fermés les lundis et jours fériés**. Quant aux musées municipaux, ils ferment souvent à l'heure du déjeuner.

Un ticket d'entrée coûte en général entre 2 € et 5 €.

À Lisbonne, la **Lisboa Card** *(voir Lisbonne pratique)* offre des réductions sur la plupart des entrées des musées de la capitale et de ses environs (Sintra, Mafra, etc.).

NAVIGATION DE PLAISANCE

Les ports de plaisance qui apparaissent sur la carte Michelin n° 733 ont été sélectionnés pour leurs équipements et leurs infrastructures.

Attention : avant de partir en mer, il est important de consulter le bulletin météorologique.

PARCS AQUATIQUES

Ils font partie du paysage de l'Algarve et sont pour la plupart situés le long de la N 125.

Zoomarine *(voir Albufeira)* s'adresse surtout aux enfants. Il dispose de piscines, d'un aquarium et présente des spectacles de dauphins et de phoques ; à 5 km à l'ouest de Guia, après Alcantarilha, se trouve Aqualand Algarve *(déb. juin à mi-sept.)*.

Slide & Splash, avec son lot de toboggans aquatiques, est situé sur la E 125 entre Lagoa et Estômbar, près du Zoomarine *(avr.-oct.)*.

Atlantic Park est également sur la N 125, 1,5 km après le carrefour avec la N 396 vers Quarteira et Loulé, en venant d'Almancil. **Aqua Show** se trouve sur la N 396, direction Quarteira *(tte l'année)*. Ces deux derniers parcs conviennent particulièrement aux jeunes enfants.

PÊCHE

Pêche en eau douce

Elle se pratique surtout dans le nord : truite, saumon, barbeau, alose (rio

Dans le port de Sagres.

Minho, Douro) et dans les nombreuses rivières de montagne dans la serra da Estrela (carpe, barbeau, truite). On peut obtenir une licence à la **Direcção Geral dos Recursos Florestais** *(voir « Chasse »)*.

Pour des informations d'ordre général, contactez la **Federação Portuguesa da Pesca Desportiva** – *R. Eça de Queiroz, 3-1º - 1050-095 Lisboa -* 📞 *213 14 01 77 - www.fppd.pt.*

Pour connaître les dates d'ouverture de la pêche en rivière, adressez-vous aux offices de tourisme.

Pêche en mer

Sur les côtes du nord, on pêche des poissons d'eau froide : la raie, la merluche, la roussette, le bar, tandis que le sud est plus riche en espèces méditerranéennes. L'Algarve est réputé pour sa pêche au gros en haute mer (espadon, thon, squale).

PLAGES

Du nord au sud, le littoral portugais n'est qu'une succession de plages. Les plus fréquentées sont les plages de l'**Algarve** s'allongeant le long de falaises ocre ou sur des cordons littoraux. Elles bénéficient d'un climat chaud et d'une eau à la température agréable (17 ºC en hiver et jusqu'à 23 ºC en été).

Entre le cap Saint-Vincent et Setúbal, la côte est plus accidentée, avec des plages souvent nichées au pied de hautes falaises et une mer froide et agitée (15 ºC en hiver et 19 ºC en été).

La **Costa de Lisboa**, de Setúbal au Cabo da Roca, comprend les agréables plages de la serra da Arrábida, bien protégées, celles de Costa da Caparica au sud de l'estuaire du Tage, et celles d'Estoril et Cascais, prisées des Lisboètes.

La **Costa de Prata** du Cabo da Roca à Aveiro est constituée d'immenses plages de sable rectilignes où l'on peut assister à la remontée des bateaux.

La **Costa Verde**, entre l'estuaire du Douro et la frontière espagnole, est aussi formée de longues plages sur fond d'arrière-pays agreste verdoyant.

🔥 *Voir l'encadré de mise en garde p. 21.*

PLANCHE À VOILE

Ce sport très répandu se pratique surtout sur le littoral d'Estoril (Praia do Guincho), sur les plages de l'Algarve et sur les côtes de Madère.

🔵 **Bon à savoir** – La pratique de la planche à voile est réglementée sur les plages : s'adresser aux clubs de voile.

PLONGÉE SOUS-MARINE

D'excellents spots de plongée sous-marine se trouvent dans les secteurs escarpés du littoral (île de Berlenga et Peniche, côte de Sesimbra) et les grottes marines qui émaillent la côte de l'Algarve entre Albufeira et Sagres. L'archipel de Madère offre également de très belles opportunités de plongée.

RANDONNÉES

De plus en plus de sentiers balisés sillonnent le Portugal. Les amoureux de la nature pourront découvrir à pied, à cheval ou à vélo les serras de Monchique *(voir Portimão)*, de Sintra ou da Estrela, la forêt de Buçaco, le Parc national de Peneda-Gerês… *(voir ces noms)*. L'île de Madère constitue une destination renommée pour la randonnée pédestre, que l'on pratique le long des *levadas*.

Renseignements dans les offices de tourisme ou aux bureaux d'informations des parcs nationaux.

THERMALISME

Nombreuses au Portugal, les stations thermales *(www.termasdeportugal.pt)* attirent beaucoup de curistes par la grande gamme de leurs eaux minéro-médicinales : radioactives, titaniques, sulfurées, sulfatées…

🔥 *Voir notamment « Chaves ».*

VOILE

Elle est pratiquée sur tout le littoral, dans l'estuaire du Tage et dans de nombreuses retenues d'eau à l'intérieur des terres. Des régates et des compétitions internationales sont organisées en saison dans les grandes stations.

Pour toute information concernant la voile, adressez-vous à la **Federação Portuguesa de Vela** – *Doca de Belém - 1300-038 Lisboa - t 213 65 85 00 - www.fpvela.pt* (en anglais et portugais).

Voyager en famille

Le Portugal offre de nombreuses activités aux enfants. Nous avons sélectionné un certain nombre de sites qui intéresseront particulièrement votre progéniture. Vous les repérerez dans la partie « Découvrir les sites » grâce au pictogramme 👪. Il s'agit par exemple de musées du jouet, de parcs animaliers, de parcs d'attractions, de circuits de promenade, etc. Le tableau ci-après vous en donne un aperçu.

👥 SITES OU ACTIVITÉS À FAIRE EN FAMILLE			
Chapitre du guide	Nature	Musées & Sites	Loisirs
Albufeira			Parc Zoo Marine
Aveiro	Découverte en bateau de la lagune, réserve naturelle de São Jacinto	Musée maritime d'Ilhavo	
Beja		Musée botanique, musée de l'Horlogerie	
Buçaco	Forêt de Buçaco		
Caminha	Promenade de l'estuaire du rio Minho et plage de Moledo, excursions dans le Parc national de Peneda-Gerês		
Caramulo		Musée et exposition automobile	
Coimbra	Parc de Santa Cruz	Ruines de Conímbriga	Parc d'attractions Portugal dos Pequeninos
Estremoz			Centre de la Science vive
Évora	Palais Vasco de Gama, circuit des Mégalithes	Château d'Évoramonte	
Faro	Plage, promenade dans le parc naturel Ria Formosa		
Fátima	Site jurassique de Bairro		
Île de Madère	Parc de Sainte-Catherine, jardin botanique de Funchal, cap Girão, village de Santana		Aquarium de Funchal, téléphérique de Monte
Lagos	Kayak sur la plage de Meia Praia		
Leiria	Randonnée dans la pinède de Leiria		
Lisbonne	Parc de Monsanto	Musée des Marionnettes, Musée da Carris (tramways)	Océanorium du Parc des Nations, jardin zoologique (zoo), planétarium Calouste Gulbenkian
Nazaré	Plage de São Martinho do Porto		
Óbidos	Lagune d'Obidos, Foz de Arelho		
Peniche	Route côtière en vélo		
Portalegre	Balades dans la serra de São Mamede		Haras royal de Alter Real
Portimão			Parque da Mina
Porto	Plages de Matosinhos, ponts de Porto	Musée du Tram	Croisière en bateau sur le Douro
Serra da Arrábida	Plage de Sessimbra		
Silves		Fábrica do Inglês	
Sintra		Musée des Jouets	Tram jusqu'à l'Océan
Tavira		Centre des sciences	Petit train de Praia do Barril
Tomar	Castelo de Bode		
Vallée du Côa	Parc archéologique		
Vallée du Douro			Croisière sur le Douro, train touristique
Vallée du Guadiana	Croisière sur le Guadiana		
Viana do Castelo	Plage de Cabeledo		Funiculaire de Santa Luzia
Vila do Conde		Musée de la Construction navale	
Vila Franca de Xira			Centres équestres Morgado Lusitano et Lezíria Grande
Vila Viçosa		Musée des Carrosses	

Que rapporter

La richesse de l'artisanat traditionnel portugais est séduisante et les prix, modérés. Du nord au sud, la variété s'exprime souvent dans la couleur et les matières naturelles : broderies à la main sur du lin ou du coton (nappes et linge de maison, chemisiers, tabliers etc.) et fameux bijoux en filigrane d'or ou d'argent ; couvre-lits brodés à la main, tapis faits main, céramiques et poteries, travail du bois (objets décoratifs, ustensiles de cuisine, jouets), ferblanterie (*almotolias*, récipients pour l'huile d'olive), verres de Marinha Grande, azulejos, objets et casseroles en cuivre (dont la typique *cataplana* de l'Algarve)…

Réputé également pour la qualité de son cuir, le Portugal est le pays idéal pour acheter des chaussures ou de la maroquinerie. Il ne faut pas quitter Porto sans une bouteille de porto (si vous prenez l'avion, vous devrez la mettre en soute, à moins de l'acheter à l'aéroport). Quant à la ville de Lisbonne, elle concentre un grand nombre de jeunes artistes spécialisés dans la mode et le design qui vendent, à des prix abordables, leurs créations.

La céramique et la poterie

Dans les villages, les potiers *(oleiros)* restent nombreux à fabriquer au four des objets en argile cuite d'usage domestique ou décoratif, dont la forme et les coloris diffèrent selon les régions. À **Barcelos**, les poteries sont vernissées, de couleurs vives (jaune et marron) et ornées de rameaux et de fleurs ; on y réalise également de très jolis coqs multicolores. Dans la région de **Coimbra**, les verts se nuancent de jaune et de marron ; le décor est plus géométrique. Les poteries de **Caldas da Rainha**, d'un vert éclatant, ont des formes inattendues, parfois grivoises. Dans la lignée de Rafael Bordalo Pinheiro *(voir p. 69)*, les pots à eau, les saladiers, les assiettes, sont décorés de feuilles, de fleurs, d'animaux ; les poteries d'**Alcobaça** et de **Cruz da Légua**, plus classiques, se distinguent par la variété de leurs teintes bleues. Dans le Haut-Alentejo, à **Redondo**, **Estremoz** et **Nisa**, les argiles s'incrustent d'éclats de quartz et de marbre. En Algarve, les amphores s'inspirent des vases grecs ou romains. Enfin, dans le **Trás-os-Montes**, les artisans couvrent leur four en fin de cuisson, ce qui donne à la vaisselle une teinte noire.

Les dentelles

Selon un dicton populaire, « là où il y a des filets, il y a des dentelles ». Effectivement, la dentelle se fabrique

Boutique d'artisanat à Monsaraz.

presque exclusivement le long du **littoral** (Caminha, Póvoa de Varzim, Vila do Conde, Azurara, Peniche, Setúbal, Lagos, Olhão) ou à proximité (Valença do Minho, Guimarães, Silves) ; seul Nisa fait exception à cette règle. Les motifs décoratifs sont des pins, des fleurs et du trèfle à **Viana do Castelo**, où la dentelle elle-même prend l'aspect du tulle ; des algues, coquillages, poissons à **Vila do Conde**.

Broderie

On connaît surtout les broderies de **Madère** mais, sur le continent aussi, on trouve des châles, des nappes, des couvre-lits *(colchas)* finement brodés, les plus raffinés étant ceux de **Castelo Branco**, brodés avec de la soie sur de la toile de lin. D'une origine lointaine, ces broderies exigent un très long travail et sont devenues une part importante du trousseau de la mariée.

Le filigrane

Le travail à la main de fils d'or ou d'argent, qui connut une période faste sous le règne de Jean V, est encore à l'honneur au Portugal. Le centre principal en est la petite ville de **Gondomar**, près de Porto. Grâce à sa très grande malléabilité, le fil d'or sert à fabriquer des bijoux en forme de cœur, de croix, de guitare et, surtout, de caravelle, aux contours vaporeux. Dans le **Minho**, les boucles d'oreilles et les broches en filigrane mettent en valeur le costume régional.

Le tissage et les tapis

Malgré la concurrence des produits industriels, le tissage artisanal est encore actif dans quelques villages de montagne : sur d'antiques métiers se tissent de grosses toiles de bure qui deviendront des pèlerines ou des capes. À **Guimarães**, on produit des couvre-lits et des rideaux en toile grossière brodée de motifs classiques de couleurs vives. Les tapis de chanvre ou de lin brodés de laine, dont les plus renommés sont ceux d'**Arraiolos**, sont ornés de dessins d'inspiration plus populaire. Enfin, les tapisseries de **Portalegre** font la fierté du pays.

Le travail du bois

Les objets en bois peint sont nombreux dans l'artisanat traditionnel du Portugal et l'on verra, au hasard de pérégrinations, les jougs ouvragés (les plus célèbres sont ceux de la région de **Barcelos**), les carrioles bariolées (sur les routes de l'Alentejo et de l'Algarve), les bateaux de pêche sculptés et ornés de scènes naïves ou d'un œil dans la **ria de Aveiro** et sur de nombreuses plages portugaises. En Alentejo, on trouve des plateaux, des chaises, des armoires, décorés de motifs naïfs aux tons gais.

La vannerie

Le travail de l'osier, du roseau, des tiges de saule et de la paille de seigle sert à réaliser des corbeilles et des paniers décoratifs ou utilitaires : dans le **Trás-os-Montes** se tressent des bâts dôtés de paniers cylindriques doubles.

Les objets en liège

Dans les régions où pousse le chêne-liège (Alentejo, Algarve) s'est développé un artisanat utilisant ce matériau : boîtes, ceintures, sacs, etc.

Info pratique

MARCHÉS TRADITIONNELS

Les marchés, qui ont lieu une fois par semaine dans la plupart des bourgades, et surtout les foires réputées pour leur animation, donnent une idée de cette richesse.

Voici les plus connus :

Barcelos – Foire tous les jeu. mat. (poterie).

São Pedro de Sintra – 2e et 4e dim. du mois, foire aux antiquaires.

Estremoz – Marché le sam. (poterie).

Estoril – Foire artisanale (Feira do Artesanato) en juil. et août.

Santarém – Foire agricole en oct.

Golegã – Foire du cheval en nov.

Fêtes et festivals

Cette liste de manifestations n'est bien sûr pas exhaustive.

PRINTEMPS

Braga – Processions et cérémonies religieuses (Semaine sainte).

Loulé – Pèlerinage à Nossa Senhora da Piedade, renouvelé deux dimanches plus tard (dim. de Pâques).

Barcelos – Fête « das Cruzes », foire à la poterie, danses populaires (3 mai).

Sesimbra – Fête « do Senhor das Chagas » : fête des pêcheurs datant du 16e s. (3 au 5 mai, procession le 4 mai).

Monsanto – Fête du château (1er dim. qui suit le 3 mai).

Vila Franca do Lima – Fête des roses : cortège des « Mordomas » (maîtresses de maison) portant sur la tête des plateaux fleuris, pesant plus de 40 kg et représentant les blasons des diverses provinces (2e w.-end de mai).

Fátima – Premier grand pèlerinage annuel. 12 mai : procession des Cierges à 21h30 ; 13 mai : messe internationale. Les deux manifestations se répètent les 12 et 13 de chaque mois jusqu'en octobre.

Leiria – Foire-exposition (agricole et artisanale) avec fête de la ville le 22 mai : processions, danses, etc. (2e quinz. de mai).

Matosinhos – Fête « do Senhor de Matosinhos » : danses folkloriques (le mar. suivant la Pentecôte).

Amarante – Fêtes de São Gonçalo (6, 7 et 8 juin).

Santarém – Foire nationale d'agriculture : folklore (1er-10 juin).

Lisbonne – Fête des saints populaires : défilés (12-29 juin).

Vila Real – Fête de Santo António : procession, feu d'artifice (13 juin). Foire de Santo António (6-17 juin).

ÉTÉ

Braga – Fête de São João (Saint-Jean, 23-24 juin).

Porto – Fêtes des saints populaires (23-24 juin).

Vila do Conde – Défilé de dentellières (23-24 juin).

Póvoa de Varzim – Fête de São Pedro (dernière sem. de juin-première sem. de juil.).

Sintra – Grande Foire de São Pedro (28-29 juin).

Vila Real – Foire de São Pedro (28-29 juin).

Tomar – Fête des « Tabuleiros » (première sem. de juil. - tous les 4 ans, prochaine en 2011).

Évora – Festival de musique classique orientale (déb. juil.).

Estoril – Foire des artisans, qui viennent des quatre coins du pays exposer

Pour vos escapades en chambre d'hôtes

Découvrez les plus belles adresses du guide MICHELIN

www.cartesetguides.michelin.fr

MICHELIN
Une meilleure façon d'avancer

leurs produits (juil.-août) ; Estoril jazz festival : dans plusieurs lieux de la région de Lisbonne (déb. juil.).

Coimbra – Fête « da Rainha Santa » (1er w.-end de juil., années paires).

Vila Franca de Xira – Fête du « Colete Encarnado » ou « gilet rouge » (1er w.-end de juil.).

Ponte de Lima – Festival d'opéra et de musique classique (juil.).

Aveiro – Festival de la ria, avec concours de proues décorées de *moliceiros* (en juil. et une partie du mois d'août).

Setúbal – Foire de Santiago : *touradas*, groupes folkloriques (dernière sem. de juil.-première sem. d'août).

Guimarães – Fête des « Gualterianas » : foires, rues décorées, géants, etc. (1er w.-end d'août).

Peniche – Fête de la « Senhora da Boa Viagem » (1er w.-end d'août).

Lisbonne – Festival des Océans : nombreuses manifestations festives et culturelles dans toute la ville (1re quinz. d'août).

Santa Maria da Feira – Festival médiéval (déb. août).

Viseu – Foire de São Mateus : folklore, artisanat, gastronomie, etc. (de mi-août à mi-sept.)

Viana do Castelo – Fête de « Nossa Senhora da Agonia » (3e sem. d'août).

Miranda do Douro – Fête de Santa Bárbara : danse des *pauliteiros* (3e dim. d'août).

Lamego – Pèlerinage de « Nossa Senhora dos Remédios » (de fin août à déb. sept.).

Palmela – Fête des vendanges : bénédiction des raisins, lâchers de taureaux, feux d'artifice, etc. (1re sem. de sept.).

Mirando do Douro – Pèlerinage à « Nossa Senhora do Nazo », à Póvoa *(11 km au nord)*. Une foire précède le pèlerinage et une fête le clôture (8 sept.).

Nazaré – Fête de Notre-Dame de Nazaré (à partir du 8 sept.).

Lisbonne – Festival mondial de pyrotechnie (sept.).

AUTOMNE

Vila Franca de Xira – Foire d'artisanat, lâchers de taureaux, *touradas* (4-12 oct.).

Santarém – Festival national de la gastronomie (2e dim. d'oct.).

Fátima – Dernier grand pèlerinage annuel (12-13 octobre).

Castro Verde – Foire d'octobre (agriculture et artisanat), depuis le 17e s. (3e dim. d'oct.).

Golegã – Foire nationale du cheval et de la Saint-Martin (São Martinho) : présentation des chevaux. Tradition remontant au 17e s. (1re quinz. de nov.).

HIVER

Ovar – Fêtes du carnaval : défilés de chars (sem. avant le Mardi gras).

Torres Vedras – Fêtes du carnaval : défilés de chars (sem. av. le Mardi gras).

Loulé – Bataille de fleurs et Fête des amandiers (sem. av. le Mardi gras).

POUR PROLONGER LE VOYAGE

Quelques livres...

OUVRAGES GÉNÉRAUX, TOURISME

Portugal, par Christian Auscher (Seuil, 1992). La civilisation portugaise décrite par un amoureux de ce pays.

Portugal, par Miguel Torga (José Corti, 1996). Une sorte de voyage à la recherche de l'âme de la nation.

Le Portugal, par Paul Teyssier (PUF, 1970-1983). Un ouvrage de qualité écrit par un linguiste, spécialiste du portugais et des pays lusophones.

Le Portugal, par Yves Bottineau (Arthaud, 1956). Ouvrage de référence illustré de belles photographies.

L'Or des tropiques. Promenades dans le Portugal et le Brésil baroques, par Dominique Fernandez, photos Ferrante Ferranti (Grasset, 1993). Magnifiques photos d'œuvres baroques du Portugal.

L'Art de vivre au Portugal, par Anne de Stoop (Flammarion, 1999). Un beau livre magnifiquement illustré complété par un carnet d'adresses qui répertorie, entre autres, des pâtisseries et des restaurants.

Sur le chemin de Saint-Jacques-de-Compostelle au Portugal, par Gérard Rousse (Lepère, 2007). Le chemin portugais de Lisbonne à Compostelle *via* Fátima, Santarém, Coimbra, Porto, etc.

GÉOGRAPHIE, HISTOIRE

Histoire du Portugal, par Albert-Alain Bourdon (Chandeigne, 2008). Une histoire de la nation portugaise du 11e s. à nos jours.

Histoire de Lisbonne, par Dejanirah Couto (Fayard, 2000). La capitale portugaise de l'Antiquité à aujourd'hui.

Le Tremblement de terre de Lisbonne : 1755, par Jean-Paul Poirier (Odile Jacob, 2005). Le désastre vu par les contemporains, les effets et les causes du séisme.

Voyages de Vasco de Gama : relation des expéditions de 1497-1499 et 1502-1503 (Chandeigne, 1995). Onze témoignages sur les deux premiers voyages de l'illustre navigateur.

Le Voyage de Magellan (1519-1522), par Xavier de Castro et Luís-Filipe Thomaz (Chandeigne, 2007). Un recueil très complet des sources sur l'épopée du navigateur portugais.

Lisbonne hors les murs : 1415-1580. L'Invention du monde par les navigateurs portugais, collectif dirigé par Michel Chandeigne (Autrement, 1999). L'extraordinaire aventure des navigateurs portugais au 16e s.

Le Fil rouge portugais, par Jean-Pierre Peroncel-Hugoz (Payot, 2004). Un tour du monde des pays où les Portugais ont laissé des traces de leur passage : du Japon au Kenya, du Mozambique à Rio.

Lisbonne, dans la ville noire, par Jean-Yves Loude (Actes Sud, 2003). Une enquête originale et engagée sur le visage africain de Lisbonne.

ART

La Frontière : azulejos du palais Fronteira, par Pascal Quignard (Chandeigne, 2003). Une nouvelle originale illustrée de superbes photographies.

Azulejos du Portugal, par Rioletta Sabo et Jorge Nuno Falcato (Citadelles et Mazenod, 2003). Un beau livre pour une bonne introduction à l'art des azulejos.

Par les terres de la Maure enchantée, L'Art islamique au Portugal, collectif (Édisud, 2001). Cinq siècles de civilisation « mauresque » ont imprégné les traditions et l'architecture de la péninsule Ibérique.

Jardins du Maroc, d'Espagne et du Portugal : un art de vivre partagé, par Mohammed El Faïz, Manuel Gomez Anuarbe, Teresa Portela Marques (Actes Sud, 2003). L'héritage d'une longue histoire commune, illustré de belles photos.

Le Cinéma portugais, par Félix Ribeiro et Jean-Loup Passek (Éd. du Centre Pompidou, 2007).

GASTRONOMIE ET VINS

La Bible du porto : plus de 280 portos dégustés et commentés, par Guénaël Revel (Modus Vivendi, 2005). Une présentation complète, par un sommelier, de plus de 70 marques.

Douro, terre du porto, par Christine Masson (Presses du Management, 2001).

La Cuisine de ma mère, par Mario de Castro (Minerva, 2006). Éloge d'une cuisine familiale aux influences multiples.

Saveurs du monde : Portugal, par Chalendard (Romain Pagès, 2000). Des recettes traditionnelles et accessibles.

Cuisine actuelle du Portugal, par Tania Gomes (First, 2006). Un beau livre de cuisine pour retrouver toutes les saveurs du Portugal.

TRADITIONS

Amália, le fado étoilé, par Jean-Jacques Lafaye (Mazarine, 2000). Une magnifique biographie de la reine du fado.

Le Fado, chant de l'âme, par Véronique Mortaigne (Le Chêne, 2005). Un beau livre sur cet art emblématique et ses grandes figures.

Le Cheval lusitanien : élevage et traditions équestres au Portugal, par Laëticia Boulin-Néel (Larivière, 2004). Portrait exhaustif et passionné de la race lusitanienne.

Contes et chroniques d'expression portugaise, collectif (Pocket, 2004). Une édition bilingue français-portugais de récits du Portugal, d'Afrique et du Brésil.

Quinze contes portugais, collectif (Flammarion, 2001). Pour petits et grands.

LITTÉRATURE

La Sybille (Gallimard, 1982), *Un chien qui rêve* (Métailié, 2000), *Le Principe de l'incertitude* (Métailié, 2002), par Agustina Bessa-Luís. Surnommée la « Yourcenar portugaise », Augustina Bessa-Luís est l'auteur d'une quarantaine de romans, dont certains ont été adaptés à l'écran par Manoel de Oliveira, et de pièces de théâtre.

Amour de perdition, par Camilo Castelo Branco (Actes Sud, 2000). Ce livre, considéré comme le plus grand roman d'amour de la péninsule Ibérique, évoque la passion clandestine avec brio.

Les Lusiades, par Luís de Camões (Robert Laffont, 1999). Le plus célèbre poème épique portugais relate la découverte des Indes par Vasco de Gama (édition bilingue).

Le Matin perdu, par Vergílio Ferreira (Havas Poche, 1990). Ce livre, marqué par les longues années que l'auteur a passées au séminaire, a obtenu le prix Fémina étranger en 1990.

Le Rivage des murmures (1989), *Le Jardin sans limites* (1998), *La Couverture du soldat* (1999), par Lídia Jorge (Métailié). Chroniques du Portugal après la révolution.

Les Amants du Tage, par Joseph Kessel (Folio, 1954). L'une des œuvres majeures de Kessel explore le thème du destin.

Le Cul de Judas (Métailié, 1983), *La Splendeur du Portugal* (Seuil, 1998), *Que ferai-je quand tout brûle ?* (Christian Bourgois, 2003), par António Lobo Antunes. Ancien médecin militaire en Angola, psychiatre réputé au Portugal, son œuvre romanesque compte une quinzaine de livres.

Mythologie de la saudade, par Eduardo Lourenço (Chandeigne, 1997). Un bel essai sur la mélancolie portugaise.

La Reine morte, par Henri de Montherland (Gallimard, 1972). Magnifique pièce de théâtre inspirée par la vie d'Inès de Castro.

Gros temps sur l'archipel, par Vitorino Nemésio (La Différence, 1990). Un hymne à la gloire des Açores et un portrait de la société insulaire dans les années 1920.

Une abeille dans la pluie, par Carlos de Oliveira (José Corti, 1989). L'un des meilleurs romans néoréaliste portugais qui dénonce les préjugés sociaux traditionnels.

De profundis, Valse lente, précédé de Lettre à un ami-nouveau (2008), *Alexandra Alpha* (1991), *Ballade de la plage aux chiens* (1986), par José Cardoso Pires. Un auteur plusieurs fois primé pour ces œuvres.

Casa Grande, par Aquilino Ribeiro (Stock, 1993). Satire sociale, ce roman férocement anticlérical est d'une gaieté et d'une truculence rares dans le paysage littéraire portugais.

Les Maia, par Eça de Queirós (Chandeigne, 2000). Fresque évoquant une société bourgeoise décadente dans une Lisbonne fin de siècle (19e s.).

Histoire du siège de Lisbonne (1999), *L'Année de la mort de Ricardo Reis* (1984), *L'Évangile selon Jésus-Christ* (1991), *L'Aveuglement* (1995), *Le Dieu manchot* (1982), *Pérégrinations portugaises* (2003), par José Saramago (Seuil). Prix Nobel de littérature en 1998, José Saramago est l'auteur d'une trentaine d'œuvres.

Requiem (1998), *Une malle pleine de gens* (2002), par Antonio Tabucchi (Christian Bourgois). Spécialiste de la littérature portugaise, il a traduit toute l'œuvre de Pessoa en italien.

🕯 *Voir aussi la rubrique « Littérature » dans la partie Comprendre.*

POÉSIE

Fernando Pessoa : toute son œuvre, dont *Le Livre de l'intranquillité* (Christian Bourgois, 2004), et *Lisbonne* (Éd. 10/18, 2000). L'homme aux multiples hétéronymes reste l'un des plus grands poètes portugais.

Écrits de la Terre, par Eugénio de Andrade (La Différence, 1988). L'un des poètes portugais importants de l'après-guerre invite le lecteur dans un monde proche de la nature.

Anthologie de la poésie portugaise contemporaine (1935-2000), collectif dirigé par Michel Chandeigne (Gallimard, 2003). Pour découvrir les plus belles poésies de Pessoa, Torga ou Al Berto.

Régalez-vous
à petits prix!

Découvrez
les bonnes petites tables
du guide MICHELIN

Quelques disques

Pessoa em pessoas, Celluloid (1997) ; *Luz,* World Village (2005) ; *Outobro,* Felmay (2007), par Bévinda.

Amai, Universal (2005) ; *Lua semi nua,* Document (2006), par Paulo Bragança.

Sensus (2003), *Ulisses* (2005), Universal, par Cristina Branco.

Camané pelo dia dentro (2003), *L'Art de Camané* (2004), Emi, par Camané.

Existir (1992), *Movimento* (2001), *Faluas do Tejo* (2005), Emi, par Madredeus.

Fado curvo, Emi (2003) ; *Transparente,* Times Square (2005), *Fado em mim,* World Connection (2007), par Mariza.

Ritual, Warner (2001) ; *Canto,* Warner (2004), *Drama Box,* Naive (2005), par Misia.

O primeiro canto, Polydor (2000), par Dulce Pontes.

Segredo, Emi (1998) ; *Rainha do fado,* FIS (2001) ; *Le Meilleur d'Amália,* Chrysalis (2001), par Amália Rodrigues.

Fado Maior, L'Empreinte digitale (2002) ; *Tudo ou nada,* Le Chant du monde (2006), par Katia Guerreiro.

Para além da saudade, World Village (2007), par Ana Moura.

Voir aussi la rubrique « *Fado* » dans la partie *Comprendre la région.*

Quelques films

O fado, de Maurice Mariaud, 1923.

Les Amants du Tage, de Henri Verneuil, 1954.

Les Lavandières du Portugal, de Pierre Gaspart-Huit, 1957.

Les Vertes Années, de Paulo Rocha, 1963.

Jaime, d'António Reis, 1974.

Dans la ville blanche, d'Alain Tanner, 1983.

La Ville des pirates, de Raul Ruiz, 1983.

Lisbonne Story, de Wim Wenders, 1993.

Adeus Pai, de Luís Rocha, 1996.

Ossos, de Pedro Costa, 1997.

Requiem, d'Alain Tanner, 1998.

Os Mutantes, de Teresa Villave, 1998.

Amour de perdition (1978), *Val Abraham* (1993), *Le Couvent* (1995), *Je rentre à la maison* (2001), *Le Principe de l'incertitude* (2001), *Porto de mon enfance* (2001), de Manoel de Oliveira.

Dans la chambre de Vanda, de Pedro Costa, 2001.

Silvestre (1982), *Vai e Vêm* (2003), de João César Monteiro.

Alice (2005), de Marco Martins.

Voir aussi la rubrique « *Cinéma* » dans la partie *Comprendre.*

Pour retrouver le Portugal à Paris

ASSOCIATIONS

Fédération des associations portugaises de France – *109 bd Henri-Barbusse - 78800 Houilles -* ✆ *08 77 54 03 32 - www.fapf.org.*

Association récréative et culturelle portugaise – *44 r. Louis-Auroux - 94120 Fontenay-sous-Bois -* ✆ *01 41 95 76 67 - arcpf. free. fr.* Manifestations folkloriques, musicales et festives.

Association Cap Magellan – *17 r. de Turbigo - 75002 Paris -* ✆ *01 42 77 46 89 - www.capmagellan.org.* Elle regroupe essentiellement des jeunes luso-descendants.

RADIO

Radio Alfa 98.6 FM (Paris) et www.radioalfa.net.

ACHATS

Artisanat

Ceramis Azulejos – *130 av. de Versailles - 75016 Paris -* ✆ *01 46 47 50 98 - www.azulejos.com.*

Mode

Fatima Lopes – *34 r. de Grenelle - 75007 Paris -* ✆ *01 45 49 03 61.*

POUR LA BONNE BOUCHE

Pâtisserie

Belém – *47 r. Boursault - 75017 Paris -* ✆ *01 45 22 38 95.*

Traiteur

Luso Douro – *132 r. de la Convention - 75015 Paris -* ✆ *01 45 54 73 34.*

Restaurants

Chez Dina – *45 r. de la Convention - 75015 Paris -* ✆ *01 45 78 08 11 - chezdina. creolis. com.*

L'Auberge de Marie – *6 r. Planchat - 75020 Paris -* ✆ *01 43 70 41 03.*

Restaurant 2 sans 3 – *203 av. Gambetta - 75020 Paris -* ✆ *01 40 31 86 07.*

Vila Real – *11 r. Domrémy - 75013 Paris -* ✆ *01 45 83 54 22.*

FADO

O Patio das Cantiguas – *105 bd Ney - 75018 Paris -* ✆ *01 53 28 00 00.*

Voir aussi la rubrique « *Centres culturels et librairies* » p. 14.

Détail de façade dans la rua do Norte (quartier du Chiado, Lisbonne).

M. Ito / Colorise

NATURE ET PAYSAGES

Le Portugal s'inscrit dans un rectangle de 560 km de long sur 220 km de large, au sud-ouest de la péninsule Ibérique. Sur cette superficie relativement faible (88 944 km², sans Madère et les Açores), il présente une grande diversité de paysages et compte plus de 800 km de côtes sur l'Atlantique. L'altitude décroît de la frontière espagnole à l'Océan et du nord au sud. Le Tage, qui traverse le pays d'est en ouest de l'Espagne à Lisbonne, sépare une région montagneuse au nord d'une région de plateaux et de plaines au sud.

E. Santos Ramírez / Turismo de Portugal

La vallée du rio Douro.

Le relief

Au nord du pays, entre l'Espagne et la vallée du Douro, la cordillère Cantabrique est prolongée par des montagnes massives séparées par des vallées aux versants violemment érodés.

Au centre, entre le Douro et le Tage, on rencontre des reliefs particulièrement vigoureux qui prolongent les sierras de Castille : la **serra da Estrela** culmine au **mont Torre** (1 993 m), sommet le plus élevé du Portugal continental ; les vallées du Mondego et du Zêzere ceinturent cette échine.

Au sud du Tage s'étend un grand plateau qui descend vers l'Océan ; les immenses horizons sont à peine barrés par les affleurements des **serras de Monchique et do Caldeirão**.

Les 837 km de littoral atlantique offrent une incroyable variété de sites : interminables grèves, plages de sable fin abritées au creux de falaises rocheuses, criques et caps (Carvoeiro, Espichel, Saint-Vincent). Les vastes estuaires sont occupés par les principaux ports : Porto sur le Douro, Lisbonne sur le Tage, Setúbal sur le Sado. Quelques baies offrent leur abri aux ports de pêche comme Portimão, quelques promontoires les protègent du vent, comme à Peniche

ou à Lagos. Mais la majeure partie du littoral est une côte sablonneuse plate parfois doublée par un cordon littoral (côte est de l'Algarve, lagune d'Aveiro). La fraîcheur de l'eau qui baigne les côtes (sauf en Algarve) est due au courant froid des Canaries.

Les régions et les paysages

Cette description reprend les limites des anciennes provinces et correspond aujourd'hui à des régions touristiques. À l'intérieur des provinces, on trouve les divisions administratives que sont les districts *(voir la carte p. 93)*.

PORTO ET LE NORD DU PORTUGAL

Cette région comprend les anciennes provinces du Minho et du Douro, très cultivées, et, à l'intérieur du pays, la région plus sèche du Trás-os-Montes.

Le Minho et le Douro

Districts du Minho : Braga et Viana do Castelo ; district du Douro : Porto.

Ces deux provinces sont essentiellement formées de collines granitiques couvertes d'une abondante végétation, malheureusement atteinte par de dramatiques incendies. Les serras de Gerês, de Soajo et de Marão, qui constituent le Parc national de Peneda-Gerês, à l'extrême nord, présentent des sommets dénudés parsemés d'éboulis de rochers. Les champs entourés de haies et de vignes grimpantes produisent parfois deux récoltes par an ; çà et là apparaissent quelques boqueteaux d'eucalyptus, de pins (sur la côte) et de chênes. Vignes, arbres fruitiers et pâturages complètent une économie de terroir. Sur les pentes bien exposées poussent des oliviers, des pommiers et parfois des orangers. La population très dense vit dans des villages extrêmement nombreux, à l'urbanisation galopante, reliés entre eux par des routes tortueuses et souvent pavées. Des vallées verdoyantes comme celles du rio Lima ou du rio Vez servent d'axes de circulation. La côte est appelée **Costa Verde** (Côte Verte) en raison de son paysage verdoyant. Ses eaux sont relativement froides pour la baignade toute l'année.

Porto est la capitale incontestée de cette région active qui regroupe plus du quart de la population du pays, et de nombreuses industries, comme autour de Braga.

Le Trás-os-Montes

▶ *Districts : Bragança et Vila Real.*

Son nom signifie « au-delà des monts » : c'est en effet à l'est, au-delà des serras de Marão et de Gerês, que s'étire cette province constituée de hauts plateaux surmontés de crêtes rocheuses et coupés de profondes vallées. Les plateaux, dominés par des sommets pelés et couverts d'une végétation rabougrie, sont le domaine de la lande à moutons. Les villages isolés, bâtis en granit ou en schiste, se confondent avec le paysage. Les bassins plus peuplés, autour de Chaves, Mirandela et Bragança, ressemblent à de véritables oasis où croissent arbres fruitiers, vignes, maïs et légumes. Cette région a toujours été un grand foyer d'émigration (notamment vers la France) et aujourd'hui les petites villes se voient grossies par les constructions des émigrants de retour au pays.

Au sud de la province, le **Haut-Douro** (Alto Douro) fait exception. Les rebords des plateaux et les versants du Douro et du Tua ont été aménagés en terrasses sur lesquelles poussent oliviers, figuiers, amandiers et, surtout, le célèbre vignoble produisant le porto et le *vinho verde*.

LES BEIRAS

Cette région rassemble les deux provinces des Beiras : la Beira Alta (au nord) et la Beira Baixa (au sud) d'une part, et la Beira Littorale d'autre part (le long de la côte).

La Beira Alta et la Beira Baixa

▶ *Districts de la Beira Alta : Guarda et Viseu ; district de la Beira Baixa : Castelo Branco.*

Ces provinces, les plus montagneuses du Portugal, prolongent vers l'ouest la cordillère centrale hispanique. Le paysage comporte une succession de blocs surélevés et de bassins d'effondrement. Les montagnes – les principales sont les **serras da Estrela et da Lousã** – montrent des versants boisés (victimes aussi des incendies) que terminent des sommets herbeux, parfois hérissés de chicots rocheux, où paissent les moutons. Quelques lacs de barrage occupent les emplacements d'anciens cirques glaciaires ou de gorges creusées dans le quartz. De vieux villages se dressent au-dessus des fonds de vallées quadrillés de cultures en terrasses (maïs, seigle, oliviers).

La population s'est surtout établie dans les vallées du Mondego et du Zêzere. La **vallée du Mondego**, vaste couloir d'effondrement qu'empruntent les principales voies de communication entre Coimbra et Guarda, est couverte de riches cultures ; les versants bien exposés deviennent le domaine des vignobles de crus (région du Dão). La haute vallée du Zêzere, appelée **Cova da Beira**, est plus orientée vers l'élevage ; Covilhã, la principale ville de ce secteur, maintient une industrie lainière importante. Aux environs de **Guarda**, la plupart des villages, construits en granit, sont protégés par un château fort ou des remparts, témoins des luttes qui opposaient autrefois Portugais et Espagnols.

La Beira Littorale

▶ *Districts : Coimbra et Aveiro.*

Cette région sillonnée de nombreux canaux correspond en gros aux basses vallées du Vouga, du Mondego et de la Lis ; les rizières s'étendent dans les zones irriguées autour de Soure et d'Aveiro. Cette partie de la côte, appelée **Costa de Prata** (Côte d'Argent) comme celle de l'Estrémadure, possède de longues plages rectilignes fixées par d'immenses pinèdes (Pinhal de Leiria, Pinhal do Urso) ; la ria de Aveiro forme un paysage original de lagune. L'arrière-pays se couvre de petits champs de blé ou de maïs bordés d'arbres fruitiers et de vigne, ainsi que de belles forêts comme celle de Buçaco.

Les deux grands pôles d'activité sont **Coimbra**, célèbre pour son université, et **Aveiro**.

LISBONNE ET SA RÉGION

Cette région rassemble les deux provinces du Ribatejo et de l'Estrémadure.

L'Estrémadure

▶ *Districts : Leiria, Lisbonne et Setúbal.*

Étendue pour l'essentiel au nord de Lisbonne, bordée par l'Atlantique, l'Estrémadure était jadis la limite méridionale des territoires reconquis sur des musulmans, d'où son nom qui signifie « extrémité ».

Aujourd'hui, cette région regroupe un tiers de la population du pays. De Nazaré à Setúbal le paysage est vallonné et verdoyant : entre les bosquets de pins et d'eucalyptus, le blé, le maïs, les oliviers, la vigne et les arbres fruitiers sont l'objet de soins minutieux. Les exploitations, petites dans le nord, plus vastes dans le sud, s'ordonnent autour de villages aux maisons basses.

Sur la côte, où alternent de hautes falaises et de belles plages de sable, les villages de pêcheurs sont nombreux. Dans les stations balnéaires de **Cascais** et **Estoril**, à proximité de Lisbonne, les plages sont plus urbaines. La **serra de Sintra**, située elle aussi près de la capitale, est un agréable massif boisé. Au sud du Tage, la **serra da Arrábida** abrite de petites stations balnéaires.

Lisbonne, qui est le grand pôle d'activité de la région, centralise le pouvoir politique, administratif, financier, ainsi que de nombreux sièges sociaux et commerciaux.

Le Ribatejo

▶ *District : Santarém.*

La région de la « rive du Tage » (Riba do Tejo), au nord-est de Lisbonne, est une plaine alluviale formée aux ères tertiaire et quaternaire. Sur les collines de la rive droite, les habitants pratiquent une polyculture à base d'oliviers, de vigne et de légumes alors que, sur les terrasses de la rive gauche, s'étendent de grandes propriétés spécialisées dans la culture du blé et des oliviers. La plaine inondable est occupée par des rizières, des cultures maraîchères et, surtout, par de grandes prairies vouées à l'élevage des chevaux et des taureaux noirs de combat. Cette région, dont le principal centre est **Santarém**, est connue pour ses *touradas*, corridas à la portugaise.

L'ALENTEJO

▶ *Districts : Beja, Évora et Portalegre.*

Alentejo signifie « au-delà du Tage » (Além Tejo). Cette région, l'une des plus pittoresques et des plus belles du Portugal avec ses vastes étendues désolées et ses villages éclatants, couvre près du tiers de la superficie du pays. Elle est uniforme et sans grand relief, exception faite de la **serra de São Mamede**. La végétation naturelle y est presque inexistante : « en Alentejo, il n'y a pas d'ombre », dit un proverbe. Cependant, malgré les difficultés d'irrigation, le sol est rarement laissé à l'abandon. L'Alentejo, grenier à blé du Portugal, est aussi le domaine du chêne-liège, du chêne vert et de l'olivier ; on y cultive également le prunier aux environs de Vendas Novas et d'Elvas. Moutons et porcs noirs pâturent sur les mauvais sols.

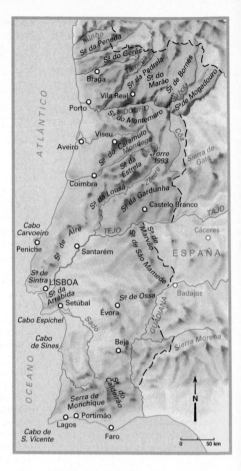

Traditionnellement, c'est une région de grandes propriétés avec des domaines immenses s'étendant autour du *monte*, grosse ferme blanchie à la chaux, isolée sur une butte, où habite le propriétaire ; les autres habitants se groupent dans des villages aux maisons basses, surmontées d'énormes cheminées. À la suite de la révolution des Œillets, la réforme agraire de juillet 1975 a réparti les terres entre des coopératives. Cette réforme n'ayant pas eu le succès attendu, on est revenu progressivement au régime de la moyenne et de la grande propriété.

Dans le **Baixo Alentejo** (au sud), la côte, bien que peu hospitalière, voit se développer des stations balnéaires. Les ports sont rares à part celui bien équipé de Sines.

Il n'y a pas de villes très importantes ; **Évora** (Alto Alentejo), avec ses 60 000 habitants et une grande université, joue le rôle de capitale de la région mais vit surtout du tourisme.

L'ALGARVE

District : Faro.

Son nom vient de l'arabe *El Gharb* qui signifie « ouest » ; c'était en effet la contrée la plus occidentale des territoires conquis par les Arabes. Cette région, séparée de l'Alentejo par des collines schisteuses, ressemble à un jardin ; les fleurs (géraniums, camélias, lauriers-roses) se mêlent aux cultures (coton, riz, canne à sucre) et aux vergers (caroubiers, figuiers, amandiers, orangers) ; la plupart des jardins sont clôturés de haies d'agaves. Les villages rassemblent des maisons éblouissantes de blancheur, décorées de jolies cheminées. À l'ouest se dresse un massif de roches volcaniques, la **serra de Monchique**, que couvre une végétation luxuriante.

La côte est très sablonneuse. À l'est de Faro (Sotavento), elle est protégée par des cordons littoraux ; à l'ouest (Barlavento), les plages sont agrémentées de hautes falaises qui forment au **cap Saint-Vincent** un impressionnant promontoire.

Bien que baignée par l'Atlantique, l'Algarve dispose d'un climat méditerranéen qui lui permet de connaître un immense succès touristique, parfois au détriment des activités traditionnelles : la pêche, les conserveries, l'horticulture et l'industrie du liège. La plupart des villages de pêcheurs sont devenus d'énormes stations balnéaires au style international. Les principales villes sont **Faro**, **Lagos** et **Portimão**.

Région de l'archipel de Madère : voir p. 416 et suivantes.

La végétation

La multiplicité et la diversité des essences végétales témoignent des contrastes climatiques et des différences de nature des sols. Les **forêts** couvrent au Portugal une superficie de 3,2 millions d'ha (36 % du territoire), et appartiennent à près de 600 000 petits propriétaires. Le domaine sylvicole compte 58 % de feuillus pour 42 % de résineux et les essences se répartissent principalement entre pins maritimes (30 %), chênes-lièges et chênes verts (22 %), et eucalyptus (21 %). Hélas, 162 000 ha de forêts ont brûlé pendant les **incendies** de l'été 2003, près de 400 000 ha durant l'été 2004 et encore autour de 200 000 ha en 2005.

Au sud du Tage et dans la haute vallée du Douro, on rencontre des peuplements considérables de **chênes verts** et de **chênes-lièges** voisinant avec des garrigues et des landes à cistes où poussent aussi lavande, romarin et thym. Le chêne-liège est encore davantage présent dans l'Alentejo, dont il domine largement les paysages.

Sur les sommets très arrosés dont l'altitude dépasse 500 m (dans le nord du pays et dans les serras de São Mamede et de Monchique au sud) croissent le **chêne rouvre**, le **chêne tauzin**, accompagnés de **châtaigniers**, de bouleaux et d'érables. Bien que très décimé, le **chêne lusitanien** se rencontre encore dans le Centre et le Sud.

L'**eucalyptus**, introduit dans le pays à la fin du 19e s., pousse surtout le long de la côte près de Leiria, de Coimbra et d'Aveiro (600 000 ha au total), espace qu'il partage avec les **pins maritimes** et les pins parasols pour former de vastes forêts. En Algarve, les plantes méditerranéennes s'acclimatent bien et l'on trouve des **agaves**, des **caroubiers**, des **amandiers**, des **figuiers**, des **orangers** et des **oliviers**.

La faune

La diversité des paysages favorise la grande variété de la faune portugaise, mélange d'espèces européennes et nord-africaines. Les animaux les plus communs sont le **lièvre ibérique**, le lapin et le renard, présents dans tout le pays. À l'intérieur des terres, on trouve aussi cochons sauvages, chèvres et cervidés. La structure rurale du pays jusqu'à il y a encore une vingtaine d'années a permis de fidéliser quelques animaux, comme les **cigognes blanches** qui n'ont jamais abandonné les **clochers** des églises ni les cheminées, surtout dans l'Alentejo et le Ribatejo.

Les côtes portugaises sont très poissonneuses. Des **dauphins** vivent autour du Tage et dans l'estuaire du Sado.

UNE BIODIVERSITÉ MENACÉE

Depuis les années 1970, la plantation d'**eucalyptus**, pour la pâte à papier, s'est intensifiée. Or la monoculture d'arbres et, plus généralement, l'exploitation différente de la terre (multiplication de l'agriculture intensive, désertification de certaines zones) ont contribué à la fragilisation des écosystèmes, aggravée par des **incendies** récurrents. Le développement qui a accompagné l'entrée dans l'Union européenne a accéléré l'expansion des villes et celle du réseau des transports. En outre le boom du tourisme a entraîné l'urbanisation sauvage des côtes.

Plusieurs grands mammifères se trouvent menacés par ces bouleversements. C'est le cas du **loup gris** qui vit en sursis dans certaines forêts (serra da Estrela) et régions cultivées, où il attaque souvent les animaux domestiques, et du **lynx ibérique** dont la survie, dans les forêts de chênes de l'Alentejo, les montagnes de la Beira intérieure et de l'Algarve, dépend de la préservation du lapin sauvage. Les incendies de forêts de 2003 et 2004 l'ont encore un peu plus fragilisé. Enfin les zones montagneuses du Douro abritent une espèce de **vipère** propre à la péninsule Ibérique.

LE SANCTUAIRE DES OISEAUX MIGRATEURS

Parmi les oiseaux, la **grande outarde**, une espèce très rare dans le monde, survit difficilement dans les plaines de l'Alentejo. Le Portugal possède aussi une très grande variété d'oiseaux migrateurs, le pays se trouvant sur la route de migration des oiseaux venus de l'Europe nordique et centrale, en direction de l'Afrique. Une colonie de plus de 400 **flamants roses** est établie dans l'estuaire du Tage ; ils sont aussi nombreux dans l'estuaire du Sado et dans les zones de salines de l'Algarve. Le cap Saint-Vincent, pointe la plus occidentale de l'Europe, sert aussi de relais aux oiseaux migrateurs entre Europe et Afrique.

Les parcs et réserves

Face aux menaces que les bouleversements récents représentent pour l'environnement, des zones de protection de la nature ont été créées afin de conserver intacte la beauté de certains paysages et d'en préserver la faune et la flore.

Parcs national et naturels

Le Portugal ne compte qu'un parc national, celui de **Peneda-Gerês** (72 000 ha), dans l'extrême nord du pays.

En revanche, de nombreuses zones ont été décrétées parcs naturels et font l'objet d'une protection particulière. Il s'agit, du nord au sud, des parcs naturels de **Montesinho** (75 000 ha) près de Bragance, du **Douro Internacional** (86 500 ha), de **Alvão** (7 220 ha) près de Vila Real, de la **serra da Estrela** (100 000 ha), des **serras de Aire et Candeeiros** (34 000 ha) près de Fátima, de **Sintra-Cascais** (23 280 ha), d'**Arrábida** (10 820 ha plus 5 700 ha marins), de la **serra de São Mamede** (31 750 ha), de la **vallée du Guadiana** (69 600 ha), le long du fleuve, du **Sudoeste Alentejano et de la Costa Vicentina** (74 788 ha), de la **Ria Formosa** (18 400 ha), où nidifient des espèces rares d'oiseaux marins.

Tous ces parcs naturels se trouvent dans des zones montagneuses, à l'exception des deux derniers, situés en Algarve et destinés à préserver ces zones de la dégradation du littoral liée au tourisme, comme à retarder l'intense érosion de cette côte.

Les Réserves naturelles

Destinées à la protection de la végétation et la faune, ce sont des zones de montagne comme la **serra de Malcata** (21 760 ha), ou des marais comme le **Paúl de Arzila** (535 ha), au nord du Mondego, le **Paúl do Boquilobo** (530 ha), près du Tage, ou enfin des **estuaires** particulièrement riches pour leur avifaune : l'**estuaire du Tage** (14 560 ha), l'**estuaire du Sado** (22 700 ha), Sapal de Castro Marim-Vila Real de Santo António (2 089 ha) dans l'**estuaire du Guadiana**, voire des zones dunaires comme les **dunes de São Jacinto** (666 ha) dans la ria de Aveiro ou insulaires comme Berlenga (1 063 ha), au large de Peniche.

À **Madère**, la plupart des sites naturels ont été classés Réserves naturelles.

Aires de paysage protégé

Elles ont pour but de protéger la côte des constructions anarchiques : **serra do Açor** (346 ha), **littoral de Esposende** (440 ha), et **Costa de Caparica** (1 570 ha).

HISTOIRE

L'histoire du Portugal se confond avec celle de l'Espagne jusqu'en 1143, date à laquelle il est reconnu comme royaume indépendant par la Castille. Dès lors, le pays se forge une véritable identité et devient, à partir du 15ᵉ s., l'une des plus grandes puissances mondiales. Son expansion maritime lui permet de bâtir un empire commercial immense : c'est l'âge d'or des Grandes Découvertes. À cette période faste succèdent deux siècles de déclin économique et de marasme politique. Il faut attendre la révolution des Œillets en 1974 et l'entrée dans l'Europe en 1986 pour que le Portugal s'éveille à la modernité et la démocratie.

© D.R.

« La Bataille d'Aljubarrota » : miniature de 1385 conservée à la British Library de Londres.

Avant le Portugal

L'ANTIQUITÉ

Dans l'Antiquité, cette région, qui jusqu'en 1143 fera partie de l'Espagne, est peuplée par les Lusitaniens, une civilisation agropastorale. Elle voit s'installer sur sa côte des comptoirs grecs, phéniciens et carthaginois.

Aux 3ᵉ et 2ᵉ s. av. J.-C., les **Romains**, au faîte de leur puissance, pénètrent à l'intérieur du pays et créent la province de **Lusitanie**, baptisée ainsi par l'empereur Auguste. Ils édifient des villes et des voies les reliant au reste de leur empire, mais se heurtent à la résistance des Lusitaniens menés par le Vercingétorix local : Viriathe.

Au 5ᵉ s. apr. J.-C., les Suèves puis les Wisigoths déferlent sur le sud de l'Europe et marquent de leur empreinte la péninsule Ibérique. Ils en sont chassés à partir de 711 par les musulmans venus d'Afrique du Nord.

👣 *Ruines romaines de Conímbriga, temple romain d'Évora, ancien théâtre romain de Lisbonne, ruines romaines de Cetóbriga (voir Setúbal).*

L'OCCUPATION MUSULMANE

Dès 718 la Reconquête s'amorce à partir de Covadonga dans les Asturies avec Pélage à sa tête. Près de huit siècles s'écouleront avant la **chute de Grenade**. Au 9ᵉ s., la région de Portucale, au nord du fleuve Mondego, est libérée mais il faudra attendre 1249 pour voir la fin de l'occupation musulmane au Portugal.

👣 *L'église-mosquée de Mértola, dans la vallée du Guadiana, la Sé Velha de Coimbra et nombre d'églises d'Algarve ont été bâties sur le site d'anciennes mosquées.*

Le royaume du Portugal

DU COMTÉ « PORTUCALENSE » AU ROYAUME DU PORTUGAL

En 1087, **Alphonse VI**, roi de León et de Castille, entreprend la reconquête de la Nouvelle-Castille, actuelle Castille-La Manche, alors sous domination musulmane. Il reçoit l'aide de plusieurs chevaliers français dont Henri de Bourgogne, descendant du roi de France Hugues Capet, et son cousin Raymond de Bourgogne. Après avoir vaincu les musulmans, il accorde à ces princes la main de ses filles. Urraca, l'héritière du trône, épouse Raymond ; Thérèse apporte en dot le comté « portucalense » à **Henri de Bourgogne**, qui devient comte du Portugal. Ce comté s'étend entre les rios Minho et Douro.

À la mort d'Henri, Thérèse devient régente en attendant la majorité de son fils **Alphonse Henriques**, né en 1109. Mais en 1128 ce dernier oblige sa mère à renoncer au pouvoir ; en 1139, il rompt les liens de vassalité que lui avait imposés Alphonse VII de Castille et se proclame roi du Portugal sous le nom d'Alphonse Ier ; la Castille s'incline en 1143. Par ailleurs, Alphonse Henriques poursuit la Reconquête et, après la victoire d'Ourique (1139), s'empare de Santarém, puis de Lisbonne (1147), grâce à l'aide d'une flotte de la deuxième croisade. La **prise de Faro** en 1249 marque la fin de l'occupation musulmane. Le Portugal est reconnu officiellement par le pape Alexandre III en 1179, **Lisbonne** en devient la capitale en 1256.

LA DYNASTIE DES BOURGOGNE (1128-1383)

La dynastie des Bourgogne règne pendant cette période du Moyen Âge qui, dans toute l'Europe, voit la renaissance des villes et des échanges commerciaux ainsi que l'explosion des ordres monastiques. Cela se traduit au Portugal par de belles réalisations artistiques et architecturales comme l'abbaye cistercienne d'Alcobaça et les cathédrales de Braga et de Coimbra (voir ces noms).

Denis Ier impose au pays sa **langue officielle** (le portugais), à l'origine dialecte de la région de Porto, et crée la première université du pays à Coimbra (voir ce nom).

Dans la seconde moitié du 14e s. les conflits avec la Castille voisine se multiplient. Pour apaiser les Espagnols, **Ferdinand Ier** marie sa fille Béatriz au roi de Castille **Jean Ier**. Celui-ci, à la mort de son beau-père, revendique ses droits à la succession sur le trône du Portugal. Les Portugais, fort mécontents de cette situation, soutiennent alors un frère bâtard de Ferdinand, **Jean d'Avis**, qui doit son surnom à son rôle de grand maître de l'ordre d'Avis. Après sa victoire lors de la **bataille d'Aljubarrota**, il devient le premier roi de la dynastie des Avis sous le nom de Jean Ier. Pour célébrer sa victoire, il fera construire le monastère de Batalha (voir ce nom), c'est-à-dire « de la victoire ».

LA DYNASTIE DES AVIS (1385-1578) ET LES GRANDES DÉCOUVERTES

☙ *Cette période, très importante dans l'histoire du Portugal, est traitée de façon plus détaillée dans le chapitre « Les Grandes Découvertes » (voir p. 56 à 59).*

Jean Ier par son mariage avec Philippa de Lancastre s'assure le soutien de l'Angleterre, alliance qui se maintiendra tout au long de l'histoire du Portugal. Ils ont quatre fils dont Henri le Navigateur qui va être l'instigateur des Grandes Découvertes.

En 1415 la **prise de Ceuta** marque le début de l'expansion portugaise. Suivent les découvertes de Madère, des Açores, des îles du Cap-Vert.

Le roi Jean II (1481-1495), surnommé « le Parfait », encourage la science nautique ; il fait cependant l'erreur de ne pas accepter le projet de Christophe Colomb. Sous son règne, Bartolomeu Dias franchit le cap de Bonne-Espérance (1488) et le **traité de Tordesillas** (1494) est signé, partageant le Nouveau Monde en deux zones d'influence : castillane et portugaise. Les îles de São Tomé et Príncipe sont découvertes, ainsi que le Groenland (1492).

Sous le règne de **Manuel Ier** (1495-1521), Cabral découvre, en 1500, le Brésil juste après que le traité de Tordesillas a délimité les possessions espagnoles et portugaises. Heureuse surprise, le territoire du Brésil qui se trouve à l'est de la ligne de partage est immense. **Vasco de Gama** arrive aux Indes en 1498 et l'expédition de **Magellan** accomplit le premier tour du monde entre 1519 et 1522. Pendant cette période, l'Empire portugais se met en place en Asie avec la conquête d'importants centres commerciaux comme ceux de Goa et de Malacca.

Le Portugal se retrouve à la tête d'un empire qui lui apporte de formidables richesses. De nombreux monuments sont édifiés dans un style qualifié de manuélien, caractérisé par ses cordages, ses ancres, ses globes terrestres, véritables odes aux Grandes Découvertes. Des poètes comme Camões en chantent les heures de gloire.

Cependant, pour épouser Isabelle, la fille des Rois Catholiques d'Espagne, Manuel Ier s'engage à expulser les juifs qui forment l'élite des commerçants et financiers du royaume. L'**Inquisition** ronge la société et sonne le glas de la dynastie des Avis. L'échec du roi Sébastien contre les Maures dans la **bataille de Ksar el-Kébir** où il disparaît, en 1578,

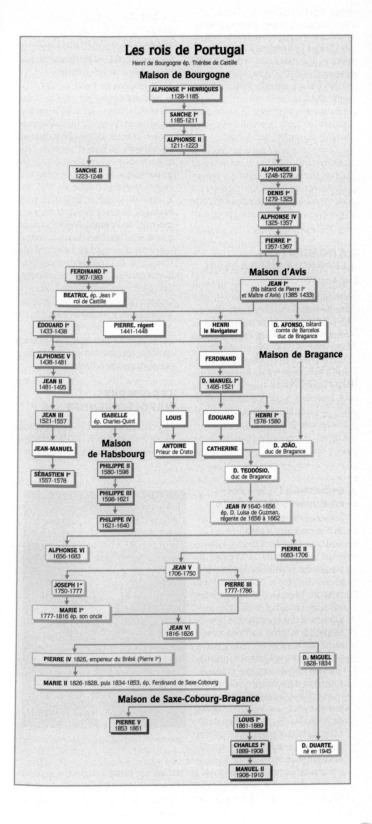

Les rois de Portugal

Henri de Bourgogne ép. Thérèse de Castille

Maison de Bourgogne

ALPHONSE Ier HENRIQUES 1128-1185

SANCHE Ier 1185-1211

ALPHONSE II 1211-1223

SANCHE II 1223-1248

ALPHONSE III 1248-1279

DENIS Ier 1279-1325

ALPHONSE IV 1325-1357

PIERRE Ier 1357-1367

FERDINAND Ier 1367-1383

BEATRIX, ép. Jean Ier roi de Castille

Maison d'Avis

JEAN Ier (fils bâtard de Pierre Ier et Maître d'Avis) (1385 1433)

ÉDOUARD Ier 1433-1438

PIERRE, régent 1441-1448

HENRI le Navigateur

D. AFONSO, bâtard comte de Barcelos duc de Bragance

ALPHONSE V 1438-1481

FERDINAND

Maison de Bragance

JEAN II 1481-1495

D. MANUEL Ier 1495-1521

JEAN III 1521-1557

ISABELLE ép. Charles-Quint

LOUIS

ÉDOUARD

HENRI Ier 1578-1580

JEAN-MANUEL

Maison de Habsbourg

ANTOINE Prieur de Crato

CATHERINE

D. JOÃO, duc de Bragance

SÉBASTIEN Ier 1557-1578

PHILIPPE II 1580-1598

D. TEODÓSIO, duc de Bragance

PHILIPPE III 1598-1621

PHILIPPE IV 1621-1640

JEAN IV 1640-1656 ép. D. Luisa de Guzman, régente de 1656 à 1662

ALPHONSE VI 1656-1683

PIERRE II 1683-1706

JEAN V 1706-1750

JOSEPH Ier 1750-1777

PIERRE III 1777-1786

MARIE Ire 1777-1816 ép. son oncle

JEAN VI 1816-1826

PIERRE IV 1826, empereur du Brésil (Pierre Ier)

D. MIGUEL 1828-1834

MARIE II 1826-1828, puis 1834-1853, ép. Ferdinand de Saxe-Cobourg

Maison de Saxe-Cobourg-Bragance

PIERRE V 1853 1861

LOUIS Ier 1861-1889

CHARLES Ier 1889-1908

D. DUARTE, né en 1945

MANUEL II 1908-1910

en est le dernier épisode, car c'est un Habsbourg d'Espagne qui lui succède. En effet, à la mort de Sébastien, trois de ses cousins prétendent à la couronne : Antoine, prieur de Crato, la duchesse de Bragance, et le roi d'Espagne, Philippe II, fils de l'infante Isabelle. Philippe II, qui avait rallié à sa cause des personnages de haut rang, triomphe et entre dans Lisbonne en 1580. Le prieur de Crato va chercher du soutien aux Açores.

👁 *Le monastère de Batalha, celui des Hiéronymites à Bélem (Lisbonne), la fenêtre du couvent du Christ à Tomar, constituent de belles illustrations du style manuélin caractéristique de cette période. Pour en savoir plus sur ce courant, voir p. 61-63.*

LA DOMINATION ESPAGNOLE (1580 À 1668)

Philippe II d'Espagne, héritier des Rois Catholiques par sa mère, se retrouve détenteur de la couronne portugaise par son père et se fait donc nommer roi du Portugal, sous le nom de **Philippe Ier**. La domination espagnole va durer 60 ans, jusqu'en 1640. Les Portugais se soulèvent, c'est la **guerre de Restauration** qui se termine par le couronnement du duc Jean de Bragance sous le nom de Jean IV. En 1668, l'Espagne reconnaît l'indépendance du Portugal.

La dynastie de Bragance régnera jusqu'en 1853.

LE 18e S.

Le 18e s. est marqué par l'alliance avec l'Angleterre, qui se concrétise notamment par le **traité de Lord Methuen** favorisant l'exportation du vin de Porto.

Après le règne de Pierre II (1683-1706), le 18e s. est dominé par celui de **Jean V** « le Magnanime », qui laisse le souvenir d'une magnificence inouïe, alimentée par les richesses du Brésil (or et diamant), et conforme au faste d'un roi de l'époque baroque. Son monument fétiche, le monastère de Mafra *(voir ce nom)*, se veut l'Escurial portugais. En 1755, sous le règne de Joseph Ier, un terrible **tremblement de terre** détruit Lisbonne. Le **marquis de Pombal**, Premier ministre, prend alors les rênes du pays, donnant l'exemple d'un despotisme éclairé. Mais l'initiateur de la reconstruction de Lisbonne est aussi à l'origine de l'expulsion des jésuites du Portugal en 1759.

Quant à l'alliance du Portugal avec l'Angleterre, elle entraîne le pays dans les guerres napoléoniennes.

👁 *L'escalier de Bom Jesus, près de Braga, constitue un étonnant exemple du baroque portugais de cette époque.*

LES GUERRES NAPOLÉONIENNES

Le Portugal, allié de l'Angleterre depuis le traité de Methuen (1703), participe à la première coalition qui se constitue en

Sébastien Ier, le « roi-chevalier » (1554-1578)

Sébastien monte sur le trône en 1557 à l'âge de 3 ans. Il est élevé par un jésuite qui lui inculque les valeurs déjà désuètes de la chevalerie auxquelles le prédispose son esprit rêveur et altier. Il se croit investi d'une mission : conquérir l'Afrique sur les infidèles. En 1578, il décide d'accomplir son destin et embarque pour le Maroc après avoir levé une armée de 17 000 hommes encadrée par la fine fleur de la noblesse portugaise. Mais les soldats sont mal préparés, souffrent du soleil accablant sous leurs riches armures et l'équipée se termine brutalement sur les bords de l'oued Makhazen près de Ksar el-Kébir, où la moitié de l'armée périt et l'autre est capturée. On ne retrouvera jamais le corps du roi. Aussi, la

Museu Nacional de Arte Antiga

Sébastien Ier par C. Morais.

période de domination espagnole qui suit est-elle propice au développement du **sébastianisme**, un mythe national faisant du jeune roi disparu un messie attendu pour sauver le Portugal et lui offrir un empire universel.

Le Portugal gouverné par un général britannique

Général d'origine irlandaise, **William Carr** (1768-1854) servait à la fin du 18ᵉ s. dans les lointaines colonies britanniques. Lorsque Napoléon s'allie à l'Espagne par le traité de Fontainebleau en 1807, le Portugal resserre ses liens avec la Grande-Bretagne et se place sous son autorité en vue d'une guerre prochaine contre la France. Carr est alors envoyé au Portugal afin de réorganiser et professionnaliser l'armée portugaise.

Nommé en 1809 généralissime (ou maréchal commandant) de l'armée portugaise, il vainc Soult à La Albuera (près de Badajoz) en 1811. L'année 1814 le verra entrer à Bordeaux aux côtés du duc d'Angoulême et recevoir du prince-régent George le titre de **vicomte de Beresford**. Revenu au Portugal et détenant un fort pouvoir au sein de l'armée, Beresford fait du Portugal une « colonie » anglaise : les Anglais l'imposent au roi du Portugal et du Brésil Jean VI, qui, resté à Rio de Janeiro, le nomme régent du Portugal en 1816. Mais la tyrannie qu'il exerce provoque contre lui une conspiration en 1817. Celle-ci ayant échoué, c'est seulement à la fin de l'année 1820 que Beresford est chassé du pays par les forces libérales portugaises.

1793 contre la France révolutionnaire. En 1796, l'Espagne se détache de la coalition et s'allie à la France. Le Portugal se trouve alors isolé. Il n'en refuse pas moins de dénoncer l'alliance anglaise et de participer au blocus continental. Mais pour éviter les représailles de l'armée espagnole, il cède Olivença (Olivenza) à l'Espagne au terme de la **guerre des Oranges**, en 1801 *(voir encadré p. 238)*.

Pour assurer une stricte application du blocus, **Napoléon** envoie son armée au Portugal. Mais les trois expéditions successives menées par Junot (1807), Soult (1809), puis Masséna (1810), ne viennent pas à bout du pays soutenu par des renforts venus d'Angleterre commandés par Wellesley, futur duc de Wellington. Les troupes françaises sont contraintes à la retraite par un ennemi insaisissable.

Le pays a subi les déprédations des deux armées ; les dégâts matériels, les conséquences politiques et morales sont tragiques : le roi Jean VI s'exile au Brésil (1807-1821), tandis que le Portugal devient une **dépendance britannique**.

LA FIN DE LA MONARCHIE

En 1822, le Brésil se proclame indépendant et prend comme empereur le fils aîné du roi **Jean VI**, Pierre IV, sous le nom de Pierre Iᵉʳ du Brésil. À la mort de Jean VI en 1826, celui-ci conserve le trône du Brésil et installe sur celui du Portugal sa fille **Marie II** en adoptant une constitution libérale où l'autorité royale est sous la suprématie du pouvoir parlementaire. Son frère **Miguel**, qui a le titre de régent, se fait alors le champion de la monarchie absolue et réclame la couronne qu'il finit par obtenir en 1828. Une lutte acharnée, véritable guerre civile, s'instaure entre les absolutistes et les libéraux qui soutiennent Pierre Iᵉʳ. Celui-ci, aidé par les Anglais, vient rétablir sa fille sur le trône en 1834. La **convention d'Évoramonte** met fin à la guerre civile *(voir le château d'Évoramonte aux alentours d'Évora)*. L'abolition du tribunal du Saint-Office a lieu en 1832.

L'année 1836 voit l'abolition de l'esclavage et le mariage de Marie II avec Ferdinand de Saxe-Cobourg-Gotha.

En 1851 débute une période d'alternance parlementaire *(rotativismo)*. Sous les règnes de Pierre V (1855-1861), Louis Iᵉʳ (1861-1889) et Charles Iᵉʳ (1889-1908), la vie politique, bien qu'agitée, n'empêche pas la reconstitution d'un troisième empire en Angola et au Mozambique. L'Angleterre s'oppose à l'entreprise du gouverneur **Serpa Pinto** qui veut conquérir des territoires entre l'Angola et le Mozambique afin de les réunir.

Avec l'aggravation de la crise politique, la Chambre est dissoute en 1906. Le pays vit une dictature de 1907 à 1908. Le 1ᵉʳ février 1908, le roi **Charles Iᵉʳ** et le prince héritier sont assassinés à Lisbonne. Le sang-froid de la reine Amélie permet de sauver son plus jeune fils qui monte sur le trône sous le nom de Manuel II. Mais il abdique le 5 octobre 1910 et la **république** est proclamée, faisant du Portugal le troisième État républicain en Europe.

La république

DU DÉBUT DE LA RÉPUBLIQUE À 1974

La république, proclamée en 1910, ne parvient pas à restaurer l'ordre. L'entrée en guerre contre l'Allemagne en 1916 et l'envoi de troupes en France aggravent la situation intérieure. À la suite d'un coup d'État militaire en 1926, le **général Carmona** devient président du Conseil. C'est la fin de la Première République qui aura connu huit présidents. Entre-temps, le Parti communiste portugais est fondé en 1921.

En 1927, une tentative de rétablissement de la république échoue. L'élite de l'opposition s'exile au Brésil et en France. La situation économique devient critique en 1928. Le général Carmona fait alors appel à un professeur de l'université de Coimbra, **António de Oliveira Salazar** qui, nommé ministre des Finances, rétablit la stabilité monétaire et politique. En 1932, il est nommé président du Conseil et promulgue en 1933 la Constitution de l'**Estado Novo** (« l'État nouveau »), instituant un régime dictatorial (censure des journaux et police secrète : la PIDE).

Le Portugal reste neutre pendant la Seconde Guerre mondiale. Après la guerre, le mouvement de libéralisation s'intensifie.

En 1949, le Portugal devient l'un des membres fondateurs de l'**Otan**.

Pendant les années 1960 et 1970, en raison des difficultés économiques, une importante **vague d'émigration** se constitue vers la France, issue principalement des régions rurales.

Par ailleurs, le Portugal doit gérer les conflits qui progressent dans ses colonies. L'Inde a annexé Goa, Damião et Diu en 1961. Le MPLA (Mouvement populaire de libération de l'Angola) commence ses actions en Angola. C'est le début de la **guerre coloniale**, qui s'étend à la Guinée-Bissau (en 1963) et au Mozambique (en 1964).

En juillet 1970, Salazar, qu'un accident a écarté des affaires fin 1968, meurt. Son successeur, **Caetano**, poursuit une lutte antiguérilla ruineuse en Afrique. Le leader nationaliste Amilcar Cabral est assassiné en Guinée-Bissau en 1973. L'indépendance du pays est proclamée par le PAIGC (Parti africain pour l'indépendance de la Guinée et du Cap-Vert).

Le Portugal moderne

LA RÉVOLUTION DES ŒILLETS

Le pays dort encore la nuit du 24 avril 1974, quand le Rádio Clube Português diffuse la chanson interdite *Grândola Vila Morena* de José Afonso. C'est le feu vert du coup d'État militaire qui renverse en une seule journée le gouvernement en place et amorce une nouvelle ère politique et économique pour le pays.

Une première tentative de coup d'État avait échoué le 16 mars, à la suite de la destitution des généraux Spinola (ancien commandant en chef de Guinée-Bissau et chef d'état-major) et Costa Gomes. Mais cette fois-ci, avec la complicité des civils, la rébellion organisée par les capitaines Otelo Saraiva de Carvalho et Vitor Alves ne rencontre pas de résistance.

En ce début d'après-midi mémorable du 25 avril, une junte militaire (dont Spinola et Costa Gomes font aussi partie) déclare assumer provisoirement le pouvoir. Le **MFA** (Mouvement des forces armées) annonce la libération des prisonniers politiques, la restitution des libertés civiques, l'organisation d'élections libres, ainsi que la fin de la censure et de la PIDE (police secrète). La population envahit les rues de Lisbonne, fraternisant avec les militaires. Les œillets rouges, emblèmes de la révolution, sont accrochés au bout des fusils et dans les cheveux des femmes. Les jours qui suivent, les exilés politiques commencent à revenir au pays. Le 1er mai 1974 est célébré par de grands rassemblements dans toutes les villes fêtant la Révolution.

CONTESTATIONS SOCIALES ET DÉCOLONISATION

Les mois suivants sont marqués par les grèves et les manifestations. Le général **Spinola**, devenu président de la République, entre en conflit avec certains capitaines plus radicaux. Ces derniers défendent les mouvements sociaux, tandis que Spinola est plus modéré. En juillet, le MFA impose le colonel **Vasco Gonçalves** comme Premier ministre. La situation devient de plus en plus critique ; le point de clivage central concerne la décolonisation de l'Angola, que Spinola souhaite progressive alors que les militaires du MFA la veulent immédiate. Le 27 septembre, Spinola quitte le gouvernement.

La question de la **décolonisation** était alors levée : la Guinée-Bissau et le Cap-Vert deviennent officiellement indépendants le 10 septembre 1974, le Mozambique, le 25 juin 1975, São Tomé et Príncipe, le 12 juillet 1975 et l'Angola, le 11 novembre 1975.

UNE PÉRIODE D'INSTABILITÉ POLITIQUE

Cependant, même après le départ de Spinola, une nouvelle fracture surgit

Les grandes dates du Portugal

147-139 av. J.-C. – Invasion romaine.

711 – Début de la conquête musulmane.

1140 – Alphonse Henriques se proclame, sous le nom d'Alphonse Ier, roi du Portugal.

1143 – La Castille reconnaît l'existence du royaume du Portugal.

1249 – Fin de l'occupation arabe.

1385 – Victoire d'Aljubarrota, début de la dynastie des Avis.

1494 – Traité de Tordesillas.

1500 – Cabral accoste au Brésil.

1578 – Mort du roi Sébastien Ier à Ksar el-Kébir.

1580 – Philippe II d'Espagne, roi du Portugal.

1668 – L'Espagne reconnaît l'indépendance du Portugal.

1703 – Traité de Methuem : l'Angleterre obtient le monopole de l'importation des vins de Porto.

1755 – Tremblement de terre de Lisbonne.

1807-1810 – Guerres napoléoniennes. La Cour s'exile au Brésil.

1822 – Indépendance du Brésil.

1908 – Assassinat de Charles Ier et de son fils aîné.

1910 – Proclamation de la république.

1926 – Dictature du général Carmona.

1928 – Salazar, ministre des Finances.

1933 – Constitution de l'Estado Novo.

1961 – Début des guerres coloniales.

25 avril 1974 – Révolution des Œillets ; indépendance de la Guinée-Bissau.

1975 – Indépendance des îles du Cap-Vert, du Mozambique, de l'Angola et de São Tomé.

1976 – Nouvelle Constitution socialiste. Indépendance du Timor. Autonomie de Macao et des archipels de Madère et des Açores.

1986 – Entrée du Portugal dans la CEE. Élection de Mário Soares à la présidence de la République.

1994 – Lisbonne, Capitale européenne de la culture.

1998 – Expo' 98 : Exposition mondiale à Lisbonne.

1999 – Le territoire de Macao est cédé à la Chine.

2004 – Le Portugal prend la présidence de la Commission européenne.

2007 – Signature du traité de Lisbonne, le 13 décembre, par les chefs d'État et de gouvernement des 27 États membres de l'Union européenne.

---

entre deux pôles du gouvernement. Une nouvelle tentative de putsch a lieu en mars 1975 et Spinola, reconnu comme son instigateur, doit s'exiler. Les premières élections législatives libres depuis un demi-siècle se déroulent ainsi le 25 avril 1975. La population vote en masse avec un taux de participation de 92 %, et la majorité est accordée au Parti socialiste. Cependant, l'instabilité continue avec de fréquents changements de gouvernement. Vasco Gonçalves finit par démissionner au cours de l'été 1975. Le pays, sombrant dans l'anarchie, voit s'affronter deux partis se réclamant du socialisme : l'un prône l'exemple des pays de l'Est, l'autre celui des pays d'Europe de l'Ouest.

L'APPRENTISSAGE DE LA DÉMOCRATIE

Fin 1975, le pays voit la retraite forcée des militaires et le pouvoir retransmis aux civils. Les mesures modérées de normalisation, lancées à partir du 25 novembre 1975, indiquent le début d'un recul du processus révolutionnaire.

Une **nouvelle Constitution** est adoptée le 2 avril 1976 et de nouvelles élections législatives ont lieu le 25 du même mois. Elles sont remportées par le Parti socialiste, suivi de près par le PPD (Parti populaire démocratique).

La stabilité politique ne réapparaît pas immédiatement : le Portugal connaît treize gouvernements jusqu'en 1987. Les deux principales formations politiques qui assument le pouvoir alternativement sont le Parti socialiste (PS) et le Parti social-démocrate (PSD). La **démilitarisation** du système et des institutions se fait lentement.

En 1980, le Parti conservateur remporte les élections législatives. Sá Carneiro forme un gouvernement, mais il trouve la mort le 4 décembre dans un accident d'avion. Le mandat présidentiel du général António Ramalho Eanes est renouvelé.

La Constitution, révisée deux fois, en 1982 et 1989, s'éloigne de plus en plus du texte « révolutionnaire » d'origine.

La démocratie se stabilise. **Mário Soares** est élu en 1986, devenant le premier président civil depuis 1926. La même année, le Portugal entre dans la **CEE**. L'alternance politique est depuis une réalité. Alors que quelques années auparavant le Nord était acquis au PSD, le Centre et le Sud au PS, l'Alentejo étant majoritairement communiste, les clivages politiques régionaux s'estompent.

En 1996, **Jorge Sampaio** remplace à la présidence Mário Soares. Dans les années 1990, le pays connaît d'importants changements économiques et culturels. En 1994, Lisbonne est élue Capitale européenne de la culture. Quatre ans plus tard, elle accueille l'Exposition universelle **Expo' 98** *(voir le Parc des Nations à Lisbonne, où s'est déroulé l'événement)*. En 1999, Macao est retrocédé à la Chine.

☾ *Centre culturel de Macao à Lisbonne.*

En 2001, Jorge Sampaio est réélu. L'année suivante, les élections législatives anticipées amènent au pouvoir une coalition de droite. Le social-démocrate **José Manuel Durão Barroso** est nommé Premier ministre. Mais en 2004, il démissionne pour prendre la présidence de la Commission européenne. Pedro Santana Lopes le remplace. À la suite de la dissolution du Parlement fin 2004, le socialiste **José Socrates** gagne les élections législatives de février 2005. Janvier 2006 voit l'élection du social-démocrate **Aníbal Cavaco Silva** à la présidence de la République.

Suite au rejet par les électeurs français et néerlandais du traité européen de Rome (référendum de 2005), le **traité de Lisbonne** est signé le 13 décembre 2007, par les chefs d'État et de gouvernement des 27 États membres de l'Union européenne. En proposant une version remaniée du traité constitutionnel de Rome, il doit sortir l'Europe de l'impasse.

☾ *Pour en savoir plus sur la situation économique et sociale du Portugal, reportez-vous au chapitre « Le Portugal aujourd'hui ».*

Les Grandes Découvertes

Comme l'a écrit le poète Camões, les marins portugais de la Renaissance donnèrent « de nouveaux mondes au monde ». Aujourd'hui encore, les Grandes Découvertes demeurent au Portugal un motif d'orgueil national.

D'AMBITIEUX DESSEINS

Le 25 juillet 1415, une flotte de plus de 200 navires quitte Lisbonne, commandée par le roi Jean Ier et trois de ses fils, dont l'infant Henri. Par la **prise de Ceuta**, les Portugais mettent fin aux actes de piraterie sur leurs côtes, s'assurent le contrôle du détroit de Gibraltar et espèrent obtenir à prix avantageux l'or et les esclaves du Soudan. L'esprit de croisade n'est pas étranger à cette lutte qui oppose chrétiens et musulmans. En abordant l'Afrique, les Portugais voudraient rejoindre le royaume chrétien du prêtre Jean (Éthiopie), qui, dit-on, se trouve au-delà des contrées islamiques.

Par ailleurs, le sentiment que l'on peut « **faire reculer les bornes du monde** » préoccupe les esprits de l'époque. Dans cette fin du Moyen Âge, la richesse appartient à ceux qui ont le monopole du commerce des épices et des parfums provenant d'Extrême-Orient. Or, ce commerce est aux mains des Maures, qui contrôlent le passage des caravanes entre le golfe Persique et la Méditerranée, et de la république de Venise. Pour les éviter, il faut trouver une voie maritime : Henri le Navigateur consacre sa vie à ce rêve.

Museu Nacional de Arte Antiga

« Henri le Navigateur », détail de « L'Adoration de saint Vincent », de Nuno Gonçalves.

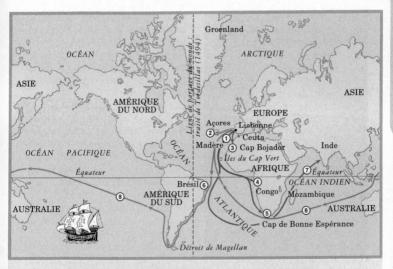

Principales expéditions portugaises (1419-1522)

① Madère (João Gonçalves Zarco et Tristão Vaz Teixeira -1419)
② Açores (1427)
③ Cap Bojador (Gil Eanes -1434)
④ Embouchure du Congo (Diogo Cão - 1482)
⑤ Cap de Bonne-Espérance (Bartolomeu Dias - 1488)
⑥ Brésil (Pedro Álvares Cabral - 1500)
⑦ Mozambique et Inde (Vasco de Gama - 1498)
⑧ Tour du monde (Magellan - 1522)

L'école de Sagres

L'infant Henri (1394-1460), surnommé **Henri le Navigateur**, se retire sur le promontoire de Sagres où, entouré de nombreux cosmographes, cartographes et navigateurs, il essaie de trouver une route maritime directe qui relie l'Europe aux Indes ; l'idée de contourner le continent africain par le sud germe déjà dans son esprit. Il fait appel à des navigateurs expérimentés et leur demande à chaque voyage de pousser plus avant vers le sud : l'île de **Madère** est découverte en 1419 par João Gonçalves Zarco et Tristão Vaz Teixeira, **les Açores** en 1427 probablement par Diogo de Silves ; en 1434, **Gil Eanes** franchit le **cap Bojador** (Sahara-Occidental). Sous le règne de Henri, les Portugais découvrent les côtes africaines jusqu'au Sierra Leone, soit environ sur 4 000 km. Pour assurer le succès des expéditions, l'école de Sagres met au point la caravelle et perfectionne les instruments de navigation. Les marins se font aussi commerçants. À partir de 1441, les esclaves noirs constituent la principale richesse recherchée sur cette côte. Les expéditions visent également à entrer en contact avec le royaume chrétien d'Éthiopie, avec lequel l'infant Henri voulait faire une alliance contre les ennemis de la foi catholique.

Les Portugais inaugurent de nouvelles méthodes de colonisation : la *feitoria*, factorerie ou comptoir (établissement de commerce ou de banque fondé par des particuliers, qui a donné naissance à des villes indépendantes du pouvoir local, comme Goa), la « compagnie » (société créée pour contrôler le trafic d'un produit), la « donation » (terrain octroyé – en général à un capitaine de vaisseau – avec mission de le mettre en valeur), comme ce fut le cas pour les capitaines-donataires des archipels de Madère et des Açores. Henri meurt en 1460, mais l'élan est donné.

👆 *De nombreuses expéditions partirent de Lagos (voir ce nom), où se dresse la statue d'Henri le Navigateur, et dont le fort accueille des expositions sur les Grandes Découvertes.*

UN SIÈCLE DE DÉCOUVERTES

Sous le règne de Jean II, petit-neveu de Henri le Navigateur, se précise le moyen d'arriver en Inde par voie maritime. **Diogo Cão** atteint l'embouchure du Congo en 1482. Toute la côte angolaise devient possession portugaise. Et en 1488, **Bartolomeu Dias** dépasse le cap des Tempêtes, rebaptisé aussitôt « cap de Bonne-Espérance » par le roi Jean II. Sur chaque nouvelle côte, les navigateurs

Museu Nacional de Arte Antiga

Vasco de Gama.

plantent un « **padrão** », sorte de borne portant une croix et les écussons des armes du Portugal *(voir p. 84)*.

Le partage d'un monde

Quelques années plus tôt, **Christophe Colomb** avait eu l'idée de gagner les Indes en partant vers l'ouest. Refusée à Lisbonne, sa proposition devait conduire, en 1492, à la découverte du Nouveau Monde pour le compte des Rois Catholiques d'Espagne.

En 1494, par le **traité de Tordesillas** et avec l'accord du pape, les souverains portugais et castillans se partagent les terres à découvrir au grand dam du roi de France qui écrit à Jean II : « Puisque vous et le roi d'Espagne avez décidé de vous partager le monde, je vous serais bien obligé de me communiquer la copie du testament de notre père Adam qui vous institue seuls légataires universels ».

À l'ouest d'un méridien tracé à 370 lieues marines des îles du Cap-Vert, les terres reviendront à la Castille, à l'est, au Portugal. Le choix d'une telle ligne laisse supposer à certains historiens que les Portugais connaissaient l'existence du Brésil avant sa découverte officielle, en 1500, par **Pedro Álvares Cabral**.

Les routes des Indes

L'exploration des côtes africaines continue : après la signature du traité, le roi Jean II commence à préparer une expédition dont la mission est d'atteindre les Indes en doublant le cap de Bonne-Espérance. Le roi meurt pendant les préparatifs, mais son successeur, Manuel Ier, poursuit la mission.

Le 8 juillet 1497, une flotte de quatre navires dirigée par l'amiral **Vasco de Gama** quitte Lisbonne. Ils touchent le Mozambique en mars 1498 et réussissent à rallier Calicut le 20 mai : la route maritime des Indes est ouverte. Manuel Ier fête le retour de Gama. **Ainsi commence un** nouveau cycle dans l'histoire portugaise. Camões célèbre cette épopée dans les *Lusiades (voir p. 77)*.

En 1501, **Gaspar Corte Real** arrive à Terre-Neuve, mais c'est l'Asie qui intéresse le roi Manuel. En quelques années, les Portugais explorent le littoral asiatique. En 1515, ils contrôlent l'océan Indien. Goa, conquis par **Afonso de Albuquerque** en 1510, devient le principal centre portugais en Asie.

De Goa part un vaste mouvement d'expansion du catholicisme. Les missionnaires jésuites arriveront, au début du 17e s., jusque dans les régions inaccessibles du Tibet.

Mais c'est pour le compte du roi d'Espagne que le Portugais **Fernão de Magalhães** (Magellan) atteint les Indes par l'ouest (1519-1521). Il est assassiné aux Philippines par les indigènes, mais l'un de ses navires boucle cependant le premier tour du monde (1522).

La conquête de l'Orient

La **Chine** constitue aussi un centre d'intérêt important, Manuel Ier ayant le projet, dès 1517, de substituer la route terrestre de la soie par une route maritime. Il faut attendre 1554 pour que les Portugais commercent avec Canton. En 1557, ils reçoivent la petite île de **Macao**, utilisée comme comptoir.

Les Portugais arrivent au **Japon** en 1543, y introduisent des armes à feu et bouleversent la politique intérieure. Leur principal centre d'activité est la ville de Nagasaki et ils maintiennent des relations commerciales entre Chine et Japon. Les jésuites, dont la compagnie avait été fondée en 1540, s'y montrent particulièrement zélés : en 1581, le Japon compte près de 150 000 chrétiens et les historiens japonais appellent cette période (1540 à 1630) « le Siècle chrétien ».

LA NOUVELLE CARTE DU MONDE

Survenues dans la période troublée du Moyen Âge finissant, les découvertes ont eu les plus importantes conséquences.

Un bilan positif

Un immense empire colonial – Dès le début du 16e s., le monopole du commerce avec les Indes, détenu jusque-là par les Arabes et les Turcs, passe aux mains des Portugais ; les centres commerciaux de la Méditerranée (Venise, Gênes) et de la Baltique (Lübeck) périclient au profit des ports de l'Europe occidentale, en particulier Lisbonne ; les peuples nordiques viennent y échanger des armes, des céréales, de l'argent et du cuivre contre l'or et l'ivoire d'Afrique, les fameuses épices (poivre, cannelle, gingembre, clou de girofle) des Indes, les soieries et porcelaines de Chine, les tapis de Perse, les métaux précieux de Sumatra. De nouveaux produits sont introduits, d'abord au Portugal, puis en Europe (patate douce, maïs, tabac, cacao, noix de coco, indigo). L'or d'Afrique et d'Amérique afflue sur les rives du Tage.

Le Portugal et l'Espagne accèdent au rang de grandes puissances dotées d'immenses empires coloniaux. Grâce aux richesses ramenées d'Orient, Manuel Ier « le Fortuné » connaît un règne d'une opulence inégalée et s'attribue le titre de « Seigneur de la Conquête, de la Navigation et du Commerce de l'Éthiopie, de l'Arabie, de la Perse et des Indes ».

Un monde en profonde mutation – La découverte de nouveaux pays et civilisations provoque des bouleversements dans tous les domaines : politique, économique, mais aussi culturel et religieux. La cuisine traditionnelle est transformée, comme la vie quotidienne et l'architecture. Des plantes et animaux exotiques sont ramenés au Portugal en grand nombre et deviennent des motifs de tapisseries et de manuscrits. La révélation de l'existence de peuplades inconnues pose aussi des problèmes métaphysiques : les hommes du Nouveau Monde ont-ils une âme, sont-ils marqués par le péché originel ? L'apparition de l'esprit critique annonce la naissance des sciences, telles l'anthropologie et la géographie. Le besoin de main-d'œuvre entraîne aussi le trafic du « bois d'ébène » qui amorce le peuplement noir en Amérique.

Une richesse illusoire

Mais le Portugal a présumé de ses forces : la population du pays est passée de 2 à 1 million d'habitants, à cause des départs outre-mer ; les richesses font augmenter le nombre d'oisifs et d'aventuriers ; la terre n'est plus cultivée et il faut importer du blé et du seigle ; l'artisanat périclite ; la vie est devenue chère. L'or est échangé contre les produits de Hollande et de France, et la fortune du pays n'est bientôt plus qu'une illusion. Le glas de cette époque sonne le 4 août 1578 avec la mort du roi Sébastien Ier pendant la bataille de Ksar el-Kébir, au Maroc *(voir encadré p. 52)*. Deux ans après sa mort, le Portugal passe sous le contrôle de l'Espagne.

ART ET ARCHITECTURE

L'inspiration maritime et exotique de l'art manuélin, l'exubérance baroque de la « talha dourada », l'art décoratif renouvelé de l'azulejo, la créativité de l'art populaire… une sensibilité artistique originale, visible dans d'autres domaines encore, semble s'exercer au Portugal. Elle se perpétue aujourd'hui chez les plasticiens ou dans l'architecture moderne. Ce très riche patrimoine reste par ailleurs encore largement méconnu.

Le monument des Découvertes dans le quartier de Belém à Lisbonne.

R. Mattes / MICHELIN

L'art portugais

DE LA PRÉHISTOIRE AU HAUT MOYEN ÂGE

Quelques **sites préhistoriques** – gravures rupestres de la vallée du Côa, mégalithes autour d'Évora *(voir ces noms)* – ou protohistoriques comme celui de Briteiros (datant de l'âge du fer), quelques **ruines romaines** à Conímbriga, Évora et Tróia près de Setúbal *(voir ces noms)*, retiennent l'amateur d'archéologie.

De petites **églises préromanes** rappellent les différentes influences qui se sont succédé dans la péninsule Ibérique, venant du nord ou de l'est : wisigothique (São Pedro de Balsemão près de Lamego, Santo Amaro à Beja), mozarabe (São Pedro de Lourosa à Oliveira do Hospital, dans la Serra da Estrela), byzantine (São Frutuoso près de Braga). Mais c'est au 11e s., avec l'accession du pays à l'indépendance, que l'art portugais acquiert ses caractères propres.

LE MOYEN ÂGE (11e-15e S.)

L'art roman

Entre France et Galice – Il n'a pénétré que tardivement au Portugal (11e s.), importé de France par des chevaliers bourguignons, et des moines de Cluny et de Moissac ; aussi a-t-il gardé dans l'ensemble les traits du roman français. Mais le rayonnement de Saint-Jacques-de-Compostelle lui a donné dans le nord du pays, où il est le mieux représenté, un style plutôt galicien encore accentué par l'emploi du granit. De ce fait, les édifices ont un aspect massif et fruste : les chapiteaux montrent la résistance que ce matériau offre au ciseau du sculpteur.

Des cathédrales aux allures de forteresses – Les cathédrales, souvent édifiées par des architectes français, de préférence sur une éminence au centre de la cité, ont été construites en même temps que les châteaux forts pour soutenir l'action contre les musulmans, d'où leur allure de forteresses si visible dans les cathédrales de Coimbra, Lisbonne, Évora, Porto et Braga. Les églises de campagne, plus tardives, présentent des portails parfois richement sculptés. L'intérieur, où apparaît souvent l'arc brisé et la voûte d'arêtes, a été transformé par des adjonctions manuélines ou baroques.

L'art gothique

Les grands monastères – Alors que le style roman s'était épanoui dans le nord du pays avec la construction de cathédrales et de chapelles, l'art gothique s'est développé à la fin du 13e s. dans les régions calcaires de Coimbra et de

Lisbonne avec l'éclosion de grands monastères. Les églises, à trois nefs avec abside et absidioles polygonales, conservent encore les proportions et la sobriété de l'art roman.

Le **monastère d'Alcobaça** *(voir ce nom)*, reflet de l'ancienne abbaye de Clairvaux en France, a servi de modèle pour les cloîtres cisterciens (14ᵉ s.) des cathédrales de Coimbra, Lisbonne et Évora.

Le gothique flamboyant, qui fut de brève durée, a trouvé sa meilleure expression dans le **monastère de Batalha** *(voir ce nom)*, bien que celui-ci ait été achevé à l'époque manuéline.

Les tombeaux sculptés – La sculpture gothique s'est développée au 14ᵉ s. dans l'art tumulaire (ou tombal), négligeant la décoration des tympans et des portails ; les chapiteaux et les corniches n'ont guère reçu que des décors géométriques ou végétaux, à l'exception de quelques animaux stylisés ou de rares sujets humains (chapiteaux du monastère de Celas, à Coimbra).

L'art tumulaire s'est épanoui à partir de trois foyers : Lisbonne, Évora et, surtout, Coimbra dont l'influence, sous la direction de **maître Pero**, s'étend sur le nord du Portugal, en particulier à Porto, Lamego, Oliveira do Hospital et São João de Tarouca. Les plus beaux tombeaux, ceux d'Inès de Castro et de Pierre Iᵉʳ au monastère d'Alcobaça, ont été sculptés dans le calcaire.

Le rayonnement de Coimbra persista au 15ᵉ s., avec **João Afonso** et **Diogo Pires le Vieux** ; un second centre se créa à Batalha sous l'inspiration du **maître Huguet** (tombeaux de Jean Iᵉʳ et de Philippa de Lancastre).

La statuaire, influencée par l'art français, en particulier à Braga, est caractérisée par la finesse des détails, le réalisme des têtes et la douceur de l'expression.

L'architecture militaire

Pour lutter contre les musulmans, puis contre les Espagnols, les Portugais édifièrent de nombreux châteaux forts qui constituent un des éléments marquants du paysage. Les premiers jalonnent les étapes successives de la Reconquête, les seconds, édifiés du 13ᵉ au 17ᵉ s., gardent les voies de passage les plus fréquentées.

La plupart, bâtis au Moyen Âge, ont un air de famille avec leur double enceinte entourant le donjon *(torre de menagem)*, carré, massif, couronné de merlons pyramidaux où l'on reconnaît un ultime rappel de l'influence musulmane.

LA PÉRIODE MANUÉLINE

Le style manuélin marque, au Portugal, la transition du gothique à la Renaissance. Son nom, qui lui a été donné au 19ᵉ s., rappelle que ce style s'est épanoui sous le règne de **Manuel Iᵉʳ**. En raison de son originalité, il est, malgré sa brièveté (1490-1520), d'une importance capitale dans l'histoire de l'art portugais.

Il reflète tout naturellement la passion de la mer et des territoires lointains récemment découverts, et manifeste la puissance naissante et la richesse qui s'installent sur les bords du Tage.

Une architecture tournée vers le large

Les églises demeurent gothiques par leur plan, la hauteur de leurs piliers et le réseau de leurs nervures ; mais la nouveauté et le mouvement apparaissent dans les piliers qui se tordent en spirale. Les arcs triomphaux accueillent des moulures représentant des câbles marins. Les voûtes, d'abord sur simples croisées d'ogives, reçoivent de grosses nervures en relief, rondes ou quadrangulaires, dont le dessin se transforme en étoile à quatre pointes ; des cordages décoratifs y apparaissent, faisant quelquefois des nœuds ; la forme des voûtes évolue, elles s'aplatissent, reposent sur des arcs segmentés, les collatéraux s'élèvent, donnant naissance à d'authentiques églises-halles.

La sculpture

Le style manuélin prend tout son caractère dans la décoration. Les fenêtres, les portes, les rosaces, les balustrades se couvrent alors de rameaux de laurier, de capsules de pavot, de roses, d'épis de maïs, de glands, de feuilles de chêne, de grappes d'ombelles, d'artichauts, de chardons, de perles, d'écailles, de cordages, d'ancres, de globes terrestres, de sphères armillaires et enfin de la croix du Christ qui régnait sur ces ensembles décoratifs.

Les artistes

Boytac, d'origine française, est l'auteur du premier édifice manuélin, l'église de Jésus à Setúbal, et de la cathédrale de Guarda ; il a participé à la construction du monastère des Jerónimos (Hiéronymites) à Belém, ainsi qu'à celle de l'église du monastère de Santa Cruz à Coimbra et du monastère de Batalha. Son art évolue dans le sens de la complication : les colonnes torsadées dont il est le spécialiste se recouvrent de feuilles de laurier et d'écailles et sont entrecoupées d'anneaux. Ses portails, élément majeur

Fenêtre du couvent du Christ à Tomar.

de l'art manuélin, s'inscrivent dans une composition rectangulaire que bordent des colonnes torses surmontées de pinacles en spirale ; au centre de la composition ou au-dessus d'elle sont disposés les emblèmes manuélins : écusson, croix de l'ordre du Christ, sphère armillaire.

Mateus Fernandes donne à Batalha une tournure manuéline. Son art est nettement influencé par l'élégance du style gothique flamboyant. Le décor, surtout composé de thèmes végétaux, géométriques ou calligraphiques, prime sur le volume. Le portail des Chapelles inachevées de Batalha frappe par sa richesse décorative.

Auteur de l'exubérante fenêtre de Tomar, **Diogo de Arruda** est l'artiste le plus original du style manuélin. Chez lui, les thèmes nautiques sont devenus une véritable obsession.

Concepteur de la tour de Belém à Lisbonne, **Francisco de Arruda** rejette les excès décoratifs de son frère, préférant la sobriété de l'art gothique, qu'il agrémente de motifs mauresques.

Les frères Arruda furent également les « maîtres d'œuvre de l'Alentejo », où ils surent colorer l'art manuélin d'éléments d'art musulman, créant ainsi un style original : la plupart des résidences seigneuriales et des châteaux de cette région ainsi que les palais royaux de Sintra et de Lisbonne sont marqués par ce style « luso-mauresque », caractérisé par l'arc outrepassé, aux moulures très fines, des portes et des fenêtres.

Parallèlement à l'art manuélin, la sculpture portugaise subit à la fin du 15ᵉ s. l'influence flamande sous l'impulsion d'**Olivier de Gand** et de **Jean d'Ypres** (leur chef-d'œuvre est le retable en bois de la

Sé Velha de Coimbra). Puis **Diogo Pires le Jeune** reprend les thèmes manuélins : la cuve baptismale du monastère de Leça do Balio (1515), près de Porto, en est le meilleur exemple.

Au début du 16ᵉ s., plusieurs maîtres, venus de Galice et de Biscaye, exercent leur art dans le nord du Portugal ; ils participent à la construction des églises de Caminha, de Braga, de Vila do Conde et de Viana do Castelo. Leur art tient du gothique flamboyant et du plateresque espagnol.

À partir de 1517, deux artistes de Biscaye, **João** et **Diogo de Castilho**, travaillent successivement à Lisbonne, Tomar et Coimbra ; leur art proche du plateresque s'intègre au style manuélin comme on peut le voir dans le monastère des Jerónimos à Bélem.

Les arts mineurs

Le goût manuélin se traduit dans les arts mineurs par une exubérance des motifs de décoration, souvent inspirés de l'Orient. L'**orfèvrerie religieuse**, fastueuse aux 15ᵉ et 16ᵉ s., se ressent de l'exotisme oriental. La **faïence** subit l'influence de la porcelaine chinoise ; le **mobilier** adopte des procédés de décoration venus d'Orient : emploi de laques (Chine) ou de marqueterie de nacre et d'ivoire.

LA PEINTURE DE 1450 À 1550

Les peintres portugais, plus tardivement que les architectes et les sculpteurs, traduisent à leur manière la prodigieuse ascension politique du pays, en se dégageant progressivement des influences étrangères.

Les primitifs (1450-1505)

Les premiers peintres subissent franchement l'influence de l'art flamand dont la pénétration au Portugal est favorisée par l'existence de relations commerciales étroites entre Lisbonne et les Pays-Bas. Seul **Nuno Gonçalves**, auteur du célèbre polyptyque de l'Adoration de saint Vincent (au musée d'Art ancien à Lisbonne), a su faire preuve d'originalité ; son tableau évoque, par sa composition, l'art de la tapisserie ; malheureusement, on ne lui connaît guère d'autres œuvres, à l'exception des cartons et tapisseries représentant la prise d'Asilah et de Tanger qui se trouvent dans le trésor de l'église de Pastrana près de Guadalajara en Espagne. Deux copies de ces tapisseries ornent une salle du palais des ducs à Guimarães.

Une floraison de « maîtres » anonymes dont le **« maître de Sardoal »** ont laissé de nombreuses œuvres bien représentées dans les musées du pays sous le nom de « primitifs portugais ».

Parmi les peintres flamands venus s'installer au Portugal, **Francisco Henriques** et **Frei Carlos** se distinguent par leurs compositions amples et leur richesse chromatique.

Les peintres manuélins (1505-1550)

Ils créent une véritable école portugaise de peinture caractérisée par la finesse du dessin, la beauté et la vérité des couleurs, la composition réaliste des arrière-plans, la dimension en grandeur nature des personnages et le naturalisme expressif des visages. Les principaux artistes ont travaillé à Viseu ou à Lisbonne.

L'**école de Viseu** est dirigée par **Vasco Fernandes**, dit « Grão Vasco » (Vasco le Grand) ; les premières œuvres de cet artiste (retable de Lamego) révèlent encore l'influence de la peinture flamande ; son art devient ensuite plus original par son réalisme, la richesse de sa palette et le sens dramatique de la composition (tableaux de la cathédrale de Viseu, aujourd'hui au musée Grão Vasco à Viseu). **Gaspar Vaz** pratique une peinture plus raffinée (tableaux de l'église São João de Tarouca près de Lamego) et, bien que formé à l'école de Lisbonne, réalise ses meilleures toiles dans la région de Viseu. Les deux maîtres ont probablement collaboré au polyptyque de la cathédrale de Viseu.

L'**école de Lisbonne** voit se développer, autour de **Jorge Afonso**, peintre officiel du roi Manuel, l'art de plusieurs peintres de talent. **Cristóvão de Figueiredo**, dont la technique évoque l'impressionnisme (usage de la tache à la place du trait), utilise les noirs et les gris pour représenter les portraits ; son style fut imité par plusieurs artistes (maître de Santa Auta : retable de l'église primitive de la Madre de Deus à Lisbonne). **Garcia Fernandes**, parfois archaïsant, affecte dans ses portraits une certaine préciosité. **Gregório Lopes**, plus dur dans le dessin et le modelé, est le peintre de la vie de cour ; il excelle dans les arrière-plans qui évoquent toujours de façon précise un paysage ou une scène de la vie portugaise (retables de l'église São João Baptista à Tomar) ; son influence est visible chez le maître d'Abrantes, au style cependant déjà baroque.

LA RENAISSANCE

La Renaissance conserve au Portugal ses traits essentiels, venus d'Italie et de France. Elle s'épanouit dans la sculpture à partir de Coimbra, sous l'impulsion d'artistes français.

Dans son style resté fidèle aux principes de la Renaissance italienne, **Nicolas Chanterene** se charge de la décoration du portail nord du couvent des Jerónimos à Belém avant de devenir le principal sculpteur de l'école de Coimbra, où il réalise son chef-d'œuvre, la chaire de l'église de Santa Cruz. **Jean de Rouen** excelle dans l'art des retables et des bas-reliefs. **Philippe Houdart** succède, à partir de 1530, à Chanterene comme grand maître de la statuaire de Coimbra ; on reconnaît ses sculptures à leur réalisme.

L'architecture connaît un essor plus tardif, sous la direction d'architectes portugais. **Miguel de Arruda** introduit à Batalha une note de classicisme à partir de 1533. **Diogo de Torralva** achève le couvent du Christ à Tomar. **Afonso Álvares** assure la transition avec l'art classique en faisant prendre aux édifices un aspect monumental et sobre.

L'ART CLASSIQUE

La période classique voit le succès du style jésuite avec **Philippe Terzi**, architecte italien venu au Portugal en 1576, et **Baltazar Álvares** (1550-1624) ; les églises adoptent un plan rectangulaire, sans transept ni chevet.

La **peinture protobaroque** portugaise, peu connue jusqu'à une date récente, a néanmoins produit de grands artistes. Le maître incontestable de la nature morte est **Baltazar Gomes Figueira** (1604-1674). Ses œuvres ont été souvent attribuées à sa fille, Josefa de Ayala, appelée **Josefa de Óbidos** *(voir encadré p. 182)*, dont les peintures plus naïves sont débordantes de vie. **Domingos Vieira** (1600-1678) est considéré comme le plus grand peintre portugais du 17ᵉ s. Tout comme **André Reinoso** (1610-1641), il a surtout peint des motifs religieux. **Diogo Pereira** (mort en 1658) s'est distingué dans les scènes mythologiques et romantiques, figurant des paysages et des incendies.

Le goût pour les compositions classiques apparaît également dans l'orfèvrerie.

Le 17ᵉ s. est par ailleurs la grande époque du **mobilier indo-portugais** dont le secrétaire à incrustations de bois précieux et d'ivoire est l'exemple le plus courant.

Détail de l'« Arbre de Jessé », dans l'église São Francisco à Porto.

L'ART BAROQUE (FIN 17ᵉ-18ᵉ S.)

Le style baroque doit son nom au mot portugais *barroco* qui désigne une perle irrégulière. Il correspond, dans le domaine de l'art, à l'esprit de la Contre-Réforme qui, aux 16ᵉ et 17ᵉ s., pour combattre les hérésies, opposa à l'austérité protestante les séductions d'un art fastueux et populaire au service de la foi catholique.

Une architecture flamboyante

Opposé aux dispositions symétriques de l'art classique, le baroque manifeste un sens du mouvement, du volume et de la profondeur, une prédilection pour les lignes courbes et une recherche de la grandeur.

Au 17ᵉ s., l'architecture, à peine libérée de l'influence espagnole imposée par Philippe II, prend un aspect austère et

simple sous la direction de **João Nunes Tinoco** et **João Turiano**. Mais dès la fin du siècle, les façades s'animent de festons, de figures d'anges et de jeux de courbes, en particulier à Braga ; **João Antunes** prône l'adoption du plan octogonal pour les édifices religieux (église de Santa Engrácia à Lisbonne). Au 18ᵉ s., le roi Jean V fait appel à des artistes étrangers : l'Allemand **Friedrich Ludwig** et le Hongrois **Mardel**, formés à l'école italienne, importent un art sobre et monumental dont le plus beau chef-d'œuvre est le monastère de Mafra.

Le véritable **baroque portugais** se développe dans le nord du pays, tant dans les églises que dans les constructions civiles ; l'esthétique des façades est soulignée par le contraste des murs blancs, crépis à la chaux, avec les pilastres et les corniches de granit qui les entourent. À Porto, **Nicolau Nasoni** (*voir encadré p. 339*), d'origine italienne, orne les façades de motifs floraux, de palmes et de draperies. À Braga, l'architecture évolue vers le rococo (palais du Raio, église Santa Maria Madalena à Falperra).

La décoration

Les azulejos et la **talha dourada** connaissent alors une grande faveur. Cette dernière expression désigne les bois dorés qui ornent l'intérieur des églises et, à partir de 1650, le retable du maître-autel ; celui-ci est alors en bois sculpté, puis doré. Au 17ᵉ s., le retable ressemble à un portail : de chaque côté de l'autel, que surmonte un trône à plusieurs degrés, se dressent des colonnes torses ; des motifs décoratifs (pampres, grappes, oiseaux, angelots, etc.) en haut relief se multiplient. Cette décoration servait surtout à encadrer des peintures de maîtres.

Au 18ᵉ s., le retable prend souvent des proportions démesurées et envahit le plafond et les murs du chœur. Son ordonnance se modifie : des entablements à fronton brisé coiffent les colonnes accompagnées d'atlantes ou de statues. Il est surmonté d'un baldaquin. L'espace tout entier est envahi par une débauche de sculptures.

La statuaire

La plupart du temps en bois, les statues se disséminent dans la multitude des retables qui ornent les églises. Au 18ᵉ s., la statuaire est en grande partie tributaire des écoles étrangères : à Mafra, l'Italien **Giusti** forme de nombreux sculpteurs portugais dont **Machado de Castro** ; à Braga, Coimbra et Porto, **Laprade**

H. Champollion / MICHELIN

représente l'école française. Cependant à Arouca, le Portugais **Jacinto Vieira** donne à ses œuvres un style personnel très vivant.

Venu d'Italie du Sud, le goût pour les **crèches** *(presépios)* baroques se développe. Au Portugal, elles sont plus populaires (leur composition s'inspire des pèlerinages traditionnels), mais ne manquent pas de valeur artistique ; les figurines, en terre cuite, sont souvent l'œuvre de **Machado de Castro, Manuel Teixeira** ou **António Ferreira**.

Le talent des sculpteurs baroques se manifeste également dans les innombrables **fontaines** qui parsèment le Portugal et plus particulièrement la région du Minho. Le monumental escalier de Bom Jesus, près de Braga, est en fait constitué par une succession de fontaines de style rococo.

La peinture

Elle est représentée par **Vieira Lusitano** (1699-1783) et surtout **Domingos António de Sequeira** (1768-1837), portraitiste et dessinateur remarquable.

DE LA FIN DU 18ᵉ S. AU 19ᵉ S.

L'architecture

La seconde moitié du 18ᵉ s. voit le retour aux formes classiques avec les œuvres de **Mateus Vicente** (1747-1786) à Queluz, de **Carlos da Cruz Amarante** et des architectes lisboètes dont **Eugénio dos Santos**, qui crée le style « pombalin ».

À la fin du 19ᵉ s., le courant romantique affectionne les styles « néos » ; le néomanuélin, évocation de la période prestigieuse des Grandes Découvertes, triomphe avec le château de Pena à Sintra, le palace-hôtel de Buçaco et la gare du Rossio à Lisbonne. À la même époque, les façades des maisons se couvrent d'azulejos.

La sculpture

Soares dos Reis (1847-1889) tente de traduire la *saudade* (nostalgie) portugaise ; **Teixeira Lopes** (1866-1918), son élève, dévoile une technique élégante, en particulier pour les bustes d'enfants.

La peinture

Les peintres portugais découvrent le naturalisme de Barbizon : **Silva Porto** (1850-1893) et **Marques de Oliveira** (1853-1927) appartiennent au mouvement naturaliste tandis que **José Malhoa** (1855-1933), peintre des fêtes populaires, et **Henrique Pousão** (1859-1884) se rapprochent de l'impressionnisme ; **Sousa Pinto** (1856-1939) excelle dans

les pastels ; enfin **Columbano Bordalo Pinheiro** (1857-1929), frère du célèbre céramiste, est réputé pour ses portraits et ses natures mortes.

LES 20ᵉ-21ᵉ S.

Une architecture moderne et novatrice

L'Art nouveau a un certain succès à Lisbonne, Coimbra et Leiria. Le style Art déco voit l'une de ses plus belles réalisations dans la Casa Serralves à Porto. Dans les années 1930, l'architecte **Raul Lino** réalise la Casa dos Patudos à Alpiarça *(voir Santarém)*.

Les années 1950 marquent un tournant avec la construction de logements sociaux et d'édifices comme le musée Gulbenkian. L'**école de Porto** se signale par son modernisme, son inventivité, son élégance et son attention au patrimoine historique. De son fondateur, **Fernando Távora** (né en 1923), citons les récents travaux d'aménagement du couvent de Refóios do Lima et ceux du couvent d'Oliveira à Guimarães, converti en *pousada*. La transformation en *pousada* d'un autre couvent, celui de Santa Maria do Bouro, a été conçue par **Eduardo Souto Moura** (né en 1953), architecte lui aussi lié à cette école. **Álvaro Siza** (né en 1933), le plus renommé des architectes portugais, est l'auteur d'importantes réalisations, comme le musée d'Art contemporain de Porto (ouvert en 1999) ; le pavillon du Portugal de l'Exposition universelle de 1998 ; et la réhabilitation du quartier du Chiado à Lisbonne, en partie détruit par l'incendie de 1988, dans le respect attentif du patrimoine historique.

L'**école de Lisbonne** est plus controversée. Parmi ses architectes, citons **Tomás Taveira**, qui a conçu les tours postmodernes des Amoreiras dans la capitale – principal événement architectural des années 1980 –, Egas José Vieira ou Manuel Graça Dias.

Expo' 98

Plusieurs réalisations architecturales ont vu le jour sur le site de l'Exposition universelle de Lisbonne en 1998 *(voir le Parc des Nations à Lisbonne)*. L'Expo a également engendré une opération d'urbanisme de vaste envergure : nouveau réseau de transport (gare d'Orient, pont Vasco de Gama), transformation du quartier d'Olivais au nord-est de la ville, réhabilitation des berges du fleuve.

La gare d'Orient à Lisbonne.

La sculpture

Francisco Franco (1885-1955) fut le représentant de la sculpture officielle, celle des monuments commémoratifs très appréciés sous Salazar. Plus récemment, **João Cutileiro** s'est fait connaître par l'originalité de ses statues (le roi Sébastien à Lagos, Camões à Cascais, monument célébrant la révolution des Œillets dans le parc Eduardo VII à Lisbonne), tandis que les artistes contemporains **José Pedro Croft**, **Rui Sanches** et **Rui Chafes** se définissent comme des sculpteurs plus conceptuels. Croft (né en 1957), qui a d'abord commencé à travailler la pierre puis le bronze, détourne aujourd'hui les objets quotidiens de leurs fonctions d'origine.

Le bois et les agglomérés sont à la base des créations de **Sanches** (né en 1954), dont le travail questionne la perception du corps humain. **Rui Chafes** (né en 1965) fait un travail de sculpture violent et exalté.

L'œuvre de **Pedro Cabrita Reis** (né en 1956) a évolué du dessin et de la peinture à la sculpture et l'installation. Ses réalisations sont marquées par l'affirmation du monumental ou encore par la subordination absolue de l'espace utilisé. Il a représenté le Portugal à la Biennale de Venise de 2003.

La peinture de la première moitié du 20e s.

La peinture portugaise du début du 20e s. s'était en partie figée dans le naturalisme ; seuls quelques artistes suivirent l'évolution générale de la peinture ; à Paris, **Amadeo de Souza Cardoso** (1887-1918), ami de Modigliani, assimila les leçons de Cézanne. En constante recherche, il sera influencé par les mouvements artistiques de l'époque, du cubisme au dadaïsme, en passant par le futurisme, l'abstraction et l'expressionnisme.

Avec une peinture haute en couleur, **Amadeo de Souza** est une figure très importante de l'art moderne portugais. Quant à son ami **Santa Rita** (1889-1918), mort prématurément, il apportera une contribution importante au mouvement futuriste portugais.

Figure majeure de la scène artistique et intellectuelle portugaise, **José de Almada Negreiros** (1893-1970) fut le principal protagoniste du mouvement futuriste. Il marque aussi la naissance du modernisme au Portugal avec son *Manifesto anti-Dantas*, une réponse au critique Júlio Dantas qui avait attaqué la toute récente revue *Orpheu*, créée par Almada Negreiros et Fernando Pessoa, entre autres. Dessinateur de talent, il se dédie principalement à la peinture, qui est selon lui le « chemin naturel vers lequel le dessin conduit ». Entre 1943 et 1949, il réalisa les grandes fresques des gares maritimes de Alcântara et de Rocha do Conde de Óbidos, à Lisbonne.

Les artistes contemporains

Plusieurs artistes portugais sont partis vivre ou étudier à l'étranger pendant la dictature salazariste. Proche de l'école de Paris, ville où elle résida à partir de 1928, **Maria Helena Vieira da Silva** (1908-1992), épouse du peintre hongrois Arpad Szenes *(voir la Fondation Arpad Szenes-Vieira da Silva à Lisbonne)*, recrée un espace imaginaire et l'on retrouve parfois dans ses compositions la juxtaposition et les tons des azulejos, tout comme chez **Manuel Cargaleiro** (né en 1927), connu surtout au Portugal et à l'étranger pour son travail de céramiste.

Júlio Pomar (né en 1926), installé en France depuis 1963, est un artiste polyvalent aussi bien dans les thèmes – protestation politique, tauromachie, nature morte, portrait, œuvre érotique – que dans les techniques – peinture, gravure, dessin, sculpture, « assemblages », azulejo, tapisserie.

Paula Rego (née en 1935) vit et travaille à Londres. Avec une peinture principalement figurative et narrative, « ses tableaux commencent par une histoire, un événement, un titre ». Influencée par le Pop Art, Rego introduit le collage dans son travail, technique qu'elle utilise jusqu'aux années 1980. En 1990, elle devient « artiste associée » à la National Gallery de Londres, où elle conçoit une série d'œuvres liées à cette collection.

Citons aussi **Lourdes Castro** (peintre), **José de Guimarães** (peintre et sculpteur), **Alberto Carneiro** (installations), **Graça Morais**, **Pedro Calapez** (abstraction et formes volumétriques), **Pedro Casqueiro** (abstraction), **Álvaro Lapa** et **Julião Sarmento**. Ce dernier (né en 1948), créateur multifacette, est le premier artiste portugais invité à présenter son travail à la « Documenta » de Kassel, en Allemagne. Son parcours cohérent avec la réalité artistique internationale fait de lui une référence pour les plus jeunes artistes. En plus de la peinture, Sarmento utilise aussi la photographie et l'illustration.

Au début des années 1980, un groupe d'artistes organise le Grupo Homeostético, dont fait partie **Pedro Portugal**, mais aussi Xana, Manuel Vieira, Ivo et Fernando Brito et **Pedro Proença**. Ce groupe, présenté par un manifeste, organise des expositions et des initiatives collectives.

Parmi les artistes plus jeunes, citons Francisco Tropa, Rui Toscano, Rui Moreira, Rui Patalho (né au Mozambique) et **João Onofre** qui utilise principalement la vidéo et dont le travail a déjà été exposé à la nouvelle Tate Gallery de Londres.

🔖 *Vous pourrez retrouver les œuvres de ces artistes au Centre d'art moderne José de Azeredo Perdigão à Lisbonne.*

Les azulejos

Toujours très utilisés en décoration, les panneaux d'azulejos, dont l'origine remonte au 15ᵉ s., constituent une sorte de peinture-tapisserie sur carreaux de faïence vernissée. Bien que ces carreaux soient en majorité bleu et blanc leur nom ne viendrait pas de *azul* (« bleu » en portugais) mais plutôt de l'arabe **al zulaycha**, qui désigne un morceau de terre cuite et lisse. L'azulejo fait partie du domaine architectural portugais et a été une des composantes des différents styles qui se sont succédé au fil des siècles.

LES ORIGINES

Les premiers azulejos venaient d'Espagne, plus précisément d'Andalousie, où ils décoraient les alcazars et autres palais. Ils furent introduits au Portugal par le roi Manuel Iᵉʳ qui, revenu ébloui par l'Alhambra de Grenade, fit décorer son palais de Sintra de ces riches carreaux. À l'époque, les azulejos étaient des **alicatados**, morceaux de faïence monochromes découpés et assemblés pour dessiner des motifs géométriques. Ce procédé fut remplacé par celui de la **corda seca** : un fin cordon fait d'huile et de manganèse qui permettait d'isoler

M. Gurfinkel / MICHELIN

Panneau (1670) du musée de l'Azulejo à Lisbonne.

les différents émaux et qui noircissait à la cuisson, dessinant les contours des différents motifs. Un autre principe d'isolation consistait à dessiner les arêtes – **aresta** – avec la terre même du carreau.

À partir du 16e s., l'Italien Francesco Nicoloso introduit la technique italienne de la **majolique** dont le principe est de recouvrir la terre cuite d'une couche d'émail blanc sur laquelle se fixent les pigments. Les azulejos deviennent un support comme les autres, un format « standard » est adopté établissant à 14 cm les côtés du carreau, et les Portugais ouvrent des ateliers à Lisbonne.

STYLE RENAISSANCE ET MANIÉRISTE

Vers le milieu du 16e s., l'influence flamande supplante les modèles espagnols avec des panneaux plus complexes utilisant des motifs comme la pointe de diamant (transept de São Roque à Lisbonne). Les azulejos sont alors très demandés pour la décoration des pavillons d'été et des jardins. Les plus beaux exemples sont ceux de la *quinta* de Bacalhoa réalisés en 1565 *(voir Serra da Arrábida)*. De la même époque date le panneau de Nossa Senhora da Vida (au musée de l'Azulejo à Lisbonne).

LE 17e S.

Sous la domination espagnole, le Portugal entre dans une période d'austérité. Pour décorer sans trop de frais les murs des églises, on utilise de simples carreaux monochromes que l'on dispose de façon géométrique. Un très bel exemple en est donné par l'église de Marvila à Santarém. Ces compositions vont évoluer jusqu'à donner le style *tapete* (tapis) évoquant les tentures orientales par leurs motifs géométriques ou floraux se reproduisant à partir des modules de 4, 16 ou 36 carreaux. Ces grands panneaux polychromes couvrant les parois des églises et se combinant avec les bois dorés et les sculptures sont produits à grande échelle dans des ateliers.

La restauration des Portugais sur le trône est suivie d'un essor créatif. On revient aux panneaux figuratifs décrivant des scènes mythologiques ou des « singeries » caricaturant les scènes de mœurs contemporaines. Les jaunes et bleus traditionnels sont relevés par le vert du cuivre et le violet du manganèse (on peut en voir de très beaux exemples au palais des marquis de Fronteira à Lisbonne).

Cette polychromie laisse peu à peu la place au bleu de cobalt sur fond d'émail blanc (salle des Batailles dans le palais des marquis de Fronteira). Parallèlement on assiste à une grande diffusion des carreaux à motif isolé reproduisant un animal, une fleur, une allégorie, qui s'inspirent des modèles hollandais. Ces carreaux sont utilisés pour décorer les cuisines ou les corridors.

LE 18e S.

Au 18e s., les azulejos seront presque exclusivement bleu et blanc ; cette mode vient des porcelaines chinoises mises au goût du jour par les Grandes Découvertes. Les azulejos sont décorés par de vrais maîtres, dont les principaux sont **António Pereira**, **Manuel dos Santos** et surtout **António de Oliveira Bernardes** et son fils **Policarpo**. Parmi leurs œuvres, citons : la chapelle de Remédios à Peniche, l'église de São Lourenço à Almancil *(voir Faro)* et le fort São Filipe à Setúbal.

La période du règne de Jean V (1706-1750) se caractérise par sa magnificence. L'or du Brésil permet des folies architecturales. Le goût est à l'extériorisation, à la théâtralité, et cela se manifeste tout particulièrement dans les azulejos. Les panneaux, véritables tableaux représentant des personnages sur fond de paysages raffinés, sont entourés de bordures où s'entremêlent lambrequins, franges, anges voltigeurs et pilastres. C'est la pleine expression du **style baroque**. **Bartolomeu Antunes** et **Nicolau de Freitas** sont les grands noms de cette époque. Les azulejos se multiplient partout sur le continent mais aussi à Madère, aux Açores et au Brésil.

Métro et azulejos

Depuis 1987, la décoration en azulejos des stations du métro lisboète a été confiée à des artistes célèbres : **Vieira da Silva** pour celle de Cidade Universitária, **Álvaro Siza Vieira** pour celle de Baixa-Chiado, **Menez** pour celle de Marquês de Pombal, où il retrace le 18e s. portugais. À la station Alto dos Moinhos, **Júlio Pomar** évoque la vie de trois célèbres poètes portugais – Luís de Camões, Fernando Pessoa et Bocage – et du peintre Almada Negreiros. **Eduardo Nery**, célèbre pour son art urbain, est l'auteur de la fresque de la station Campo Grande, où il fragmente l'image d'un homme et d'une femme, produisant un effet d'animation.

La seconde moitié du 18e s. est marquée par le **style rocaille**. On revient à la polychromie : le jaune, le marron et le violet dominent ; la peinture se fait plus fine, les petits motifs plaisent et la décoration des encadrements utilise les ailes de chauve-souris, les éléments végétaux et les coquillages. De beaux exemples de ce style se trouvent au palais de Queluz, notamment le long du canal.

Après le tremblement de terre de Lisbonne en 1755, l'azulejo joue un rôle primordial dans la reconstruction. Il égaie une architecture épurée, parfois austère. La création de la fabrique royale de faïence au Rato en 1767 va permettre des productions en quantité. On revient au style *tapete* (tapis).

Le **style néoclassique** sous le règne de Marie Ire frappe par la sérénité et la fraîcheur des sujets, les encadrements formés de rubans, de guirlandes, de pilastres, d'urnes ou de feuillages.

LE 19e S.

Vers 1830, des Portugais partis faire fortune au Brésil reviennent dans leur pays et couvrent les murs extérieurs de leurs maisons d'azulejos. Cette pratique était courante au Brésil où l'on protégeait ainsi les façades des fortes pluies tropicales et de l'humidité. Petit à petit cette mode se répand et des rues entières, des façades d'églises se couvrent de petits carreaux de faïence produits de façon industrielle par le système de l'estampille.

L'azulejo devient aussi l'un des principaux éléments de décoration des magasins, des marchés (Santarém) et des gares (Évora, Aveiro) avec des sujets se rapportant au commerce, aux traditions de la région ou à l'histoire.

Le **romantisme** trouve toute son expression avec **Rafael Bordalo Pinheiro** qui, après la fondation de la fabrique de Caldas da Rainha *(voir ce nom)* en 1884, édite des carreaux avec des motifs en relief couverts d'émaux irisés. Il est le grand inspirateur de l'**Art nouveau** au Portugal. L'un des principaux artistes de cette époque fut **José António Jorge Pinto**, qui réalisa de nombreux panneaux allégoriques. Avec le style **Art déco**, c'est la géométrie des formes qui prime, facilitant ainsi la production industrielle. À la même époque, on trouve aussi des œuvres d'inspiration historique et folklorique. **Jorge Colaço** (1868-1942) décore la gare São Bento de Porto et le palais de Buçaco. Il privilégie les thèmes historiques et les illustre par d'immenses fresques bleu et blanc.

M. Chaput / MICHELIN

« Empedrados » av. da Liberdade (Lisbonne).

L'ÉPOQUE CONTEMPORAINE

Dans les années 1940 et 1950, l'azulejo retrouve un certain prestige. Parmi les artistes qui l'utilisent, citons Manuel Cargaleiro, Querubim Lapa, Rolando Sá Nogueira, Carlos Botelho et Maria Keil. Les azulejos, présentés sous forme de grandes fresques géométriques, de frises recouvrant surtout les façades, sont partie prenante de l'architecture générale et intégrés à elle.

Pour l'Expo' 98, l'Américain Ivan Chermayeff a conçu une grande fresque murale dans l'Oceanarium du Parc des Nations : composée d'azulejos de type industriel, elle figure de grands animaux marins traités informatiquement.

Les empedrados

Les *empedrados*, ces pavements constitués de petits cubes de calcaire blanc et de basalte noir, composent une véritable marqueterie de pierre. Le répertoire des frises est inépuisable : figures marines, armes de la ville, symboles historiques, dessins géométriques et même parfois logos commerciaux. Disposés le long des trottoirs, sur les places et les belvédères comme sur le pas d'une porte, ils sont un peu le pendant horizontal des azulejos. La nuit, leur surface blanche et réfléchissante scintille et illumine la ville. On les retrouve dans toutes les cités du pays, mais aussi à l'autre bout du monde, partout où les Portugais ont laissé trace de leur passage, du Brésil à Macao en passant par le Mozambique. Ce tapis de mosaïque est à lui seul une invitation à la marche. Mais gare à ne pas glisser par temps de pluie…

ABC d'architecture

Les dessins présentés dans les planches qui suivent offrent un aperçu visuel de l'histoire de l'architecture dans la région et de ses particularités. Les définitions des termes d'art permettent de se familiariser avec un vocabulaire spécifique et de profiter au mieux des visites des monuments religieux, militaires ou civils.

Architecture religieuse

Coupe d'une église

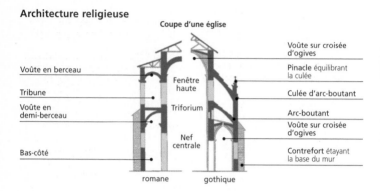

Voûte sur croisée d'ogives
Pinacle équilibrant la culée
Voûte en berceau
Fenêtre haute
Tribune
Culée d'arc-boutant
Voûte en demi-berceau
Triforium
Arc-boutant
Voûte sur croisée d'ogives
Nef centrale
Bas-côté
Contrefort étayant la base du mur

romane   gothique

LISBONNE – Plan de l'église Sta Maria de Belém (couvent des Hiéronymites)

Église de type **église-halle** (la nef centrale et les collatéraux sont de même hauteur ; quand la hauteur est différente, on distingue alors nef centrale et bas-côtés).

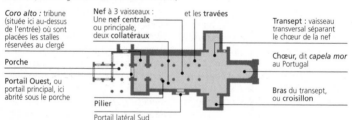

Coro alto : tribune (située ici au-dessus de l'entrée) où sont placées les stalles réservées au clergé

Nef à 3 vaisseaux : Une **nef centrale** ou principale, deux **collatéraux**   et les **travées**

Transept : vaisseau transversal séparant le chœur de la nef

Porche

Chœur, dit *capela mor* au Portugal

Portail Ouest, ou portail principal, ici abrité sous le porche

Bras du transept, ou **croisillon**

Pilier

Portail latéral Sud

FREIXO DE ESPADA-À-CINTA – Portail latéral Sud de l'église

Attribuée à Boytac, la petite église paroissiale présente les caractères essentiels du **style manuélin :** colonnes torses entrecoupées d'anneaux, décor végétal, pinacles en spirale. Cette décoration, prolongement du style mudéjar *(voir pages suivantes),* n'est pas sans rappeler le style platéresque appliqué en Espagne. Limitée ici aux portails, elle va rapidement se multiplier et envahir façades et intérieurs.

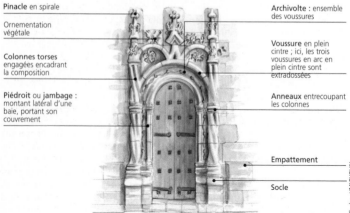

Pinacle en spirale

Archivolte : ensemble des voussures

Ornementation végétale

Voussure en plein cintre ; ici, les trois voussures en arc en plein cintre sont extradossées

Colonnes torses engagées encadrant la composition

Piédroit ou jambage : montant latéral d'une baie, portant son couvrement

Anneaux entrecoupant les colonnes

Empattement

Socle

H. Choimet/MICHELIN

RATES – Chevet de l'église S. Pedro (12ᵉ-13ᵉ s.)

Représentative de l'art roman portugais, cette église est l'un des vestiges d'un monastère fondé par Henri de Bourgogne pour les moines de Cluny.

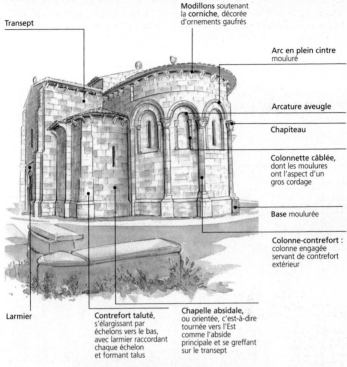

Transept

Modillons soutenant la **corniche**, décorée d'ornements gaufrés

Arc en plein cintre mouluré

Arcature aveugle

Chapiteau

Colonnette câblée, dont les moulures ont l'aspect d'un gros cordage

Base moulurée

Colonne-contrefort : colonne engagée servant de contrefort extérieur

Larmier

Contrefort taluté, s'élargissant par échelons vers le bas, avec larmier raccordant chaque échelon et formant talus

Chapelle absidale, ou orientée, c'est-à-dire tournée vers l'Est comme l'abside principale et se greffant sur le transept

BATALHA – Monastère : chapelle du Fondateur (15ᵉ s.)

Splendide exemple de gothique triomphant, la chapelle où reposent le roi Jean Iᵉʳ, son épouse, Philippa de Lancastre, et leurs fils, parmi lesquels Henri le Navigateur, est une salle carrée surmontée d'une lanterne octogonale à deux étages et d'une voûte d'ogives nervurée en étoile à huit pointes.

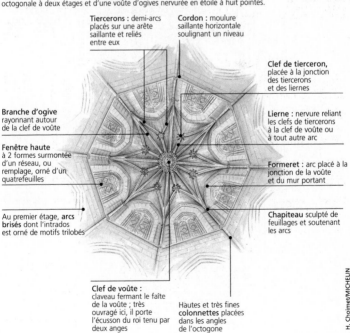

Tiercerons : demi-arcs placés sur une arête saillante et reliés entre eux

Cordon : moulure saillante horizontale soulignant un niveau

Clef de tierceron, placée à la jonction des tiercerons et des liernes

Branche d'ogive rayonnant autour de la clef de voûte

Lierne : nervure reliant les clefs de tiercerons à la clef de voûte ou à tout autre arc

Fenêtre haute à 2 formes surmontée d'un réseau, ou remplage, orné d'un quatrefeuilles

Formeret : arc placé à la jonction de la voûte et du mur portant

Au premier étage, **arcs brisés** dont l'intrados est orné de motifs trilobés

Chapiteau sculpté de feuillages et soutenant les arcs

Clef de voûte : claveau fermant le faîte de la voûte ; très ouvragé ici, il porte l'écusson du roi tenu par deux anges

Hautes et très fines **colonnettes** placées dans les angles de l'octogone

MAFRA - Basilique du palais-couvent (18ᵉ s.)

Chef-d'œuvre de l'architecture portugaise du 18ᵉ s. où prédominent les influences du néoclassicisme italien et du baroque allemand, la basilique s'inspire de la basilique de Saint-Pierre du Vatican et de l'église du Jésus à Rome.

Arc doubleau transversal jumelé renforçant la voûte en berceau et orné de caissons

Corniche à larmier souligné par des denticules entre deux corps de moulures

Fronton triangulaire servant de base à un groupe sculpté (le Christ en croix, en gloire, entre deux anges en adoration)

Arc en plein cintre garni de fleurons

Pendentif : espace triangulaire concave assurant le raccord entre la surface de la coupole et les murs

Lunette : portion de voûte en berceau ne se développant pas jusqu'à la clef de voûte et dégageant les parties hautes d'une baie

Écoinçon : surface triangulaire comprise entre un arc et son encadrement

Chapiteau toscan

Frise en marbre rose

Cordon régnant au niveau des chapiteaux

Architrave à deux **fasces** (bandeaux délimités par des filets), couronnée d'un corps de moulure

Colonnes de marbre rose encadrant le maître-autel

Orgue

Tribune d'orgue en surplomb

Retable

Autel

Pilastres jumelés ornés de cannelures

Chapiteau composite

Triforium

H. Choimet/MICHELIN

Architecture civile et militaire

ÓBIDOS – Château (13e-14e s.)

Sur le site d'un oppidum luso-romain, les Arabes élevèrent une forteresse qui fut considérablement modifiée après la reconquête d'Óbidos. Toutefois, l'influence arabe demeure sensible, notamment dans la forme pyramidale donnée aux merlons de la tour dite de Dom Ferdinand et l'absence d'éléments tels que les mâchicoulis couronnant les murailles hautes de 13 m.

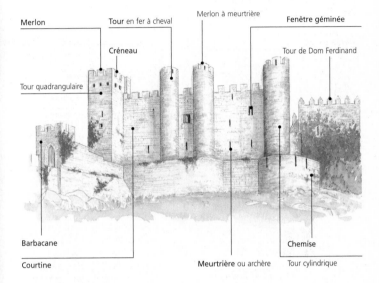

Merlon

Tour en fer à cheval

Merlon à meurtrière

Fenêtre géminée

Créneau

Tour de Dom Ferdinand

Tour quadrangulaire

Barbacane

Chemise

Courtine

Meurtrière ou archère

Tour cylindrique

L'influence mudéjare (13e au 16e s.)

Après la Reconquête se développe dans la péninsule Ibérique une forme d'art qui emprunte certaines formes décoratives à l'art islamique et que l'on qualifie de mudéjar, d'après le nom donné aux musulmans restés sous le joug chrétien. Au Portugal, cette influence fut particulièrement sensible dans la région d'**Évora**, où le roi Manuel Ier fit édifier un palais dont il ne subsiste qu'un pavillon.

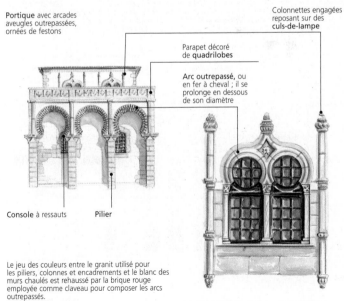

Portique avec arcades aveugles outrepassées, ornées de festons

Colonnettes engagées reposant sur des **culs-de-lampe**

Parapet décoré de **quadrilobes**

Arc outrepassé, ou en fer à cheval ; il se prolonge en dessous de son diamètre

Console à ressauts

Pilier

Le jeu des couleurs entre le granit utilisé pour les piliers, colonnes et encadrements et le blanc des murs chaulés est rehaussé par la brique rouge employée comme claveau pour composer les arcs outrepassés.

Fenêtres géminées sous arcs en fer à cheval, surmontées d'un encadrement en accolade.

H. Choimet/MICHELIN

GUIMARÃES – Palais des ducs de Bragance (15ᵉ s.)

Élevé par le premier duc de Bragance, le château, d'inspiration à la fois normande et bourguignonne, a retrouvé après restauration son aspect d'origine. S'il garde un caractère défensif par ses massives tours d'angle, ses créneaux et ses mâchicoulis, il préfigure les bâtiments de la Renaissance par ses toitures pentues hérissées de cheminées et ses larges baies.

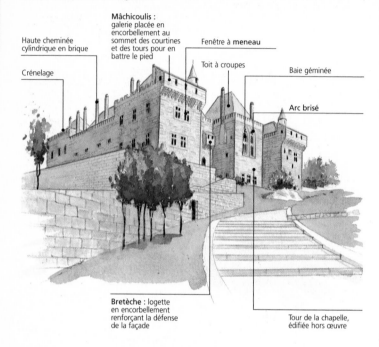

Haute cheminée cylindrique en brique

Crénelage

Mâchicoulis : galerie placée en encorbellement au sommet des courtines et des tours pour en battre le pied

Fenêtre à **meneau**

Toit à croupes

Baie géminée

Arc brisé

Bretèche : logette en encorbellement renforçant la défense de la façade

Tour de la chapelle, édifiée hors œuvre

ÉVORA – Cloître de l'ancienne université (16ᵉ s.)

L'ancienne université jésuite s'inspire de la Renaissance italienne. L'avant-corps central à trois travées, délimité par des pilastres dont l'amortissement est constitué par des statues, donne accès à la salle des Actes. À l'aplomb de la travée centrale, un attique de couronnement orné d'un écusson porte un fronton brisé dans lequel s'inscrit un groupe sculpté. Remarquer de part et d'autre les arcades en plein cintre, reposant sur des colonnettes à piédestal dans la galerie haute et sur des colonnes au niveau du portique.

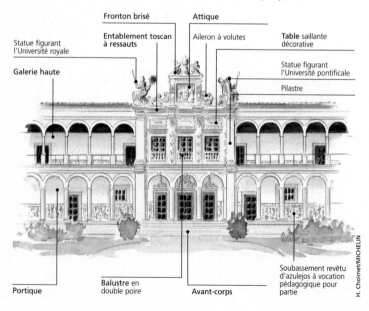

Fronton brisé

Attique

Statue figurant l'Université royale

Galerie haute

Entablement toscan à ressauts

Aileron à volutes

Table saillante décorative

Statue figurant l'Université pontificale

Pilastre

Portique

Balustre en double poire

Avant-corps

Soubassement revêtu d'azulejos à vocation pédagogique pour partie

H. Choimet/MICHELIN

LISBONNE – Praça do Comércio (18ᵉ s.)

Après le tremblement de terre du 1ᵉʳ novembre 1755, le ministre Pombal prend le parti de raser et remodeler le quartier de la Baixa. Entre le Terreiro do Paço, rebaptisé Praça do Comércio, et le Rossio, il fait édifier un quartier régulier de rues se coupant à angle droit, dont tous les immeubles comptent trois étages. Seuls quelques détails décoratifs distinguent les rues. Ce nouveau style, en partie inspiré du passé architectural de la ville, prendra le nom de **style pombalin**.

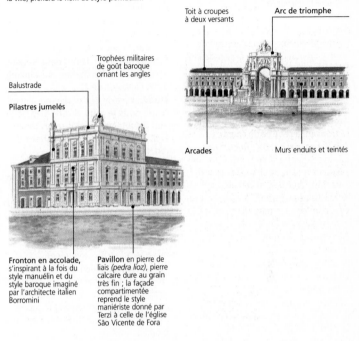

Toit à croupes à deux versants

Arc de triomphe

Trophées militaires de goût baroque ornant les angles

Balustrade

Pilastres jumelés

Arcades

Murs enduits et teintés

Fronton en accolade, s'inspirant à la fois du style manuélin et du style baroque imaginé par l'architecte italien Borromini

Pavillon en pierre de liais (pedra lioz), pierre calcaire dure au grain très fin ; la façade compartimentée reprend le style maniériste donné par Terzi à celle de l'église São Vicente de Fora

LISBONNE – Gare centrale, place du Rossio (19ᵉ s.)

Édifiée en 1886-1887 par José Luis Monteiro, elle cache derrière sa façade, bel exemple du style néomanuélin, une architecture en fer. Les trois compartiments sont rythmés à l'étage par des colonnettes polygonales engagées reposant sur les épaulements talutés du rez-de-chaussée. Un édicule de couronnement abrite l'horloge. Les éléments de décoration (cordages, anneaux, pinacles en spirale) sont typiquement manuélins.

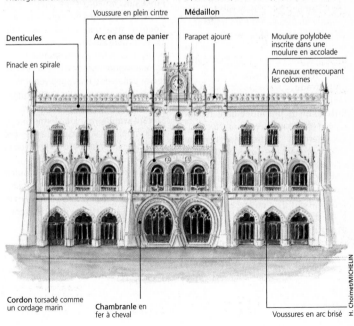

Voussure en plein cintre

Médaillon

Denticules

Arc en anse de panier

Parapet ajouré

Moulure polylobée inscrite dans une moulure en accolade

Pinacle en spirale

Anneaux entrecoupant les colonnes

Cordon torsadé comme un cordage marin

Chambranle en fer à cheval

Voussures en arc brisé

H. Choimet/MICHELIN

Termes d'art

Certains termes comme ajimez *sont en portugais ou en espagnol, car ils n'ont pas d'équivalent en français.*

Abside : extrémité arrondie d'une église, derrière le chœur (à l'extérieur).

Ajimez : baie géminée.

Altar mor : maître-autel.

Arbre de Jessé : représentation de la généalogie du Christ qui descendait de David, fils de Jessé.

Arc en tiers-point : arc brisé dans lequel s'inscrit un triangle équilatéral.

Arc outrepassé : arc en fer à cheval.

Arc triomphal : dans une église, arcade se trouvant à l'entrée du chœur.

Arcature lombarde : décoration en faible saillie, faite de petites arcades aveugles reliant des bandes verticales. Caractéristique de l'art roman.

Artesonado : plafond à marqueterie dessinant des caissons en étoile. Décor mauresque, né sous les Almohades.

Atlante (ou télamon) : statue masculine servant de support.

Atrium : patio dans la maison romaine.

Cadeiral : désigne l'ensemble des stalles.

Campanile : clocher isolé.

Castro : du latin *castrum*, ville fortifiée d'époque romaine et, aussi, camp romain destiné à retarder l'assaillant.

Chrisme : monogramme du Christ, formé des lettres grecques *khi* (X) et *rhô* (P) majuscules, qui sont les deux premières lettres du mot Christos.

Churrigueresque : style des Churriguera, architectes espagnols du 18e s. Désigne un décor baroque surchargé.

Citânia : ruines de forteresses romaines ou préromaines.

Coro : endroit où se trouvent les stalles réservées aux chanoines.

Empedrado : pavage des trottoirs et des ruelles portugaises.

Enfeu : niche pratiquée dans le mur d'une église pour recevoir une tombe.

Entablement : couronnement horizontal comprenant une corniche, une frise et une architrave.

Gâble : pignon décoratif très aigu.

Gisant : effigie funéraire couchée.

Glacis : talus d'un ouvrage fortifié en pente douce.

Grotesque : de *grotta* (grotte en italien) ; nom donné aux ornements fantastiques utilisés pendant la Renaissance.

Jalousie : dispositif de fermeture de fenêtre composé de lamelles mobiles.

Judiaria : ancien quartier juif.

Lavabo : dans un cloître, fontaine destinée aux ablutions des moines.

Modillon : petite console soutenant une corniche.

Moucharabieh : grillage en bois tourné placé devant une fenêtre.

Mouraria : ancien quartier maure.

Mozarabe : se dit de l'art des chrétiens vivant sous la domination musulmane après l'invasion de 711.

Mudéjar : se dit de l'art des musulmans restés sous le joug chrétien après la Reconquête et caractérise les œuvres (13e au 16e s.) où interviennent des réminiscences mauresques.

Ostensoir : pièce d'orfèvrerie composée d'une lunule en cristal entourée de rayons servant à exposer l'hostie.

Padrão : monument commémoratif élevé par les Portugais sur les terres qu'ils découvraient.

Péristyle : colonnes disposées autour ou en façade d'un monument.

Plateresque : style né en Espagne au 16e s., caractérisé par un décor finement ciselé rappelant le travail des orfèvres, d'où son nom venant de *plata* : argent.

Prédelle : partie inférieure d'un retable.

Púlpito : chaire.

Retable : architecture de marbre, de pierre ou de bois qui compose la décoration de la partie postérieure d'un autel.

Rinceaux : ornements de sculpture ou de peinture inspirés du règne végétal.

Rococo : style qui succéda à la fin du 18e s. au style baroque. Il se caractérise aussi par le goût des ornements.

Salomonique : nom donné aux colonnes torses décorées d'un réseau végétal.

Sé : du latin *sedes* (le siège). Désigne le siège épiscopal, donc la cathédrale.

Sphère armillaire : globe formé de cercles symbolisant la course des astres. Elle est très représentée dans l'art manuélin et fut l'emblème du roi Manuel.

Stuc : matière que l'on peut mouler, composée principalement de plâtre.

Talha dourada : boiseries sculptées et dorées, caractéristiques de l'art baroque portugais.

CULTURE

Ouverte aux influences extérieures qu'elle assimile rapidement et avec succès, la littérature portugaise n'en est pas moins originale et pleine d'imagination. L'âme lyrique et nostalgique du peuple est imprégnée de la fameuse « saudade » – comme dans le fado – mais aussi de sens critique, vite enclin à la satire des injustices ou des aspects ridicules de chaque époque. C'est pourquoi la poésie y a toujours occupé une place privilégiée, avec, pour figure de proue défiant les siècles, l'œuvre monumentale de Camões. Le cinéma est imprégné du même esprit.

« De ma langue, on voit la mer »

Dixit Vergílio Ferreira.

Bien que le territoire portugais ait été occupé par différents peuples (Phéniciens, Wisigoths, Celtes, Arabes), la langue portugaise, dans son vocabulaire comme dans sa syntaxe, dérive directement et principalement du latin parlé par les Romains qui ont séjourné dans la péninsule Ibérique. Plus tard, les Wisigoths et les Suèves (du 6e au 8e s.) sont passés sans laisser de traces dans la langue. Le portugais a été fortement influencé par l'arabe qui, à partir du 8e s., a enrichi le lexique avec des mots ayant trait aux techniques introduites par ce peuple. Toutefois, à mesure que celles-ci évoluaient, ces termes ont été progressivement remplacés par d'autres. Il en subsiste cependant un certain nombre, en particulier tous les mots commençant par « al ». À l'époque des Grandes Découvertes, les Portugais ne se sont pas contentés de disséminer leur langue dans le monde, ils ont aussi importé, en même temps que les précieuses épices, de nouveaux vocables exotiques, qui sont le condiment de cette langue.

Une littérature d'envergure

UNE LONGUE TRADITION DE POÈTES

Le Moyen Âge

Le Portugal entre dans la littérature à la fin du 12e s. avec la poésie des troubadours, influencée par le lyrisme provençal. On distingue les **cantigas de amor** interprétées par des voix masculines, les **cantigas de amigo** plus populaires, les **cantigas de escárnio** satiriques ; toutes sont réunies dans des *cancioneiros* dont le plus célèbre, le *Cancioneiro Geral*, œuvre de l'Espagnol Garcia de Resende, réunit toute la poésie produite en portugais et en castillan pendant plus d'un siècle.

Le roi Denis Ier, poète lui-même, imposa l'usage officiel du portugais. **Fernão Lopes** (né vers 1380/1390), chroniqueur des rois de Portugal *(Crónicas de D. Pedro, D. Fernando, D. João I, D. Dinis)*, fut le grand nom de la littérature médiévale.

La Renaissance

Le 16e s. introduit l'humanisme et un renouveau de la poésie et de l'art dramatique illustré par **Francisco Sá de Miranda** (1485-1558), **Bernardim Ribeiro** (1500-1552), auteur du fameux *Menina e Moça (Fillette et Jouvencelle)*, **António Ferreira** (1528-1569) avec ses *Poèmes lusitaniens* et *Castro*, mais surtout **Gil Vicente** (1470-1536), dramaturge qui, au fil de ses 44 pièces de théâtre, dépeint un tableau satirique de la société portugaise au début du 16e s. Il commence par des *autos* (actes), souvent inspirés par des thèmes religieux, puis poursuit avec des tragicomédies et des « farces ».

La grande figure de cette époque reste **Luís de Camões** ou **Camoens** (1524-1580). Dans sa vaste fresque des *Lusiades* (1572),

Os Lusiadas – Canto V

Assim fomos abrindo aqueles mares,
Que geração alguma não abriu,
As novas Ilhas vendo e os novos ares,
Que o genoroso Henrique descobriu ;
De Mauritânia os montes e lugares,
Terra que Anteu num tempo possuiu,
Deixando à mão esquerda, que a direita
Não há certeza doutra, mas suspeita.

Ainsi ouvrîmes-nous ces mers
Que nulle génération n'avait ouvertes,
Voyant les nouvelles îles et les nouveaux cieux,
Qu'avait découverts le généreux Henri ; Laissant à main gauche les monts et les bourgs de Mauritanie,
Terre où jadis régna Antée :
Car à droite, il n'y a pas certitude, mais présomption d'existence d'une autre terre.
Traduit par Roger Bismut.

« les fils de Luso » soit les Portugais *(voir encadré p. 77)*, le grand poète épique retrace l'épopée de Vasco de Gama à la manière de l'*Odyssée*. Il se fait ainsi le chantre des Grandes Découvertes après une vie aventureuse qui l'a mené, entre autres, au Maroc et à Goa.

Le classicisme du 17e s.

Au 17e s., durant les soixante années de domination espagnole, la littérature portugaise se confine dans les académies de Lisbonne et de province ; la préciosité baroque triomphe. Une large part est faite aux chroniques, aux récits de voyages dont ceux de **Fernão Mendes Pinto** (1509-1583), auteur notamment de *Pérégrination*. Le jésuite **António Vieira** (1608-1697) se distingue par ses sermons et ses lettres de missionnaire au Brésil.

Le 18e s.

Le Siècle des lumières a ses représentants au Portugal : savants, historiens, philosophes.
Théâtre et poésie se ressentent de l'influence française. **Manuel M. Barbosa du Bocage** (1765-1805), lui-même d'ascendance française par sa mère, est un grand poète lyrique dont l'œuvre s'inspire des mouvements sociaux et politiques de l'époque.

Le 19e s.

Le romantisme s'installe grâce à **Almeida Garrett** (1799-1854), poète *(Fleurs sans fruits, Feuilles tombées)* et maître de toute une génération de poètes, réformateur du théâtre portugais *(Frei Luís de Sousa)*, romancier *(Voyages à travers mon pays)*. Le siècle voit s'imposer d'autres remarquables poètes tels **António F. de Castilho** *(Amour et Mélancolie)* et **João de Deus. Alexandre Herculano** (1810-1877) introduit le roman historique dans un style se rapprochant de celui de Victor Hugo. Son *Histoire du Portugal* fut un grand succès. Son contemporain, **Oliveira Martins**, s'essaie aussi à retracer l'histoire du pays dans un style rappelant celui de Michelet. La transition avec le réalisme se fait avec **Camilo Castelo Branco** (1825-1890) dont le roman le plus célèbre, *Amour de perdition,* offre un reportage sur la société de l'époque. La fin du romantisme est représentée par l'Açorien **Antero de Quental** (1842-1891) ; ses *Odes modernes* sont un instrument d'agitation sociale. **Eça de Queirós** (1845-1900), diplomate et romancier, fait dans son œuvre une critique des mœurs de son temps. C'est le « Flaubert portugais » *(Le Cousin Basile, Les Maias, Proses barbares, Le Crime du Père Amaro)*. **Guerra Junqueiro** (1850-1923) écrit des poèmes satiriques et polémiques.

Fernando Pessoa et ses « hétéronymes » : la vie rêvée et démultipliée

Modeste employé de bureau à Lisbonne, presque inconnu à sa mort, **Fernando Pessoa** (1888-1935) est considéré aujourd'hui comme le plus grand écrivain portugais depuis la Renaissance. Génie complexe et précurseur, Pessoa, dont le nom signifie « personne », a renouvelé la poésie portugaise en se dissimulant derrière plusieurs « hétéronymes ». Outre des publications sous son patronyme propre *(Poèmes ésotériques, Message, Le Marin)*, ses identités multiples lui ont permis de s'exprimer dans des styles et des genres très différents ; ainsi entrent en scène Álvaro de Campos *(Œuvres poétiques)*, Alberto Caeiro et Ricardo Reis *(Poèmes païens)* et le « demi-hétéronyme »

« Fernando Pessoa » par Almada Negreiros.

Fundação Gulbenkian, Paris

de Pessoa, Bernardo Soares, qui a définitivement choisi de rêver sa vie plutôt que de la vivre, à l'image de Pessoa lui-même. On doit à ce dernier hétéronyme *Le Livre de l'intranquillité*, chef-d'œuvre de la littérature mondiale, livre inclassable en forme de recueil d'aphorismes et de réflexions. Publiés plus de quarante ans après sa mort, ces feuillets retrouvés presque par hasard au fond d'une malle vont marquer un tournant dans la littérature portugaise des années 1980.

LA LITTÉRATURE CONTEMPORAINE

La génération autour de Fernando Pessoa

Parmi les contemporains de **Pessoa** (*voir encadré*), citons ses amis **Mario de Sá-Carneiro** (1890-1915) et **Almada Negreiros** (1893-1970) avec qui, entre autres, le grand écrivain fonde en 1915 l'innovatrice et éphémère revue *Orpheu*. Alamada Negreiros, écrivain et peintre (*voir p. 66*), est une figure contestatrice importante dans les mouvements littéraires et artistiques à partir des années 1910. Sá-Carneiro, le plus proche de Pessoa, se suicida à 26 ans en laissant de très beaux poèmes.

Influencée par la révolution commencée par *Orpheu*, la revue *Presença* est créée en 1927 par un groupe de Coimbra. Dirigée par **José Régio** (1901-1969), auteur notamment des *Poésies de Dieu et du Diable*, elle révèle le poète et romancier **Miguel Torga** (1907-1995), devenu depuis un ténor de la littérature portugaise. Torga a construit une mythologie exaltant l'amour de sa terre natale, le Trás-os-Montes, sans pour autant tomber dans le folklore (*Contes de la montagne*). Son journal intime (*Journal*), écrit au fil des décennies, rend aussi compte de l'histoire portugaise. Sur les marges de *Presença*, un autre groupe d'écrivains, se qualifiant de « néoréaliste », promeut une littérature engagée. Parmi eux, citons **Vitorino Nemésio** (1901-1978, également poète) et son très beau roman *Gros temps sur l'archipel* qui se déroule aux Açores, Aquilino Ribeiro (1885-1963), **Ferreira de Castro** (1898-1974) qui a tiré parti d'un long séjour au Brésil (*Forêt vierge*, *La Mission*), la poétesse Irene Lisboa (1892-1958), **Fernando Namora** (1919-1989) auteur du *Bon Grain et l'Ivraie*, et **Urbano Tavares Rodrigues** (né en 1923).

La littérature d'après-guerre

Après la Seconde Guerre mondiale, la littérature portugaise connaît une évolution romanesque et poétique.

Participent à cette transformation les romanciers **José Cardoso Pires** (1925-1998), **Agustina Bessa Luís** (née en 1922, *La Sibylle*, *Fanny Owen*) et **Vergílio Ferreira** (1916-1997, *Aparição*). Les deux derniers, dont le style diffère entièrement, ouvrent de nouvelles voies. Bessa Luís explore minutieusement l'univers de ses personnages, tandis que Ferreira traite des problèmes existentialistes.

Parmi les **poètes**, citons António Ramos Rosa, Herberto Helder (né en 1930 à Madère), **Carlos de Oliveira** (1921-1981) qui décrit la vie des petits villages (*Une abeille sous la pluie*), **Sophia de Mello Breyner** (1919-2004), Manuel Teixeira Gomes (*Lettres sans aucune morale*), **Eugénio de Andrade**, auteur d'une des œuvres poétiques les plus importantes de l'après-guerre, **António Osório** (*Nature du pollen*), Pedro Tamen (*Maître es sanglots*) et Jorge de Sena (1919-1978) qui écrit aussi des romans.

José Saramago, Nobel de littérature en 1998

Né en 1922 à Azinhaga, près de Santarém, José Saramago a vécu dès l'âge de 3 ans à Lisbonne. Il y exerça par la suite différents métiers (mécanicien, dessinateur, employé à la Sécurité sociale, éditeur, traducteur, journaliste) avant de publier son premier roman en 1947 (*Terra do Pecado*). Il travailla ensuite dans une maison d'édition et fut critique littéraire de la revue *Seara Nova*. Son deuxième livre, *Les Poèmes possibles*, ne parut qu'en 1966, et ses grands succès littéraires datent surtout des années 1980 : *Le Dieu manchot* (1982), qui retrace la construction du couvent de Mafra, *L'Année de la mort de Ricardo Reis* (1984), consacré à Pessoa, *Le Radeau de pierre* (1986), *Histoire du siège de Lisbonne* (1989), *L'Évangile selon Jésus-Christ* (1991), *L'Aveuglement* (1998).

Le renouveau des lettres portugaises

Après la révolution de 1974 et plus encore dans les années 1980, la littérature portugaise a connu un autre renouveau notamment avec les écrivains **Lídia Jorge** (*Le Rivage des murmures*), **José Saramago** qui, à travers ses romans (*voir encadré*), brasse les grands mythes de l'histoire du Portugal, **António Lobo Antunes** qui, de son écriture crue, revisite aussi l'identité portugaise (*Le Cul de Judas*, *Exhortation aux crocodiles*, *Le Retour des caravelles*).

Mentionnons également **Nuno Júdice** dont l'œuvre est surtout poétique (*Théorie du sentiment*, *Un champ dans l'épaisseur du temps*), **Eduardo Lourenço**, philosophe et essayiste (*Mythologie de la saudade*), et **Almeida Faria** qui chante la mémoire, l'exil et la nostalgie.

L'apport des anciennes colonies

Les anciennes colonies portugaises apportent une notable contribution à la littérature lusitanienne : le Brésil avec **Jorge Amado** (1912-2001) et **Guimarães Rosa**, l'Angola avec sa tradition de conteurs : **Luandino Vieira** (*Autrefois dans la vie, Nous autres de Makulusu*), **Pepetela** (*Yaka*), **José Eduardo Águalusa**. Au Mozambique, la poésie et le conte ont leurs dignes représentants avec **Mia Couto** (*La Véranda au frangipanier*) et **Luís Carlos Patraquim**. Au Cap-Vert, le philologue **Baltazar Lopes** (*Chiquinho*) et le conteur **Manuel Lopes** (*Les Victimes du vent de l'est*) témoignent de la richesse littéraire de l'archipel.

Voir aussi nos rubriques « Littérature » et « Poésie » p. 38.

Un cinéma original

Dans les années 1930 et 1940, le cinéma portugais s'épanouit autour de thèmes populaires, de films ruraux ou de comédies de mœurs dont les principales vedettes sont Beatriz Costa et António Silva. Puis l'idéologie salazariste prime avec le réalisateur quasi officiel António Lopes Ribeiro. Le « Cinema Novo » gagne alors une reconnaissance internationale. La jeune génération perpétue aujourd'hui la tradition de ce cinéma d'auteur indépendant.

VERS UN CINÉMA D'AUTEUR

À partir des années 1950, les réalisateurs portugais de distinguent par leur créativité et leur indépendance. Les ciné-clubs se multiplient et une élite intellectuelle et artistique émerge. Néanmoins, celle-ci souffre de la censure du gouvernement. Pendant cette période, les comédies déclinent.

Au cours des années 1960, de jeunes Portugais font leurs études cinématographiques en France et en Grande-Bretagne. Les réalisateurs les plus connus sont **Paulo Rocha**, qui a été l'assistant de Jean Renoir, **Fernando Lopes** (*Belarmino*) et **António de Macedo** (*Domingo à Tarde*).

Le « Cinema Novo »

Paulo Rocha se signale par son film *Os Verdes Anos* (*Les Vertes Années*) en 1963, qui marque la rupture avec les œuvres de la dictature et inaugure le « Cinema Novo », équivalent de la Nouvelle Vague française. Après avoir travaillé quelques années au Japon (*L'Île des amours*), il continue sa carrière au Portugal (*Fleuve d'or*). La plupart des réalisateurs portugais reviennent au pays à la fin de leurs études. C'est aussi la période post-révolution des Œillets : les réalisateurs tournent des films influencés par le militantisme et la politique, dans la lignée de *O Recado* (*Le Message*), réalisé par **José Fonseca e Costa** alors que la dictature sévit toujours. Se distinguent en outre **António Reis** (*Jaime*), **António Pedro de Vasconcelos** (*O Lugar do Morto*) et **Lauro António** (*La Brume de l'aube*).

La nouvelle génération de cinéastes

Depuis les années 1980, la nouvelle génération de réalisateurs continue à faire preuve d'une grande originalité, donnant au cinéma portugais les caractéristiques d'un cinéma d'auteur. Parmi eux on peut citer Joaquim Pinto, également producteur important du cinéma indépendant, **João Mário Grilo** (*O Processo de Rei, Longe da Vista, O Fim do Mundo*), **João Botelho** (*Um Adeus Português, Três Palmeiras, Tráfico*), **João César Monteiro** (*Souvenirs de la maison jaune, La Comédie de Dieu, Va-et-Vient*), **Pedro Costa** (*O Sangue, Ossos, Dans la chambre de Vanda*), **Teresa Vilaverde** (*Os Mutantes, Eau et Sel*), **Luís Rocha** (*Adeus Pai*), **Joaquim Sapinho** et **Manuela Viegas** (*Corte de Cabelo, Glória*).

L'actrice **Maria de Medeiros** s'est aussi lancée dans la réalisation avec son film *Capitaines d'avril* évoquant les événements de la révolution des Œillets.

LA RENCONTRE DU CINÉMA ET DE LA LITTÉRATURE

Le cinéma portugais doit sa notoriété internationale à l'extraordinaire personnalité de **Manoel de Oliveira**, né en 1908.

Son premier long-métrage, *Aniki Bobo*, est dédié à sa ville natale, Porto, où il a tourné dès 1931. Pendant la dictature salazariste, Oliveira produira très peu. C'est à partir des années 1980 qu'il réapparaît sur la scène cinématographique portugaise. Associé à **Paulo Branco**, actuellement le plus important producteur portugais, Oliveira réalise, depuis, près d'un film par an. Il laisse une large part à l'imagination et s'inspire surtout de la littérature, qu'elle soit portugaise, avec les œuvres de Camilo Castelo Branco (*Amour de perdition, Le Jour du désespoir*, une biographie de l'écrivain), de Agustina Bessa Luís (*Francisca* d'après

Fanny Owen, Le Val Abraham, Le Couvent d'après Les Terres du risque, Party, dont elle a signé les dialogues), italienne (La Divine Comédie d'après Dante) ou française (Le Soulier de satin d'après Claudel, Lion d'or spécial au Festival de Venise en 1985, La Lettre, adaptation de La Princesse de Clèves de Mme de Lafayette, prix du Jury du Festival de Cannes en 1999).

À ses acteurs de prédilection, Luís Miguel Sintra et Leonor Silveira, se joignent au cours du temps des stars internationales : Irène Papas, Chiara et Marcello Mastroianni, Catherine Deneuve, John Malkovitch et Michel Piccoli. Toujours en activité – son dernier film, Os Invisíveis, a été tourné en 2008 –, Manoel de Oliveira est le seul cinéaste vivant ayant réalisé des films du temps du cinéma muet.

LISBONNE, VILLE RÊVÉE DES CINÉASTES

Sept collines, des maisons colorées, des impasses, recoins et jardins, des perspectives tous azimuts, une lumière si particulière et surtout une ambiance de ville à la fois en mouvement et arrêtée dans le temps… Lisbonne semble faite pour le cinéma. En tous cas elle est depuis longtemps source d'inspiration pour nombre de réalisateurs étrangers et portugais. Le Suisse Alain Tanner y est venu filmer Dans la ville blanche, où Lisbonne tient le rôle principal.

Lisbonne Story de Wim Wenders raconte l'histoire d'un preneur de son à la recherche d'un ami, et qui finit par se perdre lui-même dans cette ville propice aux errances.

D'autres réalisateurs étrangers comme Robert Krammer ou Aleksandr Sokourov y ont aussi trouvé matière à leur travail. Chez les cinéastes portugais, la capitale a également joué un rôle essentiel pendant la période du « cinema novo » (Les Vertes Années de Paulo Rocha et Belarmino de Fernando Lopes).

De son côté, João César Monteiro, disparu en 2003, s'est révélé être un des meilleurs portraitistes de sa ville. Son personnage, l'inénarrable et iconoclaste João de Deus, déambule dans Lisbonne, amenant le spectateur à la rencontre de personnages locaux hauts en couleur tandis que de longs plans-séquences dans des lieux clefs de la cité en dessinent une géographie très personnelle et inclassable.

Depuis quelques années, certains réalisateurs de la nouvelle génération préfèrent filmer la ville depuis ses coulisses et ses arrière-salles ou aller en périphérie, dans l'envers du décor. Ainsi Teresa Vilaverde (Les Mutants), Pedro Costa (Dans la chambre de Vanda, une plongée dans la vie des toxicomanes du quartier pauvre de Fontainhas), ou Bruno de Almeida, Portugais d'origine installé à New York (The Lovebirds, sur le thème du labyrinthe émotionnel que peut être Lisbonne la nuit) donnent à voir une autre réalité de la ville.

👣 Voir notre sélection de films p. 40.

La musique au rythme du fado

ORIGINES

Mélopée dérivée des poésies chantées par les troubadours du Moyen Âge, chant d'origine mauresque ou afrobrésilienne, les hypothèses ne manquent pas sur les origines du fado. Il apparaît au Portugal à la fin du 18e s. à la fois sous la forme d'un chant nostalgique de marins et du chant des femmes du quartier populaire de la Mouraria, à Lisbonne. Il se développe au début du 19e s. dans une période agitée par les guerres napoléoniennes et l'indépendance du Brésil. Ces circonstances expliqueraient le succès de ce chant triste dont les principaux thèmes évoquent les fluctuations du destin (son nom viendrait du latin fatum : destin).

Le fado acquiert sa popularité à Lisbonne dès 1820 avec la chanteuse **Maria Severa**. En 1833 s'ouvrent les premières

La saudade

Un mal qui fait du bien, un bien qui fait du mal : c'est ainsi que Camões qualifiait la saudade. Le mot, sans équivalent dans d'autres langues, désigne un sentiment qui pour beaucoup caractérise l'« âme » portugaise. Le fado est une forme d'expression privilégiée de la saudade, qui « avant d'être pensée, a été chantée » comme affirme l'essayiste Eduardo Lourenço. Le fado parle des amours inaccomplis, des départs, des ruptures, des difficultés de la vie, d'un destin contre lequel on ne peut rien. Néanmoins, cette fatalité et ce chagrin chantés dans le fado expriment parfaitement le sentiment contradictoire qui constitue la saudade : une mélancolie joyeuse, la douceur d'exprimer une douleur, une souffrance qui se contente et se satisfait d'elle-même…

La Discoteca Amália à Lisbonne.

maisons de fado. À partir de 1870, les aristocrates l'adoptent et s'exercent à exprimer leurs émotions romantiques à travers ces chants. À la fin du siècle, le fado devient un genre littéraire et les grands poètes et écrivains du moment s'y essaient. Dans le roman apparaît le personnage du *fadista* qui traîne de maison de fado en maison de fado en buvant et en écoutant ces airs nostalgiques, les yeux mi-clos dans un nuage de fumée. Au début du 20e s., le fado sert de support aux luttes idéologiques.

Amália Rodrigues, avec une voix incomparable et un choix de textes de qualité, a dépassé les frontières. Considérée comme la plus grande interprète de ce style, elle a conféré au fado une gloire internationale telle qu'il est devenu le symbole du Portugal et de sa *saudade*.

Ces dernières années, le fado a trouvé un nouveau souffle à travers des artistes qui utilisent exclusivement ou ponctuellement ce style : Camané, Filipa Pais, Marta Dias, Mísia, Paulo Bragança, Sofia Varela, Mariza, Bevinda (qui chante le « fado de Paris »), Cristina Branco, et la chanteuse du célèbre groupe Madredeus, Teresa Salgueiro. En outre, la relève se renou-velle avec Katia Guerreiro et Anna Moura, la référence du moment.

🎧 *Voir notre sélection de disques p. 40.*

PRATIQUE DU FADO

Le chanteur *(fadista)*, souvent une femme, est accompagné par un ou deux joueurs de viole *(guitarra portuguesa)*. Cet instrument né au Portugal, dont l'un des plus grands maîtres fut Carlos Paredes, est utilisé exclusivement pour accompagner le *fadista*, ou comme instrument soliste. Il diffère de la guitare espagnole *(viola)* par sa forme plus ovale et par le nombre de ses cordes (douze au lieu de six), qui lui permettent davantage de nuances dans les tonalités et un son plus aigu. Le *fadista*, souvent vêtu de noir, se tient droit, la tête rejetée en arrière, les yeux mi-clos, et frappe par la force de sa voix souvent grave.

L'évolution de ce type de musique est à l'origine de quelques tentatives pour créer un « fado gai » au rythme varié ; ce nouveau style est controversé par certains amateurs. Le fado de Lisbonne, considéré comme presque pur, serait plus proche des origines que le fado de Coimbra, chanté uniquement par des hommes portant les grandes capes noires des étudiants. Ce dernier raconte tradition-nellement les aventures des étudiants avec les femmes du peuple.

OÙ L'ÉCOUTER

À Lisbonne, des spectacles de fado sont donnés tous les soirs dans les quartiers de l'Alfama et du Bairro Alto. Malheureusement, nombre de maisons de fado sont devenues extrêmement touristi-ques et le chant y perd un peu de son âme. Parfois, dans un petit restaurant, on peut avoir la chance de trouver des *fadistas* amateurs qui chantent pour leur plaisir… et le nôtre.

🎧 *Pour tout savoir sur le fado, visitez la Casa-Museu Amália Rodrigues (voir p. 141) et la Casa do Fado e da Guitarra Portuguesa (voir p. 121), à Lisbonne. Vous trouverez dans l'encadré pratique de Lisbonne des adresses de maisons de fado.*

M. Gurfinkel / MICHELIN

Musique, musiques

Loin de se cantonner au fado, l'offre musicale au Portugal déborde largement les genres et les frontières, voire les Océans. La présence d'importantes communautés brésilienne et cap-verdienne notamment, et le lien que constitue la langue portugaise à travers le monde, font de Lisbonne et, dans une moindre mesure de Porto, des scènes actives pour les musiques du monde. En outre, le développement des festivals et des salles de qualité à la programmation variée, surtout à Lisbonne, comblent tous les amateurs : classique, jazz, rock, électro…

ARTS ET TRADITIONS POPULAIRES

Au début des années 1970, il était encore courant de croiser des charrettes tirées par des chevaux, des femmes toutes de noir vêtues portant des jarres d'eau sur la tête ou des pêcheurs en costume traditionnel. Aujourd'hui ces scènes ont quasiment disparu avec les nouvelles générations et le désenclavement des régions les plus reculées. Pendant la forte croissance économique des années 1980 et 1990, les Portugais ont plongé avec une certaine frénésie dans la société de consommation. Cependant les traditions ne se sont pas toutes perdues, et les fêtes sont toujours à l'honneur. La culture populaire reste vivace et le mode de vie rural conserve certaines prérogatives, en particulier dans le nord-est du pays, en Alentejo et aux Açores.

L'architecture populaire

LES MAISONS RURALES

Porto et le Nord

Le matériau le plus utilisé est le granit. Les maisons sont massives, recouvertes de tuiles. Les cheminées sont très petites, voire inexistantes, et la fumée s'échappe par les interstices du toit, la porte ou les fenêtres. L'escalier extérieur débouche sur un balcon de bois ou de pierre, ou sur une véranda qui peut se transformer en pièce d'habitation.

Dans le Trás-os-Montes, c'est le schiste qui prime et les maisons sont couvertes d'ardoises.

Dans la vallée du Douro, à côté des maisons paysannes, vous pourrez admirer les manoirs *(solares)* et les domaines *(quintas)* des propriétaires terriens, souvent blanchis à la chaux.

Lisbonne et le Centre

Le calcaire donne aux habitations une allure plaisante ; la façade s'orne souvent de corniches et de stucs ; l'escalier extérieur disparaît.

Alentejo

Pour lutter contre la luminosité et la chaleur de l'été, on a bâti des maisons très basses, sans étage, aux murs blanchis à la chaux, et réduit les dimensions des ouvertures. Cependant, les rigueurs de l'hiver ont obligé à ériger une énorme cheminée, souvent rectangulaire ou cylindrique (à Mourão). Le matériau de construction utilisé varie selon les régions ; c'est en général de la *taipa* (argile séchée) ou de l'*adobe* (boue et paille coupée mélangées, séchées au soleil), couramment employé autrefois par les musulmans. On se sert également de brique, surtout pour la décoration (cheminées, créneaux, vérandas), ou de marbre autour d'Estremoz. Les encadrements de portes et de fenêtres peuvent être peints en bleu, rose ou orange.

Algarve

La maison basse, blanchie à la chaux, est composée généralement de plusieurs blocs juxtaposés. Le toit de tuiles rondes est parfois remplacé, dans l'Est, par une terrasse, utilisée pour récupérer l'eau de pluie ou faire sécher le poisson et les fruits. Elle donne à Olhão et Fuseta l'aspect des villes d'Afrique du Nord. À la terrasse se substitue exceptionnellement un toit à quatre pans recourbés *(telhado de tesouro)* que certains attribuent à l'influence chinoise ; ce système est encore bien conservé à Faro, Tavira et Santa Luzia. Les portes sont surmontées d'arcs et de voussures. Les cheminées, fines et élégantes, sont délicatement ajourées et couronnées d'une boule, d'un fleuron, d'un vase ou d'un ornement curieux (lance, faux) ; elles sont peintes en blanc ou utilisent les combinaisons décoratives de la brique.

Madère

À Madère, les maisons paysannes traditionnelles (à Santana) ont un toit de chaume à deux pans descendant jusqu'au sol et recouvrant toute la maison. Sur la façade, la porte est flanquée de deux petites fenêtres et, parfois, surmontée d'une troisième. Toutes ces ouvertures sont encadrées de bandes de couleur.

QUELQUES ÉLÉMENTS D'URBANISME TRADITIONNELS

Les trottoirs

Dans tout le pays, les trottoirs et les places sont recouverts de belles compositions dessinées par l'alternance des pavés de basalte noir, de grès doré, de calcaire blanc et de granit gris. Ce sont les **empedrados** *(voir p. 69)*.

Maison traditionnelle de l'Algarve.

Les greniers à grain

Très répandus dans le Minho, les greniers à grain *(espigueiros)*, dont les plus beaux exemples se trouvent à Lindoso et Soajo (Parc national de Peneda-Gerês), sont des constructions de granit sur pilotis. On y sèche le maïs, des fentes de ventilation étant ménagées dans les parois de granit *(voir illustration p. 393)*. Les croix qui les surmontent évoquent le caractère sacré du grain.

Les moulins (moinhos)

Le Portugal comptait plus de 2 000 moulins à vent il y a encore une dizaine d'années, mais la plupart ont été laissés à l'abandon et tombent aujourd'hui en ruine. On en aperçoit encore sur les crêtes des collines autour de Nazaré, d'Óbidos, de Viana do Castelo. Le type de moulin le plus répandu est le moulin méditerranéen formé d'une tour cylindrique en pierre ou en terre battue qui supporte une coupole conique à laquelle est fixé un mât porteur de quatre voiles triangulaires.

Les piloris (pelourinhos)

Au centre des petites villes et des villages se dresse le pilori où l'on exposait autrefois les brigands. Au Moyen Âge, le pilori devint le symbole du municipalisme triomphant ; seuls pouvaient l'ériger ceux qui avaient droit de justice. Ce fut le prélude aux libertés municipales, aussi les trouve-t-on souvent près de la mairie, de la cathédrale ou d'un monastère, tous sièges de juridiction.

Au 12e s., c'était une simple colonne que surmontait la cage où l'on enfermait le malfaiteur. Au fil des ans, la cage perdit de l'importance et on la remplaça par des crochets de fer auxquels étaient enchaî-nés les contrevenants. La **colonne**, le plus souvent cylindrique, mais parfois prismatique, pyramidale, conique ou torse (au 17e s.), peut être décorée de stries droites ou en spirale, de roses, de disques sculptés, d'écailles, de nœuds ou de figures géométriques. Le **couronnement** est une pièce ornementale qui dérive souvent de la cage primitive : une cage miniature avec colonnettes, une sorte de pomme de pin, un prisme ou tout simplement une plate-forme agrémentée de colonnettes, une sphère lisse ou armillaire (époque manuéline). Il est parfois surmonté de girouettes ou de bras tenant une épée de justice. Dans la région de Bragança, la plupart des piloris se terminent par quatre bras de pierre en croix auxquels sont suspendus les crochets de fer *(voir illustration p. 237)*.

Le padrão

C'est un monument public, un mémorial portant la croix et les armes du Portugal, que les explorateurs portugais dressaient quand ils abordaient une terre nouvelle. On les trouve dans les anciennes colonies ou dans les îles.

Danses et fêtes folkloriques

DANSES ET COSTUMES

Elles reflètent les particularités provinciales et les différences de caractère des habitants.

Dans le Nord

Dans le **Minho** et le **Douro Littoral**, les habitants, effacés mais très sociables, se regroupent pour effectuer les travaux agricoles (vendanges, moissons) et chantent pour se donner du cœur à l'ouvrage ; cette gaieté se retrouve dans leurs danses qui sont les plus réputées du Portugal. Les **viras**, de rythme vif, sont des sortes de rondes exécutées sur des paroles de chansons anciennes. La **vota** (ou *vira galagos*) est encore plus mouvementée. Les danses populaires – **maltôte**, **perim** – mettent en valeur la beauté féminine ; les costumes sont très jolis, parfois ornés de bijoux et de bracelets en or.

Dans les provinces montagneuses du **Trás-os-Montes** et des **Beiras**, où les habitants mènent une vie rude, les pratiques communautaires demeurent. Il existe encore un four, un moulin et un pressoir communaux. Les danses – **chutas** et **dansa dos pauliteiros** – soulignent l'attitude effacée de la femme.

Dans le Centre

Dans la **Beira Littorale**, l'**Estrémadure**, et le **Ribatejo**, les distractions revêtent moins d'importance, sauf entre Var et Nazaré où la **vira** réapparaît. C'est ici une danse de pêcheurs, remarquable par l'harmonie de ses figures ; à Nazaré, les jeunes filles lui donnent une grâce particulière par le jeu de leurs jupons.

Les grandes prairies du Ribatejo sont le domaine des *campions*, gardians aux costumes rutilants, qui surveillent les taureaux destinés aux *tourailles*.

Beau parleur et quelque peu hâbleur, l'Estremenho est considéré comme le « Gascon » du Portugal, alors que le Ribatejan, plus réservé, aime danser seul le **fandango** et l'**escovinho** ; la femme est vêtue très simplement : jupe courte, blouse claire, souliers aux talons larges et bas, fichu de laine sur la tête.

Dans l'Alentejo

Ici, le costume féminin répond aux besoins des durs travaux des champs. L'homme, peu démonstratif, danse en chantant des **saias** et des **balhas** au rythme lent et triste.

Dans l'Algarve

Le peuple, d'habitude plutôt grave, déborde, les jours de fête, de joie et de dynamisme.

Le **corridinho** se danse sur un rythme vif. Le vêtement féminin est très coloré, avec une pointe de coquetterie.

Les romarias, fêtes religieuses

Les *romarias* sont célébrées en l'honneur d'un saint patron. Les plus importantes ont lieu dans le nord du pays, surtout dans le Minho. Les petites *romarias* se tiennent dans des chapelles de montagne et ne durent qu'une journée. Les grandes *romarias*, qui se déroulent dans les villes, peuvent s'étaler sur plusieurs jours. Certaines sont réservées à des catégories professionnelles, comme la *romaria* des pêcheurs à Póvoa de Varzim.

La quête

Quelques jours avant la fête, les responsables organisent une quête pour subvenir aux frais de la *romaria*. Les dons en nature sont recueillis dans des paniers ornés de fleurs et de guirlandes, puis vendus aux enchères. Ces quêtes sont déjà l'occasion de réjouissances auxquelles participent le **gaiteiro** (joueur de cornemuse), le **fogueteiro** qui lance les fusées et, en Alentejo, le **tamborileiro** qui joue du tambour. Les rues sont jonchées de tapis de fleurs.

Le cierge

L'essentiel de la cérémonie religieuse consiste en la conduite solennelle d'un cierge (d'où le nom de *círio* donné à la *romaria*) ou d'une bannière, depuis une localité parfois éloignée jusqu'au sanctuaire ; le cierge est transporté sur un char à bœufs ou sur une charrette fleurie. Il est suivi par une procession d'où émerge la statue du saint ou de la Vierge couverte de guirlandes et de dentelles. Le *gaiteiro* ouvre la marche.

À l'arrivée, le cortège accomplit deux ou trois fois le tour du sanctuaire dans un vacarme de pétards, de musiques et de cris. Le cierge et la bannière sont ensuite déposés près de l'autel, puis les dévots vénèrent la statue du saint.

Les « saints avocats »

Pour obtenir la faveur particulière de certains saints, les croyants accomplissent des rites de pénitence tels que le tour du sanctuaire à genoux en priant. Les ex-voto en cire offerts à cette occasion peuvent avoir la forme de l'organe dont on demande la guérison : cœur, rein, yeux, oreilles. Les saints faiseurs de mariages (saint Jean, saint Antoine, saint Gonzalves) étaient très populaires jadis ; les saints protecteurs du bétail (saint Mamede, saint Marc, saint Sylvestre) voient les animaux participer à la procession.

Certains villages pratiquent encore le culte du **Saint-Esprit**, resté vivace surtout aux Açores et au Brésil. La célèbre Fête des Tabuleiros à Tomar (Ribatejo), organisée autrefois par les fraternités du Saint-Esprit fondées au 14e s., s'est perpétuée jusqu'à aujourd'hui.

Les réjouissances populaires

Une fois les dévotions achevées, les participants passent aux fêtes profanes : le repas, les danses folkloriques, les feux d'artifice. Chaque *romaria* s'accompagne de la vente d'objets d'artisanat.

Retrouvez les principales romarias et festivités p. 34-36 et dans les encadrés pratiques de la partie « Découvrir ».

Les touradas

Les Portugais se refusent à voir dans le combat qui oppose l'homme au taureau la lutte de l'intelligence contre l'instinct ; pour eux, c'est un spectacle d'adresse, d'élégance et de courage ; le taureau n'est qu'un instrument. À la différence de la corrida, une partie de la *tourada* se passe à cheval et le taureau n'est pas tué dans l'arène. À l'origine, la *tourada* fut créée par les nobles pour s'exercer à la guerre, en recourant au cheval lusitanien, connu depuis toujours pour sa dextérité et son intelligence.

LE DÉROULEMENT

Dans l'arène, les acteurs – cavaliers, toreros *(toureiros)* et *forcados* – se présentent selon un vrai cérémonial sur fond de musique « tauromachique » et saluent le public et les autorités.

Puis la *tourada* commence. Le premier cavalier *(cavaleiro)*, vêtu d'un costume style Louis XV (casaque de soie ou de velours brodée d'or, tricorne à plumes, bottes vernies, éperon d'argent), entre dans l'arène, monté sur un étalon magnifiquement harnaché. Il est accompagné des *toureiros*, dans leur habit de lumière,

brandissant leurs capes jaune et rose. Le *cavaleiro* provoque le taureau et s'approche assez près pour pouvoir placer les banderilles *(farpas)*. Le spectacle de la course est impressionnant ; le cheval se dérobe adroitement devant l'assaut du taureau qui pèse souvent près de 500 kg et dont les cornes sont gainées de cuir *(emboladas)* pour leur ôter tout pouvoir perforant. Le cavalier change de monture. Tandis que les *toureiros* à pied distraient le taureau dans de grands mouvements de cape, le cavalier plante 4, 5 ou 6 banderilles dans l'échine de l'animal qui devient furieux.

Dès que le *cavaleiro* plante le nombre de banderilles exigé, il cède la place aux valets, les *forcados*, du nom d'une espèce de fourche dont ils étaient armés jadis. Ces derniers, en général au nombre de huit, pénètrent en file indienne, vêtus de beige, marron et rouge. Celui qui est à la tête, coiffé d'un long bonnet vert, avance en se dandinant et en excitant le taureau par des appels. Le rôle des *forcados* est de maîtriser le taureau : c'est la *pega*. Le chef de file tente de saisir l'animal par les cornes tandis que ses équipiers l'immobilisent ; si l'opération se révèle trop difficile, le chef doit saisir le taureau par le garrot en se plaçant de côté. L'un des aides tire sur la queue de l'animal et tournoie avec.

Au final, un troupeau de vaches, clochettes de cuivre au cou, est amené par deux hommes (les *campinos*) dans l'arène pour inciter le taureau à rentrer dans le toril. Le taureau vaincu est en général conduit aux abattoirs (certaines de ces viandes sont très recherchées, même dans la haute gastronomie !), ou bien achève sa vie à la campagne comme reproducteur.

La saison tauromachique commence dès le printemps.

De grands footballeurs

Plusieurs joueurs portugais jouent aujourd'hui dans des équipes européennes de renom. **Cristiano Ronaldo**, la petite merveille du football portugais (ancien du Sporting), exerce ses talents dans le championnat anglais sous le maillot de Manchester United. **Deco**, autre star du ballon rond (ancien du FC Porto), a joué au FC Barcelone, où il a remporté en 2006 le titre de champion d'Europe. **Pauleta**, connu comme « l'aigle des Açores », vient de terminer sa carrière au PSG. En France, il a été par trois fois désigné meilleur buteur du championnat.

Quant à l'**équipe nationale**, elle a brillé lors du Championnat d'Europe des nations, organisé au Portugal en juin 2004, en dépit de sa défaite en finale face à la Grèce. Un événement qui a suscité un grand enthousiasme collectif et a conduit le pays à s'équiper de stades ultramodernes (Braga, Aveiro, Faro, etc.), qui font la fierté des supporters.

La *tourada* traditionnelle compte trois cavaliers et plusieurs *toureiros*. Une partie du spectacle peut se passer à pied et le combat se déroule à peu près comme en Espagne. Les différences sont l'absence de picador et de *faena* ; en outre la mort du taureau dans l'arène étant interdite au Portugal depuis le 18e s. (sauf à Barrancos, gros village frontalier avec l'Espagne, dans l'Alentejo), elle est simulée avec une banderille qu'on plante à la place de l'épée.

LA SAISON TAUROMACHIQUE

Au Portugal, elle s'étend de Pâques à octobre ; les spectacles ont lieu en général deux fois par semaine (jeudi et dimanche) ou presque tous les jours pendant la semaine de fêtes populaires d'un village ; les plus réputés se tiennent dans les arènes *(praça de touros)* de Lisbonne, Santarém et Vila Franca de Xira *(voir ces noms)*, à proximité des centres d'élevage des taureaux de combat situés dans le Ribatejo.

Le football, une passion nationale

Le football est sans conteste le sport national du Portugal. Les jours de match du championnat national ou lors des rencontres internationales, les cafés se remplissent et les drapeaux apparaissent aux balcons, surtout si la compétition concerne l'équipe nationale ou l'une des trois grandes équipes de clubs.

Le **Benfica** (les rouges « encarnados »), né en 1904, est une « institution » de la capitale. Ayant remporté le plus grand nombre de titres, il a sa base aujourd'hui au stade de la Luz.

Le **Sporting Clube de Portugal** (les verts ou « lions d'Alvalade »), est le berceau de grands joueurs portugais.

Le **FC Porto** (les « dragons bleu et blanc »), né en 1893, a dominé les championnats nationaux de la dernière décennie. En 1987, le club remporte pour la première fois le titre suprême, la Coupe d'Europe des clubs champions et, en 2003, la Coupe de l'UEFA, avant d'être élu à nouveau en 2004 meilleur club d'Europe grâce à sa victoire en Champions League face à Monaco.

La gastronomie

À la seule évocation de la cuisine portugaise, on pense aussitôt à la morue *(bacalhau)*, qui occupe une place particulière dans l'histoire du pays. Pour les Portugais, qui la surnomment « l'amie fidèle », elle est l'aliment populaire par excellence, le plat traditionnel de Noël, la friandise omniprésente sous forme de beignets *(pasteis)*…

Les repas portugais comptent plusieurs plats généralement préparés à l'huile d'olive et à l'ail, relevés de nombreux aromates (romarin, laurier, coriandre, etc.). La viande et les produits de la mer en constituent la base. Comme garniture, les Portugais préfèrent le riz, dont ils ont acquis le goût à la suite de leurs voyages en Orient, la pomme de terre ou une salade mixte (salade, tomate et oignon).

LES SOUPES

La soupe manque rarement au repas. On y mêle les composants les plus divers : volaille et riz *(canja de galinha)*, poisson *(sopa de peixe)*, fruits de mer *(sopa de mariscos)*, lapin *(sopa de coelho)*, pois chiches *(sopa de grão)*.

La plus réputée est le **caldo verde** (Minho), très répandu au nord du Mondego. Elle est à base de purée de pommes de terre et de chou galicien vert, émincé en fines lamelles ; on y ajoute de l'huile d'olive et des rondelles de saucisson fumé *(chouriço)*.

Au sud, le **gaspacho**, soupe pimentée et vinaigrée aux tomates, oignons et concombres, est servi glacé avec des croûtons de pain grillé.

Les **açordas**, sorte de purée au pain, peuvent être dégustées partout et connaissent de nombreuses variantes ; en Alentejo on la prépare avec des feuilles de coriandre, de l'huile d'olive, de l'ail, du pain ainsi qu'un œuf poché *(açorda alentejana)*.

LES PRODUITS DE LA MER

Le Portugal est le pays d'Europe qui a la plus grande consommation de poisson par habitant (70 kg par an, contre 23 kg en moyenne en Europe) et la deuxième au monde, derrière le Japon.

La **morue** *(bacalhau)* est particulièrement appréciée, surtout dans le nord du pays. Pêchée dans les lointaines eaux froides de Terre-Neuve, il faut la saler pour la conserver jusqu'au retour des bateaux. Mais, en raison de la surpêche, les stocks diminuent et les prix de la morue ont fortement augmenté, ce qui n'en fait plus du tout un plat économique. Il y a, dit-on, 365 manières de la préparer. La plus traditionnelle est la morue cuite au four et garnie de pommes de terre *(bacalhau cozido com batata ao murro)*. Originaire de Lisbonne, le **bacalhau à Brás** est aujourd'hui servi dans tout le pays.

On accommode toutes sortes de poissons : sardines grillées dont l'odeur parfume les rues de toutes les villes du littoral, poissons-épées, lamproies, lottes, saumons du Minho, aloses du Tage, thons de l'Algarve, etc. La **caldeirada** est une sorte de bouillabaisse, que les pêcheurs préparent sur la plage.

Les **fruits de mer** *(mariscos)* et les poulpes sont abondants et garnissent nombre de plats. Toujours cuits, les coquillages, dont le plus connu est l'**amêijoa** (praire), sont délicieux et variés, surtout en Algarve, où un plat spécial en cuivre, la **cataplana**, sert à les préparer. Agrémentés d'aromates, de tomates et

de saucisses, ils acquièrent à la cuisson une saveur agréable.

On trouve des **huîtres** de mer dans la région du Sado (Setúbal) mais aussi à Peniche et dans l'Algarve. L'huître dite « portugaise » est une variété connue dont les essaims grossissent par élevage, comme en Algarve, avant d'être exportés, principalement en France.

La **langouste** *(lagosta)* à la mode de Peniche, cuite à l'étouffée, est également célèbre.

LES VIANDES

Le porc est accommodé et préparé de multiples façons ; le porcelet rôti – **leitão assado** – de Mealhada (au nord de Coimbra) est délicieux. On consomme aussi la viande de porc en ragoût, en saucisses de langue fumée – **linguiça** –, en filets fumés *(paio)*, en jambon fumé *(presunto)* comme à Chaves et Lamego. Accompagné de haricots rouges ou blancs, de choux et de saucisson fumé *(chouriço)*, le jambon devient un des composants de la **feijoada**. Jambon et saucisses entrent dans la préparation du **cozido à portuguesa**, pot-au-feu de bœuf, légumes, pommes de terre et riz ; dans celle des tripes à la mode de Porto – **dobrada** –, plat à base de tripes ou de gras-double de veau et de haricots blancs. La viande de porc à l'alentejane – **carne de porco à alentejana** – est marinée dans le vin et préparée avec des *amêijoas* (praires) ou des pommes de terre *(carne de porco à portuguesa)*.

Le **bœuf** apparaît souvent sous forme de steak, comme le *bife a cavalo* (steak surmonté d'un œuf frit, « à cheval »). On fait aussi, plus rarement, rôtir à la broche cabris et agneaux.

LES FROMAGES

On appréciera les fromages de brebis (d'octobre à mai) : ceux de la serra da Estrela *(queijo da Serra)*, de Castelo Branco, d'Azeitão, de Serpa, très crémeux ; les fromages de chèvre comme les *queijos secos* (fromages secs) mais aussi le *cabreiro*, le *rabaçal* (région de Pombal) ; les petits fromages blancs *(quejinhos)* de Tomar, souvent servis en hors-d'œuvre, de même que le fromage de chèvre frais *(queijo fresco)* et celui de Nisa. Enfin, partout au Portugal, on déguste le *queijo da Ilha*, produit aux Açores.

LES DESSERTS

Le Portugal compte un nombre infini de gâteaux, presque tous à base d'œufs, hérités de vieilles recettes conventuel-

---

Info pratique

AU RESTAURANT

Commandez une portion pour deux et plus ensuite… car la cuisine portugaise est généreuse. Manger à sa faim, donc en quantité, est encore un critère pour les Portugais. Au passage, ceci permet d'alléger la note, surtout à midi où un déjeuner léger peut suffire.

Pause-café avec les « pasteis de nata ».

les, comme le **toucinho-do-céu** (lard du ciel), les **barrigas de freira** (ventres de nonnes) et les **queijadas de Sintra**, aux amandes et fromage de brebis frais. Le **pudim flan**, sorte de crème renversée, a sa place dans la plupart des menus. Avec les mêmes ingrédients, on obtient le **leite-creme**, plus crémeux. L'**arroz doce** (riz au lait), saupoudré de cannelle, est souvent réservé aux repas de fête.

Dans les pâtisseries, nombreuses au Portugal, on trouve notamment le délicieux **pastel de nata** : un flan, dans une pâte feuilletée, saupoudré de cannelle qui accompagne en général le café *(bica)*. En Algarve, figues et amandes permettent la confection de délicieuses friandises.

Les vins

Huitième producteur mondial de vin avec 7 millions d'hectolitres par an, le Portugal possède une gamme très riche de crus. Contrairement à d'autres vins du monde, les vins portugais n'ont pas cédé aux sirènes de la mondialisation et ont su garder leur goût traditionnel, ce qui en fait leur charme et leur qualité, tout cela à des prix plus qu'abordables. Le porto et le madère ont une renommée internationale, en partie redevable aux Anglais, mais on trouve aussi sur place, à des prix raisonnables, d'autres vins de qualité.

LE PORTO

Les vignes des vallées du Haut-Douro et de ses affluents produisent des vins généreux, exportés après traitement à Porto qui leur a donné son nom.

Le porto et les Anglais

Au 14e s., certains vins de Lamego étaient déjà exportés en Angleterre. Au 17e s., en échange de leur aide contre les Espagnols, les Portugais accordèrent aux Anglais des privilèges commerciaux. Ainsi, à la fin du 17e s., quand la formule du porto fut mise au point, de nombreux Anglais se portèrent acquéreurs de *quintas* dans la vallée du Douro et se lancèrent dans la production de ce vin. Le **traité de Methuen** (1703) avait attribué le monopole du commerce des vins portugais à la couronne britannique, mais le roi Joseph Ier et le marquis de Pombal créèrent en 1756 la **Compagnie générale de l'agriculture des vignes du Haut-Douro**, établissement public chargé de fixer les prix à l'exportation. L'année suivante, la compagnie entreprit de déterminer les limites du vignoble ayant droit à l'appellation. Dans le même temps, les maisons anglaises se multiplièrent : Cockburn, Campbell, Offley, Harris, Sandeman, Dow, Graham, etc. ; les Portugais attendirent 1830 pour créer leurs propres compagnies : Ferreira, Ramos-Pinto, etc. En 1868, le phylloxéra s'abattit sur la région, mais le vignoble fut rapidement reconstitué et l'on produisit des *vintage* dès la fin du 19e s.

Le vignoble

Il est cultivé dans la région délimitée du Douro, créée par la loi de 1756. Celle-ci recouvre 250 000 ha, dont 1/6 en vignes qui s'étendent sur une centaine de kilomètres le long du Douro jusqu'à la frontière espagnole. Le centre du vignoble se trouve approximativement au niveau du bourg de Pinhão. On compte 25 000 propriétaires viticulteurs, dont les plus importants sont à la tête de vastes domaines, appelés *quintas*. Les conditions exceptionnelles du climat (été chaud, hiver froid) et du sol schisteux de cette région, associées au vieillissement que l'on fait subir au vin, assurent au porto des caractéristiques uniques. Le vignoble cultivé sur les versants raides du Douro, complètement sculptés en terrasses, forme un paysage exceptionnel au printemps et à l'automne.

L'élaboration du porto

Les vendanges ont lieu fin septembre. Les grappes sont transportées à dos d'homme dans des hottes en osier. Le raisin cueilli est porté au pressoir où le foulage mécanique s'est substitué au foulage au pied, qui offrait jadis, avec ses chansons et ses rythmes, un spectacle fort pittoresque. Le moût fermente jusqu'à ce qu'il atteigne le degré de sucre souhaité, puis on y ajoute de l'eau-de-vie – de raisin du Douro, obligatoirement – pour en faire cesser la fermentation et retenir le sucre. Au printemps, le vin est transporté jusqu'aux chais de Vila Nova da Gaia, la ville située sur la rive gauche du Douro, juste en face de Porto. Jusqu'en 1964, ce transport s'effectuait à bord des pittoresques *barcos rabelos* qui descendaient le Douro sur 150 km jusqu'à Porto. On peut voir certains de ces bateaux à Pinhão et Vila Nova da Gaia.

Les différents portos

La teneur en alcool du porto varie entre 19 et 22 %. Il existe une grande variété de portos en fonction de la marque et du procédé d'élaboration. Vieillis en fût, ils mûrissent par oxydation et prennent une belle couleur ambre ; vieillis en bouteille, ils mûrissent par réduction et se caractérisent par leur teinte rouge sombre.

Depuis 1963, les Français ont supplanté les Anglais et sont devenus les premiers importateurs de porto. Ils consomment surtout du *tawny (voir ci-dessous)*, demi-sec et doux, alors que les Anglais sont amateurs de portos de grande qualité.

Le **porto blanc** ou **branco**, moins répandu, provient de cépages blancs. Sec ou extra-sec, d'une teneur en alcool de 16,5° minimum, il constitue un excellent apéritif à servir frais.

Le **ruby**, de couleur rouge, est un vin jeune, d'environ deux ans.

Le **tawny**, vin de mélange, ayant en général passé trois ou quatre ans en fût, présente une couleur blond doré. Il existe également des *tawnies* avec indication d'âge et des *tawnies* de « colheita » *(voir ci-dessous)*.

Le **porto avec indication d'âge** (mention : 10, 20, 30 ans, etc.) correspond au temps passé en fût. Ce vin de très bonne qualité est à boire dans les années suivant la mise en bouteille.

Le **colheita**, porto avec mention de la date de récolte, est réalisé avec des vins de même année, la mise en bouteille se faisant au bout de 7 ans minimum (cette date est mentionnée sur l'étiquette).

Le **vintage** est obtenu à partir d'un raisin de qualité remarquable, produit généralement sur un seul domaine en une année exceptionnelle. Il est impérativement mis en bouteille après deux ou trois années passées en fût. La bouteille, qui porte le nom de l'exportateur, est millésimée et ne doit être ouverte qu'au bout de huit à dix ans.

Enfin les **LBV**, ces portos dont les initiales signifient « late bottled vintage », sont réalisés aussi avec une seule récolte et mis en bouteille entre la 4e et la 6e année après la vendange. *Vintage* et LBV peuvent être gardés de nombreuses années, pourvu que l'on prenne certaines précautions (température adéquate, bouteille couchée). Le vintage doit être servi dans une carafe et consommé rapidement, de préférence le jour de l'ouverture de la bouteille.

Acheter et déguster du porto

Les portos les moins chers sont les **blancs**, les rouges **ruby** ou les jeunes **tawnies.** Ce sont des vins de coupage (*blended* en anglais), produits avec des mélanges de vins de différentes productions et de différentes années. Il faut les consommer rapidement pour en apprécier toute la subtilité. Les meilleurs portos, et les plus chers, sont les **vintage** et les **LBV** *(voir ci-dessus)*. À défaut de pouvoir s'offrir du LBV ou du *Vintage*, une Réserve ou une Réserve spéciale *(entre 8 et 12 €)* peuvent procurer un bonheur rare, avec des fruits rouges et du chocolat noir. En effet, contrairement aux Français qui le consomment à l'apéritif, les Portugais boivent du bon porto surtout avec le dessert.

🕯 À Porto, visitez le musée du Vin de Porto, et les chais des grandes maisons à Vila Nova de Gaia. L'**Institut du vin de Porto** *(voir p. 344)*, en association avec d'autres organismes officiels, notamment le bureau de la **Rota do Vinho do Porto** à Peso da Régua *(voir Vallée du Douro pratique)* et les offices de tourisme de la région, propose une route du Vin de Porto *(voir aussi encadré p. 9)*.

LE MADÈRE

🕯 *L'historique et l'élaboration du madère sont décrits
dans l'introduction du chapitre sur l'île de Madère.*

LES AUTRES VINS

Plusieurs régions produisent
des vins dignes d'intérêt,
faisant l'objet depuis 1987
d'un classement en VQPRD
(Vin de qualité produit dans
une région déterminée), qui
comprend les DOC (Déno-
mination d'origine contrôlée, correspondant à l'AOC
française), les IPR, les vins
régionaux et les vins de table.
Dans les restaurants, on peut
demander le *vinho da casa*,
vin de la maison, généralement très convenable.

Le vinho verde (vin vert)

Il est blanc (tendant au
jaune) ou rouge foncé
(tinto), et son appellation
de « vin vert » indique la
précocité des vendanges
et la brièveté de la fermentation qui donne un vin à
faible teneur alcoolique (8 à
11,5°), léger, pétillant, fruité,
un peu acidulé même. Il est
produit dans le nord-est du
pays, dans le Minho et la
basse vallée du Douro.
Le *vinho verde* le plus
réputé est produit avec
le cépage *alvarinho* et,
contrairement aux autres, il peut être
conservé plus longtemps.
Le *vinho verde* se boit jeune et bien frais.
Idéal en apéritif, il accompagne agréablement le poisson et les fruits de mer.

Douro

Réputée pour le porto, la région délimitée du Douro produit aussi des vins de
qualité, d'appellation « douro », généralement rouges, robustes et charpentés,
et parfois blancs.

Dão

Sur les terrains granitiques des vallées
du Dão et du Mondego, près de Viseu,
Coimbra et Guarda, on obtient un vin
blanc frais et un vin rouge très doux,
velouté et chargé d'arômes, dont la
qualité peut être comparée à celle des
crus du Bordelais. Les vins de « *quinta* »
sont d'ailleurs l'équivalent des vins de
« château » français.

VINS ET GASTRONOMIE

◼ Vignoble   ***Bucelas*** Principaux crus

Alentejo

Les vins rouges, ronds et corsés, qui
rencontrent de plus en plus de succès
à l'exportation, surtout en France de
part leur goût de vins de terroir, portent les noms des villages où ils sont
produits : **Reguengos de Monsaraz**,
Borba et **Redondo**, **Moura**, etc. Le
vin blanc de Vidigueira reste une
particularité.

Bairrada

Région viticole très ancienne, la Bairrada
donne naissance à un vin rouge robuste
et parfumé. Elle produit également un
mousseux naturel très apprécié au Portugal, qui accompagne à merveille son
fameux porcelet rôti.

Colares

Près de la serra de Sintra, la vigne pousse
sur un terrain sablonneux, au-dessus
d'une couche d'argile, produisant un
vin renommé depuis le 13e s.

Turismo de Portugal

Vendanges dans la vallée du Douro.

Bucelas

C'est un vin blanc sec, acidulé, jaune paille, produit sur les rives du rio Trancão, affluent du Tage.

Autres vins de table

Les vignobles du Ribatejo produisent de bons vins ordinaires, vins rouges corsés de la région de Cartaxo, vins blancs de Chamusca, Almeirim et Alpiarça, sur la rive opposée du Tage. Citons encore les vins de la région du Sado, de Torres Vedras, d'Alcobaça, de Lafões et d'Águeda, les vins rosés de Pinhel et de Mateus (le plus vendu).

En Algarve, une petite production se maintient autour de Lagoa, dont la coopérative est la plus ancienne du pays.

Vins de dessert

Le **moscatel de Setúbal**, dont le vignoble se situe sur les pentes argilo-calcaires de la serra da Arrábida, est un vin généreux, fruité, qui acquiert avec l'âge une saveur particulièrement agréable. Le **carcavelos**, également fruité, est très apprécié.

Info pratique

Visite du Minho

Profitez de votre séjour dans le Minho pour découvrir les domaines *(quintas)* et les caves coopératives où l'on produit et élabore le fameux **vinho verde**. Dans tous ces établissements, vous pourrez goûter et acheter ce vin. Certaines *quintas* font partie du réseau du « Tourisme d'habitation » *(voir p. 17 et 23)* et proposent des chambres d'hôte dans un cadre traditionnel et raffiné des plus agréables. Plusieurs maisons disposent d'un restaurant.

🕯 *Voir aussi Vallée du Minho.*

Près de Porto, sur l'itinéraire IP 4 en direction d'Amarante, à Paredes, la **quinta da Aveleda** donne son nom à l'une des marques de vin vert les plus connues à l'exportation. Intégrée dans un beau site naturel, elle comprend un restaurant. *Visite des caves, dégustation –* 🕿 *255 71 82 00 - www.aveleda.pt.*

👁 **Bon à savoir** – Les Portugais choisissent en premier prix les vins de la cave coopérative de Monção (cuvée « Três Muralhas »), ou un vin vert de cépage *alvarinho* à un prix plus élevé.

LE PORTUGAL AUJOURD'HUI

Dans les années 1970, le Portugal connaissait un important retard du fait de la dictature qui avait régné pendant quarante ans. Avec l'entrée dans l'Union européenne, le développement économique s'est effectué à grande vitesse, entraînant d'importants changements sociaux. Le Portugal est aujourd'hui un pays moderne qui compte de nouveau à l'échelle internationale. Cette traditionnelle terre d'émigration est même devenue la patrie d'accueil de nombreux immigrés.

L'ORGANISATION POLITIQUE

La **Constitution** du 2 avril 1976, révisée en 1982, 1989, 1992 et 1997, a instauré un régime semi-présidentiel. Le **pouvoir exécutif** est détenu par le **président de la République** élu au suffrage universel pour un mandat de cinq ans, renouvelable une seule fois consécutive. Celui-ci nomme le **Premier ministre**, représentant de la majorité parlementaire et, sur proposition de ce dernier, les ministres ; il dispose d'un droit de veto sur les lois approuvées par l'Assemblée.

Le **pouvoir législatif** est représenté par une chambre unique comprenant 240 à 250 députés élus pour quatre ans.

Les archipels de Madère et des Açores constituent deux régions autonomes, dotées d'un gouvernement régional et d'une assemblée régionale élue au suffrage universel. Le président de la République y nomme un **ministre de la République** qui représente la souveraineté de la république et désigne à son tour le **président du gouvernement régional**.

L'ORGANISATION ADMINISTRATIVE

Le Portugal était autrefois divisé en 10 provinces : le Minho, le Trás-os-Montes, le Douro, les Beiras Alta, Baixa et Littorale, le Ribatejo, l'Estrémadure, l'Alentejo, l'Algarve. Les noms de ces provinces sont toujours utilisés et servent à désigner les principales régions naturelles du pays. Mais le découpage actuel, dans le cadre de l'Union européenne, distingue cinq grandes régions administratives : le Nord, le Centre, Lisbonne et le Val de Tage, l'Alentejo et l'Algarve. Aussi, on distingue :

– les **districts** : il y en a 18 dans le Portugal continental, 3 aux Açores et 1 à Madère. De nombreuses administrations publiques fonctionnent au niveau du district : santé, éducation, finances, etc.

– les **concelhos**, au nombre de 305 pour tout le pays, représentent le pouvoir municipal. Ils sont l'équivalent de certaines communautés urbaines ou de cantons. Le *concelho* est doté d'une mairie *(paço do concelho)* et d'un conseil exécutif *(câmara municipal)*, dont le président joue le rôle de maire. Il est élu, ainsi que l'assemblée municipale, tous les quatre ans au suffrage universel.

PROVINCES ET DISTRICTS

Braga — Limites et capitale de district

MINHO — Nom des anciennes provinces

Le drapeau portugais

Vert et rouge, il présente en son centre une sphère armillaire jaune sur laquelle se détachent les armoiries de l'État : un écusson aux cinq **quinois** (petits écussons) d'azur rangés en croix, portant chacun cinq **besants** d'argent (points blancs) représentant les plaies du Christ et, à la bordure, des gueules (rouges) chargées des sept **châteaux** d'or (les places fortes reconquises aux Maures).

– chaque *concelho* compte plusieurs **freguesias** (environ 4 200 pour l'ensemble du pays) qui, dans certains cas, peuvent représenter un village, dans d'autres, un quartier. C'est à leur niveau que s'effectuent la tenue de l'état civil, l'entretien du patrimoine, l'organisation des fêtes et autres manifestations locales.

LES CHANGEMENTS ÉCONOMIQUES ET SOCIAUX

Un retard à rattraper

Au moment de la révolution des Œillets, le Portugal avait accumulé cinquante ans de retard, faute d'investissements dans l'industrie et les infrastructures sous le régime de Salazar. Le pays disposait par ailleurs de grandes réserves d'or provenant en partie de l'exploitation des anciennes colonies. Les activités traditionnelles restaient alors prédominantes : production agricole et vinicole, extraction de liège et de pierre, pêche.

La révolution apporta des changements politiques mais l'économie portugaise resta dans une situation critique. La nationalisation précipitée de certains secteurs, le départ des cadres industriels et commerciaux vers l'étranger, en particulier au Brésil, la baisse de la productivité, les grèves successives ainsi qu'un taux de chômage élevé contribuèrent à augmenter le chaos. La banqueroute fut évitée grâce aux aides internationales. Des mesures drastiques furent prises, subordonnées au FMI et en accord avec d'autres partenaires européens (dévaluation de la monnaie, augmentation des tarifs publics), ainsi que des mesures sociales et économiques mettant en cause les « acquis » révolutionnaires. La réforme agraire, point important de la révolution, échoua.

L'adhésion à la Communauté européenne

En mars 1977, la demande officielle d'adhésion du Portugal à la Communauté européenne est effectuée. Il faudra attendre huit ans avant qu'elle ne soit acceptée. L'entrée dans la CEE en 1986 a permis au pays de franchir un pas décisif dans le développement, grâce en partie aux aides communautaires.

À partir de 1985 et jusqu'en 1992, l'économie portugaise a connu une croissance de plus de 4 % par an. Après 1993, elle a ralenti et atteint 1,9 % par an en 2007 (1,3 % en 2006). Le Portugal fut un des premiers pays à répondre aux critères de convergence qualificatifs de l'intégration à la zone euro.

La modernisation du Portugal

L'adhésion à l'économie de marché et à la concurrence internationale a profondément changé la donne. Les activités traditionnelles se sont modernisées. Les vins de Porto et de Madère *(voir p. 89 et suivantes)*, le mobilier et le liège (malgré la concurrence de produits de substitution), restent des produits phares. Ainsi

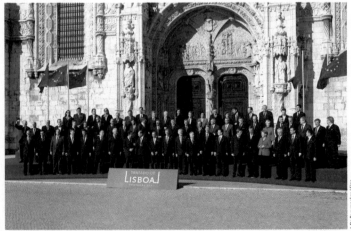

Les 25 pays de l'Union européenne au traité de Lisbonne en 2007.

le Portugal est toujours le premier producteur mondial de liège, avec près de 200 000 t par an (plus de la moitié de la production mondiale).

Malgré sa forte tradition maritime, le pays importe aujourd'hui plus de la moitié de sa consommation de poisson, en raison de la stabilisation des prises couplée à une demande toujours croissante. Le **secteur agricole** occupe encore 12 % des actifs mais ne représente plus que 3,6 % du PIB (25 % en 1960). Le Portugal produit notamment du blé, du maïs, des tomates, des pommes de terre et du raisin.

Dans le **domaine industriel**, de la transformation et de l'énergie, qui regroupe un tiers des emplois, se détachent les secteurs du papier (produit à partir des plantations d'eucalyptus), les industries automobile, métallurgique et mécanique. L'important secteur de la chaussure, du textile et de l'habillement (de qualité mais non griffé) continue de perdre des emplois, concurrencé par les nouveaux pays membres de l'Union européenne et ceux d'Asie. La modernisation des infrastructures ainsi que la réalisation de l'Expo'98 et de l'Euro 2004 (avec notamment la construction du Parc des Nations de Lisbonne et des stades de football) ont fait du BTP et des matériaux de construction un secteur important de l'économie.

Comme dans l'ensemble de l'Europe, les **activités du tertiaire** (55 % de la population active et plus de 70 % du PIB) ont rapidement supplanté les secteurs primaire et secondaire. Le tourisme enregistre une croissance significative : il occupe près de 10 % de la population active et représente 8 % du PIB. Cependant, il reste essentiellement un tourisme de proximité : en 2006, le Portugal a accueilli 12 millions de visiteurs, dont les trois-quarts provenaient de l'Espagne voisine.

L'évolution économique

Le **taux de chômage** du Portugal, qui a presque doublé en dix ans, est sujet à des variations rapides en raison de la flexibilité de l'emploi et de la forte dépendance de l'économie portugaise au contexte international. De 4,9 % en 1998, il a atteint 8 % en 2007. L'**inflation**, de près de 4 % en 2003, s'est rapprochée de la moyenne européenne, en se stabilisant depuis autour de 2,5 %.

Le pays demeure très dépendant de ses importations : le **déficit commercial** du pays s'est aggravé, en dépit de la hausse des exportations depuis 2006. Son déficit budgétaire préoccupe la Commission européenne, qui le somme de maîtriser ses dépenses publiques, ouvrant pour le coup dans le pays une période de vaches maigres. Le Portugal reste un pays de PME familiales et l'économie portugaise ne possède pas une image de marque bien définie. Son atout résidait jusqu'ici dans une main-d'œuvre moins chère que dans les grands pays européens, un avantage désormais menacé par l'élargissement de l'Union aux pays à faibles coûts d'Europe centrale.

Bien que le Portugal ait rattrapé en grande partie son retard (son PIB atteint 65 % de la moyenne européenne), il semble bien qu'il ait perdu ces trois dernières années de sa compétitivité, notamment en raison de la sous-qualification de la main-d'œuvre, d'un nombre insuffisant de diplômés de l'enseignement supérieur mais surtout de sa productivité qui reste une des plus faibles en Europe.

Un changement de modes de vie

L'« européanisation », avec les aides et les impératifs de la Communauté, a apporté une croissance et une ouverture économiques, une modernisation des structures, mais aussi des changements dans les modes de vie, avec un développement rapide des nouveaux moyens de communication, dont Internet.

Le pays a connu un **exode rural** vers les villes, qui accueillent aujourd'hui près des deux tiers de la population. Le taux d'analphabétisme a diminué, le pouvoir d'achat a augmenté ainsi que le nombre des femmes dans la population active. Le mode de vie s'est rapproché de celui des autres pays européens ; on y retrouve globalement les mêmes habitudes de consommation et les mêmes problématiques sociales. Toutefois, le rythme de vie demeure, à vrai dire, plus lent que dans le reste de l'Europe : Lisbonne par exemple, tout en étant une capitale européenne, reste une ville « de villages » dont les habitants prennent vraiment le temps de se parler. Les mentalités évoluent aussi parfois moins rapidement : il aura fallu attendre le référendum de 2007 pour obtenir la dépénalisation de l'avortement.

Les Portugais et le monde

D'un côté, un peuple de poètes très attaché à sa terre et empreint de *saudade* (voir encadré p. 81), cette douce mélancolie en forme de mal du pays ; de l'autre, l'expansion maritime et le goût de l'aventure, une ténacité et une frugalité à toute épreuve, alliés à la fois du charbonnier. Les marins portugais de la Renaissance ont sillonné toutes les mers du globe. Depuis les Grandes Découvertes et l'administration de l'empire colonial jusqu'au statut de pays « pauvre » et déclassé (sous la dictature et jusqu'à la révolution de 1974), le Portugal, pourtant peu peuplé, a connu une forte tradition d'émigration et d'exil. Après les récentes et profondes transformations dues à l'adhésion à la Communauté européenne, il est devenu aujourd'hui un pays d'immigration.

L'APPEL DE L'OUTRE-MER

Un imaginaire marin

Dans le roman *Le Radeau de pierre* de l'écrivain portugais José Saramago (prix Nobel de littérature 1998), le Portugal se détache du reste de l'Europe et vogue sur l'Atlantique. Les innombrables motifs marins de l'art manuélin sont aussi les symboles de cette fascination maritime. À l'image de la sphère armillaire des Découvertes, dont les anneaux concentriques figurent le système du monde et rappellent le globe des vieux astronomes, les Portugais ont longtemps endossé une vocation à la fois maritime et universaliste. Aujourd'hui encore, 90 % de la population vit à proximité immédiate de l'Atlantique et le transport maritime demeure vital pour le commerce extérieur du pays. Plus de 800 km de côtes font du Portugal un pays tourné vers le large. Pourtant, l'entrée du Portugal dans la Communauté européenne en 1986 a changé la donne et l'a ancré au continent : le pays, qui s'est rapidement modernisé, réalise aujourd'hui l'essentiel de ses échanges avec les pays de l'Union. Mais l'outre-mer et les aventures océanes continuent de hanter l'imaginaire portugais, un thème repris pour l'Exposition universelle de Lisbonne en 1998.

La décolonisation

La décolonisation, commencée avec la révolution de 1974, a connu son terme final avec la rétrocession de **Macao** à la Chine en décembre 1999.
La légende voudrait que les Portugais aient été des pionniers exemplaires guidés par un esprit d'exploration, à l'inverse des brutaux conquistadors espagnols. Avec les Portugais, les prises de contact se sont généralement effectuées plus en douceur. La valorisation du métissage, et le mythe d'un modèle d'« intégration raciale voluptueuse », ont forgé l'idéologie du lusotropicalisme, cette manière pacifique lusitanienne d'aimer, de penser et de vivre sous les tropiques en bonne harmonie, dont les avatars plus récents sont la supposée « démocratie raciale » brésilienne.

Il faut cependant rappeler que les Portugais, parmi les premiers négriers, furent de redoutables et efficaces commerçants du « bois d'ébène » et que l'esclavage n'est aboli au Brésil qu'en 1888. De plus, les tardives guerres de décolonisation portugaises en Afrique (Angola, Mozambique, Guinée) figurent parmi les plus dures de l'histoire de la décolonisation, et ont laissé le champ libre à des guerres civiles particulièrement meurtrières.

DE L'ÉMIGRATION À L'IMMIGRATION

Une émigration économique

Découvreurs de tant de territoires nouveaux, les Portugais ont souvent dû émigrer pour aller chercher fortune ailleurs. Au 19e s., le **Brésil** fut la destination de prédilection, suivi par l'Amérique du Nord, l'Argentine et le Venezuela. Au début du 20e s., les colonies africaines (surtout le Mozambique et l'Angola) attirent aussi leur lot d'immigrants portugais. À partir des années 1950, l'émigration, provoquée par une situation économique difficile, s'oriente vers les **pays européens** industrialisés qui cherchent de la main-d'œuvre bon marché, en particulier la France, l'Allemagne, le Luxembourg et le Royaume-Uni. Les principaux foyers d'émigration sont les archipels de Madère et des Açores, ainsi que les provinces intérieures du nord du pays.

Dans les années 1960, aux problèmes économiques s'ajoutent les guerres de libération de l'Angola, de Guinée-Bissau et du Mozambique ; de nombreux jeunes émigrent pour ne pas être enrôlés. Entre 1960 et 1972, plus d'un million et demi de Portugais ont quitté leur pays. Ce flot est interrompu en 1974, la révolution des Œillets ayant renversé le régime et les pays industrialisés commençant à être touchés par la crise. Environ 4 millions de Portugais vivent aujourd'hui à l'étranger, soit 40 % de la population, répartis essentiellement, par ordre d'importance, entre le Brésil, la France (550 000 personnes), l'Amérique du Nord, le Venezuela et l'Afrique du Sud.

L'inversion des flux migratoires

Avec la fin des guerres coloniales et les indépendances, les **retornados** commencent à gagner la Métropole. Durant l'été 1974, en quelques semaines, Lisbonne reçoit environ 700 000 personnes (Blancs et Noirs) alors qu'elle comptait alors moins d'un million d'habitants. Plus généralement, les flux migratoires se sont inversés avec le retour de certains émigrés des années 1960 et 1970 et l'arrivée d'importants groupes d'immigrés venus des anciennes colonies, en particulier du Cap-Vert, de la Guinée-Bissau, des îles de São Tomé et Príncipe, d'Angola, du Brésil et d'Inde. Plus récemment, le courant migratoire le plus important se compose de ressortissants des pays de l'Europe de l'Est et de l'ex-URSS, en particulier d'Ukraine.

Près de 450 000 étrangers vivent au Portugal, un faible taux en comparaison avec d'autres pays européens. Néanmoins, les prévisions annoncent un triplement de ce chiffre dans les vingt prochaines années. Le nombre des ressortissants d'Afrique lusophone, essentiellement Cap-Verdiens, Guinéens et Angolais, appelés *Africanos*, est estimé à plus de 150 000 personnes. Essentiellement concentrés à Lisbonne, ils font de la capitale une ville métisse.

La question du Timor-Oriental

Le Timor a été découvert par les Portugais au début du 16e s. puis rapidement évangélisé, la partie orientale de l'île devenant une possession portugaise. La partie occidentale, sous domination hollandaise, est annexée par l'Indonésie en 1949. En 1975, avec la fin de la dictature au Portugal, le Timor-Oriental s'apprête à recevoir son indépendance, quand il est brutalement envahi par l'Indonésie. Le peuple maubère, en majorité chrétien, refuse le rattachement, et le conflit pour la libération du pays s'enlise. Le principal leader de cette lutte, **Xanana Gusmão**, est jeté en prison en 1992. En 1996, deux figures de la résistance, José Ramos Horta et l'évêque Ximenes Belo, reçoivent le prix Nobel de la paix. La question du Timor devient une cause nationale au Portugal. Dans l'ordre juridique international, l'État portugais, qui reste l'administrant de cette partie de l'île, tente par tous les moyens d'attirer l'attention des autorités internationales sur la répression sanglante qui s'abat sur le pays. En 1999, un référendum a enfin lieu, et 80 % de la population se prononce pour le « oui » à l'indépendance. Néanmoins, le départ des forces indonésiennes provoque un déchaînement de violence des milices pro-indonésiennes, entraînant le massacre d'un millier de civils et l'exode de 200 000 personnes. Après une période de transition et de gouvernement provisoire sous l'égide de l'ONU, les Timorais célèbrent leur indépendance le 20 mai 2002, dans la capitale, Dili. Gusmão devient président et Ramos Horta ministre des Affaires étrangères. Le pays, désormais appelé Timor-Leste, semblait avoir trouvé une forme de stabilité, mise à mal par des troubles récurrents depuis 2006 (début 2008, Ramos Horta, élu président de la République en 2007, a été grièvement blessé dans un attentat).

LE MONDE LUSOPHONE

Une langue parlée sur quatre continents

La lusophonie est une idée ancienne mais elle a tardé à s'inscrire en terme de projet politique. « Ma patrie est la langue portugaise », affirmait déjà Fernando Pessoa, qui par ailleurs parlait couramment l'anglais et le français. 200 millions de personnes (dont 165 millions de Brésiliens) s'expriment en portugais dans le monde, sur quatre continents ; c'est la septième langue parlée après le chinois, l'anglais, l'espagnol, les langues indiennes (hindi et bengali), le russe et l'arabe. C'est aussi la troisième langue européenne parlée dans le monde (devant le français). Outre le Portugal et ses anciens comptoirs asiatiques (Timor, Macao et Goa), le monde lusophone forme toujours un important ensemble pluricontinental : Brésil, Angola, Guinée-Bissau, Mozambique et Cap-Vert, Açores, Madère, São Tomé e Príncipe. Les prévisions tablent sur une croissance de 50 % de la population lusophone dans le monde en 2025. Un important projet fédérateur, à dimension culturelle mais aussi politique et économique, a vu le jour en 1996 : la **Communauté des pays de langue portugaise** (CPLP), regroupant le Brésil, le Portugal et ses cinq anciennes colonies africaines.

Longtemps distendus, les liens avec le Brésil se sont retissés depuis les années 1990, surtout dans le domaine économique, tandis qu'une importante communauté brésilienne vit désormais au Portugal (environ 70 000 personnes). Les Portugais ont gardé un fort attachement affectif et des liens culturels avec l'Afrique lusophone, mais les liens économiques sont relativement modestes. L'État portugais développe également une politique de coopération avec ses anciennes colonies africaines et a servi de médiateur dans le conflit angolais.

Vue de Lisbonne depuis le Tage.

Lisbonne★★★

Lisboa

509 751 HABITANTS (AGGLO 2,9 MILLIONS)
CARTE MICHELIN 733 P2 – DISTRICT DE LISBONNE

Le vent de l'Atlantique sous un soleil méditerranéen, une cité latine à l'extrême ouest de l'Europe… Lisbonne brouille les cartes pour mieux séduire. À la fois fluviale et océanique, « Lijboa » (prononcé à la portugaise) est construite dans le renfoncement de l'estuaire du Tage. Celle qui fut le port d'attache des grands navigateurs et une cité phare de la Renaissance continue de se remémorer, entre fierté et nostalgie, ses épopées maritimes et son empire perdu. Ville d'échanges, lieu de brassage des cultures, capitale prestigieuse d'un pays modeste, elle a longtemps été asphyxiée par la dictature. Sortie de sa léthargie, Lisbonne est aujourd'hui le symbole du dynamisme national. L'agglomération, qui compte près de 3 millions d'habitants, exerce une écrasante suprématie culturelle, politique et économique sur le reste du pays, même si Porto est la première ville industrielle. Après deux décennies de travaux, Lisbonne est devenue une capitale moderne, créative et entreprenante, fermement enracinée en Europe. Et pourtant, la ville du fado et de la « saudade », qui conserve une vie de quartiers, invite irrésistiblement à la flânerie et à la rêverie. Lisbonne distille un charme lusitanien très particulier, un mélange de convivialité et de nonchalance. Ville inattendue, sa poésie incite encore à prendre le large.

- **Se repérer** – À 311 km au sud de Porto et à 196 km au sud de Coimbra. Le cœur historique est formé par la ville basse (Baixa), ouverte sur le Tage, et les collines alentour. Principale artère, l'avenida da Liberdade mène du Rossio, le centre, vers les quartiers modernes du nord. Pour une vision d'ensemble de la ville, reportez-vous au plan « Les plus beaux quartiers et monuments de Lisbonne » (voir p. 102-103).

- **Se garer** – Utilisez le parking de votre hôtel ou les parkings souterrains situés dans la Baixa et dans le Chiado (voir les plans I et II).

- **À ne pas manquer** – Une promenade en bateau sur le Tage ; le tramway n° 28 de Graça à Estrela, la Baixa et le Chiado ; une dégustation de pasteis de nata à la Fábrica dos Pastéis de Belém ; chiner à la Feira da Ladra.

- **Organiser son temps** – Comptez au moins quatre jours pour visiter la ville. Si vous êtes amateur d'art, les musées ferment en général le lundi ou le mardi, et certains sont gratuits le dimanche matin. Parcourez de préférence le quartier de l'Alfama le matin, lorsque les étals des marchés envahissent les rues. Visitez le Bairro Alto en fin d'après-midi, car les boutiques des jeunes créateurs ouvrent assez tard et c'est un quartier qui prend vie à la nuit tombée. Enfin, prévoyez des chaussures adaptées aux ruelles en pentes et aux irrégularités des pavés.

- **Avec les enfants** – L'océanorium du Parc des Nations ; le planétarium Calouste Gulbenkian ; le musée des Marionnettes ; le parc de Monsanto ; le jardin zoologique.

- **Pour poursuivre le voyage** – La serra da Arrábida, le palais et le couvent de Mafra, la forêt et la ville de Sintra, Vila Franca de Xira. Un peu plus loin, mais faisable dans la journée : Alcobaça, le monastère de Batalha, Óbidos, Santarém, Tomar.

Lexique à l'usage du promeneur

Lisbonne est une ville ouverte faite pour le promeneur. Les ruelles animées débouchent sur d'agréables belvédères (miradouros), sur des jardins suspendus ou des parcs tranquilles aux essences tropicales. Le tracé en labyrinthe des vieux quartiers, les innombrables recoins tortueux et impasses (becos) invitent à la flânerie. N'hésitez pas à affronter les escaliers biscornus (escadinhas), à sillonner les rues pentues (calçadas) ou transversales (travessas), ni à entrer dans les courettes (patios). Une multitude de terrasses de cafés ou de restaurants offrent autant de haltes possibles, reposantes et agréables. Les bougainvilliers débordent des murs, les pots de basilic ou les cages à oiseaux garnissent le rebord des fenêtres et les petits pavés blancs et noirs (empedrados) dessinent des frises ondulantes.

G. Biudzin/MICHELIN

Le tremblement de terre de Lisbonne.

Comprendre

UNE VILLE DANS L'HISTOIRE

Les origines – Selon la légende, « Olissipo » aurait été fondée par Ulysse. Elle a d'abord été plus probablement un comptoir phénicien (1200 av. J.-C.) appelé « Alissubo » (la rade délicieuse), ce qui en ferait la plus ancienne ville d'Europe occidentale. Grecs et Carthaginois venaient y commercer. La conquête et la colonisation romaine, après une brève invasion germanique, est suivie d'une longue occupation arabe (711-1147). Avec l'aide des croisés, la ville est finalement reprise aux Maures. À la fin du 13ᵉ s., avec la fondation d'une université, Lisbonne supplante Coimbra et devient définitivement la capitale du royaume.

L'ère des Grandes Découvertes – Cette époque correspond à un véritable âge d'or pour la ville. Dès le début du 15ᵉ s., Henri le Navigateur lance ses caravelles sur les Océans. Les côtes africaines sont systématiquement explorées, Vasco de Gama découvre la mythique route des Indes et Pedro Álvares Cabral accoste au Brésil. Épices de toutes sortes, bois exotiques du Brésil, or et pierres précieuses, soies de Chine, perles du Japon, etc. : toutes ces fabuleuses richesses rapportées des contrées lointaines remplissent les cales des vaisseaux qui viennent mouiller sous les fenêtres du palais royal d'Alcáçova, au cœur de la ville basse. Elles vont faire la fortune de la ville et du pays tout entier.

La « Reine du Tage » est alors le cœur battant de l'Empire, une cité maritime et commerciale rivalisant avec Venise ou Gênes. La ville se couvre de monuments. Le port connaît une activité incessante. C'est l'apogée de l'art baroque manuélin, dont le style de décoration s'inspire des thèmes marins, avec comme fleuron le monastère des Jerónimos (Hiéronymites) de Belém.

La terre tremble – Située sur une zone d'importante activité sismique, Lisbonne subit depuis toujours des tremblements de terre. Mais le 1ᵉʳ novembre 1755, jour de la Toussaint, à l'heure de la grand-messe, un séisme particulièrement destructeur, suivi d'un raz-de-marée, anéantit Lisbonne aux deux tiers et fait au moins 15 000 victimes. La ville basse (Baixa), poumon de la cité, est entièrement ravagée. Sa reconstruction sera menée à bien par le **marquis de Pombal**, qui impose le plan en damier et un urbanisme moderne.

Les soubresauts de la République – Après la brève invasion napoléonienne de 1807 et durant tout le 19ᵉ s., Lisbonne est le théâtre d'agitations politiques continuelles aboutissant à l'instauration de la république en 1910. Mais l'instabilité demeure, révolutions et coups d'État se succèdent jusqu'à ce que Salazar devienne président du Conseil en 1932. La neutralité du Portugal pendant la Deuxième Guerre mondiale en fait une capitale de l'espionnage. Le régime dictatorial impose une chape de plomb et correspond à une période de stagnation économique. Il ne s'achève qu'avec la joyeuse et pacifique révolution des Œillets du 25 avril 1974, qui met un terme aux guerres coloniales (1961-1974). Lisbonne doit alors accueillir en quelques mois plusieurs centaines de milliers de réfugiés *(retornados)* des anciennes colonies africaines.

Les plus beaux quartiers et monuments de Lisbonne

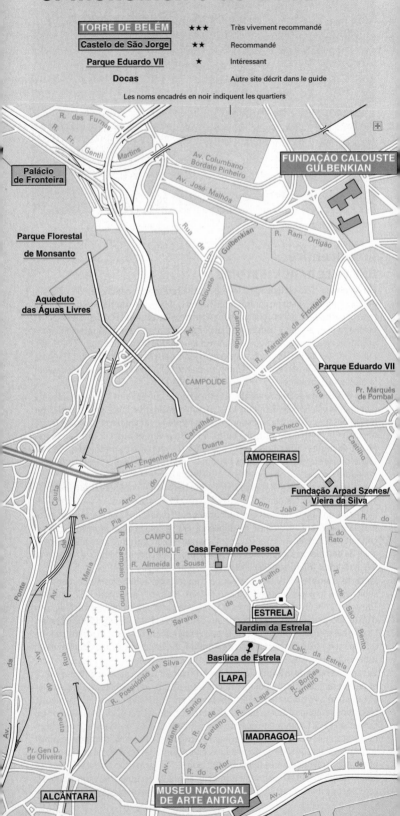

TORRE DE BELÉM	★★★	Très vivement recommandé
Castelo de São Jorge	★★	Recommandé
Parque Eduardo VII	★	Intéressant
Docas		Autre site décrit dans le guide

Les noms encadrés en noir indiquent les quartiers

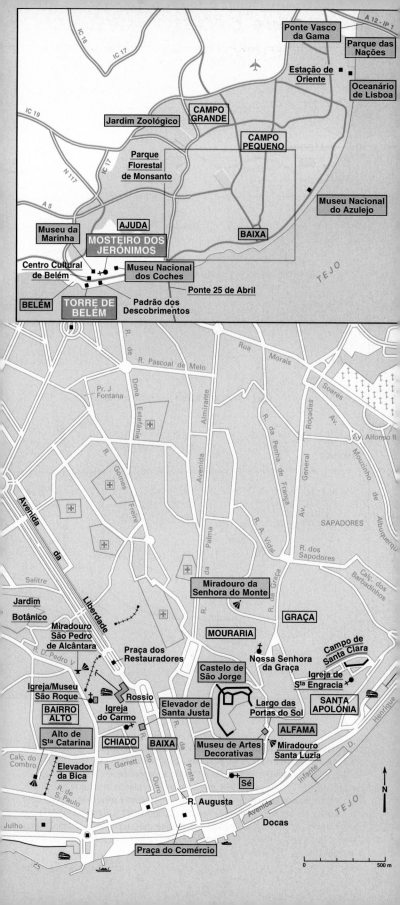

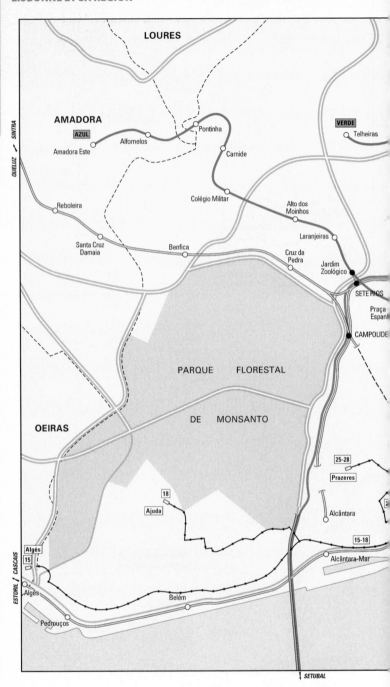

L'ouverture sur le monde – Depuis les années 1980, Lisbonne se modernise très rapidement. À l'image du reste du pays, elle a bénéficié de la manne financière considérable qu'a représentée l'entrée dans l'Union européenne, en 1986. Élue capitale européenne de la culture en 1994, elle a redoré son blason artistique et culturel. L'Exposition universelle de l'été 1998 (6 millions de visiteurs) a servi de catalyseur pour la rénovation de la ville, la modernisation des transports et l'aménagement de la rive nord du Tage. C'est désormais une ville dynamique, qui a accueilli les Championnats d'Europe de football (Euro 2004). Lisbonne se dotera d'un nouvel aéroport près d'Ota, à une quarantaine de kilomètres *(début des travaux en 2009)*.

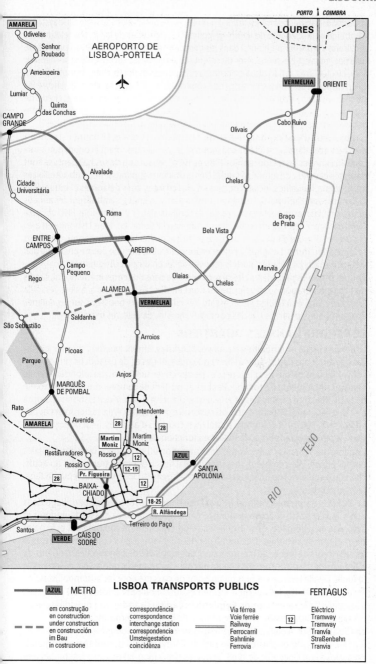

VILLE MÉTISSE, VILLE MODERNE

Cinq siècles d'occupation romaine ont donné à Lisbonne son visage méditerranéen. Les trois grandes religions du Livre y ont cohabité jusqu'à la fin du 15e s., date de l'expulsion des juifs de la péninsule. Première ville d'Europe cosmopolite au temps des Grandes Découvertes (elle comptait alors de très nombreux esclaves africains), cœur d'un empire colonial qui fut le dernier à disparaître, Lisbonne reste une ville métisse et bigarrée : rapatriés d'Afrique lusophone, Cap-Verdiens, Brésiliens, Indiens de Goa, etc.

De la vie de village… – Les Lisboètes, au curieux surnom d'*alfacinhas* (« petites laitues »), sont généralement affables et plus réservés que leurs voisins espagnols. Lisbonne est une ville conviviale qui rappelle les vieilles cités du monde arabe auquel elle a longtemps appartenu. Dans les *bairros* (quartiers) populaires, les générations se mêlent ; le système d'entraide et la solidarité de voisinage pallient les difficultés de la vie. Les relations de proximité s'entretiennent aussi dans les nombreuses tavernes et petites épiceries de quartier *(lugares)*. Les ménagères discutent sur le pas de leur porte et font sécher leur linge aux fenêtres, tandis que les nombreux supporters des deux clubs de football de la ville, Benfica et Sporting, sont suspendus aux résultats des matchs. On grille encore les sardines en plein air sur de petits *fogareiros* portatifs. Les vendeurs ambulants, cireurs de chaussures et autres petits métiers arpentent les rues, notamment dans la ville basse. Cette population des quartiers est en liesse lorsqu'elle fête, en juin, ses saints populaires.

… aux maux d'une capitale moderne – En quelques années, Lisbonne est entrée à marche forcée dans la société de consommation. Le ralentissement économique a succédé aux années fastes (décennies 1980 et 1990) ; beaucoup de ses habitants se sont endettés et vivent désormais à crédit. Des problèmes apparaissent : embouteillages asphyxiants, inégalités sociales de plus en plus criantes, cités délabrées et bidonvilles (à Benfica ; vers l'aéroport). Certaines constructions, décriées, symbolisent ces années de croissance : tours postmodernes des Amoreiras, sièges des banques BNU et Caixa Geral de Depósitos, gigantesque centre commercial Colombo. Mais Lisbonne en a vu d'autres et dispose d'une étonnante capacité à assimiler les éléments nouveaux sans se laisser dénaturer. Les pluies d'hiver redonnent aussi vite une patine ancienne aux vieux quartiers populaires, parfois rénovés de façon un peu clinquante.

Au sud, vers le Tage, la vieille cité se recroqueville dans un temps immémorial, tandis que l'agglomération se développe au nord en direction de Sintra, à l'est vers Vila Franca de Xira, et à l'ouest vers Cascais. Les cités-dortoirs poussent sur les collines environnantes, séparées par des paysages agrestes de cultures maraîchères.

SE PERDRE DANS LES QUARTIERS

Lisbonne s'étage en amphithéâtre sur **sept collines**, offrant ainsi des vues dégagées. Les constructions dépassent rarement quelques étages et, de partout ou presque, on voit le ciel sans même lever la tête : des perspectives surgissent, qui plongent vers le **Tage** ou surplombent les toitures. Pas facile pourtant de comprendre la physionomie de cette ville tout en dédales et en vallons. D'autant que le vieux Lisbonne compte peu de très grands monuments : on rencontre surtout des églises baroques et des édifices des 18e et 19e s. aux tons pastel ou recouverts d'azulejos. Il est donc plus aisé de se repérer par rapport au fleuve et en fonction du relief.

Lisbonne ne s'est pas coulée dans l'uniformisation urbaine, lot de bien des capitales européennes. Elle compte de nombreux quartiers très typés, tranquilles ou actifs, chics ou populaires, qui mélangent souvent les genres. Observons-la depuis le Tage, face au nord.

La Baixa – Au premier plan se trouve la Lisbonne du 18e s. et le quadrillage de la Baixa, la ville basse et active prolongée par le Rossio, la praça dos Restauradores et l'avenida da Liberdade. C'est le quartier traditionnellement commerçant et le point névralgique de Lisbonne. Très animé pendant la journée, on y croise des touristes et des amateurs de lèche-vitrine, mais aussi des employés de banque, des vendeurs de billets de loterie ou encore des cireurs de chaussures ; tandis que le soir, désertée par la foule, la ville basse n'est plus qu'un point de passage pour les automobilistes.

Au nord de la Baixa, les quartiers modernes autour du **parc Eduardo VII** et au-delà (quartiers d'affaires de **Campo Pequeno** et **Campo Grande**) sont quadrillés par un réseau de grandes avenues : da República, de Roma, de Berna, etc.

Le Chiado – Sur la colline de gauche débute ce quartier commerçant, chic et intellectuel. Le Chiado, en particulier les rues do Carmo et Garrett, concentrait les grands magasins avant l'incendie de 1988. Depuis sa rénovation, les marques internationales

---

Lisbonne tout en nuances

L'hiver, sous la pluie, Lisbonne peut parfois se révéler grisâtre et embrumée. Mais la lumière d'été y est si intense que la ville a adopté des tons pastel roses et ocre pour colorer ses façades. Certains quartiers anciens, au charme provincial, diffusent une légère impression de décadence, avec leurs palais décrépits et leurs bars sans enseigne. Il y règne une atmosphère urbaine indolente, entre torpeur et douceur de vivre, qui correspond bien à la *saudade*, cet état d'âme mélancolique que seuls les Portugais ont nommé. À l'image de ses vieux tramways grinçants, Lisbonne sait encore prendre son temps. Son climat est doux, avec une petite brise océanique qui rend supportables les plus fortes chaleurs estivales.

s'y sont implantées, mais il a conservé ses librairies et certaines boutiques aux devantures en bois.

Le Bairro Alto – Quartier populaire le jour et branché la nuit, le Bairro Alto, situé sur la colline São Roque, surplombe le Chiado. Depuis les années 1980, une nouvelle population y a élu domicile : des bars, des discothèques, des restaurants et des boutiques de stylistes et de designers en ont fait l'endroit à la mode et un haut lieu de la vie nocturne à Lisbonne.

Il se prolonge plus à l'ouest par les quartiers résidentiels et vallonnés de **Madragoa**, **Estrela** et **Lapa**.

L'Alfama, Mouraria et Graça – Sur la colline de droite, dominés par le château São Jorge, s'étagent les quartiers médiévaux de l'Alfama et de la Mouraria, aux ruelles sinueuses et pentues, aux ambiances populaires et bigarrées qui rappellent

L'ascenseur de Santa Justa dans le Chiado.

l'héritage mauresque. De jour, le quartier est animé par les marchés (marchés des rues São Pedro et dos Remédios, puces du Campo de Santa Clara) ; le soir, comme dans une médina nord-africaine, ses habitants se retirent dans les cours et les maisons (sauf les jours de fête) et la promenade dans l'entrelacs de ruelles peu éclairées peut constituer une expérience agréable. Graça, situé sur une colline au-dessus de l'Alfama, est un quartier essentiellement résidentiel, qui offre d'excellents points de vue sur la ville.

Le port et le Tage – De **Cais do Sodré**, zone portuaire située à proximité de la praça do Comércio, aux **Docas**, anciens entrepôts où se sont installés bars et discothèques branchés, l'influence du fleuve sur la ville est omniprésente. C'est également au bord du Tage que s'étendent les deux quartiers symboles du Lisbonne d'hier et d'aujourd'hui : au sud-ouest de la capitale, **Belém**, matrice de l'art manuélin, et à l'autre bout de la ville, au nord-est, le **Parc des Nations**. Ce parc de loisirs, installé sur le site de l'Exposition universelle de 1998, s'insère dans un programme de revitalisation des berges du Tage à l'emplacement d'une ancienne zone industrielle.

Le centre pombalin : la Baixa★★ Plan II

Compter 2h. Suivre l'itinéraire recommandé sur le plan.
Cette partie de la ville, complètement dévastée par le tremblement de terre et le raz-de-marée de 1755, fut reconstruite selon les plans du marquis de Pombal : architecture fonctionnelle, immeubles néoclassiques et plan en damier.

Praça dos Restauradores K2

La place doit son nom aux hommes qui, en 1640, se révoltèrent contre la domination espagnole et proclamèrent l'indépendance du Portugal. Au centre, un obélisque commémore l'événement. L'ouest de la place est occupé par le **Palácio Foz**, construit à la fin du 18e s. par l'architecte italien Franceso Savario. Ce bâtiment à la belle façade saumon abrite l'**office du tourisme** de Lisbonne et du Portugal *(voir p. 148)*.
La place s'ouvre sur l'avenida da Liberdade, qui mène au parc Eduardo VII.
À gauche du palais Foz, l'**Éden Teatro**, conçu par l'architecte Cassiano Branco et inauguré en 1937, conserve une partie de sa façade mi-Art déco mi-futuriste et ses escaliers desservant les différents niveaux de la salle. Il abrite désormais un appart-hôtel luxueux.
À l'est de la place, prendre la travessa do São Antão, puis tourner à droite.
La **rua das Portas de Santo Antão** est une rue piétonne très animée en soirée, qui accueille salles de spectacle (le Coliseu dos Recreios au nº 96), cafés et commerces traditionnels. Au nº 58, l'ancien palais Alverca (fin 17e s.) abrite la **Casa do Alentejo**, qui s'ouvre sur un insolite patio mauresque richement orné. Consacré à la promotion de l'Alentejo, le lieu sert d'amicale aux habitants de cette région vivant désormais à Lisbonne, et comprend un restaurant *(voir « Se restaurer » dans l'encadré pratique)*.
Revenir vers le sud de la praça dos Restauradores et longer la **façade★** néomanuéline (19e s.) de l'estação do **Rossio**, qui a fait peau neuve après cinq années de travaux. Cette célèbre gare, qui dessert notamment Sintra et Leiria, arbore de grandes portes en forme de fer à cheval.

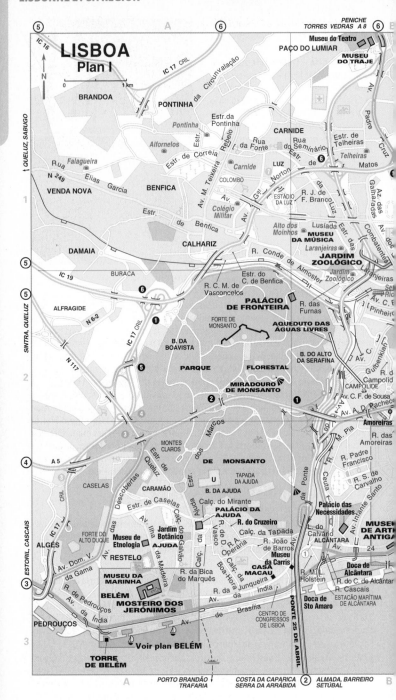

Tourner à gauche pour atteindre la praça Dom Pedro IV.

Autour du Rossio★ K2-3

Restaurée en 2001, la praça Dom Pedro IV, ou Rossio, grand-place très animée de la Baixa, existe depuis le 13e s. et fut le témoin de nombreux autodafés (sous l'Inquisition). Avant le séisme de 1755, elle abritait plusieurs bâtiments principaux de la ville. Sa configuration actuelle est l'œuvre de Pombal. En son centre se dresse la statue en bronze (1870) du roi Dom Pedro IV, premier souverain du Brésil, ainsi que deux fontaines baroques. Admirez la mosaïque bicolore et ondulée qui couvre la partie centrale de la place. Cette dernière est bordée sur trois côtés d'immeubles des 18e et 19e s., occupés au rez-de-chaussée

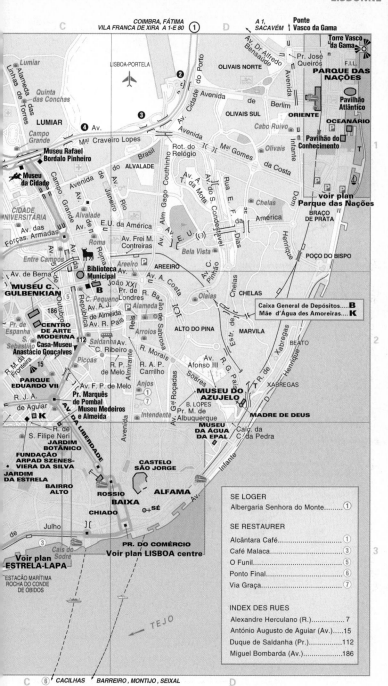

par des cafés, dont le fameux « Nicola » à la façade Art déco, et de petits commerces ayant conservé leur décoration du début du siècle. Jetez un coup d'œil au débit de tabac près de Nicola, décoré d'azulejos signés Rafael Bordalo Pinheiro ou, au coin du largo de S. Domingos et à côté d'une chapellerie fondée au 19e s., au minuscule café où l'on boit la fameuse liqueur de cerise *ginginha*.

Le **Théâtre national Dona Maria II**, de style néoclassique, ferme la place au nord. Bâti vers 1840 sur l'emplacement de l'ancien palais de l'Inquisition, il présente une façade à péristyle et fronton surmontée de la statue de Gil Vicente, célèbre auteur dramatique portugais du 16e s.

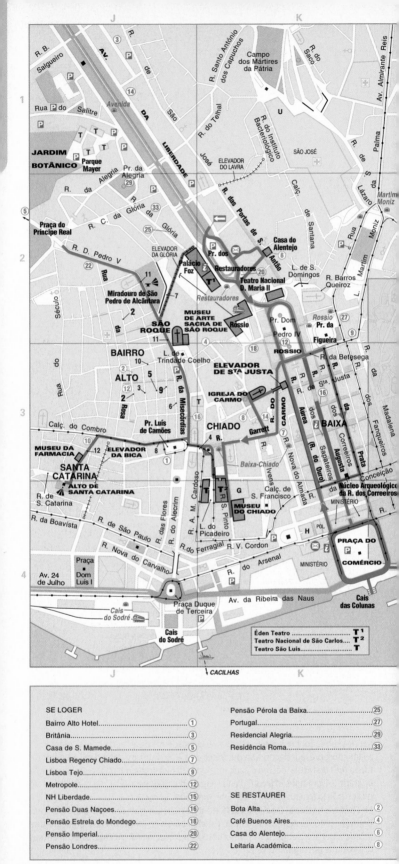

Au sud du Rossio, emprunter à gauche la rua da Betesga.

La **praça da Figueira**, de plan carré, avec en son centre une statue équestre de Jean Ier (1971), est bordée d'immeubles classiques. La terrasse arrière du célèbre café-pâtisserie Suíça *(voir « Faire une pause » dans l'encadré pratique)*, dont la façade principale donne également sur le Rossio, est un lieu idéal pour admirer le château et s'imprégner de l'ambiance du quartier.

En allant vers le Tage, les rues de la Baixa, sagement alignées, forment une sorte d'échiquier entre le Rossio et le fleuve. En partie piétonnes, elles sont bordées de magasins. La **rua Augusta**, large et élégante rue piétonne, relie le Rossio au centre de la praça do Comércio, en bordure immédiate du Tage. De part et d'autre, les **rua Áurea** (rue de l'Or ; aujourd'hui la rue des banquiers, des bijoutiers et des orfèvres) et **rua da Prata** (de l'Argent) rappellent par leur nom qu'elles étaient, aux 15e et 16e s., le centre du commerce des métaux précieux. Les autres rues parallèles portent des noms de corporations comme les rua dos Douradores (orfèvres), dos Correeiros (selliers), dos Sapateiros (cordonniers).

Faire une halte dans la rua dos Correeiros.

À deux pas de la praça do Comércio, le sous-sol du Banco Comercial Português abrite les vestiges romains du **Núcleo Arqueológico**. L'agréable espace muséologique permet de comprendre l'histoire de la Baixa depuis le début de son occupation, au 7e s. av. J.-C. À l'entrée, une salle d'exposition présente des objets de différentes époques mis au jour lors des fouilles archéologiques. Le dallage en verre permet de découvrir la superposition de structures, depuis les immeubles pombalins jusqu'au niveau phréatique. Le site fut occupé par une fabrique de poteries (du 5e au 3e s. av. J.-C.), une nécropole (2e s. av. J.-C.) et, du 1er au 5e s., par un important complexe lié à l'activité portuaire et à la pêche (bacs de salaison). Remarquez notamment la mosaïque du 3e s. et un four à céramique de la période islamique. *R. dos Correeiros, 9 - ℘ 213 21 17 00 - visite guidée (45mn) jeu. 15h-17h, sam. 10h-13h, 15h-17h - grat. - il est préférable de réserver 3 j. à l'avance.*

Praça do Comércio★★ (ou Terreiro do Paço) K4

Tout au bord de la « Mer de Paille » se dressait ici le palais royal, avant que le séisme et le raz-de-marée de 1755 ne l'engloutissent. En souvenir, les Lisboètes continuent d'appeler cette magnifique place le « terreiro do Paço », l'esplanade du Palais. Longue de 192 m et large de 177 m, elle est bordée sur trois côtés par des bâtiments classiques qui abritent notamment la Bourse et plusieurs ministères. Les étages à façade de crépi jaune safran reposent sur des galeries à arcades, et l'ensemble illustre parfaitement le style pombalin, à la fois austère et élégant. Au centre de la place, dans l'axe de l'arc de triomphe de style baroque (19e s.), se dresse la statue équestre du roi Joseph Ier, œuvre de Machado de Castro (1755).

Cette place a occupé un rôle central à plusieurs reprises dans l'histoire du pays. C'est là que furent assassinés, le 1er février 1908, le roi Charles Ier et le prince héritier Louis Philippe. Dans le **café Martinho da Arcada** (angle rua da Prata et praça do Comércio), où Fernando Pessoa avait ses habitudes, se trouve encore la table sur laquelle ce dernier

La praça do Comércio.

écrivit l'une de ses œuvres les plus célèbres, *Mensagem*. C'est ici que le poète prit son dernier café la veille de son hospitalisation, le 27 novembre 1935.

Au sud, comme happée par les eaux, la place débouche sur le fleuve. Au **cais das Colunas★**, un escalier de marbre, encadré de deux colonnes patinées par la marée, glisse doucement dans l'eau du Tage, dans des tonalités vénitiennes. Après dix ans de travaux, suite à l'extension du métro, le quai rénové est à nouveau accessible.

À l'angle sud-est, la **gare maritime** *(estação fluvial)* **Terreiro do Paço** est décorée de panneaux d'azulejos représentant les villes de l'Alentejo et de l'Algarve. Les passagers embarquent ici pour traverser le Tage (Seixal, Montijo et Barreiro) et rejoindre sur l'autre rive les quais de chemin de fer.

Si vous souhaitez rejoindre Cacilhas, vous devez gagner la gare fluviale de Cais do Sodré, qui se trouve à 600 m de la praça do Comércio, en direction de Belém.

Le Chiado★ Plan II

Environ 1h30 – Suite de l'itinéraire de la Baixa.

Le Chiado ne désigne pas seulement le largo do Chiado, mais toute une zone piétonne dont les rues principales sont les rues do Carmo et Garrett qui relient le Rossio à la praça Luís de Camões. Pendant la nuit du 25 août 1988, un gigantesque **incendie** a ravagé ce cœur du vieux Lisbonne. Visibles du haut de l'elevador de Santa Justa, les quatre blocs d'immeubles incendiés abritaient notamment des grands magasins et des boutiques anciennes : le magasin Grandella, le magasin O Chiado, le salon de thé Ferrari, etc. Plus de 2 000 personnes furent alors privées de travail. La mairie nomma aussitôt après le drame le célèbre architecte portugais **Álvaro Siza** pour reconstruire le quartier. Celui-ci a proposé un projet résolument classique, avec sauvegarde et reconstitution des bâtiments, en ouvrant d'agréables patios entre les immeubles, qui sont désormais occupés par des boutiques de vêtements chic. Au bout de la rue Garrett, l'Armazens do Chiado est un nouveau centre commercial qui abrite notamment la plus grande Fnac de la péninsule Ibérique. Le quartier a conservé ses librairies et certaines boutiques anciennes.

De la praça do Comércio, prendre la rua Aurea qui mène jusqu'à l'ascenseur de Santa Justa.

Ascenseur (Elevador) de Santa Justa★★ K3

℘ 213 61 30 54 - *lun.-sam. 7h-23h (hiver 7h-21h), dim. et j. fériés 9h-23h (hiver 9h-21h) - 1,35 € sur place ou 0,70 € avec les Pass 7 colinas ou Viva Viagem en chargement multimodal (voir « Transports » dans l'encadré pratique).*

Cet **ascenseur** a été construit en 1901 par Raúl Mesnier de Ponsard, ingénieur portugais d'origine française, influencé par Gustave Eiffel. Avant l'incendie de 1988, il permettait d'accéder directement au quartier du Chiado. Ce passage, qui a été longtemps fermé pour travaux, est désormais rouvert. On peut faire une pause au café situé sur la plate-forme supérieure, à 32 m au-dessus de la rue, pour profiter de la belle **vue★** sur le Rossio et la Baixa.

En sortant de l'ascenseur, continuer tout droit jusqu'au largo do Carmo.

Église do Carmo★ (Museu Arqueológico) K3

Largo do Carmo - ℘ *213 47 86 29 - lun.-sam. 10h-17h (avr.-sept. jusqu'à 18h) - fermé 1er janv., 1er mai et 25 déc. - 2,50 €.*

Cette église carmélite, bâtie à la fin du 14e s. par le connétable Nuno Álvares Pereira, se présente aujourd'hui comme une carcasse fantomatique à ciel ouvert. Ses piliers s'élancent vers le ciel, mais ne supportent plus la voûte de la nef, détruite par le séisme de 1755. Vision romantique : voici un exemple achevé de « ruine-mémoire » dont se nourrit la mythologie lisboète. Le lieu sert de cadre aux collections du musée d'Archéologie qui comprennent des poteries de l'âge du bronze, des bas-reliefs en marbre, des azulejos hispano-arabes et des tombeaux romans et gothiques (gisant de Fernão Sanches, fils illégitime du roi Denis Ier, et de Nuno Álvares Pereira).

Cette église donne sur l'une des plus charmantes places de Lisbonne, le **largo do Carmo**, bordé de tilleuls centenaires et de jacarandas, dont les terrasses de cafés invitent à la pause *(voir « Se restaurer » dans l'encadré pratique)*.

Revenir vers l'ascenseur et tourner à droite dans la rua do Carmo.

Rua do Carmo★ et rua Garrett K3

Ces rues commerçantes et élégantes rassemblent des boutiques aux devantures anciennes, des librairies renommées, des pâtisseries et des cafés dont le fameux « **A Brasileira** » *(voir « En soirée » dans l'encadré pratique)* que fréquentait régulièrement le poète Fernando Pessoa. Depuis le centenaire de sa naissance en 1988, Pessoa est revenu s'installer à l'une des tables de la terrasse, pensif dans son habit de bronze.

La « carcasse » de l'église do Carmo.

De la rua Garrett, tourner à gauche dans la rua Serpa Pinto.

Théâtre national São Carlos K4

Situé dans un quartier calme dominant le Tage, ce théâtre, construit en 1793 en moins de six mois dans un style néoclassique, présente une façade inspirée du théâtre San Carlo de Naples. Il propose une programmation classique de musique et de ballet *(voir « Divertissements et spectacles » dans l'encadré pratique)*. C'est en face de l'entrée du théâtre que naquit le poète Fernando Pessoa.

Musée national du Chiado★ (Museu Nacional do Chiado) K4

R. Serpa Pinto, 4 - ☏ 213 43 21 48 - www.museudochiado-ipmuseus.pt - mar.-dim. 10h-18h - 3 €, grat. dim. et j. fériés 10h-14h.

Ce couvent du 13e s. fut transformé en usine à biscuits à la fin du 19e s., puis en musée d'**art contemporain** en 1911. Après l'incendie de 1988, l'architecte français Jean-Michel Wilmotte l'a élégamment réaménagé en un espace ouvert, relié par des passerelles qui laissent à nu les anciennes structures en brique. Remarquez au 1er étage les quatre fours à pain, vestiges de l'ancienne usine. Les expositions temporaires réunissent peintures, sculptures et dessins d'artistes portugais de 1850 à nos jours qui font partie des collections permanentes du musée. Elles mettent en lumière l'œuvre d'artistes portugais majeurs du 20e s. et les mouvements avant-gardistes du pays.

👁 **Bon à savoir** – La **cafétéria** s'ouvre sur un jardin agrémenté de sculptures.

Revenir en arrière, traverser le largo São Carlos et prendre en face à gauche la rue menant au largo do Chiado. Avancer à gauche vers la place Luís de Camões.

Praça Luís de Camões J3

Cette place recouverte de pavés aux motifs originaux, et dont le centre est occupé par la statue du grand poète épique, fut l'un des théâtres de la révolution des Œillets du 25 avril 1974. Après avoir pris la caserne située largo do Carmo, où se trouvait le président du Conseil, la population escorta les militaires dans leurs voitures blindées qui montaient le Chiado et s'arrêta sur la place pour fêter la liberté recouvrée. Un peu endommagée par un parking souterrain qui lui a fait perdre ses arbres, la place Camões est bordée de façades peu à peu restaurées. Traversée en tous sens par les tramways, elle marque la limite entre le quartier du Chiado et le Bairro Alto. Lieu de rendez-vous, elle est très animée lors des fêtes populaires. Le Tage apparaît au sud, au bout de la rua do Alecrim (du romarin) en forte pente.

La **rua da Misericórdia** part de la praça Luís de Camões pour conduire au Bairro Alto qui s'étend sur le flanc ouest.

Mais avant, un petit crochet s'impose, tout à fait en contrebas du Bairro Alto. Traverser la praça Luís de Camões et longer le tramway 28 qui s'engage dans la rua do Loreto.

La vie communautaire semble très soudée dans le petit quartier pittoresque et animé de **Bica**. Le curieux **Elevador da Bica★**, une sorte de minifuniculaire, improbable machine pleine de poésie, escalade courageusement la forte pente de la calçada da Bica Grande.

Tourner à gauche dans la rua Marechal Saldahna.

Musée de la Pharmacie★ (Museu da Farmacia) J3
R. Marechal Saldanha, 1 - ℘ 213 40 06 80 - lun.-vend. 10h-18h - 5 €.

Méconnu des touristes, ce musée installé en 1996 dans un palais des années 1870, présente une collection extraordinaire composée de plus de 14 000 objets venant du monde entier : des sarcophages égyptiens aux céramiques romaines, des pots toscans aux statuettes congolaises. Il expose également plusieurs reconstitutions de pharmacies du 15e au 19e s. dont la pièce maîtresse est l'extraordinaire pharmacie chinoise du 19e s. qui fonctionna jusqu'en 1996 à Macao.

Au bout de la rue, le paisible belvédère **Alto de Santa Catarina★★** offre un panorama exceptionnel sur le Tage, les docks et le pont du 25-Avril. La vue est particulièrement belle en fin d'après-midi, au coucher du soleil. Ici se dresse la **statue d'Adamastor**, le monstre marin des *Lusiades* de Camões (*voir p. 77*), géant mythique qui terrorisait les navigateurs du 15e s. D'après la légende, Adamastor fut vaincu par le navigateur Bartolomeu Dias, le premier à dépasser le « cap des Tempêtes », rebaptisé cap de Bonne-Espérance par le roi Jean II qui signifiait ainsi son espoir d'arriver aux Indes.

👁 **Bon à savoir** – La terrasse en partie ombragée de la buvette offre un lieu de détente idéal.

Le Bairro Alto★ et alentours Plan II
Environ 3h. N'hésitez pas à vous promener à l'aveugle dans ces ruelles. Le quartier, désormais en partie fermé à la circulation automobile, est encadré à l'est par la rua da Misericórdia, à l'ouest par la rua do Século et au sud par la calçada do Combro.

La naissance de ce quartier, au 16e s., est liée à la présence des jésuites. Le Bairro Alto fut d'abord un quartier aristocratique, au tracé rectiligne et aux ruelles pentues (moins cependant que celles de l'Alfama), mais ses palais ont été détruits par le tremblement de terre de 1755. Longtemps habité par une population modeste, il est devenu depuis une vingtaine d'années un épicentre de la « movida » portugaise. Dans les années 1980, de jeunes créateurs (stylistes, artistes peintres, designers) ont d'abord mis le quartier à la mode en s'y installant, ouvrant boutiques et ateliers. Les noctambules en ont vite fait un de leurs lieux favoris : bars branchés et boîtes de nuit (dont la célèbre discothèque *Frágil*) jouxtent désormais de petites échoppes traditionnelles, de vieilles tavernes et des restaurants de diverses catégories, ainsi que des maisons de fado réputées. Les bâtiments, souvent construits de bric et de broc, et parfois insalubres, ont été en grande partie rénovés. Si la nuit est à la fête, dans la journée, le quartier est plutôt assoupi : quelques livreurs traînent doucement une charrette, les habitants s'interpellent d'un immeuble à l'autre et des scènes de la vie courante rythment le quotidien.

👁 **Bon à savoir** – Les **rues commerçantes** les plus animées sont les rua do Norte, rua do Diário de Notícias, rua da Atalaia et rua da Rosa.

De la praça Luís de Camões, prendre la rua da Misericórdia.

Église de São Roque★ J2-3
Largo de Trindade Coelho - ℘ 213 23 53 81 - lun.-vend. 8h30-17h, w.-end 9h30-17h.

Elle fut bâtie à la fin du 16e s. par l'architecte italien Philippe Terzi, à qui l'on doit également l'église São Vicente de Fora (*voir p. 123*) ; la façade d'origine n'a pas résisté au tremblement de terre de 1755.

L'**intérieur★** frappe par l'élégance de sa décoration. Le plafond de la nef, en bois peint, est l'œuvre d'artistes influencés par l'art italien ; les sujets représentent des scènes de l'Apocalypse. Dans la 3e chapelle de droite, remarquez des **azulejos** du 16e s. et une peinture sur bois de Gaspar Vaz (16e s.) figurant la vision de saint Roch.

La **chapelle São João Baptista★★** (*4e à gauche*), chef-d'œuvre d'art baroque italien, a été édifiée sur les plans de Salvi et Vanvitelli entre 1742 et 1750 à Rome, où elle reçut la bénédiction du pape. Cent-trente artistes participèrent à sa construction ; démontée, transportée à Lisbonne par trois caravelles sur ordre du roi Jean V, elle fut rebâtie vers 1750 dans l'église São Roque. Tout y est d'une grande richesse : colonnes en lapis-lazuli devant d'autel en améthyste, marches en porphyre, anges en marbre blanc de Carrare et en ivoire, pilastres en albâtre ; revêtement du sol et tableaux des murs en mosaïques de couleur ; frises, chapiteaux et plafonds rehaussés d'or, d'argent et de bronze.

Admirez aussi la première chapelle de gauche, décorée de tableaux attribués à l'école de Zurbarán (Nativité et Adoration des Mages), ainsi que la **sacristie** (*accès par le bras gauche du transept*) avec plafond à caissons (17e s.) et des tableaux représentant des scènes de la vie de saint François, par Vieira Lusitano et André Gonçalves.

G. Bludzin/MICHELIN

Une ruelle dans le Bairro Alto.

Musée d'Art sacré de São Roque★ (Museu de Arte Sacra de São Roque) J2

Largo de Trindade Coelho - ℰ 213 23 53 81 - horaires et tarifs : se rens.

Attenant à l'église de São Roque, ce musée récemment rénové expose quelques tableaux portugais du 16e s. et une partie du trésor de la chapelle São João Baptista. Mobilier et pièces d'orfèvrerie d'artistes italiens du 18e s. sont remarquables par la richesse de leur décoration baroque. Le musée abrite également une intéressante collection d'**ornements sacerdotaux★** en soie et en tissu lamé brodé d'or.

Reprendre à gauche la rua de São Pedro de Alcântara jusqu'au largo da Oliveirinha.

Belvédère (Miradouro) de São Pedro de Alcântara★ J2

Près de l'Elevador da Glória. À la pointe nord-est du Bairro Alto, un agréable jardin aménagé forme un balcon au-dessus de la ville basse, offrant ainsi une **perspective★★** très étendue sur la Baixa, le Tage et la colline du château São Jorge en face *(table d'orientation).*

👁 **Bon à savoir** – La vue est splendide en soirée, lorsque le château est éclairé.

De là, vous pouvez redescendre à la praça dos Restauradores par la calçada da Glória (funiculaire) ou continuer en direction du Rato par la rua D. Pedro V puis, dans le prolongement, la rua da Escola Politécnica.

Autour de la praça do Príncipe Real J2

Le petit quartier élégant qui s'étend autour de cette agréable place et de la rua da Escola Politécnica abrite des galeries d'art et des antiquaires. C'est également un centre de la vie nocturne gay à Lisbonne.

L'agréable **Jardim do Príncipe Real★** (ou jardim França Borges) est agrémenté d'une buvette avec terrasse. Près de l'entrée, un majestueux cèdre du Liban, qui daterait d'avant le tremblement de terre de 1755, déploie d'immenses tentacules végétales (soutenues par un ingénieux système de tonnelles) de plus de 25 m d'envergure. Cet arbre tutélaire diffuse en été une ombre bienfaitrice couvrant une partie de la place, qui devient ainsi un lieu de rendez-vous et de palabre. Ici même se déroule une belle scène du film du réalisateur portugais João César Monteiro, *Vai e vem (Va-et-vient)*, ramassée en un seul plan-séquence.

Sur la place se tient tous les samedis matin un **marché biologique**.

Jardin botanique★ (Jardim Botânico) J1-2

Entrée par la rua da Escola Politécnica n° 58, ou par la rua da Alegria (sauf w.-end) - ℰ 213 92 18 00 - www.jb.ul.pt - été : 9h-20h, w.-end et j. fériés 10h-20h ; reste de l'année : 9h-18h, w.-end et j. fériés 10h-18h - fermé 1er janv., 25 déc. - 1,50 €.

Ce vénérable jardin qui s'étend à flanc de coteau à proximité de l'avenida da Liberdade dépend de l'Académie des sciences. Fondé en 1873 dans un but scientifique, il est l'un des plus réputés d'Europe pour sa flore subtropicale. Havre de paix dans un quartier animé, idéal pour pique-niquer, il offre de belles promenades le long de l'allée principale bordée de majestueux palmiers.

L'Alfama★★ Plan p. 118

Environ une demi-journée. L'Alfama se découvre à pied, en flânant à travers le dédale de ruelles, et de préférence le matin, pendant les marchés de la rua de São Pedro et de la rua dos Remédios. L'itinéraire indiqué sur le plan permet cependant de ne manquer aucun des principaux sites à visiter.

Délimité au nord par le château, au nord-ouest par les quartiers de Graça et Mouraria, l'Alfama s'étage sur le flanc sud d'une colline qui descend vers le Tage. C'est le quartier le plus connu et le plus ancien de la ville (il a été épargné par le tremblement de terre de 1755), le symbole du Lisbonne populaire. Avec son labyrinthe de ruelles médiévales, ponctué de venelles, de cours et d'impasses, coupé d'escaliers et d'arcs, il forme un bric-à-brac poétique, où la vie s'épanche dans la rue.

Alfama d'hier et d'aujourd'hui – La présence romaine est attestée par les fouilles réalisées à l'intérieur de la cathédrale, et par les ruines du **théâtre romain** *(voir p. 121)*. Le quartier était également peuplé à l'époque des Wisigoths. Durant l'occupation musulmane, le quartier s'appelait al-Alhaman, c'est-à-dire « la fontaine », en référence à une source d'eau chaude située largo das Alcaçarias. Les Maures y construisirent des demeures nobles, les chrétiens, des églises, dont la plupart n'ont malheureusement pas résisté au tremblement de terre. L'Alfama devint alors un quartier de marins et de pêcheurs. Les maisons parfois délabrées sont décorées de balcons en fer forgé et de panneaux d'azulejos représentant le plus souvent la Vierge entre saint Antoine et saint Martial.

Bien qu'ayant fait l'objet de nombreuses rénovations, l'Alfama conserve son caractère traditionnel. Les infrastructures, notamment autour du château, ont été modernisées sans modifier pour autant la physionomie du lieu. Mais avec le départ progressif des habitants, l'âme de ce quartier très fréquenté par les touristes va-t-elle survivre longtemps ?

Avant de se perdre dans l'Alfama, monter jusqu'au château São Jorge pour bénéficier d'une vue d'ensemble et saisir la topographie de cette ville vallonnée.

Château (Castelo) São Jorge★★ P/Q-1/2

☎ 218 80 06 20 - www.castelosaojorge.egeac.pt - mars-oct. : 9h-21h ; nov.-fév. : 9h-18h - 5 €.

Berceau de la cité, le **château Saint-Georges** occupe une position stratégique remarquable sur une butte. Bâti par les Wisigoths au 5e s., agrandi par les Maures au 9e s., il fut modifié sous le règne d'Alphonse Henriques. Aujourd'hui, il est aménagé en un agréable jardin fleuri et ombragé.

Après avoir franchi l'enceinte extérieure qui abrite le quartier médiéval, on atteint l'ancienne place d'armes ; de là, vous bénéficierez d'une **vue★★★** magnifique sur la « Mer de Paille », les agglomérations de la rive gauche et le pont du 25-Avril, la ville basse et le parc de Monsanto. Le glacis offre une agréable promenade.

Le château compte dix tours reliées par de puissantes murailles crénelées. On franchit la barbacane d'entrée ; des escaliers mènent au chemin de ronde et au sommet des tours qui sont autant de belvédères sur la ville. Remarquez, en passant, percée dans la muraille nord, la porte où **Martim Moniz** s'illustra par un acte de bravoure : au prix de sa vie, il empêcha les Maures de refermer cette porte pendant l'attaque d'Alphonse Henriques.

Édifié à la place du palais maure, le **palais royal** fut du 14e au 16e s. le lieu de résidence des souverains portugais, jusqu'à ce que Manuel Ier fasse ériger un palais au bord du Tage, sur l'actuelle praça do Comércio.

Près de l'entrée, les anciens appartements royaux abritent **Olissipónia**, une exposition multimédia sur l'histoire de Lisbonne et du pays. Deux films interactifs présentent les conquêtes et les Grandes Découvertes, ainsi que la fondation de Lisbonne. Des expositions temporaires sont dédiées à l'évolution de la capitale *(ferme 30mn avant le château)*.

Descendre par les rua de Santa Cruz, rua do Chão da Feira et travessa do Funil, largo do Contador-Mor puis, sur la gauche, la travessa de Santa Luzia jusqu'au belvédère.

Belvédère (Miradouro) de Santa Luzia★ R2

Une placette, attenante à l'église Santa Luzia, a été aménagée en belvédère sur les vestiges des anciennes fortifications maures. Elle offre une très belle **vue★★** sur le Tage, le port et, juste au-dessous, sur les toits de l'Alfama et le dédale de ruelles dominées par les clochers de São Miguel et de Santo Estêvão.

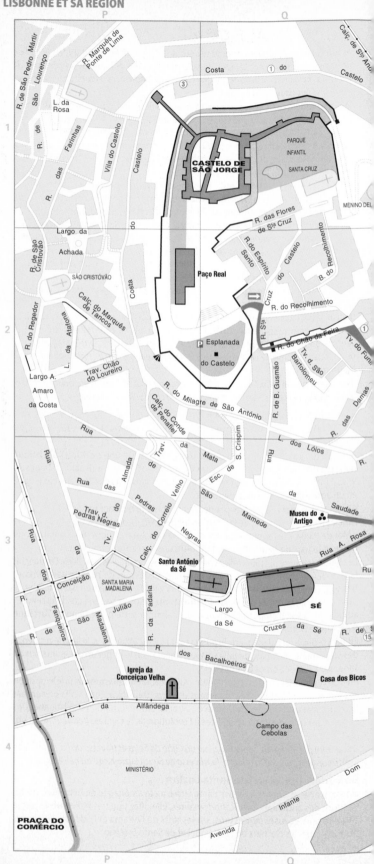

CASTELO DE SÃO JORGE

Paço Real

Esplanada do Castelo

PARQUE INFANTIL SANTA CRUZ

MENINO DEI

Costa

R. de São Pedro Mártir

São Lourenço

R. Marquês de Ponte de Lima

L. da Rosa

R. das Farinhas

Vila do Castelo

do Castelo

Costa

do Castelo

R. de São Cristóvão

SÃO CRISTÓVÃO

Largo da Achada

Calç. do Marquês de Tancos

L. da Atafona

Trav. Chão do Loureiro

Largo A. Amaro da Costa

Rua

R. do Regedor

Calç. do Conde de Penafiel

R. do Milagre de São António

R. das Flores de Stª Cruz

R. do Espírito Santo

R. Stª Cruz

R. do Recolhimento

R. do Chão da Feira

R. de B. Gusmão

Tv. d. São Bartolomeu

B. do Castelo

B. do Recolhimento

Tv. do Funi

R. das Damas

L. dos Lóios

Rua

da

Saudade

Museu do Antigo

Rua

Rua

das

Trav. d. Pedras Negras

Tv.

da

Calç. do Correio Velho

Trav. de Almada

Pedras

Negras

Esc. de S. Crispim

São

Mamede

Rua A. Rosa

Ru

Santo António da Sé

SÉ

Largo da Sé

Cruzes da Sé

R. de

Rua dos

R. do

Conceição

SANTA MARIA MADALENA

São Julião

Madalena

R. da Padaria

Fanqueiros

R. de

Rua dos

Bacalhoeiros

Igreja da Conceição Velha

R. da Alfândega

Casa dos Bicos

Campo das Cebolas

MINISTÉRIO

Dom

Infante

PRAÇA DO COMÉRCIO

Avenida

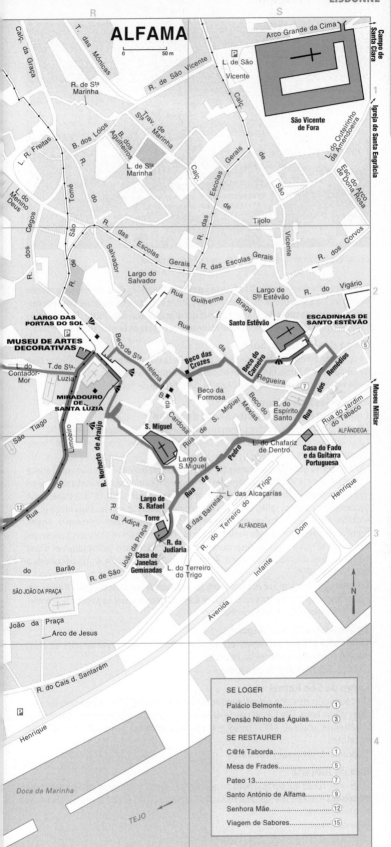

ALFAMA

0   50 m

Campo de Santa Clara

Igreja de Santa Engrácia

Arco Grande da Cima

L. de São Vicente

São Vicente de Fora

Calç. da Graça

T. das Mónicas

R. de Sta Marinha

R. dos Lóios

B. dos Aguilhelos

Trav. de Sta Marinha

R. de São Vicente

Calç. de São Vicente

L. R. Freitas

L. do Menino Deus

R. de Tomé

Calç. de São Tomé

L. de Sta Marinha

R. das Escolas Gerais

Tijolo

Esc. do Arco de Dona Rosa

Lc. do Outeirinho da Amendoeira

sop

Cegos

R. de

Salvador

R. das Escolas Gerais

R. das Escolas Gerais

R. dos Corvos

R. de São Vicente

Largo do Salvador

Rua Guilherme Braga

Largo de Sto Estêvão

R. do Vigário

LARGO DAS PORTAS DO SOL

MUSEU DE ARTES DECORATIVAS

L. do Contador-Mor

T. de Sta Luzia

MIRADOURO DE SANTA LUZIA

São Tiago

Limoeiro

Beco de Sta Helena

B. da

Cardosa

Santo Estêvão

Beco das Cruzes

Beco do Carneiro

Regueira

ESCADINHAS DE SANTO ESTÊVÃO

R. dos Remédios

Beco da Formosa

Beco de S. Miguel Mexias

B. do Espírito Santo

Rua do Jardim do Tabaco

ALFÂNDEGA

Museu Militar

S. Miguel

Largo de S.Miguel

Rua de S. Pedro

L. do Chafariz de Dentro

Casa do Fado e da Guitarra Portuguesa

R. Norberto de Araújo

Largo de S. Rafael

Torre

Casa de Janelas Geminadas

R. da Adiça

João da Praça

R. da Judiaria

L. das Alcaçarías

B. das Barrelas

R. do Terreiro do

ALFÂNDEGA

Trigo

Henrique

Dom

L. do Terreiro do Trigo

SÃO JOÃO DA PRAÇA

R. de São

João da Praça

Arco de Jesus

Barão

do

Infante

Avenida

N

R. do Cais d. Santarém

P

Henrique

Doca da Marinha

TEJO

SE LOGER	
Palácio Belmonte....................	①
Pensão Ninho das Águias.........	③
SE RESTAURER	
C@fé Taborda........................	①
Mesa de Frades.....................	⑤
Pateo 13...............................	⑦
Santo António de Alfama...........	⑨
Senhora Mãe.........................	⑫
Viagem de Sabores..................	⑮

R

S

Le château São Jorge vu du belvédère de São Pedro de Alcântara.

Les murs extérieurs de l'**église Santa Luzia** sont tapissés de panneaux d'azulejos dont l'un figure la praça do Comércio et l'autre la prise de Lisbonne par les croisés, ainsi que la mort de Martim Moniz dans le château São Jorge. Des azulejos représentant une vue générale de Lisbonne recouvrent le mur sud de la place.

Largo das Portas do Sol★ R2

La porte du Soleil était l'une des sept portes de la cité maure. Située de l'autre côté de l'église Santa Luzia, cette place dispose d'une petite terrasse agréable offrant une belle **vue★★** sur les maisons de l'Alfama, São Vicente de Fora et le fleuve.

Musée des Arts décoratifs -
Fondation Ricardo Espírito Santo da Silva★★
(Museu de Artes Decorativas - Fundação Ricardo Espírito Santo da Silva) R2

Largo das Portas do Sol, 2 - ℰ 218 81 46 00/218 88 19 91 - www.fress.pt - 10h-17h - fermé 1er janv., 1er mai et 25 déc. - 4 €.

L'ancien palais des comtes Azurara (17e s.) et les merveilleuses collections qu'il abrite furent légués à la ville de Lisbonne par le banquier Ricardo Espírito Santo da Silva en 1953. Le musée évoque la vie quotidienne à Lisbonne aux 17e et 18e s. à travers une succession de petites salles décorées d'azulejos et de fresques, sur trois niveaux. Le mobilier portugais et indo-portugais est particulièrement bien représenté. Également : des collections d'argenterie, de porcelaines chinoises et plusieurs tapisseries des 16e et 18e s. Le niveau 3 dispose d'une salle d'expositions temporaires et d'une cafétéria avec un patio accueillant. À côté du musée, une école d'arts décoratifs a été créée en 1990.

Du largo das Portas do Sol, descendre par les escaliers de la rua Norberto de Araújo, qui s'appuient sur la muraille maure. Continuer tout droit puis prendre sur la gauche l'escalier qui descend vers le beco da Corvinha.

Église (Igreja) de São Miguel R2-3

Cette église à l'origine romane, reconstruite après le tremblement de terre de 1755, possède de belles boiseries baroques.

En sortant de l'église, prendre à droite.

Largo de São Rafael R3

Du côté ouest de cette placette entourée de maisons du 17e s., remarquez les vestiges d'une **tour**. Elle faisait partie de la muraille maure qui protégea la Lisbonne chrétienne jusqu'au 14e s., lorsque le roi Ferdinand fit construire une nouvelle enceinte.

Emprunter la petite rue en descente.

Rua da Judiaria R3

Dans cette ruelle qui porte le nom du quartier juif, remarquez une **maison à fenêtres géminées** (Casa de Janelas Geminadas, 16e s.) au-dessus des contreforts de l'ancienne muraille maure.

Faire demi-tour.

Rua de São Pedro RS3

Cette rue est très animée le matin avec son **marché aux poissons**. Bordée de petites boutiques et de tavernes populaires, elle est l'une des plus commerçantes de l'Alfama, avec la rua dos Remédios *(voir ci-après)*.

Maison du fado et de la guitare portugaise
(Casa do Fado e da Guitarra Portuguesa) S2-3

Largo do Xafariz de Dentro, 1 - ℘ 218 82 34 70 - www.museudofado.egeac.pt - mar.-dim. 10h-18h (dernière entrée 17h30) - fermé 1er janv., 1er mai et 25 déc. - tarifs : se rens.

Ce musée donne à voir et écouter le fado grâce à des supports audiovisuels, des dioramas et une riche collection d'objets, dont la guitare portugaise à douze cordes de laquelle dérive la guitare classique.

👁 **Bon à savoir** – Vous trouverez sur place des disques à acheter.

Rua dos Remédios S2

Remarquez au début de la rue, du côté gauche, le portail manuélin de l'**église Espírito Santo**. Plus loin, le n° 2 de la calçadinha de Santo Estêvão présente un portail de la même époque.

Après le n° 41, emprunter les escaliers sur la gauche.

Escadinhas de Santo Estêvão★ S2

Ces « petits escaliers » *(escadinhas)* sont composés d'une série de volées diversement orientées, qui forment un cadre très pittoresque. En passant derrière l'église de Santo Estêvão, observez le mur à encorbellement et le panneau d'azulejos. Montez l'escalier qui longe l'église : le sommet offre une belle **vue★** sur les toits hérissés d'antennes de télévision, le port et le Tage.

Descendre par ce même escalier et tourner immédiatement à droite dans le beco do Carneiro.

Beco do Carneiro S2

Rue très étroite, aux escaliers en pente raide. En regardant en arrière, on jouit d'une belle perspective sur la façade de l'église de Santo Estêvão.

Prendre à droite, remonter la rua da Regueira puis prendre à gauche.

Beco das Cruzes RS2

À l'angle de la rua da Regueira et du beco das Cruzes s'élève une maison du 18e s. Au-dessus d'une porte en encorbellement, un panneau d'azulejos représente la Vierge de la Conception ; de là, on bénéficie d'un intéressant point de vue sur la ruelle en escalier.

Remonter au largo das Portas do Sol par le beco de Santa Helena (en haut du beco das Cruzes se trouve un lavoir public), et rejoindre le miradouro de Santa Luzia. De là, redescendre en suivant l'itinéraire du tramway 28 (rua do Limoeiro), puis emprunter à droite la rua da Saudade.

Musée du théâtre romain (Museu do Antigo Teatro Romano) Q3

Pátio do Aljube, 5 - ℘ 218 82 03 20 - mar.-dim. 10h-13h, 14h-18h, fermé j. fériés - grat.

Ce site archéologique (1er s. av. J.-C.), situé sur plusieurs niveaux de part et d'autre de la rua de São Mamede, a été très agréablement mis en valeur. Le théâtre (ruines), unique sur le territoire portugais, pouvait accueillir entre 3 000 et 5 000 spectateurs. Bornes interactives. De la terrasse, vue★ plongeante sur l'estuaire.

Reprendre l'itinéraire du tramway 28 (rua A. Rosa).

Cathédrale★★ (Sé Patriarcal) Q3

Largo de Santo António da Sé - ℘ 218 87 66 28 - 9h-19h.

À l'image de celles de Porto, Coimbra ou Évora, la cathédrale de Lisbonne a joué le rôle de forteresse, comme en témoignent ses deux tours de façade et ses créneaux. Elle fut construite dans le style roman à la fin du 12e s., peu après la conquête de la ville par Alphonse Henriques aidé des croisés. Les architectes seraient les maîtres français Robert et Bernard, qui ont également construit la cathédrale de Coimbra. Mais la Sé fut de nombreuses fois remaniée, notamment suite aux tremblements de terre (celui de 1755 provoqua l'effondrement du chœur et de la lanterne qui surmontait la croisée du transept). Une habile restauration a rendu son allure romane à la façade et à la nef, mais l'on y verra aussi des éléments gothiques et des remaniements des 17e et 18e s.

À l'**intérieur**, le vaisseau principal est couvert par une voûte en plein cintre et bordé par un élégant triforium. L'ensemble est d'un style roman très sobre.

La **chapelle Bartolomeu Joanes** *(collatéral gauche)* appartient à l'art gothique : elle contient une jolie crèche en terre cuite de Machado de Castro.

Le chœur, sous une voûte à nervures soutenue par des trompes, fut reconstruit au 18e s., mais le déambulatoire, aux fenêtres lancéolées, est de style gothique, correspondant à un remaniement du 14e s. La troisième chapelle rayonnante à partir de la droite abrite les **tombeaux gothiques★** (14e s.) de Lopo Fernandes Pacheco, compagnon d'armes du roi Alphonse IV, et de son épouse. Fermant une chapelle proche de l'entrée de l'église, remarquez l'admirable **grille★** romane en fer forgé des fonts baptismaux.

Saint Antoine, le patron de Lisbonne

Fernando de Bulhões, plus connu sous le nom de saint Antoine de Padoue, n'était pas italien mais bel et bien portugais. Il naquit à Lisbonne en 1195, s'engagea dans l'ordre des Franciscains, voyagea au Maroc, vécut en France et en Italie du Nord où ses prêches humanistes lui valurent un succès considérable. Il possédait, dit-on, le don d'ubiquité et, comme le Christ, il aurait multiplié des poissons à Rimini. Selon la légende, le jour de sa mort, survenue en Italie en 1231, les cloches de Lisbonne se mirent à sonner toutes seules. Dès l'année suivante, il fut canonisé. Saint Antoine favorise notamment les mariages et le bonheur conjugal. Son invocation permet aussi de retrouver les objets perdus. Les Lisboètes continuent de célébrer avec ferveur le protecteur de la ville le **13 juin**, jour férié à Lisbonne. Partout fleurissent de petits autels à l'effigie du saint. La fête bat son plein : procession, défilés de groupes folkloriques, fanfares, feux d'artifice, sardines grillées et bals populaires.

Cloître – *Accès par la troisième chapelle du déambulatoire - 10h-18h, fermé j. fériés - 2,50 €.* Assez endommagé, il relève du style gothique cistercien (fin du 13e s.) et renferme des vestiges lapidaires. La galerie inférieure est soutenue par de puissants contreforts alternant avec des arcades gothiques surmontées par des oculi en étoile. La salle capitulaire abrite le tombeau du premier évêque de Lisbonne. Dans les jardins, des fouilles ont mis au jour des vestiges phéniciens (8e s. av. J.-C.) et romains, ainsi que les ruines d'une ancienne mosquée (9e et 10e s.).

Trésor★ – *Accès à droite, près de l'entrée de l'église - lun.-sam. 10h-17h - fermé j. fériés - 2,50 €.* Un escalier mène aux salles où sont exposés de magnifiques ornements sacerdotaux, ainsi que des reliquaires et des pièces d'orfèvrerie sacrée. Dans l'élégante salle capitulaire du 18e s., l'**ostensoir** du roi Joseph Ier est serti de 4 120 pierres précieuses.

Près de la cathédrale se dresse l'**église Santo António da Sé**, construite en 1812 sur l'emplacement supposé de la maison natale de saint Antoine de Padoue (1195-1231), que les Lisboètes nomment saint Antoine de Lisbonne. À gauche de l'église, le petit **Museu Antoniano** est entièrement consacré à ce saint populaire. Figures naïves, peintures ou panneaux d'azulejos. *📞 218 86 04 47 - mar.-dim. 10h-13h, 14h-18h - fermé j. fériés (sf 13 juin) - 1,29 €, grat. dim.*

Vous pouvez terminer la visite du quartier en empruntant, en contrebas de la colline de l'Alfama, les rues parallèles aux docks, qui remontent le Tage vers la gare Santa Apolónia.

Église (Igreja) da Conceição Velha P4

R. da Alfândega. La **façade sud★** du transept, seul vestige de l'église primitive qui s'est écroulée lors du tremblement de terre, est un bel exemple de style manuélin ; les sculptures du tympan représentent Notre-Dame-de-la-Miséricorde abritant sous son manteau le pape Léon X, le roi Manuel, la reine Éléonore, etc.

Maison aux Pointes (Casa dos Bicos) Q4

R. dos Bacalhoeiros. Au pied de l'Alfama, la façade de cette maison est hérissée de pierres taillées en pointe de diamant. Elle faisait partie d'un palais du 16e s. appartenant au fils d'Afonso de Albuquerque, vice-roi des Indes. Lors du tremblement de terre de 1755, elle a perdu son premier étage, reconstruit en 1982 à l'occasion de l'exposition du Conseil de l'Europe sur le Portugal et les Grandes Découvertes.

Graça et Santa Apolónia Plans I et II

Environ 2h.

Au-dessus de l'Alfama, sur une colline aux ruelles pentues, le quartier résidentiel et populaire de Graça, moins touristique que son voisin, offre d'excellents points de vue sur la ville. On peut y voir quelques villas et **cités ouvrières** du 19e s. (notamment la vila Bertha, située rua do Sol). Le quartier de Santa Apolónia, derrière la gare ferroviaire internationale, abrite plusieurs musées. En bordure du Tage, l'agréable doca do Jardim do Tabaco comprend des bars et des boutiques.

Belvédère (Miradouro) da Senhora do Monte★★ Plan II L1

Accessible par le tramway 28 puis la rua da Senhora do Monte. Un des plus spectaculaires belvédères de Lisbonne, avec une **vue★★★** étendue sur le château São Jorge, le quartier de la Mouraria et la ville basse. La chapelle près du belvédère date de 1796, mais elle fut fondée en 1147, année de la reconquête de Lisbonne.

Redescendre vers le couvent Nossa Senhora da Graça par la calçada do Monte puis, plus loin sur la droite, tourner dans le largo da Graça.

Église et couvent de Nossa Senhora da Graça Plan II L2

Largo da Graça - accessible par le tramway 28. Cet imposant ensemble sur la colline de Graça domine la ville. Sa fondation remonte au 13e s., mais il a été reconstruit plusieurs fois, en particulier au 16e s. et après le tremblement de terre de 1755. À côté du portail du couvent s'élève le clocher, bâti en 1738. L'intérieur de style rococo est revêtu de beaux azulejos des 17e et 18e s. Devant l'église, un belvédère (**Miradouro da Graça**) avec son petit café en terrasse offre une **vue★** étendue sur Lisbonne : à l'est, le château, à l'ouest, le pont et le fleuve.

En contrebas, sur le flanc nord du château São Jorge, s'étend le petit quartier aux ruelles étroites de la **Mouraria**. C'est là qu'en 1147, les Maures vaincus furent autorisés à s'établir, hors des murailles. La **rua da Mouraria** est désormais piétonne.

À moins de faire un crochet par la Mouraria, reprendre la rua do Voz do Operário, qu'emprunte le tramway 28, jusqu'au monastère de São Vicente de Fora.

Église et couvent de São Vicente de Fora Plan II M2

Largo de São Vicente - accessible par le tramway 28 - ☎ 218 82 44 00/218 88 56 52 - église : mar.-sam. 9h-17h30, dim. 9h-13h - fermé 1er janv., dim. de Pâques et 25 déc. - grat. ; couvent : mar.-dim. 10h-18h (dernière entrée 17h) - 4 €.

Érigée par l'architecte italien Philippe Terzi de 1582 à 1627, l'église se trouvait autrefois « hors les murs » (*fora*), c'est-à-dire à l'extérieur des remparts de la ville. Modèle de l'architecture religieuse portugaise, cet édifice jésuite inspirera jusqu'au 18e s. les églises de toutes les villes de l'Empire, du Brésil à Macao. L'intérieur, que coiffe une jolie voûte à caissons, se distingue par la rigueur de ses lignes.

À droite de l'église, dans le couvent, le **cloître** aux murs couverts d'**azulejos★** du 18e s., évoquant les fables de La Fontaine, donne accès à l'ancien réfectoire des moines, transformé après le règne de Jean IV en panthéon de la dynastie des Bragance. Dans la conciergerie *(portaria)* du couvent, au plafond peint par Vicente Bacarelli (18e s.), un grand panneau d'azulejos représente la prise de Lisbonne aux Maures : on y reconnaît le château Saint-Georges et la cathédrale.

Campo de Santa Clara★ Plan II M2

Cette place agréable, encadrée d'élégantes façades, s'étend entre les églises de São Vicente de Fora et Santa Engrácia. C'est ici que se tient tous les mardis et samedis la **Feira da Ladra** (Foire de la voleuse), pittoresque **marché aux puces** où l'on peut trouver, au milieu des articles de brocante et des vêtements, quelques belles céramiques anciennes. Son côté nord est occupé par le **palais Lavradio** (18e s.), qui abrite le tribunal militaire. Au centre, le petit **Jardim Boto Machado** offre une halte parmi ses essences exotiques et un beau point de vue sur la « Mer de Paille » en contrebas.

Église de Santa Engrácia★ - Panthéon national Plan II M2

Campo de Santa Clara - ☎ 218 85 48 20 - Panthéon national : mar.-dim. 10h-17h - fermé 1er janv., dim. de Pâques, 1er mai et 25 déc. - 2 €, grat. dim. et j. fériés 10h-14h.

L'expression « comme les travaux de Santa Engrácia » est passée dans le langage populaire pour désigner une entreprise jamais menée à terme. En effet, cette église, commencée au 17e s., n'avait jamais été achevée. En forme de croix grecque, elle a été couronnée d'un dôme qui complète harmonieusement sa façade baroque, et inaugurée en 1966. Devenue **Panthéon national**, elle abrite en son centre les cénotaphes des grands hommes portugais, parmi lesquels : Camões, Henri le Navigateur, Pedro Álvares Cabral, Vasco de Gama, Afonso de Albuquerque et Nuno

Álvares Pereira. En juillet 2001, la grande chanteuse de fado Amália Rodrigues fut la première femme transférée au Panthéon national. Le dôme offre une très belle vue sur le Tage.

Musée militaire (Museu Militar) Plan II M3

Largo do Museu da Artilharia - 📞 *218 84 25 69 - www.geira.pt/mmilitar - mar.-vend. 10h-17h, w.-end 10h-12h30, 13h30-17h - fermé j. fériés - 2,50 €.*

Au bord du Tage, l'ancien arsenal du 18e s. a conservé de remarquables boiseries ainsi que des azulejos et des plafonds représentant, pour la plupart, des scènes de batailles. Des maquettes, des tableaux et surtout de nombreuses armes du 16e s. à la fin du 19e s., fabriquées au Portugal ou provenant de l'étranger, évoquent le passé militaire du pays.

Musée (Museu) da Água da EPAL★ Plan I D3

R. do Alviela, 12 - 📞 *218 10 02 15 - museudaagua.epal.pt - de la praça do Comércio, bus nº 104 ou 105 (arrêt Santa Apolónia) - lun.-sam. 10h-18h - fermé j. fériés - 2,50 €, grat. 22 mars, 18 mai, 1er et 5 juin, 1er oct.*

Ce musée met en lumière l'histoire de la distribution de l'eau à Lisbonne (*voir encadré*) et plus particulièrement du projet des Águas Livres (eaux libres), conçu par l'ingénieur Manuel da Maia. Il occupe l'ancienne **station de pompage à vapeur des Barbadinhos**, intéressant exemple d'archéologie industrielle (dernier quart du 19e s.) qui allie la brique, le bois, la fonte et le cuivre autour de quatre puissantes machines à vapeur, dont l'une est mise en fonctionnement pour les visiteurs.

🕯 *Voir également l'aqueduc des Águas Livres et la Mãe d'Água das Amoreiras (p. 141).*

Musée national des Azulejos★★ (Museu Nacional do Azulejo)
Plan I D2

R. da Madre de Deus, 4 - 📞 *218 10 03 40 - www.mnazulejo-ipmuseus.pt - bus nºs 794, 742 ou 718 (arrêt Igreja Madre Deus) - mar. 14h-18h, merc.-dim. 10h-18h - fermé 1er janv., Vend. saint, dim. de Pâques, 1er mai et 25 déc. - 4 €, grat. dim. 10h-14h.*

Malgré sa localisation un peu éloignée, au nord-est de la gare de Santa Apolónia, ce charmant musée mérite absolument une visite. Installé dans les bâtiments du **couvent da Madre de Deus**, fondé au 16e s. et en grande partie reconstruit après le tremblement de terre (admirez le beau portail manuélin de la façade de l'église, côté rue), il présente la grande aventure des azulejos, depuis les carreaux hispano-mauresques du 15e s. jusqu'aux réalisations modernes. Au rez-de-chaussée, dans les galeries disposées autour du grand cloître, de beaux exemples d'azulejos importés de Séville aux 15e et 16e s., qui furent supplantés par le style majolique italien et repris par les premiers ateliers portugais. Remarquez en particulier le retable de Nossa Senhora da Vida (1580) qui représente la Nativité.

On quitte le cloître pour pénétrer dans l'église par un *coro baixo* dont les murs sont ornés d'azulejos sévillans du 16e s. L'**église★★** (18e s.) éblouit par la profusion de bois doré, en particulier sur la chaire baroque. La nef est couverte d'une voûte à caissons dont les panneaux représentent des scènes de la vie de la Vierge. Sur les murs, des tableaux évoquent à gauche la vie de sainte Claire et à droite celle de saint François. La partie basse est garnie de carreaux de faïence hollandais du 18e s.

Avant de monter à l'étage supérieur, on passe par le ravissant petit **cloître manuélin**, qui a conservé ses azulejos polychromes d'origine (16e-17e s.). Au premier étage sont exposés de magnifiques panneaux représentant des animaux, des batailles et des scènes de la vie quotidienne. La somptuosité et l'exubérance de la chapelle consacrée à saint Antoine et, surtout, de la **salle capitulaire★** surplombant la nef sont impressionnantes. Parmi la riche décoration, notez en particulier au plafond

Histoire d'eau

Les tentatives d'acheminement vers Lisbonne des eaux des sources qui jaillissent au pied de la serra de Sintra avaient commencé dès 1571. Il fallut attendre 1731 que le roi Jean V donne son autorisation pour que l'aqueduc fût érigé (1732-1748). Ses eaux se déversaient dans le réservoir de la Mãe d'Água das Amoreiras (1752-1834), d'où elles étaient distribuées vers les fontaines et canalisations de la ville. En 1880 fut installée la troisième structure de ce réseau, la station de pompage des Barbadinhos, où se trouve aujourd'hui le musée da Água. Ce système approvisionna la ville en eau jusqu'en 1967.

des caissons peints à encadrement qui sertissent des tableaux des 16e et 17e s. Les portraits du roi Jean III et de son épouse Catherine d'Autriche seraient de Cristóvão Lopes. Les murs sont couverts de peintures illustrant la vie du Christ.

Admirez aussi la célèbre **vue panoramique de Lisbonne** avant le tremblement de terre – belle composition en bleu et blanc, de 23 m de longueur, constituée de près de 1 300 azulejos.

Les autres salles, qui accueillent parfois des expositions temporaires, montrent la continuité de l'art de l'azulejo à travers des réalisations modernes, dont celles qui décorent certaines stations du métro de Lisbonne, œuvres d'artistes de premier plan comme Júlio Pomar et Vieira da Silva *(voir encadré p. 68)*.

👁 **Bon à savoir** – Le restaurant-café du musée, avec son patio décoré d'azulejos « alléchants » (jambons, lapins et autres victuailles), offre un cadre rafraîchissant.

👆 *Pour en savoir plus sur les azulejos, reportez-vous aux p. 67 à 69.*

Lisbonne au fil de l'eau : la « Mer de Paille »

Cité océanique, située sur un « finistère » aux confins de l'Europe, la capitale de la province de l'Estrémadure (qui signifie « extrémité ») a le regard et l'imaginaire tournés vers le large. À l'image de sa rivale Porto, la vie quotidienne est pourtant d'abord rythmée par le fleuve. La vieille ville est lovée sur la rive droite du fleuve, à 15 km de l'Atlantique. Sa baie fluviale de 11 km de large en fait le plus beau port naturel du Portugal. Le Tage, surnommé « Mer de Paille » en raison de ses reflets dorés au coucher du soleil, forme une sorte de vaste lac intérieur, dont Lisbonne contrôle la sortie vers l'Océan.

LE PORT ET LE TAGE Plans I et II

Le port de Lisbonne – Il est l'une des principales escales maritimes d'Europe. Son trafic (plus de 13 millions de tonnes par an) consiste surtout en marchandises lourdes et en conteneurs ; c'est aussi un port d'exportation de produits agricoles (vin et liège). De nombreux paquebots font escale à Lisbonne, devenu le premier port atlantique européen. Les ports de voyageurs, avec un trafic annuel de 300 000 passagers, sont situés à Rocha do Conde de Óbidos, Alcântara et Santa Apolónia. Les promenades sur le Tage permettent d'admirer la ville et d'avoir un bon aperçu du trafic portuaire. Les gabares, barques légères de type vénitien à grande voile triangulaire blanche, ont quasiment disparu. En été, des **excursions en bateau** sont proposées le long de la côte *(voir « Visites » dans l'encadré pratique)*.

L'estuaire – La traversée de l'estuaire sur l'un des ferries réguliers (les *cacilheiros*) constitue une agréable promenade, et la vue sur Lisbonne et ses collines depuis l'autre rive est inégalable *(voir « Transports » dans l'encadré pratique)*. L'arrivée en bateau à la **praça do Comércio** donne l'impression de pénétrer au cœur de la ville. Tôt le matin, de nombreux Portugais résidant dans les banlieues dortoir de Cacilhas, Barreiro, Seixal ou Almada (la « côte du sommeil »), et travaillant à Lisbonne, débarquent au centre-ville par bateau, pour repartir en fin d'après-midi.

Un pont peut en cacher un autre

Pont du 25-Avril★ – Avant son inauguration en 1966, aucun pont ne franchissait le Tage en aval de Vila Franca de Xira. Après la révolution des Œillets de 1974, le pont Salazar fut vite rebaptisé pont du 25-Avril. D'une longueur totale de 2 278 m, le pont, dont le tablier est suspendu à 70 m au-dessus des eaux, est supporté par deux pylônes, d'une hauteur de 190 m. En juillet 1999, une voie ferrée fixée sous le tablier routier a été inaugurée. Cet axe ferroviaire relie sept gares de banlieue entre Entrecampos et Fogueteiro sur 21 km. Prendre le pont dans le sens sud-nord permet de bénéficier d'une **vue★★** panoramique sur la ville de Belém jusqu'au château São Jorge.

Pont Vasco-de-Gama★★ – Destiné à alléger le trafic du pont du 25-Avril, le majestueux pont routier Vasco-de-Gama fut construit entre 1995 et 1998. Long de 18 km, il franchit le Tage entre Sacavém et Montijo, créant une liaison directe entre le nord et le sud du pays en évitant le centre de Lisbonne. Les deux tiers du parcours ascendant et descendant s'effectuent au-dessus de l'eau, qui reste visible en permanence. Dans sa partie la plus basse, en regardant les rives au loin, on a l'illusion de rouler sur l'Océan. Ce bel ouvrage d'architecture est constitué de plusieurs travées qui s'appuient sur des piliers pouvant atteindre 150 m de hauteur, enterrés jusqu'à 95 m de profondeur. La hauteur du tablier varie de 14 à 30 m pour permettre la navigation.

Le pont Vasco-de-Gama.

En aval du Tage à partir de la praça do Comércio Plan I JK4

Compter 1h30 à pied ; quelques portions entre les zones aménagées ne longent pas directement le fleuve (moins agréables). À éviter quand le soleil est au zénith. Une option consiste à emprunter un tramway (n° 15) ou un bus (n°s 14, 27, 28, 29, 43, 49, 51) jusqu'à Belém, et à regagner le centre-ville à pied par les quais (ou vice versa).

Pour s'imprégner des ambiances portuaires et de l'atmosphère particulière des docks, le marcheur courageux peut effectuer à pied le trajet entre la praça do Comércio et Belém (ou inversement) par les quais, d'accès difficile il y a encore quelques années. La municipalité libère progressivement les berges en les transformant en espace de loisirs et de promenade.

Cais do Sodré – La ville basse s'ouvre directement sur le fleuve à la **praça do Comércio**, tandis que, vers l'ouest, la zone portuaire de Cais do Sodré est bordée de restaurants et de bars aux vastes terrasses.

Docas – Entre Cais do Sodré et le pont du 25-Avril s'alignent les docks de Santos, puis ceux d'**Alcântara** et de **Santo Amaro**. Ces deux derniers sont devenus un lieu à la mode : les entrepôts, restaurés et aménagés, abritent désormais des bars et restaurants avec terrasses, quelques boutiques, des discothèques et des équipements culturels.

Certaines croisières sur le Tage partent d'Alcântara *(voir « Visites » dans l'encadré pratique).*

👁 **Bon à savoir** – La promenade est agréable en fin d'après-midi ou le soir lorsque l'animation bat son plein *(voir « Sortir » dans l'encadré pratique).*

Musée de l'Orient★★★ (Museu do Oriente) Plan I B3

📞 213 58 52 00 - www.foriente.pt - merc.-lun. 10h-18h (vend. jusqu'à 22h), fermé mar. - 4 € (grat. vend. soir).

Inauguré en 2008 dans les **docks d'Alcântara**, ce vaste espace culturel de la Funda-ção Oriente est installé dans les anciens frigos destinés au stockage de la morue. Le musée consacré aux **arts asiatiques** témoigne des contacts anciens et prolongés des Portugais avec l'Asie : céramiques et porcelaines chinoises, mobilier indo-portugais, textiles, peintures, argenterie... La collection **Kwon On** présente un important fonds d'arts populaires liés à la musique, au théâtre et aux fêtes traditionnelles (instruments, costumes, marionnettes, masques...). Expositions temporaires. Également sur place : un centre de documentation, un auditorium et un restaurant.

Musée (Museu) da Carris Plan I AB3

R. 1º de Maio, 101-103, Alcântara - 📞 213 61 30 87 - lun.-vend. 10h-17h, sam. 10h-13h, 14h-17h - fermé j. fériés - 2,50 €.

👥 Sur la route de Belém au niveau du pont du 25-Avril, l'intéressant musée de la compagnie des transports urbains de Lisbonne fait aussi office de hangar à tramways.

Palais (Palácio) das Necessidades Plan I B3

Calçada das Necessidades (de l'autre côté de l'av. Marginal) - jardins : lun.-vend. 8h-18h, w.-end 10h-19h - fermé 1er janv., dim. de Pâques, 24, 25 et 31 déc. - grat.

Cet ancien palais royal du 18e s., construit pour les frères de Jean V, est aujourd'hui le siège du ministère des Affaires étrangères. Son jardin clos *(Tapada das Necessidades)*, agrémenté de lacs et de statues, abrite des cactus et des jacarandas séculaires.

Belém – *6 km à l'ouest du centre-ville.* Les entrepôts et docks s'étirent le long du fleuve jusqu'à l'avant-port de Belém : ce quartier historique à vocation monumentale, culturelle et de loisirs est aussi un faubourg vert et spacieux où il fait bon flâner.

 Pour la description de Belém, voir p. 130 et suivantes.

Avenida Marginal

Importante artère de circulation et voie rapide très meurtrière, celle que les Lisboètes appellent « avenue Marginale » (avenue des Berges) longe le Tage de Lisbonne à Estoril. Jusqu'à Belém, elle emprunte les noms successifs d'avenida 24 de Julho, avenida da India, puis avenida de Brasília. Au-delà de Belém, l'urbanisation a grignoté la rive jusqu'à Cascais.

En amont du Tage

La capitale redécouvre sa rive en amont, avec l'aménagement du site jouxtant l'Exposition universelle de 1998 (**Doca dos Olivais**) et la construction du majestueux **pont Vasco-de-Gama**★★ *(voir encadré page précédente).* Plus haut vers le nord, en direction de Vila Franca de Xira, s'étend une longue zone industrielle. Cependant les principaux quartiers industriels (port pétrolier, chantiers navals) sont situés sur la rive sud du Tage, du côté de Barreiro.

LE PARC DES NATIONS★★ (Parque das Nações)

M° : Oriente (terminus de la ligne rouge Alameda-Oriente). Compter une demi-journée pour se promener dans le parc et visiter au moins le magnifique aquarium.

Un aménagement contemporain – Transformé en parc de loisirs du 21e s., le site de l'Exposition universelle de 1998 s'étend sur 60 ha au nord-est de la ville, sur les berges du Tage aux abords du bassin doca dos Olivais. Il s'insère en réalité dans une opération urbanistique de vaste envergure : le réaménagement de la partie orientale de la ville et la revitalisation des berges du Tage. Sur une zone industrielle jadis polluée, une véritable ville nouvelle est sortie de terre en quelques années. S'étendant sur 340 ha et 5 km de rives, elle comprend des immeubles résidentiels, des bureaux, des commerces, un port de plaisance et des jardins. Elle bénéficie d'équipements ultramodernes et utilise des moyens de transport non polluants (électriques notamment).

Cette ville futuriste, dont l'aménagement devrait se poursuivre jusque vers 2020, est desservie par le **pont Vasco-de-Gama** et par l'**estação do Oriente**★ (gare d'Orient). Cette grande gare multimodale (trains, métro et gare routière), œuvre de l'architecte espagnol Santiago Calatrava, est recouverte d'une structure arborescente de verre et d'acier évoquant une succession de vagues. Dans l'énorme **centre commercial Vasco-de-Gama** qui la jouxte, les verrières sur lesquelles coule de l'eau fraîche font office de climatisation et diffusent une agréable lumière aquatique, ondulante *(voir « Achats » dans l'encadré pratique).*

Parc des Nations pratique

 Posto de informação – *Kiosque près du pavillon Atlântico, à la sortie du centre commercial Vasco da Gama - 10h-19h (été 20h).* Plans, programme des manifestations, vente du Cartão do Parque (voir ci-après), audioguides (5 €).

 Pour plus d'info, consultez les sites : www.parquedasnacoes.pt et www. portaldasnacoes.pt.

Cartão do Parque – *16,50 € (enf. 8,50 €).* Cette carte, valable un mois à compter de la première utilisation, permet de visiter plusieurs attractions à un moindre coût. Son prix comprend la visite de l'Oceanário, du Pavilhaõ do Conhecimento, les trajets en train électrique et en téléphérique. Elle donne droit à des réductions sur les audioguides et la location de vélos.

Téléphérique – *218 95 61 43 - juin-sept. : 11h-20h, w.-end et j. fériés 10h-21h ; oct.-mai : 11h-19h, w.-end et j. fériés 10h-20h - 3,50 € (5,50 € AR).* Il longe les quais du Parc des Nations sur plus d'un kilomètre, juste audessus du fleuve : une façon originale et agréable de contempler le parc sans se fatiguer (notamment les jours de chaleur), ou d'admirer le pont Vasco-da-Gama et le coucher du soleil sur la « Mer de Paille ».

Train électrique – *Dép. ttes les heures 10h-17h (18h en été) - 2,50 €.* Le comboio de passeio fait le tour du Parc des Nations, avec arrêt au Centro Vasco da Gama.

Location de vélos et karts à pédales – Points de location : Rossio dos Olivais et Praça Sony - 10h-18h (20h en été)- 2,50 €/30mn.

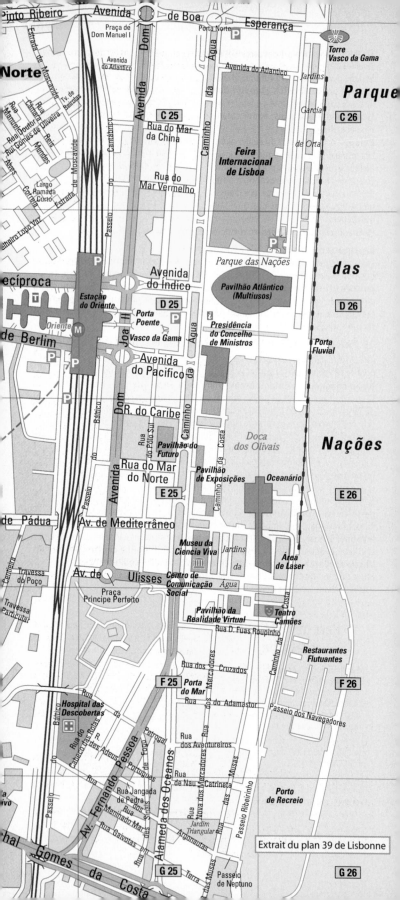

Un lieu vivant – Malgré des prix assez élevés, le Parc des Nations est devenu un espace de promenade et de divertissement, avec ses attractions et lieux de spectacle, ses bars et restaurants, ses jardins et sa vaste zone piétonne. Le site s'ouvre largement sur le fleuve et accorde une place privilégiée aux espaces verts et aux jardins. Une vingtaine d'œuvres d'artistes contemporains portugais et étrangers parsèment le parc. De nombreux pavements décoratifs égaient les sols, tels ceux de Fernando Conduto devant le Rossio dos Olivais, ou de Pedro Proença à côté de l'Océanário.

En nocturne, le parc reste animé, surtout l'été : concerts sur la place Sony ou sur les scènes du quai des Olivais et du pavillon de l'Atlantique, présence de nombreux bars et restaurants, parmi lesquels, près du jardin Garcia da Orta, le Peter Café Sport, cousin du célèbre café du même nom situé aux Açores.

Installé dans l'ancien pavillon du Futur, le **Casino Lisboa**, aménagé sur trois niveaux, offre plusieurs restaurants, des cafés lounge et un bar panoramique. Son Auditório dos Oceanos (600 places) accueille divers spectacles. *Alameda dos Oceanos - ℘ 218 92 90 00 - www.casino-lisboa.pt - dim.-jeu. 15h-3h, vend., sam. et veilles de fêtes 16h-4h.*

Océanorium (Oceanário) de Lisbonne★★

Esplanada Dom Carlos I - ℘ 218 91 70 02 - www.oceanario.pt - 10h-19h (été 20h), dernière entrée 1h av. fermeture - 10,50 € (−12 ans 5,25 €).

♣♟ Vedette incontestée de l'Exposition universelle de 1998, le plus grand aquarium d'Europe (au moment de son inauguration), conçu par l'architecte américain Peter Chermayeff, tient à la fois du musée et du parc océanographique. Il abrite près de 15 000 animaux marins et plus de 250 espèces de plantes.

Les cinq bassins principaux restituent les écosystèmes biogéographiques des océans Arctique, Indien, Pacifique et Atlantique. Plongée directe dans la variété et la richesse des univers marins : dès l'entrée, la vue, mais aussi l'ouïe et l'odorat sont grandement sollicités. Vous ne contemplez pas un aquarium, ce sont la mer et les animaux marins qui évoluent autour de vous dans un formidable ballet aquatique.

Dans l'énorme bassin central de 7 000 m³ d'eau de haute mer (soit quatre piscines olympiques !), cohabitent en bonne harmonie les raies impressionnantes, les inquiétants requins, les grands bancs de maquereaux ou de chinchards, etc. Le parcours, tantôt émergé tantôt immergé, permet d'assister au plongeon des cormorans et des manchots de l'Antarctique, et de suivre leurs évolutions terrestres ou sous-marines ; dans la zone pacifique tempérée, les loutres de mer se prélassent telles des starlettes ; les récifs coralliens des eaux tropicales offrent une explosion de couleurs…

Ce gigantesque laboratoire d'étude de la faune des mers du globe est aussi une institution vouée à la protection du monde aquatique. Le spectacle fascinant des animaux marins s'accompagne ainsi d'informations.

Les pavillons

Les grands pavillons de l'Exposition universelle, représentatifs de l'architecture contemporaine, ont désormais des contenus et des fonctions différents.

Impressionnant bâtiment en forme de carène renversée, le **pavillon de l'Atlantique** (Pavilhão Atlântico) peut recevoir jusqu'à 20 000 spectateurs et accueille des épreuves sportives, des concerts, des expositions et des congrès. *Rossio dos Olivais - ℘ 218 91 84 09 - www.pavilhaoatlantico.pt.*

Le **pavillon du Portugal** (Pavilhão do Portugal), avec sa dalle de béton incurvée, fut conçu par le grand architecte portugais Álvaro Siza. Il sert ponctuellement d'espace d'exposition, en attendant sa réaffectation. *Ne se visite pas.*

Le **pavillon de la Connaissance** (Pavilhão do Conhecimento) est un musée interactif des sciences et des nouvelles technologies (Museu da Ciência Viva), où sont présentées des expositions thématiques et temporaires. Il abrite aussi une librairie, une médiathèque et un vaste cybercafé *(voir Lisbonne pratique)*. *Alameda dos Oceanos - ℘ 218 91 71 00 - www.pavconhecimento.pt - mar.-vend. 10h-18h, w.-end et j.fériés 11h-19h - 7 €.*

Tour Vasco de Gama

Située à l'extrême nord du parc, la tour était à l'origine un belvédère offrant des vues panoramiques sur l'ensemble du site et du quartier, ainsi que sur l'estuaire du Tage. Actuellement fermée, elle devrait accueillir d'ici quelques années un hôtel de luxe.

Jardin (Jardim) da Agua★

Dans cet espace ludique placé sous le thème de l'eau, des sculptures coniques recouvertes de céramiques aux couleurs vives expulsent de grands jets d'eau de façon imprévisible et discontinue, pour la plus grande joie des enfants ; l'onde aquatique se déplace ensuite dans les canaux adjacents.

Jardin (Jardim) Garcia de Orta★

Devant le cais dos Olivais, le long du Tage, s'étend ce plaisant jardin du nom du méde-cin du 16e s. qui étudia et classa les plantes asiatiques. Sa végétation est originaire des régions visitées par les Portugais à l'époque des Grandes Découvertes.

Belém★★

Compter une journée. Tram n° 15 (Praça do Comércio), bus n°s 14, 27, 28, 29, 43, 49, 51.

Un parfum de grand large flotte encore sur Belém : embarquement pour le rêve et l'imaginaire d'outre-mer. « Bethléem » (en portugais) fut le port d'attache des vais-seaux portugais qui, dès le 15e s., se lancèrent sur les mers inconnues, à la découverte de terres à conquérir et à convertir, et à la recherche de nouvelles richesses. Les chefs-d'œuvre du monastère des Jerónimos et de la tour de Bélem, matrice de l'art manuélin, marquent l'apogée de l'histoire portugaise. Mais ce quartier historiquement tourné vers les horizons lointains est aussi résolument ancré dans le 21e s. : un vaste centre culturel, en partie dédié à l'art contemporain, a été inauguré en 1993.

Monastère des Hiéronymites★★★ (Mosteiro dos Jerónimos)

Praça do Império - ℰ 213 62 00 34 - www.mosteirojeronimos.pt - été : mar.-dim. 10h-18h ; reste de l'année : mar.-dim. 10h-17h - merci de respecter les offices religieux - fermé 1er janv., dim. de Pâques, 1er mai et 25 déc.

L'ensemble architectural a été classé au **Patrimoine mondial de l'Unesco**. Sur l'emplacement d'un ermitage fondé par Henri le Navigateur, le roi Manuel entreprit en 1502 de bâtir ce magnifique monastère destiné aux **hiéronymites** (moines de l'ordre de saint Jérôme), et considéré aujourd'hui comme la pièce maîtresse de l'art manuélin. Cet art glorifiait les Grandes Découvertes : Vasco de Gama rentrait des Indes et ses caravelles avaient accosté dans le port de Restelo près de Belém. Bénéficiant de l'afflux de richesses à Lisbonne, les architectes purent se lancer dans une œuvre de grande envergure. Le Français Boytac adopta le style gothique, mais, après 1517, ses successeurs le modifièrent et y ajoutèrent l'appareil ornemental caractéristique du style manuélin où se mêlent diverses influences. João de Castilho, d'origine espagnole, donna à la décoration une tournure plateresque ; le Français Nicolas Chanterene développa les thèmes de la Renaissance ; Diogo de Torralva et Jérôme de Rouen (fin 16e s.) apportèrent une note de classicisme.

La beauté du bâtiment tient aussi à la qualité de sa pierre douce et claire, qui se laisse ciseler. Admirez notamment la richesse et la profusion des moulures : motifs marins (chaînes d'ancre, méduses, algues chevelues, coquillages, coraux, cordages, etc.), fleurs de pavot, artichauts, têtes de Nègres et têtes de navigateurs, feuilles, grappes, ananas, sphères armillaires, grotesques Renaissance, etc.

Seuls les bâtiments ajoutés au 19e s. à l'ouest du clocher affectent quelque peu l'har-monie architecturale de cet ensemble.

Église Santa Maria★★★ – Le **portail latéral sud**, œuvre de Boytac et de João de Castilho, présente un foisonnement de gâbles, de pinacles et de niches abritant des statues. Il est couronné par un dais surmonté de la croix des chevaliers du Christ. Le

H. Champollion/MICHELIN

Les voûtes de l'église Santa Maria au monastère des Hiéronymites.

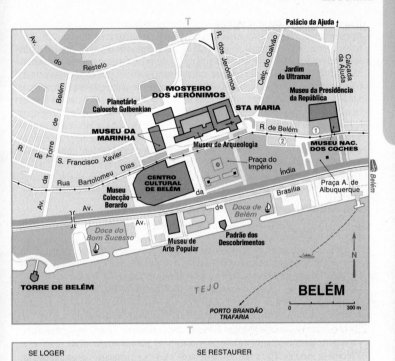

SE LOGER	SE RESTAURER
Pensão Residencial Setubalense..............①	Caseiro..............②

trumeau est orné de la statue d'Henri le Navigateur et le tympan décoré de deux bas-reliefs illustrant la vie de saint Jérôme. De part et d'autre du portail, admirez les fenêtres décorées de riches moulures.

Le **portail ouest**, abrité sous le porche (construit au 19e s.) qui mène au cloître, fut réalisé par Nicolas Chanterene. Il est orné de très belles statues, notamment celles du roi Manuel et de sa seconde épouse, Marie d'Aragon, présentés par leurs patrons. Au-dessus du portail, on reconnaît les scènes de l'Annonciation, de la Nativité et de l'Adoration des Mages.

L'**intérieur** surprend par la hardiesse de la **voûte★★** en étoile, soutenue par des gerbes d'ogives jaillissant des piliers octogonaux et se ramifiant à l'infini ; elle a d'ailleurs résisté au tremblement de terre de 1755 en dépit de la légèreté de ses piliers. La nef centrale et les collatéraux, de même hauteur, forment une église-halle. La décoration des piliers, ainsi que la magnifique voûte surmontant la croisée du transept, est due à João de Castilho. Les bras du transept, de style baroque, érigés par Jérôme de Rouen, fils de Jean de Rouen, renferment plusieurs tombeaux d'infants. Dans le chœur, reconstruit à l'époque classique, on voit un tabernacle en argent du 17e s. ainsi que les tombeaux des rois Manuel Ier et Jean III et de leurs épouses. Sous la tribune du *coro alto*, à l'entrée de l'église, se trouvent les tombeaux néomanuélins de Vasco da Gama et de Camões, dont le gisant est couronné de lauriers.

Cloître★★★ – *Mêmes horaires que l'église - 4,50 €, grat. dim. et j. fériés 10h-14h.*
Entièrement restauré en 2004, ce chef-d'œuvre de l'art manuélin est d'une richesse sculpturale éblouissante. La pierre revêt en fin d'après-midi une chaude teinte dorée. Quadrilatère de 55 m de côté, le cloître comprend deux étages.

L'étage inférieur, œuvre de Boytac, est percé de larges arcades dont les remplages prennent appui sur de fines colonnettes. Leur décoration s'inspire du gothique finissant et de la Renaissance.

L'étage supérieur a été érigé par João de Castilho dans un style moins exubérant.

La salle capitulaire abrite le tombeau de l'écrivain Alexandre Herculano. Juste à côté se dresse la modeste tombe de Fernando Pessoa. La sacristie, donnant sur la galerie est, et le réfectoire des moines, sur la galerie ouest, sont couverts de voûtes à liernes et tiercerons.

Un escalier mène au **coro alto** de l'église, offrant une autre perspective sur les voûtes. Les élégantes stalles Renaissance en érable sont l'œuvre de Diogo de Carça.

Musée national d'Archéologie (Museu Nacional de Arqueologia) – *Aile du 19ᵉ s. du monastère* - 𝄞 213 62 00 00 - www.mnarqueologia-ipmuseus.pt - mar.-dim. 10h-18h - fermé 1ᵉʳ janv., dim. de Pâques, 1ᵉʳ mai et 25 déc. - 4 €, grat. dim. et j. fériés 10h-14h. Dans la grande galerie, les différentes étapes de l'histoire du territoire portugais depuis les origines jusqu'à la fin de l'époque romaine sont illustrées par les poteries, armes, bijoux, stèles…, exposés dans les vitrines. L'époque mégalithique est évoquée par quelques stèles et statues-menhirs, l'âge du fer, par des armes et les curieux *berrões* (sculptures en granit représentant des sangliers) que l'on trouve en nombre dans le nord-est du Portugal. L'époque romaine est particulièrement bien représentée ; remarquez une statuette en bronze, *La Fortune* (1ᵉʳ s.), et le sarcophage en marbre d'une petite fille (3ᵉ s.). Les salles consacrées à l'Égypte sont également intéressantes : plus de 500 objets retracent son histoire, de la préhistoire à l'ère gréco-romaine.

Trésor★ – Il abrite une riche collection d'orfèvrerie préhistorique provenant de différents lieux de fouilles du Portugal : magnifiques bracelets, torques et boucles d'oreilles en or.

Musée de la Marine★★ (Museu da Marinha)

𝄞 213 62 00 19 - museumarinha.pt - juin-sept. : mar.-dim. 10h-18h ; oct.-mai : mar.-dim. 10h-17h - fermé j. fériés - 3 €, grat. dim. 10h-13h.

Ce conservatoire du passé maritime du Portugal, composé d'une collection exceptionnelle de **maquettes★★★** d'embarcations de différentes époques, est installé de part et d'autre de l'esplanade du **planétarium Calouste-Gulbenkian**, dans deux bâtiments distincts : l'aile ouest du monastère des Hiéronymites et le moderne pavillon des Galiotes.

Après l'entrée, monter l'escalier qui se trouve devant la porte de droite.

Sur la mezzanine, la salle d'Orient présente des porcelaines et des maquettes d'embarcations asiatiques, ainsi qu'une paire d'armures japonaises du 15ᵉ s.

À l'étage se succèdent les salles de la marine de plaisance (maquettes de yachts des 18ᵉ et 19ᵉ s.), de la marine marchande et de la construction navale, très instructives.

Descendre l'escalier.

Bâtiment principal – Le hall d'entrée est occupé par des statues géantes en grès de personnages historiques (dont Henri le Navigateur) et des canons anciens.

Au rez-de-chaussée, dans l'immense salle en équerre consacrée aux découvertes et à la marine militaire du 15ᵉ au 18ᵉ s., des cartes anciennes et des maquettes très fidèles de vaisseaux (*Principe da Beira*, 18ᵉ s.), nefs, caravelles et frégates voisinent avec des figures de proue et des instruments de navigation, dont des astrolabes du 15ᵉ s. La marine de guerre des 19ᵉ et 20ᵉ s. est aussi représentée (modèles réduits de canonnières, frégates et corvettes, sous-marins modernes). La marine de pêche des différentes régions du Portugal (collection Henrique Seixas) montre la diversité des bateaux qui opéraient naguère dans les estuaires ou le long du littoral. Dans la dernière salle, on a reconstitué le luxueux appartement royal du yacht *Amélia* (fin 19ᵉ s.).

La sortie donne sur le pavillon des Galiotes.

Pavillon des Galiotes (Pavilhão das Galeotas) – Il abrite un ensemble de magnifiques galiotes d'apparat. L'embarcation la plus remarquable par sa décoration, due à l'ornemaniste français Pillement, est le brigantin royal construit en 1778 pour les noces du futur roi Jean VI. On y découvre également le *Santa Cruz*, hydravion avec lequel Sacadura Cabral et Gago Coutinho réalisèrent la première traversée de l'Atlantique sud en juin 1922.

Planétarium (Planetário) Calouste-Gulbenkian

Praça do Império - 𝄞 213 62 00 02 - www.planetario.online.pt - séances jeu. 16h, w.-end 15h30 - pour les enf. sam. 16h30, dim. 11h - 4 € (enf. 2 €).

👪 Vision du ciel étoilé du Portugal, voyage imaginaire à travers les planètes, visite de la Lune, passage par la région polaire avec projections diverses, éclipses de Lune et de Soleil figurent parmi les documents audiovisuels proposés par le planétarium.

Centre culturel (Centro Cultural) de Belém★

Praça do Império - 𝄞 213 61 24 00 - www.ccb.pt - fermé 25 déc. En face de l'exubérant monastère des Jerónimos, construit dans le même calcaire brut, cet immense bâtiment, conçu par les architectes Vittorio Gregotti et Manuel Salgado, tranche par son caractère massif et ses lignes sobres. Il joue un rôle de premier plan dans la vie culturelle de Lisbonne et, d'une manière générale, dans celle du pays. L'ensemble (97 000 m² !) comprend un centre de congrès, deux salles de spectacle dont un Opéra, ainsi qu'un musée. Le centre culturel présente une programmation variée de spectacles de musique, de théâtre et de danse, et d'importantes expositions.

👁 **Bon à savoir** – L'ensemble comprend d'agréables jardins, ainsi que plusieurs bars, des boutiques, un restaurant et une cafétéria dont la terrasse donne sur le Tage.

Musée Berardo ★★ (Museu-Colecção Berardo) - ☎ 213 61 24 00 - www.museu berardo.pt - 10h-19h (vend. jusqu'à 22h) - fermé 25 déc. - tarifs : se rens. Ce musée installé depuis 2007 au cœur du centre culturel présente par rotation une partie de la richissime collection du milliardaire madérien Joe Berardo, exposée jusqu'alors au musée d'Art moderne de Sintra *(voir ce nom)*. Cette collection exceptionnelle d'**art moderne et contemporain** est représentative des principaux mouvements européens et américains du 20ᵉ s. et du 21ᵉ s. naissant, grâce à des acquisitions permanentes.

À l'entrée, on est accueilli par le *Porte-bouteilles* géant de Marcel Duchamp. Puis, un parcours historique et thématique (abstraction, figuration, surréalisme, Pop Art, hyperréalisme, art minimal, art conceptuel) permet de découvrir des œuvres de Picasso, Dalí *(Téléphone blanc aphrodisiaque)*, Max Ernst, Mondrian, Francis Bacon *(Œdipe et le Sphynx)*, René Magritte, Henry Moore, Man Ray, Jackson Pollock, Andy Warhol *(Ten Foot Flowers)*, Keith Haring... Ce nouveau musée renforce ainsi la vocation culturelle de Lisbonne et lui permet de rivaliser avec les grandes capitales européennes.

Le site accueille également plusieurs expositions temporaires d'arts plastiques, d'architecture et de photos, modernes et contemporaines.

👁 **Bon à savoir** – Le centre culturel abritait jusqu'en 2006 un musée du Design, présentant l'importante collection de Francisco Capelo. Celle-ci sera intégré au MUDE, musée de la Mode et du Design, qui devrait ouvrir dans le quartier du Chiado.

Prendre la rua Bartolomeu Dias, puis à gauche l'avenida da Torre de Belém pour traverser la voie ferrée.

Tour (Torre) de Belém★★★

Avenida de Brasília - ☎ 213 62 00 34 - www.mosteirojeronimos.pt - mai-sept. : mar.-dim. 10h-18h30 ; oct.-avr. : mar.-dim. 10h-17h - fermé 1ᵉʳ janv., dim. de Pâques, 1ᵉʳ mai et 25 déc. - 3 €, grat. dim. et j. fériés 10h-14h.

Lieu de ralliement symbolique, cette forteresse-joyau, tel un émissaire en partance, résume les épopées maritimes portugaises. L'élégante tour manuéline fut bâtie entre 1515 et 1519 au milieu du Tage pour défendre son embouchure et le monastère des Jerónimos. Rapidement obsolète quant à sa fonction militaire défensive, elle servit aussi d'arsenal, de prison, de point de paiement des taxes des navires ou encore de résidence de la capitainerie du port. En raison du déplacement du cours du fleuve au moment du tremblement de terre de 1755, elle se trouve à présent au bord d'une plage.

Il s'agit d'un véritable bijou architectural : la construction romano-gothique est ornée de loggias rappelant Venise, et de dômes qui évoquent le Maroc où avait voyagé son architecte, Francisco de Arruda. À la tour carrée, aménagée pour l'artillerie, est accolée une plate-forme dont les créneaux, décorés d'écussons, portent la croix de l'ordre du Christ. Malgré cette grande diversité de styles, la tour présente une belle harmonie d'ensemble. Sur la terrasse qui devance le donjon se dresse, face à la mer,

F. Vidal/MICHELIN

L'intérieur de la tour de Belém.

une élégante statue de Notre-Dame-du-Bon-Succès. La tour compte cinq étages et se termine par une terrasse. Au rez-de-chaussée, on frémit en voyant dans le sol les ouvertures par lesquelles les prisonniers étaient jetés dans des fosses inondées par la marée. Au 3e étage, d'élégants balcons à fenêtres géminées et une magnifique loggia Renaissance, que surmontent les armes du roi Manuel et deux sphères armillaires, viennent adoucir la sévérité originelle de l'ensemble.

Monument des Découvertes (Padrão dos Descobrimentos)

Avenida de Brasília - ☎ 213 03 19 50 - www.padraodescobrimentos.egeac.pt - mai-sept. : 10h-19h ; oct.-avr. : mar.-dim. 10h-18h (dernière entrée 30mn av. fermeture) - fermé 1er janv., 1er mai, 25 déc. - 2,50 €.

Haut de 52 m, ce monument à l'esthétique néoréaliste caractéristique des années Salazar fut élevé en 1940 et achevé en 1960 à l'occasion du 500e anniversaire de la mort d'Henri le Navigateur. Œuvre du sculpteur Leopoldo de Almeida, il représente l'immense proue d'un navire sur laquelle l'infant **ouvre la voie** à une foule de personnages : parmi eux, on reconnaît, sur le flanc droit, le roi Manuel portant une sphère armillaire, Camões tenant un exemplaire des *Lusiades* et le peintre Nuno Gonçalves. À l'intérieur sont présentées des expositions liées aux Grandes Découvertes et plusieurs films. L'un d'entre eux, très intéressant, fait vivre les personnages du fameux paravent japonais de Kano Naizen exposé au musée d'Art antique.

Du sommet du monument *(accès par ascenseur)*, une **vue** s'offre sur le Tage, les monuments de Belém et les quartiers ouest de la ville. De cette hauteur, on peut aussi admirer le dessin de la mosaïque en marbre qui se trouve au pied du monument : une rose des vents de 50 m de diamètre qui rayonne autour d'une mappemonde.

Au pied du monument, un passage souterrain permet de traverser la voie ferrée.

Musée des Carrosses★★ (Museu Nacional dos Coches)

Praça Afonso de Albuquerque, à l'angle de la calçada de Ajuda - ☎ 213 61 08 50 - www. museudoscoches-ipmuseus.pt - mar.-dim. 10h-18h (dernière entrée 30mn av. fermeture) - fermé 1er janv., dim. de Pâques, 1er mai et 25 déc. - 3 €, grat. dim. et j. fériés 10h-14h.

Créé en 1904 par la reine Amália, ce musée occupe l'ancien manège du palais royal de Belém. Une vaste salle surmontée de galeries renferme une somptueuse collection de voitures (carrosses, berlines, litières, etc.). La plus ancienne est la magnifique berline peinte que Philippe II d'Espagne amena de son pays à la fin du 16e s. Les pièces les plus remarquables sont les trois immenses carrosses construits à Rome en 1716 pour l'ambassade du marquis de Fontes, ambassadeur extraordinaire du Portugal auprès du pape Clément XI. Véritables chefs-d'œuvre du baroque italien, ils représentent sous forme d'allégories les découvertes et les conquêtes des Portugais. Le carrosse de Jean V frappe par la beauté des peintures d'Antoine Quillard et les sculptures qui l'ornent. À l'étage sont présentées les collections permanentes (harnais, selles, etc.) et des expositions temporaires liées à l'histoire de Lisbonne. Le déménagement du musée est en projet depuis plusieurs années, afin de libérer le manège royal.

Musée des Présidents de la République
(Museu da Presidência da República)

Palácio de Belém, praça Afonso de Albuquerque - ☎ 213 61 46 60 - www.museu. presidencia.pt - mar.-dim. 10h-18h (palais : sam. 10h-17h) - fermé j. fériés - musée seul : 2,50 €, musée et palais (sam.) : 5 €, possibilité de visite guidée du palais et des jardins.

Installé dans le palais de Belém, ce musée moderne et multimédia met en lumière l'histoire du Portugal depuis la proclamation de la république en 1910. À travers une belle galerie de portraits, il présente les présidents du pays et l'évolution de leurs fonctions. Un grand nombre de cadeaux offerts aux chefs d'État portugais ainsi que des objets leur ayant appartenu sont également exposés. Films intéressants évoquant l'histoire du pays.

Jardin d'Outre-Mer (Jardim do Ultramar)

Largo dos Jerónimos - ☎ 213 63 70 23 - www2.iict.pt - mai-oct. : lun.-vend. 10h-18h, w.-end 11h-18h, nov.-avr. : 10h-17h - fermé j. fériés - 1,50 €.

Derrière la fameuse pâtisserie de Belém *(voir « Faire une pause » dans l'encadré pratique)*, ce jardin de l'Institut d'investigation scientifque tropical fut créé au début du XXe s. pour étudier la flore des anciennes colonies portugaises. Il réunit sur 7 ha palmiers, eucalyptus, ginkgos biloba de Corée, ainsi que de nombreuses essences exotiques de Madère, du Brésil, de l'Angola et du Mozambique, dont certaines sont en voie de disparition. Une odeur entêtante de jasmin y règne au printemps.

AUX ALENTOURS DE BELÉM

Palais (Palácio) da Ajuda★ Plan I A3

Largo da Ajuda, en haut de la calçada da Ajuda - ℘ 213 63 70 95 - tlj sf merc. 10h-17h (dernière entrée 30mn av. fermeture) - fermé 1ᵉʳ janv., dim. de Pâques, 1ᵉʳ mai et 25 déc. - concerts de musique classique toute l'année - 4 €, grat. dim. et j. fériés 10h-14h.

Situé sur les hauteurs de Belém, cet ancien palais royal (18ᵉ-19ᵉ s.), construit après le tremblement de terre mais resté inachevé, fut la résidence des monarques portugais Louis et Maria Pia à partir de 1862.

Il présente sur deux niveaux une succession de salles aux plafonds peints, décorées d'une profusion de mobilier, tapisseries, statues (Machado de Castro), peintures (Domingos Sequeira, Vieira Portuense) et objets décoratifs du 19ᵉ s., constituant l'un des ensembles romantiques les plus complets d'Europe. Remarquez le plafond du jardin d'hiver, couvert d'agate. La surprenante salle de Saxe est entièrement décorée de personnages et meubles en porcelaine de Saxe. La chambre et la salle à manger de la reine, emplies d'objets personnels, exhalent une atmosphère intimiste.

Les salles du premier étage sont plus vastes et solennelles (salles du trône, des Ambassadeurs, salle de bal éclairée par trois lustres en cristal). L'atelier de peinture du roi Louis, avec ses meubles en bois doré et sa décoration néogothique, est inattendu dans cet ensemble. Le palais abrite certains services du ministère de la Culture.

En haut de la calçada da Ajuda, le **jardin botanique d'Ajuda**, composé d'essences exotiques ramenées par les navigateurs, fut créé à l'initiative du roi José Iᵉʳ en 1768. Un passage donne accès au romantique **jardin des Dames** (Jardim das Damas) du 18ᵉ s., agrémenté de cascades et de bassins, autrefois lieu de promenade des dames de la Cour. *℘ 213 62 25 03 - www.jardimbotanicodajuda.com - tlj sf merc. 9h-18h (été 20h) - fermé 25 déc., 1ᵉʳ janv. - 2 €.*

✆ Si vous disposez d'un peu de temps, visitez le quartier populaire d'**Ajuda★**. Situé entre le parc Monsanto et le Tage, il est l'un des plus authentiques de Lisbonne mais demeure méconnu des touristes.

À l'est du largo da Ajuda, autour de la **rua do Guarda Jóias** et de la **rua do Cruzeiro**, subsistent des îlots villageois à l'habitat disparate, où la vie familiale et communautaire est centrée sur une cour ou une ruelle. Ces *páteos* étaient à l'origine des petits quartiers solidaires d'artisans ou d'ouvriers. Remarquez notamment le **páteo Alfacinha** *(R. do Guardo Jóias, 44)*. L'ambiance est généralement à la fête en fin de semaine.

Pour rejoindre le musée d'Ethnologie, prendre la rua do Jardim Botânico qui longe le jardin au sud, puis la rua Gonçalves Zarco et tourner à droite.

Musée national d'Ethnologie (Museu Nacional de Etnologia) Plan I A3

Avenida Ilha da Madeira, Restelo - ℘ 213 04 11 60 - www.mnetnologia-ipmuseus.pt - mar. 14h-18h, merc.-dim. 10h-18h - 4 €, grat. dim. et j. fériés jusqu'à 14h.

Situé dans le quartier de Restelo, sur les hauteurs de Belém, ce musée traite de la société rurale et traditionnelle portugaise. Il possède également d'importantes collections d'art et d'artisanat en provenance de l'ancien Empire portugais (Angola, Mozambique, Amazonie brésilienne, etc.) : textiles, vannerie, masques, poterie... Expositions temporaires et thématiques.

Centre scientifique et culturel de Macao★
(Centro Científico e Cultural de Macau)

À 1,5 km à l'est du monastère dos Jerónimos - R. da Junqueira, 30 - ℘ 213 61 75 70 - www.cccm.pt - mar.-dim.10h-17h - fermé 1ᵉʳ janv., Vend. saint, dim. de Pâques, 25 déc. - 3 €.

Ce centre a été inauguré en novembre 1999, au moment de la rétrocession de Macao à la Chine. Dès la deuxième moitié du 16ᵉ s. Macao fut une enclave portugaise en Chine, un trait d'union entre les civilisations d'Occident et d'Asie orientale. Au rez-de-chaussée, le musée retrace de façon vivante et dynamique l'histoire étonnante du contact entre les Portugais et ce port chinois. Admirez la présentation des modèles de navires, notamment le fameux *Nau do Trato*, un navire de charge de longue distance utilisé dans le commerce entre Macao et le Japon.

Le premier étage expose un nombre impressionnant de très belles **céramiques★★**, terres cuites, grès et porcelaines chinoises réunis par le collectionneur António Sagape. Remarquez aussi la panoplie d'objets utilisés par les fumeurs d'opium, ainsi que les étonnantes œuvres d'art chinoises adaptées aux canons occidentaux : laques, éventails, peintures, plats et objets en ivoire. Également une importante collection de monnaies chinoises, de la préhistoire à nos jours. Le musée dispose en outre d'un auditorium et d'une salle polyvalente, d'une petite boutique, d'une cafétéria, ainsi que d'un jardin et d'une terrasse.

Les quartiers modernes du nord Plan I

Au nord de la Baixa s'étendent des quartiers modernes et résidentiels, quadrillés de larges avenues. Cette zone abrite aussi une importante activité économique (bureaux, sièges d'entreprises) et la circulation y est importante. S'il n'est guerre passionnant de s'y promener, ne manquez pas la magnifique fondation Gulbenkian, que vous pourrez par exemple rejoindre à pied depuis la ville basse, en remontant l'avenida da Liberdade puis le parc Eduardo VII.

AUTOUR DE L'AVENIDA DA LIBERDADE

Avenida da Liberdade★ C2-3

Longue de 1 300 m et large de 90 m, cette avenue, la plus majestueuse de Lisbonne, est un axe central qui donne accès aux quartiers modernes et affairés du nord. Agréable à la promenade, son esplanade centrale est ombragée et agrémentée de petits jardins. Les trottoirs sont couverts de mosaïques de calcaire et de basalte. De chaque côté, les immeubles de la fin du 19e s. et les constructions plus récentes abritent de nombreux hôtels, des agences de voyages, des compagnies d'assurances, des boutiques de luxe, etc. L'avenida da Liberdade est limitée au nord par la **praça do Marquês de Pombal**, surnommée « Rotunda » par les Lisboètes, centre névralgique de Lisbonne où convergent les grandes avenues. Au milieu de cette place circulaire, bordée de grands hôtels, un monument est érigé à la gloire du marquis de Pombal. Les inscriptions sur le piédestal évoquent les principales réalisations de ce grand ministre, à la posture toute monarchique.

Parc (Parque) Eduardo VII★ C2

Mº Parque, Marquês de Pombal, São Sebastião - ℰ 213 88 22 78 - été : 9h-18h ; reste de l'année : 9h-17h - fermé 1er janv., 25 avr., 1er mai et 25 déc. - grat.

Cet élégant parc à la française couronne l'avenida da Liberdade, offrant une magnifique **perspective★** sur la ville basse et le Tage qu'encadrent les collines du château São Jorge et du Bairro Alto.

Dans l'angle nord-ouest se trouvent trois serres *(9h-16h30, été 17h30 - 1,60 €)* où s'épanouissent d'innombrables plantes exotiques, au bord de bassins poissonneux et de fraîches cascades. Dans la **serre froide★★** *(estufa fria)*, très agréable en été, la brise circule à travers une toiture japonaise en lattes de bois. Plus petite, la **serre chaude** *(estufa quente)* présente des plantes semi-tropicales dans leur climat ambiant, et la troisième serre renferme des cactées géantes.

Musée (Casa-Museu) Anastácio Gonçalves C2

Avenida 5 de Outubro, 6-8 (au niveau du Mº Saldanha) - ℰ 213 54 08 23 - www. cmag-ipmuseus.pt - mar. 14h-18h, merc.-dim. 10h-18h - fermé 1er janv., dim. de Pâques, 1er mai et 25 déc. - visites guidées en fr. (réserv. conseillée) - 3 €, grat. dim. 10h-14h.

Ce musée est installé dans deux villas ayant appartenu au peintre José Malhoa, et plus tard au Dr Anastácio Gonçalves, grand amateur d'art et ami de Gulbenkian *(voir encadré)*. L'endroit accueille des expositions temporaires, généralement consacrées aux peintres portugais du début du 20e s., et une collection permanente constituée de porcelaines de Chine anciennes, de mobilier, de textiles et de joaillerie.

FONDATION CALOUSTE-GULBENKIAN C2

Avenida da Berna, 45 (au nord du parc Eduardo VII). Mº São Sebastião, Praça da Espanha.

Créée en 1956, cette institution privée distribue de nombreuses bourses à de jeunes artistes, finance des recherches scientifiques et organise des expositions, des spectacles de danse et des concerts de très grande qualité *(programme sur place ou sur www.musica.gulbenkian.pt)*. Elle possède deux délégations, à Londres et à Paris.

Entourée de beaux jardins paysagers, la fondation comprend le musée Gulbenkian, le Centre d'art moderne, quatre amphithéâtres polyvalents dont un en plein air, une zone de congrès, deux grandes galeries d'expositions et une bibliothèque d'art (170 000 volumes).

> ### « Monsieur 5 % »
> **Calouste Gulbenkian** (1869-1955), Arménien né à Istanbul, était surnommé ainsi en raison du pourcentage qui représentait sa part des bénéfices de l'Irak Petroleum Company. Richissime, philanthrope et grand amateur d'art, il devint Lisboète à partir de 1942. En quatre décennies, il réunit une collection remarquable et éclectique, et fit don au Portugal de son immense fortune qui servit à créer la fondation Calouste-Gulbenkian.

La fondation Calouste-Gulbenkian.

Musée (Museu) Calouste-Gulbenkian★★★

📞 217 82 30 00 - www.museu.gulbenkian.pt - mar.-dim. 10h-18h - fermé 1er janv., dim. de Pâques, 1er mai, 25 déc. - 4 €, billet combiné avec le Centre d'art moderne José de Azeredo Perdigão 7 €, grat. dim.

Ce musée, aux vastes salles très aérées donnant sur des jardins, a été conçu pour recevoir les collections de Gulbenkian, constituées de pièces de grande valeur et particulièrement riches en arts d'Orient et d'Europe. Le niveau inférieur accueille des expositions temporaires d'art contemporain.

Art antique – La collection comprend des objets égyptiens (coupe d'albâtre vieille de 2 700 ans, statuette en pierre du « juge Bes », barque solaire en bronze et masque de momie en argent doré de la XXXe dynastie), gréco-romains (superbe cratère attique du 5e s. av. J.-C., bijoux, tête de femme attribuée à Phidias, objets romains en verre irisé, magnifique collection de monnaies en or et en argent), et mésopotamiens (stèle assyrienne du 9e s. av. J.-C., urne parthe).

Art oriental – Céramiques et tapis sont les fleurons de la vaste section orientale. En majorité persans, les fastueux tapis des 16e et 17e s., en laine ou en soie, voisinent avec de chatoyants velours de Brousse (Turquie) datant de la même période. Les céramiques (12e au 18e s.), les costumes en soie et les lampes de mosquée d'Alep évoquent par leur raffinement l'univers des miniatures persanes.

Dans cette section, admirez aussi les recueils poétiques exposés par roulement, les corans et les manuscrits arméniens.

Art d'Extrême-Orient – La Chine est représentée par de magnifiques porcelaines (bol taoïste du 14e s., vase aux Cent Oiseaux du 17e s., sceptre et support de coiffeuse en porcelaine blanche) et des « pierres dures » (coupe en néphrite verte du 18e s.), et le Japon par des estampes et des laques des 18e et 19e s.

Art européen – Cette section s'ouvre sur l'**art religieux médiéval**, avec des pièces en ivoire d'une extrême délicatesse, des manuscrits enluminés et des livres d'heures.

La visite se poursuit avec la **peinture et la sculpture des 15e, 16e et 17e s.,** l'un des premiers tableaux acquis par Gulbenkian étant la *Présentation au Temple* de l'Allemand **Stephan Lochner**. Les Flamands et les Hollandais sont à l'honneur avec des toiles maîtresses et remarquables telles le *Saint Joseph* de **Van der Weyden**, *L'Annonciation* de **Thierry Bouts**, la *Figure de vieillard* de **Rembrandt** ou le *Portrait d'Hélène Fourment* par **Rubens**. De l'école italienne, on retiendra un ravissant *Portrait d'une jeune femme* attribué à **Ghirlandaio**.

Les salles suivantes sont essentiellement consacrées **aux arts décoratifs** et à la **peinture française du 18e s.** : meubles (luxueuses réalisations de Cressent, Jacob, Œben, Riesener, Garnier, Carlin), tapisseries, dont la très belle série *Jeux d'enfants* exécutée à Ferrare d'après des cartons attribués à Jules Romain, orfèvrerie (chefs-d'œuvre d'argenterie de table créés par A. Durand et F.-T. Germain).

L'école française du 18e s., célèbre pour ses portraits et ses évocations de fêtes, est ici illustrée par **Hubert Robert** *(Scènes dans les jardins de Versailles)*, **Maurice Quentin de La Tour** *(Portrait de Melle Sallé* et *Portrait de Duval de l'Épinoy)*, **Nicolas de Largillière**

*(Portrait de M. et M*me *Thomas Germain)*. Parmi les sculptures, admirez l'altière *Diane* en marbre blanc de Houdon.

La peinture du 18e s. est aussi représentée par des œuvres anglaises de **Gainsborough** *(Portrait de Mrs. Lowndes-Stone)*, **Romney** *(Portrait de Miss Constable)*, **Turner** *(Quillebœuf à l'embouchure de la Seine)* et **Thomas Lawrence**.

Une salle consacrée à Guardi illustre la vie et les fêtes à Venise.

Le 19e s. français est évoqué par les nombreuses toiles de **Corot** *(Le Pont de Mantes, La Saulaie)*, **Henri Fantin-Latour** *(La Lecture)*, les impressionnistes **Manet** *(Le Garçon aux cerises, Le Souffleur de bulles)*, **Degas** *(Autoportrait)*, **Renoir** *(Portrait de M*me *Claude Monet)*, ainsi qu'un bel ensemble de bronzes *(Le Printemps)* et de marbres *(Les Bénédictions)* de **Rodin**.

La dernière salle abrite une extraordinaire collection de pièces Art nouveau du décorateur français **René Lalique** (1860-1945), ami personnel de Gulbenkian.

Centre d'art moderne (Centro de Arte Moderna) José de Azeredo Perdigão★★

*R. Dr Nicolau de Bettencourt - ℘ 217 82 34 74 - www.camjap.gulbenkian.pt - mar.-dim. 10h-18h - fermé 1*er *janv., dim. de Pâques, 1*er *mai, 25 déc. - 4 €, billet combiné avec le musée Calouste-Gulbenkian 7 €, grat. dim.*

Les fenêtres s'ouvrent sur le jardin, et la végétation semble incorporée aux volumes de ce bâtiment dessiné en 1983 par l'architecte Leslie Martin. Le centre abrite une collection très importante d'art moderne (depuis 1910) et contemporain portugais, avec notamment les œuvres des peintres Amadeo de Souza-Cardoso, Eduardo Viana, José de Almada Negreiros, Maria Helena Vieira da Silva, Júlio Pomar. L'espace, relativement restreint, impose un roulement dans la présentation des toiles. Cinq salles sont aussi consacrées aux œuvres de vidéastes.

Les jardins sont agrémentés de sculptures, dont *Femme allongée* de **Henry Moore**.

Musée (Casa-Museu) Medeiros e Almeida C2

*R. Rosa Araújo, 41 - M*o *Marquês de Pombal - ℘ 213 54 78 92 - www. fundacaomedeirosealmeida.pt - lun.-sam. 13h-17h30 - fermé 1*er *janv., Vend. saint, 1*er *mai, 24 et 25 déc. - 5 €.*

Ce petit manoir (1896) abrite une importante collection d'**arts décoratifs**, constituée par l'homme d'affaires de Medeiros e Almeida. Des vingt-cinq salles d'exposition, trois sont consacrées à l'argenterie, aux porcelaines chinoises et à l'**horlogerie**. Les autres pièces sont richement ornées de mobilier français ou indo-portugais, peintures, tapisseries, azulejos... La fondation organise aussi des expositions temporaires.

👣 Si vous êtes dans le quartier, profitez-en pour faire un tour à la **cinémathèque** portugaise *(voir « Divertissements et spectacles » dans l'encadré pratique).*

LES QUARTIERS D'AFFAIRES DE CAMPO PEQUENO ET CAMPO GRANDE Plan I

Praça de Touros C2

*Av. da República, M*o *Campo Pequeno.* Les **arènes** du Campo Pequeno, habillées de brique rouge, furent bâties au début des années 1890 dans un style néomauresque (dômes à bulbes, arcs outrepassés et croissants de lune). Après une période de travaux, elles accueillent à nouveau des *touradas (voir « Divertissements et spectacles » dans l'encadré pratique).*

Face aux arènes, la **bibliothèque municipale** est installée dans le palais Galveias du 16e s.

Musée de la Ville (Museu da Cidade) C1

*Campo Grande, 245 - M*o *Campo Grande - ℘ 217 51 32 00 - mar.-dim. 10h-13h, 14h-18h - fermé j. fériés - 2,62 €, grat. dim.*

En haut du jardin do Campo Grande, au voisinage fâcheux d'un échangeur autoroutier, le **musée de la Ville** occupe le palais Pimenta, élégant édifice construit au 18e s. sous le règne fastueux de Jean V. L'histoire de Lisbonne est évoquée par des vestiges romains, wisigothiques, arabes et médiévaux. De nombreux blasons arborent l'emblème de la ville, la caravelle (transportant le corps de saint Vincent) guidée par les corbeaux. Une maquette reconstitue Lisbonne au début du 18e s. avant le tremblement de terre, et des azulejos figurent le terreiro do Paço avant la disparition du palais royal. La cuisine est ornée d'azulejos rustiques. Au premier étage sont exposées des faïences et des gravures représentant Lisbonne. Remarquez la célèbre toile de Malhoa, *Le Fado.*

Musée (Museu) **Rafael Bordalo Pinheiro** C1

Campo Grande, 382 - Mº Campo Grande - ℘ 217 55 04 68 - www.museubordalopinheiro.
pt - mar.-dim. 10h-18h, fermé j. fériés - 2 €, grat. dim.

Située de l'autre côté du Campo Grande, cette maison rassemble des dessins, des caricatures et surtout des **faïences★** de Rafael Bordalo Pinheiro (1846-1905), artiste très prolifique qui, avec son frère, fut très présent dans la vie artistique de la fin du 19e s. On lui doit entre autres le grand succès de la fabrique de faïence de Caldas da Rainha *(voir ce nom)* où il réalisa des azulejos Art nouveau.

Les quartiers ouest

MADRAGOA ET ESTRELA

À l'ouest du Bairro Alto jusqu'à la basilique d'Estrela s'étendent les quartiers de Madragoa et d'Estrela, moins fréquentés par les touristes. Pourtant il fait bon flâner au hasard de ces *bairros* vallonnés, pleins de charme, de recoins et de surprises. Les immeubles, hétéroclites, sont souvent délabrés mais progressivement rénovés.

La première communauté cap-verdienne s'était établie dans le quartier de Madragoa, au pied de São Bento, autour du largo do Conde Barão et de la **rua Poço dos Negros** (le « puits des Nègres » qui servit de fosse commune aux esclaves des 16e et 17e s.), mais ses membres partent désormais vivre en banlieue.

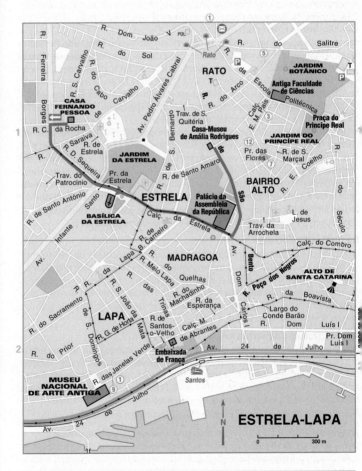

SE LOGER	SE RESTAURER	
As Janelas Verdes......①	Casa da Comida.............①	Pão de Canela............⑦
	Comida de Santo............③	Picanha......................⑨
	Os Tibetanos.................⑤	Porco Preto................⑫

Le jardin da Estrela et ses nombreuses essences exotiques.

Casa Fernando Pessoa★

R. Coelho da Rocha, 16-18, Campo de Ourique (nord-ouest du jardim da Estrela) - ☏ 213 96 81 90 - www.casafernandopessoa.com - lun.-merc., vend. 10h-18h, jeu. 13h-20h - fermé j. fériés - grat.

Les admirateurs du poète, écrivain et merveilleux fabulateur **Fernando Pessoa** ne manqueront pas de visiter cette maison, située dans le quartier résidentiel **Campo de Ourique**. C'est dans une de ses chambres que le plus mythique des Lisboètes vécut les quinze dernières années de sa vie (1920-1935). Le lieu, aéré et composé de beaux volumes, a été totalement réaménagé dans un style moderne et fonctionnel. Les œuvres, les archives et d'émouvants objets ayant appartenu à l'écrivain (lunettes, carte d'identité, livres personnels, machine à écrire...) y sont rassemblés. Lieu de recherche dédié à l'œuvre de Pessoa et à sa promotion, cette maison abrite aussi une librairie remarquable consacrée à la poésie portugaise et étrangère, et un petit lieu d'exposition accueillant peintures, sculpures, installations vidéo ou performances. À l'extérieur, les couloirs sont tapissés des poèmes et horoscopes des différents hétéronymes de l'auteur, qui était aussi un spécialiste en sciences occultes ! Dans l'agréable cour, la terrasse du restaurant jouxte un bassin où évolue une famille de tortues.

En sortant de la Casa Fernando Pessoa, prendre à droite, puis la première à gauche. Au carrefour, descendre la rua Domingo Sequeiro jusqu'à la praça da Estrela.

Basilique da Estrela★

Praça da Estrela - terminus du tramway n° 28. Ce blanc sanctuaire un peu solennel fut bâti à la toute fin du 18e s., selon les vœux de la très conservatrice reine Maria, à une époque où le style baroque était largement dépassé. La croisée du transept est surmontée d'une belle **coupole★** que coiffe un lanternon. À l'intérieur, dans une pièce à droite du maître-autel, figure une imposante crèche, aux personnages grandeur nature, sculptée par Machado de Castro.

Jardin (Jardim) da Estrela★★

Face à la basilique, ce jardin de quartier créé en pleine époque romantique est l'un des plus paisibles et agréables de Lisbonne, avec ses nombreuses essences exotiques, ses animaux en liberté (paons, cygnes, canards, etc.), ses fontaines et ses grottes artificielles. Le jardin dispose en outre d'aires de jeux pour les enfants, d'une petite bibliothèque et d'une buvette ombragée, au bord du bassin.

En sortant du jardin, prendre la calçada da Estrela qui longe le Parlement.

Assemblée de la République (Palácio da Assembleia da República)

En bas de la **rua São Bento**, l'ancien et massif couvent bénédictin de São Bento abrite le Parlement portugais avec, au-dessus, la résidence du Premier ministre. Jetez un coup d'œil au grand escalier de façade et aux arches ornées des statues des Vertus. À l'intérieur *(visite sur autorisation, un samedi par mois)*, la salle des Pas-Perdus est décorée de nombreuses sculptures.

Sur le côté droit du palais, la rua São Bento concentre des **boutiques d'antiquaires★**.

Prendre à gauche la rua São Bento.

Musée (Casa-Museu) Amália Rodrigues

R. de São Bento, 193 - 𝄐 213 97 18 96 - mar.-dim. 10h-18h (dernière entrée 30mn av. fermeture) - fermé j. fériés - 5 €.

Deux ans après la mort de la reine du fado Amália Rodrigues (1920-1999) et quelques jours après le transfert de sa dépouille au Panthéon national *(voir p. 123)*, la maison où elle vécut la majeure partie de sa vie a été transformée en musée, selon sa propre volonté. La disposition des objets a peu changé, et la maison paraît encore habitée par la diva, avec ses tableaux, portraits, instruments de musique, médailles et décorations, robes de scène, bijoux, etc. Dans la salle à manger, la table est mise et semble prête à accueillir des invités. Boutique au rez-de-chaussée. Les recettes sont en grande partie reversées à des institutions de charité.

La rua São Bento remonte jusqu'au Rato et se prolonge ensuite vers les Amoreiras.

LES AMOREIRAS Plan I

Le quartier des Amoreiras, situé au nord du Rato, est dominé par les **tours des Amoreiras**, conçues par l'architecte Tomás Taveira et achevées en 1983. Longtemps décriés, ces trois édifices postmodernes habillés de verre et de plaques de marbre, dans les tons roses, gris et bleus, abritent des bureaux, des appartements de luxe et un immense centre commercial, l'Armoreiras Shopping Center *(voir « Achats » dans l'encadré pratique)*.

Fondation (Fundação) Arpad Szenes-Vieira da Silva★ C2

Praça das Amoreiras, 56/58 - 𝄐 213 88 00 44 - www.fasvs.pt - lun., merc.-sam. 11h-19h, dim. 10h-18h - fermé j. fériés - 3 €, grat. dim. 10h-14h.

Le nom *amoreiras* (mûriers) évoque les arbres qui existaient ici pour l'élevage des vers à soie destinés à l'ancienne fabrique de soieries, abritant désormais la fondation Arpad Szenes-Vieira da Silva. Situé en bordure de l'ombragée praça das Amoreiras, où se dressent les arcs de l'aqueduc des Eaux-Libres, ce bel édifice du 18e s. a été réaménagé avec sobriété et élégance par l'architecte Sommer Ribeiro. **Maria Helena Vieira da Silva** (1908-1992), qui vécut une grande partie de sa vie à Paris avec son mari, l'artiste hongrois Arpad Szenes, est le peintre portugais le plus célèbre du 20e s.

Le musée présente une belle collection d'œuvres des deux artistes, fruit de donations et de dépôts de collectionneurs et d'institutions ; il organise aussi des expositions temporaires consacrées à des artistes qui étaient liés aux deux peintres.

Mãe d'Água das Amoreiras C2

Praça das Amoreiras - 𝄐 218 10 02 15 - museudaagua.epal.pt - lun.-sam. 10h-18h - fermé j. fériés - 2,50 €, grat. 22 mars, 18 mai, 1er et 5 juin, 1er oct.

Ce bâtiment achevé en 1746 abrite un réservoir qui recueille les eaux amenées par l'aqueduc *(voir ci-après et Museu da Água da EPAL p. 124)*. À l'intérieur se trouvent une cascade et l'**arche des Eaux★** (Arca da Água), d'une profondeur de 7 m et d'une capacité de 5 500 m^3. Au sommet de l'édifice, la terrasse offre une **vue★** panoramique sur la ville.

À côté, la maison de registre, où étaient enregistrés les niveaux de l'eau qui partait vers les fontaines de la ville, sert aujourd'hui de cadre à des expositions et des concerts.

Aqueduc des Eaux-Libres★ (Aqueduto das Águas Livres) B2

Calçada da Quintinha, 6 (Campolide) - prendre le bus n° 702 à Praça Marquês de Pombal en direction de Serafina et s'arrêter à C. Mestres - 𝄐 218 10 02 15 - museudaagua.epal. pt - mars-nov. : lun.-sam. 10h-18h - fermé j. fériés - grat.

Commencé en 1732 et achevé seulement 100 ans plus tard, en 1834, cet aqueduc mesure plus de 58 km avec ses ramifications : 35 arches enjambent la vallée d'Alcântara, la plus grande atteignant 65 m de haut pour 29 m de large. On peut en sillonner une portion dans le quartier situé au-dessus des Amoreiras, à Campolide.

LAPA Plan p. 139

Calme, chic et romantique, avec ses massifs de bougainvilliers débordant des murets, le quartier de Lapa, qui s'étend entre le Tage et Estrela, est lui aussi très vallonné. Il abrite de nombreuses ambassades, de vieilles résidences de l'aristocratie aux façades ornées d'azulejos, et quelques luxueux hôtels.

Musée d'Art ancien★★★ (Museu Nacional de Arte Antiga)

Compter au moins 2h. R. das Janelas Verdes, 9 (de Cais do Sodré, prendre les tramways n°s 15, 18, 25 ou les bus n°s 14, 27, 28, 32, 40) - 𝄐 213 91 28 00 - www. mnarteantiga-ipmuseus.pt - mar. 14h-18h, merc.-dim. 10h-18h - fermé 1er janv., dim. de Pâques, 1er mai et 25 déc. - 4 €, grat. dim. jusqu'à 14h.

À l'extrémité sud du quartier de Lapa, dominant les docks et le Tage, le musée d'Art ancien est installé dans le palais des comtes d'Alvor (17e s.) qui devint par la suite propriété du marquis de Pombal, et dans une annexe moderne construite en 1940. Il possède une remarquable collection d'œuvres d'art provenant en partie de la confiscation des biens des couvents, au moment de la suppression des ordres religieux en 1833. Ces collections, qui réunissent des peintures, sculptures, arts décoratifs du 12e s. au début du 19e s., sont étroitement liées à l'histoire du Portugal : artistes portugais, peintres européens ayant vécu ou séjourné au Portugal, objets provenant des anciennes colonies portugaises.

À l'entrée du musée, la **chapelle★** de l'ancien couvent des carmes Santo Alberto est remarquable par ses bois dorés et ses azulejos du 16e au 18e s.

Au rez-de-chaussée, l'**Annonciation★** de Frei Carlos (1523) est un chef-d'œuvre, remarquable illustration de la peinture luso-flamande qui s'est développée durant cette période d'échanges intenses : flamande dans la façon de traiter les personnages, mais originale par la composition. Parmi les autres œuvres portugaises, citons le *Triptyque de Cook* de Grão Vasco et *Le Retable de Santa Auta* : provenant du couvent de Madre de Deus, ce dernier est un témoignage non signé sur l'arrivée au Portugal des reliques de sainte Auta, offertes par l'empereur Maximilien à sa cousine, la reine Dona Leonor, en 1509.

Parmi les peintures des autres écoles européennes se détache la fascinante **Tentation de saint Antoine★★★** de Jérôme Bosch, œuvre de maturité où grouillent dans un décor infernal des êtres hybrides et oniriques mêlés à des représentations de faune, de flore et de figures humaines. Également : une ravissante Vierge à l'Enfant de Hans Memling, un saint Jérôme par Dürer, *La Vierge, l'Enfant et les Saints* par Hans Holbein le Vieux. Une salle abrite des portraits des **douze apôtres★** dont sept de Zurbarán.

Au premier étage, une salle est consacrée aux précieux **paravents japonais★★** illustrant l'arrivée des Portugais sur l'île de Tanegashima en 1543. Les Japonais appelaient les Portugais les *Nambanajin* (Barbares du Sud), et cet art est qualifié d'art *namban*. Chaque paravent, constitué de six panneaux articulés, est un magnifique document sur la vision des Japonais fascinés par les longs nez des Portugais, leurs grosses moustaches, leurs pantalons bouffants et la peau noire de certains marins. Les deux paravents attribués à Kano Domi illustrent le débarquement des marchandises et le cortège des Portugais apportant des cadeaux dans les rues de Nagasaki. Les deux autres, attribués à Kano Naizen, évoquent le départ de Goa et l'arrivée au Japon ; l'auteur japonais, ignorant tout de l'Inde, y a représenté une architecture chinoise.

Le fleuron de la riche collection d'orfèvrerie et d'argenterie du musée est l'**ostensoir du monastère de Belém** (1506), attribué à Gil Vicente, qui aurait été exécuté avec l'or rapporté des Indes par Vasco de Gama. Remarquez aussi les précieux coffrets indo-européens du 16e s., le riche ensemble de mobilier, de tapisseries et de tapis anciens d'Arraiolos.

La principale richesse du musée d'Art ancien est la collection de primitifs portugais avec pour pièce maîtresse le célèbre polyptyque de l'**Adoration de saint Vincent★★★**, peint entre 1460 et 1470 par Nuno Gonçalves (*2e étage*). Les panneaux de ce polyptyque, dont on ignorait totalement l'existence, furent découverts en 1882 dans les combles du monastère São Vicente de Fora ; ils constituent un précieux document sur la société portugaise de l'époque. On y reconnaît, autour de saint

① Moines cisterciens d'Alcobaça
② Pêcheurs et pilotes

❶ Saint Vincent
❷ Le roi Alphonse V
❸ Le prince Jean, futur Jean II
❹ L'infant Henri le Navigateur
❺ La reine Isabelle
❻ Isabelle d'Aragon, sa mère
❼ Nuno Gonçalves

❶ Saint Vincent
❷ Le prince Ferdinand
❸ Chevaliers
❹ L'archevêque de Lisbonne entouré de deux chanoines
❺ Le chroniqueur Gomes Eanes de Azurara

⑮ Fernando, 2e duc de Bragance
⑯ Fernando, son fils aîné
⑰ João, son fils cadet
⑱ Chevalier maure
⑲ Ecclésiastique présentant l'os du crâne de Saint Vincent
⑳ Juif
㉑ Mendiant devant le cercueil du Saint

MICHELIN

Le polyptyque de l'Adoration de Saint-Vincent.

Les jésuites au Portugal

À l'époque des Grandes Découvertes, alors que se pose la question de l'évangélisation de nouveaux peuples, le roi Jean III entend parler de quelques jeunes prêtres réunis au collège Sainte-Barbe à Paris autour d'un certain Ignace de Loyola. Ces hommes, qui veulent consacrer leur vie au prosélytisme, fondent en 1540 la Compagnie de Jésus. Certains vont avoir un rôle extrêmement important comme **saint François Xavier**, parti dès 1542 évangéliser au nom du Portugal les Indes et le Japon. Dans ce pays, l'influence des jésuites se manifeste surtout dans les tractations commerciales, et il y a un tel engouement pour les Portugais que les Japonais de la Cour s'habillent à la mode portugaise (comme on le voit sur les paravents *nambans* du musée d'Art ancien). Un autre jésuite, **Manuel da Nóbrega**, fonde São Paulo au Brésil en 1554. Deux siècles plus tard, le marquis de Pombal n'a de cesse d'amoindrir leur pouvoir. Il interdit les missions du Brésil, leur supprime le droit de commercer, de prêcher et d'enseigner, et le 3 septembre 1759, obtient un décret d'expulsion pour tous les membres de la Compagnie. Après avoir été arrêtés et incarcérés, ceux-ci sont renvoyés auprès de la maison mère à Rome.

Vincent, patron du Portugal, différents groupes sociaux : princes, prélats, chevaliers, moines, marins. L'exécution est remarquable par le flamboiement des couleurs et le réalisme des expressions. Sa facture évoque l'art de la tapisserie du 15e s.

👁 **Bon à savoir** – Le musée dispose d'une boutique, d'une petite cafétéria qui s'ouvre sur les jardins et la très belle **terrasse★★** surplombant le Tage, et d'un restaurant installé dans un agréable patio.

Musée des Marionnettes (Museu das Marionetas)

Convento das Bernardas - R. da Esperança, 146 - ℘ 213 94 28 10 - www.museudamarioneta. egeac.pt - mar.-dim. 10h-13h, 14h-18h - fermé 1er janv., 1er mai, 25 déc. - 3 € (enf. 2 €).

👪 Installé dans un couvent cistercien, ce musée expose des marionnettes traditionnelles réalisées par la compagnie de São Lourenço et quelques modèles anciens. Activités pour les enfants tous les jours en anglais et en français *(réserv. obligatoire).*

♿ Plus à l'ouest encore s'étend le quartier d'Alcântara, coincé entre les docks réaménagés *(voir p. 126)* et les échangeurs routiers au niveau du pont du 25-Avril.

En s'éloignant du centre

Palais des marquis de Fronteira★★★
(Palácio dos Marqueses de Fronteira) Plan I AB2

Au nord-ouest. Largo São Domingos de Benfica, 1 - du Mº Jardim Zoológico, longer le zoo à gauche de l'entrée, prendre l'estrada de Benfica, puis la rua das Furnas (1re à gauche) et la passerelle sur la voie ferrée (15-20mn à pied) - ℘ 217 78 20 23 - visite guidée (45mn) juin-sept. : lun.-sam. 10h30, 11h, 11h30 et 12h ; oct.-mai : lun.-sam. 11h et 12h - fermé j. fériés - 7,50 € (jardin : 3 €).

Ce palais, situé en lisière nord du parc de Monsanto *(voir ci-après)* près de Benfica, fut construit à la demande de João de Mascarenhas, premier marquis de Fronteira, vers 1670.

L'ancien pavillon de chasse en pleine nature, désormais cerné par l'urbanisation, est toujours habité par le 12e marquis de Fronteira. Bien qu'influencé par la Renaissance italienne, c'est l'un des plus beaux exemples d'architecture aristocratique portugaise. Il se distingue notamment par la qualité exceptionnelle et la diversité de style de ses panneaux d'**azulejos★★★** du 17e s. À l'intérieur du palais, ceux de la salle des Batailles évoquent en détail les grands épisodes de la guerre de Restauration où s'illustra le premier marquis de Fronteira ; la salle à manger est ornée de carreaux de Delft (17e s.), les premiers à avoir été importés.

Le palais de Fronteira.

Terrasses et jardins forment un labyrinthe enchanté. Pas un pan de mur, pas un banc, pas un bassin n'est vierge : les petits carreaux de faïence vernie ont envahi chaque surface plane, jusque dans les grottes profondes incrustées de coquillages et de porcelaines de Chine. Ces azulejos dessinent des tableaux rustiques avec la représentation des saisons et des travaux des champs, ou des scènes grandioses et solennelles comme les douze cavaliers de la galerie des Rois *(sur la terrasse en surplomb)* se reflétant dans les eaux du bassin. Astres, divinités naïves ou figures du zodiaque sont aussi représentés, ainsi qu'un surprenant bestiaire plein d'humour où des singes enseignent la musique à des chats empotés.

Parc (Parque Florestal) de Monsanto★ A/B-2/3

Au nord-ouest - accueil Monsanto Estrada do Barcal - Monte das Perdizes - ✆ 217 71 08 70 - lun.-vend. 9h30-17h, sam. 9h-18h, dim. 14h-19h - service de minibus grat. dans le parc.

Poumon vert de Lisbonne, ce parc de 900 ha, très boisé (pins et chênes) et accidenté se visite surtout en voiture. Il est sillonné de routes offrant des **vues★** panoramiques sur Lisbonne, en particulier depuis le belvédère de Monsanto.

Monsanto abrite plusieurs parcs qui font le bonheur des plus petits. Parmi eux, le **Parque Alvito** comprend des aires de jeux pour enfants de 3 à 14 ans et deux piscines, dont une ouverte au public de juillet à septembre. *Zone sud du parc, accès par Alcântara, bus nº 24 - ✆ 213 63 59 40 - avr.-sept. : 9h-20h ; oct.-mars : 9h-18h.* Le **Parque dos Índios**, conçu pour les enfants de 4 à 12 ans, est l'un des plus fréquentés de Lisbonne. *Alto da Serafina, bus nº 70 - ✆ 217 74 30 21 - avr.-sept. : 9h-20h ; oct.-mai : 9h-18h.*

Jardin zoologique★★ (Jardim Zoológico) B1-2

Estrada de Benfica, 158 - Mº Jardim Zoológico. Pour une vision générale, un téléphérique effectue le tour du parc (20mn) ; un petit train passe par les principaux endroits (15mn) - ✆ 217 23 29 10 - www.zoo.pt - avr.-sept. : 10h-20h ; oct.-mars : 10h-18h (dernière entrée 1h av. fermeture) - horaires des animations : se rens. - 15 € (enf. 11,50 €).

Ce site est à la fois un très beau jardin, un zoo et un parc de loisirs. Il est aménagé sur les 26 ha du parc das Laranjeiras, qui incluait le palais rose des comtes de Farrobo, visible à droite de l'entrée. La partie inférieure du parc est plantée d'une belle roseraie et de fleurs de diverses origines. Elle accueille aussi les enclos abritant quelque 2 500 animaux, dont de nombreuses espèces exotiques. La vedette du zoo est un éléphant qui sonne une cloche avec sa trompe quand on lui donne une pièce. Les hôtes les plus rares sont un couple de pandas et de rhinocéros blancs d'Afrique du Sud. À heures fixes, des animations mettent en scène perroquets, reptiles ou pélicans. Le **delphinarium**, très coloré, est visible uniquement durant les spectacles. Expositions temporaires. Aires de pique-nique *(aldeia das merendas)* et restaurant-grill.

Le **Museu das Crianças** (musée des Enfants), établi en 2004 dans le jardin zoologique, propose des jeux pédagogiques interactifs pour enfants de 4 à 13 ans. *Près de l'entrée principale - ✆ 217 26 80 82 - www.museudascriancas.eu - w.-end et j. fériés 10h-18h - 4,50 € (enf. 4 €).*

Musée de la Musique★ (Museu da Música) B1

Mº Alto dos Moinhos - ✆ 217 71 09 90 - www.museudamusica-ipmuseus.pt - mar.-sam. 10h-18h - 2 €, grat. j. fériés 10h-14h.

Situé à l'intérieur de la station de métro Alto dos Moinhos, ce musée, équipé de bornes interactives, expose une importante collection d'instruments et de publications sur la musique du 16e au 20e s., dont un ensemble de clavecins baroques et de nombreux instruments à cordes et à vent. Des concerts y sont également organisés.

Musées du Costume★ et du Théâtre B1

Au Mº Lumiar, prendre l'estrada do Torre, puis à droite la rua do Lumiar. Tourner à gauche, et franchir le large boulevard vers la gauche.

Dans le vaste jardin botanique de la **Quinta de Monteiro-Mor**, que longe la estrada do Lumiar bordée de part et d'autre de belles propriétés, deux palais ont été aménagés pour abriter l'un le musée du Costume, l'autre le musée du Théâtre. Près du musée du Costume, un pavillon sert de cadre à un agréable restaurant.

Jardin botanique de Monteiro-Mor – *✆ 217 59 03 18 - mar.-dim. 10h-18h - fermé 1er janv., dim. de Pâques, 1er mai et 25 déc. - 2 €, grat. dim. et j. fériés 10h-14h.* En contrebas du palais, ce jardin séduit par la variété des espèces exotiques, ses bassins et son côté sauvage accentué par les reliefs. Un jardin de sculptures accueille les créations de quatre artistes contemporains. C'est un lieu agréable pour pique-niquer.

Musée national du Costume (Museu Nacional do Traje)★ – *Largo Júlio de Castilho -* 𝄞 *217 59 03 18 - www.museudotraje-ipmuseus.pt - mar.-dim. 10h-18h - fermé 1er janv., dim. de Pâques, 1er mai et 25 déc. - 4 €, grat. dim. 10h-14h (billet combiné avec le musée du Théâtre).* L'élégant palais des marquis de Angeja renferme aujourd'hui plus de 7 000 costumes. Les collections, merveilleusement présentées, font revivre une époque, une ville, une profession…

Musée national du Théâtre (Museu Nacional do Teatro) – *En sortant du musée du Costume, prendre à droite la rua do Alqueidão -* 𝄞 *217 56 74 10 - www.museudoteatro-ipmuseus.pt - mar. 14h-18h, merc.-dim. 10h-18h - fermé 1er janv., dim. de Pâques, 1er mai et 25 déc. - 3 €, 4 € le billet combiné avec le musée du Costume, grat. dim. 10h-14h.* Dans le palais de Monteiro-Mor sont exposés des costumes de scène, maquettes de décor, photos et documents ayant trait au théâtre et aux arts du spectacle, du 18e s. à nos jours. Expositions temporaires. Bibliothèque spécialisée.

Aux alentours

Palais national de Queluz★★ (Palácio Nacional de Queluz)

5 km au nord-ouest de Lisbonne - quatre trains par jour au dép. des gares du Rossio et Oriente (descendre à la station Queluz-Belas) - 𝄞 *214 34 38 60 - tlj sf mar. 10h-17h - jardins : mai-sept. 10h-18h, oct.-avr. 10h-17h - fermé 1er janv., dim. de Pâques, 1er mai, 29 juin et 25 déc. - 4 € (jardin seul : 1,50 €), grat. dim. 10h-14h et j. fériés.*

Le Palais national de Queluz plonge le visiteur au cœur du 18e s. Dans ses jardins à la française ornés de bassins et de statues, sur lesquels donnent des façades rococo de couleurs pastel et percées de nombreuses ouvertures, on s'attendrait à assister à l'une de ces fêtes galantes peintes par Watteau. Bien qu'inspiré par le château de Versailles, ses proportions le rendent intime.

Du pavillon de chasse au palais royal – À la fin du 16e s., le marquis de Castelo Rodrigo possédait ici un pavillon de chasse. Après la Restauration et l'accession au trône du roi Jean IV, le domaine fut confisqué et devint en 1654 la résidence des infants. Pierre (1717-1786), fils de Jean V et futur Pierre III, décida d'y construire un palais. De 1747 à 1758, l'architecte portugais Mateus Vicente, formé à l'école de Mafra, construisit la façade d'apparat ainsi que l'aile où plus tard fut installée la salle du trône. En 1758, alors que Mateus Vicente était occupé à la reconstruction de Lisbonne après le tremblement de terre, les travaux reprirent, menés par l'architecte français Jean-Baptiste Robillon, élève de Gabriel ; celui-ci modifia et aménagea la salle du trône, la salle de musique, puis réalisa le pavillon ouest qui porte son nom. Enfin, le pavillon Dona-Maria fut édifié entre 1786 et 1792. Bien que l'ensemble soit de style rocaille, on notera les différences de style entre ces trois périodes.

Le Palais national – On parcourt une suite de salons décorés de meubles et objets rappelant que Queluz est aussi un musée des Arts décoratifs.

La **salle du trône**★, somptueuse, évoque la galerie des Glaces de Versailles avec ses fausses portes garnies de miroirs ; des cariatides supportent le plafond à calotte représentant des allégories, d'où pendent de magnifiques lustres en cristal de Venise. Admirez aussi les plafonds de la salle de musique et des chambres des princesses. La salle des Azulejos doit son nom aux magnifiques azulejos polychromes du 18e s. évoquant des paysages de Chine et du Brésil. Dans la salle de la Garde royale, joli tapis d'Arraiolos du 18e s. La **salle des Ambassadeurs**, décorée de marbre et de glaces, possède un plafond peint où figurent un concert de musique à la cour du roi

---

Victime de la Révolution…

Conçu pour les festivités, le palais de Queluz n'a pas connu que des réjouissances. La reine **Marie Ire** y vécut des jours difficiles. D'une piété proche de la superstition, elle considéra la mort, en 1786, de son oncle et époux Pierre III comme un avertissement des malheurs qui allaient accabler sa famille et son peuple. La disparition en 1788, en moins de deux mois, de deux de ses enfants, le prince héritier Joseph, décédé à l'âge de 27 ans, et l'infante Marie-Anne, épouse d'un infant d'Espagne, ne fit que confirmer ses pressentiments. Peu après, elle perdit son confesseur, ce qui accrut la mélancolie où elle était plongée. Enfin, elle fut si troublée par les premiers événements de la Révolution française que fin 1791 elle manifesta des signes de démence. Son second fils, Jean, gouverna dès lors en son nom, prit la qualité de régent en 1799 et, lors de l'invasion du Portugal par les troupes françaises, l'emmena au Brésil où elle mourut, souveraine en titre, en 1816.

H. Champollion/MICHELIN

Le palais de Queluz.

Joseph et divers motifs mythologiques. Après avoir traversé le boudoir de la Reine, de style rocaille français, on pénètre dans la salle de **Don-Quichotte** dans laquelle huit colonnes soutiennent un plafond circulaire ; des peintures illustrent des scènes de la vie du héros de Cervantès. Dans la salle des Goûters, garnie de bois doré, des tableaux du 18ᵉ s. évoquent des pique-niques royaux.

Les jardins – Conçus par Robillon dans le style de Le Nôtre, ils sont égayés de buis taillés, de cyprès, de statues et de massifs de fleurs qui s'ordonnent autour de pièces d'eau. Du bassin d'Amphitrite, jolie vue sur le bassin de Neptune et la façade de cérémonie refaite par Robillon dans le style de Gabriel. En contrebas, un parc, aménagé dans le goût italien, séduit par ses étangs, ses cascades, ses tonnelles de verdure, ses murs couverts de bougainvilliers. Le **Grand Canal** est bordé de murs recouverts d'azulejos du 18ᵉ s. représentant des ports fluviaux et maritimes. La rivière Jamor qui y coule est souvent réduite à un filet d'eau. Autrefois, la famille royale s'y promenait en barque. Admirez la façade du pavillon Robillon, précédée du magnifique **escalier des Lions★** et la colonnade qui le prolonge.

👁 **Bon à savoir** – *En saison, des spectacles équestres se déroulent dans les jardins (voir « Spectacles » dans l'encadré pratique).*

Almada

Au sud de Lisbonne. 3,5 km à partir du péage sud du pont du 25-Avril. À la sortie nᵒ 1 de l'autoroute, prendre à gauche en direction d'Almada.

La commune d'Almada est fréquentée par les Lisboètes pour ses nombreux restaurants en bord de quai, spécialisés dans les poissons et les fruits de mer.

Cristo Rei★★ – *Suivre la signalisation et laisser la voiture au parking -* 📞 *212 75 10 00 - accès par ascenseur 9h30-18h (4 €).* La statue géante du Christ-Roi, réplique réduite du Christ Rédempteur de Rio de Janeiro, fut érigée en 1959 pour remercier Dieu d'avoir épargné le Portugal pendant la Seconde Guerre mondiale. Du piédestal qui, à 85 m du sol et à 113 m au-dessus du Tage, supporte la statue haute de 28 m, le **panorama★★** se révèle sur l'estuaire du Tage, tous les quartiers anciens de Lisbonne et, vers le sud, sur la plaine jusqu'à Setúbal *(accès par ascenseur, plus 74 marches).*

Cacilhas – *Accès en ferry depuis Cais do Sodré, à 600 m de la praça do Comércio.* Du débarcadère de Cacilhas, longer les quais (cais do Gingal) sur la droite (vers l'ouest, en aval du fleuve) sur 1 km jusqu'aux restaurants.

Un peu plus loin au pied de la falaise, l'elevador panorâmico da Boca do Vento permet d'accéder au **Castelo de Almada** et à la **Casa da Cerca** (📞 *212 72 49 50*), une demeure du 18ᵉ s. qui accueille des expositions d'art contemporain. Une belle terrasse surplombe le Tage.

Costa da Caparica

14 km au sud-ouest - quitter Lisbonne par le pont du 25-Avril, puis emprunter l'IC 20 à partir de la sortie nᵒ 1 de l'autoroute A 2 (voir aussi p. 157).

Cette station balnéaire, sur l'autre rive du Tage, est la plus proche de Lisbonne. Bénéficiant de vastes plages, moins polluées que celles de la rive nord, Costa da Caparica est, le week-end, l'un des endroits préférés des Lisboètes. La station ne cesse de s'agrandir et de s'étendre parallèlement à l'Océan et aux dunes qui l'en protègent.

On peut encore y voir quelques barques de pêche à la proue ornée d'une étoile ou d'un œil peint, et assister à la remontée des filets puis à la criée sur la plage, à laquelle se joignent les estivants.

👁 **Bon à savoir** – En saison, un **petit train** dessert, sur 11 km, les plages successives.

Belvédère dos Capuchos – *3 km à l'est de Costa da Caparica par la voie rapide, puis une route s'en détachant à droite (suivre la signalisation). Devant le couvent des Capucins (Capuchos), tourner à droite dans le chemin pavé menant au belvédère, sur la falaise.* Vue intéressante sur la station, les falaises à gauche du belvédère, l'estuaire du Tage et la côte nord jusqu'à Cascais.

Circuit de découverte

LE BORD DE MER ET SINTRA

Env. 95 kmAR – prévoyez une journée. Sortir de Lisbonne par la Marginale, qui longe le Tage et débouche sur l'Océan. Suivre la route en corniche menant d'Estoril à Cascais.

Estoril★

Cette station balnéaire et hivernale bénéficie d'un ciel lumineux et d'un climat doux (12 °C de moyenne en hiver). Naguère modeste village connu pour les vertus curatives de ses eaux thermales, rendez-vous des millionnaires et des rois en exil, Estoril est devenu une banlieue résidentielle de Lisbonne. Plaque tournante de l'espionnage et de la diplomatie secrète pendant la Deuxième Guerre mondiale, la ville a conservé l'atmosphère cosmopolite et sophistiquée de cette époque. Le site est agréable avec ses plages de sable fin et la vue sur la baie de Cascais, son parc aux essences tropicales et exotiques, ses somptueuses villas, ses avenues bien tracées et bordées de palmiers. Des distractions (golf, le plus grand casino d'Europe), des compétitions sportives (courses automobiles, régates, concours hippiques) et des festivités (Fêtes de la mer en juillet) attirent une élégante clientèle internationale.

Cascais★

La vocation touristique de Cascais commença en 1870 lorsque, pour la première fois, la Cour vint y passer l'été, entraînant à sa suite une tradition d'élégance et tout un monde d'architectes. Le palais royal (ou *cidadela*) édifié sur le promontoire qui protège la baie au sud-ouest est actuellement réservé au chef de l'État. Cascais est donc à la fois un port de pêche traditionnel et une station chic où demeurent de nombreux Lisboètes. Son centre est parcouru de rues piétonnes bordées d'agréables boutiques et de restaurants.

Musée et Bibliothèque Condes de Castro Guimarães – *📞 214 81 53 04 - visite guidée (30/45mn) mar.-dim. 10h-17h - fermé j. fériés - 2,04 €, grat. dim.* Sur la route du bord de mer, cette ancienne demeure comtale du 19e s., à patio central, rassemble de belles collections : meubles portugais et indo-portugais, azulejos du 17e s., orfèvrerie et céramique portugaises des 18e et 19e s., bronzes, tapis, vases de Chine du 18e s., livres précieux (dont une *Crónica de D. Afonso Henriques* du 16e s.) et un curieux orgue-armoire de 1753. Dans le parc, fontaine monumentale couverte d'azulejos.

Prendre la route côtière N 247-7. En sortant de Cascais on dépasse, à gauche, l'ancien palais royal, puis, à droite, le parc municipal.

Boca do Inferno★

Dans un virage à droite, une maison, un café et quelques pins à gauche marquent l'emplacement de ce **gouffre★** dans lequel la mer se précipite en mugissant.

La route se poursuit en bordure de l'Océan, ménageant de beaux aperçus sur cette côte sauvage. À partir du cap Raso (fortin), où la route bifurque en direction de la serra de Sintra, le sable fait son apparition entre les pointes rocheuses, frappées par une mer houleuse.

Praia do Guincho★

Des dunes et un fortin bordent cette immense plage exposée aux vents d'ouest, tandis qu'à l'horizon s'allonge l'imposant promontoire du Cabo da Roca. Plage de prédilection des véliplanchistes et des surfeurs, elle accueille des épreuves du Championnat d'Europe de planche à voile. Les **vagues** peuvent s'y avérer dignes d'Hawaii ou d'Omazaki, au Japon.

Cabo da Roca★ *(voir Sintra)*

Sintra★★★ *(voir ce nom)*

Lisbonne pratique

Informations utiles

INFORMATIONS TOURISTIQUES

⊞ Palácio Foz – *Praça dos Restauradores, 1250-187 - ℘ 213 46 33 14 - 9h-20h.* L'*Instituto de turismo de Portugal* renseigne sur Lisbonne et le reste du pays. Utile avant de poursuivre votre route. L'ITP possède aussi un bureau à l'aéroport.

⊞ Lisboa Welcome Center – *℘ 210 31 27 00 - www.visitlisboa.com - 9h-20h.* Situé dans un édifice pombalin des arcades de la **praça do Comércio**, cet espace dépendant de la mairie se veut une vitrine de ce que l'on fait de meilleur et de plus novateur dans la capitale. On y trouve un bureau d'informations touristiques, une galerie, un auditorium, un café, une boutique de produits régionaux. Accès Internet.

⊞ Kiosque Rua Augusta – *Près de la praça do Comércio - 213 25 92 31 - 10h-13h, 14h-18h.*

⊞ Kiosque de Bélem – *Mosteiro dos Jerónimos - ℘ 213 65 84 35 - mar.-sam. 10h-13h, 14h-18h.*

⊙ *Voir aussi le site de la mairie de Lisbonne www.cm-lisboa.pt.*

Lisboa Card – *15 € (24h) ; 26 € (48h) ; 32 € (72h) ; tarif réduit pour les enf.* Une formule pratique et économique : la carte donne un accès gratuit et illimité aux transports publics (bus, métro, trams, funiculaires, train pour Cascais et Sintra), et un accès gratuit (ou des réductions) dans la plupart des musées et sites culturels de Lisbonne et des environs. En vente à l'aéroport et dans les adresses ci-dessus.

AUTRES INFORMATIONS

Bureau de poste (correios) principal – *Praça dos Restauradores – ℘ 213 21 14 50 ou 213 23 89 71 - lun.-vend. 8h-22h, w.-end 9h-18h.*

Renseignements téléphoniques – *℘ 18 20.*

Ligne d'assistance aux touristes – *℘ 808 78 12 12.*

Urgences – *℘ 112.*

Centre hospitalier – *Estrada Forte A Duque - ℘ 210 43 10 00.*

Police – *Comisaría turismo - Praça dos Restauradores (Palácio Foz)- ℘ 213 42 16 34/23.*

Internet

Pour les ordinateurs portables munis d'une carte **wifi**, il existe des bornes un peu partout dans Lisbonne, notamment à l'aéroport, dans les centres commerciaux, dans de nombreux hôtels, etc. Rens. dans les offices de tourisme.

Portugal Telecom – *Praça D. Pedro IV, 68 (Rossio) - 8h-23h.* Efficace mais du monde en journée. L'un des moins chers de Lisbonne (1 €/30mn).

Lisboa Welcome Center – *Voir ci-dessus.*

Une adresse pratique et centrale (3 €/h).

NetCenter Café – *R. Diário de Noticias, 157-159 - 16h-2h.* Un lieu chaleureux au cœur du Bairro Alto. Accès Internet gratuit, avec consommations obligatoires.

Pavilhão do Conhecimento – *Parc des Nations - ℘ 218 91 71 38 - mar.-vend. 10h-18h, w.-end et j. fériés 11h-19h.* Le cybercafé du musée possède 36 postes. Accès grat. de 30mn renouvelable.

Lojas Inlisboa.com – *R. da Atalaia, 153 - ℘ 213 43 19 11 - 11h-0h - inlisboa.com.* Pour surfer sur le Net dans un contexte original, choisissez cette petite boutique du Bairro Alto. Les étudiants de l'École des arts y ont créé un espace Internet leur permettant de présenter leurs œuvres (vues de Lisbonne), qu'ils vendent sous forme de cartes postales, lithographies ou affiches-plans des quartiers de la ville (1 €/15mn). Café offert au-delà de 2h de connexion.

Lojas Inlisboa.com – *Av. da Liberdade, 1-7 (Praça dos Restauradores) - ℘ 213 43 19 11 - lun.-vend. 10h-20h, sam. 10h-16h - inlisboa.com.* Sur le même principe que la boutique du Bairro Alto, dans le minuscule Palladium Shopping Center, au pied de l'elevador da Glória (1 €/15mn).

Pop Mail – *R. das Gáveas, 74 - 12h-1h.* Dans le Bairro Alto, au-dessus de la praça Luís Camões, un café Internet d'inspiration « minimaliste » où l'on peut prendre un verre, lire ses e-mails et acheter quelques objets de décoration (2 €/30mn).

Transports

AÉROPORT

Aéroport de Lisbonne – *℘ 218 41 37 00.* Il se trouve à environ 6 km au nord du centre (Rossio).

Des **navettes** (aerobus n° 91) relient l'aéroport à Cais do Sodré. Nombreux arrêts, notamment au Rossio. Dép. env. ttes les 20mn de 7h45 à 22h30 (3 €).

En **taxi**, la course de l'aéroport au centre-ville coûte environ 10 €, avec une surtaxe pour les bagages (1,60 €). Les taxis sont équipés d'un compteur.

GARES FERROVIAIRES

Chemins de Fer Portugais – *℘ 808 20 82 08 - www.cp.pt.*

Trains Intercidades – *℘ 217 90 10 04.*

Estação de Santa Apolónia – Lignes internationales et nord du pays.

Estação do Cais do Sodré – Train ttes les 10mn env. pour Estoril, Cascais. Dernier train à 1h30. Durée du trajet 40mn.

Estação do Rossio – Banlieue nord-ouest dont Sintra. Trains pour Sintra les 10mn en moyenne. Dernier train à 23h. Durée du trajet 35mn env.

Estação Sul e Sueste – Alentejo et Algarve, *via* le bac (gare fluviale de Terreiro do Paço) qui donne accès à la gare de chemin de fer de Barreiro.

Tramway.

Estação do Oriente – Superbe gare multimodale (autobus, métro, train) qui dessert le Nord, reliée au chemin de fer de Santa Apolónia et Sintra.

GARES FLUVIALES (bacs et ferries)

Les **cacilheiros**, qui desservent les villes de la rive opposée du Tage, peuvent être l'occasion d'une agréable promenade sur le fleuve. Pendant la journée, dép. env. ttes les 15mn. Les billets sont en vente dans les guichets de ces gares (0,77 € pour Cacilhas avec Transtejo).

Estação Fluvial do Terreiro do Paço – Dessert Barreiro et les trains en direction de l'Alentejo et l'Algarve. Départs des croisières sur le Tage *(voir « Visites »).*

Estação do Cais do Sodré – Dessert Cacilhas et Almada, Seixal, Montijo.

Estação de Belém – Dessert Cacilhas, Porto Brandão et Trafaria.

Estação Fluvial do Parque das Nações – Dessert Barreiro.

SE DÉPLACER À LISBONNE

Dans cette ville compacte, aux rues étroites, la densité de circulation et la difficulté de stationnement font que, en règle générale, il est préférable de se déplacer à pied ou d'utiliser les transports en commun aussi souvent que possible.

À pied – La meilleure façon de découvrir le centre historique de Lisbonne (Baixa, av. da Liberdade, mais surtout Chiado/Bairro Alto et Alfama) est de le parcourir à pied (une bonne condition physique est préférable pour ces derniers). La montée depuis la Baixa jusqu'à la colline du Bairro Alto peut se faire par les **ascenseurs** de Glória et de Santa Justa.

En voiture – Le visiteur constatera que, souvent à Lisbonne, la voiture est plus encombrante que pratique, surtout en journée. Les parcmètres n'ayant pas encore envahi les rues, les voitures stationnent parfois toute la journée au même endroit, et trouver une place relève souvent de la chasse au trésor !

La **Baixa** dispose de parkings souterrains récents (praça dos Restauradores, Rossio, praça do Comércio, galerie commerçante Armazéns do Chiado), de même que

certains quartiers nord, mais le stationnement est pratiquement impossible dans le dense maillage de ruelles de l'**Alfama** et du **Bairro Alto** (ces deux quartiers sont désormais partiellement interdits aux voitures). Seuls les grands hôtels modernes disposent d'un parking.

Location de voitures – La plupart des compagnies sont représentées à l'aéroport. Leurs tarifs et conditions de location sont également disponibles dans les hôtels et offices du tourisme, qui peuvent vous aider à réserver un véhicule auprès de l'agence de votre choix.

Taxis – Nombreux et moins onéreux que dans la plupart des autres villes d'Europe, ils constituent un bon moyen de déplacement dans Lisbonne. La majorité d'entre eux sont **beiges**. Pour les courses en ville, le prix est affiché au compteur. Hors du périmètre urbain, le prix est calculé selon un barème kilométrique.

Rádio Táxis de Lisboa – ℘ *218 11 90 00.*

Teletáxi – ℘ *218 11 11 00.*

TRANSPORTS EN COMMUN

Voir plan du réseau p. 104-105.

Dans une ville au relief accidenté comme Lisbonne, les transports en commun se révèlent un moyen de locomotion pratique et parfois ludique (tramways, funiculaires et ascenseurs, ces deux derniers appelés *elevadores*).

Le métro d'une part et les bus, tramways et funiculaires d'autre part sont gérés par des compagnies différentes. Aussi les billets ne peuvent-ils être indifféremment utilisés sur l'un ou l'autre réseau.

Informations – Rens. concernant les bus, tramways et funiculaires : ℘ *213 61 30 00 - www.carris.pt.* Brochures gratuites dans les offices de tourisme *(voir plus haut).*

Horaires – Bus et tramways fonctionnent en règle générale de 7h à 1h du matin (0h pour les trams), avec une fréquence de 10 à 15mn jusqu'à 21h30. Le dernier départ du bus n° 745 (Cais do Sodré, Baixa, av. da Liberdade, etc.) s'effectue à 1h55. Les funiculaires s'arrêtent vers 23h. Le métro fonctionne de 6h30 à 1h du matin.

Titres de transport – Les tickets en papier ont disparu de Lisbonne, remplacés par des cartes magnétiques rechargeables (0,50 €).

La carte rechargeable **Viva Viagem**, en vente dans les stations de métro, à la poste, à la Casa da Sorte (Rossio) et dans certains kiosques, peut être utilsée dans le métro et dans tout le réseau Carris, à condition de choisir le chargement multimodal (« zapping »). À défaut, si vous demandez des trajets métro uniquement, vous devrez les utiliser en totalité avant de pouvoir charger des trajets Carris sur la carte, et inversement. Un trajet unique en métro vous coûtera 0,75 €. Tarifs dégressifs en fonction du nombre de trajets chargés.

Le même système existe pour le réseau Carris, valable uniquement dans les bus, trams et funiculaires, en vente à la Casa da Sorte et dans certains kiosques. Il est néanmoins toujours possible d'acheter un trajet à l'unité (1,35 €) à bord (machines à pièces).

La carte rechargeable **7 Colinas** (3,50 €/j) permet d'emprunter de façon illimitée pendant une journée le métro, les bus, les trams et les funiculaires.

Pour un séjour de quelques jours à Lisbonne, et si vous avez l'intention de faire beaucoup de visites, la Lisboa Card peut s'avérer la plus intéressante (voir p. 148).

Elevadores (funiculaires) – Elevador da Bica : R. de S. Paulo/Largo do Calhariz ; Elevador da Glória : Restauradores/São Pedro de Alcântara ; Elevador do Lavra : Largo da Anunciação/R. da Câmara Pestana ; Elevador de Santa Justa : R. de Santa Justa (point de vue).

Autocarro (autobus) – Principales lignes : n° 745 (Prior Velho/Cais do Sodré) ; n° 83 (Portela/Cais do Sodré) ; n° 746 (Santa Apolónia/Damaia) ; n° 15 (Cais do Sodré/Sete Rios) ; n° 43 (Praça Figueira/Buraca).

Métro – www.metrolisboa.pt. Les stations de métro sont identifiées sur les plans de ce guide, et un plan se trouve p. 104-105. Le réseau comprend quatre lignes : Azul (Santa Apolónia/Amadora Este), Amarela (Odivelas/Rato), Verde (Cais do Sodré/Telheiras) et Vermelha (Oriente/Alameda). La majorité des stations sont aménagées pour les personnes handicapées.

👁 **Bon à savoir** – Certaines stations ont été décorées d'**azulejos** d'artistes portugais connus (voir encadré p. 68).

Eléctricos (tramways) – Les vieux tramways sont un des charmes incontournables de Lisbonne et une manière agréable de découvrir la ville à travers ses collines. Ils sont peu à peu remplacés par d'autres, plus modernes.

Deux lignes desservent de nombreux musées et monuments :

n° 15 (Praça da Figueira/Algés) : praça do Comércio – musée des Carrosses – monastère des Hiéronymites (Jerónimos) – musée national d'Archéologie – musée de la Marine – monument des Découvertes – tour de Belém.

n° 28 (Martim Moniz/Prazeres) : église São Vicente de Fora – musée des Arts décoratifs – château São Jorge – cathédrale – Baixa – musée du Chiado – largo do Chiado – São Bento – basilique d'Estrela.

Handicapés – Bus et tramways ne sont pas aménagés pour les **handicapés**, mais un service de porte à porte est assuré en minibus pour le prix des transports en commun. Il faut réserver cependant au moins deux jours à l'avance : 📞 217 58 56 76 (7h-0h).

Visites

Bus ou tramway – Carristur - Praça do Comércio - 📞 966 29 85 58 - www.carristur.pt. Deux circuits en bus (14 €) : vers le nord, le Parc des Nations et retour le long de l'estuaire côté est ; Belém. Deux circuits en tramway rouge (17 €) : Alfama, Mouraria, Graça ; Chiado et quartiers de l'ouest.

Croisières sur le Tage – D'avr. à oct., plusieurs compagnies proposent des croisières au départ des stations fluviales de Terreiro do Paço (en face de la praça do Comércio), de Belém et d'Alcântara. **Transtejo** – 📞 808 20 30 50 - www.transtejo.pt - avr.-oct. : dép. estação fluvial Terreiro do Paço tlj à 15h - 20 € (enf. 6-12 ans 10 €). Croisières de deux heures, de la tour de Belém au Parc des Nations.

Se loger

DANS LA BAIXA

🛏 **Pensão Imperial** – **Plan II** - Praça dos Restauradores, 78-4° - 📞 213 42 01 66 - ⊟ - 17 ch. 30/45 €. Situation centrale et prix raisonnables pour cette pension de la praça dos Restauradores, à la façade couverte d'azulejos. Il s'agit d'un grand appartement aux 4e et 5e étages sans ascenseur. Les chambres donnant sur la place, quoiqu'un peu bruyantes, sont assez charmantes avec leur balconet ; celles du 5e, mansardées, sont plus petites. Sanitaires parfois un peu vétustes.

🛏 **Pensão Pérola da Baixa** – **Plan II** - R. da Glória, 10-2° - 📞 213 46 28 75 - ⊟ - 11 ch. 20/35 €. Une pension centrale très simple pour petits budgets, en contrebas du Bairro Alto, quartier de prédilection des noctambules. Les chambres sont désuètes à souhait avec leur lot de napperons, dessus-de-lit au crochet et statuettes pieuses.

🛏🛏 **Pensão Duas Nações** - **plan II** - R. da Vitória, 41 - 📞 213 46 07 10 - www.duasnacoes.com - 20 ch. 55/75 € ⊟. Cette agréable pension située dans une rue piétonne près de la praça do Comércio occupe un bel édifice reconnaissable aux multiples drapeaux qui ornent sa façade. Les chambres du 3e étage possèdent un petit balcon. Agréable salle de petit-déjeuner ornée de panneaux d'azulejos.

🛏🛏 **Portugal** – **Plan II** - R. João das Regras, 4 - 📞 218 87 75 81 - www.hotelportugal.com - ⊟ - 59 ch. 60/70 € ⊔. Très central, ce grand hôtel offre des chambres spacieuses et confortables décorées de meubles anciens. Accès Internet pour les clients. Sans conteste, un service hôtelier de qualité.

🛏🛏🛏 **Lisboa Tejo** – **Plan II** - R. dos Condes de Monsanto, 2 - 📞 218 86 61 82 - www.evidenciahoteis.com - ⊟ - 51 ch. 85/120 € ⊔. Proche de la praça da Figueira, cet hôtel entièrement rénové par des designers portugais met à votre disposition des chambres confortables et très joliment décorées. Malgré le double vitrage, les chambres sur rue sont un peu bruyantes. Salle de petit-déjeuner agréable.

🛏🍴💰 **Metropole** – **Plan II** - *Praça Dom Pedro IV, 30 (Rossio)* - ☎ 213 21 90 30 - *metropole@almeidahotels.com* - 📧 - *36 ch. 145/190 €* 🍴. Très bien situé sur la place animée du Rossio, le Metropole offre des chambres classiques et confortables dans un bel immeuble du début du siècle. Intérieur agréable et spacieux. Vues splendides sur le château São Jorge depuis le salon et les chambres donnant sur la colonne.

DANS LE CHIADO

🛏 **Pensão Estrela do Mondego** – **Plan II** - *Calçada do Carmo, 25 2º Esq* - ☎ 213 24 08 40 - 🖶 - *10 ch. 25/40 €*. Les chambres de cette pension bien située, dans un grand appartement proche de la gare du Rossio, sont agréables et disposent de l'air conditionné. Minuscules salles de bain pourvues de cabines de douche. Accueil sympathique. Un bon rapport qualité-prix.

🛏🍴💰 **Lisboa Regency Chiado** – **Plan II** - *R. Nova do Almada, 114* - ☎ 213 25 61 00 - *www.lisboaregencychiado. com* - 📧 - 🅿 - *40 ch. 178/398 €* 🍴. Installé tout en haut de la galerie commerçante Armazéns do Chiado, cet hôtel conçu par le célèbre architecte Álvaro Siza et décoré avec goût dans un style oriental-portugais offre tout le confort moderne et des chambres avec des vues magnifiques sur le Tage, le château et la ville.

🛏🍴💰 **Bairro Alto Hotel** – **Plan II** - *Praça Luís de Camões, 2* - ☎ 213 40 82 88 - *www.bairroaltohotel.com* - 📧 🅿 ✕ - *51 ch. 230/590 €* 🍴. Situé sur la jolie place Luís de Camões, cet hôtel luxueux qui occupe l'ancien Grand Hôtel de l'Europe, où séjournait Sarah Bernhardt, a totalement été restauré en 2005. Ses superbes chambres sont à la fois très confortables et décorées avec raffinement. Au 6e étage, terrasse qui donne sur les toits de Lisbonne. Salle de fitness.

DANS LE BAIRRO ALTO

🛏 **Residencial Alegria** – **Plan II** - *Praça da Alegria, 12* - ☎ 213 22 06 70- *www. alegrianet.com* - 📧 - *35 ch. 38/58 €* 🍴. Un hôtel charmant avec sa façade pimpante jaune clair et ses balcons fleuris donnant sur la praça da Alegria, entre l'avenida de la Liberdade et Príncipe Real qui borde le Bairro Alto. Demandez de préférence les chambres du dernier étage, plus calmes. Tenue exemplaire et bon rapport qualité-prix. Il est prudent de réserver à l'avance.

🛏🍴 **Residência Roma** – **Plan II** - *Travessa da Glória, 22 A* - ☎ 213 46 05 57/8/9 - *www.residenciaroma.com* - 📧 - *24 ch. 50/70 €* 🍴. Avec cette adresse proche de l'avenida da Liberdade, vous aurez tous les avantages du centre-ville

sans en subir le bruit. Ses chambres refaites à neuf sont particulièrement spacieuses et lumineuses. Possibilité de louer de petits appartements bien conçus avec kitchenette.

🛏🍴 **Pensão Londres** – **Plan II** - *R. D. Pedro V, 53-1º* - ☎ 213 46 87 39 ou 213 46 22 03 - *www.pensaolondres. com.pt* - *40 ch. 48/95 €* 🍴. Cette pension occupe quatre étages d'un bel immeuble à la lisière du Bairro Alto. Certaines chambres ont des plafonds d'origine et de belles vues sur le château São Jorge et le ponte 25 de Abril. Évitez les quelques chambres sans fenêtre extérieure. Un établissement bien situé et soigné qui offre des prix raisonnables.

🛏🍴💰 **Casa de S. Mamede** – **Plan II** - *R. da Escola Politécnica, 159* - ☎ 213 96 31 66 - *www.saomamede.web.pt* - 📧 - *28 ch. 85/100 €* 🍴. Cet hôtel de charme installé dans une maison du 18e s. ressemble à une demeure de famille avec ses azulejos et son mobilier d'époque. C'est dire s'il est à sa place dans ce quartier des antiquaires proche de Príncipe Real et du jardin botanique ! Une adresse rare et abordable.

DANS L'ALFAMA

🛏 **Pensão Ninho das Águias** – **Plan Alfama** - *Costa do Castelo, 74* - ☎ 218 85 40 70 - 🖶 - *16 ch. 35/50 €*. Perchée sur la colline du château, une jolie villa au calme qui offre des chambres avec ou sans salle de bain, certaines pourvues d'un balcon plongeant sur la cathédrale. Évitez les chambres de l'entresol (201 à 203), un peu sombres. De la grande terrasse, vue superbe sur la ville. De là, vous pourrez partir directement à l'assaut du Castelo São Jorge ou de l'Alfama. Café tout proche pour le petit déjeuner.

🛏🍴💰 **Palácio Belmonte** – **Plan Alfama** - *Páteo Dom Fradique, 14* - ☎ 218 81 66 00 - *www.palaciobelmonte. com* - 📧 - 🏊 - *11 suites 350/1 200 €* 🍴. Un rêve éveillé : voilà ce qu'évoque ce palais du 17e s. perché sur la colline du château et restauré par un couple franco-portugais avec le concours des Monuments historiques de Lisbonne. Bâti sur la plus haute partie des remparts, il jouit d'une vue unique, dont profite pleinement la suite Himalaya avec son panorama de 360° à couper le souffle. Terrasses privatives et piscine de marbre noir : l'adresse est définitivement exceptionnelle !

DANS GRAÇA

🛏🍴💰 **Albergaria Senhora do Monte** – **Plan I** - *Calçada do Monte, 39* - ☎ 218 86 60 02 - *senhoramonte.blogspot. com* - 📧 - *28 ch. 110/175 €* 🍴. Presque toutes les chambres de cet hôtel moderne situé dans le quartier résidentiel de Graça jouissent d'un point de vue imprenable sur la ville, les trois meilleures d'entre elles comportant une terrasse (prix plus élevé). On y accède par le tramway n° 28 ou bien en taxi, l'établissement étant assez excentré. Si vous n'y résidez pas, vous pourrez toutefois apprécier la vue depuis le bar du dernier étage. Accès Internet.

DANS BELÉM

☎ **Pensão Residencial Setubalense** – **Plan Belém** - *R. de Belém, 28* - ☎ *213 63 66 39* - *www.pensaosetubalense.pt* - 🖳 - *30 ch. 40/45 €* 🛏. Pour les visiteurs qui préfèrent résider dans le quartier élégant de Belém, cette pension située près du célèbre monastère des Jerónimos est une bonne solution. Occupant un bel immeuble à la façade rose, elle offre des chambres simples et bien tenues.

DANS LES QUARTIERS NORD

☎🖳🛎 **NH Liberdade** – **Plan II** - *Av. da Liberdade, 180 B* - ☎ *213 51 40 60* - *www. nh-hotels.com* - 🖳 🅿 ✕ ☒ - *83 ch. 125/275 €* 🛏. Les amateurs de raffinement et d'horizon dégagé ne manqueront pas de s'arrêter à cet hôtel ultramoderne installé sur la principale avenue de Lisbonne dans le petit centre commercial Tivoli Forum. Sur le toit, piscine et terrasse panoramique avec vue imprenable sur toute la ville et le Tage. Chambres spacieuses décorées dans un esprit minimaliste. Chic et design.

☎🖳🛎 **Britânia** – **Plan II** - *R. Rodrigues Sampaio, 17 - Estrela* - ☎ *213 15 50 16* - *www.heritage.pt* - 🖳 *- 32 ch. 175/251 €* - 🛏 *14 €*. Grâce à une rénovation réussie qui lui a rendu son élégante physionomie des années 1940, cet hôtel de renom, conçu par Cassiano Branco (architecte de l'Éden Teatro, praça dos Restauradores), est à la fois charmant et confortable. Ses chambres spacieuses et calmes, décorées avec goût, sa localisation pratique et son atmosphère « rétro » font du Britânia une heureuse trouvaille.

DANS LES QUARTIERS OUEST

☎🖳🛎 **As Janelas Verdes** – **Plan Estrela-Lapa** - *R. das Janelas Verdes, 47 - Lapa* - ☎ *213 96 81 43* - *www.heritage.pt* - 🖳 *- 29 ch. 194/299 €* - 🛏 *14 €*. Près du musée d'Art antique, cette belle maison du 18e s. a été transformée en hôtel accueillant et confortable, décoré de touches personnelles. Les chambres sont un peu étroites et celles donnant sur la très fréquentée rua das Janelas Verdes à éviter si l'on craint le bruit. À l'arrière, petit jardin dans un patio où l'on prend le petit-déjeuner en été. Accès Internet.

Se restaurer

Lisbonne regorge d'un nombre incalculable de **tasquinhas**, ces gargottes très fréquentées où les Lisboètes ont leurs habitudes : café et pâtisserie au comptoir avant d'aller travailler, déjeuner rapide (plat du jour, beignets...). Une option économique pour le petit-déjeuner ou le déjeuner, et un bon moyen d'observer la vie locale.

DANS LA BAIXA

☎ **Casa do Alentejo** - **Plan II** - *R. das Portas de Santo Antão, 58* - ☎ *213 40 51 40* - *env. 15 €*. Dans ce lieu atypique *(voir p. 107)*, un escalier dessert les salons, le fumoir et le restaurant, dont les murs sont tapissés d'azulejos évoquant les travaux des champs dans l'Alentejo. La cuisine, copieuse et rustique, comprend des plats du jour et des classiques tels que le porc aux palourdes ou les *migas* (beignets de pain au saindoux). Le dimanche après-midi, bal et concert.

DANS LE CHIADO

☎ **Leitaria Académica** - **Plan II** - *Largo do Carmo* - ☎ *213 46 90 92* - *lun.-sam.* - 🖳 - *env. 10 €*. Une agréable terrasse sur la place de l'église do Carmo, une petite salle ancienne aux plafonds moulurés, une cuisine portugaise simple et un accueil sympathique : voici une adresse parfaite pour déjeuner.

☎ **Sacramento** – **Plan II** - *Calçada do Sacramento, 40/46* - ☎ *213 42 05 72* - *lun.-sam. jusqu'à 0h (2h pour le bar)* - 🖳 - *15/20 €*. Installé dans l'ancienne annexe de la Confeitaria Nacional *(voir « Faire une pause »)*, cet établissement du Chiado comprend trois agréables espaces sur différents niveaux : un restaurant, un salon de thé-cafétaria et un bar. Cuisine portugaise et méridionale, *petiscos* (tapas). Concerts le samedi soir.

☎ **Café Bueno Aires** - **Plan II** - *Escadinhas do Duque, 31 B* - *lun.-sam. 18h-1h* - ☎ *213 42 07 39* - 🖳 - *15/20 €*. Au coucher du soleil, la petite terrasse installée dans les escaliers menant du Rossio au Bairro Alto offre une belle vue sur le château. En salle règne une atmosphère chaleureuse et un peu bohème. Au menu, des spécialités d'Argentine, dont la fameuse viande de bœuf, des salades et des tartines.

☎🖳🛎 **Tavares Rico** – **Plan II** - *R. da Misericórdia, 37* - *fermé sam. midi et dim.* - ☎ *213 42 11 12* - 🖳 - *76/85 €*. Voici le plus vieux restaurant de Lisbonne, ouvert en 1784. Ce grand classique propose une cuisine internationale traditionnelle servie avec style dans un richissime décor fin de siècle. Self-service à l'étage (appelé « Tavares pobre », c'est-à-dire le pauvre), et salon de thé juste à côté.

DANS LE BAIRRO ALTO

☎ **O Adamastor** - **Plan II** - *R. Marechal de Saldanha, 24* - ☎ *213 47 17 26* - *fermé dim.* - *9 €*. Près du belvédère de Santa Catarina, où trône la statue du monstre Adamastor *(voir p. 115)*, cette drôle de petite terrasse en pointe à la croisée de trois rues en pente du Bairro Alto offre un poste privilégié pour observer la vie de ce quartier populaire. Dans l'assiette, une cuisine simple et typiquement portugaise (plats du jour) pour déjeuner à petit prix.

☎ **Bota Alta** – **Plan II** - *Travessa da Queimada, 35-37* - ☎ *213 42 79 59* - *réserv. conseillée* - *fermé dim.* - *12/20 €*.

Effervescence en salle où les serveurs s'affairent, une file d'attente qui s'allonge dehors : le succès est toujours au rendez-vous pour ce restaurant du Bairro Alto spécialisé dans la morue.

🍽️ **Pap'Açorda** – Plan II - *R. da Atalaia, 57 - ☎ 213 46 48 11 - réserv. conseillée - fermé dim. et lun. - 15/50 €.* Un must du Bairro Alto : une très bonne cuisine, dont la fameuse *açorda* bien sûr, dans un décor design théâtral animé par les célébrités de Lisbonne.

DANS L'ALFAMA

🍽️ **Pateo 13** – Plan Alfama - *Calçadinha de Santo Estêvão, 13 - ☎ 218 88 23 25 - 12 €.* Dans le dédale de ruelles de l'Alfama, une jolie placette occupée par un restaurant typique et très couleur locale. On s'attable ici en toute simplicité pour manger des grillades de poisson ou de viande. Ambiance animée et conviviale assurée.

🍽️ **Mesa de Frades** – Plan Alfama - *R. dos Remédios, 139 A - ☎ 218 87 14 52 - fermé lun. - 18/23 €.* Cette ancienne chapelle vous accueille dans ses murs ornés d'azulejos anciens pour savourer une cuisine brésilienne ou typiquement portugaise. Sa terrasse idéalement située vous permettra d'observer la vie du quartier. Fado les mar., merc. et vend.

🍽️ **Santo António de Alfama** – Plan Alfama - *Beco de São Miguel, 7 - ☎ 218 88 13 28 - fermé mar. - réserv. conseillée - 15/25 €.* Né dans le bouillon artistique de ses deux patrons, l'un pianiste et l'autre acteur, ce restaurant est fréquenté par... les artistes. Aux murs, des centaines de photos en noir et blanc de comédiens et de musiciens. Trois salles réparties en trois niveaux dans une ambiance de bistrot élégant. Cocktail du jour pour commencer la soirée, croquettes de pommes de terre et « dips » pour continuer, magret de canard et irrésistible gâteau au chocolat pour terminer.

🍽️ **Viagem de Sabores** – Plan Alfama - *R. S. João de Praça, 103 - ☎ 218 87 01 89 - viagemdesabores. restaunet.pt - lun.-sam 20h-23h (sam. 0h) - env. 20 €.* Au cœur de l'Alfama, une table élégante et chaleureuse qui propose sous la houlette d'un chef français une cuisine inventive. Salles voûtées, tableaux contemporains et tables colorées pour un voyage plein de saveurs (comme l'indique le nom du restaurant) : steak de thon à la thaïlandaise, veau à la marocaine, pamplemousse au crabe.

🍽️ **Senhora Mãe** – Plan Alfama - *Largo de S. Martinho, 6-7 - ☎ 218 87 55 99 - fermé mar., nov.-mars : soir uniquement - env. 25 €.* Sur une petite place proche du mirador Santa Luzia, un restaurant doté d'une agréable terrasse sous les arbres et d'une salle à la lumière tamisée. Cuisine soignée portugaise et méditerranéenne.

🍽️ **C@fé Taborda** – Plan Alfama - *R. Costa do Castelo, 75 - ☎ 218 87 94 84 - cafe-taborda.planetaclix.pt - réserv. conseillée - mar.-dim. 14h-0h. - 15/20 €.* Dans une atmosphère « arty », un restaurant avec une vue exceptionnelle sur la ville derrière d'immenses baies vitrées qui rappellent un atelier d'artiste. Cuisine végétarienne et spécialités de poissons. Jardin pour prendre l'apéritif sur la pelouse. Le lieu accueille également un bar, des expositions et un théâtre. Accès Internet.

DANS GRAÇA

🍽️ **Via Graça** – Plan I - *R. Damasceno Monteiro, 9 B - ☎ 218 87 08 30 - www. restauranteviagraca.com - fermé sam. midi et dim. midi - 36/44 €.* Situé en contrebas du belvédère de Nossa Senhora do Monte, ce restaurant raffiné au décor contemporain offre de magnifiques vues sur le château São Jorge et le centre-ville. Cuisine traditionnelle portugaise. Une bonne adresse pour une soirée intime.

LE LONG DU TAGE

🍽️ **Alcântara Café** – Plan I - *R. Maria Luisa Holstein, 15 - Alcântara - ☎ 213 62 12 26 - www.alcantaracafe.com - tous les soirs 20h-1h - env. 35 €.* Vaste café-restaurant à l'étonnant décor industriel et baroque situé dans une ancienne fabrique de la zone portuaire (accès dans une rue sombre, un peu difficile à trouver). Cuisine portugaise et internationale. Le lieu communique avec la discothèque Alcântara-Mar et attire une clientèle jeune, élégante et branchée.

🍽️ **Café Malaca** – Plan I - *Cais dos Gas (derrière la gare de Cais do Sodré) - ☎ 967 10 41 42 - fermé dim. midi et lun. - 20/30 € - réserv. conseillée.* Au premier étage du Clube Naval, un petit restaurant qui offre une cuisine aux influences asiatiques. Délicieuses crêpes vietnamiennes et mousse à la mangue anthologique. Accueil chaleureux. Boutique d'artisanat.

DANS BELÉM

🍽️ **O Caseiro** – Plan Belém - *R. de Belém, 35 - ☎ 213 63 88 03 - fermé août et dim. - env. 15 €.* Décor hétéroclite dans lequel sont suspendus oignons et gousses d'ail à côté de billets de banque de toutes nationalités. Cuisine portugaise typique.

DANS LE CAMPO PEQUENO

🍽️ **O Funil** – Plan I - *Av. Elias Garcia, 82 A - ☎ 217 96 60 07 - www.ofunil.com - fermé dim. soir et jours fériés - env. 30 €.* La morue façon « Funil » est l'une des spécialités de cette table élégante et incontournable de Lisbonne. Bonne carte des vins.

DANS LES QUARTIERS OUEST

🍽️ **Os Tibetanos** – Plan Estrela-Lapa - *R. do Salitre, 117 - ☎ 213 14 20 38 - www. tibetanos.com - réserv. conseillée - fermé w.-end et j. fériés - 10/16 €.* Dans un immeuble adjacent au jardin botanique, qui accueille également une école de bouddhisme tibétain et une boutique/librairie, ce petit restaurant propose une cuisine végétarienne d'inspiration tibétaine à des prix très raisonnables. Jolie cour intérieure.

⊖ **Pão de Canela** – Plan Estrela-Lapa - *Praça das Flores, 25/29 - ℘ 213 97 22 20 - paodecanela.com -7h-22h - 8/18 €*. Petit-déjeuner ou brunch en terrasse, déjeuner léger ou goûter dans un décor de bois clair, le tout à base de cocktails de fruits, de feuilletés ou de quiches : toutes les formules sont possibles dans ce restaurant-salon de thé idéalement situé à l'ombre de la praça das Flores, à la lisière du Bairro Alto.

⊖⊖ **Comida de Santo** – Plan Estrela-Lapa - *Calçada Engenheiro Miguel Pais, 39 - ℘ 213 96 33 39 - www.comidadesanto. pt -⊟ - 20/35 €*. À côté de Príncipe Real, une bonne table brésilienne. Au menu, la cuisine régionale du nord-est du Brésil sans oublier l'incontournable *feijoada* nationale. Plats particulièrement copieux et savoureux. Une clientèle d'habitués dans un cadre simple mais élégant.

⊖⊖ **Picanha** – Plan Estrela-Lapa - *R. das Janelas Verdes, 96 - Lapa - ℘ 213 97 54 01 - fermé le midi w.-end et j. fériés - ▥ - env. 20 €*. À deux pas du musée d'Art antique, une table brésilienne pour carnivores au bel appétit ! Ici on mange à volonté la délicieuse *pincanha*, servie avec du riz et des haricots noirs.

⊖⊖ **Porco Preto** – Plan Estrela-Lapa - *R. Marcos Portugal, 5 - ℘ 213 96 48 95 - reservas@porcopreto.com - fermé dim. - réserv. conseillée - env. 20 €*. Sur la ravissante praça das Flores, dans un cadre design raffiné, une excellente table et un concept unique à Lisbonne : une carte conçue exclusivement autour du fameux porc noir d'Alentejo (l'équivalent du *pata negra* espagnol). Au menu : jambon cru et viande grillée. Une cuisine simple pour mettre en valeur la qualité exceptionnelle du produit. Atmosphère intimiste.

⊖⊖⊟ **Casa da Comida** – Plan Estrela-Lapa - *Travessa das Amoreiras, 1 - Estrela - ℘ 213 88 53 76 -www.casadacomida.pt - ▥ -fermé lun. midi, sam. midi et dim. - 40/65 €*. Ce restaurant soigné et élégamment aménagé dans une cour verdoyante avec une fontaine couverte d'azulejos offre une cuisine raffinée et inventive. Une des meilleures tables de la ville.

À ALMADA

⊖⊖ **Ponto Final** – Plan I - *Cais do Ginjal, 72 (Cacilhas) - 2800-284 Almada - Prendre le bateau à Cais do Sodré ou Terreiro do Paço ; à l'embarcadère, tourner tout de suite à droite et longer les quais jusqu'au bout (15mn de marche) - ℘ 212 76 07 43 -⊟ - fermé mar. et fin déc.-fin janv. - 16/25 €*. Vous aurez le sentiment d'être au bout du monde avec Lisbonne tout entière face à vous. Allez-y de préférence le soir pour contempler la ville de nuit. On dîne directement sur la jetée, au bord du Tage. Cuisine traditionnelle excellente : poissons et viandes grillés, beignets de morue et riz mijoté *(carapauzinhos con arroz de tomate, pataniscas com arroz de feijão)*. Une belle carte des vins. Ambiance sympathique et situation magique.

Faire une pause

DANS LA BAIXA

Confeitaria Nacional – *Praça da Figueira, 18 B/C - ℘ 213 42 44 70 - www.confeitarianacional.com - lun.-sam. 8h-20h*. Temple de la gourmandise depuis 1829, cette adresse vaut autant le détour pour ses pâtisseries que pour son décor, d'époque. Restaurant et snack au 1er.

Pastelaria Suíça – *Praça Dom Pedro IV, 100 - Rossio - ℘ 213 214 090 - www.casasuica.pt - 7h-21h*. L'un des endroits les plus fréquentés de la Baixa et un bon point de rencontre. Terrasses côté Rossio et côté praça da Figueira, d'où l'on peut admirer le château São Jorge. Petits en-cas, excellents jus de fruits et pâtisseries.

DANS LE BAIRRO ALTO

Panificação Reunida de S. Roque – *R. D. Pedro V, 57 B - ℘ 213 22 43 56*. Ses carreaux aux motifs floraux stylisés des Années folles donnent un charme tout particulier à cette boulangerie-pâtisserie dans laquelle vous pourrez déguster un bon café, savourer des douceurs et bien sûr acheter votre pain, présenté dans de grands paniers derrière le comptoir.

Doce Real – *R. D. Pedro V, 119-121 - ℘ 213 46 59 23 - fermé sam. après-midi et dim*. Ce sympathique et minuscule café situé en bordure du Bairro Alto, entre Príncipe Real et la rua da Rosa, offre juste assez d'espace pour prendre au comptoir un *galão* et une pâtisserie. Possibilité de déjeuner sur le pouce (plats cuisinés, beignets de morue ou de crevettes...).

DANS BELÉM

Antiga Confeitaria de Belém - Fábrica dos Pastéis de Belém – *R. de Belém, 84/8 - www.pasteisdebelem.pt - 8h-23h30*. Les petits gâteaux de Belém, appelés *pastéis de nata*, attirent en masse les Lisboètes et les touristes gourmands. C'est ici que ces petits flans sont fabriqués (la recette originale est jalousement gardée) dans les anciens fours qui leur donnent ce goût tant apprécié. Vous pouvez en emporter par boîtes de six ou bien les déguster chauds sur place dans une des salles décorées d'azulejos. Une institution à Lisbonne.

En soirée

DANS LA BAIXA

Café Nicola – *Praça Dom Pedro IV, 25 - 10h-19h - ℘ 213 46 05 79*. C'est ici que la première portugaise osa mettre fin à l'exclusivité masculine dans les cafés. Historiquement lié à bien d'autres événements, ce café, qui organise de mai à juillet des concerts de jazz, est un haut lieu de Lisbonne.

Ginginha do Rossio – *Largo de São Domingos, 8 - 9h-23h.* Après vos pérégrinations dans la Baixa, à l'heure de l'apéritif, allez boire un verre de *ginginha* (eau-de-vie de cerise) au comptoir ou sur le trottoir ! C'est ici que le fameux breuvage fut mis au point en 1840.

DANS LE CHIADO

A Brasileira – *R. Garrett, 120 -* ☎ *213 46 95 41 - 8h-2h.* Ce café mythique de Lisbonne est un lieu de rencontre des artistes, stylistes de mode et des touristes qui se prennent en photo avec Pessoa, attablé à la terrasse dans son habit de bronze. À l'intérieur, atmosphère feutrée (boiseries sombres, plafonds peints).

Café No Chiado – *Largo do Picadeiro, 10-12 -* ☎ *213 46 05 01 - www. cafenochiado.com - 11h-2h.* Près du teatro S. Carlos, l'agréable terrasse invite à prendre un verre. Vous pourrez aussi déguster la meilleure mousse de mangue de Lisbonne, faite maison s'il vous plaît.

DANS LE BAIRRO ALTO

Frágil – *R. da Atalaia, 126-8 -* ☎ *213 46 95 78 - www.luxfragil.com - lun.-sam. 23h-4h.* Véritable institution de la nuit lisboète. Le décor de ce bar-discothèque est toujours unique et change environ tous les trois mois. Clientèle « branchée » d'habitués de la nuit.

Hot Clube – *Praça da Alegria, 39 -* ☎ *213 46 73 69 - mar.-sam. 22h-2h ; concerts 23h et 0h30 - www.hcp.pt.* La plus ancienne cave de jazz de Lisbonne reçoit des groupes, souvent de renommée internationale, les vendredi et samedi.

Pavilhão Chinês – *R. Dom Pedro V, 89 - lun.-sam. 18h-2h, dim. 21h-2h.* Ancienne épicerie transformée depuis 1986 en bar, dont les murs sont couverts de vitrines exposant une abondante collection d'objets en tout genre : soldats de plomb, gravures contemporaines, céramiques humoristiques, maquettes d'avions de guerre. Vous pourrez également faire une partie de billard dans la salle du fond.

DANS L'ALFAMA

Chapitô – *R. Costa do Castelo, 7 -* ☎ *218 86 73 34/218 86 73 34 - www.chapito.org.* Accroché à la colline du château, ce lieu unique pour sa vue sur Lisbonne et le Tage accueille une école des arts de la scène, une compagnie de théâtre, un bar et deux restaurants ! Le premier, en plein air, est idéal pour déguster quelques *petiscos* (tapas) au coucher du soleil, lorsque le pont 25-de-Abril scintille. L'autre, le Restô, offre des plats plus élaborés, et un panorama exceptionnel dont vous paierez néanmoins le prix *(lun.-vend. 19h30-2h, w.-end et j. fériés 12h-2h - env. 30 €).* Enfin, le Bartô permet de prolonger la soirée, avec des concerts et des événements culturels réguliers *(mar.-dim. 22h-2h).*

LE LONG DU TAGE

Kapital – *Av. 24 de Julho, 68 - 22h30-4h - fermé lun. et merc.* Cette boîte de nuit

située dans les anciens docks est appréciée de nombreux jeunes Lisboètes. Décor élégant et lumineux sur trois étages, avec terrasse au dernier.

Lux – *Av. Infante D. Henrique, Armazém A (cais da Pedra - Santa Apolónia) - Docas - www.luxfragil.com - mar.-jeu. 18h-4h, vend.-sam. 18h-7h.* Créé par l'ancien propriétaire du légendaire Frágil, c'est actuellement l'un des endroits les plus branchés de Lisbonne. Installé dans un ancien entrepôt *(armazém)* face à la gare de Santa Apolónia, il offre une terrasse sur le Tage. L'espace du premier étage ouvre à partir de 16h pour le thé. Ambiance « cocktail lounge » le soir, avec des sièges et des tables années 1960 (que l'on peut acheter). Accès à la discothèque située au-dessous, ouverte du jeudi au samedi, à partir de 0h.

Divertissements et Spectacles

INFORMATIONS

Publications – L'*Agenda Cultural LX* est une publication mensuelle de la mairie de Lisbonne, contenant le calendrier de tous les événements culturels de la capitale (en portugais uniquement). Distribution gratuite dans les principaux bureaux de tourisme, hôtels et kiosques ou sur Internet : www.agendalx.pt.

Autre publication mensuelle bilingue (espagnol/anglais), *Follow me Lisboa* répertorie les événements culturels en cours, liste les sites culturels de Lisbonne et les adresses d'hébergement et de restauration. Distribution gratuite dans les lieux touristiques.

Un certain nombre de publications, vendues en kiosque, rendent compte assez largement des événements culturels à Lisbonne et dans le reste du pays, par exemple : *O Público* (journal quotidien) et *O Expresso* (journal hebdomadaire).

ABEP – *Praça dos Restauradores -* ☎ *213 47 58 24.* Ce kiosque assure la vente des billets pour différents spectacles : théâtre, sports, concerts, etc. Également sur www. ondaticket.com.

ÉCOUTER DU FADO

Dans le Bairro Alto

Adega do Machado – *R. do Norte, 91 -* ☎ *213 22 46 40 - www.adegamachado. web.pt - mar.-dim. 20h-3h.* Bon spectacle folklorique en début de soirée, suivi de fado de Lisbonne ou de Coimbra, dans cette maison fondée en 1937.

Adega do Ribatejo – *R. do Diário de Notícias, 23 -* ☎ *213 46 83 43 - 21h-0h.* Une ambiance familiale et animée pour une authentique maison de fado.

O Faia – *R. da Barroca, 54/56 -* ☎ *213 42 19 23 - www.ofaia.com - lun.-sam. 20h-2h.* Un cadre chaleureux, avec panneaux d'azulejos sur le thème du fado, pour dîner en écoutant un authentique fado de Lisbonne.

Dans les quartiers ouest

Senhor Vinho – *R. Meio Lapa, 18 - Lapa -* ✆ *213 97 26 81 - www.restsrvinho.com - lun.-sam. 20h-2h - fado à 21h30.* Fado raffiné et traditionnel qui compte avec la participation de célèbres fadistes. Cuisine portugaise typique et remarquable carte de vins portugais.

Timpanas – *R. Gilberto Rola, 24 - Alcântara -* ✆ *213 90 66 55 - www.timpanas. pt - tlj sf mar. 20h30-2h - spectacle à 21h30.* On peut y entendre de l'excellent fado. Spectacles folkloriques en début de soirée.

ASSISTER À UNE TOURADA

Praça de Touros do Campo Pequeno – *Av. da República -* ✆ *217 93 24 42 - mai-oct. : jeu. à partir de 22h - billets sur place le jour même ou à l'avance.* Les arènes (*voir p. 138*), qui comprennent des cafés et des restaurants, accueillent aussi des concerts toute l'année.

SPECTACLES

Dans la Baixa

Coliseu dos Recreios – *R. das Portas de Sto. Antão, 96 -* ✆ *213 24 05 80 - www. coliseulisboa.com.* Cette immense salle, restaurée en 1994, accueille opéras, concerts et spectacles en tout genre.

Teatro Nacional D. Maria II – *Praça D. Pedro IV -* ✆ *213 25 08 35 - www.teatro-dmaria.pt.* Programmation classique et variée.

Dans le chiado

Teatro da Trindade – *Largo da Trindade, 7 -* ✆ *213 42 00 00 - www.teatrotrindade. inatel.pt.* Pièces de théâtre populaire.

Teatro Nacional de S. Carlos – *Largo de São Carlos -* ✆ *213 25 30 45 - www. saocarlos.pt.* Opéras, ballets et concerts de musique classique.

Dans le Bairro Alto

Teatro Municipal São Luís – *R. António Maria Cardoso, 38 -* ✆ *213 25 76 40.* Programmation traditionnelle.

Teatro Maria Vitória – *Parque Mayer - av. da Liberdade -* ✆ *213 46 17 40 - relâche lun.* Pièces d'auteurs portugais et étrangers.

Dans Belém

Centro Cultural de Belém – *Pr. do Império -* ✆ *213 61 24 00 - www.ccb.pt.* Ce centre culturel présente les meilleurs spectacles, concerts et expositions temporaires du pays. Le programme mensuel est disponible un peu partout.

Dans le Campo Pequeno

Culturgest – Caixa Geral de Depósitos – *R. do Arco do Cego -* ✆ *217 90 51 55 - www. culturgest.pt - billeterie lun.-vend. 11h-19h, w.-end 14h-20h.* Cet énorme édifice de style néoclassique, siège de la Caisse des dépôts, abrite un espace culturel doté de deux auditoriums et de deux salles d'expositions. Programmation musicale

de grande qualité, expositions d'artistes contemporains internationaux (*voir l'Agenda Cultural LX*).

Dans les quartiers nord

Grande Auditório Gulbenkian – *Av. de Berna, 45 A (près du musée) -* ✆ *217 82 30 41 - www.musica-gulbenkian.pt.*

Teatro da Comuna – *Praça de Espanha -* ✆ *217 22 17 70.* Outre la programmation de théâtre, un café-théâtre très spacieux, style bistrot, accueille chaque samedi à 22h des concerts de musique actuelle (rock, jazz, musiques du monde, etc.).

Teatro Municipal Maria Matos – *R. Frei Miguel Contreiras, 52 - Alvalade -* ✆ *218 43 88 00 - www.egeac.pt.* Pièces comiques et théâtre pour enfants.

Dans les quartiers ouest

The Lisbon Players – *R. da Estrela, 10 - Estrela -* ✆ *213 96 19 46 - www. lisbonplayers.com.pt.* Auteurs-interprètes amateurs qui jouent des pièces de théâtre, des opéras, etc. en anglais et invitent les spectateurs à y participer.

À Queluz

Escola Portuguesa de Arte Equestre – *L. Palácio National de Queluz -* ✆ *214 35 89 15 - www.cavalonet.com - représentation : mai-juil., sept.-oct. : merc. 11h.* Cette école qui perpétue la grande tradition de l'art équestre portugais, avec en particulier des pur-sang de race lusitanienne, a été fondée au 18e s. par le roi Jean V (*voir p. 145-146*).

CINÉMATHÈQUE

Cinemateca Portuguesa – *R. Barata Salgueiro, 39 -* ✆ *213 59 62 66 - www. cinemateca.pt.* Un cinéma convivial pour amateurs et cinéphiles avertis. La cinémathèque portugaise propose une programmation variée, internationale (en version originale) et de qualité. On peut y voir notamment des films portugais d'avant-garde. *Séances tous les jours à 15h30, 19h, 19h30, 21h30 et 22h, sauf le dim. - 2,50 €.* Mais le bâtiment abrite aussi, autour d'un superbe patio mauresque, un petit **musée du Cinéma** (grat.) où vous pourrez admirer d'incroyables « lanternes magiques », des expositions temporaires, une bibliothèque et une librairie.

👁 Possibilité de grignoter quelques plats rapides et des gâteaux de toutes sortes sur une magnifique terrasse.

Achats

DANS LA BAIXA

Manuel Tavares – *R. da Betesga, 1 A/B -* ✆ *213 42 42 09 - www.manueltavares. com - fermé dim.* Cette boutique située à deux pas de la praça D. Pedro IV fournit depuis 1860 les Lisboètes en produits régionaux de qualité. *Enchido, salpição, morcelas da Guarda* et autres saucisses, saucissons ou boudins y côtoient un bel éventail de fromages qui ravira les connaisseurs. Manuel Tavares possède également un grand choix de portos.

Mercado da Ribeira – *Av. 24 de Julho (face à la gare de Cais do Sodré) -* 📞 *213 24 49 80 - www.espacoribeira.pt - produits alimentaires : mar.-sam. 5h-14h, fleurs : lun.-sam. 5h-19h, artisanat : 10h-19h.* Ce vaste marché, édifié en 1882 et réhabilité en 2001, accueille au rez-de-chaussée fleurs, poissons, fruits et légumes... Et au premier étage : produits et vins régionaux, livres et artisanat, ainsi qu'un restaurant.

Vini de Portugal – 📞 *213 42 06 90 - www.viniportugal.pt - mar.-sam. 10h-20h.* Sous les arcades de la praça do Comércio, à côté du Welcome Lisboa Center, cet espace d'exposition propose des dégustations gratuites et un vaste choix de vins portugais. Également des vinaigres et des huiles d'olives.

DANS LE CHIADO

Livraria Bertrand – *R. Garrett, 73/75 -* 📞 *210 305 587 - www.bertrand.pt.* Ouverte en 1773, cette librairie et maison d'édition emblématique du quartier littéraire du Chiado est une institution.

Ana Salazar – *R. do Carmo, 87 -* 📞 *213 47 22 89 - www.anasalazar.pt - fermé dim.* Vêtements de la célèbre créatrice de mode portugaise.

Fábrica Sant'anna – *R. do Alecrim, 95 -* 📞 *213 42 25 37 - www.fabrica-santanna. com - fermé dim. apr.-midi.* Cette fabrique d'**azulejos** fondée en 1741 offre un large choix de carreaux à tous les prix. Visite des ateliers pour assister aux procédés de fabrication hérités du 18ᵉ s. *(calçada da Boa-Hora, 96 -* 📞 *213 63 82 92).*

Mousse – *R. das Flores, 41-43 -* 📞 *213 42 07 81 - www.mousse.com.pt.* Une boutique spécialisée dans le design portugais : luminaires, objets de décoration, revues tendance, vêtements aux coupes originales, etc.

Vista Alegre – *Largo do Chiado, 20-23 -* 📞 *213 46 14 01 - lun.-sam. 10h-19h.* Boutique de la manufacture Vista Alegre qui fabrique depuis 1824 de la porcelaine. Une enseigne incontournable, représentative du savoir-faire portugais et de l'histoire des arts de la table au Portugal.

DANS LE BAIRRO ALTO

Espaço Fátima Lopes – *R. da Atalaia, 36 -* 📞 *213 24 05 40 - www.fatima-lopes.com - fermé dim.* Un espace conçu par le célèbre styliste, où l'on peut acheter ses créations ou prendre un verre au café. Fréquenté par le monde de la mode.

Lena Aires – *R. da Atalaia, 96 -* 📞 *213 46 18 15 - fermé dim.* Cette styliste lisboète signe des vêtements féminins colorés, notamment des lainages aux coupes déstructurées.

DANS GRAÇA

Feira da Ladra – *Campo Santa Clara - mar. 7h-13h, sam. 7h-18h.* Marché aux puces de Lisbonne. « Feira da Ladra » signifie littéralement « Foire de la voleuse ». Vous pourrez y trouver un bric-à-brac de vêtements, d'argenterie, de meubles, de livres anciens, etc.

AU PARC DES NATIONS

Vasco da Gama – *Parque das Nações - Mº Oriente - www.centrovascodagama.pt.* Un centre commercial ludique, avec une décoration sur le thème de l'eau. Nombreuses boutiques, restaurants, aires de loisirs, salles de cinéma et terrasse panoramique.

DANS LES QUARTIERS OUEST

Amoreiras Shopping Center – *Av. Eng. Duarte Pacheco - Mº Amoreiras - Amoreiras - www.amoreiras.com.* 400 boutiques, un supermarché, une galerie d'art, des restaurants et sept salles de cinéma.

Plages

Pour passer les vacances, les week-ends ou même après le travail, les Lisboètes ont un vaste choix de plages à proximité de la capitale. Celles situées le long de la voie rapide entre Lisbonne et Cascais *(accès en train depuis Cais do Sodré)* sont moins agréables que celles que nous vous indiquons ci-dessous.

AU NORD-OUEST DE LISBONNE

Praia do Guincho – *Voir p. 147.*

Praia das Maçãs – Proche d'Azenhas do Mar, belle plage de sable fin.

Azenhas do Mar – Au pied du village blanc perché sur la falaise, cette petite plage recouverte à marée haute abrite une piscine naturelle.

Ericeira – Plage familiale à côté de la petite ville du même nom.

DE L'AUTRE CÔTÉ DU TAGE

Pour se rendre à ces plages, emprunter le pont 25-de-Abril, soit par le train jusqu'à la gare de Fogueteiro, soit en voiture (attention aux embouteillages le week-end), ou encore prendre un bateau.

Costa da Caparica – *Accès en voiture par le pont 25-de-Abril, en autocar (dép. praça de Espanha), en train (dép. des stations Entrecampos, Sete Rios ou Campolide jusqu'à Pragal + bus nº 124 ou 194) ou en bateau (dép. de la gare maritime Cais do Sodré à destination de Cacilhas, puis autobus jusqu'à Costa da Caparica). Voir description p. 146-147.*

Sesimbra – Belle plage proche de la route, bordée de restaurants spécialisés dans le poisson grillé et les fruits de mer. *Voir description p. 160.*

Portinho da Arrábida – Magnifique petite plage de sable fin abritée dans une baie. *Voir description p. 160-161.*

Événements

Voir p. 34-36.

Serra da **Arrábida**★

CARTE MICHELIN 733 Q2 ET Q3 – DISTRICT DE SETÚBAL

Ourlant le sud de la péninsule de Setúbal, la serra da Arrábida s'étend sur 6 km de large et 35 km de long, du cap Espichel à Palmela, sur la bien nommée « Costa Azul ». Le Parc naturel da Arrábida occupe 10 800 ha entre Sesimbra et Setúbal. Cette petite chaîne montagneuse attire les foules en quête de nature, Lisboètes en tête. Le versant sud de la serra tombe dans l'Océan en un abrupt de 500 m. Son rivage échancré, la couleur blanche ou ocre des falaises calcaires, le bleu de l'Atlantique, le maquis où dominent pins et cyprès, lui donnent des petits airs de littoral méditerranéen. Plusieurs criques abritent des plages. Le versant nord, aux reliefs adoucis, est tapissé de vignes, de vergers, d'oliviers ou de broussailles et de pins témoins de la végétation primitive. Les villages y sont riches et les « quintas » nombreuses.

- ▶ **Se repérer** – À 50 km au sud-ouest de Lisbonne par l'A 20, et à 120 km à l'ouest d'Évora.
- 👁 **À ne pas manquer** – Le port de Sesimbra ; la route de la corniche ; le cap Espichel.
- 🕐 **Organiser son temps** – Prévoyez une journée entière pour découvrir la serra, prendre le temps de visiter une *quinta* et profiter d'un bain de mer.
- 👫 **Avec les enfants** – Préférez la plage de Sesimbra.
- 🔥 **Pour poursuivre le voyage** – Lisbonne, Setúbal.

Circuit de découverte

AU DÉPART DE SETÚBAL
140 km – Env. une demi-journée.

Setúbal★ *(voir ce nom)*
Quitter Setúbal au nord par la N 252 et prendre, avant l'autoroute, la N 379 à gauche.

Palmela★
Ce pittoresque bourg blanc s'étage sur le versant nord de la serra da Arrábida, au pied d'une butte coiffée d'un château impressionnant.

Château★ – *Suivre la signalisation « pousada » et laisser la voiture sur le terre-plein extérieur - 9h30-18h (été 20h) - grat.* Le château, en partie aménagé en *pousada*, domine la campagne environnante.

Ce piton rocheux, site stratégique situé à mi-chemin entre les embouchures du Tage et du Sado, fut à l'origine occupé par les Maures ; il subsiste de cette époque une deuxième ligne de fortifications assez rudimentaires. Les chrétiens le prirent au 12e s. et en firent au 14e s. le siège de l'ordre de St-Jacques. À la fin du 17e s. fut érigé un ensemble de défense inspiré du système de Vauban. Lors de la visite, en prenant à gauche, on passe près des vestiges d'une ancienne mosquée transformée en église (Santa Maria), qui fut détruite lors du tremblement de terre de 1755. On atteint enfin le donjon et la place d'armes qui datent de la fin du 14e s. ; le sous-sol est occupé par la citerne qui fut fatale à l'évêque d'Évora.

Du haut du donjon *(64 marches)*, très jolie **vue★** : à l'ouest sur la serra da Arrábida ; au sud sur un alignement de moulins à vent, Setúbal, la presqu'île de Tróia et l'Atlantique ; à l'est sur la plaine de l'Alentejo ; au nord sur les toits de Palmela et, dans le lointain, Lisbonne et la serra de Sintra, par temps clair.

La fin et les moyens
En 1484, un an après l'exécution du duc de Bragance *(voir Vila Viçosa)*, le roi **Jean II** apprend l'existence d'un nouveau complot destiné à le renverser au profit du duc de Viseu, frère de la reine. En août, revenant d'Alcácer do Sal à Setúbal, il déjoue une embuscade qui lui était tendue sur le Sado. Aussitôt arrivé à Setúbal, il convoque le duc de Viseu, le reçoit dans sa chambre où il le poignarde. L'évêque d'Évora, **Dom Garcia de Meneses**, instigateur du complot, est emprisonné au château de Palmela, dans une citerne située sous le donjon. Il y meurt quelques jours après, probablement empoisonné.

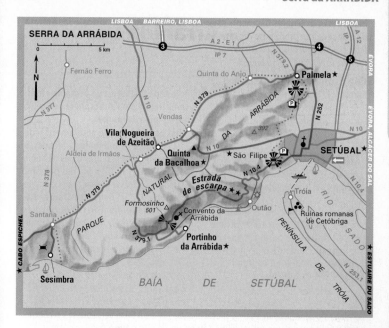

L'extrémité ouest du château est occupée par l'**église Sant'Iago** et son **couvent** édifiés au 15ᵉ s. par les chevaliers de St-Jacques qui s'étaient installés dans le château en 1186. L'église est une construction d'une grande simplicité aux belles proportions ; la voûte romane en berceau se prolonge par un chœur gothique. Les murs sont tapissés d'azulejos qui datent du 16ᵉ s. dans le chœur, et du 18ᵉ s. dans la nef. Remarquez, sur le sol, le blason sculpté de l'ordre des chevaliers de St-Jacques et, dans un enfeu manuélin du bas-côté gauche, le tombeau de Georges de Lancastre, fils naturel du roi Jean II et dernier maître de l'ordre.

Église de São Pedro – *Mar.-sam. 9h30-18h (été 20h)*. Elle est située dans la partie haute de la ville, au pied du château. Cette église du 18ᵉ s. renferme des **azulejos★** illustrant des scènes de la vie de saint Pierre ; remarquez dans le bas-côté droit la pêche miraculeuse, le Christ marchant sur les eaux et la crucifixion de saint Pierre.

Continuer la N 379 puis, à Vendas, prendre à gauche la N 10 en direction de Setúbal. À la sortie de la localité, à gauche de la route, en face de la gare routière (Rodoviária Nacional), se trouve le domaine de Bacalhoa (pas indiqué).

Domaine de Bacalhoa★ (Quinta da Bacalhoa)

℘ 212 19 80 60 - www.bacalhoa.com - lun.-sam. 9h-18h - fermé j. fériés - visite guidée (1h), réserv. recommandée - 5 €. Cette résidence seigneuriale de la fin du 15ᵉ s., réaménagée au début du siècle suivant par le fils d'Afonso de Albuquerque, vice-roi des Indes, présente des éléments architecturaux de style à la fois Renaissance et mauresque et une riche décoration d'**azulejos★**.

Dans le **manoir**, une élégante loggia donnant sur les jardins est ornée de panneaux d'azulejos polychromes représentant des allégories de grands fleuves : le Douro, le Nil, le Danube, l'Euphrate, etc.

La *quinta* produit son vin à partir des vignes qui occupent une partie des splendides **jardins**. L'un d'eux est inspiré d'aménagements français du 16ᵉ s. : les buis taillés alternent avec les fontaines à figures mythologiques. Le jardin potager, où s'épanouissent mandariniers, noyers, cinéraires, bambous, se termine par un joli pavillon de repos se mirant dans l'eau d'un bassin : à l'intérieur, les murs sont revêtus d'azulejos espagnols à dessins géométriques, mais on remarquera surtout le panneau d'influence florentine représentant **Suzanne et les vieillards★** (1565), connu comme le plus ancien panneau figuratif du Portugal. On achève la visite en longeant une galerie du 15ᵉ s. décorée de bustes.

La N 10 conduit à Vila Nogueira de Azeitão, à travers vergers et de vignobles.

Vila Nogueira de Azeitão

Ce riche bourg agricole, entouré de belles *quintas*, est célèbre pour son *moscatel* (muscat) et son fromage de brebis. La rue principale est bordée de jolies fontaines

baroques et d'élégants bâtiments et jardins abritant la **maison viticole José Maria da Fonseca** qui produit du *moscatel* depuis 1834. ℘ 212 19 89 40/59 - www.jmf.pt - *fermé j. fériés - dégustation sur RV - grat.*
Prendre la N 379 jusqu'au bout.

Cap Espichel★ (Cabo Espichel)

Formant la pointe sud de la serra da Arrábida, le cap Espichel est un véritable « finistère » violemment balayé par le vent. Vous serez frappé par l'atmosphère des lieux, sorte de bout du monde désolé, en particulier les jours de brume.

Une brillante victoire

Au large du cap Espichel, **Dom Fuas Roupinho**, qui s'était déjà distingué auprès du roi Alphonse Ier dans la lutte contre les Maures, remporta sur ceux-ci, en 1180, une brillante victoire navale : les marins portugais, malgré leur inexpérience dans ce genre de combat, réussirent à capturer plusieurs navires ennemis.

Une place immense totalement vide est entourée de bâtiments à arcades, à l'abandon pour la plupart. Ces derniers ont été érigés au 18e s. par des pèlerins. Au fond, se dresse le sanctuaire de style classique (17e s.) de **Notre-Dame-du-Cap** (Nossa Senhora do Cabo), qui présente un intérieur baroque décoré de nombreux bois dorés. Depuis le 13e s., c'est un lieu de pèlerinage fréquenté. *Oct.-mai : 9h30-13h30, 14h30-17h ; juin-sept. : 9h30-13h30, 14h30-18h30.*
Contourner le sanctuaire et avancer jusqu'au parapet sur le bord de la falaise.

La falaise domine l'Océan en un à-pic de plus de 100 m. À 50 m vers l'ouest, en contrebas d'une chapelle ornée d'azulejos, s'étend une petite **crique**.
Rebrousser chemin par la N 379 jusqu'à Santana, et prendre à droite la N 378.

Sesimbra

Nichée dans une anse au pied du versant sud de la serra da Arrábida, cette ville de plus de 25 000 habitants occupe un site agréable, et sa plage aux eaux limpides est très appréciée des Lisboètes, comme en témoignent les innombrables voitures à l'affût d'une place de stationnement, en particulier le week-end. C'est un paradis pour la pêche sportive à l'espadon qui exerce une certaine concurrence à la pêche traditionnelle, principale activité de la ville.

La ville – Le petit port de pêche est devenu une station balnéaire très fréquentée, et de nombreuses constructions modernes entourent le centre qui conserve ses rues escarpées, parfois coupées de marches, dévalant vers la plage. Le long de ces rues pittoresques, le linge sèche parfois en compagnie de la pêche du jour. Sur le front de mer, les restaurants, nombreux, proposent des poissons grillés et des fruits de mer. À mi-pente, l'**église paroissiale** se distingue par sa chaire (17e s.) en marbre rose de la région et son arc triomphal aux motifs de style manuélin ; dans le chœur, du 18e s., se dresse un retable en bois doré.

La plage – Très animée pendant les week-ends et durant l'été, elle est, le reste du temps, surtout fréquentée par les pêcheurs qui, de part et d'autre du **fortin de Santiago**, viennent y démêler leurs lignes et leurs filets.

Le port★ – *1 km à l'ouest.* Il est adossé au pied de la falaise, à l'écart de l'agglomération. Son importante flottille de chalutiers, dont les proues sont décorées d'un œil ou d'une étoile, rapporte, matin et soir, des sardines, daurades, congres, poissons-épées, crustacés… qui sont vendus en partie à la criée.

Château – *6 km au nord-ouest par une route en forte montée.* Il occupe, au sommet d'une échine pelée, à plus de 200 m au-dessus de la mer, une position défensive stratégique que le premier roi du Portugal, Alphonse Henriques, réussit à enlever aux Maures dès 1165. De ses murailles crénelées qui enserrent le cimetière, belle **vue★** sur Sesimbra et son port.
À Santana, reprendre la N 379. 2,5 km avant Vila Nogueira de Azeitão, tourner à droite dans la N 379-1 en direction d'Arrábida.
Après avoir traversé des paysages d'oliviers et de vignes, la route s'élève au milieu d'une végétation très dense. L'Océan apparaît en contrebas.
Suivre ensuite la signalisation pour Portinho.

Portinho da Arrábida★

Au pied de la serra, l'anse de Portinho forme une courbe harmonieuse ourlée d'une belle plage de sable blanc très fréquentée le week-end. Un majestueux rocher émerge des eaux transparentes.

À l'entrée du village, le **fort de Santa Maria da Arrábida**, construit au 17e s. pour protéger la côte et le couvent proche des incursions des corsaires mauresques, abrite aujourd'hui un petit **Musée océanographique** (Museu Oceanográfico) - ℘ *212 18 97 91 - mar.-vend. 10h-16h, sam. 15h-18h - fermé j. fériés - 1,75 €.* Il expose de belles éponges et différentes espèces marines.

Un escalier à gauche de l'entrée du fort mène à une grotte.

Reprendre la N 379-1 en laissant sur la droite la route de corniche inférieure.

Route de la corniche★★ (Estrada de Escarpa)

Suivant en partie la crête de la serra, cette route offre des vues sur les deux versants. On aperçoit d'abord à gauche le mont Formosinho (499 m), point culminant de la serra, et sur la droite le site de Portinho et l'estuaire du Sado. En contrebas, juchés à flanc de falaise entre les deux routes de corniche, s'élèvent le **couvent d'Arrábida**, fondé par les franciscains en 1542, récemment restauré, et plusieurs chapelles rondes dispersées dans la montagne. Un abaissement de la ligne de crête permet plusieurs échappées sur l'intérieur du pays, tandis que la presqu'île de Tróia se dessine sur l'Océan. La descente finale, qui passe à proximité d'une cimenterie et de sa cité ouvrière, fait apparaître Setúbal au fond de son golfe.

Serra da Arrábida pratique

Informations utiles

À PALMELA

Indicatif téléphonique – *212*

Code postal – *2950*

🅱 **Posto de turismo** – *Castelo de Palmela - C.P. 4704 - 2950-221 - ℘ 212 33 21 22.*

À SETÚBAL

🅱 **Parque Natural da Arrábida** – *Praça da República - 2900-787 - ℘ 265 54 11 40 - lun.-vend. 9h30-12h30, 14h-17h30.* Rens. et documents sur le parc naturel et les sentiers pédestres dans la *serra*.

Se restaurer

À SESIMBRA

🍴 **Casa Isaías** – *R. Coronel Barreto, 2 - ℘ 914 57 43 73 - fermé dim. - 8 €.* Une petite tasca populaire tenue par un barbu débonnaire. Le poisson, qui vient d'être pêché, est exposé sur le comptoir : bar, sole, daurade, espadon. Une fois choisi et pesé, en avant la grillade !

🍴🍴 **Padaria** – *R. da Paz, 5 - ℘ 212 28 03 81 - fermé lun. en hiver - 20/25 €.* Ce bar-restaurant doté d'une terrasse et installé dans une ancienne boulangerie propose une carte inventive : magret de canard sauce miel-citron, filet de lotte en croûte d'olive sur légumes confits… Excellents desserts.

Événements

Festa das Vindimas – À Palmela en septembre. Vendanges en costumes traditionnels.

Festa do « Senhor das Chagas » – Fête des pêcheurs à Sesimbra (3-5 mai, avec procession le 4 mai).

Setúbal★

87 521 HABITANTS
CARTE MICHELIN 733 Q3 – DISTRICT DE SETÚBAL

Adossée aux derniers contreforts de la serra da Arrábida, au nord du large estuaire du Sado devenu une réserve naturelle, Setúbal est à la fois une ville industrielle, un port et une étape touristique sur la route conduisant en Alentejo et en Algarve. Vous y découvrirez un agréable quartier ancien dont les ruelles étroites et en partie piétonnes contrastent avec les larges avenues de la ville moderne. Vous apprécierez également son vin muscat et sa confiture d'oranges.

◖ **Se repérer** – À une cinquantaine de kilomètres au sud-est de Lisbonne. Le quartier ancien se situe entre l'avenida Luísa Todi (du nom de la cantatrice), la praça Almirante Reis et l'église Santa Maria.

◉ **À ne pas manquer** – L'église de Jésus ; le château de São Filipe ; la galerie de peinture du musée de Setúbal.

◔ **Organiser son temps** – Prévoir une journée pour visiter Setúbal, le château de São Filipe et prendre le bac pour la péninsule de Tróia.

◔ **Pour poursuivre le voyage** – La serra da Arrábida, Lisbonne, Évora.

Comprendre

Un port animé – Après Lisbonne et Leixões, Setúbal est le troisième port du Portugal. Il comprend un port de pêche (sardines), un port de plaisance, et un port de commerce en relation avec les grandes cités maritimes d'Espagne et d'Europe du Nord. La ville s'est développée autour d'activités diverses : cimenteries, exploitation des marais salants sur les rives du fleuve, usines d'automobiles et de camions, industrie chimique, conserveries de poisson et commerce de produits agricoles de la région.

Visiter

Église de Jésus★

265 53 78 90 - mar.-sam. 9h-12h, 13h30-17h30.

Construite en marbre d'Arrábida, cette œuvre de Boytac est considérée comme la première manifestation de l'art manuélin (1491). Son portail flamboyant – à portes géminées avec arcs en accolade, qu'encadrent des colonnes baguées – et ses trois voûtes de même hauteur qui en font une église-halle caractérisent le style gothique tardif. Les **piliers torsadés** qui soutiennent les voûtes et les nervures torses de la voûte du chœur inaugurent l'art décoratif manuélin.

Les murs de la nef et du chœur sont en partie revêtus d'azulejos du 17e s.

Musée de Setúbal★ (Museu de Setúbal) – *Convento de Jesús -* *265 53 78 90 - mar.-sam. 9h-12h, 13h30-17h30 - fermé j. fériés - grat.* Ce musée renferme une **galerie de peinture du 15e s.** (Galeria de Pintura Quinhentista) abritant une importante collection de primitifs portugais (15e-16e s.). Tous ces **tableaux★** seraient l'œuvre d'un auteur inconnu désigné comme le « maître du retable de Setúbal ». On les attribue aussi à Gregório Lopes et Cristóvão de Figueiredo. Malgré la forte influence de l'art flamand (attitudes figées, réalisme des détails), la chaleur des teintes et le traitement des visages, qui sont empreints de vérité et de mysticisme, sont typiquement portugais : remarquez l'expression de la Vierge et des saints devant la Crucifixion et saint François recevant les stigmates. Dans les galeries inférieures, azulejos du 15e au 18e s.

Marché (Mercado)

Mar.-dim. 7h-14h. Difficile de manquer cette grande halle installée dans un bâtiment rose de l'avenida Luísa Todi. Faites un tour au marché, pour son ambiance mais également pour admirer les panneaux d'azulejos de l'entrée et de la poissonnerie.

Église de São Julião

Son portail latéral nord trilobé est de style manuélin ; les deux colonnes torses qui l'encadrent se terminent en pinacle en formant des cordelières.

À l'intérieur, jolis azulejos du 18e s. représentant la vie de saint Julien.

Office de tourisme (Região de Turismo)

C'est un véritable monument : les lignes épurées et modernes de l'architecture et du mobilier répondent à celles des vestiges romains du sous-sol, visibles à travers les vitres du sol. Il s'agit des anciennes cuves d'une **fabrique de garum**, sauce à base de poissons, qui fut en activité du 1er au 6e s. *(voir dans l'encadré pratique).*

Musée régional d'Archéologie et d'Ethnographie (Museu Regional de Arqueologia e Etnografia)

Avenida Luísa Todi, 162 - *265 23 93 65 - mar.-sam. 9h-12h30, 14h-17h-30 - fermé j. fériés - grat.*

Le musée expose des objets préhistoriques (idole taillée dans un os, vase en céramique de l'âge du bronze) et luso-romains (monnaies), des collections d'art et d'artisanat populaires, des costumes, des outils agraires, des modèles réduits de bateaux, ainsi que de nombreux panneaux ou motifs décoratifs réalisés en liège.

Musée du Travail (Museu do Trabalho Michel Giacometti)

Largo dos Defensores da República - *265 53 78 80 - mar.-sam. 9h-12h30, 14h-18h - fermé j. fériés - grat.*

Une ancienne conserverie de poisson offre ses superbes volumes à ce musée consacré au travail et aux traditions populaires. Outils et documents d'époque, ainsi que diverses reconstitutions, vous plongent au cœur de métiers pour la plupart disparus, comme ce garçon à bicyclette, chargé de prévenir les ouvrières de la conserverie de l'arrivée du poisson.

Château (Castelo) de São Filipe★

Accès à l'ouest, par l'avenida Luísa Todi. Suivre la signalisation pour la pousada (trajet : 30mn à pied du centre) - 9h-23h - grat.

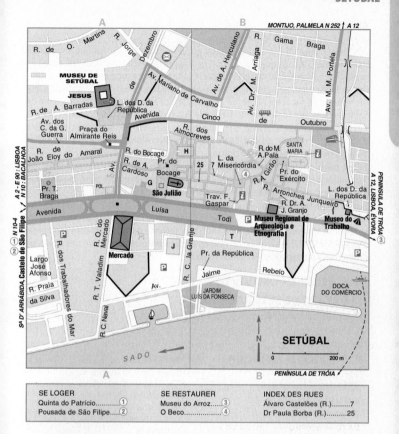

Dominant la ville, cette forteresse est en partie occupée par l'une des plus belles *pousadas* du Portugal *(voir « Se loger » dans l'encadré pratique)*. Elle fut construite en 1590 sur l'initiative du roi Philippe II d'Espagne pour contenir l'hostilité des habitants de Setúbal, opposés à la domination espagnole, et empêcher les Anglais de s'installer à Tróia ; elle est dotée de glacis et de bastions à redans à la Vauban.

Franchissez un passage voûté et admirez dans la chapelle les azulejos du 18e s., œuvre du célèbre Policarpo de Oliveira Bernardes, qui évoquent la vie de saint Philippe.

Du haut des remparts, **panorama**★ très étendu : à l'est sur le port et les chantiers navals, la baie du Sado et la presqu'île de Tróia ; au nord-ouest sur le château de Palmela ; à l'ouest et au sud sur la serra da Arrábida.

Aux alentours

Péninsule de Tróia

Par bac – *20mn de traversée* - ☎ 265 23 51 01 - *dép. au port de commerce (1,60 €/pers., 5,50 € par voiture) - pour les piétons, dép. du jardim Luís da Fonseca ttes les 30mn.*

Par la route – *98 km jusqu'à Tróia - il faut contourner l'embouchure du rio Sado par la N 10, la N 5, la N 253 et la N 253-1. Cette immense langue de sable (17 km), bordée de dunes et boisée de pins, barre l'estuaire du Sado. Ses côtes nord et ouest, objet d'un vaste aménagement touristique, concentrent hôtels et grands immeubles qui défigurent le paysage.*

🔊 Au-delà s'ouvre la réserve naturelle de l'estuaire : plus de 14 500 ha de marais salants, rizières et pinèdes où nichent une centaine d'espèces d'oiseaux (flamants roses, hérons, cigognes…). La lagune accueille aussi une trentaine de **dauphins** *(voir « Sports et Loisirs » dans l'encadré pratique).*

Ruines romaines de Cetóbriga – *À 4 km à pied de l'embarcadère ou 2,5 km par un chemin sablonneux, mais praticable en voiture, à partir de la N 253-1.* Dans un site agréable au bord de la lagune, quelques vestiges de la cité romaine de Cœtobriga, détruite par un raz-de-marée au début du 5e s., ont été mis au jour. On peut y voir un ensemble de salaison des poissons, une sépulture, les ruines d'un temple orné de fresques et des thermes.

Alcácer do Sal

50 km au sud, par la N 10 et l'IP 1.

Penchée en amphithéâtre au-dessus du rio Sado, Alcácer do Sal fut une importante cité romaine (Salacia), qui avait le droit de frapper sa propre monnaie. Elle devait sa prospérité au commerce du sel et fut par la suite une place forte mauresque. Le tracé de ses ruelles sinueuses et son imposant château rappellent cette époque. La cité fut reconquise par le roi Alphonse II en 1217 avec l'aide des chevaliers de l'ordre de Saint-Jacques, qui l'agrandirent. Très belle vue sur les rizières et la rivière.

Castelo – Dominant la localité, le château maure conserve ses hauts murs et 31 tours, dont une tour d'angle, au sud. La **pousada** de Dom Afonso II, l'une des plus belles du pays, est aménagée dans le cloître.

Église paroissiale Santa Maria do Castelo – Située à l'intérieur des murailles, elle fut fondée par l'ordre de Saint-Jacques et offre un bel exemple d'art roman tardif (13e s.). Elle renferme des azulejos polychromes du 17e s.

Église do Espírito Santo – *Praça do Municipio* - ℘ *265 61 00 70/2 - lun.-sam. 9h-13h, 15h-18h - fermé j. fériés - grat.* Dans cette église décorée d'un superbe **portail** manuélin, le roi Dom Manuel se serait uni en 1500 à sa seconde épouse, l'infante espagnole Dona Maria. L'édifice accueille un **musée archéologique** présentant des objets de différentes époques trouvés dans la région.

Circuit de découverte

AU DÉPART DE SETÚBAL

140 km – Env. une demi-journée. Voir Serra da Arrábida.

Setúbal pratique

Informations utiles

Indicatif téléphonique – *265*
Code postal – *2900*
🅸 **Região de turismo** – *Travessa Frei Gaspar, 10 - 2900-388 -* ℘ *265 53 91 20.*

Se loger

😊😊🛏 **Quinta do Patrício** – *Estrada do Castelo de São Filipe -* ℘ *265 55 04 75 - www.quintadopatricio.com -* 🖥 🛶 *- 3 ch. 75/85 €.* Superbe propriété sur la colline, près du château, avec vue dégagée sur la mer et le port. Une chambre dans la maison principale, une autre dans un ancien moulin à vent, et un appartement indépendant.

😊😊🛏 **Pousada de São Filipe** – *Castelo de São Filipe -* ℘ *265 55 00 70 - www.pousadas.pt -* 🖥 *- 16 ch. 150/300 €.* Cette *pousada*, installée à l'intérieur des murailles de l'ancienne forteresse, domine la péninsule de Tróia.

Se restaurer

O Beco – *Largo da Misericórdia, 24 -* ℘ *265 52 46 17 - fermé dim. soir et mar. - 14 €.* Au cœur de la vieille ville, une taverne plutôt chic qui propose une cuisine portugaise classique.

À COMPORTA

😊🛏 **Museu do Arroz** – *Au sud de la péninsule de Tróia : accès par la route, ou par le bac puis 17 km depuis Tróia (voir ci-dessus) -* ℘ *265 49 75 55 - fermé lun. - 25 €.* Avant le village, cette usine de traitement du riz a été transformée en restaurant spécialisé dans le riz local ! En entrée : *bolinhos de arroz,* boulettes de riz frit avec de la viande et des poivrons. Puis croquettes de morue à la menthe et *arroz cabidela* (riz au sang de poulet). Et pour finir, un riz au lait !

Sports et Loisirs

Tróia Cruze – *R. das Barrocas, 34 -* ℘ *265 22 84 82/962 40 59 33 - www.troiacruze.com.* Embarquez à la rencontre des dauphins à bord d'un *galeão do sal,* bateau à voile en bois qui transportait jadis le sel jusqu'à Lisbonne.

Sintra★★★

25 630 HABITANTS
CARTE MICHELIN 733 P1 – DISTRICT DE LISBONNE

Toute proche de Lisbonne, Sintra constitue une escapade idéale, à l'écart de l'agitation de la capitale. Avec ses jardins luxuriants et sa flore tropicale, ses palais de contes de fées et ses « quintas » élégantes dissimulées dans la forêt, elle semble tout droit sortie du chapeau d'un magicien. En 1995, l'ensemble de la montagne a été classé par l'Unesco au Patrimoine mondial de l'humanité. Mais la richesse de ce lieu chargé d'histoire attire, à juste titre, beaucoup de monde. L'endroit est particulièrement enchanteur au printemps ou à l'automne.

F. Fouché/MICHELIN

Le puits initiatique de la Quinta da Regaleira.

- **Se repérer** – À 25 km au nord-ouest de Lisbonne.
- **À ne pas manquer** – Le Palais national ; le domaine de Regaleira ; le Palais national de Pena ; Cabo da Roca.
- **Organiser son temps** – Sintra attire un monde parfois considérable pendant la saison estivale : évitez donc de vous y rendre le week-end. Comptez au moins une demi-journée pour bien en profiter.
- **Avec les enfants** – Visitez le musée du Jouet, empruntez le tramway jusqu'à Praia das Maçãs ou le petit train jusqu'à Monserrate.
- **Pour poursuivre le voyage** – Le palais et couvent de Mafra, Queluz.

Comprendre

Résidence royale et romantique – Ce havre de paix au climat toujours frais fut pendant six siècles la résidence préférée des souverains et des élites aristocratiques ou bourgeoises. Au 19e s., certains artistes et écrivains romantiques, dont l'anglais Lord Byron, y élurent domicile. Sintra demeure le lieu de villégiature des grandes familles lisboètes qui y possèdent de ravissantes *quintas* ou d'élégants palais.

La convention de Sintra – La première invasion du Portugal par l'armée française est à l'origine de soulèvements qui éclatent un peu partout dans le pays ; Junot se heurte aux troupes anglaises récemment débarquées. Il doit signer la paix. Au terme de la convention de Sintra (30 août 1808), les Français obtiennent de regagner leur pays en embarquant sur des navires anglais avec armes et bagages. Ces conditions avantageuses navrent les combattants portugais ; aussi, depuis lors, la demeure de l'ambassadeur de Hollande où fut signé le traité porte-t-elle le nom de « Seteais » (sept soupirs). Cet palais du 18e s. accueille aujourd'hui un luxueux hôtel *(en travaux)*.

Visiter

Sintra se divise en trois quartiers : la vieille ville (Vila Velha), qui s'étend autour du Palais national, la ville moderne (Estefânia) et l'ancien village de São Pedro. Très fréquentée, surtout le week-end, Sintra a vu s'installer dans la vieille ville des antiquaires, des magasins d'artisanat, des boutiques chic, des restaurants et des salons de thé où l'on peut déguster la spécialité de la ville, de délicieuses tartelettes appelées *queijadas*.

Palais national★★ (Palácio Nacional)

Praça da República - ☎ 219 10 68 40 - tlj sf merc. 10h-17h30 (dernière entrée 17h) - fermé durant les cérémonies officielles, 1er janv., Vend. saint, dim. de Pâques, 1er mai, 29 juin et 25 déc. - 5 €, grat. dim. 10h-14h.

Il doit sa structure hétéroclite aux différentes adjonctions faites au cours des temps. Le bâtiment central a été érigé par le roi Jean Ier (fin 14e s.) ; les ailes sont l'œuvre du roi Manuel Ier (début 16e s.). Outre les deux hautes cheminées coniques qui dominent le palais, les fenêtres géminées mauresques *(ajimeces)* et manuélines sont les éléments les plus marquants de l'extérieur.

L'intérieur se distingue par sa remarquable décoration d'**azulejos★★** des 15e et 16e s. ; les plus beaux agrémentent la salle à manger (ou salle des Arabes), la chapelle et la salle des Sirènes.

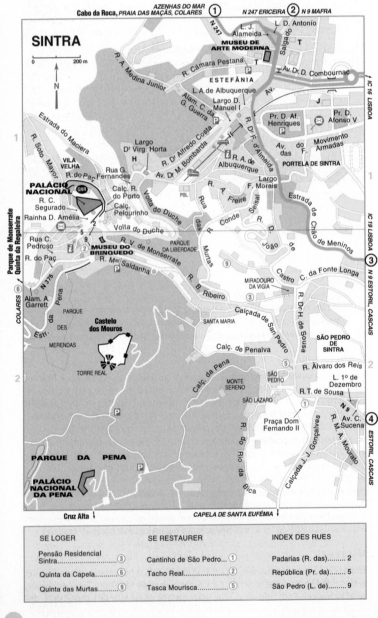

La **salle des Armoiries**, de forme carrée, est surmontée d'un **plafond**★★ en coupole reposant sur des trompes d'angle et constitué de caissons peints représentant les blasons de 72 familles nobles portugaises du début du 16e s.; le blason manquant est celui de la famille Coelho qui conspira contre Jean II.

La salle de lecture, ou **salle des Pies**, possède un plafond peint (17e s.) décoré de pies tenant dans leur bec une rose avec les mots *« por bem »* (pour le bien). Ces derniers furent prononcés par Jean Ier, surpris par la reine en train d'embrasser une dame d'honneur ; pour mettre fin aux commérages, il fit peindre sur le plafond autant de pies qu'il y avait de dames à la Cour.

Musée du Jouet★ (Museu do Brinquedo)

R. Visconde de Monserrate - ☏ 219 24 21 71 - www.museu-do-brinquedo.pt - mar.-vend. 10h-18h (dernière entrée 17h30) - fermé 1er mai et 25 déc. - 4 €.

👫 Aménagé dans l'ancienne caserne des pompiers, ce musée est le fruit de la passion d'un collectionneur : João Arbués Moreira rassemble des jouets du monde entier, depuis de petites figures en bronze vieilles de 3 000 ans jusqu'aux robots les plus modernes. Au dernier étage a été installée une « clinique de chirurgie esthétique » réparant les méfaits que le temps a fait subir aux poupées et aux jouets. Les chevaux en bois, les petits trains, les petites voitures, les soldats de plomb et les jouets portugais d'antan plongent le visiteur dans ses souvenirs d'enfance. Expositions temporaires.

Musée d'Art moderne★ (Museu de Arte Moderna)

Avenida Heliodoro Salgado - ☏ 219 24 81 70 - www.berardocollection.com - mar.-vend. 10h-18h (dernière entrée 17h30) - 3 €, grat. dim. 10h-14h.

Dans un édifice néoclassique qui abritait l'ancien casino de Sintra, ce musée d'Art moderne présente sous forme d'expositions thématiques bisannuelles les œuvres de la très riche collection Berardo, dont une partie a été transférée au Centre culturel de Belém, à Lisbonne, en 2007 (voir p. 132).

Domaine de Regaleira★★ (Quinta da Regaleira)

R. Barbosa du Bocage - sur la route de Seteais, à 800 m du centre-ville - ☏ 219 10 66 50 - avr.-sept. : 10h-20h (dernière entrée 19h) ; fév., mars, oct. : 10h-18h30 ; nov.-janv. : 10h-17h30 (dernière entrée 30mn av. fermeture) - visite nocturne (8 pers. min.) des souterrains le dernier sam. de chaque mois - fermé 1er janv., 25 déc. - 5 € (visite guidée sur RV -10 €).

Sur le site d'une ancienne *quinta* de la fin du 17e s., **Carvalho Monteiro** (1848-1920), riche homme d'affaires, adepte d'ésotérisme et de franc-maçonnerie, fit édifier au début du 20e s. cet ensemble fascinant de constructions dans un surprenant mélange de styles, notamment gothique, Renaissance et manuélin. Le palais de la *quinta* est inspiré de celui de Buçaco (voir p. 305-306) et a été conçu par le même architecte italien, Luigi Manini.

Enchâssée dans la végétation exubérante de la serra de Sintra, et composée de jardins agrémentés de statues, de terrasses et de petits pavillons, la *quinta* offre un parcours ésotérique initiatique et un symbolisme complexe lié aux Templiers, à l'alchimie, au christianisme, à la mythologie portugaise et gréco-romaine, etc. Le **Patamar dos Deuses** (Palier des Dieux) est occupé par des statues de la mythologie gréco-romaine et des éléments alchimiques. Dans la **Capela da Santíssima Trindade** (chapelle de la Sainte-Trinité), le symbole maçonnique du delta rayonnant, avec l'œil de Dieu sur la croix des Templiers, représente le grand architecte de l'univers. La **Gruta de Leda** (grotte de Léda) abrite une statue de femme tenant dans la main une colombe et à ses côtés, un cygne. La **tour da Regaleira** symbolise la lumière et la connaissance. L'étonnant **Poço Iniciático** (Puits initiatique), de 27 m de profondeur, à travers un parcours de neuf paliers, évoque l'idée de la mort et de la renaissance.

👁 **Bon à savoir** – La *quinta* dispose d'un restaurant et d'une cafétéria avec terrasse.

Dans la serra de Sintra

La **serra de Sintra**★★ est un bloc de granit qui forme une barrière montagneuse (point culminant à la Cruz Alta : 529 m) où se concentrent les pluies venues de l'Océan. Ce microclimat contraste nettement avec celui des alentours. L'humidité et l'imperméabilité de la roche sont à l'origine de la végétation touffue qui couvre l'ensemble du massif et masque en grande partie les pitons granitiques dégagés par l'érosion. La flore y est très variée : chênes, cèdres, arbres tropicaux et subtropicaux, fougères arborescentes, camélias, etc. La grande richesse de l'écosystème, mais aussi l'important magnétisme naturel que le lieu dégage (le massif recèle d'énormes masses de fer) et le brumeux voile de romantisme qui s'en dégage font de cette forêt un lieu exceptionnel. La beauté du site a ainsi maintes fois été célébrée par les poètes, en particulier par Gil Vicente, Camões *(Les Lusiades)*, Southey et Byron *(Childe Harold)*.

👁 **Bon à savoir** – Des billets combinés vous permettent de visiter les principaux sites à coût réduit : château des Maures, palais et parc de Pena *: 13 € ;* avec le couvent des Capucins, le parc et le palais de Monserrate *: 16 €.*

DE CHÂTEAUX EN PALAIS SUR LES HAUTEURS DE SINTRA

5 km – Env. 3h. Voir plan p. 166.
À l'office de tourisme, prendre la direction de Pena.
Après avoir longé, à droite, l'Estalagem dos Cavaleiros, où Byron écrivit le canevas de *Childe Harold*, la route da Pena monte en lacet entre les murs de belles propriétés.
À l'intersection, tourner à gauche.

Château des Maures★ (Castelo dos Mouros)

Estrada da Pena – 30mn à pied AR depuis le parc de stationnement - ℰ 219 23 73 00 - www. parquesdesintra.pt - de mai à mi-sept. : 9h30-20h ; de mi-sept. à fin avr. : 10h-18h (dernière entrée 1h av. fermeture) - fermé 1ᵉʳ janv. et 25 déc. - 5 €, visite guidée sur RV 10 €.
Édifié sur une butte rocheuse au 8ᵉ ou 9ᵉ s., le **château des Maures** ne comporte plus qu'une enceinte crénelée épousant les escarpements du sommet et jalonnée par quatre tours carrées, ainsi que les ruines d'une chapelle romane.
De la Tour royale, que l'on atteint par une série d'escaliers, jolie **vue aérienne★** sur Sintra et son palais, la côte atlantique et le château perché de Pena.
Poursuivre sur la calçada da Pena jusqu'à l'entrée du parc, donnant accès au palais.

Parc de Pena★★

Estrada da Pena - ℰ 219 23 73 00 - www.parquesdesintra.pt - de mai à mi-sept. : 9h30-20h ; de mi-sept. à fin avr. : 10h-18h (dernière entrée 1h av. fermeture) - service de minibus à l'intérieur du parc - fermé 1ᵉʳ janv. et 25 déc. - 5 €, visite guidée sur RV 10 €.
Au sud de Sintra, ce parc enchanteur ceinturé d'un grand mur couvre une superficie de 200 ha sur les pentes granitiques de la serra de Sintra. Planté d'essences rares, tant nordiques que tropicales, il est agrémenté d'un grand nombre de pièces d'eau et de fontaines. Explorez-le à pied, vous tomberez sous le charme et pourrez aussi découvrir de nombreuses marques ésotériques : tables de pierre octogonales, vestiges de fours alchimiques, etc. Si vous êtes pressé, contentez-vous de parcourir les petites routes qui le sillonnent ou, du moins, de monter à ses deux points culminants : celui portant le palais de Pena et celui de la Cruz Alta (529 m).

Palais national de Pena★★ (Palácio Nacional da Pena)

Estrada da Pena - ℰ 219 10 53 40 - www.parquesdesintra.pt - de mai à mi-sept. : 10h-19h ; de mi-sept. à fin avr. : 10h-17h30 - dernière entrée 1h av. fermeture - fermé 1ᵉʳ janv., Vend. saint, dim. de Pâques, 1ᵉʳ mai, 29 juin et 25 déc. - 11 € (parc inclus), visite guidée sur RV à l'office de tourisme 16 €.
Perché sur l'un des points culminants de la *serra*, cette fantaisie romantique fut construite au milieu du 19ᵉ s. par le roi Ferdinand II sur le site d'un ancien couvent de hiéronymites datant du 16ᵉ s. L'extravagance du palais évoque certains châteaux

---

« O Rei-Artista », l'artiste roi

Neveu du roi des Belges Léopold Iᵉʳ, le prince **Ferdinand de Saxe-Cobourg et Gotha** (1816-1885) avait épousé en 1836 la reine Marie II, veuve du duc Auguste de Beauharnais-Leuchtenberg, un petit-fils de l'impératrice Joséphine. À la naissance en 1837 du prince héritier Pierre, il reçut le titre honoraire de roi Ferdinand II de Portugal. Intelligent et diplomate, moderne et relativement libéral, il sera régent du Portugal de 1853 à 1855 et pressenti en 1870 pour le trône d'Espagne. D'une vaste culture et d'une rare sensibilité artistique, il s'adonne à la gravure à l'eau-forte, à la céramique et à l'aquarelle. Président de l'Académie royale des sciences et des beaux-arts, protecteur de l'université de Coimbra, c'est en 1838 qu'il achète le couvent en ruine de Nossa Senhora da Pena, autour duquel il entreprend de faire édifier un palais conforme à sa sensibilité philosophique. Grand maître de la Rose-Croix, il fait de son château une alchimie de symboles où, en compagnie de sa seconde épouse, Elisa Hensler, une cantatrice d'origine suisse, il recevra les plus grands artistes de l'époque. Le musicien Richard Strauss dira de la Pena, dont il fut l'hôte : « Ce parc est la plus belle chose que j'ai vue au monde ; ceci est le véritable jardin de Klingsor, et, là-haut, c'est le château du Saint-Graal… »

L'extravagant Palácio da Pena, Sintra.

de Louis II de Bavière bien qu'il les ait précédés de trente ans. C'est un pastiche où les styles « néo » se côtoient avec plus ou moins de bonheur : maure, gothique, manuélin, Renaissance, baroque. Les couleurs vives de ses murs accentuent son originalité.

Une rampe passant sous une porte mauresque mène devant la cour du palais, sur laquelle s'ouvre un passage que surmonte l'impressionnant arc de Triton.

À l'intérieur, les vestiges du couvent, le cloître manuélin et la chapelle, dont vous remarquerez l'autel en albâtre dû à Nicolas Chanterene, sont décorés d'azulejos. Ils forment un curieux contraste avec les autres pièces : salles de réception, salons, chambres meublées dans le goût du 19e s. avec profusion de tentures, de tapisseries, de meubles lourds, de sofas, de poufs, de miroirs et de décorations en stuc.

Les terrasses offrent de belles **vues★★** sur toute la région, de la côte atlantique au Tage ; du massif proche se détachent la Cruz Alta et la statue de l'architecte du palais, le baron Eschwege, campé sur un rocher en chevalier médiéval.

Cruz Alta★★

À l'intérieur du parc, une route pédestre permet d'accéder au pied de la croix. Ce sommet, surmonté d'une croix, offre un immense **panorama** sur l'ensemble du massif (excepté Sintra) et la plaine environnante, jusqu'à Lisbonne au sud *(derrière le palais da Pena)*.

Poursuivre sur la calçada da Pena qui resdescend vers le quartier de São Pedro, d'où vous regagnerez le centre historique.

À TRAVERS LA SERRA DE SINTRA JUSQU'À L'OCÉAN

30 km – Env. 3h. Voir plan p. 170.

À l'office de tourisme, prendre la route de Pena puis, à l'intersection, suivre à droite la signalisation « Convento » (EN 247-3).

Couvent des Capucins★ (Convento dos Capuchos)

À 9 km du centre historique – ℘ *219 23 73 00 - www.parquesdesintra.pt - de mai à mi-sept. : 9h30-20h ; de mi-sept. à fin avr. : 10h-18h (dernière entrée 1h av. fermeture) - fermé 1er janv. et 25 déc. - 5 €, visite guidée sur RV 10 €.*

Le **couvent des Capucins** fut aménagé au 16e s. sur un escarpement rocheux au pied du pico do Monge (490 m), l'un des points culminants de la serra. Les cellules, minuscules et sommaires, creusées dans le roc et tapissées de liège, illustrent l'humble quotidien des moines de l'ordre de saint François.

Prendre, face à la route menant au couvent, celle qui conduit à la Peninha, à travers un paysage jalonné d'énormes rochers. À l'intersection (200 m du belvédère), tourner à gauche.

Peninha

Sur ce sommet (486 m) se dresse une petite **chapelle**. De la terrasse, **vue★★** panoramique avec, au premier plan, l'immense plage de Guincho.

Pour gagner le cap da Roca prendre à gauche, puis la direction de Cascais et enfin celle d'Azoia.

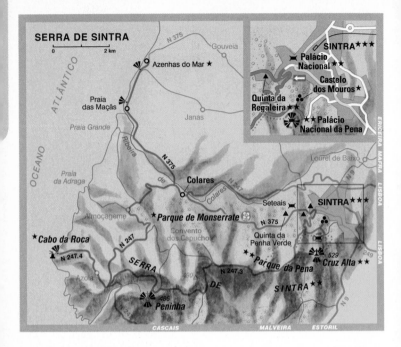

Cap da Roca★

Cette falaise « où la terre finit et la mer commence » (Camões) constitue la pointe la plus occidentale du continent européen. La serra de Sintra se termine ici par une falaise abrupte dominant l'Océan de près de 140 m. Son nom signifie le « cap du rocher », et l'on y voit la côte se découpant au nord en de multiples indentations.

👁 **Bon à savoir** – Possibilité d'acheter un certificat attestant de votre passage par le point le plus occidental de l'Europe auprès de l'office de tourisme local.

Revenir à la N 247 et la suivre jusqu'à Colares.

Colares

Cette jolie localité, avec ses maisons basses et ses *quintas* perdues dans la verdure, est réputée pour ses vins de table veloutés, légers et parfumés.

👍 D'ici on peut se rendre à **Azenhas do Mar★** *(6 km au nord)* en passant par la station balnéaire de **Praia das Maçãs**. L'arrivée à Azenhas do Mar offre un joli coup d'œil sur le **site★** de ce bourg étagé sur une falaise déchiquetée. Au creux de la falaise, la petite crique a été aménagée en piscine d'eau de mer.

De Colares, regagner Sintra par la N 375. Avant la sortie de la ville, prendre la direction du parc de Monserrate. Cette route étroite et accidentée s'élève au milieu d'une végétation exubérante en ménageant des vues magnifiques sur la serra.

Parc et palais (Parque e Palácio) de Monserrate★

Estrada de Monserrate – ☎ 219 23 73 00 - www.parquesdesintra.pt - parc : de mai à mi-sept. : 9h30-20h ; de mi-sept. à fin avr. : 10h-18h (dernière entrée 1h av. fermeture) ; palais : de mai à mi-sept. : 10h-12h30, 14h-19h ; de mi-sept. à fin avr. : 10h30-12h30, 14h-16h30 - fermé 1er janv. et 25 déc. - 5 € (parc et palais), visite guidée sur RV 10 € (1h30).

Un **parc★** à l'anglaise entoure le palais néo-oriental construit au 18e s. par un vice-roi des Indes. Ce jardin romantique est planté de nombreuses essences (cèdres, arbousiers, bambous, fougères arborescentes) s'épanouissant autour de cascades et de bassins. Vous pourrez également visiter une aile du palais, en cours de restauration.

En arrivant à Sintra, remarquez, à gauche, la **Quinta de Penha Verde** (16e s.) dont l'arc enjambe la route. C'est également l'ancien palais d'un vice-roi des Indes portugaises. Vous apercevez ensuite, à gauche, l'entrée monumentale (19e s.) du Palácio de Seteais.

👁 **Petit conseil** – En fin de journée, rendez-vous dans le **parc du Palácio de Seteais** *(en travaux)*. Au centre de l'arche qui relie les deux bâtiments se dessinent deux magnifiques vues : d'un côté sur Sintra, et de l'autre sur le palais de Pena éclairé par le soleil couchant.

Sintra pratique

Informations utiles

Indicatif téléphonique – *21*
Code postal – *2710*
🛈 **Parques de Sintra** – *Praça da República, 23 - 2710-616 - ☎ 219 23 11 57 - www.parquesdesintra.pt.*

Transports

Train – C'est le moyen de transport le plus pratique et rapide entre la capitale et Sintra, qui permet d'éviter les embouteillages en été ou le week-end. De la **gare du Rossio** à Lisbonne, train ttes les 10mn env. Durée 35mn *(3,50 € AR).*
Bus – De la **gare de Sintra**, deux lignes permettent de rejoindre les principaux lieux de visite : le n° 343 (centre, château des Maures, palais de Pena – possibilité de descendre et remonter à tout moment – 4 €), et le n° 433 (centre, quartier de São Pedro - *0,80 € AR).*
👥 **Tramway** – *Dép. face à l'office de tourisme - été : w.-end 13h30-18h25, ttes les 40mn. env. ; hiver : 10h, 12h, 14h, 15h50 - 2 € (hiver 1 €).* Cette ligne centenaire relie Sintra à Praia das Maçães, *via* Colares.
👥 **Train touristique** – *Dép. tlj face au Palais national - horaires et prix : se rens. à l'office de tourisme (billet combiné possible avec le parc de Monserrate).* Permet de rejoindre Monserrate (durée 1h).

Se loger

😑😑 **Pensão Residencial Sintra** – *Travessa dos Avelares, 12 (quinta Visconde de Tojal) - São Pedro - ☎ 219 23 07 38 - residencialsintra.blogspot.com -* 🅿️ 🛏️ *- 15 ch. 45/85 €* 🛏️ Cette grande bâtisse du 19ᵉ s. située **légèrement** en retrait du centre-ville conserve une certaine élégance. Les chambres, avec leurs vastes salles de bain, et l'espace réservé aux petits-déjeuners s'ouvrent sur l'abondante végétation du jardin qu'agrémente une piscine. Un bon rapport qualité-prix.
😑😑 **Quinta das Murtas** – *R. Eduardo Van Zeller, 4 - ☎ 219 24 02 46 - inquires@quinta-das-murtas.com -* 🅿️ 🛏️ 🍽️ *- 14 ch. 50/95 €* 🛏️. Cette jolie maison rose décorée de miroirs vénitiens et de meubles anciens offre des chambres spacieuses et agréables. Un cadre romantique où règne une atmosphère paisible.
😑😑😑 **Quinta da Capela** – *Estrada Velha de Colares - 4,5 km de Sintra direction Colares (800 m après le parc de Monserrate) - ☎ 219 29 01 70 - quintadacapela@hotmail.com - fermé 20 déc.-10 janv. -* 🅿️ 🛏️ *- 7 ch. 130/160 €* 🛏️. Cette *quinta* du 18ᵉ s. merveilleusement située en pleine serra de Sintra offre un confort et un charme à la mesure de son environnement. Jardin superbe (avec une petite piscine) et belles vues sur les environs.

Se restaurer

😋 **Tasca Mourisca** – *Calçada de S. Pedro, 28 - ☎ 966 58 93 21 - fermé dim. -* 🚫 *- env. 12 €.* Sortez des sentiers battus et découvrez ce petit restaurant bordant la rue principale de l'ancien village de São Pedro, devenu un quartier de Sintra. Murs jaunes, chaises en paille, décor de sarments de vigne : la maison a gardé un air de campagne. Elle propose une cuisine simple et savoureuse à prix très sage.
😋 **Cantinho de São Pedro** – *Praça Dom Fernando II, 18 - ☎ 219 23 02 67 - www.cantinhosaopedro.com - 15/20 €.* Cachée dans une venelle pavée de São Pedro, une bonne table à prix doux. Carte alléchante : porc à l'alentejana, truite à la mode de Sintra, tournedos aux morilles…
😋😋 **Tacho Real** – *R. da Ferraria, 4 - ☎ 219 23 52 77 - fermé merc. -* 🍽️ *- 15/30 €.* Une institution à Sintra. Cadre plaisant et très distingué, beaux azulejos vert bouteille. Spécialités : tourte au gibier, truite aux amandes, entrecôte au roquefort et lotte sur lit de palourdes. Jolie petite terrasse.

Faire une pause

Piriquita Dois – *R. das Padarias, 18 - ☎ 219 23 15 95 - fermé mar.* Cette pâtisserie-salon de thé établie près de la maison mère séduira les gourmands. Attablez-vous en terrasse pour déguster les *queijadas* et les *pastéis* sans oublier les fameux *travesseiros*, spécialité maison à la pâte feuilletée aérienne et fondante.

En soirée

Binhoteca – *R. das Padarias, 16 - ☎ 219 24 08 49 - 11h-22h.* Dans une jolie cave, un bar à vin idéal pour découvrir les crus portugais. À la carte, une centaine de vins et un large choix de délicieux fromages et de saucisses.

Sports et Loisirs

Randonnée – L'office de tourisme délivre des dépliants en français détaillant 5 circuits pédestres (env. 4 km chacun). Promenades dans la serra da Pena, jusqu'au château des Maures et Seteais.

Achats

Bar do Binho – *Praça da República, 2 - ☎ 219 23 04 44 - www.bar-do-binho.com.* Amateurs de porto et de vins portugais, faites une halte dans cette boutique tenue par un œnologue averti. Il vous fournira de précieux conseils. Quelques grands crus, des portos de 50 ans d'âge, mais aussi des vins plus accessibles.
Feira de Sintra – *L. de São Pedro - 2ᵉ et 4ᵉ dim. du mois.* Ce grand marché installé sur une très belle place vend les mêmes articles qu'ailleurs ainsi que de nombreuses plantes et des animaux. Tout autour, vous trouverez de petites échoppes d'artisanat et des antiquaires.

Palais et couvent de **Mafra**★
Palácio e convento de Mafra

11 276 HABITANTS
CARTE MICHELIN 733 P2 – VOIR SCHÉMA P. 72 – DISTRICT DE LISBONNE

Cette imposante et froide bâtisse est le plus vaste palais-monastère de la péninsule Ibérique. On l'a souvent comparé à celui de l'Escurial en Espagne du fait de ses dimensions, de sa proximité avec la capitale, de son origine votive, et de son rôle palatial et religieux. Seule la décoration baroque, où le marbre domine, adoucit l'austérité de ce bâtiment labyrinthique. Mafra illustre surtout la mégalomanie du roi Jean V « le Magnanime », surnommé aussi le Roi-Soleil portugais ; il témoigne également de la profonde imbrication qui existait au 18e s. entre le pouvoir royal et l'Église.

- **Se repérer** – À une quarantaine de kilomètres au nord-ouest de Lisbonne.
- **À ne pas manquer** – La basilique ; la bibliothèque du palais.
- **Organiser son temps** – Visitez le palais-monastère le matin (comptez 1h30), puis déjeuner à Ereiceira au bord de l'eau.
- **Pour poursuivre le voyage** – Sintra et ses alentours.

H. Champollion/MICHELIN

Mafra, le plus vaste palais-monastère de la péninsule Ibérique.

Comprendre

L'accomplissement d'un vœu – En 1711, le roi **Jean V**, encore sans enfant après trois ans de mariage, fait le vœu de construire un monastère si Dieu lui accorde un héritier. Le 4 décembre suivant naît une fille, Barbara, qui deviendra par la suite reine d'Espagne. Fidèle à sa promesse, Jean V lance les travaux en 1717 et les confie à l'architecte allemand **Friedrich Ludwig**. À l'origine, le monastère n'était prévu que pour accueillir treize moines. Mais l'or du Brésil, coulant à flot sur le royaume du Portugal, autorise des projets plus grandioses. Il est finalement dimensionné pour héberger 300 moines et toute la famille royale. Des artistes romains, dirigés par le marquis de Fontes, ambassadeur du Portugal auprès du Saint-Siège, conçoivent les plans et la décoration. Les meilleurs matériaux sont commandés : pin de Leiria, marbre de Pero Pinheiro, chaux de Santarém, carillons de Hollande et de Belgique, objets de culte de France, bois précieux du Brésil, noyer, statues et marbre d'Italie. Le roi fait également appel à des architectes italiens et portugais. On retrouve ainsi diverses influences européennes dans l'ensemble architectural de Mafra.

Sur le chantier, 50 000 ouvriers travaillent pendant treize ans à la construction de ce bâtiment gigantesque couvrant 4 ha, qui comprend une basilique, un palais, un couvent et compte 1 200 pièces, 4 700 portes et fenêtres et 156 escaliers !

⚓ Un roman de **José Saramago**, *Le Mémorial du couvent*, évoque ces travaux à la fois titanesques et inutiles, puisque la bâtisse ne servira quasiment jamais *(voir encadré p. 79)*.

Un parc de 20 km de périmètre prolonge la bâtisse à l'est.

L'école de Mafra – La présence de nombreux artistes étrangers à Mafra crée une émulation dans le pays. Jean V décide d'y fonder une école de sculpture ; son premier directeur est l'Italien Alessandro Giusti (1715-1799). Parmi les professeurs figurent José de Almeida, Jean Antoine de Padoue, à qui l'on doit les principales statues de la cathédrale d'Évora, et surtout Joaquim **Machado de Castro** (1731-1822), qui réalisera plus tard la statue équestre de José Iᵉʳ à Lisbonne. Dans la basilique, les nombreuses statues de marbre et plusieurs retables en jaspe ou en marbre, souvent traités en bas-relief, proviennent des ateliers de l'école.

Visiter

📞 261 81 75 50 - basilique : 10h-13h, 14h-17h ; palais-couvent : visite guidée (1h15) tlj sf mar. 10h-17h - dernière entrée 16h30 - fermé dim. de Pâques, 1ᵉʳ mai, Ascension, 25 déc., 1ᵉʳ janv. - 5 €, grat. dim. et j. fériés 10h-14h.

L'ensemble architectural se développe de part et d'autre de la basilique. Sa façade, longue de 220 m, est flanquée à ses extrémités de pavillons d'angle, coiffés de dômes bulbeux qui leur donnent un air germanique.

Basilique★★

Construite en marbre comme les pavillons d'angle, la façade de la basilique rompt la monotonie de l'ensemble par sa blancheur et sa décoration baroque. Entre ses tours hautes de 68 m s'alignent deux rangées de colonnes. Des niches abritent, à l'étage supérieur, les statues en marbre de Carrare de saint Dominique et de saint François ; à l'étage inférieur, celles de sainte Claire et de sainte Élisabeth de Hongrie. Le péristyle est orné de six statues dont la plus remarquable est celle de saint Bruno.

L'**intérieur** de l'église frappe par l'élégance de ses proportions et la variété de ses revêtements de marbre. La voûte en plein cintre s'appuie sur les pilastres cannelés qui séparent les chapelles latérales. À la croisée du transept, quatre arcs finement travaillés soutiennent une magnifique **coupole★** en marbre rose et blanc, haute de 70 m.

Dans chaque chapelle se trouvent des statues et un retable de marbre blanc en bas-relief ciselé par les sculpteurs de l'école de Mafra. Les retables en jaspe et en marbre des chapelles du transept, le fronton du chœur, sont également des œuvres de cette école ; observez celui de la chapelle collatérale de gauche, consacré à la Vierge et l'Enfant Jésus.

On notera aussi la présence de nombreuses torchères en bronze et de six beaux orgues datant de 1807.

Au fond du chœur à droite, on accède par un couloir à la sacristie et à la salle des lavabos, décorés de marbres aux nuances variées *(accès accompagné)*.

Palais et couvent

Accès par la 3ᵉ porte à gauche de la basilique.

Le palais atteint l'apogée de sa splendeur au début du 19ᵉ s. sous Jean VI. Mais en 1807, ce dernier fuit les troupes napoléoniennes au Brésil, emportant avec lui une partie des objets et meubles qui décoraient Mafra. Depuis, les pièces ont été remeublées.

Après avoir traversé le cloître nord que jouxtent le cimetière et sa chapelle, on accède à l'étage où l'on visite la pharmacie, l'infirmerie des moines et sa cuisine ainsi qu'un musée dédié à l'art sacré.

Au deuxième niveau, l'étage noble, on visite les appartements royaux en enfilade, qui fascinent par leurs dimensions. Les pavillons de la Reine et du Roi se situent aux deux extrémités, distants de 232 m. Au passage, on admirera la grandiose et harmonieuse **salle de la**

La très belle bibliothèque de Mafra.

A. Sacchetti/ITP-Instituto de Turismo de Portugal

Bénédiction, donnant sur la basilique. C'est de cette galerie, ornée de colonnes et de moulures revêtues de marbre de la région de Sintra, que la famille royale assistait à la messe. Le buste représentant Jean V est l'œuvre d'Alessandro Giusti. On remarquera aussi la salle de chasse décorée de trophées et les cellules des moines.

Sur le côté opposé à la façade, la très belle **bibliothèque★** occupe une galerie longue de 83,60 m au magnifique pavage de marbre rose, gris et blanc. Les murs sont couverts d'étagères en bois de style rocaille qui rassemblent près de 40 000 ouvrages reliés en cuir et datant du 14e au 19e s.

En vous promenant dans le vieux bourg, jetez un coup d'œil à l'**église de Santo André**. Construit à la fin du 13e s., l'édifice présente trois nefs voûtées en croisée d'ogives et une abside pentagonale. À l'entrée se trouvent deux beaux sépulcres gothiques de Diogo de Sousa et de sa femme. Pedro Hispano, futur pape Jean XXI (13e s.), aurait été curé ici. *Visite sur demande préalable auprès de la Casa da Cultura,* ℘ *261 81 44 16.*

Aux alentours

Parc national de Mafra (Tapada Nacional de Mafra)

Entrée du parc (portão do codeçal) à 6 km au nord de Mafra, sur la N 9-2 - ℘ 261 81 70 50/261 81 42 40 (w.-end et j. fériés) - www.tapadademafra.pt - parcours pédestre (4 km ou 7,5 km) 9h30-11h, 14h-15h30 - 4,50 € ; train touristique fév.-nov. : w.-end et j. fériés 10h45, 15h - 10 €.

Cette ancienne réserve de chasse, créée en 1747 par Jean V, a été transformée en **parc animalier** de plus de 800 ha, où l'on peut observer librement un grand nombre d'espèces : daims, cerfs, sangliers, renards, blaireaux, oiseaux de proies, amphibiens et reptiles. Il compte également un musée des transports par traction animale et un musée des ajoncs.

Ericeira★

11 km à l'ouest par la N 116.

Perché sur une falaise face à l'Atlantique, ce village, devenu une station balnéaire très fréquentée, a conservé son quartier ancien autour de l'église, son dédale de ruelles et son pittoresque port de pêche. De là, le 5 octobre 1910, le roi Manuel II s'embarqua pour l'exil, alors que la république avait été proclamée la veille à Lisbonne.

Port – Au pied de la falaise cuirassée d'un revêtement de maçonnerie, dont le sommet forme le parapet des rues en corniche, une plage abritée et protégée par une jetée au nord fait office de port. De la place (largo das Ribas) qui la domine, les passants observent la mise au sec des bateaux de pêche et le déchargement des poissons et des poulpes.

Quartier de l'église – De vieilles ruelles pavées, bordées de charmantes maisons basses, blanches et ourlées de bleu, se déploient autour de l'**église paroissiale** (Igreja Matriz) dont l'intérieur renferme un plafond à caissons et des azulejos à bordure polychrome.

Mafra pratique

Informations utiles

Indicatif téléphonique – *261*

Code postal – *2640*

🛈 **Posto de turismo** – *Palácio de Mafra - Terreiro D. João V - 2640-492 (dans l'enceinte du palais, à droite) - ℘ 261 81 71 70 - www.cm-mafra.pt.*

À ERICEIRA

🛈 **Junta de Turismo** – *R. Dr Eduardo Burnay - 2655-370 - ℘ 261 86 60 33 - www.ericeira.net.*

Se restaurer

🍴 **O Brasão** – *Travessa Manuel Esteves, 7 - ℘ 261 81 56 87 - fermé mar. - 8/15 €.* En sortant du palais, si la faim vous tenaille, ce restaurant situé à env. 100 m en face saura vous satisfaire à des prix très doux. À la carte : *picanha* à la brésilienne, riz de lotte et morue.

À ERICEIRA

🍴 **Canastra** – *R. Capitão João Lopes, 8 A - ℘ 261 86 53 67 - fermé merc. - 14/25 €.* Poissons et crustacés d'une grande fraîcheur, apportés chaque jour par les pêcheurs peu avant le déjeuner : à savourer sur la terrasse, au bord de la corniche qui surplombe la mer. À l'arrière, deux petites salles dans une maison de pêcheurs.

Vila Franca de Xira

18 442 HABITANTS
CARTE MICHELIN 733 P3 – DISTRICT DE LISBONNE

Ville de la plaine ribatejane, Vila Franca de Xira est, avec Santarém, le principal centre taurin et équestre du Portugal. On y pratique la tauromachie à pied et à cheval. Plutôt morne et entourée de zones industrielles, cette cité proche de Lisbonne s'anime en juillet, durant la fête taurine du « colete encarnado » (le gilet rouge), et en octobre lors de la foire annuelle.

- **Se repérer** – À une trentaine de kilomètres de Lisbonne.
- **À ne pas manquer** – Une *tourada* ; le belvédère de Monte.
- **Organiser son temps** – Prévoir une demi-journée pour visiter Vila Franca de Xira, si possible l'après-midi pour assister à une *tourada*.
- **Avec les enfants** – Les amateurs de chevaux apprécieront les centres équestres de Lezíria Grande et Morgado Lusitano *(voir dans l'encadré pratique)*.
- **Pour poursuivre le voyage** – Santarém, couvent de Mafra *(voir ce nom)*, palais de Queluz *(voir p. 145)*.

La « tourada » : un spectacle d'adresse, d'élégance et de courage.

B. Morandi/MICHELIN

Comprendre

Un centre taurin – Les taureaux de corridas et les chevaux lusitaniens sont élevés dans les vastes prairies de la rive gauche du Tage, de l'autre côté de la ville. Le premier week-end de juillet, avant les *touradas*, ont lieu plusieurs « lâchers de taureaux » dans les rues de la cité : les bêtes sont encadrées jusqu'aux arènes par les *campinos* (gardiens de troupeaux), habillés de gilets rouges. Danses folkloriques, banquets en plein air (sardines grillées) et parfois régates sur le Tage complètent les réjouissances.

Le cheval lusitanien et l'art équestre portugais – « Il est le plus beau du monde et le plus approprié pour un roi un jour de victoire » (duc de Newcastle, 17e s.).
Déjà connu des hommes du Paléolithique supérieur qui l'ont gravé sur les rochers de la vallée du Côa et monté depuis près de 5 000 ans, le pur-sang lusitanien est le plus ancien cheval de selle du monde. Son tempérament fougueux mais docile, son agilité, sa force et son courage en ont fait le cheval de combat par excellence. Au Portugal, depuis le Moyen Âge, la noblesse l'a utilisé dans la guerre. Pour s'y préparer, elle recourait à l'affrontement avec les taureaux ibériques. L'École portugaise d'art équestre a été créée au 18e s. Aujourd'hui encore, les cavaliers portugais portent les mêmes habits d'apparat et les chevaux sont harnachés comme autrefois. Tout cela contribue à faire du spectacle équestre un moment de rare beauté, dans lequel le cavalier et son cheval, en parfaite harmonie, exécutent les figures les plus complexes avec une légèreté qui rend justice au surnom donné aux lusitaniens de « fils du vent ».

Visiter

Les arènes

À la sortie sud de la ville, sur la route de Lisbonne (N 1).

Les *aficionados* se réunissent aux arènes « Palha Blanco » pour admirer les cavaliers tauromachiques, les fameux *forcados*. Construites en 1901, elles abritent également le **Musée ethnographique**. ☏ 263 27 30 57 - mar.-vend. 10h-12h30, 14h-18h - fermé j. fériés et les deux premières semaines d'août - grat. Vous pourrez y admirer des peintures, des dessins, des photos et des sculptures ayant trait à la région et à ses traditions – l'art tauromachique, la pêche sur le Tage – et surtout des costumes traditionnels des 18e et 19e s. (pêcheurs, paysans, éleveurs, *campinos*).

Belvédère (Miradouro) de Monte Gordo

3 km au nord par la rue Monte Gordo passant sous l'autoroute, puis par une route en forte montée.

Du belvédère aménagé entre deux moulins, au sommet de la colline, on découvre un vaste **panorama** : à l'ouest et au nord sur les autres collines couvertes de bois et de vignobles, d'où émergent des *quintas* ; à l'est sur la plaine ribatejane que rejoint le pont de Vila Franca jeté sur le Tage ; au sud sur les deux premières îles de l'estuaire du fleuve.

Aux alentours

La route nationale reliant Vila Franca de Xira à Lisbonne, très engorgée, est bordée de zones industrielles sans intérêt.

Alverca do Ribatejo

8 km au sud-ouest par la N 1, puis suivre la signalisation.

Sur l'aérodrome militaire, un hangar abrite le **musée de l'Air** (Museu do Ar). Celui-ci évoque le passé aérien du Portugal à travers des photos, des documents d'archives et, surtout, d'authentiques avions anciens et des répliques comme celles du *Blériot XI*, du *Demoiselle XX* (1908) de Santos-Dumont ou de l'hydravion *Santa Cruz* (1920) qui fut le premier à effectuer la traversée de l'Atlantique sud. ☏ 219 58 27 82 - www.emfa.pt - mar.-dim. 10h-17h (juil.-sept. 10h-18h) - fermé 1er janv., dim. de Pâques, 24 et 25 déc. - 1,50 €, grat. dim. mat.

Vila Franca de Xira pratique

Informations utiles

Indicatif téléphonique – 263

Code postal – 2950-221

🅸 **Posto de turismo** – Av. Almirante Cândido dos Reis, 147 - 2600-123 - ☏ 263 28 56 05 - www.cm-vfxira.pt.

Se restaurer

😋🍽 **O Redondel** – Praça de Touros - ☏ 263 27 29 73 - fermé lun. - 20/25 €. Avec sa salle courbée nichée sous les tribunes, l'« Arène » est une institution à Vila Franca de Xira. Sous les voûtes en brique rouge, une cuisine délicate et un service soigné : savoureux bifteck de vache à l'huile d'olive, ragoût d'anguilles, sole meunière et alléchant plateau de desserts. Calendrier des *touradas* à l'entrée.

Sports et Loisirs

Touradas – Vente des billets dans l'arène de « Palha Blanco » à partir d'une semaine avant la *tourada*. Début des courses variable (de 17h à 22h).

CENTRES ÉQUESTRES

👥 **Centro Equestre da Lezíria Grande** – À la sortie de Vila Franca (3 km du centre), sur la N 1 en direction de Carregado - ☏ 263 28 51 60 - www.celg.pt - fermé lun. Ce centre a été créé par Luís Valença, qui enseigne l'art équestre portugais à des cavaliers du monde entier. Les noms des chevaux les plus célèbres sont inscrits sur des azulejos au-dessus de leurs box. Le centre dispose d'un agréable restaurant qui est ouvert à midi.

À ALVERCA DO RIBATEJO

👥 **Centro Equestre Morgado Lusitano** – Quinta da Portela - Cabeço da Rosa (sur la N 10 direction Lisbonne, prendre à droite la N 116) - ☏ 219 93 65 20 - www.morgadolusitano.pt - fermé lun. Tout comme le précédent, ce centre élève des chevaux lusitaniens et entraîne des cavaliers. En outre, il organise un beau spectacle d'art équestre portugais, présentant des costumes et des harnais traditionnels du 18e s.

Santarém★

27 831 HABITANTS
CARTE MICHELIN 733 O3 – DISTRICT DE SANTARÉM

Injustement méconnue, la capitale provinciale du Ribatejo est une ville paisible au riche patrimoine architectural. Cet important centre agricole occupe une colline de la rive droite du Tage. Centre taurin et équestre réputé, capitale de la tauromachie portugaise, avec Vila Franca de Xira, la ville s'anime lors des grandes « feiras » et des « touradas ». Proche de Lisbonne, elle constitue ainsi une belle excursion journalière.

- **Se repérer** – À 78 km au nord-ouest de Lisbonne.
- **À ne pas manquer** – Une *tourada* ; la vieille ville.
- **Organiser son temps** – Visiter Santarém l'après-midi pour pouvoir assister à une *tourada*. Pour le circuit, comptez une demi-journée en incluant les visites.
- **Pour poursuivre le voyage** – Constância et le château d'Almourol *(voir Abrantes)*, Fátima, Óbidos, Tomar.

Comprendre

Sainte Irène – Religieuse dans un couvent situé près de Tomar, elle fut assassinée en 653 par le moine Remigo dont elle avait repoussé les avances. Son corps, jeté dans le Tage, vint échouer devant l'ancienne cité de Scalabis. Le roi des Wisigoths, converti au catholicisme, donna à la ville le nom de sainte Irène ou Santarém.

La résidence des rois – La position stratégique de la ville lui valut d'être, dès l'époque musulmane, le théâtre de nombreuses luttes. Reprise aux Maures en 1147 par Alphonse Ier Henriques, elle devint plus tard la résidence de plusieurs rois qui appréciaient son site et sa proximité avec Lisbonne.

Se promener

LA VIEILLE VILLE★★

Le centre historique, avec ses nombreux monuments gothiques et ses ruelles tranquilles entrecoupées d'escaliers, offre une agréable promenade.

Église do Seminário★

Praça Sá da Bandeira. La façade baroque (fin 18e s.) de cet ancien collège jésuite est caractérisée par la superposition de plusieurs étages, soulignés par des corniches et percés de fenêtres et de niches. Celles-ci abritent les statues de saints de la Compagnie de Jésus (Ignace, François Xavier, François de Borgia, Stanislas), dont le symbole (chrisme) est placé au-dessus de la porte principale. Le fronton curviligne est flanqué de lourdes volutes et de pyramides. L'**intérieur** reste austère malgré les incrustations de marbre qui décorent pilastres et autel. La nef unique, typique de l'architecture jésuite, est couverte d'un plafond peint représentant, au centre, l'Immaculée Conception et, dans les angles, les activités des jésuites sur les continents évangélisés.

Dans le vestibule de l'ancien couvent *(entrée à droite de l'église)*, on verra le départ de la frise d'azulejos (18e s.) qui parcourt les couloirs de l'édifice.

Église de Marvila★

Praça Visconde Serrado Pílar. Cette église fut fondée au 12e s. par le roi Alphonse Henriques après la conquête de Santarém sur les Maures, en 1147. Remaniée au 16e s., elle arbore un élégant portail manuélin. L'intérieur est tapissé d'azulejos. Les plus intéressants, datant de 1620 et de 1635, sont des azulejos dits *tapete* (tapis) aux motifs végétaux polychromes. Remarquez les éléments manuélins des trois chapelles et l'autel baroque en bois doré.

Église de São João de Alporão - Musée archéologique★
(Núcleo Museológio de Arte e Arqueologia São João de Alporão)

Largo Zeferino Sarmento - en raison de son exiguïté, le musée organise des expositions thématiques ; les pièces exposées changent régulièrement - ℘ 243 304 468 - merc.-dim. 9h-12h30, 14h-17h30 - fermé j. fériés - prix d'entrée en fonction des expositions.

Cette église romano-gothique abrite des collections archéologiques. À gauche de l'entrée, le beau **cénotaphe** de Duarte de Meneses, comte de Viana, de style gothique flamboyant, a été édifié au 15e s. par sa femme pour accueillir une dent, seul reste de la dépouille de son mari tué par les Maures en Afrique. À gauche de l'entrée, joli balcon de pierre ciselé par Mateus Fernandes.

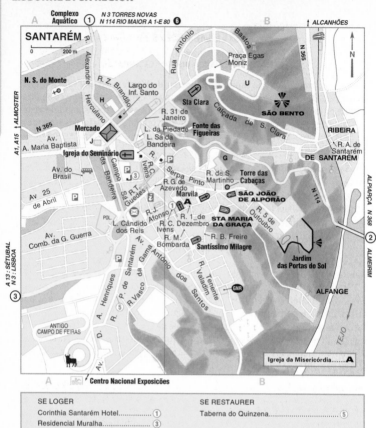

SANTARÉM

SE LOGER

Corinthia Santarém Hotel...............①
Residencial Muralha......................③

SE RESTAURER

Taberna do Quinzena................................⑤

Tour des Calebasses (Torre das Cabaças)

Fermée pour travaux.

Du sommet de cette tour, vestige de l'ancienne muraille médiévale, face à l'église de São João de Alporão, belle **vue** sur l'ensemble de la ville. Sa cloche rythmait autrefois la vie de la cité. À l'intérieur a été aménagé un musée du Temps.

Jardin des Portes du Soleil (Jardim das Portas do Sol)

Au bout de l'av. 5 de Outubro. La muraille percée de la porte du Soleil a donné son nom à ce paisible jardin, qui dispose d'un kiosque et d'une agréable buvette. Il offre une **vue★★** splendide sur la plaine et le Tage, qui dessine en contrebas une large boucle.

Église da Graça★

Largo Pedro Álvares Cabral - 9h-12h30, 14h-17h30 - fermé j. fériés.

Cette église gothique, édifiée en 1380, exhibe une belle façade flamboyante percée d'une jolie rose, finement ciselée dans un seul bloc de pierre. Une restauration a rendu la pureté de ses lignes à la magnifique **nef** principale. L'église abrite plusieurs tombeaux, dont celui de Dom Pedro de Meneses (15e s.), premier gouverneur de Ceuta, dans le bras droit du transept. Reposant sur huit lions, le tombeau, qui porte les gisants du comte et de sa femme, est ouvragé de feuillages et de blasons. Sur le sol de l'absidiole de droite se trouve la plaque funéraire du navigateur Pedro Álvares Cabral, qui découvrit le Brésil en 1500. Sa statue trône devant l'église, sur le largo Álvares Cabral. Dans la chapelle du collatéral droit, un panneau d'azulejos du 18e s. représente saint Jean-Baptiste entre sainte Rita et saint François.

À côté de l'église, la **Casa do Brasil** (*☎ 243 30 92 50*) est un petit centre culturel et d'expositions dédié au Brésil.

Église do Santíssimo Milagre

R. Braamcamp Freire. Cette église, lieu d'une grande dévotion, fut fondée au 14e s., puis remaniée à plusieurs reprises. Elle contient dans un tabernacle l'hostie qui en 1247 se serait transformée en sang du Christ.

Église da Misericórdia

R. 1º de Dezembro - horaires variables (rens. à l'office de tourisme). Cette église du 16e s., reconstruite après le tremblement de terre de 1755, présente une façade baroque. L'intérieur arbore une élégante voûte nervurée soutenue par des colonnes toscanes attribuées à Miguel de Arruda.

AU NORD DE LA VIEILLE VILLE

Église de Santa Clara

Merc.-dim. 9h-12h30, 14h30-17h30 - fermé j. fériés.

Cette vaste église gothique faisait partie d'un couvent bâti au 13e s. L'absence de portail en façade accentue l'impression de nudité produite par l'extérieur de l'église. À l'intérieur, la nef centrale, étroite et longue de 72 m, s'achève par une jolie rosace qui surmonte le second tombeau (17e s.) de Dona Leonor, fondatrice du couvent. On voit également le premier tombeau (14e s.) de celle-ci : sur ses faces figurent des moines franciscains et des clarisses ; au pied, saint François recevant les stigmates ; au chevet, l'Annonciation. Admirez les fresques du 17e s.

Belvédère (Miradouro) de São Bento★

Ce belvédère offre un vaste **panorama★** sur la plaine, que le Tage recouvre l'hiver de ses eaux fertilisantes, et sur Santarém, dont on distingue les principaux monuments.

Fontaine (Fonte) das Figueiras

Le porche de cette fontaine du 13e s., adossé à une muraille, est couronné de merlons pyramidaux.

Marché (Mercado)★

Les murs du **marché** sont recouverts d'azulejos datant du début du siècle dernier.

Chapelle (Capela) de Nossa Senhora do Monte

Horaires variables (rens. à l'office de tourisme).

Au centre d'une place en forme de fer à cheval, cette façade du 16e s. est bordée sur deux côtés d'une galerie à arcades dont les chapiteaux sont ornés de feuillages et de têtes d'angelots. Au chevet, statue de la Vierge du 16e s.

Aux alentours

Cartaxo

13 km au sud de Santarém. Sortir de Santarém en suivant la N 3.

Musée rural et du Vin (Museu Rural e do Vinho) – *℘ 243 70 12 57 - mar.-vend. 10h30-12h30, 15h-17h30, w.-end et j. fériés 9h30-12h30, 15h-17h30 - 1,10 €.* Cet intéressant musée occupe une *quinta* du 19e s. Il accueille une grande quantité d'instruments et d'outils qui permettent de suivre l'évolution des techniques de vinification. Une partie est consacrée au *campino* (gardien), aux chevaux et aux taureaux du Ribatejo. Pour clore agréablement la visite, dégustez les fameux vins du Cartaxo dans la petite taverne de la *quinta*.

Circuit de Santarém à Golegã

Cet itinéraire longe le Tage et la plaine fertile du Ribatejo.

72 km AR. Quitter Santarém vers l'ouest par la N 368, puis prendre à gauche la N 118.

Alpiarça

À la lisière de cette bourgade agricole située en contrebas de Santarém, sur l'autre rive du Tage, s'élève un manoir.

Casa dos Patudos★ – *℘ 243 55 83 21 - visite guidée (1h30) avr.-sept. : mar.-dim. 10h-12h, 14h-18h, oct.-mars : mar.-dim. 10h-12h30, 14h-17h30 (dernière entrée 1h av. fermeture) - fermé 2 et 25 avr., dim. de Pâques, 1er mai et 25 déc. - 2,50 €.* Cette demeure, construite entre 1905 et 1909 par l'architecte portugais Raúl Lino, appartenait à José Relvas (1858-1929), homme d'État et grand amateur d'art, qui y avait réuni une remarquable collection. À sa mort, le manoir devint un musée, qui abrite en particulier au premier étage un magnifique ensemble de **tapisseries★** du 17e au 19e s. : plus de 40 tapis d'Arraiolos (dont un, unique, brodé de soie, datant de 1762), tapis de soie indo-portugais, couvre-lits de Castelo Branco, tapisseries d'Aubusson. À découvrir également : une riche collection de **faïences et porcelaines★** portugaises, françaises, allemandes et orientales, dont une partie constitue le plaisant décor de la salle à manger.

Dans la galerie des primitifs, d'intéressantes peintures luso-flamandes du 16e s. et une belle œuvre italienne représentant la Vierge à l'Enfant. Plusieurs salles illustrent l'art portugais au 19e s. : nombreuses peintures portugaises (toiles de Josefa de Óbidos, de Silva Porto, portraits de la famille de José Relvas par Malhoa, etc.) ; sculptures de Soares dos Reis, Teixeira Lopes et Machado de Castro.

Une salle est tapissée d'azulejos (18ᵉ s.) illustrant la vie de saint François d'Assise.

Continuez la N 118 sur 17,5 km.

Chamusca

Étirée en longueur, cette séduisante ville aux maisons basses ornées de frises et de fleurs est un centre tauromachique renommé abritant les arènes les plus anciennes du Ribatejo. Sur la hauteur, près du belvédère, la petite **chapelle Nossa Senhora do Pranto★** est entièrement tapissée de magnifiques azulejos des 17ᵉ et 18ᵉ s. *(demandez la clé à la gardienne).*

Reprendre la N 118 pendant 3,5 km, puis tourner à gauche sur la N 243 vers Golegã.

Golegã

Situé sur la rive droite du Tage, Golegã, entouré de terres fertiles et verdoyantes, est un centre d'élevage de chevaux et de taureaux. La ville s'anime lors de sa grande foire annuelle consacrée au cheval, la **Feira Nacional do Cavalo**, qui se déroule autour de la Saint-Martin, pendant la première quinzaine de novembre. La saison tauromachique s'étend de Pâques à octobre. Golegã s'est aussi doté d'un complexe équestre moderne.

Église paroissiale – Construite au 16ᵉ s., cette église présente un magnifique **portail★★** manuélin attribué à Boytac, l'architecte du monastère des Jerónimos de Belém. Dans le chœur, panneaux d'azulejos du 18ᵉ s.

Equuspolis – *R. D. João IV* - ☎ *249 97 90 00* - *mar.-dim. 10h-12h30, 14h-18h* - *fermé j. fériés* - *2 €.* Inauguré en 2005, ce vaste espace lumineux abrite un musée dédié à l'œuvre du peintre Martins Correia et une galerie d'expositions temporaires. Il propose aussi des films en 3D baptisés « Equus Virual », consacrés au monde du cheval.

Aux environs de la ville, la **Réserve naturelle do Paúl do Boquilobo**, vaste zone humide de près de 530 ha, inondée pendant une bonne partie de l'année, abrite une grande variété de plantes aquatiques, de cannaies et différentes espèces d'oiseaux, en particulier la plus importante colonie de hérons de la péninsule Ibérique.

De là, si vous avez le temps, vous pouvez rejoindre le château d'Almourol (voir Abrantes), ou bien retourner à Santarém.

Óbidos★★

651 HABITANTS
CARTE MICHELIN 940 N2 – DISTRICT DE LEIRIA

Dominant un vaste paysage de vallons verdoyants et de hauteurs piquetées de moulins à vent, Óbidos a su conserver son cachet et son charme de ville médiévale, malgré l'afflux des touristes. La cité fortifiée est à l'abri de son enceinte flanquée de petites tours rondes et de bastions carrés. Elle surveillait autrefois le littoral atlantique ; le comblement d'un ancien golfe marin, dont subsiste la jolie lagune d'Óbidos, l'a isolée du rivage dont elle se trouve aujourd'hui éloignée de 17 km. Le tour des remparts à pied constitue une promenade très agréable, qui offre de belles perspectives sur cette cité compacte et bien restaurée.

La cité d'Óbidos vue du haut des remparts.

▶ **Se repérer** – Au centre de la province d'Estremadura, à une centaine de kilomètres au nord de Lisbonne et à 6 km au sud de Caldas da Rainha.

👁 **À ne pas manquer** – Le tour des remparts.

🕐 **Organiser son temps** – Prévoir une demi-journée pour visiter Obidos et, après le déjeuner, se promener autour de la lagune.

👫 **Avec les enfants** – Se baigner à Foz de Arelho.

🐾 **Pour poursuivre le voyage** – Alcobaça, Caldas da Rainha, Nazaré, Peniche et l'île de Berlenga.

Comprendre

L'apanage des reines – Sitôt repris aux Maures en 1148 par Alphonse Henriques, Óbidos connut la fièvre de la reconstruction. Ses murailles consolidées, ses tours rebâties, ses ravissantes maisons blanches remises en état, la cité présentait déjà sa physionomie attrayante lorsque le roi Denis s'y rendit en 1282, accompagné de sa jeune épouse, Isabelle d'Aragon. Lors de la promesse de mariage, l'année précédente, celle-ci avait reçu Óbidos en présent et, jusqu'en 1833, les reines du Portugal l'eurent en apanage.

Se promener

LA CITÉ MÉDIÉVALE★★

Compter 1h30. Laisser la voiture à l'extérieur des remparts.

Rua Direita★

Étroite, la rue principale d'Óbidos est occupée en son centre par un caniveau dallé et bordée de maisons blanches, fleuries de géraniums et de bougainvilliers, où se sont installés des magasins d'artisanat, des restaurants et des galeries d'art. Elle relie le château et la **Porta da Vila**, double porte en chicane dont l'intérieur est revêtu d'azulejos du 18ᵉ s.

Musée municipal – ✆ 262 95 92 99 - 10h-13h, 14h-18h - fermé 1er et 11 janv. (fête locale), dim. de Pâques et 25 déc. - 1,50 €. Installé dans une jolie maison du 18e s., où résida le peintre portugais Eduardo Malta, ce musée comprend une centaine d'œuvres datant du 14e au 18e s. Il présente notamment une statue de saint Sébastien du 15e ou 16e s. et celle d'une pietà polychrome du 17e s. Une salle est également consacrée à deux peintres portugais du 16e s., Diogo Teixeira et Belchior de Matos. Malheureusement, le musée ne présente plus qu'une seule peinture de l'artiste **Josefa de Óbidos**.

Josefa de Óbidos

Née à Séville en 1634, Josefa de Ayala, plus connue sous le nom de Josefa de Óbidos, s'installe très jeune dans cette ville où elle demeure jusqu'à sa mort (1684). Ses peintures, aux tons indécis et au dessin estompé, sont empreintes d'une féminité ingénue qui confine parfois à la mièvrerie. Ses savoureuses natures mortes, aux riches couleurs, sont plus appréciées.

Praça Santa Maria★

Cette jolie place en contrebas de la rue principale est entourée d'un marché couvert et de vieilles maisons.

Pilori – Surmontant une fontaine, le pilori du 15e s. porte les armes de la reine Leonor sur lesquelles figure un **filet** évoquant la noyade de son fils dans le Tage, à Santarém, en 1491. Le corps de l'infant fut ramené dans le filet d'un pêcheur à sa mère, épouse de Jean II, qui vint chercher l'apaisement à Óbidos.

Église de Santa Maria – *Avr.-oct. : 9h30-12h30, 14h30-19h ; nov.-mars : 9h30-12h30, 14h30-17h.* En 1444, le jeune roi Alphonse V y épousa sa cousine Isabelle âgée de 8 ans. L'**intérieur★** présente des murs complètement recouverts d'azulejos bleus du 17e s. à grands motifs végétaux. Dans le chœur, on distingue dans un enfeu à gauche un **tombeau★** Renaissance, surmonté d'une pietà qu'accompagnent les saintes femmes, et Nicodème venant ensevelir le corps du Christ ; cette œuvre remarquable est attribuée à l'atelier de Nicolas Chanterene. Le retable du maître-autel est orné de tableaux de João da Costa.

Poursuivre jusqu'à l'extrémité de la rue principale pour atteindre les remparts. Suivre la signalisation pour la pousada.

Remparts★★

Accès près de la porta da Vila ou à proximité du château. D'origine maure, ils ont été en partie reconstruits aux 12e, 13e et 16e s. La partie nord, la plus élevée, est occupée par le donjon et les hautes tours du château.

Le tour par le chemin de ronde offre des **vues★★** très agréables sur la cité fortifiée, ses maisons blanches rehaussées de bleu ou de jaune, ainsi que sur les environs.

Château – Transformé en palais au 16e s., il présente une façade percée de fenêtres géminées manuélines à colonnes torses et un portail manuélin surmonté de deux sphères armillaires. Il abrite une *pousada*.

Aux alentours

À la sortie de la ville, vous pourrez voir l'**aqueduc** datant du 16e s.

Sanctuaire Senhor da Pedra

Situé hors des remparts, à 1 km au nord de la ville, en bordure de l'ancienne route nationale. ✆ 262 95 99 45 - avr.-oct. : mar.-dim. 9h30-12h30, 14h30-19h ; nov.-mars : mar.-dim. 9h30-12h30, 14h30-17h.

C'est une construction baroque de plan hexagonal, édifiée de 1740 à 1747. Dans une vitrine au-dessus de l'autel se dresse une croix de pierre primitive datant du 2e ou 3e s. avec une étrange représentation d'un petit personnage les bras en croix. Autour de la nef, des niches abritent plusieurs statues baroques d'apôtres.

Le carrosse qui se trouve dans le sanctuaire servait à transporter la statue de la Vierge de l'église Santa Maria d'Óbidos à l'église Nossa Senhora de Nazaré lors de la fête du 8 septembre.

Lagune d'Óbidos (Lagoa de Óbidos)

17 km – Env. 1h. Prendre la direction de Peniche et, à Amoreira (ne pas entrer dans le village), tourner à droite vers le nord-ouest par la N 14 (direction Lagoa de Óbidos).

La route donne accès à l'extrémité sud de la lagune, qu'elle contourne parmi les pins et les eucalyptus. On atteint ensuite un village de pêcheurs devenu une petite station balnéaire, **Aldeia dos Pescadores**, situé juste en retrait du chenal qui fait communiquer les eaux douces de la lagune et l'Océan. Agréable promenade à pied jusqu'aux plages atlantiques.

👥 En face du chenal, on distingue **Foz do Arelho** *(possibilité de traverser la passe à pied ou à la nage, mais attention au courant parfois très fort selon les marées)*, jolie station balnéaire familiale, bien que très fréquentée l'été, placée entre le calme de la lagune et les embruns de l'Océan.

En restant côté sud, débute ici la très longue plage de sable de **Rei Cortiço** qui se prolonge jusqu'à la plage non moins rectiligne de Baleal, à l'est de Peniche *(voir ce nom)*.

Óbidos pratique

Informations utiles

Indicatif téléphonique – *212*

Code postal – *2950-221*

🛈 **Posto de turismo** – *R. Direita, 45 - 2510-060 - ☎ 262 95 92 31 - www.obidos. oestedigital.pt.*

Internet – *Casa do Pelourinho - R. Direita - ☎ 262 95 55 37 - lun.-vend. 10h-19h, w.-end et j. fériés 11h30-18h30 - grat.*

Transport

Bus – Arrêt au pied de la muraille, à 50 m de l'office de tourisme. Bus fréquents pour Nazaré, Peniche, Caldas da Rainha.

Se loger

🛏 **Casa do Poço** – *Travessa da rua Nova - ☎ 262 95 93 58 - ⚑ - 🅿 - 4 ch. 50/60 € ⬜.* Le charme de cette maison d'hôte réside dans sa fontaine en rocaille, sa petite terrasse ouverte sur les toits et la vue que l'on a des remparts et du château. Le petit-déjeuner est servi dans une cuisine ancienne. Chambres un peu sombres et étriquées.

🛏🛏 **Casa do Rochedo** – *R. do Jogo da Bola - ☎ 262 95 91 20 - ⚑ 🛝 - 7 ch. 60/75 € ⬜.* Cette maison d'hôte adossée à la partie haute des remparts présente un atout de poids : une piscine avec vue panoramique sur le château, les remparts, les toits, les clochers du village et la vallée au loin ! Le charme de cette situation exceptionnelle l'emporte sur la décoration, pas toujours du meilleur goût.

🛏🛏 **Estalagem do Convento** – *R. D. João d'Ornelas - ☎ 262 95 92 16 - www. estalagemdoconvento.com - ✕ - 31 ch. 76/100 € - rest. 15/20 € (fermé dim.).* Auberge joliment installée dans un ancien couvent. Cadre rustique, chambres spacieuses et plaisantes.

🛏🛏 **Casa de S. Tiago do Castelo** – *Largo de S. Tiago - ☎ 262 95 95 87 - 🅿 - 6 ch. 75/80 € ⬜.* Sur la place du château, une petite grille surmontée d'une tonnelle donne accès à cette charmante maison d'hôte du 18e s. décorée de meubles anciens. Accueil adorable des propriétaires qui vous inviteront à prendre un petit verre de *ginginha* au salon. L'été, le petit-déjeuner est servi dans un ravissant patio avec vue sur les remparts.

🛏🛏🛏 **Casa das Senhoras Rainhas** – *R. Padre Nunes Tavares, 6 - ☎ 262 95 53 60 - www.senhorasrainhas.com - 🖵 ✕ - 10 ch. 144/165 € ⬜ - rest. 35 €.* Cette maison ancienne nichée au pied des remparts a été rénovée pour accueillir un hôtel où simplicité rime avec élégance. Toutes les chambres sont agrémentées d'une terrasse sur jardin et malgré l'absence de vue, la qualité du service ainsi que l'esprit « déco » en font une adresse de charme. Restaurant et salons-bars.

🛏🛏🛏 **Pousada do Castelo** – *Paço Real - ☎ 262 95 50 80 - www.pousadas.pt - 🖵 - 9 ch. 190/260 € ⬜ - rest. 30 €.* L'ancien château d'Óbidos abrite une confortable *pousada* décorée avec élégance dans un style ancien. Un havre de paix.

Se restaurer

🍴 **Petrarum Domus Bar** – *R. Direita - ☎ 262 95 96 20 - www.petrarumdomus. com - 12h-2h - fermé dim. - env. 15 €.* Poutres et pierres apparentes, mezzanine en deux parties reliées par une passerelle en métal, fauteuils en cuir patiné, meules en pierre pour toutes tables et lumière tamisée : voilà un bar à vins où vous aurez plaisir à savourer quelques crus régionaux, la Celta, la spécialité du bar ou des assiettes de fromage et de charcuterie.

🍴🍴 **Alcaide** – *R. Direita, 60 - ☎ 262 95 92 20 - restcalde@hotmail.com - fermé 15-30 mars et 15-30 nov. - env. 25 €.* Dans la rue principale du village, une adresse qui propose une cuisine savoureuse et soignée : espadon grillé, palourdes à l'ail et à la coriandre… Réservez une table près de la fenêtre pour profiter pleinement de la vue sur la vallée.

🍴🍴 **A Ilustre Casa de Ramiro** – *R. Porta do Vale - ☎ 262 95 91 94 - fermé janv., jeu. midi et vend. midi - 🖵 - env. 30 €.* Cuisine traditionnelle soignée dans une ancienne maison rustique située à l'extérieur des remparts.

Faire une pause

Pastelaria D. Alfonso – *R. Direita, 113 - ☎ 262 95 99 55 - été : ferm. 22h ; hiver : 18h.* Un pressoir monté sur un tronc d'arbre colossal indique que vous entrez dans un bar à vins, mais la vitrine alléchante vous dit qu'il s'agit d'une pâtisserie : l'enseigne combine les deux. Ici, les verres de *ginginha* côtoient les tasses à café et les assiettes de gâteaux pour le plus grand plaisir des habitués.

Sports et Loisirs

Golf de Praia d'El Rey – *N 114 direction Peniche* - *262 90 50 05 - www.praia-del-rey.com*. À 25 km d'Óbidos, le luxueux complexe touristique de Praia del Rey comprend un golf classé parmi les 10 meilleurs d'Europe qui s'étend entre dunes et pinèdes.

Événements

Romaria do Senhor dos Passos – Pendant la Semaine sainte.

Feira de Santa Cruz – Fête de la Sainte-Croix, le 3 mai.

Feira de São João – Saint-Jean (24 juin).

Peniche

15 595 HABITANTS
CARTE MICHELIN 733 N1 – DISTRICT DE LEIRIA

Second port de pêche du Portugal, Peniche est aussi un centre de construction navale et de conserveries de poisson. Précédé d'un isthme étroit et sableux, où s'étendent des marais salants, il se trouve à l'entrée d'une presqu'île longue de 3 km qui s'étire jusqu'au cap Carvoeiro. Le sud de cette presqu'île, à l'ouest du port, est désormais très urbanisé, ce qui ne fait pas de Peniche une ville forcément très attachante. Cependant vous y dégusterez des poissons et des crustacés d'une grande fraîcheur, et c'est de là que vous embarquerez pour l'île de Berlenga, archipel granitique classé Réserve naturelle.

▷ **Se repérer** – 97 km au nord de Lisbonne et 78 km à l'ouest de Santarém.

🅿 **Se garer** – Campo da República, en face de la forteresse.

👁 **À ne pas manquer** – L'île de Berlenga.

🕓 **Organiser son temps** – Se rendre à l'île de Berlenga plutôt le matin puis déjeuner à Peniche.

👪 **Avec les enfants** – Faire le tour de la route côtière en vélo.

🍴 **Pour poursuivre le voyage** – Caldas da Rainha, Óbidos, Nazaré.

La dentelle de Peniche

Depuis le 16e s., les femmes de Peniche s'adonnent l'hiver à l'art de la dentelle au fuseau *(rendas de bilros)*. Cette activité a connu son apogée à la fin du 19e s. : elle était alors répandue dans la plupart des foyers du port. De nos jours, l'association Rendibilros s'attache à préserver la tradition. De remarquables réalisations, dont certaines ont été primées lors de concours internationaux, sont exposées au Musée municipal, situé dans le fort. On peut acquérir des ouvrages de dentelle en ville *(avenida do Mar)*.

Se promener

LA VILLE

Des restes de remparts et une puissante citadelle rappellent l'ancien rôle militaire de la cité.

Citadelle (Fortaleza)

262 78 01 16 - mar. 14h-17h30, merc.-vend. 9h-12h30, 14h-17h30, w.-end 10h-12h30, 14h-17h30 - 1,45 €.

Cette ancienne forteresse du 16e s., transformée au 17e s. en citadelle à la Vauban, garde fière allure avec sa cuirasse de hauts murs et de bastions aux arêtes vives, surmontés d'échauguettes. Elle domine à la fois le port à l'est et la mer au sud. Sous la dictature de Salazar, elle servit de geôle pour les prisonniers politiques, puis de cité d'urgence pour des réfugiés d'Angola.

À l'intérieur, le Musée municipal relate, entre autres, l'histoire de la ville.

Le port

Il occupe, au sud-est de la ville, une anse presque fermée par deux digues. L'esplanade *(largo da Ribeira)* qui le borde, au pied de la citadelle, devient à chaque **retour de pêche★** le théâtre d'un spectacle haut en couleur, sous l'incessant ballet aérien des mouettes qui suivent les flottilles et s'agitent au moment du déchargement des sardiniers, thoniers ou langoustiers.

Église da Misericórdia

Le plafond à caissons de cette église du 17e s. est couvert de peintures des grands maîtres de l'époque, parmi lesquels Baltazar Gomes Figueira (père de Josefa de

Óbidos) et Pedro Peixoto. Dans la nef, transformée en musée d'art religieux, on peut notamment admirer cinq toiles de Josefa de Óbidos *(voir encadré p. 182).*

Église de São Pedro
Le chœur de cette église (17ᵉ s.) a été revêtu au 18ᵉ s. de boiseries dorées où sont encastrées quatre grandes toiles du 16ᵉ s., dues à Pedro Peixoto et illustrant la vie de saint Pierre.

LES PLAGES
Au nord de la péninsule s'étend la longue et belle plage de **Baleal**, où l'on peut notamment pratiquer le surf, et, au sud, celle de **Consolação**.

CAP CARVOEIRO★
À 2 km. La presqu'île, longue de 3 km, dont les côtes sont émaillées de rochers formant des piles tabulaires feuilletées, est souvent battue par les vents. La route côtière *(4 km)* permet d'en faire le tour en voiture, à pied ou à vélo.
Sortir par le nord de la ville et suivre à gauche la N 114.

Papoa – *Prendre un chemin à droite après une école et un château d'eau, et, 500 m plus loin, laisser la voiture.* 🚶 *30mn à pied.* Cette petite presqu'île greffée en ergot sur le cap Carvoeiro conserve dans sa partie la plus large un moulin et les ruines du fort qui constituait le pendant nord de la citadelle de Peniche. On y accède par des passerelles qui permettent d'atteindre un promontoire d'où l'on surplombe de hautes falaises et les rocs qui s'en détachent en mer, dont le rocher isolé baptisé « Vaisseau des Corbeaux » (Nau dos Corvos).

Bien que l'horizon soit souvent embrumé, le monument élevé au point culminant permet d'apprécier le **panorama★** qui s'offre à l'est sur la pointe du Baleal, son île et la côte au-delà, échancrée par la lagune d'Óbidos ; au nord-ouest sur l'île de Berlenga ; à l'ouest sur les falaises jusqu'à Remédios ; au sud sur Peniche.
Revenir à la N 114.

La route suit en corniche une côte escarpée dont les multiples anfractuosités sont très prisées par les pêcheurs à la ligne.

Plusieurs belvédères ménagent des vues plongeantes sur les falaises ; celui situé dans l'axe de la chapelle de Remédios permet de découvrir une étrange concentration de piles rocheuses tabulaires.

Chapelle de Nossa Senhora dos Remédios – Dans le village tout blanc de Remédios s'élève, au fond d'une courette plantée d'araucarias, cette chapelle au petit clocher hexagonal, dont l'intérieur est revêtu de beaux **azulejos★** du 18ᵉ s. attribués à l'atelier d'António de Oliveira Bernardes. On reconnaît à droite la Nativité et la Visitation, à gauche la Présentation au Temple ; le plafond est décoré d'une Assomption.

Après Remédios, la végétation se raréfie pour faire place à un paysage de landes où s'élève le **phare**. La **vue★** est impressionnante sur l'Océan, le « Vaisseau des Corbeaux » (Nau dos Corvos) où s'ébattent mouettes et cormorans et, au large, sur la silhouette trapue de l'île de Berlenga.

Le cap Carvoeiro.

Aux alentours

L'ÎLE DE BERLENGA★★

De mi-mai à mi-sept. : traversée (40mn) quotidienne depuis Peniche (voir dans l'encadré pratique). Rens. à de l'office du tourisme de Peniche (attention, nombre de billets limité par jour : réserver à l'avance en saison).

L'île de Berlenga dresse sa masse de granit rougeâtre à 12 km au large de Peniche. C'est la seule île accessible et la plus importante de l'archipel, composé aussi des îlots Estelas, Forcadas et Farilhões. Avec 1 500 m de longueur, 800 m de largeur maximale, Berlenga s'élève à 85 m au-dessus de l'Océan. Ses côtes déchiquetées (indentations, pointes et grottes marines) offrent un refuge idéal aux nombreux oiseaux marins qui viennent nicher dans cette réserve naturelle protégée. L'île est aussi un centre réputé de plongée sous-marine et de pêche sportive. L'accostage du bateau arrivant de Peniche a lieu au pied d'une ancienne forteresse (1676) transformée en auberge *(voir dans l'encadré pratique).*

Tour en barque★★★

De mai à mi-sept. Compter une journée. Réserver au moins la veille auprès de la société Berlenga Turpesca (voir dans l'encadré pratique).

Il permet d'explorer les îlots, les récifs, les arches et les grottes marines découpées dans la falaise rougeâtre. Les sites les plus impressionnants sont, au sud de l'auberge, le **Furado Grande** (« Grande Percée »), tunnel marin de 70 m qui débouche sur la **Cova do Sonho** (« le Repaire du Songe »), une petite crique dominée par de hautes murailles de granit rouge, et, sous la forteresse, la **Gruta Azul** (« grotte Bleue »), une grotte marine dont l'étrange couleur émeraude est due à la réfraction de la lumière dans l'eau.

Tour à pied★★

Compter 1h30. De l'auberge, un escalier conduit au phare. À mi-hauteur, admirez en arrière le **site★** de l'ancienne forteresse. Sur le plateau, un sentier *(à gauche)* mène à l'ouest vers la Côte Sauvage ; du haut des rochers, la **vue★** s'étend sur l'Océan écumant et les îlots de l'archipel.

Revenir près du phare et descendre par un chemin pavé vers une petite anse dotée d'une plage, où s'alignent quelques maisons de pêcheurs ; à mi-pente s'ouvre, à gauche, une sorte de calanque dans laquelle la mer s'engouffre bruyamment par mauvais temps.

Peniche pratique

Informations utiles

Indicatif téléphonique – *262*
Code postal – *2520*
🛈 **Posto de turismo** – *R. Alexandre Herculano, 2520 - ℘ 262 78 95 71.*

Se restaurer

SUR L'ÎLE DE BERLENGA
🍴🍴 **Pavilhão Mar e Sol** – *Au-dessus du pont d'embarquement - ℘ 262 75 03 31 -🚭 - ouvert juin-sept. - 12/25 €.* Pour profiter de la terrasse surplombant la magnifique crique aux eaux cristallines. L'établissement dispose aussi de 5 chambres doubles situées juste au-dessous *(65/75 €).*

Sports et Loisirs

BATEAU POUR L'ÎLE DE BERLENGA
Viamar – *Largo Jacob R. Pereira, 2 - ℘ 262 78 56 46 - www.viamar-berlenga. com.* Traversée Peniche-île de Berlenga 18 €.

Berlenga Turpesca – *Largo da Ribeira - ℘ 262 78 99 60.*

Berlenga Praia (Julius) – *℘ 262 78 26 36.* Outre la traversée vers l'île de Berlenga, propose aussi des croisières sur la côte, de la pêche sportive et de la plongée sous-marine.

PLONGÉE
Haliotis – *Hotel Praia Norte - av. Monsenhor Manuel Bastos - 2520-206 - ℘ 262 78 11 60 - www.haliotis.pt.* Cette équipe de professionnels propose des sorties de plongée en mer dans la réserve marine de l'île de Berlenga et au large de Farilhões.

Caldas da Rainha

24 918 HABITANTS
CARTE MICHELIN 733 N2 – DISTRICT DE LEIRIA

Les sources d'eaux chaudes et sulfurées de cette station thermale sont de réputation ancienne et ont donné leur nom à la ville (« Bains de la Reine »). Connu aussi pour ses faïences et céramiques aux motifs variés, Caldas da Rainha est un centre agricole aux marchés très fréquentés. Ville au charme désuet, elle ne connaît pas l'agitation touristique de ses voisins Óbidos ou Nazaré. Pourtant, il fait bon se promener dans les rues entourant la praça da República aux belles façades un peu décaties, qui laissent entrevoir son prestige passé.

- **Se repérer** – À 35 km à l'est de Peniche et à 7 km au nord d'Óbidos.
- **À ne pas manquer** – L'église de Nossa Sehnora do Pópulo.
- **Organiser son temps** – Si vous séjournez à Óbidos, Peniche ou Nazaré, Caldas peut faire l'objet d'une excursion : prévoir une demi-journée au moins pour visiter la ville et pique-niquer dans le parc Dom Carlos. Animé et coloré, le marché aux fruits et légumes se tient chaque matin sur la praça da República.
- **Pour poursuivre le voyage** – Alcobaça, Nazaré, Óbidos et sa lagune, Peniche.

Comprendre

Les bains de la reine – En 1484, la **reine Leonor**, femme de Jean II, se rend à Batalha à l'anniversaire des obsèques de son beau-père Alphonse V. En chemin, elle aperçoit au bord de la route des paysans qui se baignent dans des mares dégageant des vapeurs malodorantes. Intriguée, elle se renseigne et apprend que cette eau guérit les rhumatismes. Elle décide alors de s'y baigner, puis reprend la route vers Batalha. Au bout de 6 km, la reine commence à ressentir les effets bénéfiques de ces eaux sulfureuses et n'hésite pas à interrompre son voyage pour poursuivre sa cure. Le village où elle a fait demi-tour portera désormais le nom de Tornada (« Retour de Voyage »).

En 1485, sa générosité de cœur la pousse à vendre ses bijoux et ses dentelles pour financer la fondation d'un hôpital dont elle prend la direction ; elle fait ensuite aménager un vaste parc et construire une église.

Visiter

Parc Dom Carlos I★

Redessiné à la fin du 19e s. pour servir de lieu de promenade aux patients de l'hôpital thermal, ce parc est agrémenté de saules pleureurs, palmiers, fleurs, pelouses, statues et pièces d'eau, qui lui confèrent charme et fraîcheur. Les principaux monuments se trouvent à proximité.

Musée (Museu) José Malhoa

262 83 19 84 - mar.-dim. 10h-12h30, 14h-17h - fermé 1er janv., dim. de Pâques, 1er mai et 25 déc. - 2 €, grat. dim. mat.

Situé dans le parc D. Carlos I, ce musée abrite une collection de peintures, de sculptures et de céramiques des 19e et 20e s. On remarquera les œuvres de José Malhoa (1855-1933), peintre de scènes populaires dont les plus connues sont *Les Promesses (As Promessas)* et *L'Ultime Interrogatoire du marquis de Pombal*. Son art est caractérisé par l'utilisation intense de la lumière et des couleurs, et par le réalisme des thèmes. Un autre peintre, Columbano (1857-1929), surnommé le « mage de la pénombre », a laissé de bons portraits dont une *Tête de garçon (Cabeça de Rapaz)*.

Église de Nossa Senhora do Pópulo

À côté de l'hôpital thermal - lun.-sam. 9h-12h, 14h-17h ; dim. 14h-17h.

Bâtie à la fin du 15e s. par Mateus Fernandes, l'architecte du monastère de Batalha, et sur l'initiative de la reine Leonor, elle est couronnée d'un élégant clocher dont les fenêtres gothiques sont décorées dans le style manuélin.

À l'intérieur, les murs sont entièrement recouverts d'azulejos du 17e s. ; les devants d'autels sont tapissés de magnifiques azulejos mauresques en relief du 16e s. Au-dessus de l'arc triomphal, de style manuélin, joli **triptyque★** de la Crucifixion attribué à Cristóvão de Figueiredo (début 16e s.).

Musée de l'Hôpital et des Bains (Museu do Hospital e das Caldas)

262 83 03 00 - mar.-vend. 14h-17h ; sam. 9h-12h, 14h-17h ; dim. et j. fériés 9h-12h30 - 1,50 €.

L'église de Nossa Senhora do Pópulo.

Ce musée est installé dans l'ancien palais où résidait la famille royale lorsqu'elle se déplaçait dans cette ville. Il présente des collections de peintures, de sculptures, des azulejos, des éléments baroques en bois doré, du mobilier et des ornements sacerdotaux du 16e au 18e s. La salle des Rois expose les portraits des rois du Portugal.

Musée de la Céramique (Museu da Cerâmica)

♪ 262 84 02 80 - mar.-dim. 10h-12h30, 14h-17h - fermé 1er janv., dim. de Pâques, 1er mai et 25 déc. - 2 €, grat. dim. 10h-12h30.

L'ancien palais romantique du vicomte de Sacavém, décoré d'azulejos de différentes époques et entouré d'un jardin agréablement fleuri, abrite une intéressante collection de céramiques, principalement de Caldas da Rainha. On y remarque en particulier les œuvres exubérantes du céramiste et caricaturiste Rafael Bordalo Pinheiro (plats, brocs, pichets, vases, etc.), décorées de motifs floraux, végétaux et animaliers.

Fabrique et musée des Faïences Rafael Bordalo Pinheiro
(Fábrica e Museu de Faianças Rafael Bordalo Pinheiro)

Derrière le parc Dom Carlos I - ♪ 262 83 93 80 (bureaux)/84 (boutique) - horaires : rens. à l'office de tourisme ou sur place - 1 €.

Cette fabrique fondée en 1884, encore en activité, abrite une galerie d'exposition, ainsi qu'un musée consacré à la production du grand céramiste : vaisselle, pièces caricaturales et décoratives. *Entrée par l'arrière, à côté du restaurant (voir dans l'encadré pratique).* Dans la boutique attenante, vous pourrez acheter quelques modèles de faïences d'inspiration ancienne encore fabriquées avec les moules d'origine, ou des articles plus récents, mais de la même veine.

Caldas da Rainha pratique

Information utile

⁊ Posto de turismo – *R. Engº Duarte Pacheco - 2500-198 - ♪ 262 83 97 00.*

Se restaurer

O São Rafael – *R. Rafael Bordalo Pinheiro, 53 - ♪ 262 83 93 83 -* ▭ *- fermé dim. soir, lun. et fin déc. - env. 20 €.* Ce restaurant, situé dans l'enceinte de la fabrique de faïences *(voir ci-dessus),* conjugue art et bonne table : vous y apprécierez une cuisine régionale, au milieu de vitrines exposant des copies des œuvres du petit musée de la Faïence adjacent.

Faire une pause

Pastelaria Machado – *R. de Camões, 47.* Dans cet établissement rétro et fréquenté situé aux abords du parc, vous pourrez déguster de fameux *cavacas* (choux au sucre glace) et *trouxas de ovos* (crêpes roulées aux œufs).

Nazaré★

10 080 HABITANTS
CARTE MICHELIN 733 N2 – DISTRICT DE LEIRIA

Nazaré bénéficie d'un site exceptionnel : une belle plage de sable dessinant une courbe ample, dominée sur sa droite par une falaise abrupte qui offre une longue perspective sur la côte d'Estremadura. Exceptionnel aussi, le monde qui afflue dans cette station balnéaire. Dès l'arrivée aux abords de la ville, de plus en plus étendue, les loueurs de chambres risquent de vous assaillir. La pêche traditionnelle qu'on pratiquait ici subsiste surtout à titre de folklore. Nazaré mérite une visite, mais il est préférable d'éviter la haute saison et les week-ends.

- **Se repérer** – À 100 km au nord de Lisbonne par l'A 8.
- **À ne pas manquer** – Le quartier de Sítio.
- **Organiser son temps** – Prévoir une journée pour prendre un bain de mer, explorer le Sítio et prendre un verre dans le quartier des pêcheurs.
- **Avec les enfants** – La plage de São Martinho do Porto.
- **Pour poursuivre le voyage** – Les monastères d'Alcobaça et de Bathala, le village fortifié d'Óbidos, Caldas da Rainha, Leiria.

Comprendre

Un nom biblique – Nazaré (Nazareth) doit son nom à la découverte sur le Sítio en 1179 d'une statue de la Vierge, originaire de Palestine. Une légende veut qu'elle ait été rapportée d'un couvent espagnol par le roi wisigoth Rodrigue. Vaincu à la bataille de Guadalete qui marqua le début de l'invasion musulmane en Espagne, celui-ci aurait fini ses jours en ermite au Portugal.

La ville des pêcheurs – Nazaré était fort célèbre pour les costumes et les traditions de ses pêcheurs. Ceux-ci, vêtus d'une chemise et d'un pantalon à carreaux, coiffés d'un long bonnet de laine tombant sur l'épaule, remontaient leurs barques sur la plage à l'aide de bœufs et de rondins *(voir Praia de Mira – circuit à partir de Coimbra)* sous l'œil attentif de leurs épouses. Le costume noir traditionnel des femmes tranchait avec les ourlets de leurs sept jupons de couleurs différentes.

Aujourd'hui, le quartier des pêcheurs a bien changé, ces costumes ne sont plus guère portés et les bateaux de pêche mouillent dans le nouveau port construit en 1983. Toutefois, hors saison, Nazaré retrouve une atmosphère authentique.

Se promener

La ville se compose de trois quartiers : a Praia, le plus important, qui borde la plage, o Sítio, construit au sommet de la falaise, et Pederneira, bourg dominant la baie.

A PRAIA (LA PLAGE)

La ville basse au tracé géométrique borde la longue plage de sable fin. De nombreux hôtels, restaurants et magasins de souvenirs s'y concentrent, ainsi que quelques bons restaurants de poisson.

Le quartier des pêcheurs (bairro dos pescadores) – Il s'étend entre la praça Manuel de Arriaga et l'avenida Vieira Guimarães. De chaque côté de ses ruelles, perpendiculaires au rivage, s'alignent de petites maisons blanchies à la chaux. Un marché s'y tient tous les vendredis.

Le port (porto) – Situé au sud de la plage, il fourmille de bateaux de pêche.

La plage de Nazaré.

J. Malburet/MICHELIN

Une partie des poissons (sole, merlan, loup, raie, maquereau et surtout sardine) est vendue au marché. Les pêcheurs font aussi sécher sur des claies du poisson destiné à la vente ou à leur consommation.

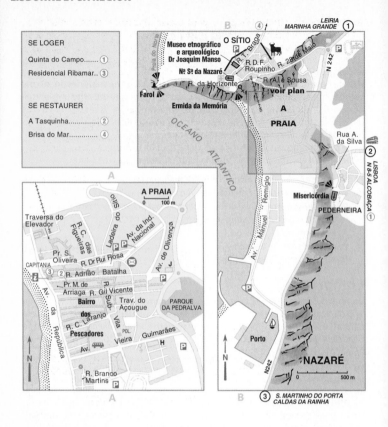

O SÍTIO (LE SITE)

Accès en voiture ou à pied par un escalier, mais le funiculaire offre des perspectives intéressantes sur la ville basse et l'Océan (voir plan) - 7h-0h (2h du matin en été) - 0,85 €.

Belvédère

Aménagé sur le rebord de la falaise, à 110 m au-dessus de la mer, il offre une belle **vue★** sur la ville basse et la plage.

Ermida da Memória

Avr.-sept. : 9h-19h ; oct.-mars : 9h-18h.

Située près du belvédère, cette minuscule chapelle commémore le miracle qui sauva la vie du seigneur Fuas Roupinho. Un matin brumeux de septembre 1182, celui-ci poursuivait à cheval un cerf qui tomba soudain dans le vide, du haut de la falaise. Alors que le cheval entraîné par son élan prenait le même chemin, Dom Fuas Roupinho implora Notre-Dame-de-Nazareth, et l'animal fit volte-face, sauvant ainsi son cavalier.

La façade, la toiture et l'intérieur à deux étages de la chapelle sont revêtus d'azulejos : ceux de la façade, côté mer, évoquent le saut du cheval, ceux de la crypte, le miracle de l'intervention mariale. Dans l'escalier menant à la crypte, une niche conserve l'empreinte qu'aurait laissée le cheval sur la paroi rocheuse.

Église Nossa Senhora da Nazaré

Sur la grand-place où se déroule en septembre la fête annuelle dédiée à sa patronne, cette imposante église de la fin du 17ᵉ s. présente une façade à avant-corps formant galerie et un porche baroque qui s'ouvre au sommet d'un perron semi-circulaire.

L'intérieur est décoré d'une profusion d'azulejos ; ceux du transept représentent des scènes bibliques (Jonas, Joseph vendu par ses frères).

Musée ethnographique et archéologique Dr Joaquim Manso
(Museu Etnográfico e Arqueológico Dr Joaquim Manso)

R. Dom Fuas Roupinho - ✆ 262 56 28 01 - avr.-sept. : mar.-dim. 11h-19h ; oct.-mars : mar.-dim. 10h-13h, 14h30-18h - fermé 1ᵉʳ janv., dim. de Pâques, 1ᵉʳ mai, 25 déc. - 2 €, grat. dim. matin et j. fériés 10h-14h.

Un peu en retrait derrière l'église, ce petit musée régional, sans prétention mais intéressant, traite essentiellement de l'histoire et de l'ethnographie maritimes de Nazaré : embarcations traditionnelles (dans le jardin) et maquettes de bateaux, photographies anciennes et peintures, costumes traditionnels, arts et techniques de la pêche traditionnelle *(salle annexe)*, bibliothèque spécialisée.

Le phare (farol)

800 m à l'ouest de l'église. Le phare est bâti sur un fortin occupant le promontoire extrême de la falaise. À gauche, belle vue sur les parois tailladées de la falaise du Sítio et la baie de Nazaré. Derrière, en contrebas, un escalier de fer mène à un rocher battu par les flots déchaînés. *Attention, le site n'est pas protégé et peut s'avérer glissant, à éviter absolument avec les enfants.* Sur la droite, un sentier *(15mn AR)* permet d'accéder à la plage nord (Praia do Norte) où les vagues déferlent en puissants rouleaux.

👁 **Bon à savoir** – L'Estrada atlântica qui longe la côte vers le nord depuis le Sítio est bordée d'une piste pour piétons et cyclistes, à travers la lande et la forêt de pins.

PEDERNEIRA

Situé sur une falaise à l'est de A Praia, Pederneira est le berceau de Nazaré.

Église da Misericórdia

Au bout de la rue principale (rua Abel da Silva), cette église du 16ᵉ s. à voûte en bois abrite une curieuse colonnade le long du mur droit. Du parvis de l'église, intéressant **belvédère★** sur la ville et le Sítio.

Aux alentours

São Martinho do Porto

15 km au sud. Quitter Nazaré par la N 242.

👫 Cette station balnéaire est située au nord d'un lac d'eau de mer qui communique avec l'Océan par un goulet percé entre de hautes falaises. Sa situation abritée en fait l'une des seules plages sûres pour les enfants, et on peut y pratiquer de nombreux sports nautiques. *Suivre la direction O Facho.*

Un belvédère offre une belle **vue★** sur la barre et une partie de l'anse.

Nazaré pratique

Informations utiles

Indicatif téléphonique – *262*

Code postal – *2450*

🅸 **Posto de turismo** – *Av. da República - 2450-101 - ℘ 262 56 11 94.*

Internet – Biblioteca municipal – *av. Manuel Remígio - ℘ 262 56 19 44 - grat.*

Se loger

⌂ **Residencial Ribamar** – *R. Gomes Freire, 9 - ℘ 262 55 11 58 - ribamar.nazare@mail.telepac.pt - 25 ch. 35/80 € 😋.* En bord de plage, le bel édifice blanc rehaussé de jaune conserve son intérieur suranné parfaitement tenu. Le vieil escalier mène à des chambres parquetées. Chacune est différente, celles situées en façade donnent directement sur la mer.

⌂⌂ **Quinta do Campo** – *Valado dos Frades (4 km de Nazaré en direction d'Alcobaça) - ℘ 262 57 71 35 - quintadocampo@mail.telepac.pt 🏊 - 8 ch. 80/100 € 😋.* La dernière des dix granges édifiées par les moines cisterciens du monastère d'Alcobaça dispose ses grandes bâtisses jaunes autour d'une cour carrée gazonnée, avec la mer pour horizon. La résidence, reconstruite au 19ᵉ s., garde son cachet d'antan : épées et armoiries dans l'entrée, bibliothèque, tableaux. Chambres au mobilier ancien et aux plafonds moulurés. Appartements à louer. Terrain de tennis.

Se restaurer

😋 **A Tasquinha** – *R. Adrião Batalha, 54 - ℘ 262 55 19 45 - fermé lun. - 10/15 €.* Touristes de passage intrigués et inconditionnels attendent patiemment dans la rue : ce petit restaurant qui ne désemplit jamais sert une bonne cuisine familiale sur de grandes tables rustiques.

À PRAIA DAS PAREDES DA VITÓRIA

😋😋 **Brisa do Mar** – *8 km au nord de Nazaré, accès depuis le Sítio par l'Estrada atlântica - ℘ 244 58 94 43 - fermé mar. - 10/15 €.* Pas de vue sur la mer, mais de délicieux plats garnis (poissons) à des prix très abordables. Plage à 50 m pour la promenade digestive.

En soirée

Casa O Santo – *Travessa do Elevador - fermé lun. en basse saison.* À l'heure de l'apéritif, la petite terrasse est prise d'assaut. Plat de coques avec un verre de vin ou un pichet de bière.

Événements

De nombreuses manifestations ont lieu en saison : programme à l'office du tourisme et sur www.nazare.oestedigital.pt.

Romaria da Nossa Senhora – 8 sept. et le w.-end suivant : pèlerinage, *touradas* et spectacle folklorique.

Alcobaça★★

4 987 HABITANTS
CARTE MICHELIN 733 N3 – DISTRICT DE LEIRIA

Alcobaça est situé au centre de la province d'Estremadura, au confluent de l'Alcoa et de la Baça (qui lui donnèrent son nom). Il demeure associé au monastère monumental de Santa Maria, qui abrite l'une des plus belles abbayes cisterciennes du Moyen Âge, encore hantée par le fantôme d'Inés. La petite ville mérite elle aussi une visite. Entouré par une campagne fertile, ce petit centre de commerce agricole (fruits et cultures maraîchères) produit du vin et une liqueur de cerise griotte réputée, la « ginginha ».

◉ **Se repérer** – À 98 km au nord de Lisbonne.

◉ **À ne pas manquer** – Le monastère de Santa Maria.

◉ **Organiser son temps** – Visiter le monastère l'après-midi, lorsque la façade est éclairée par le soleil.

◉ **Pour poursuivre le voyage** – Nazaré, le monastère de Batalha, Óbidos.

Comprendre

Une fondation cistercienne – La légende veut qu'au début de la Reconquête, en 1147, Alphonse Henriques, le premier roi du Portugal, ait fait le vœu de fonder un monastère à cet endroit s'il parvenait à prendre Santarém. On sait que quelques années plus tard, en avril 1153, le roi fit don à Bernard de Clairvaux des terres d'Alcobaça, où vinrent s'installer des cisterciens de Clairvaux. À cette époque, les terres à défricher étaient souvent confiées à des ordres monastiques qui se donnaient pour mission de les entretenir. La construction commença en 1178, mais les premiers bâtiments furent détruits par les Maures. Les travaux reprirent au début du 13e s. et l'église fut terminée en 1253. Alcobaça devint la plus puissante abbaye du royaume, et son abbé, l'un des personnages les plus influents du pays.

La reine morte – **Inés de Castro**, qui avait accompagné au Portugal l'infante Constance de Castille, est exilée par Alphonse IV. Le monarque trouve ainsi le moyen de l'éloigner de son fils, Pierre, époux de Constance, qui n'avait pas su résister à la beauté de la dame d'honneur. En 1345, à la mort de l'infante, la belle Inés rejoint son amant à Coimbra et s'installe au monastère de Santa Clara. La présence d'Inés et de ses enfants irrite Alphonse IV qui, soucieux de préserver son royaume des prétentions castillanes, ne s'oppose pas à l'assassinat de la jeune femme le 7 janvier 1355. Lorsque Pierre succède à son père, deux ans plus tard, il révèle qu'il était uni à Inés par les liens d'un mariage secret. En 1361, il fait exhumer le cadavre d'Inés ; la légende rapporte qu'il le vêt d'un manteau pourpre, le ceint de la couronne et contraint les nobles du royaume à baiser la main décomposée de la « reine morte ». Un cortège nocturne accompagne enfin sa dépouille dans l'église du monastère d'Alcobaça. L'histoire s'est transformée en un grand mythe romantique et symbole de l'amour fou. Après António Ferreira dans sa tragédie *Castro* et Camões qui puisa dans cette aventure dramatique quelques épisodes des *Lusiades*, Henry de Montherlant en fit en 1942 le sujet de sa pièce de théâtre *La Reine morte*.

Découvrir

MONASTÈRE DE SANTA MARIA★★

Compter env. 1 h – ☏ 262 50 51 20 - avr.-sept. : 9h-19h (dernière entrée 18h30) ; oct.-mars : 9h-17h (dernière entrée 16h30) - fermé 1er janv., Vend. Saint, dim. de Pâques, 1er mai et 25 déc. - 4,50 €, grat. dim. 9h-14h.

◉ **Bon à savoir** – Vous trouverez de jolies faïences locales, décorées de bleu sur fond blanc, sur la vaste place devant le monastère.

Vu de l'extérieur, le monastère, d'une longueur de près de 220 m, est formé de trois corps : l'église, dont la façade s'élève à 43 m, les ailes nord et sud qui accueillaient respectivement les appartements du roi et de la Cour, et les logements de l'abbé et des moines. De l'extérieur, les bâtiments du 18e s. ne laissent guère soupçonner les splendeurs de l'architecture cistercienne qu'ils recèlent.

De la façade originale, altérée par des remaniements, ne subsistent que le portail et la rose. La façade a été reconstruite aux 17e et 18e s. dans le style baroque. Les statues qui l'ornent représentent de bas en haut saint Benoît et saint Bernard, puis les quatre vertus cardinales et, dans une niche, Notre-Dame d'Alcobaça.

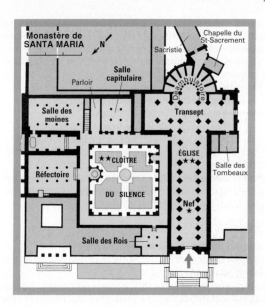

Église★★

Classée au Patrimoine mondial de l'Unesco, c'est la plus vaste du Portugal et une des plus hautes églises de style cistercien. Sa restauration lui a fait retrouver toute sa noblesse et son dépouillement. Admirez l'ampleur de la **nef★**, dont la voûte sur croisée d'ogives repose, par l'intermédiaire de doubleaux, sur de puissants piliers renforcés de colonnes engagées. En arrêtant ces dernières à 3 m au-dessus du sol, l'architecte a su augmenter considérablement la place disponible pour les convers. Presque aussi hauts que la nef, les collatéraux surprennent par leur verticalité.

Le transept

Il abrite les tombeaux (14e s.) d'Inés et de Pierre Ier. De style gothique flamboyant, ces monuments ont été sculptés dans un calcaire tendre. Ils furent gravement endommagés en 1811 par les soldats français du général comte Drouet d'Erlon.

Tombeau d'Inés de Castro★★ – *Dans le bras gauche du transept.* Soutenu par six anges, le gisant repose sur le tombeau dont les quatre faces sont surmontées d'une frise d'armoiries du Portugal et de la famille de Castro. Sur les côtés sont évoquées des scènes de la vie du Christ ; le chevet du tombeau porte une Crucifixion dont vous remarquerez la Vierge de douleur au pied de la Croix. Un intéressant Jugement dernier orne la face située aux pieds du gisant : en bas à gauche, les morts soulèvent les pierres tombales pour se rendre au Jugement ; en bas à droite, les damnés sont précipités dans la gueule d'un monstre symbolisant l'Enfer.

Tombeau de Pierre Ier★★ – *Dans le bras droit du transept.* Au-dessous d'un gisant sévère, le tombeau évoque sur ses faces latérales la vie de saint Barthélemy, patron du roi. Le chevet est occupé par une magnifique rosace représentant la Roue de la Fortune ou, selon certains archéologues, des scènes de la vie d'Inés et Pierre, thème qui se poursuivrait dans la frise supérieure du tombeau ; la face opposée au chevet relate les derniers instants du souverain.

Dans une chapelle du transept droit, un groupe abîmé en terre cuite, dit **Transit de saint Bernard**, a été réalisé par des moines au 17e s. ; il figure la mort du saint.

Chœur

Reproduisant celui de l'église de Clairvaux, il est entouré d'un vaste déambulatoire sur lequel s'ouvrent deux belles **portes manuélines** du 16e s. et neuf chapelles ornées de statues de bois polychrome réalisées aux 17e et 18e s.

Bâtiments abbatiaux★★

Cloître du Silence★★ (Claustro do Silêncio) – Édifié au début du 14e s. par le roi Denis, il séduit par la simplicité de ses lignes ; entre des contreforts, de fines colonnettes jumelées soutiennent avec élégance trois arcs surmontés d'une rose. La galerie supérieure a été ajoutée au 16e s. par Diogo et João de Castilho.

Salle capitulaire – *Sur la galerie est du cloître.* Les archivoltes reposent sur de gracieuses colonnettes ; les nervures de la voûte s'épanouissent à partir de piliers centraux.

Salle des moines – Un escalier y conduit. Cette vaste salle gothique frappe par ses dimensions : plus de 60 m de long. Les voûtes de ses trois nefs s'appuient sur deux rangées de colonnes à chapiteaux.

Cuisine – Reconstruite au 18e s., la cuisine monumentale, haute de 18 m, aux parois et plafonds revêtus de céramique blanche, surprend par ses énormes cheminées ; elle a été aménagée au-dessus d'un bras de l'Alcoa.

Réfectoire – C'est une grande salle voûtée d'ogives. Construit dans l'épaisseur du mur, un escalier surmonté d'une belle colonnade mène à la chaire du lecteur ; en face de la porte d'entrée, le **lavabo**, agrémenté d'une fontaine du 17e s., fait saillie dans l'enclos du cloître.

Salle des Rois (Sala dos Reis) – 18e s. Une frise d'azulejos illustre la fondation du monastère, et des statues réalisées par les moines représentent les rois portugais jusqu'à Joseph Ier. Belle Vierge à l'Enfant gothique.

Aux alentours

Musée national du Vin (Museu Nacional do Vinho)

1 km sur la N 8 (vers Leiria), à gauche - ☎ 262 58 22 22 - visite guidée (45mn) lun.-vend. 9h-12h30, 14h-17h30 - fermé j. fériés - 2 €.

Installé dans d'anciens chais datant de 1875, le **musée du Vin** abrite la plus importante collection de matériel viticole du pays. Il rassemble notamment des centaines de bouteilles (vieux portos et madères), des cuves à vin, des pressoirs, des alambics et d'énormes jarres de fermentation du 19e s.

Musée de la Faïence Raul da Bernarda (Museu de Faianças Raul da Bernarda)

Ponte D. Elias (en direction de Nazaré) - ☎ 262 59 06 00 - lun.-vend. 10h-13h, 15h-19h ; sam. 10h-19h ; dim. 10h-12h30, 14h-19h - grat.

Inauguré en 2000, ce petit musée est consacré aux fameuses faïences Raul da Bernarda. À travers une centaine de pièces, on découvre l'histoire de cette entreprise familiale, fondée en 1875 par José dos Reis, et on suit l'évolution de la céramique dans la région. Remarquez les faïences des années 1950 toutes serties d'or. À la boutique, productions actuelles.

Alcobaça pratique

Informations utiles

Indicatif téléphonique – *262*

Code postal – *2460*

🛈 Posto de turismo – *Praça 25 de Abril - 2460-018 - ☎ 262 58 23 77.* Accès Internet gratuit.

Transports

Gare routière – *Av. Manuel da Silva Carolino.* Env. 7 bus par jour pour Batalha, Caldas da Rainha et Lisbonne. Liaisons ttes les heures pour Nazaré.

Train – La gare de Valado dos Frates est à 5 km d'Alcobaça, vers Nazaré. 6 trains par jour pour Caldas da Rainha et Leiria.

Se loger

😊😊😊 **Challet Fonte Nova** – *R. da Fonte Nova (à 300 m de l'esplanade, direction Caldas da Rainha) - ☎ 262 59 83 00 - www.challetfontenova.pt - 🍽 🅿 - 10 ch. 115 € ⌑.* Une vaste maison aux toits ouvragés évoquant un chalet. Confort feutré à l'intérieur : parquet luisant, tapis persans et divans aux tissus imprimés. Bar et salle de billard. Quatre chambres spacieuses occupent une annexe moderne tout aussi soignée, dotée de baies vitrées.

Se restaurer

😊 **Trindade** – *Praça D. Afonso Henriques, 22 - ☎ 262 58 23 97 - fermé merc. - 🍽 - env. 13 €.* Une grande terrasse à l'ombre de vieux platanes, face à une aile du monastère. Sardines grillées, poulet en marmite, *açorda* (panade) de fruits de mer relevée à la moutarde. Au dessert, délicieuses pâtisseries maison.

😊😊 **O Telheiro** – *R. da Levadinha - ☎ 262 59 60 29 - fermé sam. - env. 20 €.* Une maison à la lisière de la ville, entourée d'un beau parterre gazonné. Accueil jovial du propriétaire qui présente un alléchant plateau de fromages du pays. Tête de poisson grillé, côtelettes de mouton et poulets élevés dans la propriété, à déguster avec un cru local.

Achats

Paula Tereza – *R. Frei Fortunato, 39-41 (direction Nazaré) - ☎ 918 12 06 66 - lun.-sam. 10h-20h, dim. 15h-19h.* Dans une petite boutique qui lui sert d'atelier, Paula Tereza peint des faïences et des azulejos en s'inspirant de motifs de tissus du 19e s. de la région.

Monastère de **Batalha**★★★
Mosteiro da Batalha
CARTE MICHELIN 733 N3 – DISTRICT DE LEIRIA

Au creux d'un vallon verdoyant, sur un site malheureusement gâché par la proximité d'une grande route et dans une ville ne présentant guère d'intérêt, se dresse le monastère de Batalha. La gerbe rose doré de son architecture, qui figure parmi les chefs-d'œuvre de l'art gothique et de l'art manuélin, apparaît dans un jaillissement de gâbles, de pinacles, de contreforts, de clochetons et de colonnettes. Construit après une bataille (« batalha ») victorieuse, celui qui fait aussi office de panthéon royal symbolise également l'indépendance nationale. Au même titre que le monastère d'Alcobaça tout proche, il est inscrit au Patrimoine mondial de l'Unesco.

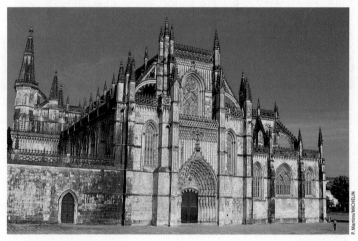

Le monastère de Batalha.

P. Martins/MICHELIN

- ◗ **Se repérer** – Sur la route nationale qui relie Lisbonne (118 km) à Porto.
- 👁 **À ne pas manquer** – La salle capitulaire et les Chapelles inachevées.
- 🕓 **Organiser son temps** – Quelques heures suffisent pour visiter le monastère et le minuscule centre-ville de Batalha.
- 👣 **Pour poursuivre le voyage** – Alcobaça, Leiria, Nazaré.

Comprendre

La bataille d'Aljubarrota – Le 14 août 1385, sur le plateau d'Aljubarrota, à 15 km au sud de Batalha, s'opposent deux prétendants au trône du Portugal : le roi de Castille et le fils naturel de Pierre Ier, Jean, grand maître de l'ordre d'Avis *(voir alentours d'Estremoz)*, sacré roi sept jours plus tôt. Les forces en présence sont très inégales : à l'armée organisée et dotée de seize canons des Castillans, le connétable **Nuno Álvares Pereira** ne peut opposer qu'un carré de chevaliers et de piétaille. En cas de défaite, le pays passera sous domination espagnole. Jean d'Avis promet d'élever une superbe église en l'honneur de la Vierge si elle lui accorde la victoire. Après avoir résisté victorieusement à son ennemi, Nuno Álvares le poursuit en Castille même. Le Portugal a gagné son indépendance pour deux siècles. Trois ans plus tard, le monastère Sainte-Marie-de-la-Victoire commence à s'élever ; il prendra le nom de Batalha.

L'édification du monastère – Commencés par l'architecte portugais Afonso Domingues, les travaux sont repris par maître Huguet qui, de 1402 à 1438, érige la chapelle du fondateur où reposent Jean Ier, sa femme Philippa de Lancastre et leurs fils, dans un style gothique flamboyant. Il décède avant de terminer le mausolée octogonal du roi Édouard Ier (les Chapelles inachevées).

Pendant le règne d'Alphonse V (1438-1481), l'architecte portugais Fernão de Évora édifie le cloître dit « d'Alphonse V » dans un style très sobre. C'est Mateus Fernandes le Vieux, l'un des maîtres de l'art manuélin, qui réalise ensuite les remplages des arcades

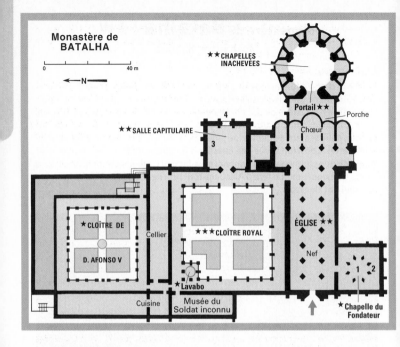

Monastère de **BATALHA**

★★ **CHAPELLES INACHEVÉES**

Portail ★★

Porche

4

★★ **SALLE CAPITULAIRE**

Chœur

3

★ **CLOÎTRE DE**

D. AFONSO V

Cellier

★★★ **CLOÎTRE ROYAL**

ÉGLISE ★★

Nef

★ **Lavabo**

Cuisine

Musée du Soldat inconnu

★ **Chapelle du Fondateur**

du cloître royal, en collaboration avec le célèbre Boytac, et poursuit l'édification des chapelles de l'octogone. Mais le roi Jean III (1521-1557) délaisse la construction de Batalha au profit du monastère des Jerónimos à Lisbonne, et les chapelles de l'octogone restent inachevées.

Visiter

Compter 1h.

EXTÉRIEUR

Dépourvu de clocher, ainsi que l'exigeait la règle des dominicains, le monastère présente une multitude de pinacles, d'arcs-boutants, de balustrades ajourées, que soulignent des fenêtres gothiques et flamboyantes ; l'ensemble, construit en calcaire fin, a pris avec le temps une jolie teinte ocre.

L'architecture complexe du chevet de l'église résulte de l'adjonction, à l'abside primitive, d'une rotonde octogonale au-dessus de laquelle se dressent les piliers inachevés qui devaient supporter la voûte.

Attenante au collatéral droit, la chapelle du fondateur est surmontée d'une lanterne octogonale épaulée par des arcs-boutants.

La façade principale de l'église est divisée en trois par des pilastres et des contreforts. La partie centrale est percée dans sa partie supérieure d'une belle fenêtre flamboyante ; le portail est richement sculpté et arbore des statues (refaites) représentant, au tympan, le Christ en majesté, entouré des évangélistes ; sur les côtés, les douze apôtres ; sur les voussures, des anges, des prophètes, des rois et des saints. L'église se trouvait jadis en contrebas par rapport au terre-plein extérieur, ce qui conférait au portail des proportions plus harmonieuses.

INTÉRIEUR

☎ 244 76 54 97 - avr.-sept. : 9h-18h ; oct.-mars : 9h-17h - fermé 1er janv., Vend. Saint, dim. de Pâques, 1er mai et 25 déc. - 4,50 €, grat. dim. et j. fériés 9h-14h.

Église★★

Très vaste, elle frappe par sa sobriété et l'élan de ses voûtes. Le chœur est agrémenté de **vitraux★** datant de l'époque manuéline (16e s.) et illustrant des scènes de la vie de la Vierge et du Christ.

Chapelle du Fondateur★ (Capela do Fundador) – Cette salle carrée, de 20 m de côté, éclairée de fenêtres flamboyantes, est surmontée d'une lanterne octogonale coiffée d'une coupole étoilée. Des arcs en tiers-point festonnés relient les puissants piliers qui soutiennent la lanterne.

Au centre se trouvent les tombeaux du roi Jean Ier et de sa femme Philippa de Lancastre, dont les gisants sont couverts de deux dais délicatement ciselés **(1)**. Sur les côtés sud et ouest, des enfeus contiennent les tombeaux des infants dont celui de Henri le Navigateur, rehaussé d'un dais **(2)**.

Cloître royal★★★ (Claustro Real)

L'alliance des styles gothique et manuélin s'exprime dans ce cloître de façon heureuse. La simplicité du gothique originel n'a pas été altérée par les apports manuélins ; la balustrade à fleurs de lys et les pinacles fleuris ont contribué à créer une certaine harmonie grâce aux remplages manuélins des arcades, sculptés dans le marbre et ajourés comme des broderies. Les colonnettes qui soutiennent les remplages sont ornées de torsades, de perles et d'écailles.

Salle capitulaire★★ (Sala do Capítulo)

Cette salle renferme la tombe du Soldat inconnu **(3)**, qui contient en réalité les corps de deux soldats portugais, l'un mort en France, l'autre en Afrique, pendant la Grande Guerre.

La **voûte★★★** est d'une hardiesse exceptionnelle ; après deux tentatives malheureuses, l'architecte maître Huguet réussit à lancer une voûte carrée de près de 20 m de côté sans appuis intermédiaires ; ce travail présentait de tels dangers qu'il fut achevé, raconte-t-on, par des condamnés à mort, et qu'Huguet, après que l'on eut retiré les derniers échafaudages, resta seul toute une nuit sous son audacieux ouvrage.

La fenêtre qui éclaire la salle est décorée d'un joli **vitrail★ (4)** du début du 16e s. représentant des scènes de la Passion.

Lavabo★

Situé à l'angle nord-ouest du cloître, il est constitué d'une fontaine avec un bassin à margelle festonnée que surmontent deux vasques. La lumière, filtrant à travers les dentelles de pierre des remplages, donne à l'ensemble une jolie teinte dorée. De là, la vue est très belle sur l'église dominée par le clocher du transept nord.

L'ancien réfectoire, couvert d'une superbe voûte gothique, abrite un **musée du Soldat inconnu**.

Cloître (Claustro) D. Afonso V★

Belle construction gothique. Sur les clefs de voûte figurent les blasons d'Édouard Ier et d'Alphonse V.

Sortir de l'église par l'extérieur.

Chapelles inachevées★★ (Capelas Imperfeitas)

Édouard Ier avait rêvé d'un vaste panthéon pour lui et ses descendants. Il est le seul à reposer aujourd'hui, à ciel ouvert, dans les Chapelles inachevées. Plus tard, le roi Manuel fit ajouter par Mateus Fernandes un gigantesque porche de transition gothique-Renaissance qui relie le chevet de l'église au portail de l'octogone ; ce **portail★★**, à l'origine gothique, a été orné au 16e s. de décorations manuélines d'une rare exubérance ; il s'ouvre sous un arc polylobé, renforcé, du côté de l'église, par un arc infléchi. Admirez la découpe des festons et la délicate décoration des voussures et des colonnes.

Donnant sur la rotonde octogonale, sept chapelles rayonnantes sont séparées par les fameux piliers restés inachevés ; ces piliers sont couverts de motifs ciselés dans la pierre, ce qui contraste avec la sobriété du balcon Renaissance ajouté à la partie supérieure par le roi Jean III en 1533.

Batalha pratique

Informations utiles

Indicatif téléphonique – *244*

Code postal – *2440*

🛈 Posto de turismo – *Praça Mouzinho de Albuquerque - 2440-121 - 📞 244 76 51 80.*

Transport

Bus – La gare est située largo 14 de Agosto de 1385, derrière le monastère. Env. 8 bus par jour pour Leiria, 6 pour Nazaré et Alcobaça, 3 pour Tomar et 4 pour Lisbonne.

Visite

Pour participer à une visite guidée du monastère, renseignez-vous à l'office de tourisme.

Se loger

🛏 **Casa do Outeiro** – *Largo Carvalho do Outeiro, 4 - 📞 244 76 58 06 - www. casadoouteiro.com - 🏊 🅿 🖭 - 15 ch.*

45/70 € ⌁. Situé dans une rue calme, cet hôtel entièrement rénové offre des chambres gaies et d'un grand confort, dont certaines bénéficient d'une vue exceptionnelle sur le monastère. Salle du petit-déjeuner lumineuse donnant sur la piscine. Accès Internet.

À PORTO DE MÓS

⌂⌂ **Quinta do Rio Alcaide** – *N 362 - 1 km direction Mira de Aire, prendre à gauche après le pont et suivre le panneau « agro turismo »* - ℰ *244 40 21 24 - rioalcaide@mail.telepac.pt -* ⌁⌁ *- 4 ch. 42/50 €* ⌁. Une maison au milieu d'un vallon arboré, tenue par un jeune couple mozambico-sud-africain : des bananiers entourent la piscine et les orangers s'alignent en grand nombre. Chambres rustiques avec pierre apparente. La propriété loue aussi un moulin restauré, perché sur une colline.

Se restaurer

⌸ **Dom Duarte** – *Praça D. João 1º, 5 -* ℰ *244 76 63 26 - env. 15 €.* Donnant sur la vaste place du monastère, cet établissement, aménagé au 1er étage d'une boulangerie, est idéal pour apprécier un tournedos aux champignons et à la crème onctueuse *(tornedo a chefe)* ou un faux-filet grillé.

Leiria

**13 946 HABITANTS
CARTE MICHELIN 733 M3 – DISTRICT DE LEIRIA**

Dominée par une colline où se dresse un château médiéval, Leiria est une ville dynamique située à la confluence de deux rivières, la Liz et la Lena. Pour accéder aux plages de l'Atlantique et à la station balnéaire de Nazaré, il suffit de traverser de vastes pinèdes. Leiria est aussi un carrefour routier relié au sanctuaire de Fátima ainsi qu'aux magnifiques ensembles architecturaux de Batalha, d'Alcobaça ou de Tomar. Elle constitue donc un lieu de passage ou de séjour privilégié pour l'estivant, le pèlerin ou l'amateur d'art.

- ▶ **Se repérer** – À mi-chemin entre Lisbonne (71 km au sud) et Coimbra (71 km au nord-est) par l'E 80.
- 👁 **À ne pas manquer** – Le château.
- ⏱ **Organiser son temps** – Prévoir une journée pour visiter le château de Leiria et faire une promenade dans la pinède.
- 👫 **Avec les enfants** – Randonnée dans la pinède de Leiria.
- ⛵ **Pour poursuivre le voyage** – Alcobaça, le monastère de Batalha, Nazaré, Fátima, Tomar.

Comprendre

Artisanat et folklore – La région de Leiria a conservé ses traditions d'art populaire et de folklore. Les poteries vernissées et multicolores de Cruz da Légua et de Milagres, les verres décorés de Marinha Grande, les ornements d'osier et les couvertures

Le château de Leiria.

P. Martins/MICHELIN

tissées de Mira de Aire comptent parmi les produits artisanaux les plus réputés du district de Leiria.

Les manifestations folkloriques ont gardé toute leur spontanéité. Le folklore de la région de Leiria se rattache à celui du Ribatejo, province voisine ; le costume féminin, discret, se compose d'un petit chapeau de velours noir avec quelques plumes, d'un fichu de couleur, d'une petite blouse claire ornée de dentelles, d'une jupe assez courte et de souliers à talons larges et bas ; seuls quelques colliers en or et boucles d'oreilles le différencient du costume ribatéjan.

Des spectacles de danse folklorique accompagnent chaque année la foire-exposition de Leiria (*2e quinz. de mai*), tout particulièrement le 22 mai (fête de la ville).

Le despotisme éclairé du Grand Marquis

Né à Lisbonne (1699) dans une famille de petite noblesse, Sebastião de Carvalho e Melo fait ses débuts dans la diplomatie. Grâce à l'appui de son oncle, chanoine de la Chapelle royale, il est envoyé à Londres, où il s'intéresse à l'économie florissante de la société anglaise, puis à Vienne. À la mort de Jean V en 1750, le roi Joseph Ier appelle Carvalho au pouvoir. Le ministre s'attache à relever les finances du pays. Il accomplit une œuvre remarquable, promulguant de nombreux décrets (création de la Banque royale, abolition de l'esclavage des indigènes au Brésil). En 1755, le tremblement de terre de Lisbonne lui fournit une autre occasion de montrer ses capacités : c'est lui qui reconstruit la ville basse sur les bases, révolutionnaires pour l'époque, d'un urbanisme moderne et fonctionnel. Parallèlement, il cherche à consolider l'absolutisme royal en expulsant les trop puissants jésuites (1759) et en réduisant la noblesse. Le 2 septembre 1758, le roi est blessé dans un attentat au retour d'une rencontre galante avec Maria Teresa de Távora. Trois mois plus tard, le ministre fait arrêter le marquis de Távora et les membres de sa famille ; les malheureux sont roués vifs et brûlés, et leurs complices pendus. En 1759, le ministre devient comte d'Oeiras. Le roi lui donne le titre de **marquis de Pombal** dix ans plus tard. Mais à la mort de Joseph Ier en 1777, Pombal doit faire face à de nombreux ennemis. Condamné en 1781 au bannissement, il se retire sur ses terres, où il meurt l'année suivante.

Découvrir

Château★

Compter 30mn - ☏ 244 81 39 82 - avr.-sept. : mar.-dim. 10h-18h ; oct.-mars : mar.-dim. 9h30-17h30 - fermé 1er janv. et 25 déc. - 2,37 €.

Dans un **site★** remarquable, déjà habité à l'époque romaine, le premier roi du Portugal, Afonso Henriques, fit édifier en 1135 un château fort destiné à défendre la frontière sud de son royaume, Santarém et Lisbonne étant alors sous domination maure. Après la libération de ces deux villes en 1147, le château perdit de son importance et tomba en ruine. Au 14e s., le roi Denis, entreprenant l'aménagement puis l'extension de la pinède de Leiria, fit rebâtir le château pour y résider avec sa femme, la reine Isabelle d'Aragon.

Modifiés au 16e s., les bâtiments actuels ont été restaurés. Après avoir franchi la première enceinte du château par une porte flanquée de deux tours carrées crénelées, on pénètre dans une agréable cour fleurie et ombragée. Un escalier à gauche conduit au cœur du château : le palais royal se trouve sur la gauche, le donjon en face et les vestiges de la chapelle Nossa Senhora da Pena (15e s.) sur la droite ; celle-ci conserve un élégant chœur gothique lancéolé et une arcade décorée de motifs manuélins. Dans la tour (13e s.) se tient une exposition permanente consacrée au Moyen Âge. Elle présente également des pièces archéologiques trouvées sur place.

Palais royal – Un escalier mène à la vaste salle rectangulaire dotée d'une galerie d'arcades en tiers-point reposant sur des colonnettes doubles ; de cette galerie, autrefois balcon royal, **vue** plongeante sur Leiria.

Le quartier populaire qui s'étend au-dessous du château offre une promenade agréable dans ses ruelles.

Aux alentours

Pinède de Leiria (Pinhal de Leiria)

À 10 km à l'ouest de la ville par l'IC 9, en direction de Marinha Grande.

L'exploitation de cette immense pinède, qui s'étend vers le nord jusqu'à la plage de Pedrogão, a permis l'essor d'une activité prospère liée au travail du bois et du papier. Certains des premiers incunables portugais ont été publiés à Leiria au 15e s. Carte des sentiers de randonnée disponible à l'office de tourisme de Marinha Grande (*244 56 66 44*).

Pombal

À 29 km au nord de Leiria par l'IC 2 ou l'A 1.

Au pied de son château des Templiers, ce bourg évoque le souvenir du marquis de Pombal *(voir encadré page précédente)* qui possédait ici une propriété où il finit ses jours, la Casa do Celeiro.

Château – *Visite : 15mn. Prendre à droite, à l'angle du palais de justice, la route d'Ansião puis, à hauteur d'une croix, emprunter à droite une route goudronnée, étroite, en forte montée. Laisser la voiture au pied du château. 236 21 05 40 - lun.-vend. 9h-16h30 ; w.-end 9h-12h30, 14h-16h30 - grat.* Construit en 1171 par Gualdim Pais, grand maître de l'ordre des Templiers, il a été modifié au 16e s. Sa restauration date de 1940.

Du haut des remparts, que domine un donjon crénelé, **vue** sur Pombal à l'ouest et sur les contreforts de la serra de Lousã à l'est.

Leiria pratique

Informations utiles

Indicatif téléphonique – *244*

Code postal – *2400*

Região de Turismo – *Jardim Luís de Camões - 2401-801 - 244 84 87 70.* Accès Internet gratuit.

Se loger

Residencial Leiriense – *R. Afonso de Albuquerque, 6 (près de la cathédrale) - 244 82 30 54 - www.leiriense.net - - 23 ch. 38/42 € .* Voici un établissement moderne et confortable situé au cœur de la vieille ville. Chambres petites mais calmes.

Se restaurer

Malagueta Afrodisíaca – *R. Gago Coutinho, 17 (derrière la praça Rodrigues Lobo, dans une rue étroite) - 244 83 16 07 - www.malaguetaafrodisiaca.com - tous les soirs 19h-0h - - env. 15 €.* Parquet blanc, triptyque abstrait aux couleurs vives, tables éclairées de bougies : le « Piment Aphrodisiaque » a une déco intimiste. Cuisine aux influences variées : crevettes au riz, aux oignons et aux épinards, poisson au curry accompagné de crevettes et de raisin, agneau épicé au lait de coco. Jus de fruits frais, thés et infusions aphrodisiaques.

Tromba Rija – *R. Professores Portela, 22 (au N de Leiria, direction Mazzares, 1re rue à gauche après le pont) - 244 85 22 77 - fermé lun., dim. soir et j. fériés le soir - www.trombarija.com - 30 €.* Un établissement très apprécié des Portugais, au milieu d'un quartier résidentiel anonyme. La formule à volonté propose la plupart des spécialités du pays et comprend le vin et le café. Les buffets, sans cesse renouvelés, sont couverts de mets savoureux : ne manquez pas les charcuteries, la morue grillée et les fromages. Belle corbeille de fruits secs servie avec le dessert. Le service, très affairé, reste soigné et disponible.

Événement

Foire-exposition – *2e quinz. de mai* (agricole et artisanale). Fête de la ville le 22 mai : processions, danses, etc.

Fátima

10 302 HABITANTS
CARTE MICHELIN 733 N4 – DISTRICT DE SANTARÉM

En ce lieu jadis isolé, en 1917, la Vierge serait apparue à trois enfants à plusieurs reprises, le 13 de chaque mois, de mai à octobre. Devenu le plus grand sanctuaire catholique du pays et l'un des plus importants au monde, il se dresse au lieu-dit Cova da Iria (alt. 346 m) dans un paysage de collines verdoyantes. Des milliers de fidèles s'y rassemblent en de grands pèlerinages, en particulier à ces mêmes dates. Fátima constitue aujourd'hui un ensemble hétéroclite qui mêle lieux saints, boutiques de souvenirs, couvents et résidences hôtelières.

- **Se repérer** – À 31 km au sud-est de Leiria.

- **À ne pas manquer** – Le Parc naturel des serras de Aire et Candeeiros ; les grottes de Mira de Aire.

- **Organiser son temps** – Attention, pendant les pèlerinages, tous les hôtels de la région affichent complet. Prévoyez une journée pour visiter Fátima et ses environs. N'oubliez pas d'emporter un lainage pour explorer les grottes.

- **Avec les enfants** – Le site jurassique de Bairro.

- **Pour poursuivre le voyage** – Le monastère de Batalha, Leiria, Tomar.

La basilique néobaroque de Fátima.

Comprendre

Les apparitions – Le 13 mai 1917, trois jeunes bergers, **Francisco**, **Jacinta** (frère et sœur) et **Lúcia** (leur cousine), gardent leur troupeau sur une colline, à Cova da Iria, lorsque soudain le ciel s'illumine ; la Vierge leur apparaît dans les branches d'un chêne et s'adresse à eux. Son message, répété avec insistance lors des apparitions suivantes, est un appel à la paix ; il prend à cette époque une résonance particulière : l'Europe est en guerre depuis près de trois ans et le Portugal combat dans les rangs alliés. Le 13 octobre 1917, près de 70 000 personnes voient soudain la pluie cesser et le soleil briller et tournoyer dans le ciel comme une boule de feu. En 1930, après une longue enquête, l'évêque de Leiria donne l'autorisation de célébrer le culte de Notre-Dame-de-Fátima. Le 13 mai 2000, année du jubilé, le pape Jean-Paul II, particulièrement sensible à ce lieu de pèlerinage, a béatifié les deux enfants, Francisco et Jacinta.

Découvrir

Fátima présente surtout un intérêt les jours de **grands pèlerinages**, où l'on peut assister à une procession aux flambeaux, une vigile nocturne, la messe solennelle sur l'esplanade, la bénédiction des malades et, pour clore le pèlerinage, la procession des « adieux » à la Vierge.

La ferveur qui anime la foule des pèlerins en prière, venus du monde entier, parcourant à genoux l'esplanade jusqu'à la chapelle des Apparitions, ne laisse personne indifférent. Au sud de l'esplanade, l'église da Santissima Trindade, consacrée en octobre 2007, peut accueillir 9 000 fidèles.

Basilique

Fermant l'immense esplanade (540 m x 160 m) qui peut rassembler plus de 300 000 pèlerins, la basilique néobaroque est prolongée de part et d'autre par un péristyle en arc de cercle (abritant un chemin de croix en mosaïque) et dominée par une tour de 65 m. L'intérieur renferme les tombeaux de Francisco, mort en 1919, et de Jacinta, morte en 1920 ; l'aînée, Lúcia, s'est éteinte en 2005. Elle était carmélite à Coimbra.

Chapelle des Apparitions (Capela das Aparições)

Sur l'esplanade, un chêne vert, entouré d'une grille, remplace celui près duquel la Vierge apparut. À l'intérieur de la chapelle trône la statue de Notre-Dame-de-Fátima.

Musée de Cire (Museu de Cera)

R. Jacinta Marto (à 100 m du sanctuaire) - ☎ 249 53 93 00 - www.mucefa.pt - avr.-oct. : 9h30-18h30 ; nov.-mars : 10h-17h - fermé 25 déc. - 6 €.

Ce musée relate, à travers une trentaine de « tableaux », l'histoire des apparitions.

Info pratique

Information utile

🛈 **Posto de turismo** – *Av. José Alves Correia da Silva - 2495-402 - ☎ 249 53 11 39.*

Se restaurer

😊🍴 **Restaurante Tia Alice** – *R. do Adro (ancien village, direction Ourém) - ☎ 249 53 17 37 - fermé dim. soir, lun. et en juil. -* 🍽 *- env. 25 €.* Face à l'église paroissiale du vieux village de Fátima complètement assoupi, « Tante Alice » s'est parée d'une touche de design au milieu des pierres apparentes et de la roche affleurante : lumière tamisée et tableaux contemporains. Originale *açorda* de morue et desserts soignés.

Aux alentours

OURÉM

7 km au nord-est de Fátima.

À environ 2 km au sud de la ville moderne d'Ourém, la vieille cité fortifiée, isolée sur une butte, est dominée par les vestiges d'un château. L'endroit est propice à une agréable promenade.

Laisser la voiture à l'entrée de la cité et prendre à gauche une rue montant vers le château.

Le blason du comte Dom Afonso orne la **fontaine gothique** à l'entrée du village.

Château

Ourém connut une période de faste au 15ᵉ s. lorsque le quatrième comte d'Ourém, Dom Afonso, fils du premier duc de Bragance *(voir Bragança)* et neveu du connétable Nuno Álvares Pereira, fit aménager le château en palais et édifier plusieurs monuments. Plus de 2 000 personnes vivaient alors à l'intérieur de l'enceinte.

Deux tours en éperon apparaissent de chaque côté du chemin ; remarquez les curieux mâchicoulis en brique qui couronnent les murailles du château.

Passer sous le porche de la tour de droite.

Un sentier permet de **découvrir** un ancien souterrain. Des escaliers mènent à une tour carrée donnant accès à un château triangulaire qui daterait du 12ᵉ s. ; citerne souterraine arabe (9ᵉ s.) dans la cour.

Faites le tour du chemin de ronde pour apercevoir : à l'ouest, le clocher de la basilique de Fátima, au nord-ouest le bourg de Pinhel, au nord-est Vila Nova de Ourém et, au loin, la serra da Lousã.

Un sentier mène au village et à la collégiale.

Collégiale

En entrant par le bras droit du transept, une porte s'ouvre aussitôt à droite sur un escalier donnant accès à une crypte à six colonnes monolithes ; elle abrite le **tombeau** du comte Dom Afonso, en calcaire blanc d'un gothique très fleuri ; le gisant est attribué au sculpteur Diogo Pires le Vieux.

PARC NATUREL DES SERRAS DE AIRE★ ET CANDEEIROS

À 8 km de Fátima.

Entre Batalha, Rio Maior et Fátima, ce parc naturel recouvre 39 000 ha des serras de Aire et de Candeeiros. Formés de massifs calcaires, de grottes et de forêts, ces paysages parfois arides se prêtent à de belles promenades. Les routes y serpentent, bordées de rares eucalyptus, au flanc de croupes blanches piquetées d'oliviers et toutes zébrées de murets de pierres sèches.

Les localités les plus importantes sont **Porto de Mós**, que signale de loin son château, à la toiture verte, juché sur une butte, et **Mira de Aire**, réputé pour ses produits d'artisanat.

👣 Près du village de Bairro ont été découvertes en 1994 des empreintes de **dinosaures** vieilles de 150 millions d'années, probablement les plus anciennes au monde. Un **jardin jurassique** a été aménagé, ainsi qu'un parcours pédagogique permettant de découvrir l'histoire de la Terre. ☎ 249 53 01 60 - www.pegadasdedinossaurios.org - mar.-vend. 10h-12h30, 14h-19h (avr.-sept., w.-end et j. fériés jusqu'à 20h) - 2 €.

Grottes (Grutas) da Moeda

8 km de Fátima – de Cova da Iria (Fátima), 7,5 km par la N 356 vers Batalha. Prendre à gauche la route de Mira de Aire, puis, à la sortie du village de São Mamede, tourner à gauche - ☎ 244 70 38 38 - www.grutasmoeda.com - visite guidée (25mn) juil.-sept. : 9h-19h ; avr.-juin : 9h-18h ; oct.-mars : 9h-17h - 5 €.

Ce sont les plus récemment prospectées, en 1971. Selon une légende, des bandits y auraient précipité le corps d'un voyageur et sa bourse avec lui, dans leur hâte excessive. On les a ainsi baptisées **« grottes de la Monnaie »** (Grutas da Moeda). On y dénombre neuf « salles » de teintes variées. Une cascade, ainsi que d'étonnantes concrétions calcaires multicolores, dans la « salle du Berger », sollicitent le regard.

Grottes (Grutas) de Mira de Aire★

15 km de Fátima. Dans le bourg, à droite de la N 243 vers Porto de Mós - ☎ 244 44 03 22 - www.grutasmiradaire.com - visite guidée (40mn) juil.-août : 9h30-19h30 ; juin et sept. : 9h30-19h ; avr.-mai : 9h30-18h ; oct.-mars : 9h30-17h30 - 5 €.

Ces grottes, dites **« des Vieux Moulins »** (Grutas dos Moinhos Velhos), sont les plus vastes du Portugal. Découvertes en 1947, elles sont reliées par des tunnels artificiels totalisant une longueur de plus de 4 km *(dont 600 m se visitent)*, avec une dénivellation de 110 m. Leur parcours, en spirale descendante, compte 683 marches.

Les deux plus grandes cavités sont le « Grand Salon » (60 m de haut, 45 m de largeur praticable) et la « Salle rouge ». La teinte rougeâtre des parois, due à l'oxyde de fer, l'opalescence des concrétions aux formes évocatrices (les « joyaux » de la chapelle des Perles, la méduse, le martien, l'orgue, etc.), le ruissellement des eaux souterraines exercent une certaine fascination. Dans l'immense galerie terminale, le « Grande Lago » (« Grand Lac ») collecte les eaux des ruisseaux et du « Rio Negro » (« Rivière noire ») dont la crue, plusieurs jours par an, inonde la partie inférieure des grottes. Le retour à l'air libre s'effectue par un ascenseur.

Grottes (Grutas) d'Alvados

25 km de Fátima. Accès par la N 361, entre Alvados et serra de Santo António - ☎ 244 44 07 87 - www.grutasalvados.com - visite guidée (35mn) juin-août : 10h-20h ; sept.-mai : 10h-17h - 4,80 € ; 8 € le billet combiné avec les grottes de Santo António.

Découvertes en 1964, au flanc nord-ouest de la colline de Pedra do Altar, elles offrent aux visiteurs un parcours de 450 m à travers une dizaine de salles – reliées artificiellement par de longs tunnels –, présentant chacune une vasque d'eau limpide et des concrétions. Admirez la teinte dorée de leurs parois, de nombreuses stalactites et stalagmites réunies en piliers, les fissures zigzagantes au sol.

Dans la plus grande salle, haute de 42 m, chutaient les animaux égarés (ossements visibles).

Grottes (Grutas) de Santo António

26 km de Fátima. Accès par la N 361, au nord de serra de Santo António - ☎ 249 84 18 76 - www.grutassantoantonio.com - visite guidée (35mn) juin-août : 10h-20h ; sept.-mai : 10h-17h - 4,80 € ; 8 € le billet combiné avec les grottes de Alvados.

Mises au jour en 1955, près du sommet (583 m) de la colline de Pedra do Altar, les grottes de Santo António ont bénéficié d'importants aménagements, dont un tunnel d'accès de 40 m.

Les trois salles – La principale, d'une surface de 4 000 m², atteint 43 m de haut. Les grottes sont agrémentées de délicates concrétions roses, et, pour l'une des salles secondaires, d'un petit lac. Les stalagmites, qui forment une véritable forêt, évoquent, pour certaines, des statues.

Tomar★★

15 764 HABITANTS
CARTE MICHELIN 733 N4 – DISTRICT DE SANTARÉM

Dans une région vallonnée et bucolique, sur les rives du Nabão, la ville de Tomar s'étend au pied d'une colline boisée que coiffe un château fort du 12ᵉ s. construit par l'ordre des Templiers. Le château abrite le couvent du Christ, un joyau classé au Patrimoine mondial de l'Unesco. Il figure parmi les plus grands monuments manuélins du pays avec le monastère des Jerónimos de Lisbonne et celui de Batalha. Il est aussi l'emblème de l'histoire portugaise et le symbole de l'Occident chrétien. La vieille ville tranquille, aux maisons blanches et aux ruelles rectilignes, mérite également une visite. Tous les quatre ans, la ville organise une manifestation populaire de renom, la Fête des « tabuleiros » (la prochaine aura lieu en juillet 2011).

- ▸ **Se repérer** – À 133 km au nord de Lisbonne, facilement accessible par l'A 1, puis l'IP 6 et la N 110.
- ◉ **À ne pas manquer** – Le couvent du Christ.
- ◷ **Organiser son temps** – Visiter le couvent du Christ dès l'ouverture pour éviter les groupes de touristes, puis déjeuner à Tomar.
- ♟ **Avec les enfants** – Le barrage de Castelo de Bode (voir dans l'encadré pratique).
- ⚲ **Pour poursuivre le voyage** – Alcobaça, le monastère de Batalha, Fátima, Leiria, Santarém.

La Fête des tabuleiros

Tous les quatre ans se perpétuent à Tomar les cérémonies qu'organisaient jadis les fraternités du St-Esprit – fondées au 14ᵉ s. par la reine sainte Isabelle, femme du roi Denis – pour distribuer du pain, du vin et de la viande aux pauvres de la ville. À cette occasion, les jeunes filles vêtues de blanc défilent dans les rues en portant sur la tête un *tabuleiro* (plateau). Celui-ci, de la même hauteur que celle qui le porte, est constitué de 30 pains empilés sur des roseaux fixés à un panier d'osier, l'ensemble étant orné de feuillages, de fleurs en papier et d'épis de blé. La fête dure quatre jours et comprend des réjouissances profanes, des danses folkloriques et des feux d'artifice.

Comprendre

Des templiers aux chevaliers du Christ – Au début du 12ᵉ s., en pleine Reconquête, la frontière entre les chrétiens et les Maures passait à cet endroit. Gualdim Pais, maître de l'ordre des Pauvres Chevaliers de Jésus-Christ (ordre du Temple) – qui avait été créé à Jérusalem en 1119 –, y édifie en 1160 un couvent-forteresse qui devient la maison mère de l'ordre au Portugal. En 1314, à la demande du roi français Philippe le Bel, le pape Clément V ordonne la dissolution de l'ordre du Temple. Au Portugal, le roi Denis crée alors, en 1319, un nouvel ordre, celui du Christ, qui récupère les biens de l'ordre du Temple, les moines-chevaliers étant pour la plupart d'anciens templiers. Le siège de ce nouvel ordre s'établit d'abord à Castro Marim, en Algarve, puis à Tomar en 1356.

La période de gloire des chevaliers du Christ se situe au début du 15ᵉ s., alors que l'infant Henri le Navigateur en est le grand maître (1418 à 1460). L'immense fortune de l'ordre lui permet de financer les Grandes Découvertes, et son emblème, la croix carrée de couleur rouge, orne les voiles des caravelles. Les Portugais découvrent les côtes africaines, contournent le cap de Bonne-Espérance pour atteindre les Indes. La richesse de la décoration manuéline de Tomar découle de ce fructueux commerce outre-mer.

Découvrir

COUVENT DU CHRIST★★ (CONVENTO DE CRISTO)

Compter 1h. Laisser la voiture sur le parking devant les murailles - ℘ 249 31 34 81 - juin-sept. : 9h-18h30 ; oct.-mai : 9h-17h30 (dernière entrée 30mn av. fermeture) - fermé 1ᵉʳ janv., Vend. saint, dim. de Pâques, 1ᵉʳ mai et 25 déc. - 4,50 € - grat. dim. mat. Pendant l'été, divers spectacles sont organisés au sein du couvent (rens. à l'office de tourisme).

Au sommet de la butte qui domine la ville, les murailles du 12ᵉ s. renferment les bâtiments du **couvent du Christ**, dont la construction s'est étalée du 12ᵉ au 17ᵉ s. Il constitue un véritable catalogue de l'architecture portugaise où se mêlent les styles roman, gothique, manuélin et Renaissance.

Église★

Le portail, qui évoque le style plateresque de Salamanque, a été réalisé par l'Espagnol João de Castilho, successeur de Diogo de Arruda. L'ancienne église des templiers forme à présent le chevet. Le roi Manuel Ier y accola une nef qui communique avec la rotonde par un grand arc triomphal dû à Diogo de Arruda.

Rotonde des Templiers★★
(Charola dos Templários)

Bâtie au 12e s. sur le modèle du Saint-Sépulcre de Jérusalem, cette rotonde se présente comme une construction octogonale à deux étages soutenue par huit piliers ; un déambulatoire à voûte annulaire sépare cet octogone du polygone extérieur à seize côtés ; les peintures qui ornent l'octogone sont l'œuvre d'artistes portugais du 16e s. ; quelques statues en bois polychrome datent de la même époque.

Les statues du portail de l'église du couvent du Christ de Tomar.

P. De Franqueville/MICHELIN

Nef – Construite entre 1510 et 1515 par l'architecte Diogo de Arruda, elle se distingue par l'exubérance de sa décoration manuéline.

Bâtiments conventuels★

Ils sont répartis autour de plusieurs cloîtres.

Grand Cloître★ (Claustro Principal) – Il fut érigé pour l'essentiel de 1557 à 1566 par Diogo de Torralva, fervent admirateur de l'architecte italien Palladio. Il est aussi appelé « cloître des Philippe » en souvenir de Philippe II qui y ceignit la couronne du Portugal en 1581. Ce cloître Renaissance comprend deux étages qui sont agrémentés de colonnes toscanes au rez-de-chaussée et ioniques à l'étage supérieur. Son dépouillement et sa sévérité contrastent avec la décoration manuéline de la nef qu'il masque en partie, à l'exception de deux fenêtres encore visibles. La première se voit à droite en entrant dans le Grand Cloître. Mais pour découvrir la plus célèbre, il faut descendre dans le cloître Sainte-Barbe (Claustro de Santa Bárbara).

Du Grand Cloître, un escalier en colimaçon aménagé dans l'angle est mène aux terrasses qui offrent des vues intéressantes sur l'ensemble du couvent.

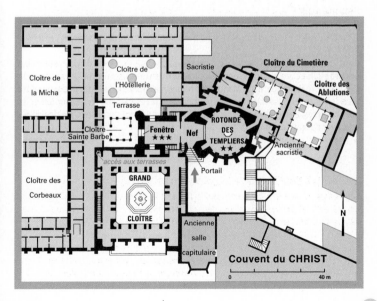

Cloître de la Micha

Cloître de l'Hôtellerie

Terrasse

Sacristie

Cloître du Cimetière

Cloître des Ablutions

Cloître Sainte Barbe

Fenêtre ★★★

Nef

ROTONDE DES TEMPLIERS ★★

Ancienne sacristie

accès aux terrasses

Portail

GRAND CLOÎTRE

Cloître des Corbeaux

Ancienne salle capitulaire

N

Couvent du CHRIST

0   40 m

Fenêtre★★★ – Conçue par l'architecte Diogo de Arruda et sculptée de 1510 à 1513, c'est la plus étonnante réalisation de décoration manuéline au Portugal. À partir des racines d'un chêne-liège, soutenues par le buste d'un capitaine, la décoration grimpe le long de deux mâts en de multiples torsades. Dans la profusion des détails végétaux et marins, on reconnaît des coraux ③, des cordes ④, du liège ⑤ (pour la construction des bateaux), des algues ⑥, des câbles ⑦ et des chaînes ⑧. L'ensemble est couronné des emblèmes du roi Manuel Ier (blason et sphère armillaire) et de la croix de l'ordre du Christ, que l'on retrouve sur la balustrade qui ceint la nef. La fenêtre est amarrée par des câbles à deux tourelles de facture analogue, entourées l'une d'une chaîne représentant l'ordre de la Toison d'or, l'autre d'une boucle de ceinture, insigne de l'ordre de la Jarretière.

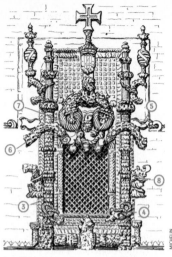

La célèbre fenêtre du couvent du Christ.

Les cloîtres gothiques – Le **cloître du Cimetière** (Claustro do Cemitério), aux chapiteaux à décoration végétale, et le **cloître des Ablutions** (Claustro das Lavagens), situés à l'est de la rotonde, ont été édifiés au 15e s. sous la direction de l'infant Henri le Navigateur.

Se promener

Chapelle (Capela) Nossa Senhora da Conceição

À mi-chemin de la route menant au couvent - ☎ 249 31 34 81 - visite guidée : s'adresser au convento de Cristo - 1,50 €.

Cette belle œuvre de la Renaissance, dont l'intérieur est très lumineux, séduit par sa sobriété et ses chapiteaux délicatement sculptés.

Église de São João Baptista

Praça da República - mar.-dim. 10h-18h (été 19h) - visite guidée sur RV auprès du service de muséologie (☎ 249 32 98 14).

Édifice gothique de la fin du 15e s., flanqué d'un campanile manuélin. Il s'ouvre par un joli **portail★** flamboyant d'une grande finesse dû – comme la chaire flamboyante à gauche de la nef – à un artiste français anonyme. Dans le collatéral gauche, *Cène* peinte par Gregório Lopes (16e s.).

Synagogue

R. Joaquim Jacinto, 73 - 10h-13h, 14h-18h (été 19h) - fermé 1er janv., dim. de Pâques, 1er mai et 25 déc. - grat. - visite guidée sur RV auprès du service de muséologie (☎ 249 32 98 14).

Construite entre 1430 et 1460, cette synagogue, la plus ancienne du pays et de plan quadrangulaire, ne fut utilisée comme lieu de culte que jusqu'en 1497, date de l'édit d'expulsion des juifs par le roi Manuel. On remarquera, dans la salle de culte aux voûtes reposant sur des piliers, les cruches d'argile dont la résonance servait à amplifier les chants sacrés. Dans la synagogue, le petit musée luso-hébraïque expose des objets religieux datant des 14e et 15e s.

Tomar pratique

Informations utiles

Indicatif téléphonique – *249*
Code postal – *2300*
🛈 **Posto de turismo** – *Av. Dr Cândido Madureira, 2300-531 - ℰ 249 32 24 27.*
🛈 **Região de Turismo** – *R. Serpa Pinto, 1 - ℰ 249 32 90 00.*
Internet – Biblioteca municipal - *grat.*

Visite

Route de la Vigne et du Vin – Cette route, qui borde le Tage à travers les plaines du Ribatejo, est composée de plusieurs circuits. Elle offre une occasion idéale pour découvrir les *quintas* des environs de Tomar et d'Abrantes, visiter les caves et déguster les vins locaux. Se renseigner dans les offices de tourisme.

Se loger

⊜ **Residencial Sinagoga** – *R. Gil Avô, 31 - ℰ 249 32 30 83 - residencialsinagoga. planetaclix.pt -* ▦ *- 20 ch. 39/49 €.* Dans une de ces ruelles intemporelles et paisibles de Tomar, un édifice rénové au confort irréprochable. Au-dessus du salon d'entrée rempli de divans, l'ascenseur dessert des chambres bien équipées (radio, satellite, etc.).

⊜ **Pensão Residencial Cavaleiros de Cristo** – *R. Alexandre Herculano, 7 - ℰ 249 32 12 03 - residencialcavcristo@sapo. pt -* ▦ *- 17 ch. 41/49 €.* Dans une petite rue tranquille, un établissement dont les chambres bien tenues sont décorées avec soin. Minibar et frigos dans toutes les chambres. Bon rapport qualité-prix.

⊜⊜ **Quinta da Anunciada Velha** – *À 3 km direction Torres Novas : à l'office de tourisme, prendre à gauche vers le couvent puis aller tout droit - ℰ 249 34 52 18 - www. anunciadavelha.com -* 🍽 📶 *- 4 ch. 65/70 €.* Une ferme du 19ᵉ s. entourée de vignes au charme campagnard : salon mansardé envahi de lithographies collectionnées par la propriétaire, chambres colorées au mobilier peint et salle des petits-déjeuners face à la vigne. Possibilité de dîner. Également trois appartements spacieux à louer.

Se restaurer

⊜ **Restaurante Beira-Rio** – *R. Alexandre Herculano, 1-3 - ℰ 249 31 28 06 - fermé lun. - 8/13 €.* Une vieille adresse fréquentée par les habitants. Cuisine traditionnelle à déguster face à l'îlot verdoyant et à sa roue de moulin tournant sans fin. Soupe de haricots verts, morue à la crème, agneau rôti, poulet au porto et brochette de lotte.

⊜⊜ **Calça Perra Taj** – *R. Pedro Dias, 59 - ℰ 249 32 16 16. - 15/20 €.* Retiré dans une cour arborée avec terrasse, le « Pantalon Coincé » propose une bonne cuisine indienne (curry, biriani, plats végétariens…), mais aussi portugaise.

Sports et Loisirs

👥 **Activités nautiques** – Barrage de Castelo de Bode - *à 13 km au sud-est de Tomar.* Activités nautiques, aire de loisirs et de pique-nique.

Événement

Fête des tabuleiros – Début juillet, tous les quatre ans : la prochaine aura lieu en 2011.

Abrantes

17 857 HABITANTS
CARTE MICHELIN 733 N 5 - DISTRICT DE SANTARÉM

Au nord-est de la province du Ribatejo, Abrantes se dresse stratégiquement sur une colline dominant la rive droite du Tage. Au sud du fleuve, la route forestière de Tramagal offre d'excellentes perspectives sur cette belle ville blanche aux maisons soulignées de jaune, qui fut jadis une cité portuaire importante. On y déguste la « palha de Abrantes », une délicieuse pâtisserie aux œufs dont les filaments rappellent des cheveux dorés. À quelques kilomètres de là, ne manquez pas le bourg de Constância et le château fort d'Almourol.

▶ **Se repérer** – Accessible par l'IP 6. 75 km au nord-est de Santarém et 139 km au nord-est de Lisbonne.

👁 **À ne pas manquer** – Le château d'Almourol ; Constância.

🕔 **Organiser son temps** – Prévoir une journée pour visiter Abrantes et ses environs, pique-niquer sur les berges du Tage à Constância.

⛷ **Pour poursuivre le voyage** – Tomar, Marvão, Santarém.

Se promener

Château
Mar.-dim. 10h-18h - grat.

Bâti au début du 14e s. durant le règne de Denis Ier pour protéger la route de Lisbonne, il fut parfaitement inefficace contre les invasions françaises. Le 24 novembre 1807, la ville s'ouvrit sans résistance aux troupes de Junot, qui reçut par la suite de Napoléon Ier le titre de duc d'Abrantes. Quelques jours plus tard, les Français s'installaient à Lisbonne, abandonnée par la famille royale.

Des ruelles fleuries mènent aux anciennes fortifications restaurées. Dans la cour, le donjon est aménagé en **belvédère** : la vue s'étend sur la moyenne vallée du Tage, jusqu'au confluent du Zêzere en aval ; au sud, des villages piquettent de leurs taches blanches une campagne couverte d'oliviers ; au nord se dressent la serra do Moradal et les contreforts de la serra da Estrela.

Église de Santa Maria
℘ 241 37 17 24 - mar.-dim. 10h-18h (17h en hiver) - grat.

Reconstruite au 15e s., elle abrite un petit **musée** présentant une sculpture de la Trinité (16e s.) en pierre polychrome, une belle statue de Vierge à l'Enfant du 15e s. et les tombeaux des comtes d'Abrantes des 15e et 16e s. À noter également, sur l'un des murs, des azulejos hispano-mauresques du 16e s., assez rares au Portugal. Le musée organise des expositions d'art sacré.

Église et hôpital da Misericórdia
Pour la visite, s'adresser à la Santa Casa da Misericórdia, dans la rue qui monte à droite, ou à l'office de tourisme.

Dans cette église datant de 1584 sont conservées six magnifiques peintures sur bois (16e s.). Attribuées à Gregório Lopes, elles évoquent la vie du Christ. Remarquez également le très bel autel en bois doré du 18e s. et un orgue en forme de meuble, de la même époque.

Dans l'ancien hôpital, la salle dite « do *Definitório* », ornée de beaux panneaux d'azulejos du 18e s. et surmontée d'un plafond à caissons de bois, contient sept tableaux représentant les sept œuvres de la Miséricorde. Admirez le mobilier, en particulier une *burra* (littéralement, une ânesse) du 16e s., coffre en fer extrêmement lourd doté d'un incroyable système de fermeture et de dispositifs de fixation au sol, qui servait à transporter les objets précieux dans les navires des Grandes Découvertes. Au centre de la pièce, **où se déroulaient** les réunions des organes sociaux de la Santa Casa, a été disposée une curieuse table ronde pourvue de tiroirs, en bois du Brésil.

Église de São João Baptista
Située à gauche de l'église da Misericórdia, elle a été fondée en 1300 par la reine sainte Isabelle et reconstruite à la fin du 16e s. À l'intérieur, sous de superbes plafonds en bois, admirez les autels Renaissance en bois doré.

Aux alentours

Constância★
12 km à l'ouest d'Abrantes.

Petite ville bucolique et paisible, à la confluence du Tage et du Zêzere, Constância, vieille de plus de 2 000 ans et qui fut jadis un important port fluvial, est aujourd'hui une belle endormie. Les maisons blanches s'étagent sur la verte colline, les ruelles pavées et abondamment fleuries sont entrecoupées de petits escaliers et d'arches. Les berges du Zêzere et du Tage, bordées de saules touffus, et la plage sont une invitation au repos, à la promenade ou au pique-nique. Le lundi de Pâques s'y déroule une fête des bateliers (ou du Bon-Voyage), au cours de laquelle tous les bateaux sont réunis sur la berge pour y être bénis. Un petit Musée fluvial et des Arts maritimes a été inauguré en 1998.

Info pratique

Adresse utile
⚑ Posto de turismo – *Largo 1º de Maio - 2200-320 - ℘ 241 36 25 55.*

Camões à Constância
Le grand poète **Luís de Camões** séjourna à Constância lors de son exil au Ribatejo, vers 1546-1547. Sa maison, la **Casa-Memória de Camões**, rua do Tejo, a été restaurée et abritera un centre d'études dédié à son œuvre. À côté de sa statue, le **Jardim Horto Camoniano**, agrémenté d'un petit amphithéâtre, réunit quelques-unes des essences végétales chantées par le poète.

Le château d'Almourol.

Praça Alexandre Herculano★ – Cette charmante place, avec son pilori du 18ᵉ s. (reconstruit en 1821) et ses façades blanches et ocre, constitue le centre historique du village.

À côté, l'église da Misericórdia, du 17ᵉ s., est ornée d'azulejos polychromes de la même époque.

Église paroissiale (Igreja Matriz) – Édifiée au 17ᵉ s. au sommet du village, l'église a été très endommagée par les troupes de Napoléon qui, en raison des crues du Zêzere, furent contraintes de faire halte à Constância lors de leur marche sur Lisbonne. Au plafond, une peinture de José Malhoa réalisée en 1890 représente Notre-Dame-de-Bon-Voyage bénissant l'union des deux fleuves.

Château d'Almourol★★

4 km à l'ouest de Constância. Laisser la voiture sur le quai, juste en face du château - ☎ 249 72 03 58 - 9h-19h (17h en hiver) - fermé 1ᵉʳ janv., dim. de Pâques et 25 déc. - possibilité de se rendre au château en barque : de 9h au coucher du soleil - rens. auprès de l'office du tourisme de Vila Nova da Barquinha.

Ce petit château de conte de fées, hérissé de tours et de créneaux, se dresse au milieu du Tage sur un îlot rocheux couvert d'arbres et de cactus. Il fut érigé en 1171 par Gualdim Pais, maître de l'ordre des Templiers, sur le site d'un château romain. Cette forteresse, habitée jusqu'en 1600, fit partie de la ligne de défense du Tage pendant la période de la Reconquête, selon la stratégie du premier roi du Portugal, Don Afonso Henriques. Son cadre romantique a inspiré nombre de légendes et récits chevaleresques. L'endroit serait ainsi hanté par une princesse amoureuse de son esclave maure.

De l'embarcadère, belle vue d'ensemble sur le château et son **site★★**. La double enceinte flanquée de dix tours rondes est dominée par un donjon carré dont la plate-forme *(accès par 85 marches puis une porte basse : attention à la tête !)* offre un superbe **panorama★** sur le fleuve et ses rives.

Vue générale sur la ville de Mértola.
J. Manuel/Turismo de Portugal

Évora★★★

41 159 HABITANTS
CARTE MICHELIN 733 Q 6 – DISTRICT D'ÉVORA

Sitôt les fortifications franchies, vous succomberez au charme de l'une des plus belles cités du Portugal. Entourée de murailles depuis l'époque romaine, Évora, capitale de l'Alentejo, déclarée Patrimoine mondial par l'Unesco, séduit par le caractère mauresque de ses ruelles et de ses maisons d'une blancheur éclatante, embellies de terrasses fleuries, de balcons ajourés et de patios dallés. De son riche passé, elle conserve plusieurs palais médiévaux et Renaissance, une vraie féerie en saison, surtout à la nuit tombée lorsque, par un subtil jeu d'éclairages, ils se détachent sur le ciel étoilé. Évora est une ville « coup de cœur » du Portugal.

- ◗ **Se repérer** – Évora est située à environ 150 km à l'est de Lisbonne.
- 🅿 **Se garer** – Laissez la voiture à l'extérieur de la ville, la plupart des parkings y sont gratuits.
- 👁 **À ne pas manquer** – L'université d'Évora ; le temple romain et la cathédrale ; une longue promenade dans les ruelles du vieux centre ; Évoramonte.
- 🕐 **Organiser son temps** – On peut faire le tour des principaux monuments en une demi-journée, mais la ville mérite un séjour de deux ou trois jours.
- 👪 **Avec les enfants** – Le palais de Vasco de Gama, pour admirer les fresques illustrant les Grandes Découvertes.
- 🍂 **Pour poursuivre le voyage** – Elvas, Estremoz, Vila Viçosa, Monsaraz.

Comprendre

Florissante à l'époque romaine et tombée en décadence sous le règne des Wisigoths, Évora est conquise en 715 par les musulmans. S'ensuivent un peu plus de quatre siècles de domination arabe, durant lesquels la cité devient une importante place agricole et commerciale, groupée autour de son château et de sa mosquée.

Geraldo Sempavor – Au 12ᵉ s., les luttes qui opposent les musulmans entre eux favorisent l'action des chrétiens dirigés par Alphonse Henriques. L'un d'eux, Geraldo Sempavor (Gérard sans Peur), réussit à gagner la confiance du roi musulman d'Évora, ce qui lui permet de réaliser un audacieux coup de force : une nuit de septembre 1165, il prend par surprise une tour de guet au nord-ouest de la ville, alerte la garnison musulmane qui se précipite en direction de la tour, puis, ayant rejoint ses compagnons d'armes, s'empare de la ville qui passe alors sous le sceptre du roi Alphonse Henriques.

Un foyer d'humanisme – Dès la fin du 12ᵉ s., Évora devient la capitale d'élection des souverains portugais ; elle connaît un éclat exceptionnel aux 15ᵉ et 16ᵉ s. Un cortège d'artistes et de savants accompagne la Cour : les humanistes Garcia et André de Resende, le chroniqueur Duarte Galvão, le créateur du théâtre portugais Gil Vicente, le sculpteur Nicolas Chanterene, les peintres Cristóvão de Figueiredo et Gregório Lopes. Partout se dressent des palais et des couvents de style manuélin ou Renaissance ; l'art décoratif musulman est remis à l'honneur par quelques architectes et contribue à la création d'un style hybride, le luso-mauresque. Une université jésuite est fondée en 1559 sur l'initiative du cardinal mécène Dom Henrique, futur roi Henri Iᵉʳ. Mais, en 1580, le Portugal est annexé par l'Espagne ; Évora décline. Malgré la révolte de 1637 qui aboutit à la restauration de l'indépendance portugaise, la ville ne retrouve pas son éclat passé. En 1759, le marquis de Pombal chasse les jésuites et supprime l'université, portant ainsi un coup décisif à Évora, qui plonge pour des siècles dans une profonde léthargie.

Une ruelle de nuit.

Ph. Bourget/MICHELIN

De nos jours, la ville, capitale de l'Alentejo, demeure un important centre agricole et reste le siège de quelques industries et d'artisanats dérivés de l'agriculture (liège, tapis de laine, peaux, meubles peints). Accueillant 8 000 étudiants, elle a retrouvé sa vocation universitaire, et l'affluence touristique stimule son activité.

Se promener

Compter une journée. Suivre l'itinéraire sur le plan au départ de la praça do Giraldo, au cœur de la vieille ville.

LA VIEILLE VILLE

Praça do Giraldo B2

Centre animé de la ville, cette vaste place, dont un côté est bordé d'arcades, est encadrée au sud par l'édifice de la Banque du Portugal, au nord par l'église Santo Antão. Elle est ornée d'une fontaine en marbre du 18e s. d'Afonso Álvares qui a pris la place d'un ancien arc de triomphe romain.

Passer à droite de l'église Santo Antão et prendre à droite la rua Nova.

« Boîte à eau » (Caixa de água) da rua Nova B1

Angle rua Nova et travessa de Sertorio. Cette « **boîte à eau** » a été construite en 1536 dans le style Renaissance par l'architecte de l'aqueduc, Francisco de Arruda. Décorée de colonnes toscanes, elle servait à distribuer l'eau de l'aqueduc qui s'y terminait.

Revenir praça do Giraldo et prendre à gauche la rua 5 de Outubro.

Rua 5 de Outubro B1-2

Cette étroite rue piétonne qui monte vers la cathédrale est bordée de nombreuses boutiques d'artisanat et de maisons aux balcons en fer forgé.

Au n° 28, remarquez la **niche** décorée d'azulejos, construite pour rendre grâce au Seigneur des Tremblements de Terre d'avoir épargné Évora lors du séisme de 1755, responsable de la destruction de Lisbonne.

Continuer dans la rua 5 de Outubro.

Cathédrale★★ (Sé) B1

Largo Marquês de Marialva - ☎ 266 75 93 30 - 9h-12h20, 14h-16h50 - fermé 1er janv. et 25 déc. - musée fermé lun. - entrée église seule : 1 € ; billet combiné église et cloître : 1,50 € ; billet combiné église, cloître et musée : 3 € (achat des billets combinés possible jusqu'à 30mn av. fermeture).

Bâtie à la fin du 12e s. et au 13e s. dans le style gothique de transition, la cathédrale présente encore des éléments romans.

Extérieur – Sa façade en granit un peu sévère est flanquée de deux puissantes tours couronnées de flèches coniques érigées au 16e s. ; la flèche de droite est entourée de plusieurs clochetons, semblables à ceux de la tour-lanterne romane de style saintongeais, en forme de pomme de pin, qui surmonte la croisée du transept. Les murs de la nef et des bas-côtés sont découpés en créneaux.

Le portail occidental est orné d'une représentation des Apôtres placés sur des consoles, probablement réalisés à la fin du 13e s. par des artistes formés en France.

Intérieur★ – La nef centrale, voûtée en berceau brisé, est dotée d'un élégant triforium ; elle surprend par son ampleur. À gauche, un autel baroque abrite une Vierge enceinte du 15e s. en pierre polychrome ; en face, une statue en bois doré (16e s.), attribuée à Olivier de Gand, représente l'ange Gabriel.

Une très belle **coupole★** octogonale sur trompes, d'où descend un luminaire, couvre la croisée du transept dont les bras sont éclairés par deux roses gothiques : à gauche, l'étoile du matin ; à droite, la rose mystique. Dans le bras gauche du transept, le portail Renaissance d'une chapelle est décoré d'un marbre sculpté par Nicolas Chanterene. Dans le bras droit se trouve le tombeau de l'humaniste André de Resende (16e s.).

Le chœur a été refait au 18e s. par Friedrich Ludwig, architecte du monastère de Mafra.

Les fortifications

Des trois enceintes qui protégèrent successivement la ville restent d'importants vestiges. Quelques traces de la muraille romaine (1er s.), renforcée par les Wisigoths (7e s.), sont encore visibles entre les palais des ducs de Cadaval et des comtes de Basto (largo dos Colegiais). La muraille médiévale (14e s.) limite la ville au nord et à l'ouest ; pour en avoir une vue intéressante, suivez les avenues qui la longent par le nord, entre les places Portas de Raimundo et Portas de Machede. Les fortifications érigées au 17e s. dans le style de Vauban délimitent le jardin public au sud de la ville.

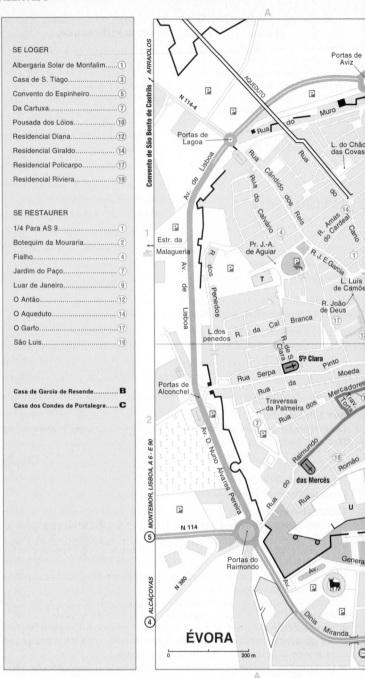

SE LOGER

Albergaria Solar de Monfalim......①
Casa de S. Tiago........................③
Convento do Espinheiro.............⑤
Da Cartuxa................................⑦
Pousada dos Lóios....................⑩
Residencial Diana.....................⑫
Residencial Giraldo..................⑭
Residencial Policarpo................⑰
Residencial Riviera...................⑲

SE RESTAURER

1/4 Para AS 9............................①
Botequim da Mouraria................②
Fialho......................................④
Jardim do Paço.........................⑦
Luar de Janeiro.........................⑨
O Antão...................................⑫
O Aqueduto..............................⑭
O Garfo....................................⑰
São Luis...................................⑲

Casa de Garcia de Resende..............**B**
Casa dos Condes de Portalegre.......**C**

ÉVORA

Stalles★ – *Visite avec le billet combiné église-cloître-musée.* Situées dans la tribune, le *coro alto*, ces stalles en chêne furent sculptées à la Renaissance par des artistes d'Anvers. Elles sont ornées de motifs sacrés et profanes. Remarquez sur les panneaux du bas les scènes de la vie quotidienne des paysans (vendanges, abattage du cochon, tonte des moutons, etc.). En milieu d'après-midi, le lieu est baigné d'une très belle lumière.

Le grand orgue Renaissance (1562) est considéré comme le plus ancien d'Europe.

Musée★ – Il comprend des ornements sacerdotaux et une importante collection d'orfèvrerie religieuse dont une magnifique **Vierge ouvrante★★** en ivoire, très finement ciselée, œuvre française du 13e s., et le **reliquaire de la Vraie Croix★** *(Santo Lenho)*,

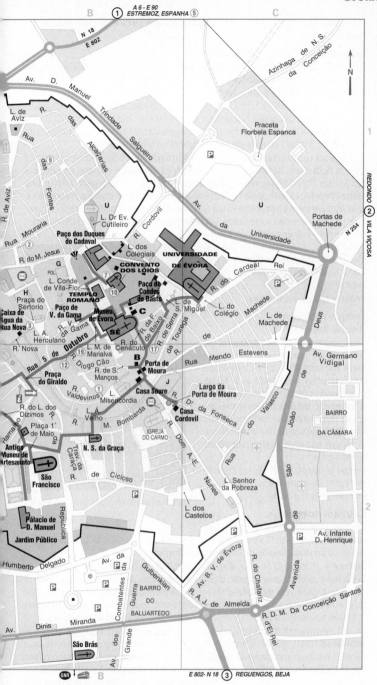

du 17ᵉ s., en argent doré et émaux polychromes, décoré de 1 426 pierres précieuses. Le musée abrite aussi des peintures des 15ᵉ, 16ᵉ et 18ᵉ s.

Cloître★ – Construit de 1322 à 1340, ce cloître gothique à l'allure massive, accentuée par l'emploi sévère du granit, se pare d'une certaine élégance grâce à ses baies rondes à fenestrage rayonnant. Chaque angle est orné d'une statue d'évangéliste. De l'angle sud-ouest s'offre une belle vue sur le clocher roman.

Une chapelle annexe contient le tombeau (14ᵉ s.) de l'évêque fondateur, ainsi que les statues (14ᵉ s.) de l'ange Gabriel et de la Vierge polychrome, dont le hanchement révèle une influence française. De la terrasse du cloître, accessible par des escaliers dans les angles, **vues** sur Évora.

En sortant de la cathédrale, prendre à droite, puis faire un crochet sur la gauche, rua Vasco da Gama.

Palais (Paço) de Vasco de Gama B1
R. Vasco da Gama, 15 - en travaux - rens. à la fondation Eugénio de Almeida (voir plus loin le palais des comtes de Basto).

👥🏛 Cette maison (15e s.) aurait appartenu au célèbre navigateur, qui y aurait vécu à son retour des Indes de 1507 à 1519. Elle fut vendue en 1597 par le 4e comte de Vidigueira, petit-fils de Vasco de Gama, à l'Inquisition, qui y installa son tribunal. Aujourd'hui, cette résidence en partie privée héberge des prêtres jésuites. Un centre de conférences de la fondation Eugénio de Almeida est également installé dans l'édifice.

Il reste de la construction primitive une fenêtre géminée à arcs outrepassés *(côté rue)*, un cloître avec des arcades en plein cintre et des voûtes en ogive fermées par des écussons héraldiques, reposant sur des consoles de style manuélin, ainsi qu'une petite chapelle. La principale curiosité réside dans les remarquables **fresques**★★ (malheureusement assez abîmées) qui envahissent les murs et plafonds de la chapelle et de la galerie donnant sur le cloître. Ces peintures évoquent les Grandes Découvertes et l'on peut y voir une profusion d'êtres fantastiques, de monstres, de sirènes, d'animaux exotiques et d'oiseaux formant un bestiaire allégorique extraordinaire.

Revenir place de la cathédrale.

Temple romain★
(Templo Romano) B1
Largo Conde Vila Flor. Ce monument est l'un des symboles d'Évora. Probablement consacré à Diane, ce temple de type corinthien a été édifié au 2e s. : les chapiteaux et les bases sont en marbre d'Estremoz, les fûts des colonnes en granit. Il doit sa relative conservation au fait d'avoir été transformé en forteresse au Moyen Âge et dégagé seulement au siècle dernier.

Longer le temple sur la droite. L'entrée de l'église du couvent dos Lóios s'ouvre immédiatement à droite.

Le temple romain et la tour de la cathédrale.

M. Gurfinkel/MICHELIN

Couvent dos Lóios★ B1
Le couvent dos Lóios (ou de Saint-Éloi), consacré à saint Jean l'Évangéliste, a été fondé au 15e s. et abrite aujourd'hui une luxueuse *pousada*, fleuron de l'hôtellerie portugaise.

Église★ – 📞 266 70 47 14 - mar.-dim. 10h-12h30, 14h-18h (hiver 17h) - fermé j. fériés - 3 € (5 € le billet combiné avec les salles d'exposition du palais des ducs de Cadaval : voir ci-après). La façade a été modifiée après le tremblement de terre de 1755, à l'exception du porche qui abrite un portail gothique flamboyant : sous un dais en pierre, se trouve le blason des Melo, comtes d'Olivença, auxquels l'église servait de nécropole.

La nef, recouverte d'une voûte à liernes et tiercerons, est tapissée de beaux **azulejos**★ (1711), œuvres d'António de Oliveira Bernardes, figurant la vie de saint Laurent Justinien, patriarche de Venise, dont les écrits influencèrent la congrégation dos Lóios. Deux trappes dans le dallage permettent de découvrir, à droite, la profonde citerne de l'ancien château et, à gauche, un ossuaire. Un très joli retable en bois doré se dresse dans le chœur.

Bâtiments conventuels – Occupés par la *pousada*, ils ne peuvent être visités librement *(s'adresser à la réception en dehors des heures de repas)*. Le cloître, abritant la salle de restaurant, est de style gothique tardif. Il a été surhaussé au 16e s. d'une galerie Renaissance. La salle du chapitre s'ouvre par une remarquable **porte**★ d'une élégante architecture ; c'est un exemple type du style composite luso-mauresque ; l'accolade qui coiffe l'ensemble et les piédroits surmontés de pinacles qui constituent l'encadrement sont d'inspiration gothique, et les colonnes torses, de style manuélin ; les baies géminées à arcs outrepassés, ainsi que les chapiteaux, sont des réminiscences de l'art musulman.

Juste à côté de l'église du couvent s'ouvre l'entrée du palais des ducs de Cadaval.

Palais des ducs de Cadaval (Paço dos Duques de Cadaval) B1

R. Augusto Filipe Simões, 1 - $\mathscr{C}$ 266 70 47 14 - mar.-dim. 10h-12h30, 14h-18h (hiver 17h) - fermé j. fériés - 2,50 € (5 € le billet combiné avec l'église du couvent dos Lóios).

Ce palais est séparé du couvent dos Lóios par la cour du restaurant Jardim do Paço *(voir « Se restaurer » dans l'encadré pratique)*. Protégé par deux tours crénelées, cet édifice, dont la façade a été refaite au 17e s., fut offert en 1390 par le roi Jean Ier à son conseiller Martim Afonso de Melo, alcade d'Évora. Les rois Jean III et Jean V y résidèrent. L'une des deux tours, qui faisait partie des murailles médiévales de la cité, arbore une forme pentagonale caractéristique. Elle a valu au bâtiment le surnom de « palais des Cinq-Coins » *(Palácio das Cinco Quinas)*.

Depuis la cour, prendre les escaliers qui montent à droite, face à la salle de restaurant. Ils donnent accès à l'intérieur du palais (1er et 2e étages).

On y découvre plusieurs pièces décorées de mobilier ancien, de tableaux (17e et 18e s.), de partitions musicales et de malles de voyage, ainsi qu'une ancienne cuisine avec sa vaste cheminée. L'ensemble n'est cependant pas très bien mis en valeur.

En sortant du palais, allez admirer la vue depuis le **Miradouro** (belvédère) situé en face, dans le jardin Diana.

Repasser entre le couvent dos Lóios et le temple romain, et poursuivre dans la rue qui passe sous une arche.

Musée d'Évora

Largo Conde de Vila Flor - $\mathscr{C}$ 266 70 26 04 - mar.-dim. 9h30-18h - tarifs : se rens.

Installé dans l'ancien palais épiscopal (16e s.), ce musée récemment rénové présente des collections d'art (peinture, sculpture) et d'archéologie. On peut notamment y admirer une intéressante série de tableaux de l'école portugaise (16e et 17e s.), parmi lesquels des toiles de Francisco Henriques (peintre officiel du roi Dom Manuel), Gregório Lopes ou Álvaro Pires, et des tableaux de peintres italiens du 18e s. La section d'art sacré comprend treize peintures de l'ancien retable flamand de la cathédrale.

Continuer jusqu'à une petite place, au pied du chevet baroque de la cathédrale. À gauche, en contrebas, s'élève la Casa dos Condes de Portalegre.

Maison des comtes de Portalegre (Casa dos Condes de Portalegre) B1

Cette charmante maison gothique et manuéline (16e s.), agrémentée d'un patio qu'entourent un jardin suspendu et un balcon ajouré, sert de siège à une association.

De la petite place, le pateo de São Miguel conduit au paço dos Condes de Basto.

Palais des comtes de Basto (Paço dos Condes de Basto) B1

Ce bel ensemble architectural de style gothique est occupé par la **fondation Eugénio de Almeida** ($\mathscr{C}$ 266 74 83 00), consacrée au développement de la région. Il fut construit au-dessus des anciennes murailles romaines, dont fait partie la tour do Sertório. Vous découvrirez, au bas du pateo São Miguel, à gauche, la façade du palais percée de fenêtres géminées de style mudéjar.

Passer la grille menant au largo de São Miguel, puis descendre la rue à gauche jusqu'au largo dos Colegiais.

Université d'Évora★ BC1

Largo dos Colegiais - accès libre : lun.-vend. 8h-18h (été 20h), sam. 8h-13h ; sam. apr.-midi et dim. apr.-midi, visite possible de la cour intérieure 15h-18h (1,50 €) - fermé j. fériés.

L'actuelle université accueille environ 8 000 étudiants et occupe l'ancienne université jésuite. Toutes les disciplines y sont enseignées, excepté la médecine et le droit. On visite la cour intérieure, de style Renaissance italienne (16e s.) : les bâtiments s'ordonnent autour du **cloître★** général des Études, entouré d'une galerie à arcades. Face à l'entrée, le fronton élégant du portique de la salle des Actes est orné de statues figurant l'Université royale et l'Université pontificale.

Les salles de classe qui ouvrent sur la galerie *(ne dérangez pas les cours !)* sont agrémentées d'**azulejos★** (18e s.) illustrant des sujets liés aux différentes disciplines enseignées (physique, histoire, philosophie).

Au 1er étage, la bibliothèque est ornée d'un joli plafond peint.

Retourner sur le largo de São Miguel et descendre, à gauche, la rua da Freiria de Baixo.

Maison (Casa) Garcia de Resende B2

Maison du 16e s., où aurait vécu l'humaniste Garcia de Resende ; remarquez, à l'étage, trois fenêtres géminées à décoration manuéline.

En face de la maison se dressent les deux tours de la porta de Moura.

Porta de Moura B2

Elle faisait partie de l'enceinte médiévale. Au pied de la tour de droite, observez un crucifix dans une niche.

Passer entre les deux tours et poursuivre jusqu'à la place ornée d'une fontaine.

Largo da Porta de Moura B2

Cette place pittoresque est occupée par une belle **fontaine★** Renaissance, constituée d'une colonne surmontée d'une sphère de marbre blanc.

La place est bordée par quelques jolies demeures ; au sud, la **maison Cordovil**, du 16e s., présente une élégante loggia avec arcades géminées, arcs outrepassés à festons et chapiteaux de style musulman ; un toit crénelé surmonté d'une flèche conique couronne l'ensemble. À l'ouest, en contrebas, admirez le **portail** baroque de l'église de l'ancien couvent do Carmo.

L'est de la place est occupé par le bâtiment moderne du palais de justice.

Retourner aux tours de la porta de Moura et prendre à gauche la rua da Misericórdia.

Casa Soure B2

R. da Misericórdia.

Cette demeure du 15e s. se dresse à l'angle de la rue, au-dessus d'un mur blanc. Elle faisait partie du palais de l'infant Dom Luís. La façade de style manuélin présente une galerie à arcades que domine une flèche conique.

Continuer rua da Misericórdia. Traverser le largo du même nom, puis, arrivé sur le largo Álvaro Velho, prendre à gauche la travessa do Manoelinho menant au largo da Graça.

Église de Nossa Senhora da Graça B2

Bâtie au 16e s. dans le style de la Renaissance italienne, cette église possède une façade en granit avec portique à colonnes toscanes, pilastres classiques et décoration de macarons. Au sommet, assis au bord de la corniche, quatre géants de pierre, surmontés de globes terrestres, laissent pendre leurs jambes dans le vide.

L'ancien couvent, à droite, est occupé par une résidence militaire.

Face à l'église, traverser le largo da Graça qui s'allonge pour former une rue et prendre à gauche la rua da República, puis, à droite, la praça 1º de Maio.

Ancien musée d'Artisanat (Antigo Museu de Artisanato) B2

Praça 1º de Maio - ℘ 266 77 12 12 - mar.-dim. 9h30-12h30, 14h-18h - 2 €.

Installé dans les anciens greniers communs, ce centre d'**artisanat régional** met à l'honneur l'habileté et la créativité des habitants de l'Alentejo : meubles peints, tapis d'Arraiolos, sculptures en liège, poteries, cloches d'Alcáçovas, ustensiles en bois ou en corne gravés et sculptés… Expositions temporaires d'artisanat contemporain. Film sur les artisans et leurs techniques *(ttes les heures de 10h à 17h - durée 20mn)*. Boutique.

Église de São Francisco B2

Praça 1º de Maio - 9h (dim. 10h)-12h50, 14h30-19h45.

Précédée d'un portique percé d'arcades en plein cintre, en arc brisé et en fer à cheval, cette église du début du 16e s. est couronnée de créneaux et de flèches coniques. Le portail, de style manuélin, est surmonté du pélican (aux allures d'aigle), emblème du roi Jean II, et de la sphère armillaire du roi Manuel.

L'**intérieur★**, voûté d'ogives, surprend par la largeur du vaisseau. Dans le chœur, se dressent deux tribunes, l'une Renaissance à droite, l'autre baroque à gauche.

Pour visiter l'ancienne salle du chapitre et la chapelle des Os, sortir de l'église et entrer par la première porte à gauche.

Traverser le cloître, décoré d'une belle colonnade. L'ancienne salle du chapitre abrite une balustrade à colonnes de marbre et d'ébène ; des azulejos, représentant des scènes de la Passion, recouvrent les murs.

Chapelle des Os★ (Capela dos Ossos) – ℘ 266 70 45 21 - 9h-12h50, 14h30-17h45 (hiver 17h15) - 1 €. L'impressionnante chapelle des Os fut construite au 16e s. par un frère franciscain pour inciter ses confrères à la méditation ; les ossements et les crânes de 5 000 personnes couvrent les murs et les piliers. À l'entrée de la chapelle, une inscription met en garde : « Nous, os qui sommes ici, attendons les vôtres. »

À droite de la chapelle, en contrebas de la praça 1º de Maio, s'étend le jardin public.

Jardin public AB2

Praça 1º de Maio - de 8h à 17h30 en janv., nov. et déc. ; 18h30 en fév. ; 19h en mars et oct. ; 20h en sept. ; 20h30 en avr. ; 21h en juin, juil. et août.

Une partie du **palais du roi Manuel** (16e s.), malheureusement très remaniée, ainsi que les vestiges d'un autre palais du 16e s. s'y dressent encore. Remarquez les fenêtres géminées à arcs outrepassés, de style luso-mauresque.

👁 **Bon à savoir** – Kiosque-terrasse pour prendre un verre aux beaux jours.

Revenir face à l'église São Francisco et prendre la ruelle partant du coin gauche de la place. Continuer en face, rua do Lagar dos Dizimos, et tourner à gauche rua do Raimundo.

Église das Mercês A2

L'intérieur de cette église (1670) est revêtu d'azulejos polychromes.

HORS LES MURS

Ermitage de São Brás

Av. Dr Barahona, au sud de la vieille ville (accès possible par la rua da República, en longeant à l'est le jardin public) - lun.-vend. 8h30-11h, 13h-19h ; w.-end 12h-17h - grat.

Curieuse église fortifiée du 15ᵉ s., à contreforts cylindriques coiffés de toits en poivrière ; le chœur, de plan polygonal, est surmonté d'une coupole sur trompes et revêtu d'azulejos vert et blanc de style sévillan.

Couvent de São Bento de Cástris

3 km au nord-ouest par la N 114-4. Passer l'aqueduc et prendre à gauche vers l'ancien couvent de Saint-Benoît-de-Cástris. Fermé pour une durée indéterminée.

L'**église**, de style manuélin, est voûtée en réseau ; les murs sont revêtus d'azulejos du 18ᵉ s. illustrant la vie de saint Bernard ; la salle capitulaire, gothique, est décorée de quelques éléments Renaissance.

Le **cloître★** de style luso-mauresque (16ᵉ s.) a conservé toute sa fraîcheur et son élégance ; au-dessus d'une galerie à arcades géminées en fer à cheval, remarquez les arcs surbaissés de la galerie supérieure.

Le château d'Évoramonte.

Aux alentours

Évoramonte★

29 km au nord-est par la N 18 en direction d'Estremoz, et 1,5 km au départ du village moderne en suivant les panneaux « Castelo ». Après avoir longé le pied des remparts (14ᵉ-17ᵉ s.), franchir la porte d'entrée.

Ce petit bourg fortifié occupe un **site★** remarquable au sommet d'une haute colline de l'Alentejo. On est aussitôt frappé par le calme des lieux et le charme qui se dégage des coquettes maisons basses, blanches et fleuries, qui entourent la curieuse forteresse et une église à clocher-peigne.

Château★ – ℘ 268 95 00 21/25 - castelodevoramonte.com - juin-sept. : 10h-13h, 14h-18h ; oct.-mai : 10h-13h, 14h-17h - fermé 1ᵉʳ janv., dim. de Pâques, 1ᵉʳ mai et 25 déc. - 1,50 €, grat. dim. et j. fériés 10h-13h. Romain puis arabe, cet édifice profondément modifié au 14ᵉ s. est resté une bâtisse de style gothique militaire, malgré des remaniements effectués au 16ᵉ s. Sa silhouette de donjon médiéval est ceinturée de cordages formant des nœuds au centre des façades. La maison de Bragance, dont la devise était « *Depois de vós, nós* » (« Après vous, nous »), avait adopté les nœuds pour symbole en raison du double sens du mot *nós* (« nous » et « nœuds »).

À l'intérieur, le corps central présente trois étages de vastes salles, dont chacune est couverte de neuf voûtes gothiques qui s'appuient sur de robustes piliers centraux, ceux du rez-de-chaussée étant énormes et torsadés.

Du sommet, **panorama★** sur la campagne tachetée d'oliviers et de villages blancs et, au nord-est, sur le site d'Estremoz *(voir ce nom)*.

👁 **Le saviez-vous ?** – À Évoramonte fut signée, le 26 mai 1834, la convention qui marqua la fin de la guerre civile ; par celle-ci, Pierre Ier, empereur du Brésil et fils de Jean VI, de tendance libérale, obligeait son frère Miguel, absolutiste, vaincu à la bataille d'Asseiceira, à abdiquer en faveur de sa nièce Marie et à s'exiler. Dans le village, une plaque commémorative désigne la maison où fut signée la convention.

Les tapis d'Arraiolos

À partir de 1650, se développa dans la région d'Arraiolos une petite industrie de tapis en laine brodés au point de croix sur une toile de lin ou de chanvre. Utilisés à l'origine comme couvertures de coffre ou tapisseries murales, ces tapis, imités d'abord de modèles indo-perses (nombreuses figurations animales et motifs végétaux), ont ensuite abandonné les thèmes orientaux et la polychromie pour un dessin plus populaire où prédominent le bleu et le jaune.

Arraiolos

22 km au nord-ouest. Quitter Évora par la N 114-4, puis prendre à droite la N 370.
Ce village coquet, perché sur une colline dans la grande plaine de l'Alentejo, est connu pour ses tapis, vendus dans de nombreux magasins de la ville ou à la coopérative. Au pied du château du 14e s., les rues sont bordées de maisons aux façades blanches rehaussées par le bleu lavande des encadrements des portes et des fenêtres.

Château – Du château, dont l'enceinte a été restaurée, belle vue sur le village – et au-delà sur les oliveraies –, la retenue du Divor et le **couvent dos Lóios** (16e s.), maintenant aménagé en *pousada* (Nossa Senhora da Assunção).

Montemor-o-Novo

30 km à l'ouest par la N 114. Petite ville calme de l'Alentejo et marché agricole, Montemor-o-Novo s'étale au pied d'une colline que couronnent les ruines d'une cité médiévale fortifiée ; les **remparts**, dont l'édification remonte à l'époque romaine, constituent un belvédère sur la campagne piquetée d'oliviers. C'est la ville natale de **saint Jean de Dieu** (1495-1550), moine franciscain d'une charité exemplaire, fondateur de l'ordre des Frères hospitaliers. La statue qui se dresse sur la place de l'église paroissiale le représente portant à l'hôpital un mendiant recueilli au cours d'une nuit d'orage. L'hôpital, fondé au 17e s., porte son nom.

Viana do Alentejo

31 km au sud. Quitter Évora par la N 18 (direction Beja) et prendre à la sortie de la ville la N 254 à droite. À l'écart des grandes routes, cette cité agricole de la vaste plaine de l'Alentejo cache, derrière les murailles de son château, une église intéressante.

Château – ✆ *266 93 00 12 - mar.-sam. 10h30-13h, 16h-18h, dim. 11h-13h - grat.* Bâtis sur un plan pentagonal, les **remparts** présentent des murailles fortifiées, flanquées à chaque angle d'une tour avec toit en poivrière. Le porche est orné de frustes chapiteaux décorés d'animaux (tortue, lion, etc.) ; la cour du château, plantée de néfliers, d'orangers et de palmiers, s'étend à gauche de l'église.

Église – La façade, surmontée de clochetons coniques et de merlons, s'ouvre par un beau **portail★** manuélin ; une colonnette torse sert de trumeau aux arcs géminés et soutient le tympan décoré de fleurs stylisées et de la croix du Christ. L'intérieur roman, transformé à l'époque manuéline, se distingue par l'ampleur de son vaisseau ; il est décoré d'azulejos du 17e s. à la base des murs. Le chœur est orné d'un joli Christ.

Circuit de découverte

LE CIRCUIT DES MÉGALITHES

75 km – Compter 3h30.
La région d'Évora est riche en grottes et en mégalithes élevés entre 4000 et 2000 av. J.-C. Cette promenade emprunte de petites routes et donne l'occasion de découvrir les beaux paysages de l'Alentejo piquetés de chênes-lièges.

Sortir d'Évora par la N 114 vers Montemor-o-Novo. À 10 km, tourner à gauche vers Guadalupe et suivre la signalisation « Cromeleque e menir dos Almendres ». Après Guadalupe, prendre une route non goudronnée pendant 3 km.

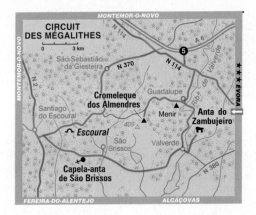

Cromeleque dos Almendres

Dans une clairière parmi les chênes-lièges, 95 monolithes en granit sont disposés selon un plan ovale de 60 m sur 30 m.

Revenir à Guadalupe.

En chemin, près de la coopérative de Água de Lupe, se dresse un menhir haut de 2,50 m.

À Guadalupe, prendre une route de terre vers Valverde, puis suivre la signalisation « Anta do Zambujeiro » sur la route d'Alcáçovas.

Anta do Zambujeiro

Précédé d'un tumulus (galerie d'accès), le dolmen proprement dit forme une vaste chambre funéraire de 6 m de haut. De nombreux objets y furent découverts, qui se trouvent aujourd'hui au musée d'Évora.

Revenir à Valverde et poursuivre vers São Brissos. Ne pas tourner vers São Brissos, mais poursuivre la route sur 2 km.

Capela-anta de São Brissos

Surprenante chapelle dont le narthex est formé par un dolmen.

Avant d'arriver à Santiago do Escoural, tourner à droite.

Grotte (Grutas) d'Escoural

Centre d'interprétation ☎ 266 85 70 00 - lun.-vend. 14h30-18h30 - fermé 1ᵉʳ janv., Vend. saint, dim. de Pâques, 1ᵉʳ mai et 25 déc. - grat. ; visite guidée de la grotte sur RV lun.-vend. 15h-18h - 2 €.

Dans cette grotte ont été découvertes des peintures et des gravures rupestres, datées de 18 000 à 13 000 av. J.-C. (Paléolithique supérieur). Elles représentent des bœufs, des chevaux ou des figures énigmatiques.

Poursuivre la N 370 jusqu'à la N 114 et là, tourner à droite pour rejoindre Évora.

Évora pratique

Informations utiles

Indicatif téléphonique – *266*

Code postal – *7000*

Hôpital – *Largo Senhor de Pobreza - ☎ 266 74 01 00 ou 266 75 84 24.*

🛈 **Posto de turismo** – *Praça do Giraldo, 73 - 7000-508 - ☎ 266 73 00 30 - www.visitevora.pt.*

Route des Vins de l'Alentejo – *Praça Joaquim António de Aguiar, 20-21 - ☎ 266 74 66 09/64 98 - www.vinhosdoalentejo.pt - lun.-vend. 9h-12h30, 14h-17h30. Organisme de promotion des vins de l'Alentejo. Vente de bouteilles sur place.*

Internet

IPJ (Institut portugais de la jeunesse) – *R. da República, 119 (derrière l'église de São Francisco) - lun.-vend. 9h-20h - fermé j. fériés - grat.*

CyberCenter – *R. dos Mercadores, 42 - ☎ 266 74 69 23 - lun.-vend. 10h30-23h, w.-end 14h-22h - 1,50 €/45mn.*

Transports

Gare ferroviaire – *1 km au sud de la ville, par l'av. dos Combatentes de Grande Guerra - ☎ 808 208 208 - www.cp.pt.* Trains pour Lisbonne (2h30 à 3h de trajet, correspondance incluse), Beja et l'Algarve.

Gare routière – *Av. São Sebastião (près du cimetière, à l'ouest) - ☎ 266 70 21 21/707 22 33 44 - www.rede-expressos.pt.* Bus de et vers Lisbonne, Beja, Portalegre, Estremoz, etc.

Location de vélos – *Scootbike - praça do Sertório, 6-7 - ☎ 266 73 16 66 - www.scootbike.com.*

Se loger

🛏 **Residencial Policarpo** – *R. da Freiria de Baixo, 16* - ☎ 266 70 24 24 - www.pensaopolicarpo.com - 🚭 🅿 - *20 ch. 20/57 € ☕*. Reconversion réussie pour cette maison au noble passé qui affiche un petit côté désuet. Si les salles de bain sont parfois un peu vétustes (les chambres du rez-de-chaussée n'en disposent d'ailleurs pas), le petit-déjeuner sur la terrasse demeure un instant délicieux et l'on appréciera l'attrayant mobilier en bois peint. Un bon rapport qualité-prix, notamment pour les chambres à l'étage, avec air conditionné.

🛏 **Residencial Giraldo** – *R. dos Mercadores, 27* - ☎ 266 70 58 33 - *28 ch. 25/55 €*. Une pension très simple et centrale qui propose des chambres avec douche ou baignoire et air conditionné, et d'autres avec toilettes uniquement. Confort sommaire et décoration sans relief mais accueil agréable. Pour petits budgets peu exigeants.

🛏 **Residencial Diana** – *R. Diogo Cão, 2-3* - ☎ 266 70 20 08/74 31 13 - www.residencialdiana.com - *18 ch. 40/55 € ☕*. Cette petite pension tranquille et très centrale vous placera au cœur de la zone piétonne. Meublée à l'ancienne comme une maison de famille, elle dispose de chambres spacieuses. Petit-déjeuner servi dans le café d'en face, très sympathique.

🛏🛏 **Albergaria Solar de Monfalim** – *Largo da Misericórdia, 1* - ☎ 266 75 00 00 - www.monfalimtur.pt - 🍽 🅿 *privé : 4 €j - 26 ch. 65/80 € ☕*. Coup de cœur pour ce beau manoir du 16e s. Les chambres sont toutes différentes, mais le confort est celui d'un hôtel moderne allié au charme d'un bâtiment historique. Profitez de sa superbe loggia à colonnades, donnant sur une place tranquille de la ville, ou encore de sa salle de petit-déjeuner, vaste pièce parquetée digne d'un manoir d'antan.

🛏🛏 **Casa de S. Tiago** – *Largo Alexandre Herculano, 2* - ☎ 266 70 26 86 - www.casa-saotiago.com - *7 ch. 65/85 € ☕*. Parmi les atouts de cette maison du 16e s., on compte : sa situation en plein cœur historique, ses chambres décorées de meubles anciens (mais quand même un peu vieillots), ses petits-déjeuners composés de confitures et de produits maison, et sa cour intérieure. Attention, il n'y a qu'une seule chambre à grand lit, et l'endroit mériterait un petit coup de neuf.

🛏🛏 **Residencial Riviera** – *R. 5 de Outubro, 49* - ☎ 266 73 72 10 - www.riviera-evora.com - 🍽 🅿 *privé : 5/10 €j - 21 ch. 67/77 € ☕*. Murs blancs, plafonds en brique sombre dans certaines chambres, parquet, couvre-lits raffinés et salles de bain en marbre : cet hôtel magnifiquement décoré et rénové en 2003, très bien situé, allie tradition et modernité. Les chambres à l'arrière sont plus tranquilles. Confort assuré.

🛏🛏🛏 **Da Cartuxa** – *Travessa da Palmeira, 4* - ☎ 266 73 93 00 - www.hoteldacartuxa.com - 🍽 🏊 🛗 - *85 ch. 120/140 € ☕ - rest. env. 25 €*. Hôtel moderne près des murailles, à l'ouest de la vieille ville. Prestations de grande qualité, avec des chambres standardisées dont certaines, à l'arrière, disposent d'un balcon. Belle piscine et jardin donnant sur les murailles.

🛏🛏🛏 **Pousada dos Lóios** – *Largo Conde de Vila Flor* - ☎ 266 73 00 70 - www.pousadas.pt - 🍽 🏊 🛗 - *30 ch. 150/230 € ☕ - rest. env. 30 €*. Ce couvent du 16e s., initialement lieu de repos et de méditation, conserve certains détails et des peintures d'origine. Les tables nappées de blanc du restaurant encerclent son patio planté d'orangers. Le chef (une femme) s'y entend pour revisiter la tradition : soupe de poisson à la menthe et champignons farcis à l'honneur. Chambres sobres et très élégantes. Piscine-solarium.

🛏🛏🛏🛏 **Convento do Espinheiro** – *Apartado 594 (4 km au N de la ville, par la route d'Estremoz)* - ☎ 266 78 82 00 - www.conventodoespinheiro.com - 🏊 - *59 ch. 180/280 €*. Un ancien couvent tout blanc, dans la campagne d'Évora, transformé depuis juillet 2005 en hôtel de très grand standing. Cloître superbe, église se transformant à l'occasion en centre de conférences, piscine intérieure et extérieure, spa center, etc. Le comble du raffinement à Évora, pour un éventuel coup de folie…

Se restaurer

🍴 **São Luís** – *R. do Segeiro, 30-32* - ☎ 266 74 15 85 - *fermé dim. - 15/18 €*. Une jolie adresse cachée non loin de la praça 1º de Maio, dans une maison ancienne. Parti pris de simplicité et d'authenticité avec nappes drapant les tables, rideaux en gros tissu, assiettes en grès brun, photos de *touradas* et objets paysans aux murs, musique alentejane en fond sonore… Dans l'assiette, des recettes d'hier à base d'herbes sauvages (soupe aux épinards) et d'excellentes viandes. Portions raisonnables et accueil prévenant.

🍴 **O Garfo** – *R. Santa Catarina, 13-15* - ☎ 266 70 92 56 - *fermé dim. - 15/18 €*. Cette adresse intime et calme sert une bonne cuisine régionale à prix raisonnables (soupe du jour, migas aux asperges, pot-au-feu à l'alentejane…), accompagnée de bons vins. Des dégustations de vin sont organisées par les propriétaires. Service discret.

🍴🍴 **Botequim da Mouraria** – *R. da Mouraria, 16 A* - ☎ 266 74 67 75 - *fermé dim. et j. fériés - env. 30 €*. Cette maison peinte en blanc et jaune abrite un minuscule bistrot où l'on mange au coude à coude les assiettes du jour, juché sur de hauts tabourets. Cuisine simple et savoureuse, concoctée par le patron et servie avec de bons vins. Un endroit authentique, très fréquenté par les habitués. Les places sont donc chères… arrivez tôt ou réservez !

1/4 P'rás 9 – *R. Pedro Simoês, 9 A -* 266 70 67 74 - *fermé merc.* - 15/30 €. Un restaurant qui, l'été, a l'heureuse idée de prendre ses quartiers en terrasse et d'investir la ruelle attenante. En salle, quelques jambons pendent derrière le comptoir, et les murs se couvrent de coupures de presse qui flattent la réputation du lieu. Un large choix de plats de viande (à base de porc de l'Alentejo essentiellement), du poisson et une spécialité, l'*açorda* de crevettes. L'atmosphère est agréable et séduisante, et le service attentionné.

O Antão – *R. João de Deus, 5-7 -* 266 70 64 59 - *www.antao.pt -* 15/25 €. Cuisine typique (*migas*, lapin à l'alentejane, perdrix aux légumes, *açordas* braisés…) à prix modérés. Salle (et petit patio) à la décoration claire, agrémentée des inévitables diplômes culinaires du patron.

Jardim do Paço – *Palácio das Cinco Quinas -* 266 74 43 00 - *www. jardimdopaco.com - fermé dim. soir et lun. -* 15/25 €. Vous retiendrez plus ce restaurant pour son cadre (un palais et son jardin) que pour sa cuisine sans relief. Le paisible jardin-patio est enchanteur. Un buffet régional vous permettra tout de même de goûter aux saveurs de l'Alentejo.

O Aqueduto – *R. de Cano, 13 A -* 266 70 63 73 - *fermé lun., dim. soir et 1re quinz. d'août - env.* 25 €. Son nom vous indique qu'il est proche de l'aqueduc. Ce restaurant typique sert des plats régionaux comme le riz au lièvre, les côtelettes d'agneau ou de porc grillées, le porc frit et les asperges. En apéritif : fromage sec d'Évora et saucissons de l'Alentejo. On mange soit en bas, dans une salle rustique flanquée de 14 jarres à vin de taille impressionnante, soit en haut, dans une salle plus lumineuse, ornée de belles photos paysannes de l'Alentejo.

Luar de Janeiro – *Travessa de Janeiro, 13 -* 266 74 91 14 - *rest.luardejaneiro@clix.pt - fermé jeu.* - 25/30 €. Réputé parmi les meilleurs restaurants de la ville en raison de sa qualité constante et de son inventivité. On y savoure une vraie cuisine gastronomique préparée par un passionné, dans un cadre toutefois assez étriqué et sans originalité. Prix honnêtes.

Fialho – *Travessa das Mascarenhas, 16 -* 266 70 30 79 - *fermé 1er-23 sept., 24 déc.-2 janv. et lun.* - 20/33 €. Excellente cuisine locale (spécialité de mouton) dans un décor régional. Trois salles différentes ; il est plus agréable de manger dans celle de droite, la plus vaste, avec sa décoration rustique et son imposant lustre en ferronnerie. Un grand classique à Évora.

Faire une pause

Pastelaria Conventual Pão de Rala – *R. do Cicioso, 47 -* 266 70 77 78 - *7h30-19h30*. Comme son nom l'indique, ce salon de thé toujours très fréquenté propose « la » spécialité locale : le *pão de Rala*, un gâteau aux amandes et oranges confites. Mais dans cette région de couvents, il se devait avant tout de perpétuer la tradition des recettes « ecclésiastiques », d'où le nom d'autres pâtisseries que l'on trouve ici : *convento das Chogas, convento Santa Clara* ou *convento Santa Helena Calvário*. Déroutant mais délicieux.

En soirée

Bar do Teatro – *Praça Joaquim António de Aguiar - 20h30-2h*. Dans le bâtiment du théâtre, ce bar au joli plafond peint s'anime plutôt en début de soirée et accueille une clientèle jeune assez aisée.

A Oficina – *R. da Moeda, 27 -* 266 70 73 12 - *mar.-jeu. 20h-2h, vend. et sam. 20h-3h*. Un tout petit bar convivial où se serrer au comptoir, avec une bonne musique d'ambiance pop et funk. Clientèle d'âges variés, plutôt « intello ». Internet.

Sports et Loisirs

Piscine – *Env. 2 km à l'ouest de la vieille ville, par l'estrada da Malagueira (entre la route d'Arraiolos et celle de Lisbonne) -* 266 77 71 86 - *déb. juin à mi-sept. : lun. 14h-19h, mar.-dim. 9h-19h (sf pénurie d'eau)*. Un complexe de cinq piscines idéal pour échapper à la fournaise estivale d'Évora.

Achats

Marché municipal – *Praça 1º de Maio - mar.-dim.* Très animé le matin, il accueille des stands d'artisanat de bonne facture : poteries, assiettes, etc.

Marché hebdomadaire – *Horta das Larranjeiras (au S de la vieille ville, près du jardin public)*. Grand marché de fruits et légumes.

Oficina da Terra – *Travessa do Sertório, 26 (place de la mairie) -* 266 74 60 49 - *www. oficinadaterra.com*. Sculptures en terre originales, voire humoristiques, représentant des personnages. Assez cher toutefois.

Há Arte no Giraldo - *R. do Raimundo, 49 -* 266 77 12 43 - *www.haartenogiraldo.pt*. Cette galerie d'exposition-vente présente des céramiques populaires ou contemporaines réalisées par des artistes nationaux. Également sur place, un vaste choix de vins d'Alentejo.

Événement

Festas da Cidade – Grande fête populaire la 2e quinzaine de juin.

Vila Viçosa★

5 354 HABITANTS
CARTE MICHELIN 733 P7 – DISTRICT D'ÉVORA

Adossée au versant d'une colline où poussent orangers et citronniers, Vila Viçosa est une petite ville ombragée (« viçosa ») et fleurie, ancienne résidence des ducs de Bragance et de plusieurs rois portugais. Après 1910 et la chute de la monarchie, la vie de la cité s'est recentrée autour de quelques activités artisanales (poterie et fer forgé) et l'exploitation de ses carrières de marbre. Le centre a gardé une certaine animation, tandis que les quartiers de la place du Palais-des-Ducs et de la vieille ville restent empreints d'une atmosphère de ville-musée, évocatrice de la vie fastueuse des Bragance.

- **Se repérer** - Vila Viçosa se trouve à 20 km au sud-est d'Estremoz.
- **À ne pas manquer** – La vieille ville et le palais des Ducs.
- **Organiser son temps** – Une demi-journée suffit pour visiter la ville.
- **Avec les enfants** – Le musée des Carrosses.
- **Pour poursuivre le voyage** – Elvas, Estremoz, Évora, Monsaraz.

Le palais des Ducs.

Comprendre

La cour ducale – Dès le 15e s., Dom Fernando I, deuxième duc de Bragance, choisit Vila Viçosa comme résidence de sa cour. L'exécution du troisième duc, **Dom Fernando II**, anéantit un temps la puissance ducale, et c'est seulement au siècle suivant que la Cour reprend sa vie fastueuse. Dans le palais construit par le 4e duc de Bragance, Dom Jaime Ier, grandes fêtes seigneuriales et mariages princiers se succèdent alors, ainsi que banquets gargantuesques, représentations théâtrales et courses de taureaux. Cette époque dorée prend fin en 1640, lorsque le 8e duc de Bragance accède au trône du Portugal sous le nom de Jean IV.

Visiter

PLACE DU PALAIS★ (TERREIRO DO PAÇO)

Cette vaste place dominée par le palais des Ducs est occupée, en son centre, par la statue de Jean IV, œuvre en bronze du sculpteur Francisco Franco.

Palais des Ducs★★ (Paço Ducal)

268 98 06 59 - www.fcbraganca.pt - visite guidée (1h) avr.-sept. : mar. 14h30-17h30, merc.-vend. 10h-13h, 14h30-17h30, w.-end 9h30-13h, 14h30-18h ; oct.-mars : mar. 14h-17h, merc.-dim. 9h30-13h, 14h-17h - fermé j. fériés et 16 août - 6 €.

Las de l'inconfort du château datant du roi Denis, Dom Jaime Ier, 4e duc de Bragance, fit entreprendre en 1501 la construction de ce palais. Il est constitué de deux ailes perpendiculaires dont la principale, en marbre blanc, s'étire sur 110 m de long.

À 300 m de là, un très vaste **parc** (2 000 ha) servait autrefois de réserve de chasse. L'intérieur du palais a été aménagé en musée. La cage de l'escalier qui conduit au premier étage est ornée de peintures murales représentant la bataille de Ceuta (15ᵉ s.) et le siège d'Azamor (16ᵉ s.) par le duc Dom Jaime Iᵉʳ.

Aile principale – Des azulejos du 17ᵉ s., des tapisseries de Bruxelles et d'Aubusson et des tapis d'Arraiolos la décorent. Les salles sont ornées de plafonds peints à motifs variés : David contre Goliath, les aventures de Persée, les sept Vertus. On verra aussi les portraits des Bragance par les peintres portugais (fin 19ᵉ s.) Columbano, Malhoa et Sousa Pinto ainsi que, dans la salle des Tudesques, par le peintre français Quillard. La façade ouest donne sur des jardins classiques de buis taillés.

Aile transversale – Elle comprend les appartements du roi Charles Iᵉʳ (1863-1908), peintre et dessinateur de talent, et ceux de la reine Amélie ; dans la chapelle, un intéressant triptyque du 16ᵉ s., attribué à Cristóvão de Figueiredo, illustre des scènes du Calvaire. Le **cloître**, de style manuélin (16ᵉ s.), est d'une grande fraîcheur.

Musée des Carrosses★ (Museu dos Coches)

Entrée par la Porta dos Nós. Mêmes horaires que ceux du Paço Ducal - 1,50 €.

👥 Il fait partie du musée national des Carrosses, dont la collection principale se trouve à Lisbonne *(voir p. 134)*. Il rassemble plus de 70 carrosses, berlines, voitures, etc., du 18ᵉ au 20ᵉ s., présentés dans quatre bâtiments, dont l'**écurie royale★** bâtie à la demande du roi Joseph Iᵉʳ en 1752. Cette salle longue de 70 m pouvait abriter des centaines de chevaux sous ses voûtes supportées par des piliers de marbre. Parmi les voitures exposées, remarquez le nᵒ 29, le landau dans lequel le roi Charles Iᵉʳ et son fils furent assassinés le 1ᵉʳ février 1908. La variété et l'état des véhicules sont remarquables : malles-poste, chars à bancs, phaétons, landaus et berlines voisinent avec les carrosses de gala.

Porte des Nœuds★ (Porta dos Nós)

Cette porte est l'un des derniers vestiges de la muraille du 16ᵉ s. La **maison de Bragance**, dont la devise était « *Depois de vós, nós* » (« Après vous, nous »), avait choisi les nœuds comme symbole en raison du double sens du mot *nós* (« nous » et « nœuds »).

Revenir sur la place du Palais.

Couvent dos Agostinhos

Reconstruite au 17ᵉ s. par le futur Jean IV, l'**église**, qui se dresse à l'est de la place du Palais, est la nécropole des ducs de Bragance. Le transept et le chœur abritent, dans des enfeus, les tombeaux des ducs.

L'exécution du duc de Bragance

Dès son accession au trône en 1481, le roi Jean II prend des mesures rigoureuses pour abolir les privilèges accordés par son père Alphonse V aux nobles qui avaient participé à la Reconquête. Le premier frappé est le duc de Bragance, beau-frère du roi, le plus riche et le plus puissant seigneur du royaume, coupable de complot. Après un jugement sommaire, le duc est décapité à Évora en 1483.

Ancien couvent des Plaies (Antigo Convento das Chagas)

Fondé par Joana de Mendonça, deuxième femme du duc Dom Jaime Iᵉʳ, ce couvent est situé au sud de la place du Palais. L'église, aux murs tapissés d'azulejos de 1626, sert de nécropole aux duchesses de Bragance.

LA VIEILLE VILLE

Laisser la voiture à l'extérieur des remparts.

Le château et les remparts, élevés à la fin du 13ᵉ s. par le roi Denis, ont été renforcés par des bastions au 17ᵉ s. Des murailles crénelées, flanquées de tours, enserrent encore la vieille cité. Ses ruelles sont bordées de maisons blanches dont la partie basse est peinte de couleurs vives. Une petite rue mène à l'**église da Conceição** et au **pilori** du 16ᵉ s.

Château

📞 268 98 01 28 - www.fcbraganca.pt - mêmes horaires que ceux du Paço ducal - 3 €.

Les parties les plus anciennes datent du 13ᵉ s., mais il fut remanié plus tard. Il est entouré de fossés profonds. La visite fait parcourir les souterrains de l'édifice primitif. Au 1ᵉʳ étage a été installé un **musée archéologique** regroupant notamment des vestiges préhistoriques, romains et arabes, ainsi qu'une collection de vases grecs.

À l'entrée, le surprenant **musée de la Chasse** (Museu da Caça) réunit près de 1 500 pièces léguées par l'ingénieur Manuel de Carvalho, provenant en grande partie d'anciennes colonies portugaises d'Afrique (Angola, Mozambique et Guinée-Bissau). L'ensemble constitue le plus grand musée d'armes africaines

Info pratique

Adresse utile

🇵 **Posto de turismo** – *Praça da República - 7160-207 - ☏ 268 88 11 01 - www.visitevora.pt.*

au monde. Vous pourrez admirer toutes sortes d'animaux naturalisés, originaires d'Europe et d'Afrique (buffles, antilopes, lynx), des armes européennes et africaines anciennes, dont une collection offerte au roi Dom Carlos par les anciennes colonies, des peaux, des meubles, etc.

Du chemin de ronde du château, jolies vues sur les ruelles de la vieille ville.

Aux alentours

Borba

6 km au nord-ouest par la N 255 en direction d'Estremoz. Borba est réputée pour son marbre, comme Estremoz et Vila Viçosa, mais aussi pour son vignoble. Vous découvrirez les vins rouges ou blancs à l'**Adega Cooperativa de Borba**, une des plus anciennes coopératives de la région. *Rossio de Cima (sortie nord de la ville) - ☏ 268 89 16 60 - www.adegaborba.pt.*

Estremoz ★

7 682 HABITANTS
CARTE MICHELIN 733 P7 – DISTRICT D'ÉVORA

En arrivant par le sud, on découvre la vieille ville, toute blanche, perchée sur la colline au-dessus de la ville moderne. Dans une région où abondent les carrières de marbre, Estremoz est une cité plaisante, entourée de remparts à la Vauban et dominée par le donjon d'un château médiéval. Sur la place centrale (le Rossio), vous irez flâner le samedi matin entre les pittoresques étalages de poteries, un artisanat dont Estremoz a fait sa célèbre spécialité depuis le 16e s.

- ◔ **Se repérer** – Estremoz se trouve à 46 km au nord-est d'Évora et à 70 km à l'ouest de Badajoz (Espagne).
- ◉ **À ne pas manquer** – Le marché du samedi matin ; le donjon.
- ◔ **Organiser son temps** – Il est possible de visiter la ville en deux à trois heures.
- ♟♟ **Avec les enfants** – Le Centro Ciência Viva et son musée interactif de géologie.
- ♨ **Pour poursuivre le voyage** – Elvas, Évora, Vila Viçosa, Monsaraz.

Comprendre

Les poteries et figurines d'Estremoz – Outre les *bilhas*, cruches à col large, et les *barris*, à col étroit, on fabrique ici de nombreuses poteries décoratives, destinées à garder l'eau fraîche ou à la servir à table. Les *moringues*, pourvues d'une anse et de deux becs, les *púcaros dos reis* (vases des rois), sont des poteries mates, ornées de motifs géométriques ou de feuillages stylisés, incrustés d'éclats de marbre blanc. On y colle parfois des rameaux de chêne, selon un procédé plus récent. Les *fidalgos* sont de grands vases pansus, vernis, agrémentés de petits bouquets.

Estremoz est également réputée pour ses figurines naïves de couleurs vives, les *bonecos* : elles représentent des personnages religieux (santons, saints) ou profanes (paysans, personnages satiriques), ou encore des animaux, reproduits d'après des modèles anciens dont le réalisme et le pittoresque ont gardé toute leur saveur.

Le marbre d'Estremoz – Les environs de la ville sont un des principaux lieux d'extraction du marbre de l'Alentejo, qui habille de sa blancheur les façades des églises et des maisons des cités de la région. La production, qui avoisine les 500 000 tonnes par an, fait du Portugal le deuxième exportateur de marbre au monde.

Se promener dans la ville haute★

Compter 1h. Depuis le Rossio, prendre à droite de l'église pour gagner la praça Luís de Camões. Emprunter, au fond à gauche, la rua da Frandina, derrière le pilori. Après des escaliers, franchir une porte du 14ᵉ s. marquant l'entrée de la ville haute, aux maisons gothiques et manuélines. Poursuivre par la rua da Rainha Santa Isabel, jusqu'au largo D. Dinis.

Le donjon d'Estremoz.

Donjon (Torre de Menagem)

Largo D. Dinis - juin-sept. : mar.-dim. 10h30-12h30, 15h-17h30 ; oct.-mai : mar.-dim. 9h30-12h30, 14h-17h30 - fermé j. fériés - grat.

Donjon et palais abritent aujourd'hui la *pousada* da Rainha Santa Isabel, l'une des plus fameuses du Portugal. Bâti au 13ᵉ s., le donjon, haut de 30 m, est couronné de merlons pyramidaux et flanqué dans sa partie haute de balcons et de consoles. Au 2ᵉ étage, une belle salle octogonale est éclairée par des fenêtres trilobées. Du sommet, vue circulaire sur la ville et l'Alentejo, où pointent, au sud, les hauteurs de la serra de Ossa.

Contourner le donjon et le palais sur la gauche, et franchir une belle grille ancienne.

Chapelle de la Reine-Sainte-Isabelle (Capela da Rainha Santa Isabel)

Largo D. Dinis - mar.-dim. 9h30-11h30, 14h-17h - fermé j. fériés - grat. Pour visiter, s'adresser au Musée municipal (voir ci-dessous).

Les murs sont recouverts de beaux azulejos représentant des scènes de la **vie de la reine sainte Isabelle d'Aragon**, épouse du roi Denis. Remarquez la scène du miracle des Roses : surprise par le roi alors qu'elle portait du pain aux pauvres, la reine, pour dissiper les soupçons de son mari, dut ouvrir les plis de sa robe où n'apparurent que des roses.

Église de Santa Maria

Largo D. Dinis - mêmes horaires et conditions d'accès que la chapelle ci-dessus.

Cette église de plan carré, qui faisait partie de l'ancienne citadelle, date du 16ᵉ s. Elle abrite quelques tableaux de primitifs portugais, notamment dans la sacristie.

Salle d'audience du roi Denis (Paço da Audiência)

Largo D. Dinis - mar.-dim. 9h-12h30, 14h-17h30 - fermé j. fériés - grat.

Une belle **colonnade gothique★** en marbre caractérise cette salle aux voûtes en étoile, refaites à l'époque manuéline. Sainte Isabelle y mourut en 1336 et le roi Pierre Iᵉʳ en 1367. La salle abrite la Galeria de Desenho, une galerie accueillant des expositions temporaires (poteries, peintures, céramiques, etc.).

Musée municipal

Largo D. Dinis - ✆ 68 33 36 08 - mar.-dim. 9h-12h30, 14h-17h30 - fermé j. fériés - 1,50 €, grat. mar. Dans une belle maison en face du donjon, ce musée rassemble des poteries et des santons d'Estremoz, de l'art religieux, des reconstitutions d'intérieurs traditionnels, etc. Dans la petite cour du musée, on peut voir des artisans à l'œuvre et acheter certaines de ces pièces typiques.

Regagner le Rossio en rebroussant chemin.

Visiter dans la ville basse

Centre Ciência Viva

Rossio - ✆ 268 33 42 85 - www.estremoz.cienciaviva.pt - mar.-dim. 10h-18h - fermé j. fériés - 5 € (enf. 1,50/3 €).

👥 Il constitue l'un des pôles de l'université d'Évora et est installé dans l'ancien **couvent des Maltaises★ (Convento das Maltezas)**, superbe édifice du 16ᵉ s., dont le cloître abrite des fresques des 16ᵉ-17ᵉ s. ainsi qu'une fontaine sphérique. Le couvent, rénové, accueille un **musée interactif de géologie**. Les expériences et les thèmes présentés de façon très didactique s'adressent aussi bien aux jeunes qu'aux adultes.

Musée rural de l'Alentejo (Museu Rural do Alentejo)

Centre culturel José Lourenço Marquês Crespo - av. de Santo António (du Rossio, prendre à gauche de l'église la rue Victor Cordon et franchir les portes de Santo António) - ☏ 963 00 41 79 - mar.-sam. 9h-12h30, 14h-17h30 - fermé j. fériés - 1 €.

Cet intéressant petit musée, réinstallé à cette adresse depuis juillet 2006, retrace, sous forme de maquettes, de produits de l'artisanat et de costumes régionaux, les scènes de la vie alentejane.

Aux alentours

Église Nossa Senhora dos Mártires

2 km au sud (route de Bencatel). Demander la clef dans la maison juste en face de l'église.
Datée de 1744, elle présente un monumental chevet gothique. Beaux azulejos dans la nef (Fuite en Égypte, Cène, Annonciation), dont l'entrée se signale par un arc triomphal manuélin, ainsi que dans le chœur (Nativité, Présentation au Temple).

Avis

52 km au nord-ouest d'Estremoz par la N 245 et la N 243.

Point saillant dans la traversée monotone de la plaine de l'Alentejo, où prédominent chênes-lièges et oliviers, la cité d'Avis domine le confluent des rivières Seda et Avis, noyé par la retenue qui alimente la centrale hydroélectrique de Maranhão (située 15 km en aval). La N 243, au sud, offre la meilleure **vue★** sur la ville qui a gardé des vestiges de fortifications.

Outre les remparts, la présence de tours médiévales et l'église du couvent de São Bento témoignent du brillant passé de la cité. Avis fut en effet le berceau d'une dynastie qui régna sur le Portugal à partir de 1385, lorsque Jean, grand maître de l'ordre d'Avis, fut sacré roi sous le nom de **Jean Ier**. Cette dynastie s'éteignit à la mort d'Henri Ier en 1580.

L'ordre d'Avis

C'est à Avis que s'installa, au début du 13e s., l'ordre militaire fondé en 1147 par Alphonse Henriques pour combattre les Maures. Cet ordre de chevalerie, le plus ancien d'Europe, reçut plusieurs désignations et obéit à plusieurs règles avant de devenir l'ordre de Saint-Benoît d'Avis. Il rayonna dans le bassin du Tage jusqu'en 1789.

Estremoz pratique

Informations utiles

Indicatif téléphonique – *268*
Code postal – *7100*
🛈 **Posto de turismo** – *Largo da República, 26 - 7100-505 - ☏ 268 33 35 41 - www.visitevora.pt.*
Internet – Centro Ciência Viva – *Rossio - ☏ 268 33 42 85 - 14h-20h - grat.*

Se loger

🛏 **Hospederia D. Dinis** – *R. 31 de Janeiro, 46 - ☏ 268 33 27 17 -* 🍽 *- 7 ch. 35/50 €.*

Un tout petit hôtel du centre, près du Rossio. Chambres climatisées et spacieuses, dotées de deux lits (à l'exception d'une). Préférez celles situées à l'arrière, plus calmes. Accueil agréable. Possibilité de prendre le petit-déjeuner, en semaine, à la Confeitaria Estremocence, au rez-de-chaussée.

Se restaurer

🍴🍴 **São Rosas** – *Largo D. Dinis - ☏ 268 33 33 45 - www.saorosas.com - fermé lun., 1re quinz. de juil. et 1re quinz. de janv. -* 🍽 *- env. 30 €.* Un restaurant raffiné, proche de la *pousada*. Cadre et service stylés, vins excellents.

Portalegre

15 274 HABITANTS
CARTE MICHELIN 733 O7 – DISTRICT DE PORTALEGRE

Ancienne place stratégique proche de la frontière espagnole, Portalegre, dominée par les trois tours de son château, fut une cité prospère pendant la Renaissance. En témoigne la riche architecture baroque de la vieille ville, dans laquelle il fait bon se promener. Tournée vers le sud, cette ville dynamique domine les champs, les oliveraies et les horizons vallonnés de la plaine verdoyante du Haut-Alentejo. Elle offre aussi un point de départ idéal pour une belle excursion dans la serra de São Mamede, qui se dresse aux portes de la cité.

- ◉ **Se repérer** – Portalegre est situé à 105 km au nord-est d'Évora.
- ▣ **Se garer** – Utilisez le parking public (payant), praça da República.
- ◉ **À ne pas manquer** – L'animation qui règne, le soir en été, sur la praça da República ; une excursion au cœur des paysages de l'Alentejo, vers Crato et Alter do Chão ; la découverte de la serra de São Mamede.
- ◯ **Organiser son temps** – Comptez une demi-journée pour visiter la ville.
- ▲ **Avec les enfants** – La visite de la Coudelaria de Alter Real.
- ◔ **Pour poursuivre le voyage** – Marvão, Estremoz, Évora.

Comprendre

Capitale active du Haut-Alentejo – Les Romains auraient baptisé ce site stratégique du nom de Portus Alacer (« port sec »), désignant ainsi une cité formant un passage de montagne. En 1290, elle fut dotée par le roi Denis d'un château fort dont il ne subsiste que des vestiges.

Célèbre au 16e s. grâce à ses tapisseries, la ville devient prospère à la fin du 17e s. lorsque la soierie s'y installe ; elle se pare alors de demeures baroques et de manoirs blasonnés qui lui donnent sa physionomie actuelle. À l'industrie textile s'est ajoutée celle du liège, encore florissante aujourd'hui en dépit des difficultés liées à l'émergence de produits de substitution. Portalegre, forte d'une population jeune et étudiante, est l'une des rares cités de la région à avoir profité de la croissance économique portugaise des années 1990.

Visiter

Cerclée de ses remparts, la vieille ville domine la colline, tandis que les quartiers modernes se développent vers le nord-est. Ces deux parties sont reliées par la rue piétonne 5 de Outubro, prolongée par la rua Luís de Camões.

Depuis la praça da República, prendre au sud la rua Poeta José Régio, face au parking.

Musée (Casa-Museu) José Régio

R. Poeta José Regio - ☏ 245 30 75 35 - mar.-dim. 9h30-12h30, 14h-18h - fermé 1er janv., Vend. saint, dim. de Pâques, 1er mai, 24 et 25 déc. - 2 €, grat. dim. et j. fériés le mat.

La collection d'art religieux et populaire régional rassemblée par José Régio (1901-1969) constitue le fonds essentiel de ce musée, installé dans la maison où vécut le poète ; elle comprend notamment un nombre impressionnant de crucifix du 16e au 19e s. et de statuettes naïves de saint Antoine, ainsi que des meubles anciens.

Revenir sur la praça da República et la traverser vers l'ouest, en direction de la vieille ville. Franchir la porte fortifiée et continuer en face, rua 19 de Junho, bordée de belles maisons des 17e et 18e s.

Cathédrale (Sé)

Praça do Município (en haut de la rua 19 de Junho) - mar.-sam. 8h-12h, 14h30-17h30, dim. 8h-12h.

La façade de la **cathédrale**, du 18e s., se distingue par les colonnes de marbre de son portail principal, ses balcons en fer forgé et ses pilastres en granit. À l'intérieur (16e s.), dans la deuxième chapelle à droite, beau retable illustrant la vie de la Vierge ; dans la sacristie, aux murs revêtus d'azulejos, chapier de bois du 18e s.

Tourner dans la rua José Maria da Rosa, sur le côté droit de la cathédrale.

Musée municipal

R. José Maria da Rosa - ☏ 245 30 01 20 - visite guidée (45mn) tlj sf mar. 9h30-12h30, 14h-18h - fermé 1er janv., 24 et 25 déc. - 2 €.

Installé dans l'ancien séminaire diocésain, il expose une sélection d'œuvres d'art sacré : une curieuse pietà espagnole en bois doré (fin du 15ᵉ s.) ; un retable en terre cuite polychrome (16ᵉ s.) ; un somptueux tabernacle d'ébène (17ᵉ s.) ; quatre hauts-reliefs en ivoire de l'école italienne du 18ᵉ s. ; un grand crucifix, également en ivoire (18ᵉ s.) ; des pièces d'orfèvrerie du 16ᵉ s. On y trouve aussi : des meubles anciens portugais et indo-portugais, une magnifique armoire hollandaise gothico-Renaissance ; des tapis (17ᵉ-18ᵉ s.) provenant des ateliers d'Arraiolos *(voir les alentours d'Évora)* ; une vaste collection de faïences hispano-mauresques et portugaises (16ᵉ et 17ᵉ s.), et quelques porcelaines de Chine (17ᵉ et 19ᵉ s.).

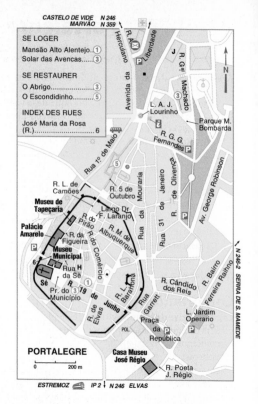

SE LOGER
Mansão Alto Alentejo ... ①
Solar das Avencas ..... ③

SE RESTAURER
O Abrigo .... ③
O Escondidinho .... ⑤

INDEX DES RUES
José Maria da Rosa
(R.) 6

Poursuivre dans la rua José Maria da Rosa et descendre à droite la rue qui prolonge le largo do Paço. Profiter au passage de la vue sur la campagne environnante depuis le petit belvédère situé juste après la rue sous porche, à gauche.

Palais jaune (Palácio Amarelo)

La façade de ce palais, dont tout un pan est malheureusement endommagé, est ornée de remarquables ferronneries d'art du 17ᵉ s.

Longer le palais sur la droite par la rua da Figueira.

Musée de la Tapisserie Guy Fino (Museu de Tapeçaria Guy Fino)

R. da Figueira - ℘ *245 30 75 30 - mar.-dim. 9h30-13h, 14h30-18h - fermé j. fériés - 2 €.*
Inauguré en 2001, le **musée de la Tapisserie**, installé dans le palais Castelo Branco, présente des expositions de tapisseries, dont certaines reproduisent des toiles d'artistes portugais célèbres tels que Vieira da Silva, Almada Negreiros et Júlio Pomar. Parmi les nombreuses salles que compte le musée, on pourra voir des métiers à tisser et toutes sortes d'objets nécessaires à la fabrication des tapis.

Au bas du musée, prendre à droite la rua do Pirão. Puis s'engager à droite dans la rua do Comércio qui rejoint plus haut la rua 19 de Junho, à prendre à gauche pour retourner praça da República.

Aux alentours

Crato

21 km à l'ouest par la N 119.

Dès 1350, Crato fut le siège d'un prieuré de l'ordre des Hospitaliers de Saint-Jean-de-Jérusalem, qui devint ensuite l'ordre de Malte. Bien que le commandement et la résidence des chevaliers aient été transférés en 1356 dans le monastère-forteresse situé dans le village voisin de Flor da Rosa, Crato conserva son rôle de prieuré. Le prieur le plus célèbre fut Antoine de Portugal, petit-fils du roi Manuel et bâtard de l'infant Louis. Prétendant à la couronne après la mort du roi Henri Iᵉʳ en 1580, il fut finalement évincé par son cousin Philippe II d'Espagne. Le château fut incendié en 1662 par Dom Juan d'Autriche, mais l'on voit encore quelques maisons anciennes.

À 3 km au nord de Crato, le village de **Flor da Rosa** est un centre de fabrication de poteries très ancien, dont la spécialité est la *caçoila*, jatte à fond rond destinée à la cuisson des aliments.

Monastère de Flor da Rosa★ – *S'adresser à la réception de la* pousada - *grat*. Ce monastère-forteresse fut édifié par le prieur Álvaro Gonçalves Pereira, père de Nuno Álvares Pereira qui battit les Castillans à Aljubarrota. Ensemble compact et fortifié, aux murailles achevées par des créneaux, il abrite désormais une magnifique **pousada**.

À droite, l'**église★** a fait l'objet d'une remarquable restauration : elle surprend par la simplicité de ses lignes et la hauteur impressionnante de sa nef. Au centre, le petit cloître fleuri est d'une architecture robuste mais élégante, grâce à ses jolies voûtes de style gothique flamboyant.

Dans le réfectoire, une belle voûte s'appuie sur trois colonnes torses.

Alter do Chão

34 km au sud-ouest de Portalegre ; 13 km au sud de Crato par la N 245.

La cité se groupe autour d'un **château** (14ᵉ s.) qui dresse ses tours crénelées au-dessus de la place centrale, pavée d'une mosaïque de pierres noires et blanches. Du sommet du donjon, haut de 44 m, la **vue** s'étend sur la cité et les oliveraies des environs.

Au nord du château, sur la place, une **fontaine** de marbre du 16ᵉ s. est encadrée de colonnettes dont les chapiteaux classiques soutiennent un bel entablement.

Coudelaria de Alter Real – *3 km de Alter do Chão (panneaux d'indication) - ℰ 245 61 00 60 - www.snc.pt - visite guidée (1h30, réserv. conseillée) : mar.-vend. à 10h, 11h30, 14h, 15h30, w.-end et j. fériés à 11h et 15h - 3,80 € (enf. grat./1,20 €).* Ce haras a été fondé en 1748, à la fin du règne de Dom João V, pour élever les chevaux destinés au manège royal. De nos jours, le haras se consacre à l'élevage et à l'amélioration des races de pur-sang lusitanien et *alter* (croisement d'une jument lusitanienne et d'un étalon andalou), ainsi qu'à l'enseignement de l'art équestre portugais.

Le parcours de ce lieu singulier, niché au cœur des beaux paysages de l'Alentejo, fait plonger le visiteur dans une époque révolue. On y découvre les écuries, le manège et diverses dépendances, ainsi qu'un intéressant **musée du Cheval**, exposant des voitures d'attelage anciennes, des harnais et d'autres objets liés à l'univers du cheval, complétés par une présentation historique du haras.

Autre lieu surprenant : la **fauconnerie** *(visite mar. et jeu. à 11h30, w.-end et j. fériés à 11h)*. Elle abrite des faucons aux yeux couverts et expose un ensemble de chaperons (les coiffes de ces rapaces), dont les plus anciens datent du Moyen Âge.

Circuit de découverte

SERRA DE SÃO MAMEDE★

La montagne de la serra de São Mamede forme un triangle de roche dure, ayant résisté à l'érosion. Traditionnellement considérée comme un îlot de verdure dans une région aride et caillouteuse, elle a malheureusement beaucoup souffert des récents incendies. Coiffée de neige en hiver, elle culmine à 1 025 m. Son altitude et la nature

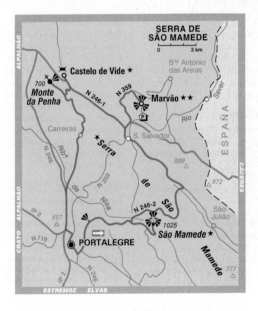

imperméable de ses sols entretiennent une humidité favorable à la croissance d'une végétation dense et variée, encore visible par endroits (marronniers, chênes-lièges, saules pleureurs, amandiers, pins, eucalyptus, etc.).

La faune a, elle aussi, la réputation d'être abondante : vautours fauves, aigles de Bonelli et chauves-souris, cerfs et sangliers, loutres et batraciens se disputent ses pentes. Abritant un parc naturel, la région compte en outre de nombreux mégalithes et des peintures rupestres, notamment au sud de la réserve, dans les serras de Cavaleiros et de Louções.

Circuit voiture de 60 km – Compter 2h. Quitter Portalegre à l'est et suivre la direction « Serra ». Plus loin, prendre à gauche la direction « São Mamede, São Julião, Rabaça » par la N 246-2. Après quelques km, quitter la voie principale pour s'engager tout droit, au niveau d'un léger virage à gauche, sur une petite route (non signalée) qui se lance en direction du sommet de São Mamede. Un peu plus loin, une autre route, à gauche (panneau « São Mamede 1 025 m »), conduit jusqu'au sommet.

Pico São Mamede

Du sommet occupé par un relais de radio-télévision, **panorama★** au sud sur l'Alentejo, à l'ouest et au nord sur la serra de São Mamede, à l'est sur un foisonnement de sierras espagnoles.

Revenir sur la route principale et tourner à droite. Laisser la route vers Marvão, qui bifurque tout de suite à gauche, et continuer tout droit. Commence peu après la descente vers la plaine. Au rond-point, suivre la direction « Porto da Espada », « puis Marvão ».

Marvão★★ *(voir ce nom)*
Rejoindre Castelo de Vide.

Castelo de Vide★ et Monte da Penha *(1,5 km)*
Voir ci-contre.

Revenir à Portalegre par la **route★** de Carreiras, tracée en corniche, en suivant des versants hélas peu épargnés par les feux de forêts.

Portalegre pratique

Informations utiles

Indicatif téléphonique – *245*

Code postal – *7300*

🖂 **Posto de turismo** – *R. Guilherme Gomes Fernandes, 22 - 7300-186 - ☎ 245 30 74 45 - www.cm-portalegre.pt.*

🖂 **Região de Turismo** – *Av. Estremadura Espanhola, 1 A - 7300-051 - ☎ 245 30 07 70.* Vous y trouverez notamment des informations sur le Parc naturel de la serra de São Mamede, et sur les possibilités de randonnée pédestre : 5 circuits balisés *(8 à 18 km)*, gîtes pour randonneurs (les *« casa abrigos »*), etc.

Espaço Internet – *Praça da República - lun.-sam. 10h-22h - grat.*

Transports

Gare ferroviaire – *12 km au sud de Portalegre, lieu-dit Estação.* Trains pour Lisbonne, Coimbra, avec correspondance à Entroncamento.

Gare routière – *R. Nunes Álvares Pereira - ☎ 245 33 07 23.* Liaisons pour Lisbonne, Évora, Coimbra.

Se loger

🛏 **Mansão Alto Alentejo** – *R. 19 de Junho, 59 - ☎ 245 20 22 90 - www.mansaoaltoalentejo.com.pt -▦ - 12 ch. 40/45 € ☕.* Une adresse au charme et au confort excellents. Son mobilier de style

alentejan lui confère un cachet sympathique. Accueil charmant. Prenez garde, toutefois : la distribution tarabiscotée des chambres dans l'édifice en condamne certaines à n'avoir qu'une seule fenêtre intérieure, voire une simple lucarne. Celles qui donnent sur la rue, avec double vitrage, sont préférables.

🛏🍽 **Solar das Avencas** – *Parque Miguel Bombarda, 11 - ☎ 245 20 10 28 - www.rtsm.pt/solardasavencas - 3 ch. 65 € ☕.* Belle maison du 18ᵉ s. à la façade ornée d'un blason. Sitôt franchie la porte, on oublie l'effervescence de la petite place située sur le devant, grâce à la fraîcheur et la tranquillité procurées par les murs épais. Si le rez-de-chaussée, décoré d'armes, affiche des allures un peu martiales, l'ambiance est plus pimpante à l'étage, débordant de mobilier ancien, porcelaines, broderies et images pieuses. Chambres de caractère, qu'on croirait aménagées pour recevoir des amis. À l'arrière s'ouvre un jardin minuscule dont s'échappe un escalier qui dissimule une petite piscine.

Se restaurer

🍽 **O Escondidinho** – *Travessa das Cruzes, 1-3 - ☎ 245 20 27 28 - fermé dim. - 15/25 €.* À mi-hauteur de la rua 5 de Outubro, dans une ruelle en retrait, une jolie taverne *« fondée en 1952 ».* Au menu, soupe de roussette, panade de morue, *migas* de patates aux sardines grillées. On craque surtout pour les desserts :

mousse d'ananas ou de mangue, *baba de camelo*, tarte à l'orange…

○ O Abrigo – *R. de Elvas, 74 -* ℘ *245 33 16 58 - fermé mar.* - 12/18 €. Un restaurant comme il en existe beaucoup au Portugal : derrière un décorum plutôt quelconque se cache une cuisine rigoureuse, confirmée ici par plus de 25 années d'expérience. Si le cadre et le service peuvent paraître un peu trop sérieux, la qualité des plats déclinant les spécialités traditionnelles alentejanes ne déçoit pas.

En soirée

Café Alentejo – *R. do Comércio, 96 -* ℘ *245 20 12 58 - 7h-19h - fermé dim.* Rescapé des années 1970, un café qui pourrait servir de décor pour *Amélie Poulain dans l'Alentejo*. Sa longue salle en forme de paquebot, ornée d'une large fresque paysanne, un peu défraîchie mais tellement poétique, ses chaises en Skaï rouge et ses néons mériteraient d'être classés Monument historique.

Castelo de Vide★

1 109 HABITANTS
CARTE MICHELIN 733 N7 ET CARTE : SERRA DE SÃO MAMEDE P. 231
DISTRICT DE PORTALEGRE

Au pied de son château à la pierre sombre, Castelo de Vide, avec ses ruelles pentues et fleuries, ses édifices religieux, sa multitude de vieilles maisons blanches étagées en gradins, séduit par sa douce quiétude. Conquise aux Maures en 1148, cette cité du nord-est de l'Alentejo fut jadis une importante forteresse frontalière face à l'Espagne. C'est aujourd'hui une petite ville tranquille, où la vie semble parfois être suspendue, et qui dégage une atmosphère infiniment agréable.

- **Se repérer** – Castelo de Vide se trouve à 20 km au nord de Portalegre et à 12 km au nord-ouest de Marvão.
- **À ne pas manquer** – L'atmosphère de la praça D. Pedro V et de la rua Bartolomeu Álvares da Santa ; les ruelles « oubliées » du vieux village, autour du château.
- **Organiser son temps** – Prenez un après-midi pour flâner dans la ville et n'hésitez pas à y passer la nuit.
- **Pour poursuivre le voyage** – Marvão, la serra de São Mamede.

Se promener
Compter 2h30.

Praça Dom Pedro V
Centre névralgique de la cité, cette place réunit ses principaux édifices, tous de style baroque : d'abord la lumineuse **église Santa Maria** ; en face, dans l'angle sud-ouest, l'ancien **hôpital Santo Amaro** ; à l'opposé *(angle sud-est)*, la **Casa da Torre**, une construction du 17e s., reconnaissable à sa petite tourelle d'angle. Au centre, à droite de l'église, se trouve l'hôtel de ville, datant de la fin du 17e s.
Derrière l'église, la rua dos Serralheiros mène à la fonte da Vila et à la Judiaria.

Quartier juif★ (Judiaria)
Profitant des fortifications médiévales, une communauté judaïque s'était établie dans le vieux bourg. Sur une charmante place se trouve la **Fonte da Vila★**, belle fontaine Renaissance en granit, datant probablement du 16e s.
Parcourez ensuite, au pied du château, les ruelles escarpées et fleuries de l'ancien quartier juif, bordées de maisons chaulées aux portes gothiques et manuélines. Au croisement de la rue qui monte vers le château et d'une rue transversale, la **synagogue médiévale** évoque le passé

La place du lavoir.

Ph. Bourget/MICHELIN

233

de ce quartier, bien que n'y subsiste plus, comme vestige, que l'ancien tabernacle *(8h-17h, été 19h - grat.)*.

Château
9h-17h (été 19h) - grat.

Franchissez les fortifications ; un escalier au pied d'une tour ronde du 12e s. conduit au **donjon** : d'une salle à coupole gothique avec citerne, on jouit d'une **vue**★ pittoresque sur la ville, la chapelle Nossa Senhora da Penha et le village de Marvão. Quelques ruelles typiques du vieux village se nichent derrière les fortifications du château. Leurs maisons sont toujours habitées.

Aux alentours

Monte da Penha
5 km. De la N 246-1, à 2 km au sud, se détache une petite route goudronnée.

La route grimpe parmi les pins et les rochers jusqu'à la chapelle Nossa Senhora da Penha (alt. 700 m) : de là s'offre un beau **panorama**★ sur Castelo de Vide.

Castelo de Vide pratique

Informations utiles

Indicatif téléphonique – *245*
Code postal – *7320*
🛈 **Posto de turismo** – *Praça D. Pedro V - 7320-117 -* 📞 *245 90 13 61.*

Se loger

🛏 **Albergaria El Rei Dom Miguel** – *R. Bartolomeu Álvares da Santa, 45 -* 📞 *245 91 91 91 -* ▦ *- 7 ch. 50 €* 🍽. Avec un nom d'une telle dignité, on peut s'attendre à un étalage de raffinement. C'est le cas dans les parties communes de cette auberge cossue, comme la salle à manger au splendide mobilier régional du 17e s. Cela se vérifie moins dans les chambres, au confort traditionnel et très bien tenues, mais à la literie manquant singulièrement de fermeté. L'ensemble, cependant, reste de bonne facture, soutenu par la grande qualité d'accueil et la gentillesse de la propriétaire.

🛏 **Casa Amarela** – *Praça D. Pedro V, 11 -* 📞 *245 90 58 78 - www.casaamarelath. com -*🍴▦ *- 10 ch. 90/110 €* 🍽 *-.* Belle maison seigneuriale du 18e s., toute jaune (comme son nom l'indique), arborant une façade de style rocaille très ouvragée. Salles de bain en marbre jaune, rideaux et fauteuils jaunes et couvre-lits… presque tous jaunes ! Seul le carrelage est rouge et brille comme un sou neuf ! Un établissement de très haute tenue, en dépit d'un accueil un peu distant.

Se restaurer

🍴 **Dom Pedro V** – *Praça D. Pedro V -* 📞 *245 90 12 36 - www.dpedrov.com.pt - fermé lun. - 20/25 €.* Restaurant traditionnel, dans une salle située en contrebas. Un endroit sans grand apparat, mais apprécié des familles à l'heure du déjeuner. Les prix sont assez raisonnables, compte tenu de la qualité de la cuisine.

🍴 **Marino's** – *Praça D. Pedro V, 6 -* 📞 *245 90 14 08 - fermé dim. et lun. midi -* ▦ *- env. 20 €.* Un restaurant tenu par un couple d'Italiens, qui propose une cuisine moitié portugaise, moitié transalpine, dont un original osso buco à la milanaise. Terrasse agréable quand il ne fait pas trop chaud, ni trop venteux. En dessert, on peut se régaler de crêpes Suzette !

Marvão★★

178 HABITANTS
CARTE MICHELIN 733 N7 - CARTE : SERRA DE SÃO MAMEDE P. 231
DISTRICT DE PORTALEGRE

Village médiéval fortifié surveillant naguère l'Espagne toute proche, Marvão jaillit tel un nid d'aigle perché au faîte d'une muraille de granit, sur l'un des sommets de la serra de São Mamede. Ses imposants remparts de granit, parfaitement intégrés au paysage, se confondent avec la crête du piton rocheux. Idéal pour prendre de la hauteur, ce village aux maisons blanches étincelantes, très touristique en saison, offre des panoramas exceptionnels sur la plaine ou la montagne.

- ▶ **Se repérer** – Marvão est situé à proximité de la frontière espagnole, à 22 km de Portalegre.
- 🅿 **Se garer** – Utilisez de préférence le parking situé devant l'enceinte fortifiée.
- 👁 **À ne pas manquer** – Les panoramas depuis le donjon du château.
- 🕐 **Organiser son temps** – Évitez les grosses chaleurs de la journée pour vous rendre au village, dont vous pourrez faire le tour en 1h30.
- ♿ **Pour poursuivre le voyage** – Castelo de Vide, la serra de São Mamede.

Comprendre

D'apparence inexpugnable, Marvão offre un exemple spectaculaire d'architecture militaire défensive, dont les murailles datent du 13ᵉ s. et les contreforts du 17ᵉ s. La position stratégique de la cité lui valut d'être l'enjeu de combats entre libéraux et absolutistes, lorsqu'en 1833 l'Alentejo devint le théâtre de la guerre civile. Les libéraux s'en emparèrent par surprise en décembre et repoussèrent une attaque des troupes de Dom Miguel le mois suivant.

Classé Monument national, le village perché, qui ne compte plus que 150 habitants permanents, est candidat à l'inscription sur la liste du Patrimoine mondial de l'Unesco.

Se promener

Compter 2h.

La route d'accès contourne le piton par le nord et permet d'apprécier la valeur défensive de ce **site★★** remarquable. Après avoir longé les remparts et jeté un coup d'œil au portail gothique du couvent de Nossa Senhora da Estrela, l'entrée s'effectue par la double porte du nord-ouest (Porta de Ródão), flanquée de courtines, d'échauguettes et de mâchicoulis. Une étroite ruelle fleurie mène à une place avec un pilori.

La place forte est sillonnée de petites rues avec passages sous voûtes et maisons blanches à balcons fleuris, grilles en fer forgé et fenêtres manuélines. Plusieurs chapelles s'ouvrent par un portail Renaissance.

J. Manuel/Turismo de Portugal

Le village de Marvão, perché au sommet de sa muraille de granit.

De nombreuses demeures présentent des détails d'architecture des 15e, 16e et 17e s. Dans la rua do Espírito Santo qui mène au château, remarquez notamment deux magnifiques **balustrades★** en fer forgé du 17e s.

Église Santa Maria

℘ 245 90 91 32 - mar.-dim. 9h-12h30, 14h-17h30 - 1 €. Au pied du château et en face de l'office de tourisme *(câmara municipal)*, cette église du 13e s. abrite le **Musée municipal** (pierres mégalithiques, reproductions de cartes anciennes de Marvão, collections ethnologiques, art sacré).

En contrebas se trouve un agréable **jardin** et sa fontaine rafraîchissante.

Château★

Édifié par le roi Denis à la fin du 13e s. à l'extrémité ouest de l'éperon rocheux, il a subi quelques modifications au 17e s. Il se compose d'une série d'enceintes que domine un donjon carré.

On franchit une première porte fortifiée ; juste après, à droite, se trouve l'entrée de la **citerne★**, souvent envahie de moustiques. Un petit escalier permet d'y descendre ; une fois vos yeux habitués à l'obscurité ambiante, remarquez les dix arcs de l'escalier qui se reflètent dans l'eau.

Une seconde porte fortifiée s'ouvre sur la première cour du château : suivez le chemin de ronde d'où s'offrent de belles **vues★** sur le village tout blanc qui s'étend au pied du château.

Dans la seconde cour, où s'élève le donjon, prenez tout de suite à droite les escaliers qui mènent au chemin de ronde *(à éviter avec les enfants, il n'y a pas de garde-fou)* ; suivez-le jusqu'au donjon. Du haut de celui-ci, se découvrent d'impressionnantes **vues★★** plongeantes sur les diverses enceintes et, surtout, sur les tours crénelées et les échauguettes construites sur le rebord en à-pic ; un **panorama★★** embrasse à l'est les sierras espagnoles déchiquetées, au nord la région de Castelo Branco et la serra da Estrela et, au sud-ouest, la serra de São Mamede.

Marvão pratique

Informations utiles

Indicatif téléphonique – *245*
Code postal – *7330*
🛈 **Posto de turismo** – *Largo de Santa Maria - 7330-101 - ℘ 245 90 91 31.*
Internet – *Casa da Cultura - praça do Pelourinho - 9h30-13h, 14h-17h30 - grat.*

Se loger

🛏🛏 **Casa Dinis** – *R. Dr Matos Magalhães, 7 - ℘ 245 99 39 57 - www.casaddinis.pa-net.pt -* 🍽 *- 8 ch. 44/55 € ⊒.* Une adresse coup de cœur, dans une belle et vieille maison soigneusement restaurée. Chambres coquettes et joliment peintes par une artiste néerlandaise, dont une avec terrasse offrant une vue fabuleuse. Salon convivial aux murs épais, doté d'un coin cheminée. Accueil attentif et polyglotte.

À SÃO SALVADOR DA ARAMENHA

🛏🛏 **Quinta do Barrieiro** – *9 km au sud de Marvão - ℘ 245 96 43 08/964 05 49 35 (mobile) - www.quintadobarrieiro.com -* 🍽 ⚒ *- 7 ch. 70/80 € ⊒.* Au cœur de la serra de São Mamede, une ravissante maison d'hôte. Elle est tenue par une artiste, Maria Leal da Costa, dont les toiles et les sculptures animalières décorent les pièces. Chambres équipées de kitchenettes. Également 3 petits appartements à louer. Riche palette d'activités proposées : canoë, vélo, équitation, dégustation de vins…

Se restaurer

🍽 **Mil Homens** – *Portagem (4 km au sud, accès possible par un sentier pédestre : voir ci-après) - ℘ 245 99 31 22 - fermé lun. - 13/20 €.* Dans la vallée, un restaurant régional à la décoration rustique qui concocte une savoureuse cuisine familiale à prix raisonnables. Outre les classiques (morue grillée, ragoût d'agneau), des plats plus insolites : steak d'autruche, escalope de veau aux légumes sauvages.

🍽🍽 **Albergaria El Rei Dom Manuel** – *Largo do Olivença - ℘ 245 90 91 50 - 14/26 €.* Le restaurant de cet hôtel assez chic mérite une halte pour sa cuisine de bonne qualité, typique de l'Alentejo.

Sports et Loisirs

Golf – *Marvão Golf Club - Quinta do Prado - São Salvador da Aramenha - ℘ 245 99 37 55.* Au pied du village, un beau parcours 18 trous de 6 km.

Baignade – Dans la rivière Sever, au pied du pont de Portagem *(4 km au sud de Marvão)*, à la base nautique du barrage da Apertadura, ou encore au centre de loisirs de Portagem *- ℘ 245 90 90 65 - juil.-sept. : mar.-dim. 10h-20h - 2 €.*

Marche – De Portagem, un sentier pédestre de 4 km monte jusqu'à Marvão. Dép. du parking situé devant le vieux pont. Balisage vert. Assez raide.

Elvas★

15 115 HABITANTS
CARTE MICHELIN 733 P8 – DISTRICT DE PORTALEGRE

À une dizaine de kilomètres de Badajoz (Espagne), Elvas forme une importante place forte, encore entourée de remparts. Occupée par les Maures jusqu'en 1226, elle résista par la suite à maintes attaques espagnoles, mais fut investie en 1580 par les troupes de Philippe II. Gros centre agricole – ses prunes confites « ameixas » sont appréciées et son commerce de cotonnades attire de nombreux visiteurs venus d'Espagne –, la ville dégage un charme certain, notamment dans les ruelles de son vieux quartier populaire où il fait bon flâner.

- **Se repérer** – Elvas est situé à une dizaine de kilomètres de la frontière espagnole, à 57 km au sud-est de Portalegre et à 39 km à l'est d'Estremoz.
- **À ne pas manquer** – Une balade sur les remparts.
- **Organiser son temps** – Comptez une demi-journée pour visiter la ville.
- **Pour poursuivre le voyage** – Vila Viçosa, Estremoz.

Se promener

Le tour des remparts★★

Faire le tour des remparts *(5 km)* vous permettra de mesurer la puissance du système défensif d'Elvas.

Exemple accompli de l'architecture militaire portugaise au 17ᵉ s., ces fortifications, dont les sombres merlons contrastent avec les façades blanches des maisons qu'elles protègent, ont été édifiées selon les techniques de Vauban. Avec leurs portes fortifiées, leurs fossés, leurs courtines, leurs bastions et leurs glacis, elles forment un ensemble défensif remarquable, complété, au sud, par le fort de Santa Luzia (17ᵉ s.) et, au nord, par celui de Graça (18ᵉ s.), perchés sur deux collines.

Aqueduc de Amoreira★

Bâti de 1498 à 1622 sur les plans de Francisco de Arruda, il s'étend sur 7,5 km au sud-ouest de la ville, qu'il alimente encore en eau.

Le pittoresque pilori sur le largo Santa Clara.

C. Champagnon/MICHELIN

Pénétrer à l'intérieur des remparts par le sud jusqu'à la rua da Cidadela ; passer à gauche sous l'arco do Relógio (16ᵉ s.) qui donne accès à la praça da República.

Praça da República

Limitée au sud par l'ancien hôtel de ville, et au nord par l'ancienne cathédrale, elle forme une mosaïque de pavés de basalte, de marbre et de grès géométriquement ordonnés.

Cathédrale (Sé)

D'origine gothique, la cathédrale a été rééedifiée au 16ᵉ s. dans le style manuélin par Francisco de Arruda, ainsi qu'en témoignent le clocher et les deux portails latéraux.

L'intérieur, dont les piliers ont été décorés à l'époque manuéline, abrite un chœur (18ᵉ s.) entièrement plaqué de marbre.

À droite de la cathédrale, prendre la rue qui mène au largo de Santa Clara.

Largo de Santa Clara★

C'est une pittoresque placette triangulaire bordée de maisons à grilles en fer forgé et façades écussonnées ; une porte arabe flanquée de deux tours et surmontée d'une loggia constitue un vestige de l'enceinte primitive (10ᵉ s.). Au centre de la place, le pittoresque **pilori**★ (16ᵉ s.) en marbre a conservé ses quatre crochets de fer fixés au chapiteau.

La guerre des Oranges

En février 1801, l'Espagne, sous la pression du consul Bonaparte, envoie un ultimatum au Portugal, le sommant de mettre un terme à l'alliance avec l'Angleterre et de fermer ses ports à tout navire anglais. Devant le refus du Portugal, l'Espagne lui déclare la guerre et ses troupes dirigées par Godoy, le favori de la reine, envahissent l'Alentejo. Olivença se rend sans offrir la moindre résistance. À l'annonce de cette nouvelle, Godoy, qui vient d'entreprendre le siège d'Elvas, envoie comme trophée à Marie-Louise d'Espagne deux rameaux d'oranger cueillis par ses soldats au pied des remparts de la ville. Amusés par ce geste, les Madrilènes donnent à la guerre le surnom de « guerre des Oranges ». Malgré la résistance d'Elvas et de Campo Major, la paix, signée en septembre à Badajoz, retire au Portugal Olivença et son territoire, et l'oblige à interdire ses ports aux Anglais.

Église Nossa Senhora da Consolação★

Située au sud du largo de Santa Clara, elle a été construite au 16e s. dans le style Renaissance. C'est un édifice octogonal dont l'intérieur, surmonté d'une coupole s'appuyant sur huit colonnes peintes, est complètement revêtu de beaux **azulejos★** polychromes du 17e s. La chaire, soutenue par une colonne de marbre, présente un appui en fer forgé du 16e s.

Passer sous l'arc arabe et remonter la rue qui conduit au largo da Alcáçova. Là, tourner à gauche, puis à droite dans une ruelle étroite et fleurie qui aboutit au château.

Château

☎ 268 62 64 03 - 9h30-13h, 14h30-17h30 - fermé 1er janv., dim. de Pâques, 1er mai et 25 déc. - 1,50 €, grat. dim. et j. fériés 9h30-14h.

Il a été construit par les Maures et consolidé aux 14e et 16e s. Le donjon (15e s.) en occupe l'angle nord-ouest. Du haut des remparts, panorama sur la ville entourée de fortifications et sur les alentours piquetés d'oliviers.

Elvas pratique

Informations utiles

Indicatif téléphonique – *268*

Code postal – *7350*

🚩 Posto de turismo – *Praça da República - 7350-126 - ☎ 268 62 22 36.*

Internet – *O Livreiro de Elvas - r. de Olivencia, 4 A - ☎ 268 62 08 82 - lun.-vend. 9h30-13h, 15h30-19h, sam. 15h30-19h. Petite librairie avec deux ordinateurs (1,50 €/30mn).*

Visite

Petit train touristique – *Réserv. à l'office de tourisme - dép. de la praça da República (été seulement) - mar.-vend. à 17h, 19h et 20h ; w.-end et j. fériés à 9h, 10h, 12h, 17h, 19h et 20h - 2,50 €. Circuit historique de la ville (1h).*

Se loger

😊😊 **Quinta de Santo António** – *Estrada de Barbacena (à 8 km d'Elvas par la route de Portalegre, puis à gauche vers Barbacena) -*
☎ 268 63 64 60 - www.quintastantonio. com - ▦ 🛏 - 30 ch. 69/100 € 🛏. Une ancienne propriété agricole du 18e s. reconvertie en auberge : 12 chambres se trouvent dans la maison ancienne (les plus belles) et 18 (moins agréables) dans deux annexes modernes. Toutes sont bien équipées. Dans le beau parc ouvrant sur les champs d'oliviers, piscine et tennis.

Se restaurer

😋 **O Lagar** – *R. Nova da Vedoria, 7 - ☎ 268 62 47 93/969 28 25 74 (mobile) - fermé jeu. - 15/20 €. Situé au sud de la ville, ce restaurant de bonne qualité propose des plats régionaux : lièvre aux haricots blancs, porc aux palourdes…*

À CAMPO MAIOR

😋 **O Faisão** – *R. 1º de Maio, 19 (19 km au nord d'Elvas par la N 373) - ☎ 268 68 61 39 - 10/20 €. Dans la belle salle rustique coiffée de voûtes en brique, on peut déguster de délicieux plats du jour à base de gibier et des desserts aux prunes.*

Monsaraz★★

126 HABITANTS
CARTE MICHELIN 733 Q7 – DISTRICT D'ÉVORA

Monsaraz figure, avec Marvão, parmi les sites les plus remarquables du pays. Aux confins de l'Espagne et du Portugal, ce village blanc fortifié se blottit au sommet d'un piton rocheux, en belvédère au-dessus de la vallée du Guadiana qui forme à cet endroit la frontière entre les deux pays. De ce nid perché, vous pourrez assister au coucher et au lever du soleil sur la campagne environnante et l'immense lac du barrage d'Alqueva, le plus grand d'Europe, achevé en 2002. Un spectacle d'une rare beauté.

▶ **Se repérer** – Monsaraz se trouve à 53 km au sud-est d'Évora.

🅿 **Se garer** – Garez-vous sur le parking situé à l'entrée des remparts (la circulation est interdite à l'intérieur de l'enceinte).

👁 **À ne pas manquer** – Le panorama grandiose depuis le château.

🕐 **Organiser son temps** – En deux heures, vous aurez fait le tour du village. La lumière est particulièrement belle au coucher du soleil.

⚭ **Pour poursuivre le voyage** – Évora.

P. De Franqueville/MICHELIN

Rien ne semble pouvoir troubler le calme de Monsaraz.

Se promener

Rua Direita★

Elle forme la rue principale du village, qu'elle traverse de part en part. Avec ses vieilles maisons des 16ᵉ et 17ᵉ s., aux façades blanchies à la chaux, ornées d'armoiries, de portes en ogive, d'escaliers extérieurs et de balcons aux grilles en fer forgé, le temps y semble comme arrêté. Après avoir perdu son rôle de citadelle, Monsaraz fut en effet délaissé au profit de Reguengos de Monsaraz. Le village a donc pu garder sa physionomie d'autrefois.

Praça Velha

Située au milieu de la rua Direita, cette « vieille place » regroupe la plupart des monuments de Monsaraz. Dotée d'un **pilori** (18ᵉ s.) en son centre, elle est encadrée par l'ancien tribunal, l'église et l'**hôpital da Misericórdia** (16ᵉ s.).

Ancien tribunal – *10h-18h - 1,50 €.* Cet édifice se distingue par les ogives de sa porte et de ses fenêtres. Il abrite un petit **musée d'art sacré** (vêtements sacerdotaux, peintures et objets sacrés). À l'intérieur, une intéressante fresque murale du 14ᵉ s. représente la Justice probe et la Justice malhonnête (au double visage) et, au-dessus, un Christ en majesté, les bras levés.

Église paroissiale (Igreja Matriz) – Elle abrite le tombeau en marbre (14ᵉ s.) de Tomás Martins, sur lequel sont sculptés les personnages d'un cortège funèbre : moines et chevaliers précédés d'un prêtre ; au pied, se déroule une scène de chasse au faucon.

Château

Au bout de la rua Direita. Réédifié par le roi Denis au 13e s., il reçut une seconde enceinte au 17e s., garnie de puissants bastions. Du chemin de ronde, le **panorama** est magnifique sur les paysages de l'Alentejo plantés d'oliviers et de chênes-lièges. Les gradins disposés autour de l'ancienne cour accueillent occasionnellement des *touradas*.

Monsaraz pratique

Informations utiles

Indicatif téléphonique – *266*

Code postal – *7200*

⚑ Posto de turismo – *Largo D. Nuno Álvares Pereira, 5 - 7200-299 - ℘ 266 55 71 36 - www.visitevora.pt.*

Se loger

⊖ **Casa Paroquial** – *R. Direita, 4 - ℘ 266 55 71 81 - casaparroquial@sapo.pt -⚄- 5 ch. 40/45 € ⚏.* Datant du 17e s. et gérée par la paroisse, cette très belle maison d'hôte ressemble à un monument historique parcouru de fresques, d'immenses cheminées et de magnifiques salles de bain en schiste. Suite avec terrasse privative et vue sur la vallée.

⊖ **Pensão D. Antónia** – *R. Direita, 15 - ℘ 266 55 71 42 - www.casadantonia-monsaraz.com -⚄🍽 - 7 ch. 40/60 € ⚏.* Cette maison d'hôte frise la dimension d'un hôtel grâce à ses sept chambres et au savoir-faire de son propriétaire. Ancien chef dans les *pousadas*, il mettra tout son cœur à vous rendre le séjour délicieux avec notamment son fameux gâteau maison au miel. Suite avec terrasse et vue panoramique. Patio ombragé.

⊖ **Casa do Embaixador** – *Largo D. Nuno Álvares Pereira, 2 - ℘ 266 55 74 32 -⚄- 3 ch. 50 € ⚏.* Cette maison d'hôte cultive le charme d'une demeure cossue avec son mobilier richement travaillé, ses plafonds aux poutres apparentes ou au traditionnel appareil de roseaux, ses salles de bain tapissées d'azulejos et son élégante salle à manger. À retenir, en plus des deux chambres doubles : la suite avec terrasse privée et vue panoramique sur la vallée.

⊖⊜ **Estalagem de Monsaraz** – *Largo S. Bartolomeu, 5 - ℘ 266 55 71 12 - www.estalagemdemonsaraz.com - ⚒ 🍽 - 19 ch. 84/136 € ⚏.* Vous vous sentirez chez vous dans cet établissement au style rustico-régional situé au pied des murailles. Les installations sont de qualité, et l'atmosphère des chambres comme des parties communes joue sur la convivialité.

À TELHEIRO

⊖⊜ **Casa Saramago** – *R. de Reguengos - ℘ 266 55 74 94 - www.casasaramago-monsaraz.com.pt - ⚒ 🍽 - 10 ch. 60 € ⚏.* Au pied de Monsaraz, cette ancienne exploitation agricole offre de vastes et belles chambres, avec pierre apparente et couvre-lits fleuris. Piscine.

À BARRADA

⊖⊜ **Monte Saraz** – *Horta dos Revoredos - ℘ 266 55 73 85 - www.montesaraz.com - ⚒ - 8 ch. 75/90 € ⚏.* En chemin vers Monsaraz, n'hésitez pas à vous arrêter dans ce havre de paix de l'Alentejo pastoral. Plantée au milieu d'un décor d'oliviers et de moutons, cette ferme a été transformée avec beaucoup de goût en maison d'hôte, nantie qui plus est d'une magnifique piscine intégrée à l'architecture de pierres apparentes. Chambres avec ou sans service hôtelier. Un lieu unique pour se ressourcer.

Se restaurer

⊖ **Zé Lumumba** – *R. Direita, 12 - ℘ 266 55 71 21 - mar.-dim. 12h-15h, 19h-21h -⚄- env. 10 €.* Cuisine et atmosphère simples et familiales pour ce restaurant qui possède une terrasse offrant une vue imprenable sur le Guadiana et la frontière espagnole.

À TELHEIRO

⊖⊜ **Sem Fim** – *R. das Flores - ℘ 962 65 37 11 - www.sem-fim.com - vend. 18h-0h, sam. 11h-2h, dim. 11h-0h - 20/25 €.* Au pied de Monsaraz, ce lieu à part, à la déco un peu bohème, sert une cuisine locale aux accents du monde. Idéal pour une longue et belle soirée d'été. Aux commandes, le jeune « capitaine Tiago », qui vous emmènera également en balade sur le lac à bord de son voilier (*2h - 20 € - réserv. au restaurant*).

Achats

Loja da Mizette – *R. do Celeiro - ℘ 266 55 71 59.* Qualité et identité régionale vont de pair dans cette boutique artisanale que dirige Mizette Nielsen. Passionnée par le tissage de la laine, elle perpétue la tradition en réalisant de belles couvertures, des plaids et des châles au camaïeu sobre et naturel.

Francis & Toula – *R. Direita - ℘ 351 26 65 49 - été : tlj ; hiver : apr.-midi et w.-end.* Entre les céramiques modernes et colorées réalisées par un couple franco-grec passionné de terre cuite et les produits locaux, c'est tout l'art de vivre et la tradition de l'Alentejo qui se dévoileront à vous dans cette boutique pimpante.

Castas e castiços – *R. de Santiago, 31 - ℘ 266 55 74 69 - www.carmim.online.pt.* Cette boutique de la coopérative agricole de Reguengos de Monsarraz offre une bonne sélection de vins régionaux et d'huiles d'olive.

Beja★

21 658 HABITANTS

CARTE MICHELIN 733 R6 – DISTRICT DE BEJA

La capitale du Bas-Alentejo, ancienne brillante colonie romaine *(Pax Julia)* et siège d'un évêché wisigoth, connut pendant quatre siècles l'occupation musulmane. Même si elle n'a pas conservé grand-chose de ce riche passé, Beja l'indolente invite à une agréable promenade dans son cœur historique récemment restauré. Devenue une place agricole majeure, la ville règne sur les beaux paysages couleur miel de la « Plaine Dorée » *(la Planície Dourada)*, le grenier à céréales du Portugal. Sous un soleil à l'ardeur africaine, ses champs de blé étincellent, entre oliveraies, vignes et chênaies, ponctués de paisibles « montes », ces fermes typiques de l'Alentejo.

- **Se repérer** – Beja est située à 78 km au sud d'Évora.
- **À ne pas manquer** – Le cloître de l'ancien couvent de la Conception ; la découverte de la plaine du Bas-Alentejo.
- **Organiser son temps** – Une petite journée permet de visiter la ville et quelques-uns des sites environnants.
- **Avec les enfants** – Le Musée botanique et celui de l'Horlogerie plairont aux amateurs de sciences.
- **Pour poursuivre le voyage** – La vallée du Guadiana.

Visiter

Ancien couvent de la Conception★★ (Antigo Convento da Conceição)

☎ 284 32 33 51 - www.museuregionaldebeja.net - mar.-dim. 9h30-12h30, 14h-17h15 - fermé j. fériés - 2 €, grat. dim. mat.

Ce couvent de clarisses, où vécut la célèbre « religieuse portugaise » *(voir encadré p. 242)*, fut fondé en 1459 par Ferdinand, duc de Viseu, père du roi Manuel. L'élégante balustrade gothique qui couronne l'église et le cloître rappelle celle du monastère de Batalha. Le couvent abrite aujourd'hui le Musée régional.

Musée (Museu) da Rainha D. Leonor – L'**église** baroque fut décorée aux 17ᵉ et 18ᵉ s. de bois doré et sculpté à profusion. Sur la droite s'ouvre le cloître dont les murs sont recouverts d'azulejos. La **salle capitulaire** arbore une riche décoration, avec ses murs tapissés de beaux azulejos hispano-mauresques sévillans (16ᵉ s.) et sa voûte ornée de motifs floraux du 18ᵉ s. Une collection de christs y est présentée. Dans les salles qui la prolongent sont exposés plusieurs tableaux, dont un saint Jérôme de Ribera (17ᵉ s.) et un Ecce homo du 15ᵉ s. Au 1ᵉʳ étage est réunie la collection archéologique Fernando Nunes Ribeiro, composée de dalles gravées de l'âge du bronze et de stèles de l'âge du fer. La fenêtre grillagée par laquelle sœur Mariana, la « religieuse portugaise », pouvait s'entretenir avec Chamilly a été reconstituée.

Par la rua dos Infantes en face du couvent, on rejoint la **praça da República** où se trouvent le pilori et l'hôtel de ville.

De là, suivre la rua da Misericórdia, et prendre à droite la rua D. Manuel I jusqu'au château.

H. Champollion/MICHELIN

Le cloître de l'ancien couvent de la Conception avec ses azulejos.

Château

☎ 284 311 913 - horaires et tarifs : rens. sur place ou à l'office de tourisme.

Ce château du 13ᵉ s. dispose d'une enceinte crénelée (abritant un musée militaire), flanquée de tours carrées et dominée à un angle par un haut **donjon★** que couronnent des merlons pyramidaux. Un escalier à vis conduit au premier étage dont la jolie voûte à nervures étoilées s'appuie sur des trompes d'angle alvéolées, de style musulman.

« Il faut aimer comme la religieuse portugaise »

Stendhal, *La Vie de Rossini*

Dans le monde des lettres, Beja est depuis trois siècles la ville de la religieuse portugaise, **Mariana Alcoforado**. Entrée au couvent de la Conception sur décision de ses parents, elle s'éprit d'un jeune officier de la marine française, le comte de Chamilly, qui partit en 1661 faire campagne en Alentejo contre les Espagnols et n'en revint qu'en 1668.

En 1669 paraît en France la « traduction » des *Lettres de la religieuse portugaise* : ces cinq messages d'amour où se mêlent la passion, le souvenir, le désespoir, la supplication, le reproche d'indifférence, enflamment le public et connaissent aussitôt un grand succès. L'authenticité des lettres fut cependant rapidement mise en doute. De fait : le véritable auteur, le comte de **Guilleragues**, secrétaire de Louis XIV, occupait un rang trop élevé pour pouvoir publier ces écrits sous son nom. Mais la légende de leur authenticité se maintint jusqu'au milieu du 20e s. En 1972 ont paru *Les Nouvelles Lettres portugaises*. Œuvre conjointe de Maria Isabel Bareno, Maria Teresa Horta et Maria de Fátima Velho da Costa, cette anthologie réunissant poèmes, lettres fictives et correspondance personnelle fut interdite au Portugal pour avoir abordé librement le sujet de la sexualité et critiqué le régime en place. Les auteurs, devenues célèbres sous le nom des « Trois Marias », furent jugées et emprisonnées jusqu'à ce que la révolution des Œillets rende à l'expression artistique sa pleine et entière liberté.

Une galerie sur mâchicoulis court le long de la muraille, peu avant le sommet qui offre un remarquable panorama sur la plaine à blé du Bas-Alentejo.

Église de Santo Amaro

Mar.-dim. 9h30-12h30, 14h-17h15 - fermé j. fériés - 2 €, grat. dim.

Dans cette petite église d'origine wisigothique – certaines parties datent du 6e s. –, la **section d'art wisigothique** du musée Rainha D. Leonor présente une collection de chapiteaux, de colonnes à motifs géométriques ou végétaux. Admirez les beaux pilastres du 7e s. et la colonne représentant des oiseaux attrapant un serpent.

Musée botanique★ (Museu Botânico)

R. de Pedro Soares s/n - ☏ 284 31 43 00 - www.esab.ipbeja.pt/museu - lun.-vend. 9h-12h30, 14h-17h30 - grat. - visite guidée sur demande.

👥 De prime abord, les quelques vitrines de cette modeste salle de cours de l'école supérieure agraire de Beja ne recèlent rien d'extraordinaire. Contre toute attente, la visite guidée révèle une foule d'informations et d'anecdotes captivantes sur la relation entre les hommes et les plantes. Observez la finesse et la délicatesse de la chemise en fibres d'ananas, l'une des pièces maîtresses du musée.

Aux alentours

Serpa★

28 km à l'est par la N 260 et 35 km à l'ouest de la frontière espagnole.

En arrivant de Beja, vous apprécierez la vue sur la ville. Située dans le Bas-Alentejo sur la rive gauche du Guadiana, Serpa « la Blanche » couronne une butte au-dessus des vastes étendues de champs de blé piquetés d'oliviers. La cité a conservé ses remparts qu'emprunte partiellement un **aqueduc**. Au cours de votre étape, n'oubliez pas de goûter au fameux *queijo de Serpa*, un délicieux fromage de brebis.

Le quartier intra-muros – À l'intérieur des remparts percés par la **porte fortifiée de Beja**, la ville est un agréable lieu de promenade. Au-dessus de la grand-place, on parvient au **largo** (place) **dos Santos Próculo e Hilarião**, planté d'oliviers et de cyprès, dominé par la façade de l'église Santa Maria. En tournant à droite, on accède au **château** dont l'entrée évoque une gravure romantique du 19e s. avec sa tour à moitié écroulée formant porche. Du chemin de ronde, vous aurez une excellente vue sur la ville.

Musée ethnographique (Museu Etnográfico) – Largo do Corro (prendre la rua dos Figaldos, à gauche de la mairie, puis suivre les panneaux) - ☏ 284 54 01 20 - 9h-12h30, 14h-17h30 - fermé 1er janv., 25 avr., 1er mai et 25 déc. - grat. Ce petit musée, agréablement présenté, évoque les traditions et les activités artisanales de la région : outils agricoles et instruments destinés au travail de l'osier, à la fabrication de chaussures, à l'extraction de l'huile d'olive, métiers à tisser, etc.

👥 **Musée de l'Horlogerie (Museu do Relógio)** – *Convento do Mosteirinho (près de la praça de la República) - ☎ 284 54 31 94 - www.museudorelogio.com - mar.-vend. 14h-17h, w.-end et j. fériés 10h-17h - visite guidée possible (50mn) - 2 €.* Vous serez impressionné par cette collection privée qui rassemble près de 1 600 montres et horloges provenant des quatre coins du monde. Le carillon des pendules, le cri des coucous suisses, le tic-tac des horloges de grands-mères, accompagnent cette visite passionnante.

Chapelle de Guadalupe – *1,5 km.* Suivre les panneaux vers la pousada. Blanche et nue, mauresque par ses coupoles, elle offre de belles vues sur les paysages environnants.

Villa romaine de São Cucufate

29 km au nord. Sortir de Beja par l'IP 2 et, à Vidigueira, prendre à gauche la N 258 ; 2 km après Vila de Frades, tourner à droite (panneau) - mai à mi-sept. : mar. 15h-18h, merc.-dim. 9h30-13h, 15h-18h ; reste de l'année : mar. 14h-17h, merc.-dim. 9h-12h30, 14h-17h - fermé 1er janv., dim. de Pâques, 1er mai et 25 déc. - 2 €, grat. dim. et j. fériés le mat.

Les fouilles ont mis au jour les ruines d'une importante villa romaine du 4e s., résidence d'un grand propriétaire terrien. L'intérêt de l'édifice réside dans sa construction à deux étages en brique et pierre. Le niveau supérieur est soutenu par une galerie voûtée, ce qui est rare dans la péninsule Ibérique. Au sud se trouvent les restes d'un temple. Au Moyen Âge, la partie nord de la villa fut transformée en couvent ; l'église conserve des fresques.

Moura

58 km au nord-est de Beja via Serpa.

Moura la Maure, groupée autour des ruines de son château du 13e s., est une petite station thermale de l'Alentejo dont les eaux bicarbonatées calciques sont utilisées dans le traitement des rhumatismes. À quelques kilomètres de la ville, la source de **Pisões-Moura** fournit une eau de table (Água do Castelo) très prisée au Portugal.

Église de São João Baptista★ – Cet édifice gothique s'ouvre par un intéressant **portail** manuélin décoré de sphères armillaires et possède un balcon, utilisé autrefois pour dire la messe aux détenus de la prison d'en face *(actuel commissariat)*. À l'intérieur de l'église, remarquez l'élégante colonne torse en marbre blanc qui supporte la chaire ; le chœur, couvert d'une voûte en réseau, abrite un joli groupe baroque de la Crucifixion ; la chapelle de droite est ornée d'azulejos (17e s.) représentant les vertus cardinales.

> ### La légende de la Mauresque
>
> Moura devrait son nom (Vila de Moura) et ses armes (une jeune fille morte devant une tour) au malheur de Salúquia, fille d'un seigneur maure. Le jour de ses noces, elle attendit en vain son fiancé, seigneur d'un château du voisinage. Ce dernier, tombé dans une embuscade tendue par des chevaliers chrétiens, avait été massacré avec toute son escorte. Les chevaliers chrétiens, revêtus des vêtements de leurs victimes, avaient alors réussi à pénétrer dans la place et à s'en emparer. Salúquia, désespérée, se serait précipitée du haut de sa tour.

En face se trouvent l'**établissement thermal** et son jardin public surplombant la vallée.

👁 **Bon à savoir** – Possibilité de se rafraîchir dans la piscine municipale en contrebas.

La Mouraria – Le nom de ce quartier évoque l'ancienne domination mauresque dont la ville fut libérée en 1233. Bordant les rues étroites, les maisons basses sont parfois ornées de panneaux d'azulejos ou de cheminées pittoresques.

Castro Verde

46 km au sud par l'IP 2.

Ce bourg agricole doit son nom à un ancien *castro* préhistorique. Castro Verde célèbre, le 3e dimanche d'octobre, une foire agricole et artisanale très connue datant du 17e s., qui attire des milliers de visiteurs.

Église Nossa Senhora da Conceição – *Merc.-dim. 10h-13h, 15h-19h (hiver 14h-18h).* Les murs de cette basilique sont entièrement recouverts de magnifiques azulejos. Les panneaux de la partie supérieure de la nef représentent des scènes de la bataille d'Ourique, localité située à 14 km où, en 1139, Alphonse Henriques mit les Maures en déroute et fut proclamé roi du Portugal.

Beja pratique

Informations utiles

Indicatif téléphonique – *284*

Code postal – *7800*

🛈 **Posto de turismo** – *R. Capitão Francisco de Sousa, 25 - 7800-451 - ☎ 284 31 19 13.*

Internet – *Iber Café – R. Fernando Namora (20mn à pied au SO du centre-ville) - lun.-sam. 9h-0h.*

Transport

Location de vélos – *L'office de tourisme met des vélos à votre disposition (lun.-vend. 10h-13h, 14h-17h30 - grat.).*

Se loger

🛏 **Residencial Rosa do Campo** – *R. da Liberdade, 12 - ☎ 284 32 35 78 - residencial.rosa.do.campo@netvisao.pt -* 🖥 *- 8 ch. 35 €* 🚗. Une coquette pension fraîchement rénovée, qui enchantera les inconditionnels de la propreté. Sol lustré, salles de bain modernes, mobilier à l'ancienne, matelas confortables et accueil chaleureux : tout est fait pour que vous passiez un séjour agréable, la propriétaire y veille ! Chambres spacieuses de un à quatre lits. Très central.

🛏 **Residencial Bejense** – *R. Capitão João Francisco de Sousa, 57 - ☎ 284 31 15 70 - www.residencialbejense.com -* 🖥 *- 24 ch. 45 €* 🚗. Cette résidence installée dans la zone piétonne et commerçante du centre-ville propose des chambres confortables aux installations récentes. Petit-déjeuner copieux et accueil familial attentif. Si les murs sont tapissés de photos de famille un peu « kitsch », la situation demeure idéale et le rapport qualité-prix, excellent.

À SERPA

🛏 **Casa da Muralha** – *R. das Portas de Beja, 43 - ☎ 284 54 31 50 - www.casadamuralha.com -* 🖥 *- 4 ch. 65 €* 🚗. Une maison d'hôte de caractère (19ᵉ s.) avec, pour décor insolite et spectaculaire, l'aqueduc du 17ᵉ s. et les remparts de la ville. Chambres spacieuses, balcon à l'étage, accès au salon et au jardin planté d'orangers.

Se restaurer

🍴 **A Pipa** – *R. da Moeda, 8 - ☎ 284 32 70 43 - fermé dim. et j. fériés en août -* 🍴 *- 12/20 €.* Non loin de la praça da República, une taverne typique de la région avec ses murs passés à la chaux et son décor rustique. Sous de larges voûtes en brique, vous dégusterez des grillades qui mettent le porc de l'Alentejo à l'honneur. Atmosphère chaleureuse.

🍴 **Os Infantes** – *R. dos Infantes, 14 - ☎ 284 32 27 89 - osinfantes@hotmail.com - fermé merc. - 15/18 €.* Dans une rue qui part de la praça da República, sous une belle voûte tapissée de briques sombres, une salle d'une sobriété assez moderne. Au menu : cuisine traditionnelle soignée avec soupe de poisson à l'alentejane, lièvre et haricots noirs, porc noir de l'Alentejo. En vedette, au dessert : le *pão de Rala*.

🍴🍴 **Pousada de São Francisco** – *Largo D. Nuno Álvares Pereira - ☎ 284 32 84 41 - www.pousadas.pt -* 🍴 *- env. 30 €.* À défaut de passer une nuit à la *pousada* de São Francisco, offrez-vous un dîner dans cet ancien couvent. Le restaurant occupe le réfectoire des moines franciscains à la voûte nervurée d'une blancheur absolue. Un lieu élégant où vous dégusterez du porc noir de l'Alentejo aux herbes et les fameux desserts du couvent. Divin !

Faire une pause

Casa de Chá As Maltesinhas – *R. dos Açoutados, 12 (près des Portas de Mértola) - ☎ 284 32 15 00 - lun.-sam. 9h-19h30 - fermé j. fériés.* On raconte à Beja que l'on vient de l'autre bout du Portugal pour les excellentes pâtisseries de la maison et notamment ses gâteaux de couvent. Toutes les générations de gourmands s'y retrouvent pour déguster en priorité les *queijo de hóstia*, *pão de Rala* et *pastéis de toucinho*. Une belle carte des thés accompagne le tout.

Luiz da Rocha – *R. Capitão João F. Sousa, 63 - ☎ 284 32 31 79 - luizdarocha.com - fermé dim.* Le café le plus ancien et le plus fréquenté de Beja. Il a perdu sa décoration historique mais propose deux spécialités à se damner : les *porquinhos doces* et les *trouxas de ovos*. Ces derniers totalisent 24 jaunes d'œufs pour 1 kg de sucre !

En soirée

Karas Bar – *R. da Moeda.* « Le » bar branché de Beja où se retrouver pour boire un verre ou faire la fête. Soirées animées par des DJ.

Bar Casa das Artes – *R. do Touro - ☎ 284 31 19 20 - fermé dim. et j. fériés.* Voici le bar de la Maison des arts-Musée Jorge-Vieira, où les artistes et les jeunes affluent pour prendre un verre au 1ᵉʳ étage et discuter de la dernière exposition sous une verrière et sur un sol noir minimaliste. Atmosphère intellectuelle assurée !

Parc naturel du
Sud-Ouest alentejan et Côte vicentine★★

Parque Natural do Sudoeste Alentejano e Costa Vicentina

CARTE MICHELIN 733 STU3 - CARTE DE L'ALGARVE P. 258
DISTRICTS DE FARO, BEJA ET SETÚBAL

La côte sud-ouest du Portugal, du cap Saint-Vincent à Sines, demeure très sauvage. Battu par les vents et les flots, ce littoral protégé se compose de hautes falaises grises au pied desquelles se nichent des plages au décor souvent grandiose, accessibles par de petites routes escarpées. L'eau y est plus froide que dans le sud de l'Algarve et surtout plus agitée, mais les vagues font le bonheur de ceux qui pratiquent le surf. Les paysages de l'arrière-pays sont très vallonnés, boisés d'eucalyptus et de pins, plantés d'agaves, et les villages blancs ont conservé leur authenticité.

- ▶ **Se repérer** – Ce parc naturel s'étend sur 74 788 ha, de Burgau dans l'Algarve *(voir carte p. 258-259)* à Sines dans l'Alentejo.
- 👁 **À ne pas manquer** – Le cap Saint-Vincent ; la pointe de Sagres.
- 🕐 **Organiser son temps** – N'hésitez pas à longer la côte même si le temps n'est pas au beau fixe, car les paysages balayés par le vent sont magnifiques. Prévoyez un lainage même s'il fait très beau.
- 🚴 **Pour poursuivre le voyage** – Lagos, la serra de Monchique *(voir Portimão)*.

Ch. P. Remy/MICHELIN

Le fort de Sagres.

Circuit de découverte

Env. 200 km – Compter 2 jours.

Ce circuit est établi à partir de **Vila do Bispo**, village tout blanc où se croisent les routes allant vers le nord, l'Algarve et Sagres. Si vous êtes là un dimanche, profitez-en pour visiter son **église** baroque *(dim. 12h)*, qui possède un chœur en bois doré et des murs revêtus d'azulejos (1715) ; à gauche du chœur, une porte donne accès à un petit musée d'art sacré (beaux crucifix).

LA POINTE SUD-OUEST DU PORTUGAL★★★

Battu par le vent, ce bout du monde, ce « finistère » tombant à pic dans la mer, à l'extrême sud-ouest de l'Europe, est un endroit chargé d'histoire. C'est ici qu'Henri le Navigateur se retira, au 15ᵉ s., face à l'océan Atlantique et à l'immense inconnue que représentait la « mer Océane », pour créer à Sagres une école de navigation qui allait contribuer aux Grandes Découvertes.

Sagres

Cette localité aux avenues désolées, balayées par les rafales de vent, dégage une atmosphère de fin du monde. Vous vous sentirez gagné par la sensation étrange de parcourir la périphérie d'une ville sans jamais parvenir à en atteindre le centre ; d'ailleurs ce dernier se limite à une place si petite, à proximité d'un rond-point, que vous risquez de le manquer. Mais qu'importe, seuls quelques kilomètres vous séparent de la pointe sud-ouest de l'Europe, l'un des plus beaux sites du Portugal.

Pointe (Ponta) de Sagres★★★

Il est possible de parcourir la pointe de Sagres en voiture, mais plus agréable de s'y promener à pied (compter 1h).

Elle est en partie occupée par la **forteresse** qui, érigée au 16e s., fut très endommagée par le tremblement de terre de 1755, remaniée par « l'État nouveau » vers 1940 et récemment restaurée. Après avoir franchi le portail d'entrée, vous pénétrez dans une vaste cour dont le sol est tapissé des vestiges d'une immense rose des vents de 43 m de diamètre. L'ancienne école des navigateurs et la maison de l'infant ont été détruites par les corsaires de Francis Drake en 1587.

Construits à la fin des années 1990, des bâtiments modernes abritent un centre d'expositions temporaires, un centre multimédia, une boutique et une cafétéria. ℰ 282 62 01 40 - mai-sept. : 10h-20h30 ; oct.-avr. : 10h-18h30 - fermé 1er mai et 25 déc. - 3 €.

Sur le pourtour de ce promontoire cerné par d'impressionnants escarpements, les **vues★★** se révèlent sur la baie et le cap Saint-Vincent à l'ouest, la côte de Lagos à l'est ; deux grottes marines dans lesquelles gronde la mer contribuent à accroître la beauté sauvage du site.

Fort de Beliche

Édifié au 16e s. puis reconstruit au 18e s., ce petit fort sur la route du cap Saint-Vincent coiffe un piton abrupt. Vous pourrez visiter sa jolie chapelle et admirer la **vue** sur la pointe de Sagres.

Cap (Cabo) de São Vicente★★★

Pointe sud-ouest de l'Europe, le cap Saint-Vincent domine l'Océan de 75 m. De tout temps, il fut considéré comme un lieu sacré : les Romains l'avaient baptisé le « *promontorium sacrum* ». Son nom actuel lui vient d'une légende : le vaisseau contenant le corps de **saint Vincent**, martyrisé à Valence au 4e s., serait venu s'échouer ici. Gardé

L'école de Sagres

Après la prise de Ceuta (1415), l'infant se retire à Sagres, fait appel aux astronomes arabes, aux cartographes de Majorque et aux marins les plus réputés de l'époque pour fonder une école de navigateurs. Les résultats des recherches entreprises sont constamment expérimentés et exploités au cours d'expéditions de plus en plus lointaines *(voir Lagos)*.

Grâce au perfectionnement de l'astrolabe et du cadran, qui peuvent désormais être utilisés en haute mer, l'infant inaugure l'ère de la navigation astronomique. Les marins, qui jusqu'alors n'avaient pour guides qu'une carte et une boussole et ne contrôlaient leur position que par l'estimation du chemin parcouru, apprennent à calculer la latitude d'après la hauteur des astres au-dessus de l'horizon et à faire le point avec plus de précision. La cartographie bénéficie de ces améliorations. Aux portulans méditerranéens succèdent des cartes de l'Atlantique qui, même lorsqu'elles ne font pas état de la latitude, témoignent de la supériorité des Portugais dans ce domaine.

Enfin, les exigences des expéditions entraînent les Portugais à réaliser un nouveau type de bateau qui révolutionne la navigation : la **caravelle**. Petit voilier long au faible tirant d'eau, mais pouvant porter un équipage assez important, elle réunit les avantages des bateaux traditionnels sans en avoir les inconvénients. Sa coque large et son haut bordage accroissent sa sécurité. Ses mâts multiples combinent les voiles carrées et les voiles latines triangulaires. Pivotant autour de leur mât, ces dernières assurent à la caravelle, en serrant le vent au maximum, une grande rapidité. Elles sont les seules à permettre la navigation de bouline en présence de vents contraires, qui étaient fréquents au retour des côtes d'Afrique. En outre, l'emploi du gouvernail d'étambot augmente la maniabilité du navire. Apparue au milieu du 15e s., la caravelle sillonnera les mers du globe pendant près d'un siècle.

Les falaises du cap Saint-Vincent.

par deux corbeaux, il y serait resté pendant des siècles avant de reprendre sa route pour Lisbonne, qu'il aurait atteinte en 1173.

L'ancienne forteresse qui occupe la pointe a été transformée en phare, dont le rayon lumineux balaie le large jusqu'à 90 km. Les **vues★★** sont impressionnantes sur les falaises qui s'étirent à l'infini vers le nord et sur la pointe de Sagres à l'est, surtout au coucher du soleil.

Revenir à Vila do Bispo.

LA CÔTE VICENTINE★

Hasardez-vous sur les chemins vicinaux qui embaument le ciste : pour rejoindre les falaises du littoral, vous traverserez des paysages sauvages et déserts alternant entre pâturages irlandais et garrigue.

Une route dessert en peigne les différentes plages de la région.

Torre de Aspa

6 km à l'ouest de Vila do Bispo. Prendre la route vers le nord-ouest en direction de Castelejo. Au bout de 2 km, au niveau du groupe de sculptures en pierre cerné de pins, tourner à gauche. Continuer la piste pendant 4 km.

De ce belvédère à 156 m d'altitude, vous découvrirez un très beau point de **vue★** sur le cap Saint-Vincent et Sagres.

Plages de Castelejo, Cordoama et Barriga

Suivre les indications fléchées. Ces plages, accessibles en voiture *(par des pistes, à l'exception de Castelejo)* à partir de Vila do Bispo, s'étendent au pied de hautes falaises grises et frappent par leur caractère sauvage.

Carrapateira

À l'ouest de ce village établi sur une colline, une route faisant le tour de la pointe ménage de belles vues sur la côte escarpée et sur la longue plage de sable de **Bordeira★**, protégée par des dunes.

Praia Arrifana★

9 km au sud-ouest d'Aljezur. Le port de pêche et la plage se nichent au pied d'une haute falaise.

Aljezur

Au pied de cette petite ville coule une rivière… et passe la nationale. Les ruelles, aux maisons blanches soulignées de couleurs gaies, mènent au château en ruine (10e s.), véritable havre de paix dominant la campagne alentour.

Odeceixe

20 km au nord d'Aljezur. En arrivant du sud, on découvre ce village blanc à travers un rideau d'eucalyptus.

Suivre les panneaux dans la localité pour rejoindre le littoral.

Une belle route longe, sur 4 km, un petit fleuve côtier, le Seixe, dont l'embouchure forme une **plage**. Ici s'achève l'Algarve et commence l'Alentejo.

LA CÔTE DE L'ALENTEJO★

Dans cette région aux paysages variés, où la nature reste préservée, se succèdent des plages de dunes ou des criques au pied de hautes falaises battues par les vagues blanches d'écume, de petits ports de pêche dans lesquels tanguent des barques colorées, des champs verdoyants où paissent les moutons, de nobles chênaies de chênes-lièges, des maisons blanches soulignées de bleu, d'anciens châteaux forts qui évoquent des histoires de croisés et de Maures…

Zambujeira do Mar

18 km au nord d'Odeceixe. Cette localité s'étend sur une falaise au-dessus de plages où affleurent des rochers frappés par les vagues. Elle est propice à d'agréables promenades sur les falaises et les dunes, pour découvrir des plages souvent désertes, seulement peuplées d'oiseaux marins. Ce port de pêche est devenu au fil des années une station balnéaire très appréciée des Lisboètes pour sa relative tranquillité.

Porto das Barcas

3 km au nord de Zambujeira. Abrité par une falaise, sur un beau site sauvage et tranquille, ce petit port de pêche, où se balancent quelques barques, semble hors du temps. En haut, se tiennent une poignée de baraques de pêcheurs isolées et un restaurant de poisson frais, O Sacas *(voir « Se restaurer » dans l'encadré pratique)*.

Cap (Cabo) Sardão★

Battu par les vagues, ce promontoire est coiffé d'un phare offrant une vue étendue sur la côte et l'Océan.

Odemira

Dominée par la colline où se sont installés les premiers habitants autour d'un château depuis longtemps en ruine, Odemira est une petite ville souriante, penchée sur les rives du rio Mira. Sa bibliothèque municipale, sur le site du château, offre de belles **vues** sur le fleuve et les champs environnants.

La localité est connue pour sa **céramique** en terre cuite et, depuis 1996, pour son grand **festival** de musiques rock et techno (le « Festival do Sudoeste ») qui, pendant la première semaine d'août, rassemble à Herdade Branca des jeunes de tout le Portugal.

👁 **Bon à savoir** – À 4 km d'Odemira, le **barrage** de Santa-Clara-a-Velha, construit sur le rio Mira par l'Estado Novo, a donné naissance à l'une des plus vastes retenues d'eau d'Europe (1986 ha). On peut y pratiquer la randonnée, le canoë ou la pêche.

Almograve

18 km au nord-ouest d'Odemira. Près de cette belle plage surgissent des sources d'eau douce.

Vila Nova de Milfontes★

13 km au nord d'Almograve. Situé à l'embouchure du rio Mira et doté de grandes étendues de sable fin côté mer ou côté fleuve, Vila Nova de Milfontes est devenu une station balnéaire coquette. En été, ses nombreux bars, restaurants et discothèques en font un pôle très animé.

La station balnéaire de Vila Nova de Milfontes, côté campagne.

Fort de São Clemente – Construit sur une butte rocheuse au-dessus de l'embouchure du fleuve, ce château, conquis aux Maures en 1204, a défendu la ville pendant des siècles. Acheté en ruine par des particuliers en 1939, l'édifice couvert d'un épais manteau de lierre a été réaménagé par les héritiers du propriétaire afin d'accueillir des hôtes dans le cadre du *turismo de habitação (voir « Se loger » dans l'encadré pratique).*

Praia de Malhão★

6 km au nord de Vila Nova de Milfontes. Prendre la direction de Lisbonne jusqu'à Brunheiras. Tourner à gauche en suivant les panneaux « Parque de Campismo » (camping).
Une piste sablonneuse de 2 km de long mène, à travers une pinède, à une superbe plage. Cette longue étendue de sable blanc, qui s'insère dans un somptueux décor de dunes et de rochers, est presque déserte.

Porto Côvo

Cette charmante petite ville, dans laquelle on entre par une place pittoresque aux maisons basses traditionnelles, pourvue de bancs où les plus vieux viennent s'asseoir en fin d'après-midi à l'ombre des arbres, ressemble à une vision idyllique d'un « Portugal des Petits » *(voir Coimbra)* de l'Alentejo.

En face, l'**île do Pessegueiro**, séparée de la terre par un chenal, abrite quelques vestiges des différents peuples qui ont habité la région, de même qu'un port d'abri artificiel conçu au 16e s. mais inachevé. La plage est plébiscitée par les surfeurs et les véliplanchistes.

Au nord, on aperçoit les installations industrielles du **port de Sines**.
En chemin vers Lisbonne ou le nord du Portugal, Santiago do Cacém peut constituer une étape intéressante.

Santiago do Cacém

À 23 km au nord-est de Sines et 34 km de Porto Côvo par la N 120. Santiago do Cacém s'agrippe aux pentes d'une colline que coiffe un ancien château édifié par les templiers. La N 120 offre, au sud de la ville, une jolie **vue★** sur le site.

Château – Deux enceintes crénelées, restaurées, cernent les ruines du château ; l'intérieur est occupé par le cimetière, planté de beaux cyprès. Faites le tour des remparts pour admirer le panorama qui s'étend jusqu'au cap de Sines.

Musée municipal – ☎ 269 82 73 75 - mar.-vend. 10h-12h, 14h-17h, sam. 12h-18h - fermé j. fériés - grat. Dans l'ancienne prison, vous observerez la reconstitution de plusieurs intérieurs, où sont présentés les traditions et les costumes de l'Alentejo.

Ruines romaines de Miróbriga – *1 km. Quitter la ville au nord, par la N 120 direction Lisbonne et, au sommet d'une côte, prendre à droite (pancarte) une route étroite, puis à gauche un chemin de terre ; laisser la voiture sur le terre-plein final -* ☎ 269 81 84 60 - mar.-sam. 9h-12h30, 14h-17h30, dim. 9h-12h, 14h-17h30 - fermé 1er janv., dim. de Pâques, 1er mai et 25 déc. - 3 € , grat. dim. et j. fériés le matin. Miróbriga fut probablement un centre urbain relativement important du 1er au 4e s. comme en témoignent les ruines dispersées dans un agréable paysage champêtre planté de cyprès. Une voie romaine mène aux **thermes** situés en contrebas. On y distingue très bien les canalisations, les différentes piscines, les salles de repos. En remontant, on passe près de l'auberge et l'on accède au **forum** où se trouvaient les édifices administratifs et religieux. Les fouilles ont montré que cette zone était déjà occupée à l'âge du fer (4e s. av. J.-C.) par un temple. À 1 km, on a découvert les structures de l'hippodrome où couraient les fameux chevaux lusitaniens.

Info pratique

Information utile

À ODEMIRA
🏛 **Bureau du Parc** – *R. Serpa Pinto, 32 - 7630-174 -* ☎ 283 32 27 35.

Se loger

À SAGRES
😊😊 **Pensão D. Henrique** – *Praça da República - 8650 -* ☎ 282 62 00 00 - fermé 2 sem. en déc. et 2 sem. en janv. -🍴- 17 ch. 65/115 € ☕. Vous n'aurez pas loin à marcher de cette pension à la mer : des chemins descendent directement de sa terrasse, où l'on prend le petit-déjeuner, sur la plage Mareta. Chambres lumineuses avec terrasse côté mer. Espace Internet, location de vélos et agences de voyages. D'un bon rapport qualité-prix, cette adresse apporte une touche de gaieté dans une ville à l'allure un peu austère.

😊😊😊 **Pousada do Infante** – *8650 -* ☎ 282 62 02 40 - www.pousadas.pt - 🅿🚭🍴 - 4 ch. 120/190 € - rest. env. 30 €. Cet ancien fort juché sur une falaise à quelques encablures de l'impressionnant cap São Vicente vous offre l'occasion unique de passer une nuit au bout du monde. Trois chambres donnent sur le jardin. Préférez-leur la quatrième, qui surplombe l'escarpement où viennent se fracasser les vagues : face à la « mer Océane », vous serez plongé dans l'atmosphère épique des Grandes Découvertes. À table, cuisine de bon aloi.

À CARRAPATEIRA

🛏🛏🍽 **Monte Velho** – *Herdade do Monte Velho - 8670-230 - ☎ 282 97 32 07 - 7 ch. 90/120 € ⬛.* Voilà un endroit de rêve qui profite à la fois des collines du Parc naturel de la Côte vicentine et de la plage toute proche. Contemplatifs et amoureux de la vie au grand air apprécieront cette maison tout en longueur plantée au milieu de 54 ha de chênes-lièges et de pins, et dont les chambres-suites sont précédées d'un hamac. Décoration intérieure pleine de gaieté. Au programme : promenades à dos d'âne, surf, excursions en bateau, pêche, massages, VTT. Le bonheur au bout du monde !

À ARRIFANA

🛏🍽 **Quinta do Lago Silencioso** – *Monte da Bagagem - 8670-158 - ☎ 282 99 85 07 - www.quintadolagosilencioso.com - ⬛ ⬛ - 4 ch. 60/80 € ⬛.* Les adeptes de séjours en pleine nature apprécieront cette jolie maison blanche située non loin d'Arrifana, et construite au bord d'un petit lac où l'on peut pêcher et se baigner. Une simple piste mène à cette adresse estampillée Turismo em Espaço Rural.

À ZAMBUJEIRA DO MAR

🛏🍽 **Monte do Papa Léguas** – *Alpenduradas - 7630-732 - ☎ 283 96 14 70 - www.montedopapaleguas.com - ⬛ ⬛ - 5 ch. 75/90 € ⬛.* Une charmante maison d'hôte proche de la plage et typique de l'Alentejo avec sa façade chaulée de blanc et de bleu vif. Les chambres sont joliment décorées dans un style rustique et régional. Atmosphère décontractée et grand professionnalisme de la maîtresse de maison qui est une spécialiste du tourisme vert. Randonnées à cheval sur les sentiers de pêcheurs. Vélos à disposition.

🛏🍽 **Herdade do Touril de Baixo** – *7630-734 - ☎ 283 95 00 80 - www.touril.pt - ⬛ ⬛ - 10 ch. 70/125 € ⬛.* Cette grande maison d'hôte (19e s.), classée Turismo em Espaço Rural et entourée de champs de tournesols, s'apparente à un petit hôtel de charme grâce à son architecture typique des *montes* de l'Alentejo. Récemment rénovée et décorée dans un sympathique esprit campagnard alliant bottes de foin, statuettes naïves d'animaux, meubles de métiers et canapés à carreaux, elle bénéficie d'une vue dégagée jusqu'à la mer. Location de vélos pour explorer la campagne environnante.

🛏🛏🍽 **Monte Fonte Nova da Telha** – *Sur la route de Zambujeira à Santo Teotonio - ☎ 283 95 91 59 - www.montedaxica.com - ⬛ ⬛ - 3 ch.*

120/140 € ⬛. Au bout d'une longue piste de sable fin bordée d'eucalyptus, une maison d'hôte possédant trois chambres ouvertes sur le jardin. Effort de décoration dans les chambres et agréable cuisine jaune solaire où l'on prend le petit-déjeuner, mais l'ensemble manque un peu de raffinement pour cette gamme de prix.

À VILA NOVA DE MILFONTES

🛏🍽 **Castelo de Milfontes** – *7645 - ☎ 283 99 82 31 - ⬛ - 7 ch. 155/166 € ⬛ - dîner inclus.* Le château São Clemente, jouissant d'un site et d'un charme exceptionnels, dispose d'un patio intérieur avec une arcade tournée vers la mer. Chambres atypiques, assez petites, à un prix relativement élevé.

Se restaurer

À SAGRES

🍽 **Carlos** – *R. Commandante Matoso - ☎ 282 62 42 28 - ⬛ - 15/23 €.* Au centre-ville, vaste salle de restaurant où l'on sert presque exclusivement du poisson. Sagres est un important port de pêche…

🍽🍽 **Mar à Vista** – *Praia da Mareta - ☎ 282 62 42 47 - fermé merc. - ⬛ - 20/30 €.* Juste au-dessus de la plage Mareta, face au panorama borné par le cap São Vicente, un restaurant traditionnel de poisson apprécié pour la grande fraîcheur de ses produits et sa carte variée.

🍽🍽 **Vila Velha** – *R. Patrão António Faustino - ☎ 282 62 47 88 - www.vilavelha-sagres.com - mar.-sam. 18h30-22h - fermé déc.-janv. - ⬛ - 20/30 €.* Le restaurant chic de Sagres. Une petite maison où il fait bon s'installer au chaud quand les vents soufflent violemment. Une salle au décor rustique mais élégant (cheminées, outils agricoles, lumière tamisée) pour une atmosphère intimiste et chaleureuse. Poisson et plats inspirés de la cuisine internationale.

À CARRAPATEIRA

🍽 **Sitio do Forno** – *Praia do Amado Carrapateira - ☎ 963 55 84 04 - ⬛ - 15/20 €.* Surplombant la plage do Amado, ce restaurant vous invite en terrasse sur de grandes tables en bois. Régal de poissons grillés et de coquillages. À l'intérieur, la cheminée-gril est en action. Atmosphère conviviale et vue spectaculaire.

🍽 **O Sito do Rio** – *☎ 282 97 31 19 - fermé merc. - ⬛ ⬛ - 15/25 €.* À la sortie nord de Carrapateira, ce restaurant prône une alimentation saine dans une ambiance style « bar de plage ». Plats originaux comme ces belles assiettes végétariennes (riz complet, soja, légumes de saison), chevreau grillé, poisson… ou choix de plats légers tels que salades de chèvre frais et pommes de terre en robe de champs. Portions généreuses.

À PORTO CÔVO

🍽 **O Torreão** – *Largo Marquês de Pombal, 18 - ☎ 269 90 51 63 - ⬛ - 10/15 €.* C'est un vrai décor qui tient lieu de cadre à ce restaurant situé sur la charmante place carrée du village, toute de blanc souligné de bleu et flanquée d'une église aux mêmes couleurs. On s'installe donc en terrasse pour profiter de cette zone piétonnière et déguster une cuisine de la mer : salade de poulpe, morue, brochettes de seiche, etc.

À ZAMBUJEIRA DO MAR

A Barca Tranquitana – *Entrada da Barca* - ✆ *283 96 11 86 - fermé lun. sf juil.- août -* 🍽 *- 13/18 €.* Avant de poursuivre vers le minuscule port de Zambujeira tout proche, arrêtez-vous dans cette maisonnette bleu et blanc posée sur une pelouse face à la mer. Vous y dégusterez de délicieux *petiscos* cuisinés à l'ail, du poulpe presque confit, des grosses crevettes ou des palourdes. Un vrai régal, tout simple.

O Sacas – *Entrada da Barca* - ✆ *283 96 11 51 - fermé merc. sf été -* 🍽 *- 15/20 €.* Si vous êtes à la recherche d'adresses typiques, vous aurez déjà repéré cette grande cabane isolée face à la mer sur le ravissant petit port de Zambujeira, encaissé dans une calanque. Il s'agit du restaurant local le plus recherché pour ses poissons et ses fruits de mer, sans oublier son grand choix de plats. Incontournable !

Cervejaria i – *R. Miramar, 14* - ✆ *283 96 11 13 - fermé déc., mar. et lun. en hiver - 15/30 €.* Situé dans la rue principale, ce restaurant affiche des tarifs un peu élevés pour cette catégorie, mais qui restent raisonnables compte tenu de l'appétissant comptoir de fruits de mer. On pèse devant vous la marchandise afin de doser votre portion. Très beau choix de produits.

À ODEMIRA

O Bernardo – *Av. do Comércio, 6-7 (entre Santo Teotonio et Odemira)* - ✆ *283 38 64 76 -* 🍽 *- 15/20 €.* Cette table qui cuisine sous toutes ses formes le traditionnel porc noir de l'Alentejo réjouira les amateurs de viande. Bœuf et veau ne sont pas oubliés. Une bonne adresse.

À VILA NOVA DE MILFONTES

Morais - ✆ *283 99 68 27 -* 🍽 *- 12/15 €.* Un restaurant populaire et sans prétention avec sa terrasse sur la petite place face au château. On y vient en famille savourer une cuisine de produits locaux qui jongle avec des recettes traditionnelles comme le porc de l'Alentejo, les palourdes, le *bacalhau à bras* (le plat de morue classique), les fruits de mer et les poissons du jour.

Choupana – *Praia do Farol* - ✆ *283 99 66 43 - fermé nov.-mars - 13/20 €.* Il serait difficile de manquer ce restaurant perché sur la plage du Farol, à l'embouchure du fleuve. Monté sur pilotis comme une grande cabane de pêcheur, il semble littéralement flotter sur la mer à chaque marée haute. Une vision paisible dont on se délectera, attablé devant un plat de fruits de mer ou de poisson grillé.

Tasca do Celso – *R. dos Aviadores* - ✆ *283 99 67 53 - fermé mar. -* 🍽 *- 20/25 € (réserv. conseillée en été et le w.-end).* Une ravissante maisonnette bleu et blanc, en façade comme à l'intérieur. Salle chaleureuse et conviviale où le décor rustique est cultivé avec goût : grandes tablées, meubles anciens régionaux et vaisselle en céramique brune. Entre *petiscos* et plats cuisinés, le menu propose de la charcuterie, des fruits de mer, du fromage de Mértola, de l'entrecôte aux fèves ou encore du bœuf grillé. L'endroit est fort apprécié et fréquenté.

À SINES

Trinca Espinhas – *Praia de S. Torpes* - ✆ *269 63 63 79 - fermé jeu. - 16/23 €.* Sur la plage de S. Torpes, un restaurant qui vaut à lui seul le détour sur cette partie peu attrayante de la côte. Sa situation les pieds dans l'eau et son décor dans une douce harmonie de bleu marine et de bleu ciel en font un lieu très agréable. Produits de la mer d'une grande fraîcheur. Une adresse qui cultive le beau et le bon.

Faire une pause

À PORTO CÔVO

Marquês – *Largo Marquês de Pombal, 10* - ✆ *269 90 54 86.* Impossible de passer à Porto Côvo sans faire une halte gourmande dans cette délicieuse pâtisserie-glacerie donnant sur la place centrale ! Feuilletés à la viande, beignets de crevettes, sandwichs et omelettes combleront tous vos petits creux salés. Quant aux glaces maison et aux gâteaux, ils vous feront fondre de plaisir.

En soirée

À ZAMBUJEIRA DO MAR

Café Fresco – *R. da Calçada, 1 - 7.* La terrasse de ce petit bar jouit d'une belle vue sur la mer. Rien d'étonnant à ce que les vacanciers viennent sable aux pieds et cheveux salés y déguster moelleux à l'orange et tartes maison aux pommes ou aux amandes. L'endroit est tout aussi sympathique pour prendre un verre le soir.

Barques multicolores sur la plage.
H. Petersen/Photononstop

Faro★

36 824 HABITANTS
CARTE MICHELIN 733 U6 – DISTRICT DE FARO

Séparé de l'Océan par une lagune, Faro semble trop loin des plages pour retenir les touristes qui, à peine ont-ils atterri, se pressent vers d'autres stations balnéaires. Pourtant, la capitale de l'Algarve, cité étonnamment tranquille, constitue une halte agréable. Sa vieille ville devient la nuit un véritable décor de théâtre où il fait bon flâner. Dans la journée vous pourrez choisir entre les plages du cordon littoral, accessibles en bateau ou en voiture, ou les collines de la serra do Caldeirão.

- ▶ **Se repérer** – Faro se trouve à 30 km à l'ouest de Tavira et à 39 km à l'est d'Albufeira, par la N 125.
- 🅿 **Se garer** – Laissez votre voiture au parking largo de São Francisco près des remparts. La circulation est très dense dans le centre-ville, particulièrement aux heures de sortie des bureaux.
- 👁 **À ne pas manquer** – La vieille ville de Faro ; l'église de São Lourenço ; la plage de Falésia ; les jardins du palais d'Estói ; Alte.
- 🕑 **Organiser son temps** – Prévoyez une journée pour visiter Faro et profiter des plages qui se trouvent de l'autre côté de la lagune. En été, si vous souhaitez découvrir l'arrière-pays, partez tôt le matin pour éviter les fortes chaleurs.
- 👫 **Avec les enfants** – La plage de Faro ; une promenade en bateau dans le Parc naturel da Ria Formosa.
- 🐾 **Pour poursuivre le voyage** – Albufeira, Lagos, la serra de Monchique (voir Portimão), Silves, Tavira.

Comprendre

La capitale de l'Algarve – Faro était déjà une cité importante au moment où sa reconquête sur les Maures par Alphonse III, en 1249, marquait la fin de la mainmise arabe sur le Portugal. Aussi le souverain lui accorda-t-il rapidement une charte municipale. Son développement est tel que, dès le 15e s., l'une de ses officines de typographie appartenant à la communauté juive sort les premiers livres imprimés au Portugal : des incunables hébraïques.

Malheureusement, au mois de juillet 1596, alors que le pays vit sous la domination espagnole, le comte d'Essex, qui fait campagne contre Cadix, met la ville à sac et l'incendie. Elle se relève de ses ruines lorsque deux tremblements de terre, en 1722 et surtout en 1755, l'anéantissent totalement. Il faut l'énergie de l'évêque Dom Francisco Gomes, le citoyen le plus célèbre de la cité, pour entreprendre une nouvelle fois son relèvement. En 1756, elle est choisie comme capitale de l'Algarve.

Du sel au tourisme – Faro vivait traditionnellement de l'exploitation du sel recueilli dans les marais salants de sa lagune, de la pêche (thon, sardine), du travail du liège et du marbre et d'industries alimentaires (conserveries, traitement des caroubes), plus tard du plastique et du bâtiment. Le tourisme est devenu une activité prépondérante et, grâce à son aéroport international, Faro est la porte de l'Algarve, et dessert des stations balnéaires fréquentées toute l'année.

Visiter

LA VIEILLE VILLE★

La vieille ville est un quartier calme, à l'abri du cercle de ses maisons disposées en **remparts**.

Arco da Vila★

Franchissez les remparts par la plus belle des portes de la muraille alphonsine. Remarquez ses pilastres à l'italienne et, dans une niche, une statue de saint Thomas d'Aquin, en marbre blanc. L'arc est surmonté d'un clocher dont le sommet est occupé par un nid de cigognes.

Cathédrale (Sé)

Largo da Sé - lun.-vend. 10h-17h30, sam. 10h-13h - fermé j. fériés - 3 €.

La cathédrale de Faro, autre lieu de prédilection des cigognes, s'élève sur une vaste place plantée d'orangers. De l'église primitive, bâtie sur le site d'une ancienne mosquée en 1251 après la Reconquête, il ne reste que l'imposante tour-portique de l'entrée et le portail principal. Incendiée par les troupes anglaises en 1596, elle fut reconstruite au 18e s. Elle présente aujourd'hui un mélange de styles : chapelle gothique sous un plafond lambrissé, revêtue d'azulejos du 17e s., retable Renaissance dans le chœur. Observez le très bel **orgue**★ rouge et or orné de motifs chinois datant du 18e s. À l'étage, le musée du Chapitre, qui est dédié à l'art religieux, présente une belle collection de vêtements lithurgiques. Du sommet de la tour médiévale s'offrent de superbes vues sur la ville et la lagune.

Palais épiscopal★ (Paço Episcopal)

Largo da Sé. Ouvert uniquement lors des expositions temporaires.

Le palais épiscopal, qui a été édifié à la fin du 16e s., se dresse près de la cathédrale. Plusieurs salles, dont la cage d'escalier, sont tapissées de magnifiques azulejos datant de la seconde moitié du 18e s. Il accueille des expositions temporaires consacrées à l'art religieux. Une occasion unique pour pénétrer dans ce superbe palais.

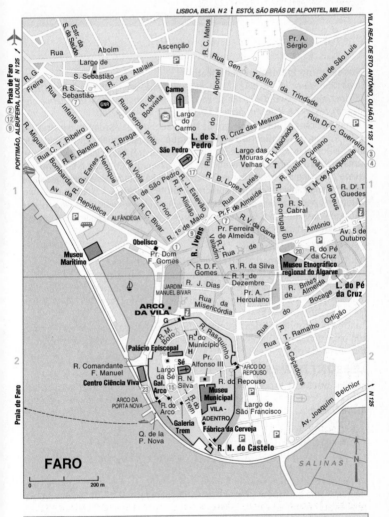

FARO

0 ——————— 200 m

SE LOGER		SE RESTAURER			
Hôtel Faro	①	Camané	②	Mesa dos Mouros	⑮
Pensão Bela Vista	③	Casa de Pasto Algarve	④	O Aldeão	⑰
Pensão Residencial Adelaide	⑤	Chalavar	⑦	Pontinha	⑳
Pensão Residencial Central	⑦	Couleur France	⑨	V. I. V. M. A. R.	㉓
Pensão Residencial Oceano	⑨	Gigi	⑫		

La lagune à la lisière de la vieille ville.

Musée municipal (Museu Municipal)

Largo Dom Afonso III - ℘ 289 89 74 00 - juin-sept. : mar.-vend. 10h-19h, w.-end 11h30-18h ; oct.-mai : mar.-vend. 10h-18h, w.-end 10h30-17h (dernière entrée 1h av. fermeture) - fermé j. fériés - 2 €, grat. dim. jusqu'à 14h30.

Ce musée occupe l'ancien couvent de Nossa Senhora da Assunção, construit au 16e s. Au sein de la **collection archéologique** (Museu Arqueológico Lapidar do Infante Dom Henrique), répartie dans les galeries du très beau cloître Renaissance, remarquez la mosaïque romaine figurant le dieu Neptune (3e s. apr. J.-C.), exhumée à Faro dans une maison de la rua Dom Henrique. À l'étage, une salle d'art sacré renferme une belle collection de peintures (du 16e au 19e s.).

Plusieurs salles accueillent des expositions temporaires et, les soirs d'été, des concerts (musique classique, jazz, fado, etc.) sont organisés dans la chapelle. Vous pouvez obtenir le programme à l'office de tourisme.

Les galeries municipales

À proximité de la cathédrale, d'anciens édifices militaires ont été transformés en galeries d'art. La **galeria Trem** expose les œuvres d'artistes contemporains portugais et étrangers *(R. do Trem - ℘ 289 89 74 00 - juin-sept. : mar.-vend. 10h-18h, lun., sam. 14h30-18h ; oct.-mai : mar.-vend. 9h30-17h30, lun., sam. 14h-17h30 - fermé j. fériés - grat.).*

L'ancienne brasserie, **Fábrica da Cerveja** *(R. Nova do Castelo)*, adossée aux remparts sud, passe difficilement inaperçue. Cet imposant édifice jaune accueille des expositions temporaires.

LE FRONT DE MER

Faro est avant tout un port, et la vie locale se concentre sur le front de mer. La praça Dom Francisco Gomes, dominée en son centre par un **obélisque** haut de 15 m, l'avenida da República et le jardin Manuel Bivar, plantés tous deux de palmiers, participent à l'attrait de ce quartier aux perspectives modernes.

Musée maritime (Museu Marítimo)

R. da Comunidade Lusiada - ℘ 289 89 49 90 - lun.-vend. 14h30-16h30 - fermé j. fériés - 1 €.

Installé dans la capitainerie du port, le Museu Marítimo expose notamment des maquettes de bateaux et présente les différents types de pêche (thon, sardine, poulpe, etc.) pratiqués dans la région.

Centre d'études « Ciência Viva »

R. Comandante Francisco Manuel - ℘ 289 89 09 20 - www.ccvalg.pt - 1er juil.-15 sept. : mar.-dim. 14h-22h, reste de l'année : mar.-vend. 10h-17h, w.-end et j. fériés 11h-18h - fermé 1er janv., 1er mai, 24, 25 et 31 déc. - 4 €.

Près du port de plaisance, ce centre dédié à la science et la technologie présente des expositions interactives permettant d'explorer le système solaire ou de naviguer dans un monde virtuel. Exposition permanente sur le Soleil et son influence sur la Terre.

LE CENTRE-VILLE

Près du port se déploie un quartier piéton très animé, où les boutiques de vêtements côtoient les vastes terrasses de restaurants et de cafés. Il est agréable d'y faire du lèche-vitrine, et quelques monuments intéressants se trouvent à proximité.

Musée régional d'ethnologie (Museu Etnográfico Regional)

Praça da Liberdade, 2 - ☎ *289 82 76 10 - lun.-vend. 9h-12h30, 14h-17h30 - fermé j. fériés - 1,50 €.*

Ce musée évoque les traditions de la région à travers des photographies, des peintures, des objets usuels, des maquettes (dont celle d'une madrague, gigantesque filet naguère utilisé pour la capture des thons), des reconstitutions (épicerie, intérieur paysan avec cuisine, écurie, four à pain), des mannequins costumés… Expositions temporaires d'artistes locaux au rez-de-chaussée.

Église de São Pedro

Largo de São Pedro - 9h-13h, 15h-19h.

L'intérieur de cette église bâtie au 16e s. est décoré d'une frise d'azulejos polychromes du 18e s. La chapelle das Almas est entièrement revêtue de panneaux d'azulejos bleu et blanc. Quant à la chapelle du Très-Saint-Sacrement (Santíssimo Sacramento), elle est couverte de boiseries dorées de style baroque.

Église do Carmo

Largo do Carmo - mai-sept. : lun.-vend. 10h-13h, 15h-18h, sam. 10h-13h ; oct.-avr. : lun.-vend. 10h-13h, 15h-17h, sam. 10h-13h - 1 €.

Cette majestueuse église baroque a vu sa construction s'étaler sur tout le 18e s. et le début du 19e s. Dans la petite cour s'élève la **chapelle des Ossements** dont les parois sont tapissées d'os et de crânes provenant d'un ancien cimetière.

Aux alentours

PARC NATUREL DA RIA FORMOSA

Constituée d'une lagune fermée par un cordon littoral, la partie à l'est de Faro, appelée « Sotavento » (sous le vent), offre des paysages très variés. Pour préserver ce milieu naturel exceptionnel, toute la côte, d'Ancão (près de Quinta do Lago) à Manta Rota (près de Cacela Velha), a été classée Parc naturel de la ria Formosa en 1987. S'étendant sur 18 400 ha pour une longueur de 60 km, ce parc comprend des dunes, des lagunes, des canaux et des îles d'un grand intérêt ornithologique. C'est aussi une région riche en mollusques et en crustacés et un lieu très important pour la reproduction des poissons. La poule sultane *(caimão comum)*, oiseau rare au Portugal, sert d'emblème au parc, où elle se reproduit.

👁 **Bon à savoir** – Les plages, sur le cordon littoral, sont reliées à la terre ferme par bateau ou par des passerelles construites sur la lagune.

Plage de Faro (Praia de Faro ou Ilha de Faro)

9 km. Prendre la direction de l'aéroport. On peut aussi y accéder par les bus n° 14 ou 16.

🚻 La plage est un cordon de sable relié au continent par un pont, entre l'Océan et la ria Formosa ; la pointe orientale révèle une jolie **vue**★ sur Faro dont les maisons blanches se reflètent dans la lagune. Le club nautique y propose diverses activités.

Ilha Deserta (ou Ilha da Barreta)

Juin-sept. : quatre bateaux par jour au dép. de l'embarcadère d'arco da Porta Nova.

Comme son nom l'indique, c'est une île déserte… ou presque. Elle abrite quelques cabanes de pêcheurs et un restaurant de poisson. Le point le plus méridional du Portugal se trouve sur cette île, au **cap de Santa Maria**.

Domaine de Marim (Quinta de Marim)

Très mal indiqué. À 1 km d'Olhão (voir ci-dessous) vers Tavira par la N 125, prendre à droite en direction de la ria Formosa. Aller tout droit et franchir la voie ferrée. Continuer tout droit, l'entrée du centre se trouve en face du snack-bar Vista Formosa. ☎ *289 70 41 34 - www.icn.pt - Parc : 8h-20h ; centre d'information : 9h-12h30, 14h-17h - possibilité de suivre des visites guidées et de loger dans le Parc sur réserv. - plan fourni à l'entrée - 1,50 €.*

Ce centre d'information vous renseignera sur le sentier pédestre qui traverse le Parc. Long de 3 km *(2h30)* et ponctué de panneaux explicatifs, il permet d'appréhender les différents écosystèmes du littoral (pinèdes, dunes, marais salants, etc.). Entre autres découvertes, vous pourrez visiter un chenil, où sont élevés les fameux « chiens d'eau » *(cão de água)* de l'Algarve. Ces chiens, aux pattes palmées, aidaient les pêcheurs à poser leurs filets sous l'eau.

OLHÃO

11 km à l'est de Faro.

Olhão est un actif port de pêche à la sardine et au thon, où s'alignent les conserveries. En dépit de sa pittoresque physionomie de ville mauresque, aux ruelles étroites, aux maisons cubiques blanches, couvertes de terrasses et dotées de cheminées cornières, la « ville cubiste » fut fondée au 18e s. par des pêcheurs venus de la ria de Aveiro au nord du pays. Elle devrait son architecture originale aux relations commerciales qu'elle entretint avec l'Afrique du Nord.

Le clocher de l'**église paroissiale**, située sur la rue principale menant au port *(accès par la première porte à droite en entrant dans l'église - 9h-11h30, 15h-17h - 1 €)*, offre un **panorama★** curieux sur l'ensemble d'Olhão. Un grand nombre de maisons sont couvertes de terrasses *(açoteias* et *mirantes)* de différents niveaux reliées les unes aux autres par de petits escaliers. L'ensemble forme un lumineux tableau.

De l'agréable promenade en bordure de la ria que constitue le **parc Joaquim Lopes**, on découvre le port de pêche et l'immensité plate des cordons littoraux. À proximité du parc, les **halles** sont, le samedi, entourées d'un marché très animé.

AU NORD-OUEST DE FARO

Église de São Lourenço★★

15 km. Prendre la N 125 en direction d'Albufeira et tourner à droite avant Almancil - ℰ 289 39 54 51 - lun. 14h30-17h, mar.-sam. 10h-13h, 14h30-17h - 2 €.

Cet édifice roman, transformé à l'époque baroque, est tapissé d'**azulejos★★** datant de 1730, dus à Bernardo, artiste connu sous le nom de Policarpo de Oliveira Bernardes. Ceux qui recouvrent les murs et la voûte représentent des scènes de la vie de saint Laurent et son martyre. On reconnaît : de part et d'autre du chœur, la guérison des aveugles et la distribution aux pauvres d'argent produit par la vente des vases sacrés ; dans la nef, à droite, la rencontre entre le saint et le pape, le saint en prison, à gauche, les préparatifs du martyre et saint Laurent, sur son gril, réconforté par un ange.

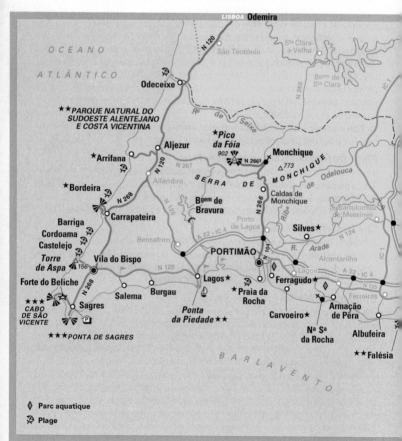

◊ Parc aquatique

♒ Plage

À l'arrière de l'église, un vaste panneau d'azulejos montre saint Laurent présentant son gril sous une coquille baroque.

Centre culturel (Centro Cultural) de São Lourenço – ℘ 289 39 54 75 - mar.-dim. 10h-19h - grat. Dans une maison typique de l'Algarve située près de l'église, le centre culturel organise toute l'année des concerts et des expositions présentant des œuvres d'artistes portugais et étrangers contemporains.

Quinta do Lago et Vale do Lobo
Suivre la N 125 jusqu'à Almancil, et prendre à gauche la route menant aux plages.
Ces deux ensembles résidentiels sont intéressants à visiter en tant qu'exemples d'aménagements de grand luxe : ils comprennent plusieurs terrains de golf, des country-clubs, de grands hôtels et, tout autour, de splendides villas nichées dans une forêt de pins parasols. Leurs plages sont accessibles par des passerelles qui enjambent la lagune.

Vilamoura
23 km par la N 125 puis la route côtière.
La station balnéaire de Vilamoura et sa voisine **Quarteira**, dont les hautes tours bordent un large boulevard, ont vu se construire le long de leurs plages de très vastes complexes touristiques. Une superbe route bordée de palmiers mène à Vilamoura, qui abrite des résidences de luxe et des hôtels, un casino, quatre terrains de golf et une marina pouvant accueillir plusieurs centaines de yachts. Le plus surprenant est de découvrir, au milieu de ces constructions, les ruines d'une cité romaine.

Musée et site archéologique de Cerro da Vila (Museu e Estação Arqueológica do Cerro da Vila) – *En direction de Praia de Falésia. Bâtiment moderne situé 200 m avant le parking Cerro da Vila -* ℘ 289 31 21 53 - mai-oct. : 10h-13h, 16h-21h ; nov.-avr. : 9h30-12h30, 14h-18h - fermé 1er janv., dim. de Pâques et 25 déc. - 2 €.

Les fouilles entreprises depuis 1964 ont mis au jour, sous les vestiges wisigothiques et maures, ceux d'une cité romaine comprenant une villa patricienne du 1er s. dotée d'un bain privé et d'une cave, un monument funéraire, des puits, des silos, des étables,

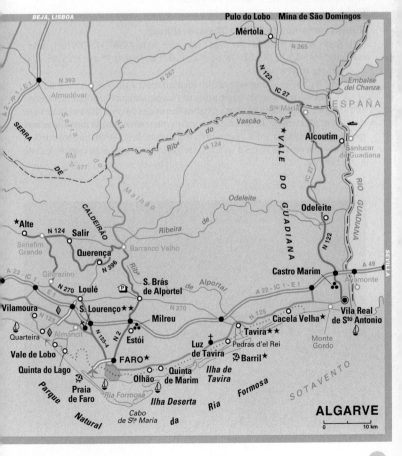

un pressoir et, en contrebas, les ruines de thermes publics du 3e s. La mer venait alors jusqu'ici et ces thermes se trouvaient près du port ; ils étaient fréquentés par les marins qui y faisaient escale.

De beaux panneaux ou fragments de mosaïques, polychromes ou noir et blanc, ornent les sols et bassins (ultérieurement convertis en bacs de salaison et viviers). Le musée présente des vestiges de diverses époques trouvés sur place (pièces de monnaie, céramiques).

Plage (Praia) de Falésia★★ – *Après la marina (direction Praia de Falésia), au bout de la route, parking grat. au soleil et payant à l'ombre.* Un chemin aboutit à l'extrémité est de cette magnifique plage. Les falaises qui font sa renommée se trouvent plus loin, vers l'ouest, en direction d'**Albufeira** *(voir ce nom)*. Les plus courageux pourront marcher, sinon rapprochez-vous en voiture.

Église Nossa Senhora da Conceição – *Largo da Igreja (dans la vieille ville de Quarteira) - mar., jeu. et sam. 9h30-13h.* L'intérieur, tapissé de beaux azulejos du 17e s., abrite un retable en bois doré du 18e s.

Circuit de découverte

SERRA DO CALDEIRÃO

107 km – Prévoir une journée. Voir carte p. 258.

Ce circuit permet de découvrir un aspect peu connu de l'Algarve, entre les collines calcaires du *barrocal* et les monts schisteux de la serra do Caldeirão, à quelques kilomètres seulement de la côte et néanmoins loin de son agitation. Les villages blancs et fleuris gardent leur physionomie traditionnelle et l'artisanat y est encore une activité importante. Ici, les paysages changent au fil des saisons : en janvier-février, ce sont les nuées blanches des amandiers en fleur qui envahissent la serra ; au printemps, elle est constellée du blanc des fleurs des cistes ; en hiver comme en été, les oranges se détachent dans le vert profond des vergers… Et les senteurs : eucalyptus, pins, lavandes sauvages, cistes, valent à elles seules la visite.

Quitter Faro par la N 2. À 10 km, prendre à droite la route d'Estói (vers Tavira).

Ruines romaines de Milreu (Ruínas de Milreu)

R. de Faro - ☎ 289 99 78 23 - avr.-sept. : mar.-dim. 9h30-12h30, 14h-18h ; oct.-mars : mar.-dim. 9h30-12h30, 14h-17h - fermé 1er janv., dim. de Pâques, 1er mai et 25 déc. - 2 €, grat. dim. et j. fériés le matin.

On y voit les ruines d'une *villa rustica* (exploitation agricole) qui date du 2e s. apr. J.-C. Autour des colonnes du péristyle, des soubassements en brique de maisons et de thermes encadrent les zones d'habitation et des bassins, dont plusieurs ont gardé leur revêtement de mosaïque polychrome : remarquez la **mosaïque aux gros poissons** qui décore la baignoire du frigidarium des thermes du côté ouest. À proximité s'élèvent les restes d'un édifice religieux du 4e s. où était célébré le culte d'une nymphe.

F. Dyan/MICHELIN

La Praia da Falésia, entre mer et falaise.

Les amandiers de l'Algarve

Si l'Algarve est célèbre pour la beauté de ses plages, son arrière-pays ne manque pas de charme avec ses vergers plantés de figuiers, d'orangers et d'amandiers. La légende raconte qu'un émir maure avait épousé une princesse scandinave. Celle-ci se languissait loin des neiges nordiques et, pour rendre le sourire à sa jeune épouse, l'émir ordonna la plantation d'un immense champ d'amandiers dans son domaine. Un matin de janvier, la princesse eut la surprise de voir le paysage couvert de myriades de fleurs d'amandiers dont l'éblouissante blancheur, n'ayant rien à envier à celle des flocons de neige, lui causa une grande joie.

Jardins du palais d'Estói★ (Palácio do Estói)

À 1 km de Milreu. Dans Estói, à 100 m de l'église - lun.-sam. 9h-17h - fermé j. fériés - grat.

L'ensemble a un charme tout romantique qui évoque les palais italiens. Une allée de palmiers mène aux jardins bordés d'orangers qui s'élèvent en terrasses jusqu'à la façade baroque d'un petit palais du 18e s. Les terrasses à balustres, ornées de pièces d'eau, de statues, de bustes et vases en marbre ou en terre cuite, d'azulejos bleus ou polychromes à sujets mythologiques ou fantaisistes, de fragments de mosaïques romaines provenant de Milreu, composent un joli tableau. Malheureusement l'édifice, qui attend toujours le commencement des travaux de restauration, se trouve dans un état très dégradé.

Revenir sur la N 2 et reprendre vers le nord.

São Brás de Alportel

D'origine maure, l'ancienne Xanabus est une petite ville tranquille, située sur une hauteur et peuplée de maisons blanches surmontées de leurs cheminées typiques. Premier grand centre d'extraction du liège au Portugal, elle conserve encore quelques industries liées à cette activité et est également un gros producteur de caroubes, d'amandes et de figues.

Musée du Costume de l'Algarve - Maison de la culture António Bentes (Museu do Trajo do Algarve - Casa da Cultura António Bentes) – ℘ 289 84 01 00 - www.museu-sbras.com - lun.-vend. 10h-13h, 14h-17h, w.-end et j. fériés 14h-17h - 2 €. Installé dans une belle maison bourgeoise de la fin du 19e s., ce musée présente une collection intéressante de costumes traditionnels des 19e et 20e s., de charrettes et voitures anciennes, d'outils agricoles (en particulier pour travailler le liège) et de sculptures religieuses populaires ; il organise en outre des expositions temporaires.

Devant le musée, vous apercevez le beau jardin de l'ancienne résidence des évêques de l'Algarve.

Suivre la N 2 sur 14 km. La route dessine d'innombrables lacets, entre pins et eucalyptus. À Barranco Velho, prendre la N 396 en direction de Querença.

Querença

Juché sur les versants d'une colline culminant à 276 m, ce village abrite l'**église Nossa Senhora da Assunção**, dont la fondation est attribuée aux templiers. Entièrement reconstruite en 1745, elle conserve toutefois son portail manuélin. À l'intérieur, on peut admirer de beaux bois dorés. *Si l'église est fermée, demander les clés à l'office de tourisme situé en face.*

Les maisons d'un blanc éclatant possèdent encore souvent leur four traditionnel. Dans la garrigue poussent les arbousiers, dont les fruits servent à produire la célèbre eau-de-vie de l'Algarve, l'**aguardente de medronho**.

Reprendre la route vers Aldeia da Tôr, village à côté duquel on peut voir un pont romain. Suivre la direction de Salir.

Salir

De son château en ruine, érigé par les Maures (12e-13e s.), s'offrent de belles vues sur la serra.

Rocha da Pena – Au nord-est du village, sur cette hauteur sauvage et escarpée (479 m), s'élèvent deux murailles datant du Néolithique. Un sentier pédestre *(4,7 km)* permet de découvrir la flore et la faune locales, protégées en raison de leur grande richesse : on peut y observer le grand duc, l'aigle de Bonelli et la buse variable, ainsi que le renard, la genette et la mangouste.

Prendre la N 124 vers Alte (13 km).

Alte★

Les maisons blanches de ce joli village aux ruelles étroites et sinueuses s'accrochent aux versants d'une hauteur de la serra. En bas du village, deux fontaines ombragées, Fonte Pequena et Fonte Grande, où sont installées des tables en pierre pour les pique-niques, offrent une pause agréable. On y organise des fêtes et des pèlerinages.

Église paroissiale – Cette église fondée avant le 16e s. arbore un beau portail manué-lin. À l'intérieur, l'une des chapelles est totalement couverte d'azulejos du 18e s. La chapelle de Notre-Dame-de-Lourdes est ornée d'azulejos polychromes en relief de type sévillan du 16e s.

Reprendre la N 124. À Benafim Grande, tourner à droite dans une petite route qui conduit à la N 270, que l'on atteint au village de Gilvrazino. Suivre la direction de Loulé.

Loulé

Cette ville, qui fut habitée par les Romains, conserve quelques pans de la muraille de son château maure. Grand centre horticole et artisanal, on y vend les produits provenant des villages de la serra, en particulier dans l'étonnant bâtiment de style néomauresque (19e s.) du marché, très animé, où l'on peut trouver de belles poteries *(tous les mat. sf dim.)*. Dans la rua da Barbaca, de nombreux artisans exercent leur métier : tressage du palmier nain (pour la confection de chapeaux, de paniers, etc.), sparterie (tapis), travail du cuir, du cuivre, du laiton, sellerie et harnais…

👁 **Bon à savoir** – Loulé est également célèbre pour son **carnaval** qui serait à l'origine de celui de Rio de Janeiro. Le pèlerinage de Nossa Senhora da Piedade (Mãe Soberana), le deuxième dimanche suivant Pâques, est la fête religieuse la plus importante de l'Algarve.

Musée municipal de Arqueologia (Château) – ☎ 289 40 06 00 - lun.-vend. 9h-17h30, sam. et j. fériés 10h-14h - fermé 1er janv. et 25 déc. - 1, 04 €. Il présente de façon attrayante des pièces archéologiques de la région et la reconstitution d'une **cuisine tradition-nelle** du 19e s. Le ticket d'entrée donne également accès aux **remparts**.

Église paroissiale – *Entrée par la porte latérale.* Fondée au 13e s., cette église consacrée à saint Clément a été remaniée au fil des siècles. Elle présente un portail à arc brisé. L'intérieur, à trois nefs, contient des chapiteaux ornés de motifs végétaux. Remarquez une chapelle manuéline et une autre, Renaissance. Le chœur est surmonté d'une fenêtre géminée.

Revenir à Faro par la N 125-4.

Faro pratique

Informations utiles

Indicatif téléphonique – *289*

Code postal – *8000*

Hôpital central – *R. Leão Penedo - ✆ 289 89 11 00.*

🛈 **Posto de turismo** – *R. da Misericórdia, 8-12 - 8000-269 - ✆ 289 80 36 04.*

🛈 **Região de turismo** – *Av. 5 de Outubro, 18-20 - 8001-902 - ✆ 289 80 04 00.*

Internet – Planet Hardware – *R. Ferreira Neto - ✆ 289 80 31 33 - 10h-23h - 2,50 €/h.*

Transports

Aéroport – L'aéroport international se trouve à 8 km à l'O de Faro. Bus n°s 14 et 16 pour le centre-ville, ttes les 45mn env. (1,75 €). Pour le même trajet en taxi, comptez 13 €.

Train – *Rens. à la gare ou à l'office de tourisme.* La gare est située au bout de l'av. da República. Il existe une ligne Lagos-Vila Real de Santo António *via* Faro : env. 8 trains par jour pour Albufeira, Portimão et Lagos, une dizaine de trains pour Tavira, ainsi que pour la frontière espagnole (Vila Real de Santo António).

Bus – La gare routière se trouve av. da República, derrière le Musée maritime : bus n°s 14 et 16 pour la plage de Faro.

Location de voitures – La plupart des compagnies sont représentées à l'aéroport.
En ville : Europcar - *av. da Republica, 2 - ✆ 289 82 37 78.*

Visite

Visite guidée du centre historique – *Réserv. au moins 2 j. av. auprès du musée - ✆ 289 89 74 00 - 2 €.*

Se loger

🛏 **Pensão Residencial Central** – *Largo Terreiro do Bispo, 12 - ✆ 289 80 72 91 - fermé 1 sem. en mai -🍴- 8 ch. 40/50 €.* Petit hôtel refait à neuf possédant des chambres confortables et lumineuses à prix doux. Certaines d'entre elles sont pourvues d'un balcon donnant sur la placette. Salles de bain avec baignoire et accueil charmant. Sans doute la meilleure adresse dans cette catégorie.

🛏 **Pensão Residencial Oceano** – *Travessa Ivens, 21-1° - ✆ 289 82 33 49 - fermé à Noël - 10 ch. 37/47 €.* Localisation idéale pour cet établissement de la zone piétonne toute proche de la marina. Les chambres y sont récentes et bien tenues avec un mobilier simple en bois blanc et des couvre-lits roses. Salles de bain avec baignoire. L'escalier menant à la réception est un peu raide.

🛏 **Pensão Residencial Adelaide** – *R. Cruz das Mestras, 9 - ✆ 289 80 23 83 - www.adelaideresidencial.com -▤🍴- 19 ch. 35/60 €. ☕* Un petit hôtel qui offre des chambres spacieuses et agréables au mobilier contemporain. Évitez celles qui donnent sur la rue, surtout le week-end. Accès Internet.

🛏🛏🛏 **Hôtel Faro** – *Praça D. Francisco Gomes, 2 - ✆ 289 83 08 30 - www.hotelfaro.pt - ✗ 🅿 ▤ - 90 ch. 98/162 €. ☕.* Luminosité et simplicité du design caractérisent ce bel hôtel flambant neuf dressé face au port. Chambres et salles de bain très confortables. Le petit-déjeuner est servi au restaurant du dernier étage dont la magnifique terrasse rappelle le pont d'un bateau. Vue panoramique sur la marina, les îles et la vieille ville.

À OLHÃO

🛏 **Pensão Bela Vista** – *R. Dr Teófilo Braga - ✆ 289 70 25 38 - ▤🍴 - 23 ch. 40/45 €.* Voilà une pension bien tenue à proximité du bord de mer qui offre un bon rapport qualité-prix. Ses chambres, qui sont décorées d'azulejos contemporains, donnent soit sur le patio lumineux, soit sur la terrasse commune du toit. Salles de bain modernes et spacieuses.

Se restaurer

🍴 **Chalavar** – *R. Infante Dom Enrique, 120 - ✆ 289 82 24 45 - fermé dim. -🍴- 8/14 €.* Ce restaurant convivial, tenu par un pêcheur, offre des plats simples et copieux à déguster près de la grande cheminée. Les amateurs de sardines et de maquereaux grillés seront comblés.

🍴 **V.I.V.M.A.R.** – *R. Comandante Francisco Manuel, 8 - ✆ 919 18 40 00 - fermé dim. -🍴- env. 10 €.* Sur le bord de mer, au pied des remparts de la vieille ville, le restaurant populaire de l'Associação dos Viveiristas e Mariscadores da Ria Formosa (l'Association des marins pêcheurs de ria Formosa). Fréquenté par les gens du milieu. Les produits passent directement du pêcheur au consommateur. Carte qui varie selon la pêche du jour.

🍴 **Pontinha** – *R. Pé da Cruz, 5 - ✆ 289 82 06 49 - fermé dim. - 9/16 €.* Derrière la zone piétonne, sur la praça da Liberdade, un restaurant simple proposant un large choix de plats et de spécialités locales comme la *cataplana*, le riz aux fruits de mer et les différentes recettes de morue. Plutôt réservée aux groupes, la salle du premier étage avec son plafond typique en roseaux et poutres apparentes est la plus agréable. Accueil chaleureux.

🍴🍴 **Mesa dos Mouros** – *Largo da Sé, 10 - ✆ 289 87 88 73 - 12h-15h et 19h30-23h - fermé dim. - 17/33 €.* Si vous passez sur la place de la cathédrale au cours de votre promenade dans la vieille ville, n'hésitez pas à vous arrêter à la terrasse de ce restaurant pour un dîner raffiné. En plus de jouir d'un cadre magnifique et du concert des cigognes, vous devrez choisir parmi les palourdes à l'ail et à la coriandre, les crevettes au curry et le steak au poivre. Prix raisonnables.

😊😊 **O Aldeão** – *Largo de S. Pedro, 54-57 -* 📞 *289 82 33 39 - fermé dim. - 18/28 €.* Sur la paisible place de l'église S. Pedro, un restaurant plein de charme avec ses petites haies d'arbustes délimitant son estrade et sa terrasse. À l'intérieur, une décoration soignée vous attend dans laquelle vous prendrez plaisir à découvrir les spécialités de l'Alentejo et de l'Algarve cuisinées avec créativité. Une adresse originale.

😊😊😊 **Camané** – *Av. Nascente (praia de Faro) - fermé lun. et 2 sem. en mai -* 📞 *289 81 75 39 - res.camane@eol.pt -* 🖥 *- 40/75 €.* Restaurant dont l'agréable terrasse donne sur la ria Formosa. Spécialités de fruits de mer.

À OLHÃO

😊 **Casa de Pasto Algarve** – *Praça Patrão Joaquim Lopes, 18-20 -* 📞 *289 70 24 70 - fermé dim. en été -* 🍴 *- env. 15 €.* Un restaurant populaire sur une placette précédant le front de mer. On y déguste en toute simplicité des filets d'espadon, de la raie ou du riz à la marinière. Préférez la terrasse à la salle, plutôt quelconque.

À QUINTA DO LAGO

😊😊 **Gigi** – *Praia Quinta do Lago (parking payant) -* 📞 *964 04 51 78 - fermé nov.-fév. -* 🍴 *- 15/30 €.* Une clientèle dorée mais décontractée fréquente ce restaurant aux allures de bar de plage. Une passerelle permet d'accéder à la grande cabane qui précède les dunes et où l'on mange du poisson grillé. C'est le rendez-vous incontournable de ce Beverly Hills à la portugaise qu'est Quinta do Lago !

À ALMANCIL

😊😊 **Couleur France** – *Vale d'Éguas (de Faro, prendre la 2e sortie pour Almancil ; après le pont, traverser la route et prendre sur la droite) -* 📞 *289 39 95 15 - fermé sam. et dim. midi - 15/35 €.* De par sa toute nouvelle situation, Couleur France offre

plus de confort et d'espace. Excellente cuisine gastronomique. Belle sélection de vins français.

Faire une pause

Café Aliança – *R. Francisco Gomes, 9 -* 📞 *289 80 16 21.* Magnifique café dont la décoration des années 1940 est restée intacte avec de splendides azulejos derrière le comptoir et des accolades. Vous serez séduit par son charme nostalgique et son agréable terrasse.

Pastelaria Gardy – *R. de Santo António, 16 et 33 -* 📞 *289 82 40 62 - fermé dim.* Le café chic où les élégants de la ville se retrouvent autour d'une pâtisserie.

Versailles – *R. Ivens, 7 -* 📞 *289 82 84 35.* Jolie terrasse au cœur de la zone piétonne. Idéale pour prendre un verre dans la journée ou un jus de fruits frais accompagné de sandwichs et d'un large choix de pâtisseries portugaises.

Achats

Loja da Agricultura Associada – *R. Comandante Francisco Manuel, 39 -* 📞 *289 81 66 63 - fermé w.-end.* Une halte gourmande pour découvrir les spécialités de l'Algarve : gâteaux aux figues et aux amandes, eau-de-vie de Monchique, vins de la région de Lagos, etc.

Sports et Loisirs

🧍 **Animaris** – 📞 *918 779 155 - www.ilha-deserta.com - dép. tlj à 11h30 et 15h du quai de la Porta Nova (au S du quartier ancien) - 20 €.* Ces promenades en bateau (2h30) permettent d'observer la faune et la flore du Parc naturel da ria Formosa. Pause sur l'Ilha Deserta. Une excellente façon de découvrir ces paysages magnifiques.

Événement

À OLHÃO

Festa do Marisco – Aux alentours du 10 août : danses et musiques traditionnelles.

Tavira★★

10 434 HABITANTS
CARTE MICHELIN 733 U7 – CARTE : ALGARVE P. 258
DISTRICT DE FARO

Que l'on arrive des paysages désertiques alentejans ou des frénétiques stations balnéaires algarviennes, Tavira apaise et ravit à la fois. Son centre, parfaitement préservé, possède un charme unique avec ses ruelles étroites, les rives de son fleuve agrémentées de jardins, ses innombrables églises et son marché couvert très animé. La ville est une invitation à ralentir le pas pour découvrir çà et là les maisons blanches aux portes ornées de moucharabiehs, héritage des Maures, les typiques cheminées de l'Algarve et, surtout, les gracieuses toitures à quatre pans retroussés, dites « de tesouro ».

- **Se repérer** – Tavira est située à 29 km à l'ouest de la frontière espagnole et à 30 km à l'est de Faro, par la N 125.
- **Se garer** – Stationnement payant en ville : garez-vous près de la praça da República, sur la rive droite.
- **À ne pas manquer** – La vieille ville de Tavira ; la plage do Barril.
- **Organiser son temps** – Prévoir une journée pour visiter Tavira : pause-déjeuner le long de la rivière et après-midi à la plage de l'Ilha de Tavira ou à Praia do Barril.
- **Avec les enfants** – Le Centre des sciences ; le petit train de Praia do Barril.
- **Pour poursuivre le voyage** – Faro, la vallée du Guadiana.

Les gracieuses toitures de Tavira.

P. De Franqueville/MICHELIN

Se promener

Tavira bénéficie d'une situation agréable sur l'estuaire du rio Gilão, au pied d'une colline cernée des vestiges des murailles construites par le roi Denis. Le tremblement de terre de 1755 démolit la plupart de ses édifices et entraîna l'ensablement du port. Naguère grand centre de la pêche au thon, Tavira s'est surtout orientée vers le tourisme.

LE QUARTIER ANCIEN★

Partir de la praça da República. Suivre l'avenue dans le prolongement du pont romain et prendre l'escalier qui passe sous l'arc da Misericórdia.

Église da Misericórdia

Vous découvrez son portail Renaissance et, à l'intérieur, ses murs couverts de panneaux d'azulejos historiés du 18e s. représentant les œuvres de la Miséricorde. Dans le chœur se trouve un retable en bois doré de la même époque.

Prendre à droite en sortant de l'église.

Château maure

Lun.-vend. 8h-17h, w.-end et j. fériés 10h-19h - grat.

Il ne reste de ce château que les murailles crénelées enserrant un beau jardin planté de roses, de bougainvilliers, d'hibiscus, de lauriers-roses, etc. On y bénéficie d'une très belle vue sur les toits de Tavira.

Église Santa Maria do Castelo

Construite sur le site d'une ancienne mosquée, cette église a gardé sa façade gothique. Le chœur abrite le tombeau des sept chevaliers de l'ordre de Saint-Jacques, dont l'assassinat par les Maures déclencha la reconquête de la ville. Remarquez la voûte nervurée de la chapelle à gauche de l'entrée et les azulejos du 18e s.

L'église fait face au **largo da Graça**, jolie place en pente, très fleurie et ombragée.

Longer l'église par la gauche (calçada da Galeria) et descendre la rue jusqu'au Palácio da Galeria. De là, rejoindre la praça da República pour traverser le fleuve.

LA RIVE GAUCHE

Le **pont romain** mène à un quartier sympathique, où règne une ambiance festive. Près du quai, dans les ruelles perpendiculaires, les terrasses de restaurants et de bars ont partout investi la chaussée. De cette rive, vous bénéficierez d'une **vue★** magnifique sur le quartier ancien et ses maisons aux allures de pagodes.

Monter la rua 5 de Outubro jusqu'à la praça Dr Padinha, à droite.

Église São Paulo

À l'intérieur de cette église du 17e s., sept chapelles sont décorées d'impressionnantes boiseries baroques du 18e s. Le sol du transept est couvert de carreaux rouges et de losanges peints.

En sortant de l'église, monter la rua de São Brás puis prendre la première à droite, jusqu'au largo do Carmo.

Église do Carmo

Elle fut construite au 18e s. L'intérieur baroque contient un beau retable en bois doré.

Centre des sciences (Centro Ciência Viva)

𝄞 *281 32 62 31 - www.tavira.cienciaviva.pt - lun.-vend. 10h-18h, w.-end 14h-18h - 4 €.*

👥 Installé dans un ancien couvent, de l'autre côté de la place, ce centre « d'initiation aux sciences » permet aux petits et aux grands de réaliser diverses expériences comme observer des micro-algues au microscope ou analyser de l'eau en laboratoire.

Pour retourner au fleuve et au centre, rebrousser chemin à travers les ruelles.

Aux alentours

Le Parc naturel de la Ria Formosa prend fin à Manta Rota, près de Cacela Velha. La région de Tavira offre donc, comme celle de Faro, le paysage d'une lagune séparée de l'Océan par un cordon littoral, où s'étirent de belles plages accessibles en bateau.

La jolie façade de l'église de Luz de Tavira.

Ilha de Tavira

À 2 km à l'ouest de la ville, par la rive droite, jusqu'à l'embarcadère de Quatro Águas, puis accès par bateau : dép. env. ttes les heures de 8h à 19h30 - 1,50 € AR. En été uniquement, dép. de l'ancien port de pêche dans le centre-ville, près du grand pont (à 300 m de la praça da República). Un service d'Aqua Taxis (6 pers. max.) fonctionne de 8h à 21h (plus tard l'été) à partir des deux embarcadères - rens. : ☎ 964 51 50 73 (portable).

La plage de l'île de Tavira est l'une des plus fréquentées de cet endroit de la côte. Dotée de bars, de restaurants et d'un camping, elle attire un grand nombre de jeunes.

Plage (praia) do Barril★

5 km à l'ouest après Santa Luzia. À Pedras d'el Rei, franchir la passerelle et prendre le petit train (10mn), ou marcher le long de la voie ferrée jusqu'à la plage.

👥 Le village de **Pedras d'el Rei** est composé de villas et d'agréables jardins. Après la traversée de la lagune, on atteint le cordon littoral, où se déroule la longue plage de sable blond.

Luz de Tavira

6 km à l'ouest. À la sortie du village s'élève une église Renaissance à la toiture cantonnée de pots et au joli portail manuélin.

Cacela Velha★

12 km à l'est. Ce hameau, lové autour des ruines d'une forteresse médiévale et d'une petite église au superbe portail, forme un beau **belvédère** au-dessus de la lagune où mouillent les barques de pêche. En été, les restaurants de sa grand-place sont l'endroit idéal où savourer la cuisine traditionnelle locale.

Tavira pratique

Informations utiles

Indicatif téléphonique – *281*

Code postal – *8800*

🏛 **Posto de turismo** – *R. da Galeria -* ☎ *281 32 25 11.*

Internet – *Cybercafé Anazu - R. Jacques Pessoa, 11-13 -* ☎ *281 38 19 35 - 10h30-22h30 - 3 €/h.*

Transports

Bus – La gare routière (Centro Coordenador de Transportes) occupe un bâtiment moderne au bord du fleuve, à 300 m en amont du pont romain. 7 bus par jour sf w.-end pour Pedras d'el-Rei (praia do Barril).

Location de voitures – *Mudarent – R. da Silva, 18 D -* ☎ *281 32 68 15 - www.mudarent.com.*

LOCATION DE DEUX-ROUES

Les agences pratiquent des prix similaires : env. 7 €/j pour un vélo et autour de 18 €/j pour un scooter.

Casa Abilio – *R. João Vaz C. Real, 23 A (près du jardin da Alagoa) -* ☎ *281 32 34 67.* Vélos à louer.

Motor-Cycles Rental's – *Voir « Sports et Loisirs ».* Vélos et scooters. Organise également des excursions à vélo.

Visites

Visites guidées – *Dép. de l'office de tourisme - mar.-sam. : 10h30 et 15h - réserv. à la mairie -* ☎ *281 32 05 33.*

👥 **Train touristique** – *Dép. de la praça da República ttes les 40mn de 10h à 0h (été seulement) - 4 €.*

Se loger

🛏 **Residencial Lagôas Bica** – *R. Almirante Cândido dos Reis, 24 -* ☎ *281 32 22 52 - ⊟ - 17 ch. 30/45 €.* Le patio fleuri de cette pension très simple et bien tenue ressemble à un puits de lumière, et la terrasse offre une vue dégagée sur la ville blanche. Chambres assez petites, avec ou sans douche. Demandez de préférence celles du premier étage avec vue. Un réfrigérateur est à votre disposition pour préparer votre petit-déjeuner, à prendre en terrasse. Ambiance familiale.

🛏 **Pensão Residencial Castelo** – *R. da Liberdade, 22 -* ☎ *281 32 07 90 - ▦⊟ - 26 ch. 40/60 € ⊠.* Dotée d'une grande terrasse-patio avec échappées sur le château, cette pension propose des chambres et des salles de bain spacieuses et confortables, ainsi que huit appartements tranquilles et fonctionnels dans une annexe à des prix très raisonnables. Très bonne adresse en plein centre-ville.

🛏🛏 **Pensão Residencial Princesa do Gilão** – *R. Borda de Água de Aguiar, 10-12 -* ☎ *281 32 51 71 - ▦⊟ - 22 ch. 45/70 € ⊠.* Pension toute simple dressée sur les quais de la rivière Gilão en plein cœur de Tavira. En dépit de sa modernité, certaines chambres possèdent encore des dessus-de-lit à volants et un carrelage marron... mais l'ensemble déborde néanmoins de lumière et rutile de propreté. Chambres sur la rivière dotées de petits balcons bleus. Belle vue sur la ville. Avis aux nez sensibles : la rivière peut parfois sentir mauvais.

À SANTO ESTEVÃO

🍴🛏️🛏️ **Quinta da Lua** – *Bernardinheiro 1662 X - 8800-513 - sur la N 125 direction Faro, prendre à droite direction Santo Estevão, avant le village tourner à gauche, puis prendre à droite -* 📞 *281 96 10 70 - www.quintadalua.com.pt -* 🛏️ *- 8 ch. 155 €* ⊡. Dans l'arrière-pays de Tavira, cette maison d'hôte ressemble à un coin de paradis au milieu des orangers. Chaque chambre affiche une décoration sobre et soignée, et c'est un rêve de prendre son petit-déjeuner au bord de la piscine sous la pergola parfumée. Table d'hôte succulente.

Se restaurer

🍴 **Bica** – *R. Alm. Cândido dos Reis, 22 -* 📞 *281 32 38 43 - fermé sam. sf été -*🖼️*- 12/17 €.* Si vous recherchez une cuisine locale à petits prix, attablez-vous dans ce restaurant simple mais bon et typique. Sa carte ne vous décevra pas : poulet frit d'Algarve, poulpe frit, anguille grillée. Posté dans une rue parallèle aux quais, il dispose ses tables de plein air dans la petite ruelle attenante.

🍴 **Aquasul** – *R. A.S Carvalho, 11 -* 📞 *281 32 51 66 -*🖼️*- soir uniquement - 15/20 €.* Après le pont romain, engagez-vous derrière les quais dans cette jolie ruelle. Une Hollandaise et sa fille tombées amoureuses du restaurant de leurs vacances l'ont repris et cultivent un esprit plein de légèreté et de chaleur à l'image de leur carte : assiettes végétariennes inventives et spécialités italiennes. Cuisine du marché à savourer en toute décontraction.

🍴 **El Tango Argentino (A Doca)** – *Quatro Aguas (juste avant l'embarcadère) -* 📞 *281 38 18 07 - fermé jeu. - 15/20 €.* Une grande terrasse ombragée donnant sur la rivière, une carte variée (poissons et fruits de mer, viande d'Argentine) : pour trouver ce restaurant, prenez la direction de Quatro Aguas jusqu'à l'embarcadère pour l'île de Tavira.

🍴🍴 **Praça Velha** – *R. José Pires Padinha (mercado da Ribeira) -* 📞 *281 32 58 66 - fermé dim. en hiver - 20/30 €.* Si vous voulez manger sur les quais, allez jusqu'au marché couvert et choisissez cette jolie terrasse abritée sous de grands parasols blancs. Une carte variée de poissons, fruits de mer et coquillages de qualité vous y attend.

À SANTA LUZIA

🍴 **O Alcatruz** – *R. Jão António das Chajas, 46 -* 📞 *281 38 10 92 - fermé lun. - 12/20 €.* Cette petite maison couverte d'azulejos, et si semblable à ses voisines, abrite un restaurant populaire, où l'on vient manger le poisson du jour au milieu d'une clientèle d'habitués. Une adresse très couleur locale nichée dans une ruelle tranquille.

🍴 **Baixamar** – *Av. Eng. Duarte Pacheco -* 📞 *281 38 11 84 - fermé lun. -*🖼️*- env. 15 €.* Sur le front de mer de ce sympathique village de pêcheurs, vous pourrez manger directement les produits de la mer dans ce restaurant de poisson : délicieuse soupe, petites entrées à base de poulpe, palourdes à l'ail, riz au poulpe et le fameux *cataplana* de thon.

🍴🍴 **Capelo** – *Av. Eng. Duarte Pacheco -* 📞 *281 38 16 70 - fermé merc. - 20/35 €.* Ici, vous respirerez une atmosphère marine que ce soit en terrasse face à la mer ou bien dans la salle à la décoration marine. Au menu : poissons grillés, peu de viande. Une cuisine fraîche pour respirer l'air du large.

À LUZ DE TAVIRA

🍴 **Marisqueira Fialho** – *Pinheiro (tourner à gauche en direction de Torre de Aires, puis à droite, et longer la lagune) -* 📞 *281 96 12 22 - fermé lun. -*🖼️*- 12/16 €.* Voilà un petit restaurant sans prétention dont les habitués gardent jalousement l'adresse. C'est qu'il réserve des instants de bonheur simple avec sa treille face à la mer, ses chaises et ses quelques tables en plastique sur lesquelles se déguste un poisson grillé sous vos yeux ! Les prix défient toute concurrence. Attention à la fumée du gril et à l'orientation du vent…

Faire une pause

Pastelaria Anazu – *R. Jacques Pessoa, 11-13 -* 📞 *281 38 19 35.* C'est moins pour son charme que pour son animation que vous irez prendre un café ou une pâtisserie à cette adresse. Située en bordure des quais avec une agréable terrasse, elle sert de lieu de passage aux riverains et aux habitués du quartier.

Veneza – *Praça da República, 11 -* 📞 *281 32 37 81.* Cette pâtisserie pimpante propose un bel éventail de spécialités régionales, comme le *Dom Rodrigo* ou les *morgados*, ainsi que des plats chauds et des sandwichs préparés avec des pains différents. Excellentes glaces.

Sports et Loisirs

Motor-Cycles Rental's – *R. Alvares Botelho, 51 -* 📞 *281 32 28 82.* Ce magasin ne se contente pas de louer des vélos et des scooters, mais organise aussi des promenades dans le Parc naturel de la ria Formosa.

Achats

Aníbal Bandeira – *R. Cabreira, 17 -* 📞 *281 32 23 15 - fermé dim.* Une minuscule boutique où Aníbal Bandeira, sympathique septuagénaire, fabrique des oiseaux en fer-blanc de toutes les couleurs, des arrosoirs et de jolies girouettes en forme de baleine.

Vallée du **Guadiana**★

VALE DA GUADIANA
CARTE MICHELIN 733 UT7 – CARTE : ALGARVE P. 258
DISTRICTS DE FARO ET DE BEJA

Longer le Guadiana de son estuaire à la petite ville de Mértola, déjà située en Alentejo, dévoile une autre facette de l'Algarve, plus sereine et traditionnelle, où les habitants préservent leurs coutumes et leur artisanat. Entreprenez cette promenade au printemps ou à l'automne, lorsque la serra se montre verdoyante et fleurie, et que la chaleur n'est pas aussi intense qu'en été. Vous pouvez également naviguer de Vila Real de Santo António à Alcoutim, entre les monts tapissés de cistes et de chênes-lièges, parsemés ici et là de maisons blanches isolées.

- ▶ **Se repérer** – Mértola se trouve à 54 km au sud-est de Beja et à 73 km au nord de Vila Real de Santo António.
- 👁 **À ne pas manquer** – Alcoutim ; l'église-mosquée de Mértola.
- 🕐 **Organiser son temps** – Partez tôt le matin pour éviter les fortes chaleurs et prévoyez d'arriver à Mértola en début d'après-midi, cette petite ville concentrant des lieux de visite intéressants.
- 👪 **Avec les enfants** – Une croisière sur le Guadiana.
- 🍃 **Pour poursuivre le voyage** – Beja (côté Mértola), Tavira (si vous vous trouvez en aval du Guadiana).

La vallée du Guadiana.

Circuit de découverte

DE VILA REAL DE SANTO ANTÓNIO À MÉRTOLA

80 km – Compter une journée. Le fleuve Guadiana fait office de frontière entre le Portugal et l'Espagne entre Pomarão et Vila Real de Santo António. Cet itinéraire dans la vallée du Guadiana est faisable à partir de l'Algarve ou de l'Alentejo.

Vila Real de Santo António

Cette ville frontalière fut fondée en 1774 par le marquis de Pombal pour faire face à la cité andalouse d'Ayamonte sur l'autre rive du Guadiana. De ses beaux jardins qui bordent le fleuve, on aperçoit d'ailleurs la ville espagnole. Vila Real fut édifiée en cinq mois. Elle illustre parfaitement les théories sur l'urbanisme des Lumières, notamment à travers le plan quadrillé des rues bordées de maisons blanches aux toits à pans retroussés. Elle est devenue l'un des plus importants ports de pêche et de commerce de l'Algarve et un grand centre de conserverie de poisson. On y fabrique également des bateaux de plaisance destinés à l'exportation.

Reliée à l'Espagne par un bac et, depuis 1992, par un pont *(au nord de la ville)*, Vila Real de Santo António est très fréquentée par les Espagnols qui viennent y acheter des cotonnades (nappes, draps, serviettes, etc.).

Praça do Marquês de Pombal – Entourée d'orangers, c'est la place principale du quartier pombalin. Ses pavés noirs et blancs rayonnent autour d'un obélisque. Les rues piétonnes alentour sont bordées de boutiques de cotonnades.

👁 **Bon à savoir** – Découvrir le Guadiana en **yacht** entre Vila Real de Santo António et Alcoutim peut constituer une excellente alternative à la route *(voir « Sports et Loisirs » dans l'encadré pratique)*.

Prendre la N 122 en direction de Castro Marim (à 6 km).

Castro Marim

S'adossant à une hauteur qui domine la basse plaine ocre et marécageuse du Guadiana, près de son embouchure dans le golfe de Cadix, Castro Marim jouissait d'une position stratégique, face à la ville espagnole d'Ayamonte.

La cité existait déjà à l'époque romaine. Elle devint, en 1321, lors de la dissolution de l'ordre des Templiers au Portugal, le siège des chevaliers du Christ, avant son transfert à Tomar *(voir ce nom)* en 1334. Les ruines de son château fort en grès rouge, détruit par le tremblement de terre de 1755, s'élèvent au nord du village, alors que les vestiges du fort de São Sebastião (17e s.) couronnent une colline au sud.

Château – *Laisser la voiture en bas du chemin signalisé « castelo » et monter à pied. L'entrée se trouve à gauche - avr.-oct. : 9h-19h ; nov.-mars : 9h-17h - grat.* Les murailles en partie restaurées abritent les vestiges d'un château maure du 12e s. Le chemin de ronde offre une vue circulaire sur la petite cité et le fort de São Sebastião, les marais salants, le Guadiana, le pont qui relie le Portugal à l'Espagne, Ayamonte à l'est, Vila Real de Santo António et la côte au sud.

Réserve naturelle du marais (Sapal) de Castro Marim-Vila Real de Santo António – *Sapal de Venta Moinhos (2 km au nord de Castro Marim) - ☎ 281 51 06 80.* Les marais salants autour de la ville ont été transformés en une réserve de 2 000 ha, créée pour protéger une faune et une flore caractéristiques des zones chaudes et humides. 👣 Un sentier de 6 km permet d'observer des flamants roses, des avocettes, des hirondelles de mer, etc.

Prendre l'IC 27 vers le nord.

Odeleite

Ce village ancien, fondé au 15e s. près de la rivière du même nom, s'étend près du barrage d'Odeleite. En bas des ruelles étroites se dresse l'**église paroissiale**.

Prendre la N 124 en direction d'Alcoutim, puis la N 122-1.

Alcoutim

Ce village qui maintient ses traditions est situé à flanc de colline, au bord du Guadiana, face au village andalou de Sanlucar de Guadiana, de l'autre côté du fleuve *(un bateau assure la traversée toutes les 30mn : 9h-13h, 14h-19h - 1 €)*.

Château – *De la praça da República, où se trouve l'office de tourisme, prendre la travessa Pedro Nunes. Une route pentue mène au château - ☎ 281 54 05 55 - été : 10h-19h ; hiver : 9h30-17h30 - 2,50 €.* Construit au 14e s. pour défendre ce village frontalier, remanié au 17e s., le château abrite un musée archéologique, le **Núcleo Arqueológico de Alcoutim** qui contient des vestiges des époques néolithique, romaine, wisigothique, islamique et chrétienne. Dans la galerie du château, on pourra admirer la richesse de l'artisanat de cette région : paniers en osier, couvertures, tapis, objets en liège et en terre cuite, etc. Les murailles offrent de belles **vues** sur la serra et le fleuve.

Église paroissiale de São Salvador – *Près du fleuve et de la place de São Salvador.* De cette église, construite au 16e s., on jouit d'une vue d'ensemble sur le village, au bord du Guadiana.

Chapelle de Nossa Senhora da Conceição – *R. Dom Fernando, proche de la route de V. Real de Santo António et de la ribeira de Cadavais - fermée pour une durée indéterminée.* Au sommet d'un escalier baroque, surplombant le paysage, cette chapelle gothico-manuéline conserve un portail du 16e s. surmonté d'une cloche. Elle abrite un **musée d'art sacré** où ont été réunies des pièces provenant de différentes églises de la région.

Reprendre l'IC 27 vers Beja. Après le village de Santa Marta, on entre dans l'Alentejo.

Mértola

S'étageant en amphithéâtre sur une colline au confluent du Guadiana et de la rivière d'Oeiras, Mértola (8 714 habitants) fut fondée par les Phéniciens. L'ancienne Myrtilis était une importante place commerciale à l'époque préromaine et constituait le port le plus septentrional de la grande voie fluviale du Guadiana. La ville, qui a gardé de nombreux vestiges de son passé, est dominée par le donjon et l'enceinte en ruine de son château fort des 12e et 13e s.

L'église-mosquée de Mértola.

Au nord de la ville *(31 km. Suivre la N 122 vers Beja sur 3 km, puis prendre à droite la direction d'Amendoeira. De là emprunter la piste de droite jusqu'au site)* a été créé en 1995 le **Parc naturel de la vallée du Guadiana** (Parque Natural do Vale Guadiana) qui couvre 70 000 ha. On peut s'y promener et découvrir plus particulièrement le site de **Pulo do Lobo** (le Saut du Loup), chaos rocheux d'où dévale une cascade.

Église-mosquée ★ – *Mar.-dim. 9h-12h30, 14h-17h30 - grat.* Mértola a conservé de son passé maure une ancienne mosquée transformée en église. Il s'agit de l'unique église portugaise dont on reconnaît encore nettement les spécificités de l'édifice musulman : le plan carré, l'abondance des piliers, la présence, derrière l'autel, de l'ancien mihrab, niche d'où l'imam dirigeait les exercices du culte, avec le *nimbar* (chaire mobile) dans l'arc outrepassé de la porte qui donne sur la sacristie. Les jolies voûtes sous croisée d'ogives datent du 13e s.

👁 **Bon à savoir** – Plusieurs **musées** dispersés dans la localité mettent en lumière son patrimoine et son histoire. ✆ 286 61 01 09 - *mar.-sam. 9h-12h30, 14h-17h30 - fermés 1er mai, 25 et 31 déc. - 2 € chacun, billet combiné donnant accès à tous les musées 5 €.*

Château. Construit au 12e s., il est partiellement en ruine mais son **donjon** restauré a été aménagé en « Núcleo Visigótico » (Centre d'art wisigoth) et présente une petite exposition de vestiges lapidaires du 6e au 9e s. Dans la tour se tient une exposition consacrée aux deux fleuves.

Centre d'art romain (Núcleo Romano). Aménagé dans le sous-sol de la mairie, il contient les vestiges d'une maison romaine, où sont présentés des objets de cette époque.

Musée paléochrétien (Basilica Paleocrisnão). Installé dans une ancienne basilique paléochrétienne, il expose des vestiges lapidaires du 5e au 7e s., provenant du cimetière médiéval de Mértola.

Centre d'art islamique (Núcleo Islâmico) – *Largo da Misericórdia.* On y voit des objets de la période musulmane de la ville, parmi lesquels une collection de céramiques : vaisselle, ustensiles et azulejos de type *corda seca.*

Musée d'Art sacré (Núcleo de Arte Sacra). L'**église da Misericórdia** abrite une collection d'art sacré provenant des églises de la région.

Atelier de tissage (Núcleo de Tecelagem) – *Largo Vasco da Gama.* Dans cet atelier, les artisans fabriquent et vendent les couvertures de laine traditionnelles.

Si vous avez le temps, vous pouvez poursuivre l'itinéraire jusqu'à Mina de São Domingos près de la frontière espagnole.

Mina de São Domingos

18 km à l'est de Mértola par la N 265. Dans le village, prendre à droite au niveau de la poste (en face de l'église), continuer tout droit puis descendre par le chemin de droite.

Quelques machines et d'anciens rails témoignent de l'activité de cette mine de cuivre, qui fonctionna de 1857 à 1967. L'endroit ne présente pas un intérêt exceptionnel, mais l'ancien réservoir offre des teintes saisissantes sous le soleil.

Du village de Mina de São Domingos, on peut aller se baigner à la **plage** aménagée près du barrage de Tapada Grande (*dans le village, suivre les panneaux « Praia Fluvial da Tapada Grande »*).

Vallée du Guadiana pratique

Informations utiles

À MÉRTOLA

Indicatif téléphonique – *286*

Code postal – *7750*

🛈 **Posto de turismo** – *R. Alonso Gomes* - ☎ *286 61 01 09.*

🛈 **Centre d'information du Parc naturel de la vallée de Guadiana** – *R. Dr Afonso Costa, 40* - ☎ *286 61 10 84* - *www.icn.pt.* Dans le Parc naturel, des parcours pédestres intéressants sont proposés. Vous trouverez ici toute la documentation les concernant, ainsi que des brochures sur la faune et la flore.

Se loger

À MÉRTOLA

Casa das Janelas Verdes – *R. Dr Manuel Francisco Gomes, 19 A* - ☎ *286 61 21 45* - *3 ch. 50 €*. Dormir chez l'habitant donne l'occasion de mieux découvrir la vie locale. Ici, vous goûterez en toute simplicité l'hospitalité d'une vieille dame qui partagera avec vous sa maison traditionnelle de village et la fraîcheur de son patio envahi de végétation. Chambres délicieusement vieillottes. Immersion garantie.

À ALCOUTIM

Pousada de Juventude – ☎ *281 54 60 04* - *www.pousadasjuventude.pt* - *22 ch. 11/43 €*. À l'extérieur du village, au bord du fleuve (de l'autre côté du pont), vous trouverez l'une des plus sympathiques auberges de jeunesse du pays.

Autour d'une rotonde à coupole, une série de petits bâtiments blancs lui donnent l'allure d'un village de vacances : 8 chambres doubles avec salle de bain, 6 sans, et 8 dortoirs de 4 lits. Cafétéria, laverie, piscine, ping-pong, billard, location de vélos et de canoës.

Se restaurer

À MÉRTOLA

Migas – *R. Alfonso Gomes* - ☎ *286 61 28 11 - fermé lun. - env. 10 €*. Baigné par les effluves appétissants du marché attenant, ce restaurant tout en longueur est spécialisé dans les *migas*, ces pains à l'ail frits qui accompagnent viandes et poissons. À la carte aussi, un délicieux lapin aux herbes et une soupe de poissons de la rivière aromatisée à la menthe.

Sports et Loisirs

Croisière sur le Guadiana – *Turismar - Castro Marim - réserv. 24 heures à l'avance* - ☎ *968 83 15 53*. Dép. de la marina de Vila Real de Santo António à 9h30 et retour à 18h.

Achats

À MÉRTOLA

Oficina de Ourivesaria – *R. Alfonso Gomes* - ☎ *286 61 27 95 ou 966 08 55 46 (mobile) - nadia-torres23@hotmail.com.* À l'entrée de la vieille ville, juste avant l'office de tourisme, intéressante boutique de céramique et de verre mêlant antiquités et artisanat. Sa vitrine présente à la fois des copies, des pièces traditionnelles et des créations contemporaines.

Albufeira

16 237 HABITANTS
CARTE MICHELIN 733 U5 – CARTE : ALGARVE P. 258
DISTRICT DE FARO

Quelques décennies auront suffi pour que cette ancienne place forte maure (Albufeira signifie « forteresse de la mer » en arabe) soit hérissée d'immeubles modernes. La nuit, la station balnéaire la plus courue de l'Algarve se transforme en un gigantesque disco-bar, qui fera fuir les amoureux de solitude. Pourtant le vieux village est loin d'avoir rendu l'âme. Prenez les chemins de traverse : non seulement vous éviterez la foule de touristes qui se pressent dans les restaurants et les bars du centre, mais vous découvrirez les charmantes ruelles, intactes et désertes, de l'ancien village de pêcheurs. Accroché au sommet d'une falaise aux tons dorés, il forme un bel ensemble de maisons blanches au-dessus de la plage qui s'incurve en contrebas.

- **Se repérer** – Le port d'Albufeira est situé à 4 km au sud de la N 125, à mi-chemin entre Faro et Lagos.

- **À ne pas manquer** – Les grottes marines d'Armação de Pêra ; la plage da Falésia ; les points de vue sur le site d'Albufeira, soit à l'est, du sémaphore au-dessus de la plage des Pêcheurs, soit à l'ouest vers la plage de Galé.

- **Organiser son temps** – Choisissez la promenade en bateau de Armação de Pêra tôt le matin et passez l'après-midi sur une plage à l'ouest de la ville.

- **Avec les enfants** – Zoo Marine (voir dans l'encadré pratique).

- **Pour poursuivre le voyage** – Faro, Lagos, la serra de Monchique (voir Portimão), Silves.

Se promener

LA VIEILLE VILLE

Albufeira se découvre à pied, en parcourant les ruelles pavées et voûtées d'arcs maures à lanterne. Les rues convergent vers la place principale : le **largo Eng. Duarte Pacheco**, où se déploient les terrasses de cafés. En été, les rues piétonnes du centre historique, le long desquelles se succèdent bars et restaurants, sont prises d'assaut par une foule cosmopolite qui, plus tard, investit les nombreuses discothèques des environs.

Musée d'Art sacré (Museu de Arte Sacra)
Largo Miguel Bombarda - ℘ 289 58 55 26 - juin-sept. : mar.-dim. 10h-0h ; oct.-mai : mar.-dim. 10h-16h30 - grat.
Installé dans la petite église de São Sebastião (18ᵉ s.), ce musée vit à l'heure d'Albufeira et ouvre en nocturne pendant l'été. En se laissant guider par la musique liturgique, on découvre quelques pièces d'art sacré, dont un beau panneau d'azulejos retrouvé sur

Bateaux sur la plage d'Albufeira.

T. Cariou/MICHELIN

Sculpture sur la plage d'Albufeira.

les murs d'une cuisine. À gauche de la nef, une salle présente également des clichés d'Albufeira pris entre 1880 et 1970, et on se surprend à rêver devant les photos de ce paisible village de pêcheurs.

LA PLAGE

Par un tunnel creusé dans la falaise *(à l'extrémité de la rua 5 de Outubro)*, on accède à la plage dite « des Baigneurs », protégée de la houle à l'ouest par la pointe rocheuse de Baleeira, un curieux bloc calcaire en forme de crosse. Au-dessus de la plage, une rue conduit à l'extrémité de la pointe, d'où l'on surplombe la plage et la nouvelle marina.

À l'est, la plage est séparée de celle des Pêcheurs (Praia dos Barcos) par une falaise. Elle s'est malheureusement vue privée de ses barques colorées, si chères aux photographes, depuis la construction de la marina à l'ouest de la ville. Elle demeure fréquentée par quelques nostalgiques, qui refusent d'abandonner leurs vieilles habitudes, mais vous n'assisterez plus au retour de la pêche à cet endroit.

Alentours

Albufeira est bondée l'été : ceux qui préfèrent le calme trouveront de part et d'autre de la ville de nombreuses criques ou plages, accessibles par la route ou en bateau. Cette partie de la côte, appelée « Barlavento » (au vent), doit sa réputation à ses étendues de sable au pied de falaises ocre (jusqu'à Vilamoura) et à ses eaux turquoise et limpides s'engouffrant dans des grottes marines. Malheureusement, elle est en de nombreux endroits victime de son succès et défigurée par l'immobilier. Les petits ports sont aujourd'hui perdus au milieu de hautes tours blanches et, en été, les barques des pêcheurs se découvrent parmi les parasols qui envahissent les plages.

À L'OUEST DE LA VILLE

Derrière la jolie plage de **São Rafael**★ *(2 km)* et la crique de **Castelo** *(4 km)*, **Praia da Galé** *(7 km)*, une plage de sable bordée de falaises, s'étend sur plusieurs kilomètres.

Armação de Pêra

12 km. Ce port de pêche est devenu une station balnéaire très urbanisée. Les hautes tours blanches servent de toile de fond à la plage, immense et très sûre.

Promenade en bateau ★★ – *Jusqu'au cap Carvoeiro, à l'ouest, au dép. d'Armação (plage est). Pour louer une embarcation à moteur ou faire une promenade en bateau, s'adresser aux pêcheurs sur la plage - 10h-16h (17h30 en été) - env. 15 €/pers. - en été, il est possible de pique-niquer sur des plages, notamment celle de Nossa Sehnora da Rocha.* Lors de la promenade, vous longerez des falaises de grès ou des rochers sculptés par l'érosion, formant notamment des arches naturelles splendides, et découvrirez 18 **grottes marines**★★ considérées comme les plus belles de la côte algarvienne (Pontal, Mesquita, Ruazes, etc.). Toute cette côte est bordée de superbes plages moins fréquentées par les touristes.

Poursuivre sur la route côtière vers l'ouest sur 3 km.

Chapelle (Capela) de Nossa Senhora da Rocha

Située sur un promontoire de la falaise, cette jolie chapelle blanche au clocher pointu possède un portail encadré par deux colonnes supportant des chapiteaux sculptés de facture archaïque ; l'intérieur, revêtu d'azulejos, abrite de charmants ex-voto (navires).

👁 **Bon à savoir** – À partir de la plage de Senhora da Rocha, il est possible en été de louer des barques pour visiter les grottes.

À L'EST DE LA VILLE

Plusieurs plages, accessibles par la route, se succèdent presque tous les kilomètres : **Oura** *(2 km d'Albufeira)*, **Balaia**, **Maria Luísa**, **Olhos de Água** et, enfin, l'une des plus belles de la côte, **Praia da Falésia★★** *(11 km d'Albufeira. Sur la N 125, suivre la direction « Pine Cliffs » et « Sheraton » pendant 3 km)*. Adossée à une gigantesque muraille de falaises rouges coiffée de pins, elle déroule ses kilomètres de sable blond jusqu'à Vilamoura *(voir p. 259)*.

Albufeira pratique

Informations utiles

Indicatif téléphonique – *289*
Code postal – *8200*
Posto de turismo – *R. 5 de Outubro -* 📞 *289 58 52 79.*

Internet

Gold Spot – *R. Alves Correia, 81 - www.goldspot.pt - 4 €/h.*

Windcafé.com – *R. Cândido dos Reis, 12 - shopping center California (dans la rue des bars, sous l'hôtel California) - www. windcafe.com - lun.-sam. 10h-22h - 3,75 €/h.*

Transports

Gare routière Caliços - *R. da Figueira (navette ttes les 30mn depuis l'av. da Liberdade - 1 €). Pour les plages des environs, une dizaine de bus par jour sf w.-end et j. fériés. Horaires disponibles à l'office de tourisme.*

Location de voitures – La plupart des agences nationales et internationales sont représentées vers Areias de São João, un quartier à l'est d'Albufeira, près de la plage d'Oura.

LOCATION DE DEUX-ROUES

Easy Rider – *Av. da Liberdade, 115 -* 📞 *289 50 11 02.*

Almoros – *Apartamentos Rodrigues, Loja A (près de la plage d'Oura), Praceta Sol Nascente, Areias de São João -* 📞 *289 54 20 59.*

Vespa Rent – *R. Alexandre Herculano, Areias de São João -* 📞 *289 54 23 77 - www.vesparent.com.*

Se loger

😊 **Pensão Residencial Frentomar** – *R. Latino Coelho, 25 -* 📞 *289 51 20 05 - frentomar@netcabo.pt - fermé nov.- fév. - 🍽 - 13 ch. 35/50 € - 🍴 2,50 €.* On accède à cette adresse postée sur la corniche en prenant la petite rue qui part du chevet de S. Sebastião. La maison dispose de grandes chambres qui ont vue sur la mer (sauf deux sur la rue) et dont la plupart possèdent une terrasse. Incontournable si vous souhaitez être à la fois proche du centre et au calme.

😊 **Pensão Dianamar** – *R. Latino Coelho, 36 -* 📞 *289 58 78 01 - www.dianamar.com - fermé nov.-fév. - 🍽 - 13 ch. 50/65 € - 🍴.* Dans cette rue tranquille qui part de l'église S. Sebastião, une pension tenue par des Suédois. Les chambres du dernier étage donnent sur la baie d'Albufeira. Patio fleuri et belle terrasse solarium sur le toit avec vue panoramique. Une adresse agréable.

😊😊 **Mansão Bertolina** – *R. Joaquim Pedro Samora, 8 -* 📞 *289 58 91 34 - 🍽 📺 - 17 ch. 45/75 € - 🍴.* Dans une ruelle tranquille près de l'office de tourisme, un hôtel convivial dont les chambres bien tenues sont sobrement décorées. Préférez celles qui donnent sur la piscine. Jolie vue sur la ville.

😊😊 **Residencial Vila Recife** – *R. Miguel Bombarda, 12 -* 📞 *289 58 37 40 - www. grupofbarata.com - fermé oct.-mars - 🍽 - 92 ch. 50/75 € - 🍴.* Vous repérerez cette grande pension de style Belle Époque aux trois églises blanches qui l'entourent. Bien qu'une partie moderne ait été rajoutée, elle a su conserver une certaine allure avec sa grille, son perron et son allée bordée de palmiers. Chambres parfois bruyantes et chaudes, d'un confort inégal. Préférez celles avec vue.

Se restaurer

😊 **O Zuca** – *Travessa do Malpique, 6 -* 📞 *289 58 87 68 - fermé merc. - 🍽 - 15/20 €.* Un des rares restaurants d'Albufeira qui ne soit pas touristique, juste derrière le largo Eng. Duarte Pacheco. Très apprécié des habitants. Le week-end : plat du jour à emporter. Un lieu authentique aux prix tout à fait raisonnables et à l'atmosphère familiale. Cuisine simple.

😊😊 **A Ruina** – *Cais Herculano (sur la place des Pescadores) -* 📞 *289 51 20 94 - www. restaurante-ruina.com - 17/32 €.* Parmi la cohorte de restaurants touristiques, celui-ci se distingue par sa haute maison de pierre et ses tables disposées sur le sable de la pittoresque plage des Pêcheurs. Le site enchanteur se prête admirablement à un élégant dîner au soleil couchant (les poissons sont excellents). On paye donc la situation et la qualité de la cuisine.

Faire une pause

Cafe Latino – *R. Latino Coelho, 59 - ☎ 917 71 85 66 - fermé lun.* Cette adresse toute simple à la décoration moderne et agréable dispose d'une terrasse depuis laquelle le village, la baie, l'horizon et les voiliers se découvrent d'un regard. Vous pourrez boire un verre devant ce magnifique panorama ou déguster une *toasta mista* avec la mer en contrebas, tout en jouissant d'un calme absolu. C'est paradisiaque !

Pastelaria Riviera – *Hotel Brisa Sol - Cerro Alagoa - ☎ 289 58 77 45 - 8h-0h.* Pâtisserie incontournable pour s'initier aux spécialités de l'Algarve telles que le fameux *Dom Rodrigo*. Cette adresse qui jouxte l'hôtel Brisa Sol dans la partie haute de la ville attire les gourmands jusqu'au bout de la nuit.

En soirée

Bars – Dans le centre-ville, la « rue des bars » est une évidence qui ne nécessite pas d'autres explications. L'animation est dans la rue, il n'y a qu'à choisir un endroit… ou bien ne pas choisir et passer d'un bar à l'autre !

Situé à Praia da Oura, le **Capítulo V** est un bar-discothèque dont la terrasse est des plus agréables. À Areias de São João, la route de Santa Eulália concentre le plus grand nombre de bars, dans lesquels on peut généralement danser : **Alabastro**, **5° Elemento**, **Crazy Joe**. Toujours dans ce périmètre, rua Alexandre-Herculano, au n° 19, se trouve l'**Amnésia** et, un peu plus loin, l'un des hauts lieux de la nuit d'Albufeira, le **Liberto's Bar**, discothèque

avec piscine, très prisée par les footballeurs et la jet-set. Sur la plage de Santa Eulália, le **Bar Atlântico** offre une belle vue sur la mer.

Discothèques – Le **Kiss**, à Areias de São João, est l'une des plus anciennes. Ouverte toute l'année, elle attire un public varié. Surplombant la plage de Santa Eulália, la **Locomia** dispose de plusieurs espaces en plein air. En été, les nuits y sont animées par divers DJ. Sur la praça de Touros, **El Divino** présente des concerts dans une atmosphère joyeuse de rythmes latins. Sans oublier le **Kadoc** *(estrada de Vilamoura)*.

Sports et Loisirs

Touradas – De mai à septembre, les *touradas* ont lieu tous les vendredis à 18h, sur la praça de Touros (☎ 289 02 80). Les billets sont en vente sur place.

≛≛ Zoo Marine – *Sur la N 125 (6 km d'Albufeira) - ☎ 289 56 03 00 - www.zoomarine.com - sept.-mars 10h-17h ; avr.-juin 10h-18h ; juil.-août 10h-19h30 - 23 € (enf. 14 €).* Cet immense parc de loisirs consacré à l'Océan comprend un aquarium, des piscines ludiques et des aires de jeux. Spectacles de dauphins, de rapaces et de phoques.

Achats

A Tralha – *R. João de Deus, 1 - ☎ 289 58 78 41 - a.tralha@clix.pt - été : 10h-13h, 15h-23h ; hiver : 10h-13h, 15h-19h.* En face de l'office du tourisme, la plus belle boutique de décoration d'Albufeira. Dans de très beaux volumes anciens, elle cultive raffinement et belles matières : artisanat de qualité, mobilier, vaisselle, luminaire, linge de maison (très beaux tissages en lin), bijoux, vêtements et accessoires de mode.

Événement

Festa da Ourada – Célébration du patron des pêcheurs sur la plage (mi-août).

Silves★

10 768 HABITANTS
CARTE MICHELIN 733 U4 – CARTE : ALGARVE P. 258
DISTRICT DE FARO

De l'ancienne Xelb aux nombreuses mosquées, capitale maure de l'Algarve, dont la magnificence éclipsait, dit-on, celle de Lisbonne, il ne subsiste qu'un château aux murailles de grès rouge surplombant la ville blanche, étagée sur la colline. Du fait de sa situation à l'intérieur des terres, sur les contreforts de la serra de Monchique, Silves a conservé son authenticité avec ses rues pavées et pentues.

- ▶ **Se repérer** – À 27 km au sud-est de Monchique et à 25 km au nord-ouest d'Albufeira.
- 👁 **À ne pas manquer** – Le château ; la cathédrale.
- 🕐 **Organiser son temps** – Prévoyez une journée pour découvrir Silves. Visitez le matin ses principaux monuments, puis déjeunez à la Fábrica do Inglês où vous pourrez passer des moments agréables en famille.
- 👫 **Avec les enfants** – La Fábrica do Inglês.
- 🐾 **Pour poursuivre le voyage** – Albufeira, Faro, Lagos, la serra de Monchique (voir Portimão).

Info pratique

Adresse utile

🛈 **Posto de turismo** – *R. 25 de Abril, 26/28 - 8300-184 - ℘ 282 44 22 55 - www. visitalgarve.pt.*

Comprendre

La cour mauresque – En 712, l'armée de Musa, général musulman dépendant du califat omeyade de Damas, occupe l'Algarve. La région est partagée en deux provinces (koras) : à l'ouest l'Algarve proprement dit, dont Silves est la capitale, et, à l'est, Aljarafe. Quelque temps après la chute de la dynastie omeyade à Cordoue (1031), Al-Mutamid, fils du roi de Séville Al-Mutadid, est nommé gouverneur de la région d'Algarve. Devenu roi, il prend pour gouverneur son ami **Ibn Ammar** (1031-1084), par ailleurs grande figure de la poésie arabe, qui va tenir à Silves une cour brillante.

Silves, capitale de l'Algarve chrétien – Appelés à la rescousse par Al-Mutamid, les Almoravides prennent le dessus mais sont bientôt supplantés par les Almohades. Ces derniers sont les maîtres incontestés de l'Algarve jusqu'en 1189, date de la prise de Silves par le roi Sanche Ier, qui a demandé l'assistance de croisés allemands et anglais. C'est une première brèche dans la puissance musulmane au Portugal, bien que Silves soit rapidement repris par les Arabes (1191). La ville n'est récupérée par les Portugais que sous le règne de Sanche II, en 1242, grâce aux chevaliers de l'ordre de Saint-Jacques et à Paio Peres Correia, maître de l'ordre. Une fois la reconquête de l'Algarve menée à son terme, Silves en devient la capitale, tant politique que religieuse. En 1577, le transfert de l'évêché à Faro marque le début de son déclin.

La cathédrale de Silves de nuit.

R. Mattes/MICHELIN

La domination musulmane

En 711, des musulmans dépendant du califat omeyade de Damas envahissent la péninsule Ibérique. La Reconquête, entreprise en 722 à Covadonga (dans les Asturies) par Pélage, un roi wisigoth, va durer sept siècles. Quelques dates de la reconquête du territoire portugais sont à retenir :

867 – Porto

1064 – Coimbra

1147 – Lisbonne (la ville est libérée par le premier roi du Portugal, Alphonse Henriques)

1189 – Silves (qui est toutefois repris deux ans plus tard)

1249 – Chute de Faro qui marque la fin de la Reconquête sur le territoire portugais.

À la différence de l'Espagne, il reste peu de vestiges d'architecture islamique au Portugal, à part la mosquée de Mértola *(voir vallée du Guadiana)*, en Alentejo, et des murailles, comme celles de Silves.

Visiter

Château★

282 44 56 24 - 9h-17h (été 20h) - 1,25 €.

Le plus grand château de l'Algarve a été édifié durant l'occupation musulmane. Des fouilles réalisées dans l'enceinte ont permis de mettre au jour une grande citerne à quatre voûtes ainsi qu'une demeure datant de la période almohade. Un nouvel espace muséologique agrémenté d'un jardin médiéval a ouvert ses portes en 2008. Le chemin de ronde sur les remparts crénelés magnifiquement restaurés offre de nombreux **points de vue** sur la ville et les environs : au nord-ouest sur la vallée de l'Arade et, derrière, la serra de Monchique ; au sud sur les vergers de pêchers et d'amandiers et, au loin, sur le littoral.

Fábrica do Inglês★

R. Gregório Mascarenhas - 282 44 04 80 - www.fabrica-do-ingles.pt.

Cette ancienne usine de transformation du liège (acquise par des capitaux anglais, d'où son nom de « fabrique de l'Anglais ») a été transformée en un vaste parc de loisirs. Ainsi abrite-t-elle une aire de jeux pour les enfants, des boutiques d'artisanat, des cafés, des terrasses, un salon de thé et de nombreux restaurants. Pendant l'été, elle organise un spectacle nocturne d'eau et de lumière, « Aquavision », et des spectacles de rue.

Les bâtiments de l'ancienne usine ont été convertis en **musée du Liège★** (Museu da Cortiça), qui a été élu en 2001 le meilleur musée industriel européen. Cette importante activité de la région est évoquée ici par des audiovisuels, des documents, des machines – certaines en fonctionnement – des ustensiles et des objets associés au liège. *Mai-sept. : 9h30-12h45, 14h-20h45 ; oct.-avr. : 9h30-12h, 14h-18h15 - 2 €.*

Cathédrale★ (Sé)

Entrée par la porte latérale. Elle a été édifiée à l'emplacement d'une ancienne mosquée avec le grès rouge de la région. La nef et les bas-côtés gothiques (13e s.) frappent par leur simplicité harmonieuse ; le transept et le chœur, plus tardifs, sont de style gothique flamboyant.

En face du portail de la cathédrale, remarquez une **porte manuéline**.

Musée municipal archéologique (Museu Municipal de Arqueologia)

R. da Porta de Loulé, 14 - 282 44 08 38 - lun.-sam. 9h-18h - fermé 1er janv. et 25 déc. - 1,50 €. Il est installé dans un bâtiment moderne construit le long de la muraille. Ses collections retracent l'histoire de cette région depuis le Paléolithique. Elles présentent notamment des menhirs et des stèles funéraires de l'âge du fer et un puits-citerne des 12e-13e s. La période arabe est particulièrement bien représentée (céramiques, éléments d'architecture).

Croix du Portugal (Cruz de Portugal)

À la sortie est de la ville, sur la N 124, route de São Bartolomeu de Messines. Ce calvaire qui date probablement du début du 16e s., en calcaire très ouvragé, présente sur une face le Christ en croix et sur l'autre, une pietà.

Portimão

36 243 HABITANTS
CARTE MICHELIN 733 U4 – CARTE ALGARVE P. 258
DISTRICT DE FARO

Tapi au fond de sa baie naturelle, ce port de pêche et de commerce animé est également une cité industrielle, spécialisée dans la construction navale et la conserverie de thons et de sardines. Victime du succès de sa très belle plage, Praia da Rocha, Portimão a malheureusement été peu à peu défiguré par les constructions modernes. Cependant, ses environs continuent d'offrir d'agréables escapades, côté mer ou montagne.

- ▶ **Se repérer** – Portimão se trouve à 34 km à l'ouest d'Albufeira par la N 125 et à 19 km à l'est de Lagos.
- 👁 **À ne pas manquer** – Le site marin d'Algar Seco ; Praia da Rocha ; Ferragudo ; Pico da Fóia.
- 🕐 **Organiser son temps** – Prévoyez une bonne journée pour découvrir Portimão et ses environs. Si vous souhaitez monter au Pico da Fóia, n'y allez pas trop tôt le matin, car les brumes peuvent dissimuler les paysages.
- 👣 **Pour poursuivre le voyage** – Albufeira, Faro, Lagos, Silves.

Se promener

La ville

Pour bénéficier de la meilleure **vue★** de la ville, surtout à marée haute, rendez-vous sur le pont enjambant l'Arade au fond de la baie, qui permet de rejoindre Ferragudo.

De nombreux vacanciers se rendent directement à la station balnéaire de Praia da Rocha, la plage la plus prisée de la ville *(voir ci-dessous)*. Cependant, si vous faites un tour dans le centre de Portimão, jetez un coup d'œil au **largo 1º de Dezembro**. Les bancs du petit square de cette place sont ornés de panneaux d'azulejos (19e s.) illustrant divers épisodes de l'histoire portugaise.

Praia da Rocha.

B. Brillion/MICHELIN

Aux alentours

Praia da Rocha★

3 km au sud de Portimão. Rendu célèbre par un groupe d'écrivains et d'intellectuels anglais qui s'y installèrent entre 1930 et 1950, ce village est devenu l'une des stations balnéaires les plus fréquentées de l'Algarve, même en hiver. Il est apprécié pour son climat, son ensoleillement exceptionnel, sa vaste plage qui se prolonge par une série de **criques★★** aux eaux turquoise s'incurvant entre des falaises ocre et rouge percées de grottes. Cependant, un conseil : ne quittez pas l'Océan des yeux. En vous retournant, vous n'auriez pour horizon qu'une interminable barre d'immeubles.

Belvédère★ – À l'ouest de la station, près de la crique dos Castelos, un promontoire aménagé offre une vue d'ensemble, d'un côté sur la longue plage en pente douce dominée par les immeubles blancs de la station, de l'autre sur la succession de criques abritées par la falaise.

Fort de Santa Catarina – Il domine l'ouest de l'embouchure de l'Arade et, avec le fort São João de Ferragudo sur la rive opposée, garde l'entrée de la baie de Portimão. Il fut construit en 1621 pour défendre Silves et Portimão des attaques provenant d'Espagne et d'Afrique du Nord.

Ferragudo★

Un monde sépare Praia da Rocha de ce charmant village, situé à l'est de l'estuaire de l'Arade. Par quel miracle Ferragudo a-t-il su résister à la fièvre des promoteurs et à l'invasion touristique ? Hormis une poignée de bars et de restaurants, près de la place centrale, c'est le calme absolu dans les ruelles en escalier de ce village couronné par une église. Grimpez jusqu'au **fort São João** (propriété privée) pour contempler l'estuaire, avec en toile de fond les immeubles modernes de Portimão. En contrebas, au sud du village, baignez-vous à **praia Grande**.

Carvoeiro★

15 km au sud-est de Portimão. Suivre la N 125 vers l'est en direction de Lagoa, puis gagner la côte par la N 124-1.

Encaissé dans une étroite échancrure de la falaise, ce village de pêcheurs est devenu une station balnéaire de plus en plus envahie par les constructions modernes.

Belvédère Nossa Senhora da Encarnação – Au sommet d'une rampe abrupte, à l'est de la plage (devant une chapelle et un poste de police), il offre une vue en enfilade sur les falaises du cap Carvoeiro.

Algar Seco★★ – *500 m au-delà du belvédère de N. S. da Encarnação, plus 30mn à pied AR. Laisser la voiture au parc de stationnement.* En contrebas du cap Carvoeiro, un escalier de 134 marches creusé dans les rochers rougeâtres sculptés par la mer en forme de piton, d'arche ou de « meule de gruyère » permet d'atteindre le **site marin** d'Algar Seco. Le cœur du site bat entre les porches béants de plusieurs grottes à demi immergées, sous l'aspect d'un violent tourbillon de courants marins affrontés. Sur la droite (pancarte « A Boneca »), un court tunnel aboutit, sous un piton, à une caverne percée de deux « fenêtres » naturelles qui donnent sur les falaises ouest. Sur la gauche, un sentier mène à un promontoire d'où l'on peut contempler l'entrée d'une profonde grotte sous-marine. L'été, le site est doté d'une agréable buvette.

👁 **Bon à savoir** – En saison, les grottes marines du cap Carvoeiro s'explorent en bateau. S'adresser aux pêcheurs à Algar Seco ou sur la plage de Carvoeiro.

Circuit de découverte

SERRA DE MONCHIQUE

30 km – Environ 2h. Voir carte Algarve p. 258.

Dans l'arrière-pays de l'Algarve, la serra de Monchique offre aux estivants de la côte la fraîcheur de ses hauteurs boisées et de beaux points de vue sur la région.

« Un jardin suspendu » (Miguel Torga) – Bloc volcanique qui surplombe à plus de 900 m les croupes schisteuses environnantes, la serra de Monchique forme une barrière sur laquelle viennent buter les nuages venus de l'océan Atlantique, qui y entretiennent une humidité d'autant plus élevée que la roche est imperméable. L'humidité et la chaleur combinées favorisent, sur ces riches sols volcaniques, le développement d'une végétation exubérante et variée où s'entremêlent espèces tropicales et tempérées : eucalyptus, chênes-lièges, châtaigniers, pins, arbousiers, caroubiers, rhododendrons, etc. ; cultures en terrasses d'orangers et de maïs.

Quitter Portimão par la N 124, au nord.

Après Porto de Lagos, par la N 266 prise à gauche, commence la montée dans la serra de Monchique, agréablement boisée. À 10 km de Portimão, **Caldas de Monchique** est une jolie station thermale dont les sources sont utilisées dans le traitement des rhumatismes et des maladies de peau.

Au-delà de l'embranchement vers Caldas de Monchique, dans un grand virage, à gauche, un premier belvédère (table d'orientation) offre une jolie **vue** sur la station thermale située en contrebas et les cultures de maïs en terrasses qui l'entourent, ainsi que, plus au sud, sur le moutonnement des collines s'abaissant vers Portimão.

La route passe entre les versants opposés du Fóia et du Picota, couverts de pins, de chênes-lièges et d'eucalyptus. D'importantes carrières de syénite sont exploitées pour la construction.

Monchique

Étagée sur le flanc est du Fóia, la petite ville possède une **église** réputée pour son portail manuélin où des colonnes torses se prolongent en une cordelière nouée.

Du belvédère aménagé sur le champ de foire *(accès par la rue que prolonge la route du Fóia)*, **vue** intéressante sur les quartiers étagés face au mont Picota (alt. 773 m).

Dans Monchique, prendre à gauche la N 266-3 vers le mont Fóia.

La **route★** gravit les pentes du Fóia, point culminant de la serra. Après quelques kilomètres sous les pins et les eucalyptus, la **vue★** se dégage vers le sud dans un virage à droite (croix et fontaine) ; on distingue, de gauche à droite, le golfe de Portimão, la baie de Lagos, le lac d'Odiáxere et, dans le lointain, la presqu'île de Sagres.

Pico da Fóia★

Alt. 902 m. Le site, qui englobe un radar, des antennes de radio-télévision, un restaurant et une boutique d'artisanat, est parsemé de rochers. Du sommet (obélisque), vous bénéficiez de **vues★** étendues sur les croupes dénudées du nord et les hauteurs boisées de l'ouest.

Portimão pratique

Informations utiles

Indicatif téléphonique – *282*

Code postal – *8500*

🅸 **Postos de turismo** – *Av. Zeca Afonso - ℰ 282 47 07 17/32 ; av. Tomás Cabreira (Praia da Rocha) - ℰ 282 41 91 32.*

Se loger

⌂ **Residencial O Pátio** – *R. Dr. J. Vitorino Mealha, 3 - ℰ 282 42 42 88 - fermé de nov. à Pâques - 20 ch. 30/50 € - ☕ 3 €.* M. Picot, sexagénaire suisse installé ici depuis 30 ans, a aménagé une charmante maison dans un jardin planté d'orangers et pourvu de quelques hamacs et chaises longues. Les chambres sont décorées de jolis meubles en bois peint de l'Alentejo, et les salles de bain tapissées d'azulejos anciens. On s'y sent bien, surtout dans les chambres qui donnent sur le petit jardin.

À PRAIA DA ROCHA

⌂⌂ **Bela Vista** – *Av. Tomás Cabreira - ℰ 282 45 04 80 - www.hotelbelavista.net - 🖥🅿 - 14 ch. 115/120 € ☕.* Sur les falaises, dominant la plage, cette majestueuse villa du début du siècle a conservé son décor d'époque : vitraux, canapés en cuir et fauteuils Chesterfield, bois exotiques et magnifiques azulejos qui retracent les aventures de Luís de Camões. Les chambres du haut, avec vue sur la mer, sont paradisiaques. En été, soirées musicales sur la terrasse, qui ne finissent jamais très tard.

Se restaurer

⌂ **Dona Barca** – *Largo da Barca - ℰ 282 48 41 89 - fermé dim. en hiver - 12 €.* Sous une tonnelle fleurie, on déguste sur de grandes tablées des plats de poissons grillés dans la cour, notamment des petites sardines à la fraîcheur irréprochable. Accueil chaleureux.

À FERRAGUDO

⌂⌂ **Sueste** – *R. da Ribeira - ℰ 282 46 15 92 - fermé lun. - 25/30 €.* Au bout du quai, un restaurant dont la terrasse offre une superbe vue sur le port de Portimão. Poissons grillés directement sur le quai. Service affairé.

Sports et Loisirs

Parque da Mina – *Vale de Boi (à 3 km de Caldas de Monchique) - ℰ 282 91 16 22 - www.parquedamina.pt - oct.-mars : 10h-17h ; avr.-sept. : 10h-19h - 8 € (enf. 5 €).* Ouvert au public depuis 2005, cet ancien domaine comprend une mine désaffectée, une maison typique du 18ᵉ s. et des jardins plantés d'espèces locales. Les plus petits pourront faire des balades en poney et observer les animaux de la ferme.

Achats

Casa dos Arcos – *Estrada Velha - ℰ 282 91 10 71 - 9h-19h ; visite de l'usine - r. Calouste Gulbenkian - lun.-vend. 9h-12h, 14h-17h.* Dans cette petite boutique à l'entrée du village on fabrique depuis cinq générations de jolies chaises romaines de toutes tailles en bois d'aulne. Livraison possible.

Lagos★

14 697 HABITANTS
CARTE MICHELIN 733 U3-4 – VOIR CARTE : ALGARVE P. 258
DISTRICT DE FARO

Malgré l'affluence touristique, l'ancienne capitale de l'Algarve – de 1576 à 1756 – a conservé charme et caractère. Ses belles murailles abritent des ruelles bordées de maisons à la blancheur éclatante, qui semblent prêtes à plonger dans l'Océan. Plongeon que vous n'hésiterez pas à faire dans les criques de cette station balnéaire, réputée pour sa marina et ses compétitions de voile. Dans les environs, les étonnantes formations rocheuses de Ponta da Piedade et les nombreuses grottes marines sont les merveilles naturelles de cette côte.

- **Se repérer** – À 32 km à l'est de Sagres et à 19 km à l'ouest de Portimão.

- **Se garer** – Il est conseillé de se garer sur l'avenida dos Descobrimentos ; il existe notamment un grand parking près de la praça do Infante.

- **À ne pas manquer** – L'église de Santo António ; le site marin de Ponta da Piedade.

- **Organiser son temps** – Visitez Lagos le matin et faites une halte à l'agréable marché couvert. Après avoir déjeuné dans l'une des ruelles du centre, gagnez le site marin de Ponta da Piedade et lézardez dans l'une des petites criques.

- **Avec les enfants** – Faire du kayak sur la plage de Meia Praia.

- **Pour poursuivre le voyage** – Albufeira, Faro, la serra de Monchique, le cap Saint-Vincent et la pointe de Sagres.

Comprendre

Lagos était déjà un port important à l'époque des Grandes Découvertes, et c'est d'ici que partirent la plupart des **expéditions africaines**. Il servit de base navale à l'infant Henri le Navigateur et de port d'attache à Gil Eanes qui, le premier, en 1434, doubla à l'ouest du Sahara le cap Bojador, considéré alors comme la limite du monde habitable. Sous les ordres de l'infant, les expéditions se succédèrent le long des côtes de l'Afrique, permettant de perfectionner la connaissance des courants marins et d'améliorer les techniques de navigation. En 1578, le jeune roi Dom Sebastião y embarqua avec toute son armada vers Ksar-el-Kébir.

En 1693, au large de la baie de Lagos, Tourville réussit à envoyer par le fond 80 bâtiments d'un convoi anglo-hollandais escorté par l'amiral anglais Rooke, vainqueur de la bataille de la Hougue l'année précédente sur le littoral du Cotentin, en Normandie.

Se promener

L'arrivée à Lagos en venant du nord (N 120) ou de l'ouest de Vila do Bispo (N 125) offre une belle vue sur la marina.

Murailles

Les remparts furent édifiés entre le 14e et le 16e s. sur des murailles plus anciennes datant de l'époque romaine.

Praça Infante D. Henrique

Au centre se dresse la **statue d'Henri le Navigateur**, inaugurée en 1960 pour le 500e anniversaire de sa mort. À droite, la maison à arcades abrite l'**ancien marché aux esclaves** : à la suite des expéditions africaines, au 15e s., fut établi ici le premier marché aux esclaves d'Europe. Le bâtiment actuel a été reconstruit après le tremblement de terre de 1755. Aujourd'hui, des expositions temporaires y sont présentées.

Prendre la rua Henrique Correia da Silva.

Église de Santo António★

R. General Alberto Silveira - entrée par le Museu Municipal (billet combiné) - ☎ 282 76 23 01 - mar.-dim. 9h30-12h30, 14h-17h - fermé j. fériés - 1,50 €.

La façade très simple ne laisse pas soupçonner l'exubérance et la virtuosité de la **décoration baroque★** qui règne à l'intérieur. Admirez, dans le cœur, le plafond en trompe-l'œil, les symboles eucharistiques et les statues en bois doré ; dans la tribune, les murs, le plafond et les azulejos blanc et bleu.

Musée municipal Dr José Formosinho

Pour les conditions de visite, voir ci-dessus. Attenant à l'église Santo António, ce musée présente une intéressante collection archéologique (monnaies, fragments de mosaï-

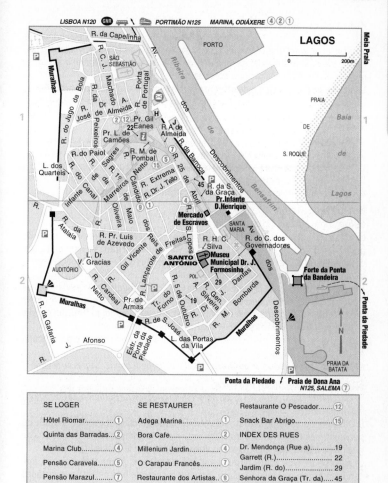

SE LOGER	SE RESTAURER	Restaurante O Pescador......⑫
Hôtel Riomar..............①	Adega Marina..................①	Snack Bar Abrigo................⑮
Quinta das Barradas...②	Bora Cafe......................②	INDEX DES RUES
Marina Club.............④	Millenium Jardin.............④	Dr. Mendonça (Rue a)...........19
Pensão Caravela........⑤	O Carapau Francês.........⑦	Garrett (R.)........................ 22
Pensão Marazul.........⑦	Restaurante dos Artistas..⑨	Jardim (R. do)..................... 29
		Senhora da Graça (Tr. da).....45

ques) ainsi qu'une section ethnographique consacrée à l'Algarve (remarquez les cadres en liège) et, en souvenir du passé de Lagos, à l'Afrique. Il expose également des vêtements sacerdotaux d'une grande richesse.

Fort (Forte) da Ponta da Bandeira

Cais da Solaria - ℘ 282 76 14 10 - mar.-dim. 9h30-12h30, 14h-17h - fermé j. fériés - 1,50 €.

Construit à la fin du 17e s., le fort s'avance dans la mer et protège un petit port d'où partent aujourd'hui les bateaux d'excursion pour Ponta da Piedade. Il faut franchir le pont-levis pour pénétrer à l'intérieur de la cour. Dans les salles sont présentées des expositions temporaires ayant trait aux Grandes Découvertes. La **chapelle** est décorée d'azulejos du 17e s. La terrasse offre de belles **vues** sur la ville et le littoral.

Aux alentours

Les plages

Pour éviter la foule de **Meia Praia**, la longue plage qui fait face au quartier historique, de l'autre côté du port de Lagos, préférez les petites plages au pied des falaises.

Partir du fort de Ponta da Bandeira, prendre l'avenida dos Descobrimentos en direction de Sagres et emprunter la première route à gauche.

De là part un sentier qui suit le sommet des falaises, puis des escaliers descendent aux plages.

D'agréables criques s'égrènent au sud de la ville jusqu'à Ponta da Piedade : **Praia do Pinhão**, **Praia de Dona Ana**★ *(accessible en voiture)* et **Praia do Camilo**.

Ponta da Piedade★★

3 km. Prendre la direction des plages et poursuivre sur l'avenida dos Descobrimentos jusqu'au rond-point orné d'une sphère centrale. Tourner à gauche et suivre la direction de la praia de D. Ana puis les panneaux « Ponta da Piedade ». Également accessible à pied par le chemin des plages décrit ci-dessus.

Le **site★★** de Ponta da Piedade confère à cette pointe un charme tout particulier : le rouge des falaises sculptées par l'Océan, aux formes tourmentées, et où se nichent des **grottes marines★**, contraste de façon spectaculaire avec le vert d'une eau limpide.

👁 **Bon à savoir** – Pour visiter les grottes en barque, adressez-vous aux pêcheurs sur les plages de Ponta da Bandeira, praia de Dona Ana ou Ponta da Piedade.

Derrière le phare, la **vue★** s'étend du cap Saint-Vincent à l'ouest au cap Carvoeiro à l'est. Par une petite route à gauche du phare, on gagne un belvédère qui offre une vue plongeante sur les rochers et la ravissante praia de Dona Ana.

Burgau et Salema

Quitter Lagos par la N 125 en direction de Sagres.

La côte sud aux alentours de Lagos est moins fréquentée, et ses petits ports de pêche ont gardé un certain cachet. Le joli village de **Burgau**, à 13 km de Lagos, descend jusqu'à une plage nichée entre deux avancées rocheuses. Dépêchez-vous, les nouvelles constructions gagnent du terrain…

En haut du village, suivre la route de gauche vers l'ouest (parallèle à la mer) au lieu de récupérer la N 125. Cette route passe par Cabanas Velhas et Boca do Rio avant de rejoindre la route en corniche (piste) qui descend sur Salema. Cette zone marque le début du Parc naturel du Sud-Ouest alentejan et de la Côte vicentine (voir ce nom).

Si **Salema** ne possède pas le charme de Burgau, elle est en revanche dotée d'une ravissante petite plage.

La N 125 conduit à Vila do Bispo (voir p. 245), d'où l'on peut gagner Sagres ou le nord.

Barrage (Barragem) de Bravura

14 km. Quitter Lagos par la N 125, au nord-est, en direction de Portimão. Le barrage est indiqué à l'entrée d'Odiáxere.

D'Odiáxere au barrage, la route très étroite serpente dans une vallée irriguée où poussent melons, tomates, maïs et figuiers, avant de grimper sur les contreforts de la serra de Monchique en offrant des **vues** étendues sur la chaîne littorale.

Le barrage, de type voûte, ferme la vallée de l'Odiáxere. À l'ouest du barrage, une conduite forcée recueille l'eau qui alimente la centrale hydroélectrique installée en aval, avant d'être utilisée pour irriguer 1 800 ha de champs situés entre Lagos et Portimão.

Lagos pratique

Informations utiles

Indicatif téléphonique – *282*

Code postal – *8600*

🛈 **Posto de turismo** – *Largo Marquês de Pombal - 8600-722 - ☎ 282 76 41 11.*

Internet – Snack-bar Império do Mar – *R. Cândido dos Reis, 117 (à côté du cinéma) -* 10h-4h, dim. 14h-4h - 3 €/h. Excellents jus de fruits et milk-shakes.

Transports

Gare routière – *Av. dos Descobrimentos (face à la marina, au nord du centre historique).* Bus n° 12 pour Meia Praia et n° 14 pour Praia de Dona Ana.

Location de voitures – Auto Jardim do Algarve - *R. Víctor Costa e Silva, 18 A - ☎ 282 76 94 86 - www.auto-jardim.com.*

Location de deux-roues – Aluguermoto - *R. José Afonso, lote 23, loja C - ☎ 282 76 17 20.*

Se loger

⊜ **Pensão Caravela** – *R. 25 de Abril, 16 - ☎ 282 76 33 61 -* 🍴 *- 17 ch. 35/45 € ⊠.* Cette pension très simple et centrale propose des chambres à deux lits avec ou sans douche. Préférez celles donnant sur le petit patio plutôt que sur la rue. Salle du petit-déjeuner décorée d'azulejos anciens. Rapport qualité-prix intéressant.

⊜ **Pensão Marazul** – *R. 25 de Abril, 13 - ☎ 282 77 02 30 - www.pensaomarazul. com - fermé janv. - 18 ch. 30/50 € ⊠.* Voilà une pension coquette, toute de bleu et blanc parée. Certaines chambres donnent sur la rue principale parfois bruyante, et d'autres sur la mer. Les plus agréables ont vue sur le patio intérieur. Petit-déjeuner servi dans une salle lumineuse. Cette adresse agréable conviendra à tous. Accès Internet.

⊜ **Riomar** – *R. Cândido dos Reis, 83 - ☎ 282 77 01 30 - hotel.riomar@clix.pt -* 🖥 *- 42 ch. 40/80 € ⊠.* Un hôtel moderne et confortable ouvert toute l'année dans une rue calme du centre-ville. Presque toutes les chambres possèdent un balcon, voire une terrasse. Vue sur la rue ou sur les toits de Lagos.

🍽🛏 **Marina Club** – *Marina de Lagos -* 🕿 *282 79 06 00 - www.marinaclub.pt -* 🅿 🛳 ▦ *- 88 ch. 84/226 € ☕.* Cet établissement possède des studios confortables, dont certains donnant sur la superbe piscine. Il offre également un large choix d'appartements gais et fonctionnels. Salle de fitness.

À ODIÁXERE

🍽🛏🛏 **Quinta das Barradas** – *À la sortie du bourg, en direction du barrage, à 500 m sur la gauche -* 🕿 *282 77 02 00 - www. quintadasbarradas.com - 15 ch. 102/118 €.* Cette agréable *quinta* du 19e s. entièrement rénovée et convertie en maison d'hôte offre la possibilité d'un séjour à la fois champêtre et raisonnablement proche des plages. Végétation dense et fleurie, bassin biologique et canal menant au barrage. À 5 km de Lagos, au milieu des vergers.

Se restaurer

🍽 **Adega Marina** – *Av. dos Descobrimento, 35 -* 🕿 *282 76 42 84 - www. adegadamarina.com - 8/14 €.* En face de la marina, une vaste salle aux faux airs de taverne munichoise où l'on déguste sur de longues tables en bois des spécialités portugaises à prix très raisonnables. Service affairé.

🍽 **Bora Cafe** – *R. Conselheiro Joaquim Machado, 17 -* 🕿 *282 08 34 39 - 8h30-0h et dim. apr.-midi - 9/15 €.* Petit café Internet tout en carreaux de mosaïque bleutés et chocolat avec décoration en bois brut, raphia et terre cuite. Un esprit nature et gourmand qui se retrouve dans le menu entre jus de fruits frais, quiches aux légumes et gâteaux maison. Internet 3 €/h.

🍽 **Restaurante O Pescador** – *R. Gil Eanes, 6 -* 🕿 *282 76 70 28 - fermé dim. de sept. à mars - 12/18 €.* Dans une petite rue tranquille, une adresse plébiscitée par les habitants de Lagos pour sa cuisine simple mais pleine de fraîcheur. Excellente *cataplana* de poisson à savourer sur la terrasse ensoleillée.

🍽 **Snack Bar Abrigo** – *Largo Marquês de Pombal, 2 -* 🕿 *282 76 24 45 - 5/12 €.* Difficile de manquer ce petit bar dont la terrasse investit le sympathique largo Marquês de Pombal : il offre toute l'ombre nécessaire pour grignoter au frais salades, sandwichs et gâteaux en abondance.

🍽🛏 **Millenium Jardim** – *R. 25 de Abril, 78 -* 🕿 *282 76 28 97 - 18/29 €.* Derrière de grandes grilles, un restaurant entièrement ouvert sur la rue avec une mezzanine et un patio rafraîchi par une fontaine. L'endroit est particulièrement agréable pour savourer une cuisine portugaise joliment présentée. Brochette de lotte lardée et autres poissons du jour.

🍽🛏🛏 **Restaurante dos Artistas** – *R. Cândido dos Reis, 68 -* 🕿 *282 76 06 59 - www.lagos-artistas.com - fermé dim. - 35/50 €.* Derrière une façade jaune, une excellente table qui cultive le raffinement, l'élégance et la créativité. Grand patio-jardin pour dîner aux chandelles sous la fraîcheur des arbres, dans une atmosphère romantique. Un vrai restaurant gastronomique spécialisé dans la cuisine portugaise, thaïe et japonaise. Très belle carte de vins portugais.

À SALEMA

🍽 **O Carapau Francês** – *Largo da Liberdade, 24 (Praia da Salema) -* 🕿 *282 69 57 30 - fermé déc.-avr., vend. matin en été, jeu. en hiver -🚭- 12/23 €.* Un sympathique restaurant en bord de plage tenu par un couple franco-grec. Au menu, une carte éclectique : cuisine portugaise, recettes de famille grecques, salades et pizzas. Des plats généreux et un délicieux yaourt grec en dessert.

En soirée

Lounge Cocktail Bar – *Travessa Senhora da Graça, 2 -* 🕿 *963 82 10 67 - jeu.-dim. 16h-2h.* Banquettes félines, camaïeu de bois sombre et de métal, programmation musicale digne des meilleurs lounge bars de Londres : vous trouverez ici une ambiance feutrée et très « trendy », soigneusement entretenue par un patron britannique. Une adresse qui se démarque des autres.

Sports et Loisirs

🏊 **Blue Ocean Divers** – *Motel Âncora (estrada de Porto de Môs) -* 🕿 *964 66 56 67 - www.blue-ocean-divers.de.* Une équipe professionnelle qui propose des cours de plongée et des sorties en mer ainsi que des promenades en kayak.

🏊 **Escola de Windsurf** – *Meia-Praia, Bairro 1º de Maio, 4 -* 🕿 *282 79 23 15 - www. windsurfpoint.com - demi-journée de windsurf 180 € ; 1h de kayak 7,50 €.* Cours de windsurf et location de matériel sur la plage de Meia Praia. Également kayak et pédalo.

Moliceiros d'Aveiro.
R. Morais de Sousa/Turismo de Portugal

Coimbra★★

101 069 HABITANTS
CARTE MICHELIN 733 L4 – DISTRICT DE COIMBRA

Dominée par la tour de sa vieille université, Coimbra, ancienne capitale du Portugal, s'accroche au versant verdoyant d'une colline baignée par le large Mondego. Construite tout en reliefs et en déclivités, avec ses venelles secrètes, ses jardins, ses places vibrant au rythme de la vie estudiantine, Coimbra a souvent inspiré les poètes, qui la consacrèrent « cité des arts et des lettres du pays ». Bien que Coimbra se soit considérablement étendue ces dernières décennies, on distingue bien, dans le centre, la ville haute (a Alta), quartier universitaire et épiscopal, de la ville basse (a Baixa), où abondent les commerces et les espaces verts. De cette cité attachante, où il fait bon vivre, plusieurs échappées vers la mer ou la forêt sont aussi possibles.

- ▶ **Se repérer** – Capitale de la province de la *Beira Litoral*, Coimbra se trouve à 200 km au nord-est de Lisbonne et à 122 km au sud de Porto.

- 🅿 **Se garer** – Laissez votre véhicule sur le grand parking gratuit, de l'autre côté du pont de Santa Clara, sur la rive gauche du Mondego.

- 👁 **À ne pas manquer** – La vue sur Coimbra depuis le pont de Santa Clara ou du belvédère de Vale do Inferno ; la bibliothèque de l'université.

- 🕐 **Organiser son temps** – Comptez au moins une journée pour explorer la ville.

- 👫 **Avec les enfants** – Le parc d'attractions Portugal dos Pequeninos, qui leur est spécialement destiné.

- 🔥 **Pour poursuivre le voyage** – Luso et la forêt de Buçaco, les ruines de Conímbriga, Figueira da Foz, la serra da Lousã.

Les républiques

Créées à la fin du 18ᵉ s. par les étudiants désireux de transposer dans leurs communautés les idéaux révolutionnaires français de l'époque (d'où leur nom de « républiques »), elles sont les ancêtres de la « colocation », un moyen pratique et économique de se loger. Elles se composent de 12 à 20 étudiants, généralement originaires de la même région, qui occupent de vastes appartements et gèrent leur budget commun à tour de rôle. Autour de l'université, vous pourrez voir certaines de ces républiques, qui se distinguent par leurs drapeaux ou dessins sur les façades. Fondée en 1933, la **República dos Kágados** *(R. do Correio, 98)* est actuellement la plus ancienne. La plupart portent des noms donnant lieu à un jeu de mots.

Comprendre

Une ancienne capitale – Occupée par les Maures vers 711, Coimbra prospéra comme ville pivot et lien commercial entre le nord chrétien et le sud musulman. Reconquise en 1064 par le roi Ferdinand Iᵉʳ de León, elle est propulsée en 1139 au rang de capitale du royaume naissant du Portugal par son premier roi, Alphonse Henriques. De cette époque date la construction de ses principaux édifices religieux (Sé Velha, monastère de Santa Cruz, etc.). Elle perdra le rang de capitale en 1255 au profit de Lisbonne.

De l'Hélicon aux rives du Mondego : l'université – « Le premier [le roi Denis] mit en honneur à Coimbra le noble art de Minerve et convia les Muses à quitter l'Hélicon pour fouler les riantes prairies du Mondego. » C'est en ces termes que Camões décrit dans *Les Lusiades* la création de l'université de Coimbra. En réalité, c'est à Lisbonne, en 1290, que le roi Denis fonda l'université. Transférée à Coimbra en 1308, elle n'y fut définitivement fixée qu'en 1537 par le roi Jean III qui l'installa dans son propre palais. Faisant appel à des professeurs des universités de Paris, de Salamanque et d'Italie, il fit de la cité l'un des plus importants foyers d'humanisme de l'époque. L'université connut rapidement la concurrence des collèges jésuites et ne retrouva tout son éclat qu'après l'expulsion de la Compagnie de Jésus par Pombal en 1759.

La vie estudiantine aujourd'hui – L'université, qui dispense l'enseignement des lettres, de la médecine et du droit, a toujours bénéficié d'une excellente réputation et attire chaque année 15 000 étudiants. Somnolente en période estivale, la ville retrouve son animation pendant l'année universitaire. Certains étudiants ont conservé des traditions vieilles de quatre siècles, codifiées en latin burlesque. Drapés dans leur vaste cape noire flottante frangée d'autant de coups de ciseaux qu'ils ont de déceptions sentimentales, ils portent un cartable garni de rubans dont la couleur symbolise leur faculté. Volontiers romantiques, ils jouent de la guitare et chantent des fados qui se distinguent de ceux de Lisbonne par le caractère intellectuel ou sentimental de leurs thèmes.

L'école de sculpture de Coimbra – Au début du 16ᵉ s., plusieurs sculpteurs français appartenant à un groupe d'artistes protégé par le cardinal-mécène Georges d'Amboise, promoteur en Normandie des « usages et modes d'Italie », viennent exercer leur art à Coimbra. Nicolas Chanterene, Jean de Rouen, Jacques Buxe et Philippe Houdard s'associent aux Portugais João et Diogo de Castilho pour créer, vers 1530, une école de sculpture : leur art, savant et raffiné, s'inspire de la décoration italienne ; les portails, les chaires, les retables et les bas-reliefs des autels sont délicatement ciselés dans la pierre d'Ança, du calcaire blanc très fin. Ce nouveau style de décoration s'imposera progressivement dans tout le pays.

Économie – Aujourd'hui, Coimbra est riche de nombreuses activités industrielles et commerçantes. Les principales sont le textile (bonneterie et lainages), l'industrie alimentaire, la tannerie, la faïence et le montage automobile (camions), auxquelles s'ajoute évidemment le tourisme.

De nombreux magasins de maroquinerie et de textile, dans les pittoresques rues piétonnes du centre, autour de la **praça do Comércio** et de la rua Ferreira Borges, vendent les productions locales. On trouve la célèbre céramique de Coimbra, bleu et blanc ou polychrome, ainsi que l'artisanat de la région, le long des escaliers qui conduisent à la vieille cathédrale.

Visiter

LA VIEILLE VILLE★ ET L'UNIVERSITÉ Plan II

Compter 3h. Suivre à pied l'itinéraire sur le plan du centre.

La vieille ville est située sur la colline de l'Alcáçova ; on y accède par un enchevêtrement de ruelles étroites et pittoresques, parfois entrecoupées d'escaliers au nom significatif comme celui de Quebra-Costas (« brise-côtes »).

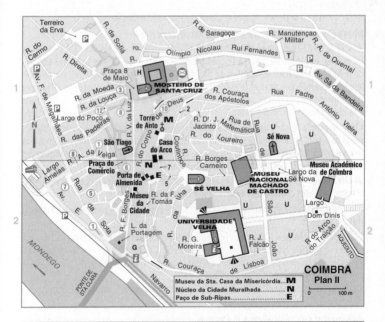

Rejoindre la rive droite du Mondego à hauteur du pont de Santa Clara et prendre en face la très commerçante rua Ferreira Borges (belle pharmacie au n° 135).

Musée Municipal (Museu municipal)

R. Ferreira Borges, 85 (Edifício Chiado) - ☎ 239 84 07 54 - avr.-sept. : mar.-vend. 11h-19h, w.-end. 11h-13h, 14h-19h, oct.-mai : mar.-vend. 10h-18h, w.-end 10h-13h, 14h-18h - 1,69 €.

Ouvert en 2001, ce musée installé dans un édifice à la belle architecture métallique présente, outre des expositions temporaires au rez-de-chaussée, d'importantes collections réunies par Telo de Morais. Au premier étage, vous découvrirez la peinture portugaise des 19e et 20e s. (romantisme, naturalisme, modernisme, académisme) ; au deuxième étage, le mobilier portugais (17e et 18e s.) ainsi que la sculpture religieuse (15e et 16e s.), la peinture religieuse (17e et 18e s.) et le dessin (18e-20e s.). Enfin, le troisième étage est occupé essentiellement par des porcelaines et céramiques chinoises (du 2e s. av. J.-C. au 19e s.), en particulier des 17e et 18e s. (dynasties Ming et Qing).

En sortant du musée, tourner à droite sous l'arcade de la Porta da Almedina.

Porta da Almedina

Cette porte de la ville au nom arabe (*medina* en arabe signifie « ville ») est surmontée d'une tour et ornée d'une statue de Vierge à l'Enfant entre deux blasons. C'est l'un des derniers vestiges de l'enceinte médiévale.

Passer la porte et tourner tout de suite à gauche dans l'impasse.

« Núcleo da Cidade Muralhada »

Torre de Almedina - ☎ 239 83 37 71 - oct.-mars : mar.-sam. 10h-13h, 14h-18h ; avr.-sept. : mar.-sam. 11h-13h, 14h-19h - fermé j. fériés - 1,69 €.

Ce musée municipal propose une exposition virtuelle et multimédia sur le centre ancien de la cité, ainsi que des expositions temporaires.

Monter à gauche les marches de l'escalier (escadas) do Quebra-Costas. À mi-hauteur, prendre à gauche la rua de Sobre Ripas.

Palais de Sub-Ripas (Paço de Sub-Ripas)

Cet hôtel particulier fut élevé au début du 16e s. dans le style manuélin, dont témoigne avec faste la porte d'entrée. Il abrite un institut d'archéologie.

Continuer dans la rua de Sobre Ripas, qui passe sous une aile de la Casa do Arco.

Passer devant la **tour de Anto (Torre de Anto** ou **Torre do Prior do Amael)**, vestige de l'enceinte médiévale.

À côté de la tour se tient le musée da Santa Casa da Misericórdia.

Musée (Museu) da Santa Casa da Misericórdia★

☎ 239 82 34 03 - lun.-vend. 10h-12h30, 14h-17h - fermé w.-end et j. fériés - 1 €.

Le musée, inauguré en 2000 à l'occasion du 500e anniversaire de la Sainte Maison de la Miséricorde (une institution de bienfaisance à caractère religieux), abrite dans les deux premières salles et le couloir des objets relatifs à cette confrérie. Observez notamment les panneaux de faïences du 18e s. et Renaissance, ainsi que les portraits des bienfaiteurs de l'institution.

Chapelle de la Miséricorde★ – La voûte du grand autel (1630) est ornée de symboles religieux mais aussi profanes, relatifs aux Grandes Découvertes (feuillage, masque grimaçant d'Adamastor à gauche, visage du petit griffon à droite). Remarquez les chaires maniéristes et les autels du baroque tardif.

Sacristie★★ – Cette salle aux murs entièrement revêtus d'azulejos du 17e s. renferme notamment des chandeliers et un ciboire doré baroque.

Cloître – Intimiste et inachevé, ce petit cloître possède des panneaux d'azulejos datant du 16e s.

Tour de l'Horloge★ – Elle fut construite par la confrérie au milieu du 19e s. pour abriter la grande cloche de l'ancienne chapelle. L'ascension de l'escalier jusqu'au sommet est un peu périlleuse, avec un passage étroit, mais vous serez récompensé par une **vue★★** splendide sur la ville.

Continuer dans la rua de Sobre Ripas. En haut, tourner dans la rua dos Coutinhos, sur votre droite.

Ancienne cathédrale★★ (Sé Velha)

☎ 239 82 52 73 - lun.-jeu. et sam. 10h-13h, 14h-18h, vend. et dim. 10h-13h - fermé 1er janv., dim. Pâques, 1er mai et 25 déc. - grat.

La construction de la cathédrale, la première du pays, fut décidée par le roi Alphonse Henriques et réalisée entre 1140 et 1175 par deux maîtres d'œuvre français, Bernard et Robert. À cette époque, Coimbra se trouvait à la frontière du monde chrétien et du monde musulman, ce qui explique que sa cathédrale soit fortifiée et couronnée de merlons pyramidaux. On y trouve aussi des similitudes avec les églises romanes auvergnates et clunisiennes.

Extérieur – La façade principale, très sobre avec son joli portail à quatre voussures, contraste avec le portail nord, ajouté vers 1530. Celui-ci, attribué à Jean de Rouen, est malheureusement très endommagé : c'était l'une des premières manifestations de la Renaissance au Portugal.

Du côté du **chevet**, remarquez, intégrée à la tour que défigure fâcheusement un lanternon baroque, une belle galerie à arcades avec chapiteaux à motifs végétaux.

Intérieur – Au-dessus des collatéraux, une large tribune s'ouvre sur la nef par un élégant triforium aux chapiteaux byzantins d'inspiration orientale, comme la lanterne à la croisée du transept.

Le **retable★** gothique flamboyant du maître-autel en bois doré est dû aux maîtres flamands Olivier de Gand et Jean d'Ypres ; à la base, les quatre évangélistes sont disposés autour de la Nativité et de la Résurrection ; au-dessus, entouré de quatre saints, un bel ensemble célèbre l'Assomption de la Vierge dont on remarquera le gracieux visage ; un calvaire reposant sur un joli baldaquin couronne le sommet du retable.

À droite du chœur, dans la **chapelle du Saint-Sacrement★** ornée d'azulejos de style mudéjar, belle composition Renaissance, de Tomé Velho, disciple de Jean de Rouen ; en dessous du Christ bénissant entouré de dix apôtres, les quatre évangélistes font face à la Vierge à l'Enfant et à saint Joseph, de part et d'autre du tabernacle. Devant la chapelle, cuve baptismale de style manuélin et Renaissance, réalisée en 1520 par Jean de Rouen.

À gauche du chœur, dans la chapelle de St-Pierre ornée aussi d'azulejos, retable Renaissance (en mauvais état) de Jean de Rouen, évoquant la vie du saint.

Cloître – *Accès par la première porte du bas-côté droit, dans la cathédrale - 1 €*. Construit à la fin du 13ᵉ s., c'est un ensemble de style de transition entre le roman et le gothique, restauré au 18ᵉ s. Des baies rondes au fenestrage varié surmontent les arcatures.

Au sud du cloître, dans la salle du chapitre, tombeau de Dom Sesnando, premier gouverneur chrétien de Coimbra après la reconquête de la ville aux Maures (1064), décédé en 1091.

Longer la Sé Velha sur la gauche et prendre en face la rua Borges Carneiro, qui monte au sommet de la colline de l'Alcáçova.

Musée national (Museu Nacional) Machado de Castro★★
Fermé pour travaux.

Presque centenaire, ce vaste musée occupe l'ancien palais épiscopal remanié au 16ᵉ s. et porte le nom du sculpteur Machado de Castro, né à Coimbra en 1731. Le porche Renaissance ouvre sur une cour-patio. Sur le côté ouest, une loggia réalisée par Philippe Terzi ménage une charmante vue sur le sommet de l'ancienne cathédrale et la ville basse jusqu'au Mondego.

A. Cassaigne/MICHELIN

Coimbra accrochée à sa colline baignée par le Mondego.

Sculptures – Ce musée est particulièrement riche en sculptures. Près du hall d'entrée se découvrent quelques arches et colonnes d'un cloître roman du 12ᵉ s. Dans les salles de l'aile gauche, les statues du Moyen Âge – petite statue équestre d'un **chevalier médiéval★**, *Vierge enceinte* (Nossa Senhora do Ó) due à maître Pero – introduisent à celles de l'école de Coimbra réalisées à la Renaissance par les sculpteurs Chanterene *(Vierge lisant)*, Houdart et Jean de Rouen *(Mise au tombeau à huit personnages)*, et par le maître des tombeaux royaux *(Vierge de l'Annonciation)*. Plusieurs statues du 17ᵉ s. (pietà en bois polychrome par le frère Cipriano da Cruz) et du 18ᵉ s. complètent cet ensemble.

Objets d'art et peintures – Dans les salles de l'étage, où vous remarquerez quelques beaux plafonds en bois, est exposée une riche collection de porcelaines et de céramiques portugaises.

La peinture religieuse flamande et portugaise, du 15ᵉ au 17ᵉ s., est également représentée : retable de Santa Clara, dû à Isembrand, Assomption du 16ᵉ s. de Gil Vicente, Ascension et Nativité de Gil et Manuel Vicente (16ᵉ s.), tableaux de Josefa de Óbidos.

L'orfèvrerie compte des pièces remarquables comme le **calice de Gueda Mendes** (1152) et la **statue-reliquaire de la Vierge et l'Enfant** provenant du trésor de la reine sainte Isabelle.

Cryptoportique – Au sous-sol, impressionnante enfilade de portes en plein cintre : ce cryptoportique constitue la base du forum de la ville romaine d'Æminium, qui se trouvait à l'emplacement de Coimbra.

Face au musée s'élève la nouvelle cathédrale.

Nouvelle cathédrale (Sé Nova)

☎ 239 82 31 38 - mar.-sam. 9h30-12h30, 14h-18h30 - fermé 1ᵉʳ janv., dim. de Pâques, 1ᵉʳ mai et 25 déc. - grat.

La « nouvelle cathédrale » a été installée en 1772 dans l'ancienne église du collège des jésuites des Onze-Mille-Vierges. Édifiée à partir de 1598, sa façade aux tons clairs, composée de deux corps superposés, est couronnée de petits frontons à pinacles. Quatre niches dans la partie inférieure abritent des statues des saints de la Compagnie de Jésus. L'intérieur, très vaste, d'une seule nef, est couvert par une voûte en berceau surmontée d'une haute lanterne. Le style baroque prédomine dans les chapelles latérales et le maître-autel, où se distinguent un imposant retable en bois doré et un magnifique trône d'argent. La cuve baptismale, à gauche de l'entrée, est de style manuélin et provient de l'ancienne cathédrale.

En sortant de la Sé Nova, remonter en face la rua de São João. Un peu plus loin à droite, une esplanade donne accès à la Porta Férrea, entrée de la vieille université.

Vieille université★★ (Universidade Velha)

☎ 239 85 98 00 - www.uc.pt - avr.-oct. : 9h-19h30 ; nov.-mars : lun.-vend. 9h30-17h30, w.-end 10h30-16h30 - fermé Noël et 1ᵉʳ janv. - billeterie au bout de la galerie à colonnades du palais des Écoles, à droite dans la cour - bibliothèque et palais (salle des Actes, salle de l'Examen privé) : 6 € ; bibliothèque seule (réserv. conseillée) : 3,50 € ; salle des Actes seule : 3,50 € ; chapelle : grat. Les salles ne sont pas accessibles en période d'examen.

A. Cassaigne/MICHELIN

La cour intérieure de l'université.

Au sommet de la vieille ville, elle occupe depuis 1540 les bâtiments de l'ancien palais *(paço)* royal du roi Jean III, restaurés et aménagés pour devenir le « Paço dos Estudos ».

La **Porta Férrea** qui donne accès à la cour de l'université fut élevée au 17e s.

La cour est dominée par une tour du 18e s., ornée de quatre horloges. À gauche, elle se termine par une terrasse d'où l'on admire un beau panorama sur le Mondego et les collines environnantes. En face, se trouvent la bibliothèque et la chapelle et, sur la droite, l'élégant bâtiment du palais des Écoles.

Le palais des Écoles (Paço da Universidade), de style manuélin, a été enrichi à la fin du 18e s. d'une galerie à colonnade appelée Via Latina. Le corps central est surmonté d'un fronton triangulaire. Un escalier mène à la loge, jadis réservée aux dames, qui donne sur la **salle des Actes** (Sala dos Capelos), où se déroulent les grandes cérémonies d'intronisation du recteur, de soutenance de thèse ou de remise des diplômes. Elle doit son nom au bonnet *(capelo)* qui était remis aux licenciés. Cette vaste salle, autrefois grand salon du palais, est couverte d'un beau plafond peint du 17e s. et ornée de portraits des rois du Portugal. À côté se trouve la salle de l'Examen privé, remodelée en 1701 : plafond peint, portraits des anciens recteurs.

Du balcon qui longe l'extérieur du bâtiment à l'arrière, belle **vue★** sur la ville, l'ancienne cathédrale et les quartiers plus modernes proches du Mondego.

La bibliothèque Joanine★★, édifiée par le roi Jean V en 1724, compte trois vastes salles dont le mobilier en bois précieux est rehaussé d'une somptueuse décoration baroque en bois doré. Des motifs chinois dorés sont peints sur une laque de couleur différente selon la salle : vert, rouge ou or. Les plafonds peints en trompe-l'œil sont dus à des artistes italianisants de Lisbonne. L'accès aux rayons supérieurs se fait par des escaliers encastrés dans les piliers. 30 000 livres et 5 000 manuscrits y sont classés par matière.

La chapelle★, de style manuélin, au portail élégant, est l'œuvre de Marcos Pires. Décorée d'azulejos du 17e s. et d'un plafond peint, elle abrite un beau **buffet d'orgue★★** du 18e s.

Au fond de la cour de l'université, emprunter les escaliers de Minerve (Escadas da Minerva) et rejoindre la rua Guilherme Moreira, à droite. Un peu plus loin, tourner à gauche dans les escaliers (Palácios Confusos), puis dans une succession de rues (dont la rua Fernandes Tomás) pour rejoindre la Porta de Almedina.

AUTOUR DE LA VIEILLE VILLE

Compter 4h-4h30 à pied. Itinéraire réservé aux bons marcheurs. Attention, le couvent de Celas est ouvert uniquement l'après-midi.

Église de São Tiago Plan II

Cette petite église romane, dont les portails sont ornés d'intéressants chapiteaux, donne sur la vaste **praça do Comércio**, aux faux airs de place italienne. Elle constitue le centre du quartier commerçant de la ville basse.

Emprunter les marches à droite de l'église et descendre à gauche la rua Visconde da Luz (piétonne).

Monastère (Mosteiro) de Santa Cruz★ Plan II

Praça 8 de Maio - ℘ 239 85 10 90 - 10h-12h, 14h-18h - église grat. ; sacristie et cloître 2,50 €.

Bâti au 16e s. sur les ruines d'un couvent du 12e s. fondé par Alphonse Henriques, ce monastère est précédé d'un imposant portail Renaissance, œuvre de Nicolas Chanterene et Diogo de Castilho (1520), qui a malheureusement beaucoup souffert des intempéries et a été défiguré au 18e s.

Église★ – Son plafond manuélin est soutenu par des colonnes torsadées et des consoles (remarquez les clefs autour desquelles s'articule le rayonnement de la voûte). Ses murs sont ornés d'azulejos qui représentent la vie de saint Augustin.

La triste destinée des rubans...

Les rubans qui ornent les capes noires des étudiants indiquent leur discipline : bleus pour les lettres, jaunes pour la médecine, rouges pour le droit. Début mai, la place de l'Ancienne-Cathédrale est le théâtre d'une grande fête qui marque la fin de l'année scolaire. Les rubans sont brûlés dans de grands chaudrons. Cette cérémonie est suivie d'une sérénade, de bals et, pour clore les festivités, d'un thé dansant.

La **chaire**★ Renaissance exécutée par Nicolas Chanterene compte parmi les chefs-d'œuvre de la sculpture. De chaque côté du maître-autel, deux enfeus contiennent les tombeaux des deux premiers rois du Portugal, Alphonse Henriques *(à gauche)* et Sanche Ier *(à droite)* ; ils sont encadrés et surmontés d'une riche décoration de fleurs, de statues, de médaillons datant de la fin du gothique et du début de la Renaissance.

Par une porte au fond du chœur, à droite, on accède à la **sacristie** où sont conservés quatre tableaux portugais du début du 16e s. De la sacristie, on traverse la **salle capitulaire** à la belle voûte manuéline et aux azulejos du 17e s. pour aboutir au cloître.

Cloître du Silence★ – Œuvre de Marcos Pires (1524), c'est un modèle de style manuélin pur et dépouillé ; ses galeries sont décorées d'azulejos polychromes illustrant les paraboles de l'Évangile ; sur trois bas-reliefs figurent des scènes de la Passion empruntées à des gravures de Dürer.

Tribune – Située à l'entrée de l'église, elle renferme de jolies **stalles**★ en bois sculpté et doré (16e s.), exécutées par des Flamands et le Français François Lorete ; leur couronnement est composé de sphères armillaires, de croix du Christ et de galions évoquant les voyages de Vasco de Gama.

À la sortie du monastère, tourner à droite dans la sympathique rua Martins Carvalhó (piétonne), dont les boutiques débordent sur la chaussée. En haut, prendre à gauche les escaliers qui descendent vers un bassin puis, à droite, la rua Olímpio Nicolau Rui Fernandes. Longer le marché municipal, puis remonter l'av. Sá da Bandeira jusqu'à la praça da República et l'entrée du parc.

Jardin (Jardim) da Sereia ou parc (Parque) de Santa Cruz Plan I

On pénètre dans ce beau jardin romantique, créé au 18e s., entre deux tours surmontées d'arcs au décor végétal de mousse et de troncs d'arbres. Une allée, agrémentée de bancs décorés d'azulejos, conduit à une fontaine ornée de statues et encadrée par un escalier à double volée. Derrière la fontaine, un lac entouré de massifs de buis taillés et d'arbres exotiques offre une halte de fraîcheur et de repos au milieu de l'agitation urbaine.

Sortir au nord du parc et tourner à droite dans l'av. Lourenço de Almeida Azevedo. En haut de celle-ci, emprunter les escaliers en face, puis prendre à gauche l'av. Dom Afonso Henriques. Continuer tout droit rua das Parreiras, puis rua Manso Preto.

Convent de Celas Plan I

R. Manso Preto - ℰ *239 48 20 90 - ouv. sur demande 15h-18h (s'adresser au 23, rua Manso Preto).*

Cet ancien couvent de bernardines du 12e s. fut remanié au 16e s. L'église est voûtée en étoile. La sacristie, à droite du chœur, conserve, d'un **retable**★ de Jean de Rouen (16e s.), deux panneaux représentant l'un saint Jean l'Évangéliste, l'autre le partage du manteau de saint Martin. Le cloître, de style roman (13e s.), avec quelques éléments gothiques, a de jolis chapiteaux historiés.

Rebrousser chemin jusqu'à l'av. Dom Afonso Henriques et la suivre jusqu'au bout. Ensuite, tourner à gauche rua de Santa Teresa, puis dans la première à droite, rua Marnoco e Sousa.

Penedo da Saudade Plan I

R. Marnoco e Sousa. Ce parc fleuri et boisé à flanc de colline est un agréable lieu de promenade offrant des vues sur la vallée du Mondego, l'est de la ville et le stade.

Revenir rua de Santa Teresa et la reprendre à gauche jusqu'en bas, puis longer à gauche le mur de la prison.

Musée Bissaya-Barreto (Casa-Museu Bissaya-Barreto) Plan I

R. da Infantaria, 23 - ℰ *239 85 38 00 - www.fbb.pt - visite guidée (30mn-1h) avr.-oct. : mar.-dim. 15h-18h ; nov.-mars : mar.-vend. 15h-18h - fermé j. fériés - 2,50 €.*

L'ancienne résidence du professeur Bissaya-Barreto (1886-1974), chirurgien, député et ami de Salazar, conserve sa décoration originale. Construite en 1925 dans un style néobaroque, elle est entourée d'un petit jardin romantique orné de statues et d'azulejos. L'intérieur révèle les goûts esthétiques de son ancien propriétaire : salon français du 19e s., azulejos de différentes époques, plafonds peints de fresques, porcelaines de la Compagnie des Indes ou de Saxe, argenterie, marbres italiens, intéressante bibliothèque renfermant des livres des 16e et 17e s., collection de peintures placée sous le thème de la mère et de l'enfant (*Vierge à l'Enfant* de Josefa de Óbidos), et plusieurs toiles de José Malhoa, Sousa Pinto et António Vitorino.

Face à la Casa-Museu Bissaya-Barreto se trouve l'une des entrées du jardin botanique.

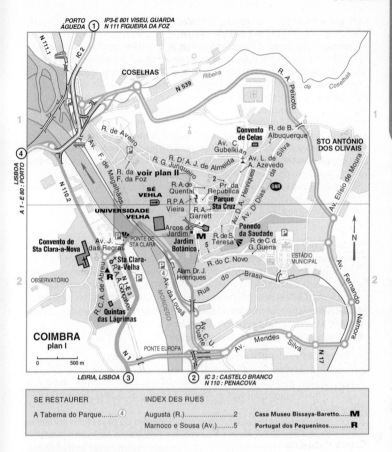

COIMBRA
plan I

0   500 m

Jardin botanique (Jardim Botânico) Plan I

☎ 239 85 52 33 - jardimbotanico.uc.pt - 9h-17h30 (avr.-sept. 20h) - 2 €.

Créé au 18ᵉ s. dans le cadre des réformes de Pombal, ce **jardin botanique** en terrasses présente une grande variété d'arbres rares. C'est aussi le rendez-vous des amoureux !

Ressortir du jardin du côté de l'aqueduc romain et tourner à gauche dans la rua Martim de Freitas, jusqu'à l'université. Il ne reste plus alors qu'à dévaler les ruelles de la vieille ville jusqu'à la praça do Comércio.

SUR LA RIVE GAUCHE DU MONDEGO

Les quatre premiers sites ci-dessous sont accessibles à pied depuis le Ponte de Santa Clara. Le belvédère de la Vallée de l'Enfer est plus éloigné et doit être rejoint en voiture. Une fois le pont franchi, prendre en face l'av. João das Regras. Sur la gauche, une ruelle conduit aux ruines du couvent de Santa Clara-a-Velha.

Couvent de Santa Clara-a-Velha Plan I

Fermé pour travaux.

Les sables du Mondego ont peu à peu réduit à l'état de ruine cette belle église gothique qui reçut le corps d'Inès de Castro avant son transfert à Alcobaça *(voir ce nom)*. Les récents travaux de désensablement ont restitué les fondations du cloître, la nef et le chœur de l'église.

Reprendre à gauche l'av. João das Regras. En face, traverser le carrefour et grimper, à gauche, tout en haut de la calçada de Santa Isabel.

Couvent de Santa Clara-a-Nova Plan I

☎ 239 44 16 74 - lun.-vend. 9h-12h, 14h-17h, sam. 9h-12h, dim. 15h-17h - visite de l'église grat., cloître et chœur inférieur 1 €.

L'église baroque de ce vaste couvent abrite, dans le chœur, le tombeau en argent (17ᵉ s.) de la reine sainte Isabelle, dont on voit la statue en bois sculptée par Teixeira Lopes.

La Fête de la reine sainte

Chaque année paire, au début du mois de juillet, la ville fête sa sainte patronne, la reine Isabelle. Le jeudi soir, la statue de la sainte sort du couvent de Santa Clara-a-Nova. Transportée sur un brancard processionnel, elle traverse le pont de Santa Clara, parcourt les rues de la ville jusqu'à l'église de Graça, où elle reste jusqu'au dimanche suivant, et retourne ensuite au couvent. Les rues sont envahies par la foule, et la statue met des heures pour parcourir quelques mètres. Certains font le chemin pieds nus ou agenouillés. Les plus jeunes sont déguisés en angelots, en roi Denis ou en reine Isabelle, pour commémorer le **miracle des Roses** : la reine portant dans son giron du pain destiné aux pauvres, interrogée par le roi sur ce qu'elle transportait, lui aurait répondu : « Ce sont des roses, mon seigneur… » et, ouvrant les pans de sa jupe, aurait laissé échapper quantité de pétales de roses. C'est pourquoi les habitants ont coutume de lancer sur la statue des pétales de rose de leurs fenêtres décorées de couvre-lits et de grands drapeaux colorés. À minuit, un grand feu d'artifice illumine le Mondego.

Dans le chœur inférieur, visible depuis le fond de l'église à travers les grilles, on peut distinguer le **tombeau★** primitif de la reine (14ᵉ s.), en pierre d'Ançã peinte, exécuté de son vivant. Le gisant, en habit de clarisse, garde les yeux ouverts. La frise qui parcourt le tombeau représente, d'un côté, les clarisses et leur évêque, de l'autre, le Christ et les Apôtres ; au pied, sainte Claire et deux effigies de saintes couronnées ; au chevet, la Crucifixion.

Le **cloître** *(accès à gauche du chœur)*, peu fréquenté, est doté d'un agréable jardin et surprend par son calme et ses larges dimensions.

Redescendre au bas de la calçada de Santa Isabel.

Portugal des tout-petits (Portugal dos Pequeninos) Plan I

Praça Rossio de Santa Clara - ☎ *239 80 11 70 - www.fbb.pt - mars-mai : 10h-19h ; juin-mi-sept. : 9h-20h ; mi-sept.-mi-oct. : 9h-19h ; mi-oct.-déc. et fév. : 10h-17h - fermé janv. et 25 déc. - haute saison (juin-sept. et Pâques) 7 € (enf. grat./3,50 €) ; basse saison 6 € (enf. grat./3 €).*

👥 Les monuments et les architectures traditionnelles du pays et des anciennes colonies d'outre-mer (Brésil, Angola, Mozambique, Goa, Macao, etc.) sont reproduits à l'échelle des enfants. L'une des maisons est aménagée en **musée de l'Enfant** (Museu da Criança). Pour les adultes, c'est le voyage de Gulliver chez les Lilliputiens.

En sortant du Portugal dos Pequeninos, prendre la première rue à droite, rua António Augusto Gonçalves. La villa des Larmes est située à 700 m sur la droite.

Villa des Larmes (Quinta das Lágrimas) Plan I

R. António Augusto Gonçalves (la quinta abrite un hôtel de luxe) - 10h-17h30 - 0,75 €.

D'après une légende née de quelques vers de Camões, Inés de Castro aurait été assassinée en ces lieux, d'où le nom de « villa des Larmes ». En fait, il s'agit d'un petit parc romantique planté d'espèces exotiques, agrémenté d'une source et d'un bassin : un havre de paix dans la ville.

Belvédère de la vallée de l'Enfer (Miradouro do Vale do Inferno)

Accès en voiture. 1,7 km à partir du carrefour faisant face au Portugal dos Pequeninos, en suivant la rua C. A. de Abreu. De ce belvédère, beau **point de vue★** sur le site de Coimbra et le nouveau pont Rainha Isabel.

Aux alentours

Penela

30 km au sud de Coimbra par la N 110.

Village commandé par un château fort des 11ᵉ et 12ᵉ s. ; du donjon, construit à même le rocher, **panorama★** sur le château, le village et la serra da Lousã, à l'est. Au sud du château, dans l'église Santa Eufémia, retable Renaissance de l'école de sculpture de Coimbra (Assomption surmontée d'une Trinité).

Circuit de découverte

DE COIMBRA À L'OCÉAN

90 km aller-retour – Compter 2h-2h15 au total.

Quitter Coimbra au nord par l'IC 2 sur 4 km, puis suivre la N 111 à l'ouest sur 5 km ; prendre à droite la N 234-1, en direction de Cantanhede, situé 19 km plus au nord-ouest.

Entre **Ançã** et **Cantanhede**, on extrait le fameux calcaire blanc connu sous le nom de « pierre d'Ançã ». Aussi facile à travailler que le bois, prenant avec le temps une teinte ocrée, il fut très apprécié par les architectes et les sculpteurs de la région, principalement ceux de l'école de Coimbra.

Cantanhede

Gros bourg agricole, Cantanhede est un centre de commerce du vin, des céréales et du bois. Son **église paroissiale** abrite plusieurs œuvres (16ᵉ s.) attribuées à Jean de Rouen, en particulier : dans la deuxième chapelle à droite, le retable de la Vierge auxiliatrice et, dans la chapelle du Saint-Sacrement, à droite du chœur, deux tombeaux surmontés de statues.

Varziela

4 km de Cantanhede. Prendre la route de Mira et, 2 km plus loin, tourner à gauche (panneau).
La chapelle renferme un **retable**★ en pierre d'Ançã attribué à Jean de Rouen. Très minutieusement travaillé, il représente la Vierge auxiliatrice, entourée de deux anges et de dignitaires de l'Église et de la Cour agenouillés.

En attendant le retour de la pêche.

Praia de Mira

7 km au nord-ouest de Cantanhede par les N 234 et 334.
Sur cette portion du littoral s'étend à l'infini une vaste plage de sable, battue par les vagues et bordée de pinèdes dans les rares endroits qui ne sont pas construits. Le week-end et en été, la plage est noire de monde. Des scènes de pêche traditionnelle, telle qu'on la pratiquait autrefois à Nazaré, sont encore parfois visibles. En l'absence de port, les grosses barques de pêche colorées sont installées sur la plage. Pour aller jeter leurs filets au large, les pêcheurs font glisser leur embarcation sur des rondins et la poussent en s'arc-boutant contre la coque. Une fois la barque mise à l'eau, ils bondissent à l'intérieur et rament rapidement pour lui faire franchir le ressac. Au retour, la barque est ramenée sur la plage de nouveau à l'aide de rondins et d'un câble qu'enroule un tracteur ou, comme jadis, un attelage de bœufs.

Coimbra pratique

Informations utiles

Indicatif téléphonique – *239*

Code postal – *3000*

🅸 **Posto de turismo** – *Praça da Porta Férrea - 3020-123 (dans le bâtiment de la bibliothèque de l'université) -* ✆ *239 85 98 84.*

🅸 **Região de turismo** – *Largo da Portagem - 3000-226 -* ✆ *239 48 81 20.*

Internet – *Praça 8 de Maio - lun.-vend. 10h-20h, w.-end 10h-22h.* Un espace Internet gratuit ouvert par la municipalité pour des connections de 30mn.

Transports

TRAIN

Estação Velha (Coimbra B) – *Estrada Nacional, 1 -* ✆ *239 85 65 50.* La gare principale de la ville. Liaisons pour Aveiro, Porto, Lisbonne…

Estação Nova (Coimbra A) – *Largo das Ameias.* La gare du centre-ville. Trains pour Figueira da Foz. Correspondances régulières pour Coimbra B.

Gare routière – *Av. Fernão de Magalhães.* Plusieurs compagnies de bus. Liaisons pour Lisbonne (2h30) et Porto (1h30).

Se loger

☞ **Pensão Santa Cruz** – *Praça 8 de Maio, 21 (réception au 2ᵉ étage) -* ✆ *239 82 61 97 - www.pensaosantacruz.com -* 🍽 *- 14 ch. 18/35 €.* Le seul charme de cette pension très simple et désuète aux installations vieillissantes réside dans sa vue imprenable sur la place piétonnière et l'université. Chambres avec ou sans douche. Accueil sympathique. N'oubliez pas que la place s'anime le soir…

☞ **Residencial Vitória** – *R. da Sota, 11-19 -* ✆ *239 82 40 49 ou 239 84 28 96 - residencial-vitoria.planetaclix.pt -* ✖ 🖥 *- 20 ch. 45/50 €.* Cet hôtel affiche dans sa partie rénovée un confort et un standing étonnamment modernes pour ce genre de tarifs, qui en fait sans doute l'adresse la plus intéressante de Coimbra. Dix chambres ont été rénovées : elles donnent sur la rue et disposent de tout le confort, notamment de l'air conditionné. Les autres chambres sont un peu moins chères, mais évidemment beaucoup moins agréables !

☞ **Residencial Domus** – *R. Adelino Veiga, 62 (réception au 1ᵉʳ étage) -* ✆ *239 82 85 84 - www.residencialdomus.com -* 🖥 *- 20 ch. 30/40 €* 🚾*.* Vous apprécierez l'accueil familial de ce petit hôtel simple mais de bon confort, situé légèrement en retrait de la rue. Ses chambres au mobilier rustique disposent pour la plupart d'une salle de bain complète.

☞ **Residência Coimbra** – *R. das Azeiteiras, 55 -* ✆ *239 83 79 96/97 - www.residenciacoimbra.com -* 🖥 *- 15 ch. 35/50 €* 🚾*.* Dans une petite ruelle du centre, un hôtel calme aux chambres extrêmement confortables. Accès Internet. Excellent rapport qualité-prix. Une bonne surprise dans cette gamme de tarifs !

☞🍴 **Astória** – *Av. Emídio Navarro, 21 -* ✆ *239 85 30 20 - www.almeidahotels.com -* 🖥 *- 62 ch. 90/110 €* 🚾*.* Magnifiquement situé devant le Mondego, dans un immeuble cossu, cet hôtel fréquenté jadis par de nombreux artistes a conservé un certain charme kitsch, en particulier dans sa salle à manger et son salon de lecture. Très belles vues sur la vieille ville et le fleuve depuis les chambres des étages supérieurs, à l'arrière ou à l'avant de l'édifice.

Se restaurer

Shmoo Café – *R. Corpo de Deus, 68 -* ✆ *965 21 45 75 (mobile) - www.shmoocafe. blogspot.com - lun.-sam (soir uniquement) -* 🍽*.* Dans une rue en pente derrière l'église Santa Cruz, un petit café aux couleurs vitaminées et fraîches, à l'image de sa carte qui arbore de belles salades sucrées-salées aux fruits exotiques et aux légumes, des jus de fruits et des *batidos*, des tartines appétissantes, de la charcuterie et des fromages servis sur des planches de bois. Un lieu contemporain au cœur de la vieille ville. DJ.

Snack-bar Daniel Sun – *R. da Louça, 50-52 -* ✆ *934 83 09 76 (mobile) - fermé dim.* Ce petit bar niché dans une ruelle tout près de la praça 8 de Maio ne « paie pas de mine » mais demeure très authentique. Comme les habitués, vous vous installerez au comptoir ou à l'étage, et choisirez les plats en vitrine entre salade de poulpe, moules, morue frite et charcuterie. Pour une tranche de vie quotidienne.

☞ **Adega Paço do Conde** – *R. Paço do Conde, 1 -* ✆ *239 82 56 05 - fermé dim. - 10/20 €.* Un restaurant typique de grillades proposant des viandes et des poissons de première qualité. On mange dans l'une des deux salles ou la cour intérieure (éclairée, c'est dommage, de néons peu intimes). Service aimable et attentif.

☞ **Casa de Pasto (Taberninha)** – *Praça do Comércio, 77-78 -* ✆ *239 84 03 81 - fermé dim. -* 🍽 *- 7/15 €.* Tout en longueur et sur deux niveaux reliés par un escalier de pierre, ce restaurant sans prétention propose des plats simples : moules, poulpe en salade ou au riz, morue au four et petits légumes, viande de porc de l'Alentejo… Vous pourrez les savourer à l'intérieur ou en terrasse, sur la sympathique praça do Comércio.

☞ **Feb** – *R. do Corvo, 8-16 -* ✆ *239 82 31 24 - fermé dim. et soir - 10 €.* Dans une ruelle partant de la praça 8 de Maio, un lieu très fréquenté par les habitants. Le rez-de-chaussée abrite un bar, où les plus pressés déjeunent sur le pouce, et l'étage, un restaurant au calme apaisant. Cuisine portugaise classique.

⊖⊜ **A Taberna do Parque** – *Parque Verde do Mondego, av. da Lousã -* ℘ *239 84 21 40 - 20/30 €.* Sur le récent « front de fleuve » qui draine toute la jeunesse de Coimbra, ce restaurant joue la carte d'une cuisine soignée, servie dans un cadre contemporain chic. Si les plats sont à la hauteur, le service, passablement débordé, nuit un peu à la qualité de l'endroit. Belle terrasse les pieds dans l'eau.

Faire une pause

Café Santa Cruz – *Praça 8 de Maio -* ℘ *239 83 36 17 - été : 8h-2h ; hiver : 8h-0h - fermé dim.* On se doit de faire une halte dans ce café magnifique, véritable institution de Coimbra. Il fait littéralement partie de l'église Santa Cruz puisqu'il occupe une ancienne chapelle. On prend ainsi son café sous de superbes voûtes nervurées, installé dans des sièges en cuir patiné et clouté, tandis qu'un vieux ventilateur brasse tranquillement l'air.

Jardim da Manga – *R. Olímpio N. Rui Fernandes -* ℘ *239 82 91 56 - fermé sam.* L'intérêt de cette adresse réside dans son cadre : un jardin et son bassin, situés derrière l'église Santa Cruz. Pour y accéder, contournez la *câmara municipal* ou prenez les escaliers de la rua Martins de Carvalho. Idéal pour prendre un verre en terrasse ou manger très simplement, en self-service.

En soirée

Très calme en été, la ville s'anime pendant l'année universitaire. Pour commencer la soirée, les étudiants se réunissent aux terrasses de la praça da República. Ensuite, ils peuvent se retrouver dans l'un des bars entourant la Sé Velha (**Boémia Bar, Piano Negro, Bigorna Bar**), à côté de la praça 8 de Maio (**Salão Brasil**, *largo do Poço, 3*) ou, depuis peu, au Parque Verde do Mondego, un ponton avec bars et restaurants aménagé au bord du Mondego. Beaucoup de ces bars proposent des concerts. Ensuite, direction les discothèques : la **Via Latina** (*R. Almeida Garret, 1*), dotée d'une terrasse, le **Vinyl** pour les plus jeunes

(*av. D. Afonso Henriques, 43*), le **Broadway** (*Vales da Pedrulha*) ou le **Ar de Rato** (*Quinta da Insua, à Santa Clara*). On aime aussi sortir de l'autre côté du fleuve. Devant l'un des portails latéraux du Portugal dos Pequeninos, on trouve la **Galeria de Santa Clara**, avec son bar et un agréable jardin, et plus loin le **Bar de São Francisco**, **le Calhabar** (*R. do Brasil*) ou **Noites Longas** (*R. Almeida Garrett*).

Foyer do TAGV – *Praça da República (au début de la rua Sá da Bandeira) - lun.-vend. 10h-1h ; w.-end et j. fériés 14h-1h.* Nous voici praça da República, là où bat le cœur nocturne de Coimbra ! Le foyer du théâtre académique Gil Vicente fait salle comble tous les soirs à l'étage, dans un décor « design » de fauteuils en plexiglas blanc, carrelages vert d'eau et immenses baies vitrées donnant sur la praça. Une atmosphère culturelle et décontractée, très recherchée pour boire un verre en soirée. Fréquenté aussi en journée par les étudiants.

Quebra Costas – *Escadas do Quebra Costas, 45-49 -* ℘ *239 82 16 61.* Parce que l'activité nocturne de Coimbra ne tourne pas exclusivement autour de la praça da República, attablez-vous en haut des escaliers de Quebra Costas en chemin vers la Sé Velha. Une charmante placette y fait office de terrasse : idéal pour prendre un verre et contempler l'animation d'une rue regroupant certaines adresses « tendance » du centre historique, comme la librairie XM.

A Capela – *R. Corpo de Deus (largo da Victória) -* ℘ *239 83 39 85 - www.acapella. com.pt. Concert de fado tous les soirs.* Cette ancienne chapelle a été joliment transformée en intime salle de spectacle dédiée au fado. Installés dans le chœur, les musiciens se produisent devant un public attentif, qui vient aussi pour goûter les vins portugais et dîner simplement. Excellente acoustique. À ne pas manquer.

Événement

Festa da Rainha Santa – 1er ou 2e w.-end de juillet (années paires). *Voir encadré « la Fête de la reine sainte » p. 296.*

Ruines de **Conímbriga**★

CARTE MICHELIN 733 L4 – DISTRICT DE COIMBRA

Situées sur un éperon triangulaire limité par deux vallées encaissées et ravinées, les ruines romaines de Conímbriga, avec leurs mosaïques très bien conservées, comptent parmi les plus belles de toute la péninsule Ibérique.

- **Se repérer** – À 14 km au sud de Coimbra.
- **À ne pas manquer** – Les magnifiques mosaïques de la maison aux Jeux d'eau.
- **Organiser son temps** – Comptez 1 à 2h pour la visite du site et du musée.
- **Avec les enfants** – Bien préservé, le site est idéal pour faire comprendre aux enfants ce que fut le quotidien d'une communauté romaine.
- **Pour poursuivre le voyage** – Coimbra, Figueira da Foz, la serra da Lousã.

Comprendre

Dès l'âge du fer, une cité celte occupait le site de Conímbriga. Les ruines que l'on voit actuellement sont celles d'une ville romaine, fondée au 1er s. de part et d'autre d'une voie importante reliant Lisbonne à Braga. Au 3e s., après une longue période de prospérité, les habitants durent faire face à la menace des invasions barbares. Ils construisirent un rempart, laissant à l'extérieur des murs une partie de la ville. En dépit de ces mesures, Conímbriga tomba, en 468, aux mains des Suèves, et la ville déclina au profit de l'actuelle Coimbra, dont le nom vient de Conímbriga.

Visiter

☎ 239 94 11 77 - www.conimbriga.pt - juin-sept. : 9h-20h ; oct.-mai : 10h-18h (dernière entrée 30mn av. fermeture) - fermé 1er janv., dim. de Pâques, 1er mai et 25 déc. - musée fermé lun. - 3 € (billet combiné avec la visite du musée), grat. dim. et j. fériés.

Laisser la voiture devant le musée, prendre le chemin qui se dirige vers l'entrée des ruines et suivre l'itinéraire indiqué sur le plan.

Traversez la **maison au Svastika** (motif en forme de croix gammée) et la **maison des Squelettes**, pavées de belles mosaïques. Vous découvrez ensuite un établissement thermal avec un intéressant exemple de *laconicum* (un genre de sauna).

Maison de Cantaber★

Cette demeure, l'une des plus grandes du monde occidental romain, aurait appartenu à un nommé Cantaber, dont la femme et les enfants furent emmenés en captivité lors d'une attaque de la ville en 465 par les Suèves, envahisseurs germaniques.

La visite débute par les thermes privés : le frigidarium **(1)** avec ses piscines pour bains froids, le tepidarium (bains tièdes) et le caldarium (bains chauds, **2**), installés sur un hypocauste (salle de chauffe) dont vous apercevrez l'emplacement des foyers et le système souterrain de circulation d'air chaud ; quelques tuyauteries en plomb sont encore visibles.

Vous arrivez ensuite devant l'entrée de la maison orientée vers le nord : une colonnade précédait l'atrium **(3)** ; en passant de l'atrium au péristyle central **(4)**, remarquez sur le sol une curieuse pierre **(5)** avec une rosace qui permet d'entrevoir l'égout. Autour de l'impluvium **(6)**, qui se trouve à gauche du péristyle, se distribuent des chambres à coucher. Du triclinium, qui était à la fois un salon et une salle à manger, on voit trois bassins ; le plus intéressant **(7)** est bordé de colonnes, dont une a gardé son revêtement primitif de peinture rouge. Prenant appui sur le rempart, un ensemble de trois pièces retient l'attention par son joli bassin décoratif à plates-bandes en forme de croix.

Ville antique

Au nord-ouest de la maison de Cantaber, les archéologues ont exhumé le centre de la ville antique : un **forum**, une hôtellerie et des thermes, tandis qu'au sud-ouest les fouilles ont mis au jour un quartier d'artisans et des thermes monumentaux.

Aqueduc

Long de 3,5 km et menant jusqu'à Alcabideque où l'eau était captée, il aboutissait à la tour de distribution près de l'arc (reconstitué) attenant à la muraille.

Maison aux Jeux d'eau★★

Une passerelle a été aménagée au nord pour en faciliter la visite.

Cette villa, qui appartenait à un certain Rufus, date de la première moitié du 2e s. **et** fut construite sur l'emplacement d'un édifice du 1er s. On voit très clairement la disposition des pièces à partir des bases des colonnes et du pavement, en grande partie constitué de magnifiques mosaïques. À l'intérieur, on reconnaît l'atrium ou vestibule d'entrée, le péristyle et le triclinium ; celui-ci était bordé d'un bassin. Autour de ces pièces, se répartissaient les locaux d'habitation et les communs. Leur sol est recouvert de **mosaïques★★** d'une extraordinaire variété.

Dans une pièce à gauche du triclinium, une belle composition polychrome **(9)** représente des scènes de chasse, les quatre saisons et un quadrige.

Une autre des pièces **(10)** donnant sur l'impluvium présente une scène de chasse au cerf dont vous admirerez l'élégance des attitudes.

Le pavement d'une chambre à coucher (cubiculum, **11**) comprend des motifs géométriques et végétaux qui encadrent Silène chevauchant un âne tiré par la longe.

À côté, un salon **(12)** s'ouvrant sur le péristyle est décoré d'une remarquable mosaïque : au centre d'une décoration représentant des échassiers, des dauphins et des dragons de mer, un centaure marin entouré de dauphins brandit un étendard et un poisson. Enfin, dans l'angle sud-ouest du péristyle, remarquez Persée tenant dans sa main droite la tête de Méduse qu'il semble offrir à un monstre marin **(8)**.

La maison longe un tronçon de la voie romaine que l'on reprend pour rejoindre le musée.

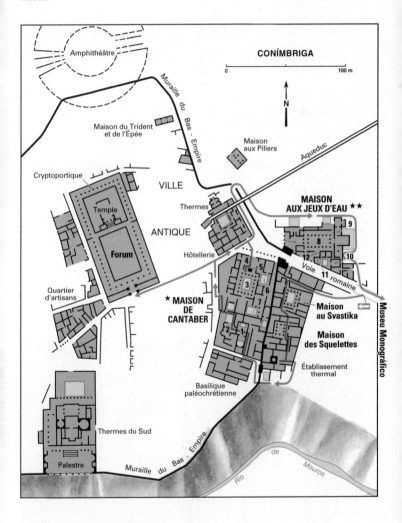

Musée monographique (Museu Monográfico)
Céramiques, sculptures, épigraphes, mosaïques et petits objets évoquent les conditions socio-économiques dans lesquelles vivaient les habitants de cette ville depuis le début de l'Empire romain jusqu'à la fin du 6e s.

Serra da **Lousã**★

CARTE MICHELIN 733 M4 ET L5

Avec ses versants boisés et ses vallées cultivées, entrecoupés de crêtes pelées où la roche à nu se teinte de reflets violets, la serra da Lousã offre un paysage varié, typique de l'univers contrasté des Beiras. Groupés dans des hameaux aux maisons basses en schiste, les habitants de la région vivaient, il n'y a pas si longtemps, de médiocres cultures en terrasses et de l'élevage des chèvres et des moutons.

- ▶ **Se repérer** – La serra da Lousã émerge à une trentaine de kilomètres au sud-est de Coimbra et à environ 70 km au nord-est de Leiria.

- 👁 **À ne pas manquer** – Les belles maisons de schiste du village de Candal ; les maisons patriciennes de Lousã.

- 🕐 **Organiser son temps** – Comptez environ 3h pour effectuer l'itinéraire routier entre Pombal et Coimbra.

- 👶 **Pour poursuivre le voyage** – Leiria, Coimbra et les ruines de Conímbriga.

Comprendre

Avec son sommet culminant à 1 202 m à Alto do Trevim, la serra da Lousã est principalement constituée de croupes de schiste et de crêtes de quartz. Se terminant abruptement au nord au-dessus du bassin de Lousã, elle est séparée de la serra de Gardunha, au sud, par la vallée du Zêzere. À l'est, la montagne est dominée par le massif granitique plus élevé de la serra da Estrela.

Circuit de découverte

DE POMBAL À COIMBRA PAR LA SERRA

124 km – Env. 3h.

À Pombal (voir p. 200), situé entre Coimbra et Leiria, prendre l'IC 8 en direction d'Ansião et Pontão, vers l'est.

Jusqu'à Pontão, la route serpente sur des collines calcaires piquetées de quelques oliviers, chênes, pins et eucalyptus.

Quitter l'IC 8 à Pontão et emprunter vers l'est l'ancienne route de Sertã, qui passe par Figueiró dos Vinhos.

Le paysage devient plus accidenté et plus frais, le calcaire cédant la place aux marnes, exploitées dans quelques briqueteries ; le **parcours**★, d'une grande variété, suit en corniche les sinuosités de la montagne ; les vues sur les vallées cultivées ou sur les sommets pelés alternent avec les passages boisés.

Figueiró dos Vinhos

Au pied de la serra, cette petite ville est connue pour sa vaisselle en terre cuite. L'**église**, au chœur décoré d'azulejos du 18e s. illustrant la vie de saint Jean-Baptiste, possède une belle Trinité dans la chapelle de droite.

Maisons typiques de la serra da Lousã.

A. Sacchetti/ITP-Instituto de Turismo de Portugal

À Figueiró dos Vinhos, prendre la N 236-1 vers le nord, en direction de Lousã.

La route franchit la serra da Lousã. Le versant sud, d'abord boisé de pins et d'eucalyptus, se dénude à mesure que l'altitude croît.

Castanheira de Pêra

Dans la rue principale du bourg, face à une école, joli jardin public planté d'ifs, de buis et de thuyas, taillés avec une amusante fantaisie. À voir, également, un étonnant plan d'eau (**Praia das Rocas**), avec île artificielle, palmier et grandes piscines.

Dix kilomètres environ après Castanheira, dans un virage à droite, un belvédère offre une **vue★** étendue sur une petite vallée creusée par un affluent du Zêzere, prolongée au-delà par une ligne de crêtes masquant le bassin du Tage.

La **descente★** sur Lousã est très rapide ; la route en corniche procure de jolis coups d'œil sur la vallée de l'Arouce.

Candal

Dans ce vieux village s'étageant dans un site original, on voit encore de belles maisons grises construites en schiste. À la sortie du village, remarquez à gauche, en contrebas, plusieurs bergeries en ruine.

Belvédère (Miradouro) de Nossa Senhora da Piedade★

Cinq kilomètres environ après Candal, très belle **vue** plongeante sur la vallée de l'Arouce, au fond de laquelle se dressent un petit château médiéval et de minuscules chapelles blanches ; en contre-haut, le village perché de **Casal Novo.**

Lousã

Paisible village adossé à la montagne, Lousã, comme **Foz de Arouce**, situé 6 km plus au nord, possède encore, dans le quartier qui entoure son église, un ensemble de maisons patriciennes du 18e s. aux fenêtres armoriées. Vous apprécierez en particulier le Palácio dos Salazires, transformé en hôtel de luxe, et la Capela da Misericórdia, située juste en face. L'usine à papier, sur les rives boisées de l'Arouce, fonctionne depuis 1716.

Après la traversée du bassin de Lousã, la route *(N 236, puis N 17 à gauche)*, passant par Foz de Arouce, emprunte les vallées du Ceira, puis du Mondego et gagne **Coimbra★★** *(voir ce nom).*

Figueira da Foz

10 848 HABITANTS
CARTE MICHELIN 733 L3 – DISTRICT DE COIMBRA

Adossée à la petite serra da Boa Viagem qui la protège des vents du nord, Figueira da Foz, ville côtière, s'étale à l'embouchure du Mondego et fait face à un paysage de marais salants. Outre son port de pêche (sardine et morue) et ses chantiers navals, c'est l'une des stations balnéaires les plus fréquentées du Portugal. Dans la courbe très ouverte de sa baie, une immense plage de sable fin et un front de mer défiguré par une urbanisation anarchique attirent chaque année de nombreux estivants. Les distractions y sont autant mondaines (casino, concerts, théâtre) que sportives (natation, régates, football de plage) ou folkloriques (fêtes de la Saint-Jean).

- **Se repérer** – Figueira da Foz est située au sud de la *Beira Litoral*, à 43 km à l'ouest de Coimbra et à 51 km au nord de Leiria.
- **À ne pas manquer** – Le château de Montemor-o-Velho.
- **Avec les enfants** – Profitez avec eux de la plage de sable fin.
- **Pour poursuivre le voyage** – Aveiro, Coimbra.

Visiter

Musée (Museu) municipal Dr Santos Rocha

R. Calouste Gulbenkian - ℰ 233 40 28 40 - été : mar.-dim. 9h30-17h15 ; hiver : mar.-vend. 9h30-17h15, w.-end 14h15-17h15 - fermé j. fériés - 1,30 €.

Installé dans un édifice moderne, ce musée présente d'intéressantes collections archéologiques (remarquez une stèle gravée d'inscriptions ibériques) et artistiques : peintures, sculptures, arts décoratifs (faïences, mobilier).

Aux alentours

Serra da Boa Viagem

Circuit de 20 km – Env. 45mn. Quitter Figueira da Foz vers le nord-ouest par la route côtière.

On aperçoit **Buarcos**, village de pêcheurs et station balnéaire. Après avoir laissé à gauche une importante cimenterie, la route longe l'Océan et atteint le phare du cap Mondego.

La route se poursuit à travers la forêt de pins, d'acacias et d'eucalyptus qui couvre la serra.

Tourner à droite en direction du village de Boa Viagem, puis à droite à nouveau vers Figueira da Foz.

Info pratique

Informations utiles

Indicatif téléphonique – *233*
Code postal – *3080*
🅑 Posto de turismo – *Av. 25 de Abril - 3080-501 - ☎ 233 42 26 10 - www. figueiraturismo.com.*
Internet – Biblioteca municipal *(dans le Musée municipal)* - *grat.*

Événements

Festas da Cidade – Durant les deux dernières semaines de juin, en particulier à la Saint-Jean (23-24 juin).

La route passe sous une véritable voûte de verdure (cèdres, eucalyptus) puis, peu avant Boa Viagem, l'horizon se dégage pour offrir de jolies vues sur la baie de Figueira da Foz et l'embouchure du Mondego.

Montemor-o-Velho

16 km à l'est par l'A 14. Dans la vallée du Mondego, Montemor-o-Velho est dominé par les ruines d'une citadelle bâtie au 11e s. pour interdire l'accès de Coimbra aux Maures occupant l'Estrémadure.

Château★ – *À l'entrée du bourg en venant de Figueira da Foz. Franchir la première enceinte et pénétrer dans la cour du château - ☎ 239 68 03 80 - été : 9h-21h ; printemps : 10h-18h30 ; hiver : 10h-17h - fermé 1er janv. et 25 déc. - grat.* Du château initial, il reste une double enceinte ovale crénelée, flanquée de nombreuses tours ; l'angle nord est occupé par l'église et le donjon. Du haut des remparts, large **panorama★** sur la vallée du Mondego où s'étendent d'immenses rizières, quelques champs de maïs et des peupleraies ; la serra da Lousã se profile à l'horizon, au sud-est.

Forêt de **Buçaco**★★

Mata do Buçaco

CARTE MICHELIN 733 K4 – DISTRICT D'AVEIRO

Dominant la paisible station thermale de **Luso**, le Parc forestier de Buçaco couronne l'extrémité nord de la serra do Buçaco. Enclos d'une mystérieuse muraille de pierre percée de plusieurs portes, il forme un sanctuaire végétal dense et ombragé, où se mêlent essences exotiques et indigènes. Au centre, dans une vaste clairière, se dresse un palais-hôtel aux allures de château fantasmagorique. L'ensemble forme un lieu à part, frais et reposant, pour une cure de chlorophylle, de silence, d'air pur et d'eau bienfaitrice.

- ⬤ **Se repérer** – À 25 km au nord de Coimbra.
- 👁 **À ne pas manquer** – Une exploration des allées labyrinthiques du parc.
- 🕓 **Organiser son temps** – Prévoyez 1h pour une visite rapide en voiture ; une demi-journée si vous choisissez de découvrir le parc à pied.
- 👪 **Avec les enfants** – Un pique-nique au cœur de la nature préservée.
- 🖢 **Pour poursuivre le voyage** – Aveiro, Coimbra et ses alentours.

Comprendre

Une forêt bien protégée – Dès le 6e s., les bénédictins, établis à Lorvão, édifient un ermitage à Buçaco, parmi les chênes et les pins de la forêt primitive. Du 11e s. au début du 17e s., la forêt est jalousement entretenue par les prêtres de la cathédrale de Coimbra qui en ont hérité ; en 1622, le pape Grégoire XV interdit aux femmes de pénétrer dans la forêt sous peine d'excommunication.

En 1628, les carmes déchaux s'installent dans la forêt, construisent un monastère et ferment leur domaine d'une muraille continue. Ils poursuivent l'aménagement de la forêt en procédant à de nouvelles plantations : érables, lauriers-tins, rouvres, cèdres (ou cyprès) du Mexique. En 1643, ils obtiennent du pape Urbain VIII une **bulle** d'excommunication contre quiconque dégraderait les arbres de leur domaine.

Mais les carmes doivent quitter Buçaco après l'abolition des ordres religieux au Portugal (28 mai 1834). La forêt échoit à l'administration royale puis à celle des Eaux et Forêts, qui accentue le rythme des plantations.

Au début du 20e s., la forêt devient un lieu de villégiature à la mode, du fait de la fréquentation chic de la station thermale voisine de Luso.

Le cyprès de Lusitanie, un arbre vénérable

Planté en abondance par les premiers moines dès le début du 16e s., ce magnifique conifère a été pendant longtemps objet de méprise. D'où le nom de son espèce, *Cupressus Lusitanica*, autrement dit « cyprès de Lusitanie », reçu d'un savant du 18e s. qui supposait qu'il avait été rapporté de Goa (Inde) par les Portugais. Depuis que, en 1839, on en découvrit une variété au Mexique, le « cèdre de Goa » ou « cèdre du Buçaco » est souvent appelé « cyprès du Mexique ».

Aujourd'hui, les 105 ha de la forêt de Buçaco comprennent plus de 400 essences indigènes (chênes, châtaigniers, lentisques, etc.), implantées pour certaines avec la forêt primitive des premiers siècles de notre ère, et environ 300 espèces exotiques (ginkgo, araucaria, cèdre, sapin de l'Himalaya, thuya, épicéa d'Orient, palmier, arbousier, séquoia, camphrier du Japon, etc.), introduites par les moines à la fin du Moyen Âge. Entre les arbres, poussent des fougères arborescentes, des hortensias, des mimosas, des camélias, des magnolias, des philarias et même du muguet.

La bataille de Buçaco – En 1810, après deux tentatives d'invasion du Portugal, Napoléon organise une troisième expédition commandée par le général Masséna, qu'accompagnent Junot et Ney. Le 26 septembre, l'armée française arrive en vue des hauteurs de Buçaco sur lesquelles sont installées les troupes anglo-portugaises dirigées par Wellington. Le 27, Masséna, ignorant les positions et l'importance de ces troupes, donne à ses soldats, affamés et épuisés, l'ordre de monter à l'assaut. Dans un brouillard dense, l'une des divisions escalade les pentes, suivie par les autres, mais l'élan des Français est brisé par une décharge d'artillerie et par une contre-attaque à la baïonnette. L'armée française, qui a perdu 4 500 soldats en trois heures, réussit cependant à gagner Coimbra.

Se promener

AU CŒUR DE LA FORÊT DE BUÇACO

De Luso, rejoindre la forêt de Buçaco à pied (10mn) ou en voiture (3 km en direction de Mortagua) - 231 23 92 26 - www.asterisco.com.pt - 8h-21h - oct.-mai : accès grat. ; juin-sept. : grat. pour marcheurs et cyclistes, voitures 2,50 € (jusqu'à 5 places) ou 5 € (plus de 5 places).

Palace-hôtel★

Commandé par le roi Charles et exécuté par l'architecte italien Luigi Manini, ce pavillon de chasse construit dans la forêt entre 1888 et 1907 ressemble à un décor de théâtre. C'est un pastiche de l'art manuélin où l'on retrouve le profil de la tour de Belém et la décoration du cloître des Jerónimos de Lisbonne. Le tout est flanqué d'une tour, surmontée par une sphère armillaire. À l'intérieur, la décoration est tout aussi exubérante et les dimensions de la cage d'escalier impressionnantes ; ses parois sont recouvertes d'immenses panneaux d'azulejos de Jorge Colaço représentant des épisodes des *Lusiades* de Camões et des scènes de bataille de l'histoire du Portugal. L'ensemble abrite aujourd'hui un hôtel de luxe.

Couvent des Carmes-Déchaux (Convento dos Carmelitas Descalços)

En contrebas de l'hôtel - mar.-sam. 9h-12h20, 14h-17h20 - fermé j. fériés - 0,60 €.

Du couvent, construit entre 1628 et 1630, subsistent la chapelle, le cloître et plusieurs cellules que les moines avaient tapissées de liège pour lutter contre le froid.

Plusieurs promenades à pied permettent de découvrir la forêt de Buçaco, parsemée d'ermitages construits par les moines au 17e s. On peut aussi y voir un intéressant chemin de croix *(Via Sacra, voir promenade* 2*)*. *Les itinéraires décrits ci-dessous partent du parking près de l'hôtel (attention, la signalétique dans le parc n'est pas très lisible).*

Le palace-hôtel de Buçaco.

La Fontaine froide et la vallée des Fougères★★
(Fonte Fria et Vale dos Fetos) ⬚1

Circuit de 1h15 à pied.

Ermitage (Ermida) da Nossa Senhora da Assunção – C'est l'un des dix ermitages isolés dans la forêt où les moines se retiraient.

Fontaine froide (Fonte Fria) – Elle sourd dans une grotte d'où ses eaux se déversent en cascade le long d'un escalier de 144 marches ; en bas, dans le bassin de réception entouré d'hortensias et de magnolias, se reflètent de majestueux conifères.

Le sentier bordé de magnifiques fougères arborescentes, de rhododendrons et d'hortensias longe ensuite le cours d'un ruisseau et conduit à un lac au bord duquel se dressent plusieurs thuyas.

Vallée des Fougères (Vale dos Fetos) – Agrémentée de pins et de séquoias gigantesques, l'**allée des Fougères arborescentes** mène vers la Porta das Lapas.

Porta de Coimbra – Élevée en même temps que le mur d'enceinte au 17ᵉ s., elle a reçu une décoration rocaille ; deux plaques de marbre apposées sur sa façade extérieure reproduisent le texte des deux bulles papales. Les arches s'ouvrent sur une jolie terrasse aménagée en belvédère : vue particulièrement agréable au coucher du soleil.

Revenir vers le palace-hôtel par l'avenida do Mosteiro, bordée de superbes cèdres.

La Voix sacrée et la Croix Haute★★ (a Via Sacra e a Cruz Alta) ⬚2

Circuit de 1h à pied. Partir par l'avenida do Mosteiro sous le couvent, puis tourner à gauche pour suivre la Via Sacra.

Voie sacrée★ (Via Sacra) – Le chemin de croix, construit à la fin du 17ᵉ s. dans le style baroque, se compose de chapelles s'égrenant le long du chemin. Dans ces chapelles, les différentes stations de la montée au Calvaire sont représentées par des personnages en terre cuite grandeur nature.

Croix Haute★ (Cruz Alta) – *Alt. 545 m.* De là, le **panorama** est immense : à droite, la barrière de la serra do Caramulo ; en face, une multitude de villages blancs de la plaine côtière ; en contrebas, le palace-hôtel émergeant d'un flot de verdure ; à gauche, au loin, l'agglomération de Coimbra ; à l'extrême gauche, à l'horizon, par-delà la vallée du Mondego, les hauteurs des serras da Lousã et da Estrela.

Revenir par des sentiers en sous-bois que bordent différents ermitages.

La Croix Haute (Cruz Alta) par la route ⬚3

6 km. Prendre la route qui part au sud-est du palace-hôtel.

Quelques centaines de mètres plus loin, admirez la cascade qu'alimente la **fontaine de São Silvestre**, nichée dans les fougères et les hortensias.

Musée militaire (Museu Militar) – ☎ 213 93 93 10 - mar.-dim. 10h-12h30, 14h-17h - fermé 1er janv., dim. de Pâques et 25 déc. - 1 €. Situé à l'extérieur de l'enceinte, il évoque la bataille de Buçaco et les différents épisodes de la guerre de 1810 au Portugal.

Obélisque (Obelisco) – Surmonté d'une étoile de verre, cet obélisque commémore la bataille de Buçaco ; de là, jolie **vue★** sur la serra da Estrela et la serra do Caramulo.

La route s'élève ensuite parmi les pins jusqu'à la porte donnant accès à la Cruz Alta.

LUSO★ ET ENVIRONS

Le bourg de Luso, à partir duquel on peut facilement rejoindre à pied la forêt de Buçaco, est une station thermale réputée, fréquentée par des curistes depuis plus d'un siècle. Ses eaux radioactives sont notamment utilisées dans le traitement des affections rénales. Par ailleurs, l'eau minérale de Luso est l'une des plus connues et consommées au Portugal.

Ses kiosques, ses parcs et ses fontaines en font un endroit calme et reposant, qui peut constituer une agréable base de séjour.

On y déguste notamment un délicieux cochon de lait rôti *(leitão assado)*. Le confortable **Grande Hotel**, des années 1940, a été conçu par l'architecte Raúl Lino.

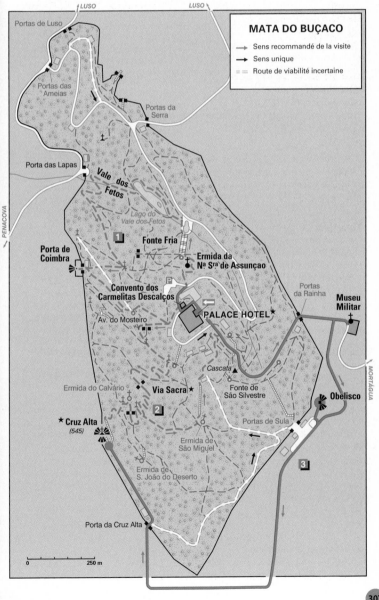

Mealhada

6 km à l'ouest de Luso par la N 234, à proximité de la grande route (N 1/IC 2).

Mealhada est également réputé pour son *leitão assado* que proposent les nombreux restaurants alignés le long de la route. C'est aussi le centre de production du vin de Bairrada, une appellation contrôlée *(visite de caves possible).*

Curia

13 km au nord-ouest de Luso.

Les Romains exploitaient déjà cette petite station (Aquæ Curiva), de nos jours exclusivement consacrée aux cures thermales. Ses eaux sont indiquées dans le traitement des maladies métaboliques et endocriniennes, musculaires et du squelette, de l'hypertension et des rhumatismes. On y trouve de grands hôtels construits au début du 20e s.

Forêt de Buçaco pratique

Informations utiles

À LUSO

Indicatif téléphonique – *231*

Code postal – *3050*

🛈 **Posto de turismo** – *R. Emídio Navarro, 136 - Almas do Buçaco - ℘ 231 93 91 33 - www.jtluso-bucaco.pt.*

Transport

Gare ferroviaire – *N 235, à 800 m du centre de Luso (près de la maison d'hôte Vila Duparchy).* Liaisons avec Coimbra et Guarda.

Se loger

À LUSO

😊😊 **Vila Duparchy** – *R. José Duarte Figueiredo, 148 (1,5 km de Luso sur le côté droit de la route de Mealhada, par la N 234) - 3050-224 - ℘ 231 93 07 90 - principe. santos@clix.pt -* 🅿 🛁 *- 6 ch. 80 € ⊑.* Sur une colline verdoyante, l'ingénieur français Jean Alexis Duparchy fit construire en 1895 cette villa cossue, qu'il habita alors qu'il supervisait la construction du chemin de fer de la Beira Alta. Superbes volumes et belle hauteur sous plafond, mobilier d'époque, fauteuils de salon, cheminée dans certaines chambres et grand calme font de cette maison d'hôte une étape de charme. Demandez la chambre avec terrasse, à l'étage (elle est au même prix que les autres). Véranda avec vue sur le parc luxuriant de 6 ha. Table d'hôte sur commande.

😊😊😊 **Palace-Hôtel do Buçaco** – *Floresta do Buçaco - 3050-261 - ℘ 231 93 79 70 - www.palacehoteldobussaco.com -* 🅿 ✗ *- 60 ch. 185/205 € ⊑ - rest. env. 40 €.* Un séjour inoubliable dans un palace exceptionnel. Les chambres sont décorées avec des meubles anciens de valeur.

À CURIA

😊😊 **Das Termas** – *3780-541 - ℘ 231 51 98 00 - www.termasdacuria.com -* 🅿 🛁 ▦ ✗ *- 57 ch. 64/110 € ⊑ - rest. 25/30 €.* Cet hôtel s'élève dans un grand parc (dont l'entrée est payante) à la végétation dense, pourvu d'un lac sur lequel on peut aller dériver en barque. Érigé dans les années 1930, le bâtiment possède une belle piscine et offre une grande variété de traitements.

😊😊😊 **Grande Hotel da Curia** – *3780-541 - ℘ 231 51 57 20 - www. grandehoteldacuria.com -* 🅿 🛁 ▦ ✗ *- 81 ch. 86,5/104,50 € ⊑ - rest. 30/40 €.* Cet établissement de la fin du 19e s. a un peu moins de charme mais il offre tout le confort moderne avec des chambres spacieuses et décorées de meubles Art déco. Traitements très complets, suivi médical, piscines couverte et à ciel ouvert.

Se restaurer

À LUSO

😊 **Lourenços** – *R. Emídio Navarro, 3-7 (Edifício Oasis) - ℘ 231 93 94 74 - fermé merc. - 13/22 €.* Une grande salle traditionnelle installée en surplomb de la rue principale, d'où l'on appréciera la plaisante langueur qui habite la station. Le restaurant propose un large éventail de spécialités du pays : poulpe au vinaigre, riz aux fruits de mer, poulet au vin rouge et l'inévitable *bacalhau.*

Événement

Commémoration de la bataille de Buçaco – Le 27 septembre : tirs au canon.

Aveiro ★

35 948 HABITANTS
CARTE MICHELIN 733 K4 – DISTRICT D'AVEIRO

Avec ses canaux enjambés de petits ponts et ses « moliceiros », gracieuses barques colorées rappelant les gondoles vénitiennes, Aveiro affiche des airs de cité lacustre. Son centre-ville, pourvu de plusieurs beaux édifices Art nouveau, abrite un musée d'art baroque et sacré de premier plan. Les environs sont tout aussi attrayants. Au nord de la ville, au-delà des salines, une vaste ria livre un paysage étonnant de marais et de canaux, qu'un long cordon de dunes et de pinèdes, en partie constitué en réserve naturelle, protège des assauts de l'Atlantique.

- ▶ **Se repérer** – Dans la province de la *Beira Litoral*, à 70 km au sud de Porto, à 60 km au nord-ouest de Coimbra et à 90 km à l'ouest de Viseu.

- 🅿 **Se garer** – Profitez du parking gratuit situé entre l'IP 5 et le canal de São Roque, au nord de la vieille ville.

- 👁 **À ne pas manquer** – Flâner à pied dans le quartier des canaux ; découvrir la lagune d'Aveiro en *moliceiro* ; explorer la Réserve naturelle des dunes de São Jacinto.

- 🕐 **Organiser son temps** – Comptez au moins une journée ; visitez d'abord la ville avant d'explorer les rives lacustres de la ria.

- 👪 **Avec les enfants** – Ils apprécieront une découverte en bateau de la lagune.

- 🕯 **Pour poursuivre le voyage** – La forêt de Buçaco, Coimbra, Viseu.

Les « moliceiros », ces jolies barques colorées à fond plat.

Comprendre

Hier… – À l'instar d'Ovar, Ílhavo ou Vagos, situés aujourd'hui à 5 km du rivage, Aveiro était jadis un port de mer. Il connut un essor remarquable à partir du début du 16ᵉ s. grâce à la pêche à la morue pratiquée sur les bancs de Terre-Neuve. Mais, en 1575, une violente tempête ferme la lagune : le port s'envase et la ville, privée de ses activités, décline. L'effort de redressement tenté au 18ᵉ s. par le marquis de Pombal échoue, ainsi que les multiples plans d'aménagement de la barre. En 1808, enfin, entre les digues édifiées à l'aide des pierres provenant des murailles de la ville, on réussit à rouvrir la passe entre la ria et l'Océan. L'industrie de la céramique et de la porcelaine se développe. La prospérité s'accompagne d'un rayonnement artistique, et Aveiro devient un foyer d'art baroque. Son école de sculpture est réputée et la ville se couvre alors de nombreux monuments.

… et aujourd'hui – Aveiro continue à exploiter ses salines, ses prairies, ses rizières, ses champs amendés avec des algues récoltées au fond de la baie et transportées par bateau. La pêche demeure fructueuse : anguille dans la lagune, sardine et raie sur la côte. Mais la région tire l'essentiel de ses ressources de l'industrie : fabrication traditionnelle de la porcelaine (Ílhavo, Vista Alegre), usine de cellulose, conserveries de poisson, chantiers navals, industries mécaniques (bicyclettes, tracteurs, montage d'automobiles avec l'usine Renault de Cacia) et sidérurgie (Ovar). C'est le troisième centre industriel du pays après Lisbonne et Porto, et également un pôle universitaire réputé. Aveiro s'est de plus doté d'un magnifique stade de football pour le Championnat d'Europe 2004, étonnante construction de Lego bariolée, à l'entrée de la ville.

Découvrir

Musée d'Aveiro - Ancien couvent de Jésus
(Antigo Convento de Jesus) ★★

Av. de Santa Joana, 329 - ☎ 234 42 32 97 - mar.-dim. 10h-13h-14h-17h30 - fermé 1er janv., dim. de Pâques, 1er mai et 25 déc. - 2 €, grat. dim. et j. fériés 10h-14h.

L'ancien couvent de Jésus a été érigé du 15e au 17e s. La princesse **Jeanne**, fille du roi Alphonse V et future sainte, s'y retira en 1472 et y vécut ses dix-huit dernières années. Au 18e s., une façade baroque fut plaquée devant les bâtiments plus anciens. Le site a été converti en musée en 1911.

Église★★ – Elle date du 15e s., ainsi qu'en témoigne sa porte d'entrée, mais la décoration intérieure n'en a été achevée qu'au début du 18e s. **Le chœur inférieur★** *(coro baixo)* est doté d'un plafond compartimenté en bois peint et renferme le tombeau de sainte Jeanne★★ (début 18e s.) : cette œuvre magnifique de l'architecte João Antunes en marqueterie de marbre polychrome est supportée par des anges assis, également en marbre. Les murs sont revêtus de marbre et de bois doré. L'intérieur de l'église éblouit par la somptuosité de ses bois sculptés et dorés, surtout dans le **chœur★★**, chef-d'œuvre d'exubérance baroque avec ses colonnes, autels, plafond à caissons et à rosaces entremêlées prodigieusement travaillés ; sur quelques panneaux d'azulejos figurent des scènes de la vie de sainte Jeanne.

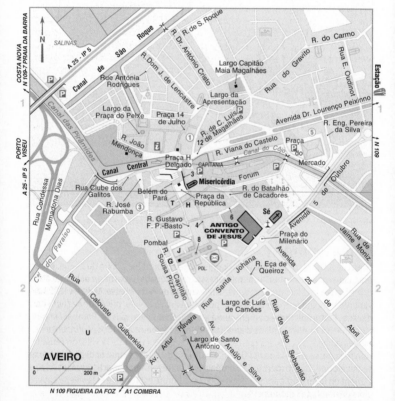

Cloître – De style Renaissance, il est entouré de chapelles ; l'une d'elles abrite le très beau **tombeau de João de Albuquerque** du 15e s. Le réfectoire est totalement revêtu d'azulejos aux motifs floraux, de la fin du 17e s.

Musée★★ – Il s'agit du deuxième musée d'art sacré du Portugal par son importance, après le musée d'Art ancien de Lisbonne.

Avec la visite du musée s'effectue celle du chœur supérieur *(coro alto)* de l'église (tribune), orné d'un Christ en croix du 14e s. et d'un petit orgue du 18e s.

Le musée proprement dit expose diverses collections d'art sacré et d'art baroque : sculptures de l'école de Coimbra (16e s.) ; peintures sur bois de primitifs portugais (dont un noble **portrait de la princesse Jeanne★** de la fin du 15e s., attribué à Nuno Gonçalves, étonnant par la dureté hiératique des traits de la jeune fille représentée en costume de cour) ; primitifs italiens (une *Vierge au chèvrefeuille*, anonyme du 15e s.) ; peintures sur cuivre du 18e s. ; céramiques ; ornements sacerdotaux, objets de culte et lutrins du 17e s.

Dans les salles affectées à l'art baroque, remarquez les statues en bois polychrome des anges d'Aveiro, une curieuse sainte Famille en terre cuite due à l'atelier de Machado de Castro et un secrétaire en bois laqué. La chambre où mourut sainte Jeanne en 1490, transformée en oratoire en 1734, est décorée de retables et boiseries dorés.

Une galerie lapidaire complète la visite.

Se promener

Itinéraire pédestre entre la cathédrale et la gare – Compter 2h-2h30. Prendre la direction de la Sé, à droite de l'ancien couvent de Jésus.

Cathédrale (Sé)

Cette église est le seul vestige de l'ancien couvent de São Domingos, fondé en 1423. Très remaniée depuis sa construction, la cathédrale arbore une façade baroque et offre, à l'intérieur, un mélange de styles détonnant : des azulejos des 17e et 18e s. tapissent les murs de la nef, un orgue du 17e s. est installé dans le croisillon gauche du transept, tandis que le chœur a été reconstruit dans les années 1970. À gauche de l'entrée, remarquez une *Mise au tombeau* (début Renaissance) dont les huit personnages, sauf le Christ, figurent en buste.

Croix (Cruzeiro) de São Domingo

Devant la cathédrale, ce calvaire de style gothique manuélin est une reproduction fidèle de l'original qui est conservé dans l'église, à droite de l'entrée.

En sortant de la Sé, prendre à droite la rua do Batalhão de Cacadores, puis la première à gauche, rua Dr Nascimento Leitão. Enfin, tourner à droite, après l'hôtel Imperial, dans la rua dos Combatentes da Grande Guerra.

Église da Misericórdia

Couverte d'azulejos, sa façade s'ouvre par un portail du 17e s. très ouvragé. À l'intérieur, remarquez la hauteur de la nef et les azulejos (17e s.) ainsi que, face à la chaire, le banc d'œuvre à dosseret de bois doré.

Poursuivre tout droit dans la rua Coimbra jusqu'à la praça Humberto Delgado, qui enjambe le canal Central. C'est ici que débute le quartier des canaux.

Quartier des canaux★

Certains canaux de la ria ont leur prolongement en pleine ville : ils y sont endigués par des quais sur lesquels l'eau empiète quelque peu à marée haute. Le quartier, limité au sud par le canal Central et, au nord, par celui de São Roque, est tissé d'un dédale de ruelles aux petites maisons colorées, organisées autour du **marché aux poissons** *(situé sur le largo da Praça do Pelxe)*, qui a été reconstruit en 2004.

Canal Central – En partie bordé de demeures patriciennes qui y reflètent leurs façades classiques, il offre un spectacle animé avec ses *moliceiros* et ses vedettes circulant sans répit. La meilleure perspective s'offre depuis la praça Humberto Delgado, large pont-tunnel à balustres qui scinde le canal à mi-parcours et constitue le carrefour principal de la ville.

Canal de São Roque – Limitant l'agglomération au nord, il est enjambé par une élégante passerelle de pierre en dos d'âne *(devant la rua Dr António Cristo)* et, depuis peu, par un étonnant pont piétonnier circulaire *(à la hauteur du bras du canal qui mène au marché aux poissons)*. Ce canal marque la séparation entre les salines du nord de la ville et les magasins à sel qui bordent ses quais, parmi les maisons basses du quartier des pêcheurs.

Revenir praça Humberto Delgado. Sans franchir le canal Central, prendre à gauche la rua Viana do Castelo, puis l'av. Dr Lourenço Peixinho, jusqu'à la gare (10 à 15mn à pied).

Les murs de la gare : un livre d'images en bleu et blanc.

Gare (Estação)

Les superbes panneaux d'azulejos qui décorent ses façades extérieure et intérieure (le long des quais) constituent une intéressante illustration des monuments d'Aveiro et de sa région, ainsi que des métiers et costumes traditionnels de la ria.

Aux alentours

RIA DE AVEIRO★

Remarquable accident hydrographique de la côte ouest du Portugal, à l'embouchure des rios Vouga et Antuã, la ria se présente comme une vaste zone lagunaire soumise à la marée. Elle est parcourue par un labyrinthe de chenaux, semé d'îles et bordé de marais salants ou de pinèdes. Engendré par la régression marine, un cordon littoral, long de 45 km, large au maximum de 2,5 km, la protège de l'Océan. Il est percé d'un goulet à la passe de Barra. La lagune d'Aveiro affecte la forme d'un triangle et couvre à haute mer environ 6 000 ha, pour une profondeur moyenne de 2 m. Très poissonneuse, elle est surtout célèbre pour ses algues *(moliço),* utilisées comme engrais. La récolte de goémon se fait traditionnellement avec des barques à fond plat appelées **moliceiros**, dont la proue recourbée en col de cygne est peinte de motifs naïfs aux couleurs vives ; on les manœuvre à la voile et à la perche. Les peignes des râteaux de raclage ou de ramassage des algues encadrent le bec de la proue. Ces bateaux sont malheureusement de moins en moins nombreux ; on peut en voir quelques exemplaires devant l'office de tourisme et admirer leurs décorations à l'occasion du concours annuel, en juillet ou en août.

👁 **Bon à savoir** – Pendant l'été, des **promenades en bateau** permettent de découvrir la vie de la ria : barques de sauniers, de pêcheurs, de paysans, *moliceiros* des ramasseurs d'algues *(voir « Transports » dans l'encadré pratique).*

Au nord de la ria

Bico

30 km. Ce lieu-dit que l'on atteint après avoir traversé Murtosa est un petit port où quelques *moliceiros* sont encore accostés certains jours.

Torreira

42 km. Sur la lagune, ce port de pêche abrite encore quelques jolis *moliceiros* ; côté mer, belle plage de sable qui a permis à ce village de se développer comme station balnéaire. Entre Torreira et São Jacinto, de belles vues s'offrent sur la ria et l'on peut parfois y voir les ramasseurs d'algues sur leurs bateaux, ainsi que des pêcheurs.

Réserve naturelle des dunes de São Jacinto

2 km à droite avant São Jacinto, au bord de la N 327. Très intéressante pour ses paysages, sa flore et sa faune, elle couvre 666 ha d'une des zones dunaires les mieux préservées d'Europe. 🚶 *2h.* Une promenade balisée en boucle permet de découvrir ce milieu naturel de pinèdes et de végétation dunaire. Un **centre d'interprétation** présente des expositions sur la réserve et délivre un plan avec l'itinéraire pédestre. 📞 *234 33 12 82 - camarinha.aveiro-digital.net - 9h-12h, 13h30-17h - fermé j. fériés - visites guidées dans le parc sur réserv. lun.-merc., vend. et sam. 9h et 13h30.*

São Jacinto
54,5 km. Cette petite station perdue dans la pinède forme aussi un camp et un port militaires à la pointe nord de la passe de Barra.

Au sud et à l'ouest de la ria

Ílhavo
3,5 km. Dans cette ancienne bourgade de pêcheurs, aujourd'hui très développée, on peut voir quelques belles villas du début du siècle, comme la « villa Africana » *(peu après l'entrée du bourg, sur le bord droit de la route)*, recouverte d'azulejos aux tons jaunes.
Musée maritime★ (Museu Marítimo) – *Av. Dr Rocha Madahíl -* 📞 *234 32 99 90 - www. museumaritimo.cm-ilhavo.pt - juil.-août : mar.-vend. 10h-19h, w.-end 14h30-19h ; reste de l'année : mar.-vend. 9h30-18h, w.-end 14h30-18h - 2,50 €.* Cet intéressant musée consacré à la pêche et à la mer est l'un des plus complets sur la pêche à la ligne de la morue. Un documentaire des années 1970 montre la dure réalité de ces campagnes qui duraient six mois sur les bancs de Terre-Neuve. Il est complété par l'exposition d'embarcations, d'instruments de navigation, de maquettes, mais aussi par l'une des plus vastes collections de coquillages au monde. Une salle abrite quelques porcelaines de Vista Alegre.

Vista Alegre
6 km. Depuis 1824, c'est le centre d'une industrie réputée de **porcelaine** et de verrerie.
Musée – 📞 *234 32 06 00/28 - www.vistaalegre.pt - mar.-vend. 9h-18h, w.-end 9h-12h30, 14h-17h - fermé 1er janv., dim. de Pâques, 1er mai et 25 déc.- 1,50 €.* Aménagé dans la fabrique de porcelaine, devant une agréable place bordée de grands arbres, il reconstitue l'évolution de cette production en exposant une grande partie des pièces réalisées depuis la fondation.
Vous pouvez aussi voir **la fabrique** en activité – *visite guidée en français (dernière entrée 1h av. fermeture, réserv. conseillée) lun.-vend. 10h-12h, 14h30-17h - 12,50 € (musée inclus). Pour voir l'ensemble du site ouvert, venir du mardi au vendredi.*
Deux **boutiques** *(lun.-sam. 8h30-18h30)* vendent la célèbre porcelaine, ainsi que d'autres articles artisanaux de la région, dont de belles nappes en lin brodées.

Praia da Barra
9 km. Cette station balnéaire très urbanisée est abritée par un cordon de dunes littorales derrière lequel commence une immense plage s'étendant vers le sud au-delà de Costa Nova.

Costa Nova
12 km. Située entre les plages de l'Atlantique et la lagune, cette station balnéaire ancienne, fréquentée depuis la seconde moitié du 19e s., a connu une expansion spectaculaire. Ses pimpantes maisons de bois *(palheiros)*, peintes de bandes colorées, sont envahies par les constructions anarchiques qui défigurent le paysage.

AROUCA
65 km au nord-est d'Aveiro, sur la N 224. Au fond d'une vallée encaissée entre des hauteurs boisées, quelques maisons entourent le monastère d'Arouca. Fondé en 716, mais reconstruit au 18e s. à la suite d'un incendie, il forme un ensemble baroque d'aspect très dépouillé.

Église du monastère
Sa nef abrite de nombreux autels baroques dorés et plusieurs statues en pierre d'Ançã, du sculpteur Jacinto Vieira ; dans la deuxième chapelle à droite, un tombeau (18e s.) en argent ciselé, ébène et cristal contient le corps momifié de la reine de Castille, Mathilde (1203-1252), fille du roi Sanche Ier.
Le **chœur inférieur** *(coro baixo)* est décoré d'un buffet d'orgue doré (18e s.), de stalles au dossier richement sculpté et de gracieuses statues de religieuses sculptées par Jacinto Vieira.

Musée d'Art sacré (Museu de Arte Sacra)
Largo de Santa Mafalda - 📞 *256 94 33 21 - museu-de-arouca.pt.vu - mar. 9h30-12h, 14h-17h - fermé j. fériés - 3 €.* Au premier étage du cloître, il présente en particulier des **tableaux★** de primitifs portugais (fin 15e-début 16e s.) de l'école de Viseu, des toiles *(Ascension)* de Diogo Teixeira (17e s.) et une statue de saint Pierre (15e s.).

Aveiro pratique

Informations utiles

Indicatif téléphonique – *234*
Code postal – *3800*
🛈 **Região de turismo** – *R. João Mendonça, 8 - 3800-200 - ☎ 234 42 07 60.*
Internet – *Aveiro Digital* – *Praça da República (dans une annexe de la mairie) - lun.-vend. 9h-20h, sam. 10h-19h.* Connexion de 30mn grat.

Transports

Gare ferroviaire – *Largo da Estação (à 600 m du centre) - ☎ 808 208 208.* Sur la ligne Porto-Lisbonne ; liaisons directes avec ces deux villes.
Vélo – Mise à disposition gratuite par la municipalité, à utiliser dans les limites urbaines. Plusieurs bornes sont réparties dans la ville. Rens. à l'office de tourisme.
Croisières – *Dép. face à l'office de tourisme, ttes les heures de 10h à 19h en été (moins fréquent hors saison) - 7 €/pers.* Excursions en barque traditionnelle *(moliceiro)* ou promenades en vedette sur la lagune. Il est conseillé de partir à marée haute. Rens. à l'office de tourisme.

Se loger

😐 **Hospedaria dos Arcos** – *R. José Estêvão, 47 ou r. dos Mercadores, 24 - ☎ 234 38 31 30 - 17 ch. 30 €.* Une ravissante hôtellerie en plein cœur d'Aveiro. Pièces meublées avec simplicité. Certaines chambres sont pourvues d'un balcon avec vue sur la praça 14 de Julho, piétonnière.

😐😐 **Residencial do Alboi** – *R. da Arrochela, 60 - ☎ 234 38 03 90 - www. residencial-alboi.com - 22 ch. 60/73 €.* À quelques pas du canal Central, sur la rive sud. Une résidence tout confort aux chambres parquetées et à la décoration un brin classique, plutôt agréables.

Se restaurer

👁 **Bon à savoir** – Les gourmets dégusteront des *ovos moles*, sorte de confiture d'œufs, habituellement présentés en barillets de bois peint ou sous forme d'osties. Goûtez également aux anguilles de la ria *(caldeiradas de enguias)*.

😐 **Centenário** – *Largo do Mercado, 9-10 - ☎ 234 42 27 98 - rest.centenario@mail. telepac.pt -12/20 €.* Face à la halle du marché aux poissons entièrement réhabilitée, le « Centenaire » arbore à l'intérieur une décoration très design, derrière une façade assez banale. Sa cuisine raffinée surprend avec des plats qui échappent aux traditionnels poncifs de la table portugaise. Excellent rapport qualité-prix.

Événements

Feira de Março – Foire-exposition du 25 mars au 25 avril.
Fête de la ria – En juillet et en août : régates de *moliceiros* (uniquement en août), concours de proues décorées sur le canal Central.

Viseu★

21 545 HABITANTS
CARTE MICHELIN 733 K6 – DISTRICT DE VISEU

Dans une région boisée et légèrement accidentée, où pousse le fameux vignoble du Dão, cette cité paisible et peu fréquentée est une importante place agricole et artisanale (notamment de poterie d'argile noire). La ville, au centre historique bien conservé, abrite le beau musée Grão Vasco et est renommée pour son école de peinture de la Renaissance. Elle peut aussi constituer une sympathique étape gastronomique. Des spécialités régionales comme le chevreau grillé *(cabrito assado)* ou les délicieuses sucreries locales à base d'œuf *(bolos de amor, papos de anjo, travesseiros de ovos moles, castanhas de ovos)* raviront les gourmets.

- ◐ **Se repérer** – Viseu s'est développé sur la rive gauche du rio Pavia, à 84 km à l'est d'Aveiro et à 91 km au nord-est de Coimbra.
- 👁 **À ne pas manquer** – Le musée Grão Vasco, réaménagé en 2004 ; la serra de Caramulo et son point culminant, Caramulinho.
- 🕐 **Organiser son temps** – La visite de la ville peut s'effectuer en moins de 2h. Comptez 4h avec le musée Grão Vasco et une journée avec les environs.
- 👥 **Avec les enfants** – Les garçons – surtout ! – seront intéressés par la très belle exposition d'automobiles du musée de Carumulo.
- ♿ **Pour poursuivre le voyage** – Aveiro, Coimbra, Guarda, Lamego.

Comprendre

L'école de peinture de Viseu – Comme Lisbonne, Viseu a connu au 16e s. une florissante école de peinture dirigée par deux maîtres, Vasco Fernandes et Gaspar Vaz, eux-mêmes influencés par des Flamands tels que Van Eyck et Quentin Metsys.

Vasco Fernandes (1480-1543 env.), que la légende a fait connaître sous le nom de **Grão Vasco** (le « Grand Vasco »), est le plus célébré des peintres portugais. Ses premières œuvres révèlent l'influence flamande : retables de Lamego et de Freixo de Espada à Cinta. Son art, devenu ensuite plus original, se distingue par le sens dramatique de la composition, la richesse des couleurs et le réalisme violent, d'inspiration populaire et régionaliste, dont sont empreints ses portraits et ses paysages. Ses principales peintures sont exposées au musée Grão Vasco de Viseu.

Formé en grande partie à l'école de Lisbonne, collaborateur de Grão Vasco, **Gaspar Vaz** fut actif entre 1514 et 1569. Doué d'une brillante imagination, il sut donner aux formes et aux drapés une grande intensité d'expression. Les paysages qu'il a peints gardent cependant un cachet régional. Ses œuvres principales, encore imprégnées de gothique, sont exposées dans l'église de São João de Tarouca *(voir Lamego)*.

Les deux maîtres ont probablement collaboré à la création du polyptyque de la cathédrale de Viseu, ce qui explique le caractère hybride de l'œuvre.

Se promener

LA VIEILLE VILLE★

Parcours pédestre de 1h30 (sans la visite du musée). Suivre l'itinéraire indiqué sur le plan, en partant du Rossio.

Avec ses ruelles pavées de dalles de granit, ses demeures Renaissance et classiques à encorbellements, décorées d'écussons, le vieux Viseu a gardé son cachet ancien.

Praça da República (ou Rossio)

Centre animé de Viseu, cette agréable promenade plantée d'arbres s'étend devant l'hôtel de ville.

Gagner, à droite de l'hôtel de ville, le largo Major Teles, et emprunter la rua Nunes de Carvalho.

Porta do Soar

Cette porte de l'enceinte, érigée au 15e s. par le roi Alphonse V, donne accès à la vieille ville.

Franchir la porte et continuer sur la gauche.

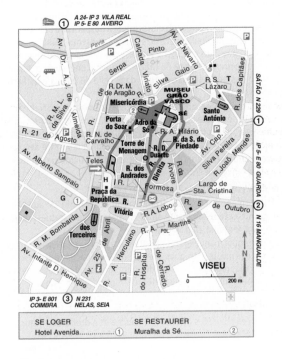

SE LOGER	SE RESTAURER
Hotel Avenida...............①	Muralha da Sé....................②

INSTITUTO PORTUGUÊS DE MUSEUS

« Saint Pierre sur son trône », de Vasco Fernandes, au musée du Grand Vasco à Viseu.

Place de la Cathédrale★ (Adro da Sé)

Au cœur de la vieille ville, cette place pavée à l'atmosphère paisible est encadrée de nobles édifices de granit, parmi lesquels le musée Grão Vasco, la cathédrale (contiguë au musée) et la façade blanche de l'église da Misericórdia.

Musée du Grand Vasco★★ (Museu Grão Vasco)

Paço dos Três Escalões - ☎ *232 42 20 49 - mar. 14h-18h, merc.-dim. 10h-18h - fermé 1ᵉʳ janv., dim. de Pâques, 1ᵉʳ mai et 25 déc. - 3 €, grat. dim. 10h-14h.*

Cet agréable musée entièrement remodelé en 2004 occupe l'ancien palais des Trois Échelons *(paço dos Três Escalões)*, construit au 16ᵉ s. et modifié au 18ᵉ s.

Il présente des éléments de sculpture du 13ᵉ au 18ᵉ s., une pietà du 13ᵉ s., des céramiques portugaises (17ᵉ et 18ᵉ s.), ainsi que des pièces d'orfèvrerie (17ᵉ et 18ᵉ s.), de la porcelaine orientale (18ᵉ s.) et du mobilier civil (17ᵉ, 18ᵉ et 19ᵉ s.). Mais, outre des œuvres de peintres portugais du 19ᵉ s. et du début du 20ᵉ s., dont des toiles de **Columbano** (1857-1929) et d'**António Carneiro** (1872-1930), ce musée est surtout consacré aux **primitifs★★** de l'école de Viseu.

Ainsi, on s'arrêtera longuement devant le **Saint Pierre sur son trône**, l'un des chefs-d'œuvre de Vasco Fernandes, qui symbolise la suprématie du pouvoir spirituel. Bien que ce tableau soit une réplique de celui attribué à Gaspar Vaz à São João de Tarouca, il montre une grande originalité dans la façon de représenter saint Pierre, homme au visage plébéien, grave, un peu triste, entouré par l'atmosphère de la Renaissance. **Le Calvaire**, autre grande œuvre de Grão Vasco, est d'une violence terrible dans la représentation des personnages comme dans celle du paysage de l'arrière-plan, balayé par les vents.

Les 14 tableaux qui composent le retable provenant de la cathédrale sont dus à un groupe d'artistes de l'école de Viseu ; la *Descente de Croix* et le *Baiser de Judas* sont parmi les meilleurs ; dans l'*Adoration des Mages*, remarquez que le roi noir Balthazar a été remplacé par un Indien du Brésil, ce pays venant alors d'être découvert.

Deux intéressantes peintures proviennent aussi de l'école de Viseu : *La Cène* et *Le Christ dans la maison de Marthe*.

Cathédrale★ (Sé)

La cathédrale romane a subi d'importantes modifications du 16ᵉ au 18ᵉ s. Sa sévère façade de granit a été reconstruite au 17ᵉ s. ; parmi les six statues, celle du centre représente saint Teotónio, patron de Viseu.

À l'intérieur, la voûte manuéline refaite au 16ᵉ s. a transformé l'édifice en église-halle ; s'appuyant sur des piliers gothiques, elle est soutenue par des **liernes★** torsadées se nouant à intervalles réguliers ; les clefs de voûte sont décorées des armes de l'évêque fondateur (un pélican) et des devises des rois Alphonse V et Jean II.

Le chœur date du 17ᵉ s. ; la voûte en berceau, peinte de grotesques, abrite un monumental **retable★** baroque ; au-dessus du maître-autel se tient une Vierge (14ᵉ s.) en pierre d'Ança. Les chapelles orientées à gauche et à droite du chœur sont ornées d'azulejos du 18ᵉ s.

Du bras gauche du transept, on accède par un escalier à la tribune *(coro alto)* où vous remarquerez un lutrin en bois doré du Brésil (16e s.) et une amusante statuette représentant un ange musicien. De là, rejoignez la salle capitulaire, au premier étage du cloître ; elle renferme un intéressant **trésor d'art sacré** comprenant deux coffrets reliquaires en émail de Limoges du 13e s., un évangéliaire du 12e s. et une crèche de Machado de Castro. *Mar.-vend. 9h-12h, 14h-17h, w.-end et j. fériés 14h-17h - 2,50 €.*

Le **cloître**, séparé de la cathédrale par un beau portail d'architecture de transition roman-gothique, est de style Renaissance ; la galerie du rez-de-chaussée, dont les arcades s'appuient sur des colonnes ioniques, abrite des azulejos du 18e s. ; dans la chapelle N.-D.-de-la-Pitié, joli bas-relief (16e s.) figurant une Descente de Croix ; ce travail serait dû à l'école de Coimbra.

Église da Misericórdia
Face à la cathédrale, sur l'adro da Sé.

Sa belle façade baroque est rythmée par le contraste des murs blancs et des pilastres de granit gris. Le corps central, percé d'un joli portail baroque surmonté d'un balcon, est ceint d'un élégant fronton.

Tournant le dos à l'église da Misericórdia, prendre à droite la rua do Adro. Autour de la praça de D. Duarte, les rues se parent de quelques vieilles demeures intéressantes.

Maisons anciennes
Dans la **rua Dom Duarte**, admirez l'ancien donjon *(torre de menagem)* agrémenté d'une belle fenêtre manuéline ; dans la **rua Direita**, pittoresque, étroite et commerçante, des maisons du 18e s. à balcons sur consoles de fer forgé ; **rua da Senhora da Piedade**, des maisons du 16e s. ; **rua dos Andrades** *(au sud de la rua Direita)*, des maisons à encorbellement.

Revenir rua Direita et la descendre jusqu'au bout, vers le nord.

À droite se dresse l'**église de São Bento**, ornée de beaux azulejos du 17e s.

Regagner l'adro da Sé par la rua São Lázaro et la calçada da Vigia, puis revenir praça da República.

Au sud de la place, allez admirer l'**église de São Francisco**, édifice baroque décoré d'azulejos et de bois doré.

Aux alentours

Mangualde
14 km à l'est par la N 16, puis l'IP 5 et la N 234. Mangualde, d'origine médiévale, est aujourd'hui un centre agricole et commerçant actif.

Palais des comtes de Anadia (Palácio dos Condes de Anadia) – *À l'entrée ouest de la ville, route de Nelas.* Cette demeure seigneuriale du 18e s. offre une façade de style rocaille.

Église da Misericórdia – *À gauche du palais, dans le quartier ancien de la ville. Entrer par la cour, à droite.* Bâtie en équerre, cette charmante église du 18e s présente une petite façade baroque ornée de statues et une galerie d'étage *(côté cour)* à colonnades et balustres de granit. À l'intérieur, dans la nef, azulejos évoquant la Cène, la Pêche miraculeuse, saint Martin, etc. Dans le chœur, orné d'un plafond à caissons dorés et de devants d'autels en azulejos, remarquez les potences en bois sculpté destinées à suspendre les lampes.

Quartier ancien – En avant du palais Anadia et d'une fontaine se trouve le vieux Mangualde : ruelles tortueuses, petites maisons de granit serrées autour d'un beffroi.

Penalva do Castelo
12 km au nord-est de Mangualde par la N 329-1.

Aux abords ouest du bourg, la **Casa da Insua**, appelée aussi **manoir des Albuquerques**, date de 1775. Elle dresse sa majestueuse façade crénelée dans un riant paysage de bois et de vergers. On visite l'entrée de la maison, la chapelle (1690), le parc, planté d'arbres géants (séquoias, eucalyptus), et les jardins, très soignés, où fleurissent camélias, magnolias, essences rares. *℘ 232 64 22 22 - www.casadainsua. pt - visite guidée (env. 40mn) en saison : lun.-vend. ttes les heures de 9h à 12h et de 14h à 19h ; w.-end à 10h, 11h, 13h, 14h, 15h et 16h (en principe) - fermé 25 déc. - 5 €.*

Aguiar da Beira
Sur la N 229, à 40 km au nord-est de Viseu.

Dans le paysage du haut plateau granitique de la serra de Lapa, les maisons en granit de Aguiar da Beira se groupent autour d'une place principale qui a gardé tout son cachet médiéval. Cette place, dont le centre est occupé par un pilori (12e s.), est encadrée par une tour couronnée de merlons pyramidaux, une fontaine romane elle aussi crénelée et une maison typique de la région des Beiras, avec un escalier extérieur.

Sernancelhe

52 km au nord-est de Viseu et 12 km au nord de Aguiar da Beira.

Occupant une éminence rocheuse de la Beira Alta, le vieux bourg de Sernancelhe fut autrefois une commanderie de l'ordre de Malte dont le château n'est plus aujourd'hui que ruines.

Église – La façade de cette église romane, flanquée d'un clocher carré trapu, est percée d'un joli portail en plein cintre dont l'une des voussures est ornée d'une curieuse frise d'archanges. Le tympan est sculpté de motifs végétaux. Encadrant le portail, deux niches abritent six statues en granit des évangélistes saint Pierre et saint Paul.

Face à l'église se dresse le **pilori** (16e s.), surmonté d'une cage décorée de colon-nettes.

Solar dos Carvalhos – Cet élégant **manoir** baroque du 18e s., à la façade flanquée de pilastres, appartient à la famille du marquis de Pombal.

Prendre une rue partant à gauche de l'église en direction du château et se terminant par des escaliers.

Remarquez peu après, sur la droite, abrité par un porche, un beau **Christ** (14e s.) de pierre. Puis, vue sur la place de l'église et le village.

LA SERRA DE CARAMULO

Rejoindre l'IP 3, au sud-ouest de Viseu, rouler pendant 23 km, avant de prendre à droite la N 230 qui remonte au nord-ouest (direction Águeda), et la suivre sur 19 km.

La serra de Caramulo, massif schisteux et granitique, porte une végétation dense (pins, chênes, châtaigniers) et quelques cultures (maïs, vignes, oliviers). Le versant ouest, qui descend doucement vers la plaine côtière d'Aveiro, s'oppose au versant est dont le relief, plus accidenté, est découpé par des affluents du Mondego.

Caramulo

Agrémenté de parcs, Caramulo est une station thermale accrochée, à 800 m d'altitude, aux pentes de la serra de Caramulo.

Musée★ – Sur la route en direction de Caramulinho - ✆ 232 86 12 70 - www.museu-caramulo.net - mars-sept. : 10h-13h, 14h-18h ; oct.-avr. : 10h-13h, 14h-17h - fermé 1er janv., dim. de Pâques, 24 et 25 déc. - 6 €. Appelé aussi fondation Abel de Lacerda, il comprend deux parties. Une **exposition d'art ancien et moderne** abrite plusieurs statues de l'école portugaise du 15e s., un ensemble de cinq tapisseries de Tournai figurant l'arrivée des Portugais aux Indes et de nombreux tableaux de peintres du 20e s. : Picasso, Fernand Léger, Dufy, Dali, Braque, etc.

L'**exposition d'automobiles**★, dans un second bâtiment, regroupe quant à elle une soixantaine de véhicules, dont certains très anciens (une Peugeot 1899, une Darracq 1902) ou de marques prestigieuses (Hispano-Suiza, Lamborghini, Ferrari), tous en état de marche et merveilleusement entretenus. Quelques cycles et motos également.

Caramulinho★★

7,5 km. Quitter Caramulo à l'ouest par l'avenue Abel de Lacerda, puis la N 230-3. Au bout de 3 km, laisser à gauche la route menant à Cabeço da Neve et continuer tout droit. La route se termine par un sentier rocheux coupé de 130 marches (30mn à pied AR).

Ce point culminant (1 075 m) de la serra de Caramulo constitue un excellent **belvédère** sur les serras de Lapa au nord-est, d'Estrela au sud-est, de Lousã et de Buçaco au sud, sur la plaine côtière à l'ouest et sur la serra de Gralheira au nord.

Revenir au croisement de la route de Cabeço da Neve, et la suivre jusqu'au belvédère.

Cabeço da Neve

Alt. 995 m. Ce sommet-balcon offre des **vues** plongeantes au sud et des vues, vers l'est, sur la moyenne montagne boisée toute piquetée de villages, le bassin du Mondego et la serra da Estrela. Viseu est visible au nord-est.

Pinoucas★

3 km au nord de Caramulo par la N 230 ; à 2 km, prendre à gauche une route de terre qui, 1 km plus loin, aboutit à la tour de surveillance (alt. 1 062 m).

Impressionnant **panorama** sur les chaos rocheux de la serra de Caramulo.

Viseu pratique

Informations utiles

Indicatif téléphonique – *232*

Code postal – *3500*

⚑ Região de turismo – *Av. Gulbenkian - 3510-055 - ✆ 232 42 09 50.*

Internet – Agostinho e Cândido – *Av. Alberto Sampaio, 3 - ✆ 232 43 67 86 - lun.-dim. 9h-0h - 1,50 € (1h).* 20 postes à l'étage d'une salle de jeux, située au pied de l'hôtel Avenida.

Transports

Gare ferroviaire – *À Mangualde (15 km au sud-est de Viseu).* Liaisons directes pour Guarda, Coimbra et Porto.

Gare routière – *Av. Dr Antonio José de Almeida - ✆ 232 42 74 93.* Deux compagnies assurent la desserte d'Aveiro, Coimbra, Guarda et Porto.

Se loger

�🛏 Hotel Avenida – *Av. Alberto Sampaio, 1 - ✆ 232 42 34 32 - www.hotelavenida.com.pt - 29 ch. 40/60 € ⬜.* Dans un immeuble d'angle cossu, face à la place de la République, un hôtel séduisant qui soigne les détails. Chambres décorées de tableaux naturalistes et de beaux tissus, réparties autour d'un salon surmonté d'une verrière.

Se restaurer

�🛏🛏 Muralha da Sé – *Adro da Sé, 24 - ✆ 232 43 77 77 - fermé dim. soir et lun. - 20/32 €.* Au pied de l'église da Misericórdia, dans une salle rustique avec poutres apparentes, ou bien sur la terrasse donnant sur un angle de l'adro da Sé, vous dégusterez une cuisine savoureuse et fruitée : *picanha* (viande rouge grillée) à l'ananas, *pargo* (pagre, poisson voisin de la daurade) au beurre, chevreau braisé, assiette de fromages aux fruits. Assez cher toutefois.

Sports et Loisirs

Desafios – *À Caramulo - ✆ 232 86 80 17 - www.desafios-caramulo.pt.* Nombreuses activités de plein air dans la serra de Caramulo : rafting, canoë, canyoning…

Achats

Pastelaria Capuchinha – *Praça da República, 18 - ✆ 232 43 57 10 - 7h30-20h30.* Il y a souvent foule dans cette appétissante pâtisserie qui croule sous les énormes gâteaux. Dommage que l'accueil soit si distant.

Événement

Feira de São Mateus – De mi-août au 21 sept. : toute la ville s'anime durant cette foire multiséculaire dédiée à la gastronomie, l'art et l'artisanat.

Guarda

23 696 HABITANTS
CARTE MICHELIN 733 K8 – DISTRICT DE GUARDA

Principale place forte de la province de la Beira Alta, proche de l'Espagne, la « gardienne » du Portugal est perchée sur un contrefort oriental de la serra da Estrela et s'affirme, à 1 000 m d'altitude, comme la ville la plus haute du pays. Cité battue par les vents, à l'atmosphère austère, Guarda forme cependant une base de départ pratique pour découvrir les citadelles médiévales et les forteresses réparties le long de la frontière.

- **Se repérer** – Guarda est située à 43 km à l'ouest de Vilar Formoso (frontière espagnole) et à 75 km à l'est de Viseu.
- **À ne pas manquer** – Les places fortes de l'est, aux environs de Guarda.
- **Organiser son temps** – Comptez 1 à 2 jours selon le nombre d'excursions.
- **Pour poursuivre le voyage** – Belmonte, la serra da Estrela, Viseu.

Comprendre

Occupé dès la préhistoire, le site de Guarda aurait servi de base militaire à Jules César avant d'accueillir, croit-on, la ville romaine de Lancia Oppidana, puis une forteresse wisigothique, bientôt submergée par la conquête arabe. La ville, reprise aux Maures par Alphonse Henriques, fut agrandie et fortifiée à la fin du 12e s., sous Sanche Ier. Le roi Denis y séjourna.

Après avoir repoussé les Espagnols, Guarda devait néanmoins faillir à son rôle de « gardienne » lors de l'invasion française de 1808.

Se promener

Ces dernières années, la ville s'est développée ; les quartiers modernes ceinturent le centre médiéval, délimité par les vestiges des anciennes fortifications.

Anciennes fortifications

Comme toutes les enceintes élevées avant le règne du roi Denis, les murailles se caractérisent par l'absence de créneaux, qui vinrent parfois couronner ultérieurement certains des ouvrages. Les vestiges les mieux conservés sont la tour des Forgerons (Torre dos Ferreiros), le donjon des 12e et 13e s., ainsi que les portes d'El-Rei et da Estrela.

Cathédrale★ (Sé)

𝄞 272 21 12 31 - juin-sept. : mar.-dim. 10h-13h30, 15h-18h30 ; oct.-mai : 9h-12h30, 14h-17h30 - fermé 1er janv., dim. de Pâques, 1er mai et 25 déc. - accès aux toits 1,50 €.

Commencée en 1390 dans le style gothique, la cathédrale ne fut terminée qu'en 1540, ce qui explique la présence d'éléments Renaissance et manuélins dans sa décoration. L'édifice, en granit, est couronné de pinacles et de trèfles qui lui confèrent une certaine ressemblance avec le monastère de Batalha (voir ce nom).

Extérieur – La façade nord, la plus intéressante, est ornée d'un portail de style gothique fleuri que surmonte une fenêtre manuéline. La façade principale, plus dépouillée, présente un portail manuélin encadré par deux tours octogonales : les blasons fixés au pied des tours crénelées sont ceux de l'évêque Dom Pedro Vaz Gavião qui joua un rôle important dans l'achèvement de la cathédrale au 16e s.

Intérieur★ – Remarquez la voûte de la croisée du transept dont la clef est une croix de l'ordre du Christ. Le chœur abrite un retable Renaissance (16e s.) en pierre d'Ança, dorée au 18e s. Attribué à Jean de Rouen, cet ensemble en haut relief de plus de 100 personnages se développe sur quatre étages et représente, de bas en haut, des scènes de la vie de la Vierge et du Christ.

Dans l'absidiole de droite se trouve un retable (16e s.), également attribué à Jean de Rouen, qui figure la Cène.

La chapelle des Pinas s'ouvre sur le collatéral gauche par une belle porte Renaissance ; elle renferme un joli tombeau gothique avec gisant.

À l'angle du bras droit du transept, un escalier érigé autour d'une colonne torse permet d'accéder aux toits de la cathédrale, d'où la **vue** s'étend sur la ville et la serra da Estrela.

Maisons anciennes

Sur la praça Luís de Camões ou, largo da Sé, devant la cathédrale et dans les rues Francisco de Passos et Dom Miguel de Alarcão (no 25), se dressent de nombreuses maisons armoriées des 16e et 18e s. Sur la place derrière la cathédrale, on découvre le **Solar de Alarcão**, beau manoir en granit, qui fait partie du réseau du « tourisme d'habitation » (voir « Se loger » dans l'encadré pratique).

Musée de Guarda (Museu da Guarda)

𝄞 271 21 34 60 - museudaguarda.imc-ip.pt - mar.-dim. 10h-12h30, 14h-17h30 - fermé 1er janv., dim. de Pâques, 1er mai et 25 déc. - 2 €, grat. dim. et j. fériés le matin.

Il est installé dans l'ancien palais épiscopal au pied des remparts. Datant du début du 17e s., ce palais a conservé son cloître Renaissance. Collections régionales d'archéologie, d'ethnologie, peintures et sculptures, dont une statue du 13e s. de Notre-Dame-de-la-Consolation, en granit polychrome.

Aux alentours

LES PLACES FORTES DE L'EST

Distances et orientations indiquées au départ de Guarda.

Citadelles médiévales ou places fortes érigées aux 17e et 18e s. pour protéger la frontière, de nombreux bourgs ou villages fortifiés semblent encore monter la garde au sommet d'une butte ou d'un promontoire escarpé, au cœur de la Beira Alta.

Linhares

49 km à l'ouest par l'IP 5 et la N 17 (les six derniers kilomètres, depuis Carrapichana, s'effectuent sur une petite route sinueuse).

Juchée sur un promontoire qui domine la haute vallée du Mondego se dresse, à même le granit, la très belle enceinte d'un château du temps du roi Denis (13e s.). Ses deux tours carrées crénelées protègent le vieux village de Linhares où subsistent quelques constructions du 16e s., dont un pilori à sphère armillaire.

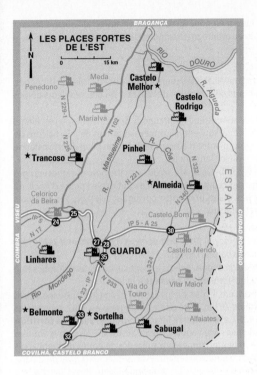

LES PLACES FORTES DE L'EST

Celorico da Beira

28 km au nord-ouest par l'IP 5.

Ce bourg actif occupe l'extrémité nord d'une échine boisée de la serra da Estrela. Le vaste donjon carré de son ancien château fort y culmine, entouré d'une petite enceinte. Dans les ruelles du quartier ancien on peut voir des maisons aux portes gothiques et aux fenêtres manuélines. Vues étendues.

Trancoso

47 km au nord par l'IP 5, la N 102 puis, à gauche, la N 226.

Sur le haut du plateau qui prolonge au nord la serra da Estrela se dresse, intacte, l'enceinte fortifiée médiévale de Trancoso. On en a la meilleure vue d'ensemble depuis un monticule rocheux, à l'entrée nord de la localité, voisin d'un calvaire et bordant la route de Mêda.

La petite cité connut ses jours de gloire aux 13e et 14e s., en particulier lorsque fut célébré le mariage du roi Denis et d'Isabelle d'Aragon, le 24 juin 1282.

Fortifications★ – *En faire le tour en voiture permet d'apprécier leur puissance.* La muraille, plusieurs fois relevée depuis le 9e s., est crêtée de merlons pyramidaux et renforcée par de massifs bastions carrés. Deux de ses portes sont décorées et cantonnées de tours.

Château – ✆ 271 81 11 47 - *fermé pour travaux - rens. à l'office de tourisme.* Dominé par son donjon carré, il occupe l'angle nord-est de l'enceinte ; du haut de ses remparts, la vue s'étend sur le relief accidenté de la Beira Alta.

Pilori – Devant l'église, au centre de l'agglomération, il est fait d'une colonne octogonale que surmonte un lanternon portant une sphère armillaire et la croix du Christ.

Maisons anciennes – Elles se reconnaissent à la patine de leurs murs de granit, et à leurs blasons et balcons ouvragés. L'une d'elles, sur une placette proche de l'église, montre une façade du 16e s. aux fenêtres soulignées de consoles et de sculptures.

Marialva

69 km au nord par l'IP 5 et la N 102.

Au-dessus du village actuel, les vestiges d'un château construit en 1200 couvrent une échine rocheuse offrant des vues étendues sur la plaine. Entre les ruines de l'enceinte, du donjon crénelé et d'une autre tour, sont disséminées celles des maisons abandonnées de l'ancien village, ainsi qu'un pilori du 15e s. à chapeau conique et l'église paroissiale à portail manuélin.

Penedono

74 km au nord par l'IP 5, la N 102, puis à gauche la N 226 et enfin à droite la N 229-1.

Perché à 947 m d'altitude sur une crête rocheuse de la Beira Alta, le bourg de Penedono est dominé au nord par un gracieux **château fort** triangulaire couronné de merlons pyramidaux. ✆ 254 50 90 37 - *en cas de fermeture, s'adresser à l'office de tourisme - grat.*

Un **pilori** du 16e s. précède les marches menant au château. Franchissez les remparts et prenez, à gauche, vers l'unique porte d'entrée flanquée de deux tourelles à mâchicoulis.

Du chemin de ronde, la vue est étendue au sud sur le village et, au loin, sur la serra da Estrela ; au nord, le plateau montagneux annonce le Trás-os-Montes.

Pinhel

29 km au nord-est par la N 221.

La route d'accès à Pinhel fait traverser une campagne couverte d'oliviers et de vignes. En fin de parcours, aux abords de la localité, des cuves à vin dressent leurs dômes blancs à pointe.

Ancienne place forte située sur un seuil montagneux proche de l'Espagne, Pinhel est un vieux village aux maisons souvent blasonnées et ornées de jolis balcons de fer forgé ; sur la place centrale, plantée d'acacias, se dresse un pilori dont la colonne monolithe est surmontée d'un joli lanternon.

Musée municipal – *Lun.-vend. 9h-12h30, 14h-17h30 - grat.* Il expose quelques vestiges préhistoriques et romains, des œuvres d'art religieux (retable en pierre d'Ançã, dû à Jean de Rouen), des armes, étains et faïences portugais ; à l'étage, des peintures populaires naïves et autres tableaux.

Almeida★

49 km au nord-est depuis Guarda par l'IP 5, puis par les N 324, N 340 et N 332 ; 25 km depuis Pinhel par la N 324, puis par les N 340 et N 332.

La belle route d'accès à Almeida depuis Pinhel s'engage sur un plateau désolé, semé d'énormes blocs de granit qui forment un **paysage★** lunaire.

À moins de 10 km de la frontière, la paisible petite cité d'Almeida couronne de ses remparts une butte haute de 763 m. Prise par les Espagnols en 1762, puis par les Français de Masséna en 1810, elle conserve intact son double **système fortifié★** en étoile à six branches de pur style Vauban achevé au 18ᵉ s. Trois portes voûtées disposées en chicane, à porches monumentaux précédés de ponts, donnent accès à l'intérieur de la place où l'on peut voir les anciens casernements *(près de la porte nord)* qui servirent de prison de 1828 à 1833, et quelques beaux hôtels particuliers, dont certains sont revêtus d'azulejos.

Castelo Rodrigo

54 km au nord-est par la N 221. Voir la serra da Marofa ci-contre.

Castelo Melhor★

77 km au nord-est par la N 221, puis la N 332 à gauche et enfin la N 222.

Visible de la N 222, le village s'accroche au flanc d'un piton rocheux piqueté d'oliviers. Une **enceinte★** médiévale renforcée de tours rondes ceinture le sommet herbeux. Un centre d'information y est installé pour la visite des gravures rupestres du Parc archéologique du Vale do Côa *(voir ce nom).*

Castelo Mendo

35 km à l'est par l'IP 5.

Entrelaçant ses ruelles pavées sur une butte rocheuse parmi les restes d'une enceinte gothique, le village conserve les marques d'un passé florissant : quelques édifices Renaissance ou datant de la domination espagnole, une église du 17ᵉ s. avec, devant elle, le plus haut **pilori** de la province (7 m), du 16ᵉ s. Les maisons paysannes en granit sont bordées d'un double balcon formant porche. Du sommet, qui porte les vestiges du réduit de défense et d'une chapelle à clocher-porche, vue dominante au sud sur la vallée encaissée du rio Côa que barre un viaduc ferroviaire.

Castelo Bom

39 km à l'est par l'IP 5.

Forteresse médiévale du temps du roi Denis, ce village groupé sur une colline ne possède plus qu'une tour ruinée, contiguë à une porte gothique, et une belle maison du 16ᵉ s.

Sabugal

33 km au sud-est par la N 18 et la N 233 à gauche.

Groupée sur une butte autour de son château fort, la petite cité domine la vallée du Côa, affluent du Douro. Fondée au début du 13ᵉ s. par Alphonse X de León, la ville devint portugaise en 1282, lorsque Isabelle d'Aragon épousa le roi Denis du Portugal.

L'aspect actuel du **château fort** date de la fin du 13ᵉ s. ; une double enceinte crénelée, flanquée de tours carrées à merlons pyramidaux, enserre un imposant donjon pentagonal avec balcons à mâchicoulis. ✆ 271 75 10 40 - www.cm-sabugal.pt - 9h30-12h30, 14h-17h30 - grat.

Sortelha★

45 km au sud par l'IP 2, puis la N 18-3, et enfin une petite route à gauche. Cette puissante **forteresse★** du 12e s., enserrant l'ancien village aux pittoresques maisons de granit – ainsi qu'un beau pilori manuélin à sphère armillaire –, se dresse à l'extrémité d'un promontoire dominant la haute vallée du Zêzere. On y pénètre par l'une des majestueuses portes gothiques de l'enceinte fortifiée, dont les deux tours carrées subsistantes ont leur propre enceinte, aux entrées surmontées de mâchicoulis.

Du chemin de ronde *(venteux)*, **vues★** impressionnantes sur la vallée.

Belmonte★

22 km au sud. Voir ce nom.

LA SERRA DA MAROFA

49 km au nord-est de Guarda (et 20 km au nord de Pinhel) par la N 221.

La route qui relie Pinhel à Figueira de Castelo Rodrigo a été surnommée « **l'excommuniée** » par les habitants de la région en raison des innombrables sinuosités qu'elle décrit dans la serra da Marofa.

Après avoir traversé une riche région agricole, cette route s'encaisse entre des versants parsemés de rochers, puis franchit la verdoyante vallée du Côa. Elle pénètre ensuite dans la serra da Marofa, sauvage et rocailleuse, avant d'atteindre le plateau de Figueira de Castelo Rodrigo, planté d'arbres fruitiers.

À gauche, le sommet de la serra (976 m) est un bon belvédère, en particulier sur le village fortifié de Castelo Rodrigo dont les ruines se dressent sur une hauteur.

Castelo Rodrigo

Importante cité dès le Moyen Âge, elle fut supplantée au 19e s. par Figueira de Castelo Rodrigo. Belles vues sur la région.

Figueira de Castelo Rodrigo

Ce bourg possède une église baroque (18e s.) aux nombreux autels en bois doré.

Ancien couvent de Santa Maria de Aguiar

6 km au sud-est de Figueira. Aujourd'hui propriété privée. L'**église** est un édifice gothique à plan cistercien.

Guarda pratique

Informations utiles

Indicatif téléphonique – *271*

Code postal – *6300*

🛈 **Posto de turismo** – *Praça Luís de Camões - 6300-725 -* ☎ *271 20 55 30.*

Internet – Mediateca VIII Centenário *(à côté de l'office de tourisme) - grat.*

Transport

Gare ferroviaire – *Largo da Estação (3 km à l'est du centre historique) -* ☎ *808 20 82 08.* Liaisons directes pour Coimbra. Bus urbains pour rejoindre le centre.

Se loger

⊖ **Santos** – *R. Tenente Valadim, 14 -* ☎ *271 20 54 00 - 27 ch. 35/45 €* ⌷. Cette agréable pension installée dans le bâtiment historique de l'ancien hôtel de ville (où est conservée une porte de l'ancienne muraille) est située en plein centre de Guarda, près de la cathédrale.

⊖⊖ **Solar de Alarcão** – *R. D. Miguel de Alarcão, 25-27 -* ☎ *271 21 43 92 -* ⌷ *- 6 ch. 80 €* ⌷. Les amateurs de vieilles demeures apprécieront le cadre historique de ce manoir fin 17e s. jouxtant la cathédrale.

Se restaurer

⊜⊜ **Casas do Bragal** – *João Bragal de Baixo (à 5 km du centre, direction Pinhel) -* ☎ *271 96 38 96 - www.casasdobragal.com - fermé mar. et merc. midi, du 1er au 15 janv. et du 1er au 15 août - 20/30 €.* Une adresse gastronomique dans la campagne environnant Guarda, au bout d'un chemin de terre. La salle, décorée de tableaux contemporains et percée d'une immense baie, ouvre sur un beau paysage de champs délimités par des murets en pierre et parsemés de chênes. Vaste choix de poissons et de viandes, dont le savel, pêché dans le Haut-Douro, et le veau certifié « Mirandesa ».

Faire une pause

Café Central – *R. Marquês de Pombal, 53 - ouv. à partir de 7h.* Dès que le froid balaye la ville, les habitants se réfugient dans ce café. Excellentes pâtisseries.

Événement

Festas da Cidade – *Du 27 juillet au 3 août.*

Serra da Estrela★

CARTE MICHELIN 733 K6 ET K7, L6 ET L7 – DISTRICTS DE BEIRA BAIXA ET DE BEIRA ALTA

Joyau de la Beira Alta et massif le plus élevé du pays – culminant au pic de la Torre (1 993 m) –, la serra da Estrela forme une barrière montagneuse longue de 60 km et large de 30 km. Ses sommets hérissés de blocs rocheux et ses versants boisés abritent un Parc naturel de plus de 100 000 ha. Ciels limpides, lacs miroitants, magnifiques panoramas, de tels atouts expliquent l'essor du tourisme dans la région, autrefois isolée, qui attire à présent les skieurs en hiver (à Penhas da Saúde), les campeurs et les randonneurs en été. Portes d'entrée vers les hauteurs, les bourgades de Covilhã, Seia, Gouveia et Manteigas, situées au contact de la plaine, constituent d'excellentes bases pour vos excursions en montagne.

- ▶ **Se repérer** – La serra da Estrela s'étend au sud-est de Viseu, au sud-ouest de Guarda et à l'est de Coimbra.
- 👁 **À ne pas manquer** – La vallée glaciaire du Zêzere ; le panorama depuis le mont de la Torre.
- 🕐 **Organiser son temps** – Comptez 1 à 2 journées. Tenez compte de nos durées d'itinéraires pour les circuits. Attention, en hiver, et souvent jusqu'en avril, certaines routes sont fermées à cause de l'enneigement.
- 👪 **Avec les enfants** – Pourquoi pas une journée de ski à Penhas da Saúde, unique station de sports d'hiver du pays ?
- 👣 **Pour poursuivre le voyage** – Coimbra, les places fortes de l'est aux environs de Guarda.

Le chien serra da Estrela

Cette race autochtone, parmi les plus anciennes de la péninsule Ibérique, a partagé pendant des siècles la vie des bergers de la montagne, en leur tenant compagnie et en protégeant leurs troupeaux. Ce sont des animaux assez corpulents mais agiles, affectueux et courageux. Leur poil aux tons jaunes est ras (variété plus rare) ou, plus souvent, long avec deux couches qui les protègent du froid. Leur mâchoire puissante et leurs dents acérées leur permettent de vaincre les loups.

Comprendre

La serra da Estrela est un bloc granitique qui prolonge, vers le sud-ouest, la cordillère centrale espagnole. Elle est limitée au nord et au sud par deux escarpements de failles qui dominent de plusieurs centaines de mètres les vallées du Mondego et du Zêzere. Vers l'ouest, elle se termine abruptement au-dessus des croupes schisteuses de la serra da Lousã. Si l'on excepte la profonde entaille de la haute vallée glaciaire du Zêzere, le relief est assez uniforme, la plupart des sommets atteignant 1 500 m. Le boisement (pins, chênes) disparaît vers 1 300 m d'altitude pour laisser place à une herbe rase, à quelques fleurs et aux rochers. Seuls les fonds de vallées sont cultivés (maïs, seigle). Sur les sommets, qui reçoivent plus de 2 m de pluie et de neige par an, les gelées durent neuf mois, et les étés sont en général chauds et très secs. Autrefois, seuls quelques bergers pratiquant la transhumance hantaient ces lieux. De nos jours, des troupeaux de moutons et de chèvres venus de la vallée du Mondego estivent encore dans la montagne, favorisant le développement de l'industrie lainière à Covilhã et Fundão, et la fabrication, en hiver, d'un délicieux fromage de montagne (*voir encadré p. 327*), préparé avec un mélange de laits de brebis et de chèvre.

Circuits de découverte

LA ROUTE DU MONT DE LA TORRE★★

De Covilhã à Seia 1

49 km – Env. 2h.

Cet itinéraire emprunte la route la plus élevée du Portugal (*souvent interdite à la circulation jusqu'à fin avril en raison de l'enneigement*).

Covilhã

Étalé sur les premières pentes boisées du flanc sud de la serra, au contact de la riche vallée du Zêzere, Covilhã est une station climatique, un centre d'excursions qui dessert la station de sports d'hiver de **Penhas da Saúde** et une localité animée grâce à la présence des étudiants de son université. La bourgade est aussi connue pour son fameux fromage *(queijo da serra)*; enfin, elle produit les deux tiers des lainages du Portugal, dont vous pourrez voir certaines fabriques en ville, près de la rivière.

Musée des Lainiers (Museu de Lanifícios) – ☏ 275 31 97 12 - *mar.-dim. 9h30-12h, 14h30-18h - fermé 1er janv., 1er mai et 25 déc. - 2 €.* Intégré dans les bâtiments de l'université de la Beira Interior, cet intéressant musée a été aménagé dans l'ancienne Fabrique royale des étoffes, construite à la demande du marquis de Pombal en 1763. Sa restauration a permis de mettre au jour ses structures primitives. La visite invite à suivre, dans une succession de salles, tout le processus de fabrication des étoffes. Des objets, des machines et des ustensiles liés à cette activité (rouets, cannetières, métiers à tisser manuels, machines à vapeur) y sont exposés.

À la sortie de Covilhã, la route s'élève rapidement parmi les pins et les chênes qui disparaissent bientôt tandis que les vues prennent de l'ampleur.

Vous parvenez à **Penhas da Saúde**, station de sports d'hiver et villégiature d'été. Puis le paysage devient plus accidenté; quelques lacs de barrage, ou d'origine glaciaire, sont disséminés çà et là dans les anfractuosités.

Laisser à droite la route de Manteigas, décrite plus loin (vallée glaciaire du Zêzere).

Après un replat correspondant à la haute vallée d'un affluent du Zêzere, de nombreux blocs de granit taillés par l'érosion donnent au **paysage★** un aspect ruiniforme; dans un abri creusé dans la roche, à droite de la route *(stationnement possible)*, se dresse la statue de Nossa Senhora da Boa Estrela, sculptée dans les années 1940; une fête religieuse s'y déroule chaque année le deuxième dimanche d'août.

Peu avant le sommet, d'un belvédère aménagé dans un virage à gauche, on a une **vue★** intéressante sur un lac de barrage et la haute vallée glaciaire du Zêzere, dont la source est cachée par un cône de granit de 300 m de hauteur, appelé « la Cruche Fine » *(Cântaro Magro)* et débité par le gel en blocs réguliers.

Tourner à gauche sur la route d'accès au sommet de la Torre.

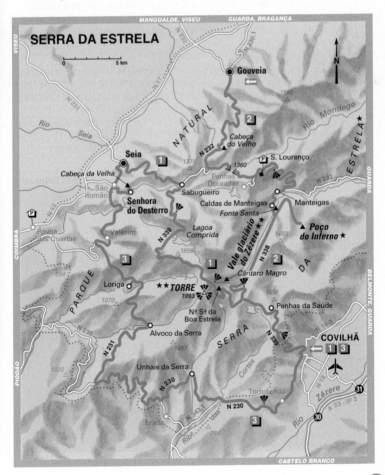

La Torre★★

Le point culminant (1 993 m) du Portugal se dresse dans un paysage dénudé, à l'herbe rare. Des constructions diverses y sont installées. Du centre, marqué par un socle portant une croix, se révèle un immense **panorama** sur le moutonnement de reliefs des serras da Estrela et da Lousã, et sur les vallées du Zêzere et du Mondego.

La route serpente ensuite sur la crête parmi les rochers, les mousses et les lacs. Retenu par un barrage qui borde la route, le « **lac Long** » (Lagoa Comprida), aux eaux d'un bleu profond, est le plus vaste de la serra. La descente sur la vallée du Mondego, où se mêlent cultures et villages, est très rapide : **vues★★** magnifiques. Après **Sabugueiro**, village aux maisons de granit où l'on peut acheter des articles en pure laine et en cuir, ainsi que du fromage, l'altitude décroît très vite : les arbres réapparaissent.

Seia

Bourgade située au pied de la serra, elle constitue un point de départ pour les randonnées dans la montagne *(rens. à l'office de tourisme, voir dans l'encadré pratique)*.

LA HAUTE VALLÉE DU ZÊZERE★★

De Gouveia à Covilhã par Manteigas ②

77 km – Env. 2h30.

Cet itinéraire traverse le massif en empruntant la haute vallée du Zêzere au départ de **Gouveia**, petite ville bâtie à mi-pente en bordure de la vallée du Mondego.

Les hauts plateaux parsemés de rochers sont atteints très rapidement ; quelques boules de granit façonnées par l'érosion prennent parfois des formes étonnantes, comme la **Cabeça do Velho** (« Tête du Vieillard ») qui se dresse sur un amas rocheux à gauche de la route. Le Mondego, le plus long des fleuves entièrement portugais, prend sa source *(signalée)* à 1 360 m d'altitude. La route passe le long de la pousada de São Lourenço d'où s'offre un beau point de vue sur Manteigas et la vallée du Zêzere en face. C'est ensuite la descente brutale en lacet sur la haute vallée du Zêzere ; un belvédère aménagé offre bientôt une **vue★** d'enfilade sur l'amont de la vallée que contrôle **Manteigas**, village de montagne aux maisons du 17ᵉ s. avec balcons de bois.

À Manteigas, laisser la N 232 et tourner à droite.

Peu après la petite station thermale de **Caldas de Manteigas**, remarquez, en bordure de la route, le **vivier** *(posto aquícola)* de **Fonte Santa** – ℰ *275 98 15 05 - 9h-12h, 13h-17h.* On trouve encore quelques bergeries, puis la solitude montagnarde s'installe ; des cultures en terrasses s'étagent cependant sur les pentes inférieures.

Passé le pont sur le Zêzere, la route remonte le cours du torrent et vient buter contre la paroi de sa vallée glaciaire *(voir carte p. 325)*, qu'elle escalade ensuite.

Prendre à gauche une petite route non bitumée vers « Poço do Inferno » (6 km).

Puits de l'Enfer★ (Poço do Inferno)

La route offre de belles échappées sur le site de Manteigas ; le **Puits de l'Enfer** est un défilé sauvage mais boisé qu'agrémente une belle **cascade★**.

La vallée glaciaire du Zêzere.

H. Champollion/MICHELIN

Le « queijo da serra »

Le fromage de brebis d'appellation « serra da Estrela » est le plus réputé du Portugal. Le meilleur est toujours fabriqué à la main, pendant les mois froids, à partir de lait filtré avec une infusion de chardon, qui favorise le caillage. Il est ensuite déposé sur des faisselles, et pressé plusieurs fois afin d'acquérir une certaine consistance. Après 40 jours, sa pâte est devenue semi-molle, et il est prêt à être consommé. D'un goût très fin, il peut être mangé à la cuillère ou en tranches, accompagné du pain de maïs de la région ou de *marmelada* de coing ou de potiron. On peut l'acheter dans les villages ou les nombreuses fromageries de la serra (Arcozelo da Serra, Folgozinho, São Romão, Celorico da Beira, Linhares). À Celorico da Beira, des foires au « fromage de montagne » ont lieu un vendredi sur deux.

Vallée glaciaire du Zêzere★★

Parfait spécimen de relief glaciaire, la vallée du Zêzere en présente toutes les caractéristiques : profil en auge – et donc versants abrupts –, vallées affluentes « suspendues » et gorges de raccordement, cirque glaciaire à l'extrémité amont, cascades, énormes blocs erratiques, végétation rabougrie…

À mi-parcours de cette section rectiligne apparaissent les dentelures qui cernent le cirque glaciaire : la dent du Cântaro Magro et la pyramide du Torre.

La route s'infléchit à l'ouest et passe à proximité de la source du Zêzere – signalée « Cântaros » *(invisible de la route mais que l'on peut gagner à pied parmi de gigantesques rochers)*. Un peu plus loin, à hauteur d'une fontaine, admirez la belle **vue★** sur la vallée glaciaire. Au col terminal, on atteint la bifurcation de la N 339.

Prendre, à gauche, la N 339 vers Covilhã.

Covilhã *(voir plus haut)*

LE VERSANT OUEST★

De Covilhã à Seia par Unhais da Serra ③

81 km – Env. 2h.

Cet itinéraire contourne la serra par l'ouest en empruntant un tracé qui évolue à une altitude pratiquement constante (600-700 m) ; la route offre continuellement des vues intéressantes à gauche, d'abord sur la vallée du Zêzere et la serra da Gardunha, ensuite sur les moutonnements schisteux de la serra da Lousã, enfin sur la vallée du Mondego.

Covilhã *(voir plus haut)*

Quitter Covilhã au sud par la N 230.

Après Tortosendo, les sommets de la serra da Estrela se profilent à droite. Vous parvenez à **Unhais da Serra**, petite station thermale et climatique occupant un très joli **site★** au sortir d'une vallée torrentielle. Les villages sont accrochés à mi-hauteur sur les versants, comme **Alvoco da Serra**, ou bien perchés sur un éperon dans la vallée même, comme **Loriga** ; chaque fond de vallée est mis en valeur par des cultures en terrasses (maïs) aux courbes régulières.

À São Romão, tourner à droite vers Senhora do Desterro. La route remonte la vallée de l'Alva jusqu'à Senhora do Desterro.

Senhora do Desterro

Laisser la voiture et prendre à gauche le chemin, taillé dans le roc, qui conduit *(15mn à pied AR)* à la **Cabeça da Velha** (« Tête de la Vieille »), rocher granitique sculpté par l'érosion.

Revenir à la route qui mène à Seia.

Seia *(voir plus haut)*

Aux alentours

Oliveira do Hospital

21 km au sud-ouest de Seia par la N 231 (sur 2,5 km), puis à gauche par la N 17 (sur 17 km), et enfin par une route à droite.

Quelques collines couvertes de vignes, d'oliviers et de pins encadrent ce bourg dont le nom rappelle la vieille appartenance (12ᵉ s.) à l'ordre des Hospitaliers de Saint-Jean-de-Jérusalem *(voir Leça do Balio, aux environs de Porto).*

Église paroissiale★ – Romane à l'origine, elle a été reconstruite à l'époque baroque, comme l'attestent son clocher en spirale et sa façade à pignon, volutes et balcon encadré de statues. L'intérieur, avec joli plafond peint en trompe l'œil, abrite la chapelle funéraire des Ferreiros (13e s.) où se trouvent les tombeaux (fin 13e s.) de Domingos Joanes et de son épouse ; leurs gisants, sculptés dans la pierre d'Ança, reflètent déjà par leur délicatesse l'évolution du roman vers le gothique. Une **statue★** équestre d'un chevalier (14e s.), semblable à celle du musée Machado de Castro à Coimbra, est fixée au mur au-dessus des tombeaux. Un beau **retable★** (14e s.) en pierre polychrome représente la Vierge à l'Enfant entre ses parents, saint Joachim et sainte Anne.

Église de Lourosa
10 km au sud-ouest de Oliveira do Hospital par la N 230, la N 17 et une route à gauche.
Cette église préromane (édifiée vers 950) basse et trapue, de plan basilical, est précédée d'un porche. L'intérieur est typiquement mozarabe par ses arcs outrepassés le divisant en trois nefs et reposant sur de courts piliers ronds, et par les élégantes petites fenêtres géminées perçant chaque pignon de la nef centrale. Un linteau roman primitif est visible dans le faux bras droit du transept. Des fouilles ont mis au jour les vestiges d'un baptistère et de nombreuses sépultures. Près de l'église, campanile du 15e s. et pilori manuélin.

Serra da Estrela pratique

Informations utiles

🛈 Posto de turismo de Manteigas – *R. Dr Esteves de Carvalho, 2 -* ✆ *275 98 11 29.*

🛈 Posto de turismo de Gouveia – *Av. 25 de Abril -* ✆ *238 49 02 43.*

🛈 Posto de turismo de Seia – *R. Pintor Lucas Marrão -* ✆ *238 31 77 62.*

🛈 Parque Natural da Serra da Estrela – *R. 1º de Maio, 2 - Manteigas -* ✆ *275 98 00 60.* Principal centre d'information sur le Parc : guides, cartes, itinéraires balisés, etc.

Se loger

À SEIA

🛏🛏 **Camelo** – *Av. 1º de Maio, 16 - 6270-479 -* ✆ *238 31 01 00 -* 🅿 🛁 *- 79 ch. 51/80 €* 🍴 *- rest. 30 €.* Très central, cet hôtel de standing propose des chambres spacieuses et confortables, avec balcon. Le cadre, un peu froid, est compensé par un service impeccable et une large gamme de prestations (belle piscine, tennis, jardin, billard, espaces enfants). Possibilité de tarifs dégressifs.

Belmonte★

3 227 HABITANTS
CARTE MICHELIN 733 K7 – DISTRICT DE CASTELO BRANCO

Gros bourg isolé, perché à 600 m d'altitude sur l'échine d'une colline proche de la serra da Estrela, Belmonte, avec son ancien château fort au donjon carré, ses églises et ses chapelles, forme un ensemble architectural harmonieux. L'endroit a vu naître l'illustre navigateur Pedro Álvares Cabral, qui découvrit le Brésil en l'an 1500. L'histoire de Belmonte est également liée au judaïsme portugais, et la ville, qui abrite encore aujourd'hui la plus importante communauté juive du pays, possède une nouvelle synagogue et son propre rabbin.

○ **Se repérer** – Sur la rive gauche du Zêzere, à 25 km au sud de Guarda.

👁 **À ne pas manquer** – Le château et la vue depuis l'enceinte du village ; le panthéon des Cabral, où repose le navigateur Pedro Álvares Cabral.

🕓 **Organiser son temps** – Une à deux heures suffisent pour visiter la ville.

⌚ **Pour poursuivre le voyage** – La serra da Estrela, Guarda.

Visiter

Château
✆ *275 91 39 01 - mai-sept. : 10h-13h30, 15h-18h30 ; oct.-avr. : 9h-12h30, 14h-17h30 - fermé 1er janv., dim. de Pâques, 1er mai et 25 déc. - 1,50 €.*
Bâti aux 13e et 14e s. par le roi Denis Ier, il n'en reste que le donjon crêté de merlons et l'enceinte en partie démantelée, restaurés en 1940. La tour d'angle à droite du donjon arbore des balcons à consoles du 17e s., et le pan de muraille attenant, à gauche, une fenêtre manuéline géminée surmontée du blason des Cabral. Le château a fait

Les juifs au Portugal

Arrivés dans la péninsule Ibérique dès l'Antiquité, les juifs y eurent au Moyen Âge un rôle économique, administratif et culturel très important. Les rois portugais étaient entourés de banquiers et de médecins juifs auxquels ils accordaient une grande confiance. Avec l'expulsion des juifs d'Espagne en 1492, beaucoup se réfugièrent au Portugal. Mais en 1496, le roi Manuel Ier, pour épouser Isabelle, la fille des Rois Catholiques, décréta à contrecœur la conversion forcée des juifs, ce qui représenta un véritable désastre pour l'économie du pays. Ceux qui ne s'enfuirent pas vers le Maroc (beaucoup périrent lors de la traversée) furent baptisés de force. La plupart des « nouveaux chrétiens » – bien qu'ils aient choisi des noms à consonance catholique comme Cruz (croix), Trindade (trinité) ou Santos (saints) – continuèrent à pratiquer en secret la religion hébraïque (crypto-judaïsme). Les marranes (*mahrán* signifiant « interdit » en arabe) étaient ainsi nombreux à Belmonte, Faro, Porto, Tomar, Amarante ou Castelo de Vide.

l'objet d'un plan de réaménagement et abrite désormais un amphithéâtre où sont organisés des spectacles et des concerts. Par ailleurs, le donjon accueille un centre muséologique.

Longer l'enceinte pour profiter de la **vue**★ sur Belmonte et la campagne.

Église de São Tiago★

Oct.-avr. : 9h30-12h30, 14h-18h ; mai-sept. : 10h-12h30, 14h30-19h - grat.

Voisine du château, cette église romane (12e-13e s.) remaniée au 16e s. conserve à l'intérieur des éléments intéressants : une cuve baptismale romane, des fresques du 16e s. sur le maître-autel et d'autres plus anciennes sur le mur de droite. La chapelle de Nossa Senhora da Piedade, construite au 14e s., abrite une curieuse chaire à abat-voix et une pietà polychrome taillée dans un seul bloc de granit, ainsi que des chapiteaux historiés évoquant les hauts faits de Fernão Cabral, père de Pedro Álvares Cabral.

Panthéon des Cabral (Panteão dos Cabrais)

📞 275 08 86 98 - mar.-dim. - été : 10h-12h30, 14h30-19h ; hiver : 9h30-12h30, 14h-18h - grat. - visite guidée possible.

Attenante à l'église de São Tiago, cette chapelle de la fin du 15e s. renferme les tombeaux de Pedro Álvares Cabral et de ses parents.

Chapelle (Capela) de Santo António

Fermée. Faisant face au château, cette chapelle du 15e s. a été construite à l'initiative de la mère de Pedro Álvares Cabral.

Église paroissiale

Édifiée en 1940, elle contient la statue de Notre-Dame-d'Espérance qui, selon la tradition, aurait accompagné Pedro Álvares Cabral dans son voyage de découverte officielle du Brésil, ainsi qu'une réplique de la croix qui présida à la célébration de la première messe au Brésil, l'original se trouvant dans la cathédrale de Braga.

Tour romaine de Centum Cellas★

4 km au nord. Prendre la N 18 vers Guarda, puis, à droite, la route de Comeal, d'où se détache une route permettant d'accéder au pied de la tour.

Cette ruine majestueuse faisait partie d'une villa romaine du 1er s. liée au commerce de l'étain, proche de la voie de Mérida à Braga. Sa masse carrée, faite de blocs de granit rose, semble s'élever sur trois niveaux percés d'ouvertures rectangulaires.

Info pratique

Adresse utile

🚩 **Posto de turismo** – *Praça da República, 18 - 6250-034 -* 📞 *275 91 14 88.*

Castelo Branco

31 240 HABITANTS
CARTE MICHELIN 733 M7 – DISTRICT DE CASTELO BRANCO

Proche de la frontière espagnole, cette ancienne place forte dominée par les ruines d'un château des templiers, le « Château blanc », a subi maintes invasions, dont celle des troupes napoléoniennes en 1807. Alors qu'au nord, les reliefs de la serra da Estrela se profilent encore à l'horizon, la capitale de la Beira Baixa règne sur une large plaine peuplée de « quintas » où sont produits le fromage, le miel, l'huile d'olive et le liège dont elle tire sa prospérité. Plus au sud s'étend le bassin du Tage. Ville de transition, Castelo Branco ménage une halte reposante et offre une base d'excursion vers l'impressionnant village de Monsanto.

- **Se repérer** – À 82 km au nord de Portalegre et 152 km au sud-est de Coimbra. Frontière espagnole à 20 km à vol d'oiseau au sud et à 58 km à l'ouest (Segura).

- **Se garer** – Laissez votre voiture sur le largo de São João, à droite en venant du centre *(direction Guarda)*, juste avant l'escalier à arcades du jardin épiscopal *(rua Frei Bartolomeu da Costa)*.

- **À ne pas manquer** – Le musée Cargaleiro ; le village de Monsanto.

- **Organiser son temps** – Prévoyez une bonne demi-journée.

- **Pour poursuivre le voyage** – Les places fortes au sud de Guarda.

Étrange procession dans les jardins du palais épiscopal.

Se promener

Balade pédestre et en voiture en ville – Compter 4h avec les visites.

Croix (Cruzeiro) de São João

La colonne torse, de style manuélin (16ᵉ s.), est surmontée d'une croix sculptée placée sur une couronne d'algues.

Passer sous l'escalier à arcades qui enjambe la rua Frei Bartolomeu da Costa.

Jardins de l'ancien palais épiscopal★★ (Jardim do Antigo Paço Episcopal)

R. Frei Bartolomeu da Costa - 9h-17h (été 19h) - fermé 1ᵉʳ janv. et 25 déc. - 2 €.

Derrière le musée Francisco Tavares Proença Júnior, les **jardins de l'ancien palais épiscopal** s'étagent sur plusieurs terrasses et forment un amusant ensemble, créé au 17ᵉ s., composé de buis taillés, massifs de fleurs, pièces d'eau et statues baroques (signes du zodiaque, docteurs de l'Église, saisons, Vertus, etc.).

Longeant le lac des Couronnes, une très belle allée, terminée par deux escaliers, est bordée de balustres peuplés de statues : les apôtres et les évangélistes, à droite, font face aux rois du Portugal, à gauche. Remarquez avec quelle ironie le sculpteur a représenté les rois de la domination espagnole, en leur donnant des dimensions réduites et des sobriquets vengeurs. Cet espace ludique et merveilleux invite à la contemplation.

En sortant du jardin, continuer à gauche dans la rua Frei Bartolomeu da Costa.

Musée (Museu) **Francisco Tavares Proença Júnior**

Largo da Misericórdia - ℘ 272 34 42 77 - mar.-dim. 10h-12h30, 14h-17h30 - fermé 1er janv., dim. de Pâques, 1er mai et 25 déc. - 2 €, grat. dim. et j. fériés le matin.

Aménagé dans l'ancien palais épiscopal, il présente des collections variées. Au rez-de-chaussée : vestiges archéologiques et lapidaires et salle d'expositions temporaires ; à l'étage, tapisseries flamandes du 16e s., tableaux de l'école portugaise du 16e s. (dont un *Saint Antoine* attribué à Francisco Henriques) et couvre-lits brodés *(colchas)* aux coloris bigarrés, qui ont fait la réputation de Castelo Branco depuis le 17e s.

À l'étage encore, deux salles présentent les techniques de la culture du ver à soie et du travail du lin.

Face au musée se tient le Convento da Graça.

Couvent da Graça

℘ 272 34 84 20 - visite guidée lun.-vend. 9h-12h, 14h-17h30 (en principe) - fermé j. fériés - 0,50 €.

Situé devant le palais, le couvent da Graça garde de sa construction primitive du 16e s. un portail manuélin. À l'intérieur, où est installée la Santa Casa da Misericórdia, un petit **musée d'art sacré** présente notamment les statues de la reine sainte Isabelle et de saint Jean-de-Dieu avec un pauvre, une Vierge à l'Enfant et un saint Mathieu du 16e s., ainsi que deux crucifix en ivoire.

Rebrousser chemin par la rua Frei Bartolomeu da Costa. Repasser sous l'escalier à arcades, continuer tout droit et prendre plus loin à droite la rua dos Ferreiros, qui mène à la praça Luís de Camões.

Ville médiévale

Ce quartier, aux ruelles étroites et pavées, avec du linge suspendu aux fenêtres, possède quelques édifices intéressants dont, sur la belle praça Luís de Camões, l'ancien hôtel de ville datant du 17e s. (remanié) et l'**Arco do Bispo**, également du 17e s. Tout près de la place, on ne manquera pas non plus le **Solar dos Cavaleiros** (18e s.) qui abrite le nouveau musée dédié au peintre, sculpteur et céramiste Manuel Cargaleiro *(voir ci-dessous).*

De la praça Luís de Camões, s'engager dans la rua dos Cavaleiros.

Musée (Museu) **Cargaleiro★**

R. dos Cavaleiros, 23 - ℘ 272 33 73 94 - mar.-dim. 10h-13h, 14h-18h - 2 €.

Ouvert depuis septembre 2005, ce musée très aéré présente sur deux étages l'univers créatif de l'artiste contemporain Manuel Cargaleiro (né en 1927), qui partage son temps entre le Portugal, l'Italie et Paris (il a décoré d'azulejos la station de métro parisienne Champs-Élysées-Clémenceau). Au rez-de-chaussée, une salle présente les œuvres d'artistes amis, dont des céramiques gravées de Picasso. À l'étage sont réunies des peintures, des céramiques ainsi qu'une grande tapisserie de Cargaleiro, qui correspondent à différentes périodes de création de l'artiste, présentées de façon didactique.

De la praça Luís de Camões, revenir sur le largo de São João pour reprendre votre véhicule. Tourner à gauche (en direction du centre) dans la rua Frei Bartolomeu da Costa, prolongée par la rua das Olarias. Passer devant la Sé (à gauche) et, plus loin, emprunter le tunnel. À la sortie, s'engager à droite dans la rua Espírito Santo, puis à droite rua da Granja, et enfin prendre une route à droite qui monte en direction du belvédère de São Gens.

Belvédère (Miradouro) de São Gens.

Cette esplanade ombragée et fleurie offre une vue étendue sur la ville et ses environs piquetés d'oliviers.

La route se poursuit après le belvédère jusqu'au château.

Château

Du « Château blanc » qui donna son nom à la ville, édifié au 13e s. par Pedro Alvito, maître de l'ordre des Templiers, il ne subsiste aujourd'hui que quelques tourelles et un pan de muraille. Depuis ces ruines romantiques (les mariés de Castelo Branco viennent s'y faire prendre en photo), vous aurez toutefois un joli panorama sur la ville médiévale et les vergers plantés au pied de la forteresse.

Circuit de découverte

150 km - Env. une journée. Carte Michelin nº 733 M7, M8, L8.

Penamacor

52,5 km au nord-est de Castelo Branco par la N 233.

Perché à 600 m d'altitude, ce village d'origine romaine est couronné par son château. Construit en 1209 par Sanche Ier, il en reste des pans de muraille et le donjon. Outre les vues panoramiques sur la plaine et les collines environnantes, le vieux Penamacor offre une agréable promenade.

L'**église da Misericórdia** présente un beau portail manuélin et, à l'intérieur, au maître-hôtel, un retable en bois doré. 𝒞 *277 31 43 16 - visite sur demande préalable.*

Fondé au 16e s., le **couvent de Santo António** abrite une chapelle ornée d'une tribune et d'un plafond somptueux en bois doré. 𝒞 *277 39 41 33 - fermé pour travaux.*

Descendre vers le sud par la N 332 jusqu'à Medelim, et prendre la N 239 vers l'est.

Monsanto★★

24 km au sud de Penamacor.

Monsanto s'accroche aux pentes d'une colline de granit aride et déchiquetée, qui se dresse au milieu de la plaine, à 758 m d'altitude. Vieux village d'origine préhistorique, occupé ensuite par les Romains, il fut accordé en 1165 par le roi Alphonse Henriques à Gualdim Pais, maître de l'ordre des Templiers qui y éleva une citadelle inexpugnable. De loin, le village apparaît comme un chaos rocheux gigantesque où s'entremêlent les murailles du château, les immenses blocs de granit de la montagne, les murs et les toits rouges de ses maisons.

Des ruelles escarpées sillonnent le village composé de vieilles demeures de granit qui prennent souvent appui sur la roche même, se confondant avec elle et épousant ses courbes ; les façades, parfois écussonnées, sont percées de fenêtres géminées et de portails manuélins.

La Fête du château

Chaque année à Monsanto, en mai, des jeunes filles jettent par-dessus les remparts des cruches remplies de fleurs, en souvenir du veau à qui on fit subir le même sort lors d'un siège afin de décourager les assaillants qui comptaient sur la famine pour s'emparer du château. Les petites poupées ou *marafonas*, qu'ont coutume de porter les filles à cette occasion, font allusion à Maia, la déesse de la Fécondité et montrent la survivance de rites païens.

Chapelle Santo António – De style manuélin, elle possède un portail à cinq arcades à arc brisé.

Chapelle São Miguel – À côté du château, cette chapelle en ruine d'origine romane conserve un beau portail avec quatre arcades en plein cintre et des chapiteaux historiés.

Château – Une ruelle, puis un sentier en très forte pente conduisent au château à travers un chaos impressionnant de blocs rocheux où il n'est pas rare de trouver,

Accroché aux pentes d'une colline de granit aride, Monsanto.

M. Gaspar/MICHELIN

dans des abris formés par les pierres, des poules, des lapins ou, dans quelque ruine romaine, un cochon ou un mouton. Du château, rebâti par le roi Denis, les nombreux sièges n'ont laissé que des ruines. Depuis le donjon, un immense **panorama★★** se développe au nord-ouest sur la serra da Estrela et au sud-ouest sur le lac du barrage d'Idanha et la vallée du Ponsul.

En revenant au village, remarquez le clocher isolé d'une ancienne église romane, puis plusieurs tombes creusées dans le rocher.

Revenir à Medelim et reprendre la N 332 vers le sud.

Idanha-a-Velha★

Ce village de 90 habitants fut autrefois une ville romaine prospère, située près de la voie reliant Mérida à Astorga. C'est une sorte de musée en plein air où de nombreuses fouilles évoquent le passé. En suivant le parcours archéologique signalisé, on passe devant une tour construite par les templiers au 13e s. sur les fondations d'un temple romain, une cathédrale d'origine paléochrétienne mais reconstruite cinq fois et qui conserve des traces de ces remaniements successifs, un pont romain rebâti au Moyen Âge et de nombreux autres vestiges.

Reprendre la N 332 vers le sud jusqu'à Alcafozes, et emprunter la N 354 vers Ladoeiro. De là, revenir à Castelo Branco par la N 240.

Castelo Branco pratique

Informations utiles

Indicatif téléphonique – *272*

Code postal – *6000*

🗊 Posto de turismo – *Praça do Municipio - 6000-458 - ☎ 272 33 03 39.*

Internet – Cyber Centro – *Praça do Municipio - ☎ 272 34 87 90 - lun.-vend. 9h- 22h - fermé w.-end - 1 €/h.* Dans un grand édifice de couleur brune, au fond de la cour à gauche. 17 postes.

Transports

Gare routière – *R. Rod. Rebelo (à 200 m de l'office de tourisme).*
Deux compagnies : Rodoviária da Beira Interior - ☎ *272 32 09 97* ; Rede Expressos - ☎ *707 22 33 44.* Liaisons pour Guarda, Coimbra, Portalegre et Lisbonne.

Gare ferroviaire – *Largo do Rei D. Carlos (à 400 m au S de l'office de tourisme) - ☎ 272 34 22 83.* Trains directs pour Guarda, Covilhã, Abrantes et Lisbonne.

Se loger

👁 Bon à savoir – Les hôtels sont peu nombreux à Castelo Branco.

⊖ Residencial Império – *R. dos Prazeres, 20 - ☎ 272 34 17 20 - 19 ch. 40/45 €.* Dans une ruelle à l'arrière de la cathédrale, un hôtel assez confortable avec certaines chambres parquetées aux plafonds moulurés. Convient parfaitement pour une nuit ou deux. Accueil souriant★.

⊖⊜⊜ Hôtel Rainha D. Amelia – *R. de Santiago, 15 - ☎ 272 34 88 00 - www.*

hotelrainhadamelia.pt - 64 ch. 78/90 € - rest. 18 €. Dans un immeuble moderne un peu à l'écart du vieux centre, des chambres standardisées réparties sur quatre niveaux, confortables mais sans grand relief.

Se restaurer

⊖ Retiro do Caçador – *R. Ruivo Godinho, 15-17 (près de la cathédrale) - ☎ 272 34 30 50 - 10/15 €.* Accrochées aux murs, les têtes empaillées de sangliers plantent le décor : une adresse populaire et toujours animée, où les spécialités de gibiers sont servies dans des plats en terre cuite. Excellent rapport qualité-prix et accueil très aimable.

En soirée

Património Galeria Bar – *Praça Luís de Camões (au fond d'une allée) - ☎ 272 32 10 85 - www.bar-patrimonio.com - 20h-4h.* Un lieu un peu d'avant-garde, assez étonnant dans cette ville au rythme tranquille. Plafonds moulurés, baies vitrées, angelots, fauteuils design : sur deux étages, on déambule et on écoute de la musique house, jazz ou disco, dans une belle demeure de l'histoire historique. À découvrir de préférence le week-end ou tard le soir, quand la jeunesse de Castelo Branco envahit les lieux.

Sports et Loisirs

Randonnées à Monsanto – *Réserv. à l'office de tourisme - ☎ 277 31 46 42.* La mairie organise un programme de randonnées pédestres ou à VTT à travers les montagnes de la région.

Croisière sur le Douro.

J. Manuel/Turismo de Portugal

Porto★★

227 790 HABITANTS (AGGLO 1,55 MILLION)
CARTE MICHELIN 733 I4 – DISTRICT DE PORTO

Célèbre pour les vins auxquels elle a donné son nom, ville de négoce au trafic
portuaire incessant, la capitale du Nord est réputée industrieuse, sombre et conservatrice… Il faut pourtant regarder derrière les apparences : les églises de granit
abritent l'opulence du baroque portugais ; les quais animés de la Ribeira ou de
Vila Nova de Gaia égayent un fleuve souvent sévère et brumeux. Sous le soleil, la
ville apparaît radieuse et colorée, avec ses demeures accrochées aux versants du
Douro, qui termine ici son long parcours. C'est surtout à pied et durant l'intersaison
que la cité révèle le mieux ses charmes, à travers ses ruelles labyrinthiques et ses
parcs à l'atmosphère romantique. Mais loin de se reposer sur les acquis du passé,
Porto multiplie aujourd'hui les succès. Son centre historique, rénové avec goût, a
été inscrit en 1996 au Patrimoine mondial de l'Unesco. « Capitale européenne de
la culture » en 2001, la ville s'est enrichie d'un musée d'Art contemporain et, depuis
avril 2005, d'une Casa da Música, audacieux complexe dédié à la musique.

B. Brillion/MICHELIN

La Ribeira et le quartier des quais.

- **Se repérer** – Deuxième ville du Portugal, située au nord du pays, Porto occupe
  un site escarpé sur la rive droite de l'estuaire du Douro. Trois autoroutes partent
  vers Lisbonne (distante de 311 km), le Minho et le Trás-os-Montes. L'aéroport
  international se trouve à 14 km au nord-ouest par l'EN 107.

- **Se garer** – La circulation automobile et le stationnement sont difficiles à Porto.
  Utilisez de préférence les parkings payants souterrains, nombreux et sûrs.

- **À ne pas manquer** – Le tour du vieux Porto ; franchir le pont D. Luís I (en métro
  ou à pied) ; faire la tournée des chais de Vila Nova de Gaia ; un match du FC Porto
  au stade du Dragão.

- **Organiser son temps** – Comptez 3 jours pour bien explorer la ville.

- **Avec les enfants** – Le musée du Tram ; leur faire découvrir les ponts de Porto ;
  les jardins du Palácio de Cristal ; les emmener sur les plages à Matosinhos.

- **Pour poursuivre le voyage** – Braga, la vallée du Douro, Guimarães, Vila Do
  Conde.

Comprendre

Portucale – À l'époque romaine, le Douro forme un obstacle aux communications
entre le nord et le sud de la Lusitanie ; deux cités qui se font face en contrôlent l'estuaire : Portus (le Port) sur la rive droite ; Cale sur la rive gauche.

Au 8ᵉ s., les musulmans envahissent la Lusitanie, mais la résistance des chrétiens les
empêche de s'installer de façon durable dans la région entre le Minho et le Douro ;
c'est ce territoire, déjà appelé Portucale, que Thérèse, fille du roi de León, apporte
en dot en 1095 à son mari Henri de Bourgogne, sous forme de comté ; devenu un des
foyers de la Reconquête, le comté donnera son nom à la Nation.

Les plus beaux panoramas de Porto

Tour des Clérigos : vue panoramique de la ville.

Butte du Pilar : depuis la rive sud, du parvis de l'ancien couvent de Nossa Senhora da Serra do Pilar, vue sur la vieille ville, le Douro et les chais.

Terreiro da Sé : vue sur le quartier de la cathédrale.

Belvédère de Santa Catarina : vue sur l'embouchure du fleuve et Afurada, de l'autre côté du fleuve.

Pont D. Luís I : au milieu du Douro, vue impressionnante sur les deux rives.

Les tripes à la mode de Porto – Aux 14e et 15e s., les chantiers navals du port (O Porto) contribuent à la création de la flotte portugaise. En 1415, sous la direction de l'infant Henri le Navigateur, une importante expédition se prépare pour la prise de Ceuta au Maroc. Porto est lourdement mis à contribution pour ravitailler cette escadre. Le cheptel bovin de la région est réquisitionné, et la population en est réduite à se nourrir de tripes et d'abats. D'où le surnom de *tripeiros* (mangeurs de tripes) donné, un peu injustement, aux habitants. Les *tripas à moda do Porto*, accompagnées de haricots, sont devenues une spécialité locale. Mais aujourd'hui, grâce aux récents succès culturels de la ville, les *tripeiros* de Porto ne ressentent plus aucun complexe face aux « petites laitues » *(alfaçinhas)* lisboètes, leurs rivaux de toujours !

Les Anglais et le porto – À partir du 13e s. le vin produit dans la vallée du Douro est transporté dans des fûts jusqu'à Porto à bord de bateaux à fond plat *(barcos rabelos)*. En 1703, le Portugal et l'Angleterre signent le traité de Methuen facilitant l'accès des produits manufacturés anglais sur le marché portugais ; en échange, les vins du Haut-Douro commercialisés à Porto trouvent un large débouché en Angleterre. Les négociants anglais créent un comptoir dans la ville en 1717 ; peu à peu, plusieurs compagnies anglaises contrôlent la production, de la récolte à la mise en bouteilles.

Pour faire face à cette situation, le marquis de Pombal, profitant du tremblement de terre de 1755, fonde en 1756 une compagnie portugaise détenant le monopole des vins du Haut-Douro. Sa réglementation stricte mécontente les petits producteurs : à l'occasion du Mardi gras, des ivrognes incendient les locaux de la compagnie ; 25 condamnations à mort sont prononcées.

L'amour de la liberté – La rébellion des Ivrognes *(Revolta dos Borrachos)* n'a pas été la seule manifestation de l'attachement des habitants de Porto à leur liberté. Auparavant, ils avaient réussi à faire interdire à tout seigneur – par un édit royal – l'accès de leur enceinte réservée au négoce. Plus tard, le 29 mars 1809, fuyant devant l'arrivée des troupes napoléoniennes du général Soult, ils se précipitent à bord de barques pour traverser le Douro ; dans la panique, des centaines de personnes se noient. Une plaque près du pont D. Luís I commémore cet événement.

En 1820, la ville se soulève contre l'occupation anglaise, et l'assemblée convoquée *(Junta do Porto)* réussit à faire adopter par le pays une Constitution libérale (1822). Mais, en 1828, D. Miguel s'empare de la couronne et gouverne en roi absolu : nouvelle révolte dans la ville ; en 1833, la monarchie libérale est rétablie. Le 31 janvier 1891, l'agitation des républicains dans tout le pays se mue en une insurrection à Porto. Il faudra pourtant attendre 1910 pour que la république soit proclamée à Lisbonne.

Une ville industrieuse – Porto et sa région rassemblent une grande partie des industries du Portugal. Les plus importantes sont les industries textiles (coton), métallurgiques (fonderies), chimiques (pneumatiques), alimentaires (conserveries), ainsi que le travail du cuir et la fabrication de céramiques. Porto s'enrichit aussi grâce à ses pépinières et ses jardins d'horticulture, sans oublier son vin, qui a fait sa célébrité dans le monde entier. Le port de pêche et celui d'exportation (port artificiel de Leixões) contribuent enfin à son dynamisme, tandis que les industries de service et de tourisme participent de plus en plus à la prospérité de la ville.

Se repérer dans les quartiers

Le **centre** traditionnel étend son réseau de rues commerçantes autour de la praça da Liberdade et de la gare São Bento : dans la journée, il y règne une grande animation. On se presse devant les vitrines des boutiques, au charme souvent désuet, des rues Santa Catarina, Formosa, Sá da Bandeira, Fernandes Tomás. On n'hésite pas à faire une halte dans l'un des multiples cafés ou pâtisseries, où se retrouvent les étudiants drapés dans leurs capes noires, lors des fêtes de fin d'études en mai.

Le spectaculaire Ponte D. Luís I, véritable tour Eiffel à l'envers.

Sur la rive droite du fleuve, le **vieux Porto**, autour du quartier populaire de la **Ribeira**, fait depuis quelques années l'objet de travaux de réhabilitation. La Ribeira est aujourd'hui un lieu de vie nocturne animé, avec de nombreux bars et restaurants. Sur la rive gauche, presque en vis-à-vis, **Vila Nova de Gaia** rassemble les chais où vieillissent les plus prestigieux portos et offre de très beaux panoramas sur la ville.

De nos jours, le centre économique a tendance à se déplacer vers l'ouest, autour de l'**avenue de Boavista**, entre Porto et Foz. Les grandes banques, les hôtels d'affaires, les centres commerciaux se sont installés là, dans des tours modernes. L'animation bat aussi son plein aux alentours, dans le secteur des plages et à Matosinhos.

Les ponts de Porto : des tours Eiffel à l'horizontale

Les rives du Douro sont reliées par six ponts techniquement remarquables. « Porto a couché ses tours Eiffel à l'horizontale ; elles lui servent de ponts », écrivait Paul Morand avant la construction du pont d'Arrábida.

Le **pont ferroviaire Maria Pia★**, en amont des autres ponts historiques, est le plus élégant avec son arche unique de 350 m de portée. Œuvre du Français Gustave Eiffel, il est entièrement métallique et fut achevé en 1877. Désormais fermé, il est remplacé par le pont ferroviaire de São João en amont.

Le **pont routier D. Luís I★★**, symbole de la ville, inscrit au Patrimoine mondial de l'Unesco, est le plus spectaculaire avec ses deux tabliers métalliques superposés permettant de desservir simultanément les quartiers hauts et bas de chaque rive. La ligne de métro D passe désormais sur sa partie supérieure, mais on peut aussi le traverser à pied. D'une portée de 172 m, il a été construit entre 1880 et 1886 par une société belge, suivant une technique analogue à celle d'Eiffel. Situé dans le centre, il offre une vue impressionnante sur la ville.

Le **pont routier d'Arrábida**, en aval, emprunté par l'IC 1, a été lancé en 1963 selon une technique particulièrement audacieuse. Il franchit le Douro en une seule arche de béton armé de près de 270 m. Ce pont constitue également un intéressant belvédère sur la ville et le fleuve.

Inauguré en 1995, le **pont de Freixo**, sur lequel passe l'IP 1, est situé à l'est hors de la ville et permet d'en contourner le centre.

Le centre et le Porto romantique★ Plan II

Compter une journée. Dép de la praça da Liberdade (M° : « Aliados », ligne D).

Praça da Liberdade et praça do Général Humberto Delgado F2

Situées au centre de la ville, ces deux places entièrement réaménagées forment un vaste espace ouvert dominé, au nord, par l'hôtel de ville. L'ancien café Imperial, transformé en restaurant McDonald's *(praça da Liberdade, 126)*, a conservé, à l'intérieur, un beau **vitrail** racontant l'aventure du café.

Tout autour de ces deux places, et surtout à l'est, rayonnent les rues commerçantes, dont la **rua Santa Catarina** en partie piétonne, bordée d'élégantes boutiques et d'enseignes internationales. Au n° 112, admirez le célèbre café Majestic *(voir « Faire* *une pause » dans l'encadré pratique)*, avec sa façade rococo et son intérieur Art nouveau. La **rua Formosa** compte de délicieuses pâtisseries-confiseries, comme celle du n° 339 (Confeitaría do Bolhão, face au marché) ; et une épicerie au n° 279 (A Pérola do Bolhão), à la belle façade de style Art nouveau recouverte de panneaux d'azulejos représentant deux Amérindiennes *(voir « Achats » dans l'encadré pratique)*.

Le **marché municipal de Bolhão**, pittoresque et animé, s'étend sur deux niveaux entre les rues Formosa et Fernandes Tomás.

Rejoindre le bas de la praça da Liberdade.

Gare (Estação) de São Bento F2

De cette gare en activité depuis 1896, située au sud du **marché de Bolhão**, partent les trains pour le Minho et le Douro. Les murs de la salle des Pas-Perdus sont plaqués d'azulejos (20 000 mosaïques) peints en 1930 par Jorge Colaço : les scènes évoquent la vie traditionnelle dans le nord du Portugal (scènes champêtres, pèlerinages), ainsi que de grands épisodes de l'histoire du pays : Jean Ier entrant à Porto *(en haut à droite)* ; prise de Ceuta en 1415 par Henri le Navigateur, parti de Porto *(en bas à droite)*.

Revenir sur la praça da Liberdade et prendre, en face, la rua dos Clérigos.

Église et tour dos Clérigos F2

Église lun.-sam. 8h45-12h30, 15h30-19h, dim. 10h-13h, 20h30-22h ; tour août : 9h30-19h, avr.-juil. et sept.-oct. : 9h30-13h, 14h-19h, nov.-mars : 10h-12h, 14h-17h - 2 €.

Cette église baroque, de style rocaille, construite entre 1735 et 1748 par l'architecte Nicolau Nasoni *(voir encadré)* forme une toile de fond en haut de la rue commerçante du même nom. On retrouve l'influence italienne dans le plan elliptique de la nef. L'église est dominée par la **tour**★ *(entrée côté nord)*, haute de 75,60 m, monument le plus caractéristique de Porto, qui servait autrefois d'amer aux bateaux. De son sommet *(197 marches)* s'offre un **panorama**★ étendu sur la ville, la cathédrale, le Douro et les chais.

Revenir au bas de l'église et prendre à gauche la rua das Carmelitas.

Rua das Carmelitas F2

Cette rue commerçante vaut surtout pour la façade néogothique de la **librairie Lello & Irmão**★ (1881), au n° 144, et son extraordinaire escalier intérieur à double volée et à double orientation. Au rez-de-chaussée, observez au sol les sillons servant à tracter les chariots à livres. Au premier étage se trouve un petit bar.

Continuer dans la rua das Carmelitas jusqu'à la praça de Gomes Teixeira.

Églises do Carmo et das Carmelitas F2

Ces deux églises baroques sont construites côte à côte. La façade de l'église do Carmo *(à droite)* est décorée d'un grand panneau d'azulejos représentant la prise de voile des carmélites (1912).

Longer les églises et continuer tout droit dans la rua do Carmo.

Hôpital de Santo António E2

À l'ouest des églises, cet hôpital imposant, construit par l'architecte anglais John Carr à partir de 1770, offre un bel exemple de l'influence de l'architecture palladienne (une esthétique très en vogue dans l'Angleterre de la deuxième moitié du 18e s.) à Porto.

Contourner l'hôpital par la droite par les ruas do Prof. Vicente José de Carvalho et Dr Tiogo de Almeida, puis tourner à droite dans la rua de D. Manuel II.

Musée national Soares dos Reis★ (Museu Nacional Soares dos Reis) E2

R. D. Manuel II, 44 - ℘ 223 39 37 70 - www. mnsr-ipmuseus.pt - mar. 14h-18h, mer.-dim. 10h-18h - fermé 1er janv., dim. de Pâques, 1er mai et 25 déc. - 3 €.

Ce musée est installé dans le palais des Carrancas (18e s.) qui servit de résidence à la famille royale au milieu du 19e s.

Nicolau Nasoni et l'extravagance baroque

Le baroque du nord du Portugal, original et plein d'audace, doit beaucoup à un artiste et architecte italien, un toscan formé à Sienne : Niccolo Nazoni, Nicolau Nasoni en portugais. Arrivé à Porto en 1725, il va travailler pour le compte du roi Jean V (1706-1750) jusqu'à sa mort en 1773. Nasoni a dessiné les plans, construit, reconstruit ou embelli d'innombrables édifices, tant à Porto (églises dos Clérigos, Misericórdia ou Sé ; palais du Freixo et de São João o Novo, etc.) que dans la région (Mateus, Vila Real). Il fut l'un des meilleurs interprètes de la *talha dourada* (« taille dorée »). La dépouille de Nasoni repose dans la crypte de l'église dos Clérigos.

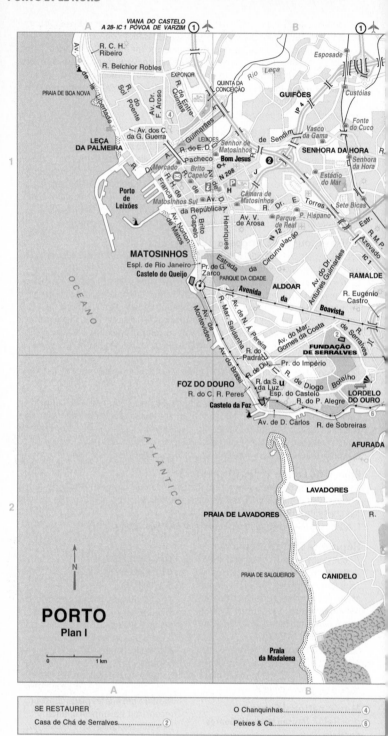

PORTO

Plan I

0   1 km

Remanié par Fernando Távora, architecte originaire de Porto, il présente des collections permanentes de peinture et de sculpture portugaises des 19e et 20e s., ainsi que des œuvres du 16e au 18e s. ; il dispose également d'une galerie d'expositions temporaires. Dans le domaine de la sculpture, les œuvres les plus admirables sont celles de **Soares dos Reis** (1847-1889). Y figure notamment son célèbre *O Desterrado (Le Banni)*, une

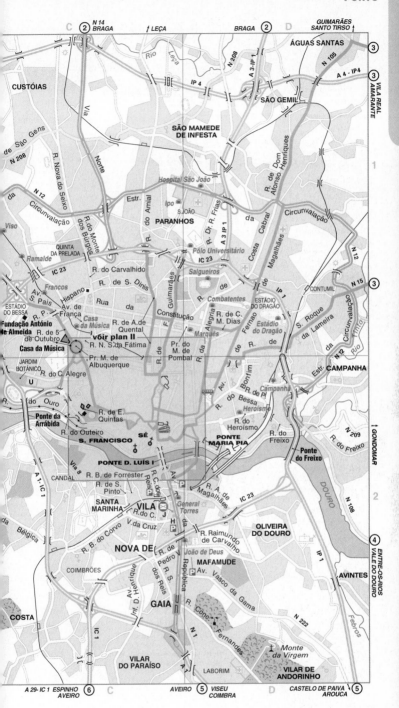

sculpture de 1872 en marbre de Carrare représentant un jeune homme, le regard perdu dans le vide, véritable incarnation de la *saudade* portugaise.

La peinture portugaise de 1850 à 1950 est également représentée par les toiles de Silva Porto (1850-1893) et Henrique Pousão (1859-1884), tous deux influencés par les impressionnistes et les symbolistes, ainsi que par José Malhoa, João Vaz et Columbano.

La peinture ancienne comprend des œuvres portugaises de Frei Carlos, Gaspar Vaz, Vasco Fernandes, Cristóvão de Figueiredo, ainsi que des œuvres étrangères de François

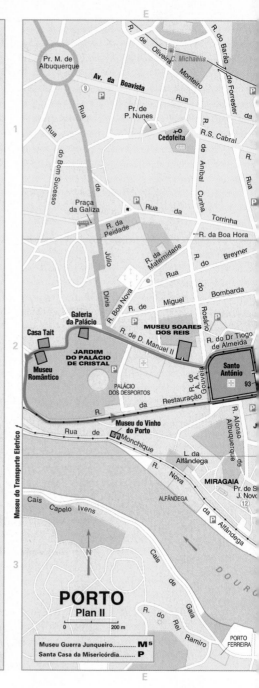

Clouet (portraits de Marguerite de Valois et Henri II), Quillard, Pillement, Teniers, Troni, Simpson. Importantes collections de céramiques du 17e au 20e s., d'orfèvrerie du 17e au 19e s. et d'art religieux.

Parmi l'art décoratif et le mobilier, remarquez aussi les *contadores*, meubles-paravents raffinés, et les deux paravents *nambans* du 17e s., représentatifs de l'art indo-portugais, illustrant l'arrivée des Portugais au Japon.

👁 **Bon à savoir** – Le musée dispose d'un agréable jardin et d'une cafétéria.
Continuer dans la rua D. Manuel II jusqu'au Jardim do Palácio de Cristal.

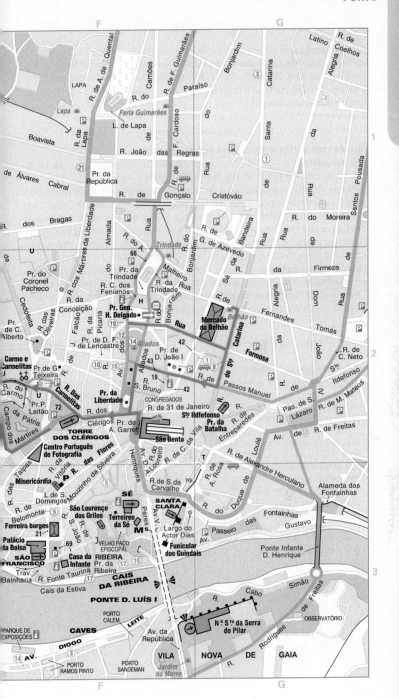

Jardin du palais de Cristal★ (Jardim do Palácio de Cristal) E2

8h-19h (avr.-sept. 21h) - grat.

Ce jardin symbolise l'idéal romantique de communion avec la nature. Avec ses belles allées fleuries, ses animaux en liberté (paons), ses grottes artificielles, son lagon et ses fontaines, il constitue un lieu idyllique de promenade, de pique-nique ou de repos. En contrebas, des belvédères offrent des vues sur Vila Nova da Gaia, le Douro et, par temps clair, on aperçoit même la côte au loin. C'est ici que s'élevait autrefois la serre (le palais de Cristal) qui accueillit l'Exposition internationale de 1865. Elle fut détruite pour être remplacée en 1952 par un disgracieux **pavillon des Sports**, structure en béton de forme circulaire, devenu un pôle d'animation récréative, sportive et culturelle.

À l'angle nord-ouest du jardin, un bâtiment à l'architecture moderne et spacieuse abrite la **galerie du Palais (Galeria do Palácio)** qui accueille des expositions. *☎ 226 08 10 00 - mar.-sam. 10h-12h30, 14h-17h30, dim. 14h-17h30 - fermé j. fériés - grat.*

À l'étage inférieur, se trouve l'agréable et fonctionnelle **bibliothèque Almeida Garrett (Biblioteca Almeida Garrett)**. *Lun. 14h-18h, mar.-sam. 10h-18h - fermé j. fériés - accès libre à de nombreuses revues, à Internet et au café de la bibliothèque.*

Suivre à travers le jardin les panneaux « Museu Romântico » et « Casa Tait ».

Musée romantique (Museu Romântico) E2

R. Entre-Quintas, 220 - ☎ 226 05 70 00 - visite guidée (20-30mn) mar.-sam. 10h-12h30, 14h-17h30, dim. 14h-17h30 - fermé j. fériés - 2,06 €, grat. w.-end.

Le Musée romantique est installé dans la Quinta da Macieirinha, une demeure d'aspect anglo-saxon aux fenêtres à guillotine, ouvrant sur le jardin du palais de Cristal. C'est ici que le roi Charles Albert d'Italie se réfugia en 1849 après avoir abdiqué et mourut deux mois plus tard. Les pièces décorées de toiles peintes, les meubles de style Empire ou anglais, les bibelots et les stucs confèrent à cette maison un charme très particulier. De ses fenêtres s'offrent de jolies vues sur le Douro.

Solar do Vinho do Porto – *R. Entre-Quintas, 220 (en dessous du Musée romantique) - ☎ 226 09 47 49 - www.ivdp.pt - lun.-jeu. 14h-20h, vend. et sam. 14h-0h - fermé j. fériés.* C'est le siège de l'**Institut du vin de Porto**. Dans un cadre très agréable, avec vue sur le Douro depuis le petit jardin, on peut y déguster les centaines de portos différents.

Info pratique

SE METTRE AU VERT À PORTO

Jardim de Serralves – *R. de Serralves, 977.* Grand parc entourant la fondation de Serralves.

Jardim do Palácio de Cristal – *R. D. Manuel II (voir ci-dessus).*

Parque da Cidade – Grand parc au nord de Negolvide, en bordure d'Océan, à l'est du Castelo do Queijo.

Parque São Roque – *R. de São Roque de Lameira, 2040.* Au nord-est de la ville.

Jardim de João Chagas – Entre la tour dos Clérigos et l'hôpital Santo António. Agréable jardin de buis taillés avec une large allée ombragée.

Jardim da Cordoaria – *Campo Mártires da Pátria.* Aussi appelé Jardim de João Chagas.

Jardim do Passeio Alegre – Au sud de Foz do Douro, à l'embouchure du fleuve, à côté du Castelo da Foz.

Quinta do Covelo – *R. Faria Guimarães.* Au nord de la ville.

Jardim Botânico – *R. do Campo Alegre, 1191 - lun.-vend. 9h-18h (avr.-sept. 20h) - grat.* À l'ouest de la ville.

Maison Tait (Casa Tait) E2

R. Entre-Quintas, 219 - ☎ 226 05 70 00 - mar.-vend. 10h-12h30, 14h-17h30 - fermé j. fériés - grat.

Face à l'entrée du Musée romantique, cette demeure sert de cadre à des expositions et abrite une intéressante **collection de numismatique** liée à l'histoire du Portugal.

Descendre la rua Entre-Quintas (qui forme ruelle) entre la Casa Tait et le Musée romantique et prendre les premiers escaliers à gauche. Dans la rua da Restauração, tourner à gauche et remonter la rue jusqu'au campo dos Mártires da Patria (un peu long à pied ; possibilité de prendre le tramway n° 18, arrêt « rua da Restauração », au 1er virage à gauche).

Centre portugais de la photographie (Centro Português de Fotografia) F2

Campo dos Mártires da Pátria - ☎ 226 06 11 70 - www.cpf.pt - lun.-vend. 9h-12h30, 14h-17h30 - fermé w.-end ; centre d'expositions : mar.-vend. 15h-18h, w.-end et j. fériés 15h-19h - grat.

Dans un vaste édifice aux larges volumes et aux résonances sinistres (il abritait la prison de la cour d'appel, la *Cadeia da Relação*), le Centre portugais de la photographie coordonne la politique nationale dans ce secteur et dispose d'une unité d'information et de recherche. Il abrite de nombreuses expositions temporaires. La collection permanente compte un grand nombre d'appareils de tous âges et tous formats, depuis les daguerréotypes, chambres photographiques et appareils à soufflets du 19e s. jusqu'aux appareils reflex, moyens formats, panoramiques, bi-objectifs, jetables ou minuscules appareils d'espionnage à la pointe de la modernité… Toute l'histoire de la prise de vue, sous l'angle de son support technique, est ainsi exposée.

Rejoindre la praça da Liberdade par la rua dos Clérigos.

Le vieux Porto★★ Plan II

Compter une demi-journée. Dép. du Terreiro da Sé. En métro, la station la plus proche est
« São Bento » (ligne D) ; gagner ensuite le Terreiro par l'av. de Dom Afonso Henriques.

Terreiro da Sé F3

Cette vaste esplanade surplombant la vieille ville est occupée en son centre par un
pilori néopombalin (1945). Elle est délimitée par la silhouette massive de la cathédrale,
par l'ancien palais épiscopal (18e s.) et par une tour en granit du 14e s.

Du **Terreiro da Sé**, on peut s'aventurer dans les escaliers et les ruelles étroites de la
vieille ville, dont de nombreuses maisons sont en cours de réhabilitation. Les quartiers
en contrebas, bairro da Sé et bairro da Lada, sont accessibles par un enchevêtrement
de ruelles, d'escaliers souvent sombres et sales, peu sûrs une fois la nuit tombée.

La cathédrale émergeant des toits du vieux Porto.

Cathédrale (Sé) F3

℘ 222 05 90 28 - lun.-sam. 8h45-12h30, 14h30-19h (nov.-mars 18h), dim. et j. fériés
8h30-12h30, 14h30-19h (nov.-mars 18h) - grat.

Église-forteresse du 12e s., la cathédrale, un des premiers monuments romans importants érigés au Portugal, a subi de profondes modifications aux 17e et 18e s. Avec un
aspect rude d'église-forteresse, elle présente une architecture quelque peu hétéroclite.
La façade principale, encadrée de deux tours carrées, casquées de dômes, est percée
d'une rosace romane (13e s.) et d'un portail baroque. Sur la face nord a été ajoutée
une loggia baroque (1736), attribuée à l'architecte Nasoni.

À l'intérieur, la nef centrale, assez étroite, est encadrée par deux bas-côtés ; remarquez
trois bénitiers en marbre du 17e s., chacun supporté par une statuette, ainsi que, dans
le baptistère, un relief en bronze, œuvre du sculpteur Teixeira Lopes, représentant le
baptême du Christ par saint Jean.

Le transept et le chœur ont été transformés à l'époque baroque. La chapelle du Saint-
Sacrement, qui s'ouvre sur le bras gauche du transept, abrite un très bel **autel★** avec
retable en argent ciselé (œuvre portugaise du 17e s.).

Cloître – Accès par le bras droit du transept - lun.-sam. 9h-12h15, 14h30-18h (nov.-mars
17h15), dim. et j. fériés 14h30-18h (nov.-mars 17h15) - 2 €. Il date du 14e s. et fut totalement décoré de panneaux d'**azulejos★** de Valentim de Almeida, réalisés de 1729
à 1731, représentant la vie de la Vierge et *Les Métamorphoses* d'Ovide. De ce cloître,
on accède au cloître roman primitif où sont exposés quelques sarcophages. Un bel
escalier en granit mène à la terrasse décorée d'azulejos d'António Vital et à la salle
capitulaire dont le plafond à caissons peint par Pachini (1737) représente les allégories
des valeurs morales.

Contourner la Sé par la gauche, puis emprunter à droite la petite rua D. Hugo.

Musée (Museu) Guerra Junqueiro★ F3

R. D. Hugo, 32 - ℘ 222 00 36 89 - mar.-sam. 10h-12h30, 14h-17h30, dim. 14h-17h30 - fermé
j. fériés - 2,06 €, grat. w.-end.

Située derrière la cathédrale, cette demeure du 18e s. s'ouvre sur un jardin calme. Elle appartenait au poète du 19e s. Guerra Junqueiro qui rassembla au cours de sa vie une très belle collection de meubles, d'orfèvrerie, d'argenterie portugaise des 17e et 18e s., de statues religieuses, de tapisseries, etc. Remarquez les faïences hispano-mauresques (15e-16e s.), le mobilier portugais, les tapisseries flamandes du 16e s. et une belle collection de Vierges en bois polychrome pour la plupart d'origine flamande.

Revenir sur le Terreiro da Sé, descendre les escaliers pour rejoindre le largo de Colégio.

Église São Lourenço dos Grilos F3

D'aspect maniériste, construite par les jésuites au 17e s. et siège du grand séminaire, elle abrite un **musée d'art sacré**. 𝄞 223 39 50 20 - mar.-sam. 10h-12h, 14h-17h - fermé j. fériés - 2 €.

Par la rua Sant'Anna et, à gauche, la rua (puis travessa) da Bainharia, gagner la rua Mouzinho da Silveira et la traverser pour rejoindre le largo de São Domingos. De là, part à droite la pittoresque rua das Flores.

Rua das Flores F2-3

Cette petite rue qui remonte vers la gare de São Bento est bordée de commerces traditionnels et de demeures du 18e s., de style baroque, aux façades blasonnées. C'était l'ancienne rue des orfèvres et des joailliers, qui compte aussi deux anciennes librairies.

Santa Casa da Misericórdia F3

R. das Flores, 5 - 𝄞 222 07 47 10 - www.scmp.pt - église : mar.-dim. 8h-12h, 14h30-17h30 - fermé en août ; musée : lun.-vend. 9h-12h30, 14h-17h30 - fermé j. fériés - 1,50 €.

La **Misericórdia**, église baroque ornée d'une belle façade, fut dessinée par Nicolau Nasoni. Édifiée en 1750, l'influence du nouvel art décoratif rococo y est déjà visible.

Juste à droite de l'église, le siège de l'ordre du même nom abrite entre autres un remarquable tableau de l'école flamande, **Fons Vitæ★★** *(La Fontaine de vie)*, offert par le roi Manuel Ier vers 1520. Il représente un Christ crucifié, entouré de la Vierge et de saint Jean, dont le sang coule dans une fontaine auprès de laquelle sont agenouillés le donateur Manuel Ier et sa femme Leonor, ainsi que leurs huit enfants. L'origine de ce tableau est mystérieuse : il a été attribué à différents peintres dont Holbein, Van der Weyden et Van Orley, mais a probablement été réalisé par un Portugais s'inspirant des peintres flamands.

Retourner sur le largo de São Domingos et descendre, en face et légèrement sur la droite, la rua Ferreira Borges.

Palais de la Bourse (Palácio da Bolsa) F3

R. Ferreira Borges - 𝄞 223 39 90 00 - www.palaciodabolsa.pt - visite guidée (30mn) avr.-oct. : 9h-19h ; nov.-mars : 9h-13h, 14h-18h - fermé 1er janv. et 25 déc. - 5 €.

Ce bâtiment de style néoclassique fut érigé en 1834 par l'Association commerciale de Porto, qui l'occupe toujours. Après avoir emprunté un bel escalier de granit et de marbre sculpté, on visite la salle de l'ancien tribunal de commerce, la Salle dorée et le **Salon arabe★**, pastiche de l'Alhambra de Grenade. De forme ovoïde, il est décoré de vitraux, d'arabesques et de bois sculpté et doré, imitant les stucs arabes.

En face de la Bourse, la halle rouge du **marché Ferreira Borges**, achevée en 1888, présente un bel exemple d'architecture métallique du 19e s. (expositions temporaires).

Contourner le palais de la Bourse par la gauche.

Église de São Francisco★★ F3

R. Infante D. Henrique - 𝄞 222 06 21 00 - juil.-août : 9h-20h ; juin, sept.-oct. : 9h-19h ; févr.-mai : 9h-18h ; nov.-janv. : 9h-17h30 - 3 €.

L'église est accolée au palais de la Bourse. Sur l'esplanade en haut des escaliers, on commence la visite par la **Maison du tiers ordre de Saint-François** *(terceiros)*, qui abrite une collection permanente d'art sacré avec des pièces du 16e au 20e s. La crypte recèle un panthéon où reposent les dépouilles de frères franciscains du monastère et de nobles. La salle du fond laisse paraître, à travers un grillage au sol, un ossuaire.

Quant à l'église gothique, elle s'ouvre à l'ouest par un portail du 17e s. qui a conservé sa jolie rosace sculptée. La sobriété de l'architecture extérieure correspondait à l'esprit de pauvreté de l'ordre des Franciscains. Mais cet ordre, devenu très puissant à partir du 17e s., se vit octroyer privilèges et biens matériels. Cela se manifeste à l'intérieur de l'église par le triomphe de la **décoration baroque★★** : les autels, les murs, les voûtes disparaissent sous un foisonnement impressionnant de *talhas douradas*, boiseries sculptées et dorées (17e-18e s.) représentant des pampres, des angelots et des oiseaux. L'**Arbre de Jessé★** dans la 2e chapelle à gauche est une réalisation particulièrement remarquable, tout comme le maître-autel. Sous la tribune, à droite en entrant dans l'église, se trouve une statue de saint François en granit polychrome datant du 13ᵉ s.

Cette richesse choqua tant le clergé que l'église fut fermée au culte.

Revenir sur la praça do Infante Dom Henrique, devant le palais de la Bourse, et prendre à droite la rua da Alfândega.

Maison de l'Infant (Casa do Infante) F3

R. da Alfândega, 10. D'après la tradition, Henri le Navigateur serait né dans cette maison présentant une belle façade en granit. Ancien bureau de douane de la ville de Porto du 14ᵉ au 19ᵉ s., elle abrite désormais les Archives historiques de la ville.

La rua da Alfândega aboutit sur les quais du Douro.

Quai de la Ribeira★★ (Cais da Ribeira) F3

Ce quai dominé par la haute silhouette du pont métallique D. Luís I est un des endroits les plus vivants de Porto. Les maisons vétustes, tout en hauteur, pavoisées de lessives multicolores, surplombent le quai qui reste animé en journée comme en soirée. Quelques bateaux anciens y sont amarrés ; certains permettent d'embarquer pour des croisières sur le fleuve. Cette zone du centre historique a fait l'objet depuis quelques années de grands travaux de restauration.

Il est possible de traverser le Douro en empruntant le tablier bas du pont D. Luís I pour accéder aux chais de la rive sud *(5mn à pied - voir description plus bas).*

Au bout du quai, passer sous l'arche du pont D. Luís I et prendre le funiculaire dos Guindais. Juin-sept. 8h-22h (vend., sam. 0h) ; oct.-mai 8h-22h (vend., sam. 0h). Puis descendre la rua Saraiva de Carvalho sur la droite jusqu'à la petite place qui fait face à l'église.

Église de Santa Clara★ F3

☎ 222 05 48 37 - lun.-vend. 9h30-12h, 15h30-18h - fermé j. fériés - grat.

Cette église construite à la Renaissance a conservé de cette époque un portail en granit avec des personnages en médaillons. L'extérieur, plutôt austère, contraste avec la profusion de **boiseries sculptées et dorées★** du 17ᵉ s. qui décorent l'intérieur.

Continuer par la rua Saraiva de Carvalho jusqu'à l'av. Dom Afonso Henriques. En tournant à droite, revenir à la gare de São Bento.

Vila Nova de Gaia et les chais Plan II

Compter une demi-journée.

Sœur rivale de Porto, située sur la rive gauche du Douro, de l'autre côté du pont D. Luís I, l'ancienne ville de Cale abrite le centre mondial de production du porto. Avant ou après la visite des chais, promenez-vous sur les quais et l'**avenida Diogo Leite★**, très animés, qui longent le Douro et offrent une **vue★★** d'ensemble imprenable sur Porto : la ville et ses quais se reflètent dans les eaux du fleuve, avec, au premier plan, quelques *barcos rabelos* de circonstance.

Les chais de Porto F3

Les **chais** *(as caves),* qui arborent le nom de leur marque de fabrique au-dessus de leurs toits rouges, occupent le quartier bas de la commune de Vila Nova de Gaia et couvrent plusieurs hectares. C'est là, par une lente élaboration, que le raisin récolté sur les versants du Haut-Douro est transformé en porto *(voir p. 89).* Plus de 58 maisons de porto y sont représentées. Autrefois, c'était en bateau, sur les *barcos rabelos,* que les vins du Haut-Douro parcouraient quelque 150 km de navigation avant de parvenir jusqu'aux chais. Aujourd'hui, ce sont des camions-citernes qui viennent déverser leur précieuse cargaison dans des cuves en Inox. Les grandes marques ont cependant conservé face à leurs chais quelques *barcos rabelos* chargés de tonneaux. Une quinzaine de ces caves se visitent, dont celles de

F. Soreau/MICHELIN

Tonneaux de porto sur un « barco rabelo ».

Taylor, **Cálem**, **Sandeman**, **Ramos Pinto**, **Ferreira** *(voir « Visites » dans l'encadré pratique).* Les visites des chais permettent de suivre les étapes de l'élaboration du porto. Le vin est stocké plusieurs années dans d'immenses cuves contenant jusqu'à 1 000 hl, puis soutiré dans des tonneaux *(pipas)* de 535 l. La porosité du bois des tonneaux accentue le vieillissement du breuvage. Seuls les vins authentiques, contrôlés par l'Instituto do Vinho, peuvent pénétrer dans ces chais. Sous les voûtes, on contemplera les énormes barriques de châtaignier, aussi bien que les cuves en métal et la chaîne moderne d'embouteillage.

Par une succession de ruelles et d'escaliers, au sud des quais, rejoindre la partie haute de Vila Nova de Gaia.

Ancien couvent de Nossa Senhora da Serra do Pilar FG3

Ce couvent des 16e et 17e s., au plan en rotonde (attribué à Philippe Terzi), domine la ville, ce qui en fait sans conteste, depuis son esplanade, le meilleur **belvédère**★★ pour admirer l'ensemble du site de Porto (les photographes ne s'y trompent d'ailleurs pas !). De là, on distingue les vestiges de l'enceinte du 14e s., sur l'autre rive.

Rejoindre Porto à pied en traversant le pont D. Luís I, ou par le métro (arrêt « Jardim do Morro », ligne D).

Autour de l'avenue de Boavista

Compter une demi-journée. Emprunter le métro ligne A, B ou C, direction Senhor de Matosinhos, Póvoa de Varzim ou ISMAI, et descendre à « Carolina Michaelis ».

Autrefois bordée de villas cossues, dont il reste encore quelques témoins, l'**avenida da Boavista** forme une artère bruyante qui mène en ligne droite jusqu'à l'Atlantique. Autour d'elle s'organise tout le quartier ouest de la ville.

Sortir de la station de métro, descendre les escaliers et prendre, en face, la rua Augusto Luso. Traverser la rua da Boavista. Au bout, emprunter à gauche le largo do Priorado.

Église de Cedofeita Plan II E1

R. da Cedofeita - fermée.

Pour certains, cette petite église constitue le plus vieil édifice chrétien du Portugal, car ses fondations remonteraient au 6e s. L'église actuelle, qui date du 12e s., est en tout cas la plus ancienne de la ville. Bel exemple de roman primitif, elle a été transformée au cours des siècles, surtout au 17e s., mais a conservé intact son portail orné d'un Agnus Dei.

Revenir rua da Boavista et la suivre à gauche jusqu'à la praça Mouzinho de Albuquerque.

Casa da Música Plan I C

Av. da Boavista, 604-610 - ℘ 220 12 02 00 - www.casadamusica.pt - visites guidées (en portugais et en anglais) lun.-vend. à 11h et 15h30, w.-end et j. fériés à 10h30, 15h (portugais) et 16h - 3 €.

Ce vaste édifice blanc de forme polyédrique, conçu par l'architecte néerlandais Rem Koolhaas, est le fruit de la nouvelle politique culturelle poursuivie par la ville suite à sa désignation en tant que « Capitale européenne de la culture » en 2001. Inauguré en avril 2005, ce bâtiment audacieux constitue un espace multidisciplinaire dédié à tous les types de musiques. Il accorde une place importante à la composition et à l'apprentissage et abrite deux auditoriums, dont un de 1 260 places.

Prendre le bus n° 21, 31 ou 502 sur l'av. da Boavista (arrêt à 200 m de la Casa da Música) et descendre à l'arrêt « A Cardoso ». Puis tourner à droite dans la rua Tenente Valadim.

Fondation Eng-António de Almeida
(Fundação Eng-António de Almeida) Plan I C

R. Tenente Valadim, 325 - ℘ 226 06 74 18 - www.feaa.pt - visite guidée en français (30mn) lun.-sam. 14h30-17h30 - fermé j. fériés et août - 2 €.

Le riche industriel António de Almeida se consacra, sa vie durant, à réunir une **collection de monnaies d'or**★ d'origines grecque, romaine, byzantine, française et portugaise. Elle est exposée dans cette maison où il vécut, décorée de meubles anciens et de porcelaines.

Revenir av. da Boavista et prendre le bus n° 21 ou 502. Descendre à l'arrêt « G. da Costa » et emprunter à gauche l'av. Marechal Gomes da Costa jusqu'à la rua D. João de Castro.

Fondation de Serralves★★ (Fundação de Serralves) Plan I B1

R. D. João de Castro, 210 - ℘ 226 15 65 00 - www.serralves.pt - avr.-sept. : mar.-vend. 10h-19h, w.-end et j. fériés 10h-20h ; oct.-mars : mar.-dim. 10h-19h - 5 €, parc seul 2,50 €, grat. dim. 10h-14h.

La fondation de Serralves, une institution privée qui travaille en partenariat avec l'État, vise à la promotion de l'art contemporain auprès du grand public ainsi qu'à la sensibilisation aux questions d'environnement. Elle est installée dans un magnifique **parc★★** boisé de 18 ha, avec jardins, forêts et pâturages. Véritable havre de paix, l'endroit est agrémenté d'œuvres d'art et dispose en outre d'un lac, d'un jardin aromatique et d'une ferme avec des animaux. Au sein de ce parc, la maison de Serralves (Casa de Serralves) abrite le siège de la fondation, qui a fait construire, non loin de là, un grand musée d'Art contemporain.

Le **musée d'Art contemporain★ (Museu de Arte Contemporânea)**, inauguré en 1999, a été conçu par le plus connu des architectes portugais actuels, **Álvaro Siza Vieira**, natif de Porto (qui a aussi dessiné le quartier du nouveau Chiado à Lisbonne et conçu la faculté d'architecture de Porto). C'est un bâtiment d'un blanc immaculé, moderne et dépouillé, aux lignes vives, mais d'aspect un peu massif. À l'intérieur, vous remarquerez les luxueux parquets de marqueterie du premier étage. Souvent taxé d'élitisme, ce musée vise à sensibiliser le grand public à l'art contemporain. Les collections permanentes couvrent la production artistique depuis 1960. Avec une programmation pointue, en grande partie d'avant-garde, il accueille des expositions temporaires d'arts plastiques, mais aussi des spectacles de danse, des colloques et des concerts. C'est devenu le plus grand centre multiculturel du nord du pays.

La maison de Serralves (Casa de Serralves) est un remarquable exemple de l'architecture des années 1930. Sa décoration intérieure de style Art déco a été réalisée par plusieurs architectes et décorateurs français : Siclis, Brandt (remarquez ses élégantes **grilles de fer forgé**), Lalique, Perzel et Ruhlmann. Expositions temporaires.

Revenir sur l'av. da Boavista, qui débouche plus loin sur l'Océan, au niveau du Castelo do Queijo. Pour regagner le centre, reprendre le bus nº 502 jusqu'à la praça da República.

À découvrir aussi

Musée du Vin de Porto (Museu do Vinho do Porto) Plan II E2
R. de Monchique, 45-52 (tram nº 1) - ℰ 222 07 63 00 - mar.-sam. 10h-12h30, 14h-17h30, dim. 14h-17h30 - 2,06 €, grat. w.-end.

Dans un ancien dépôt de la Compagnie générale des vignes du Haut-Douro, qui sert ensuite de douane pour les produits importés du Brésil, ce petit musée retrace l'histoire de la ville et de son développement autour du négoce du vin qui fit sa renommée.

Musée du Tram (Museu do Transporte Eletrico) Plan II E2
Alameda Basílio Teles, 51 (tram nº 1) - ℰ 226 15 81 85 - museu-carro-electrico.stcp.pt - mar.-vend. 9h30-12h30, 14h30-18h, w.-end et j. fériés 15h-19h - 3,50 €.

Dans un authentique hangar de la STCP sont exposées une quinzaine de voitures de tram, des premiers modèles, apparus à Porto en 1872, jusqu'aux plus récents.

La promenade côtière
Promenade vers le sud, du Castelo do Queijo au Castelo da Foz – Compter 2 à 3h depuis le centre avec un aller-retour en bus (nᵒˢ 500 et 502) jusqu'au Castelo do Queijo, ou la demi-journée en rentrant à pied depuis le Castelo da Foz.

Château (Castelo) do Queijo Plan I A1
Également connu sous le nom de fort de São Francisco Xavier, ce fort du 17ᵉ s. est juché sur un rocher en forme de fromage qui lui a donné son nom (*queijo* en portugais). Il gardait jadis l'estuaire du Douro.

Le front de mer Plan I A/B-1/2
Au sud du Castelo do Queijo, longez le front de mer jusqu'à l'entrée de l'estuaire (*promenade de 2,8 km, parallèle aux avenidas de Montevideu et do Brasil*). Une digue piétonnière agrémentée d'arbres et de buissons y a été aménagée. Vous longez les plages de Porto (*Praias da Conceição, dos Ingleses, da Luz*), parfois encadrées de rochers. Même si l'Océan est grisâtre, avec des eaux froides et mouvementées, les embruns sont très vivifiants. C'est ici que s'étendent les quartiers résidentiels et balnéaires de **Nevogilde** et **Foz do Douro**.

Château (Castelo) da Foz Plan I B2
Le fort de São João da Foz do Douro constitue une autre place forte, construite pendant la période espagnole (1580-1640) pour protéger l'embouchure du Douro.

À moins d'être en voiture, ou de regagner la Ribeira en bus ou en tramway par la rive droite du Douro, les marcheurs un peu courageux (on longe parfois la route d'un peu près) peuvent revenir à pied par ces mêmes berges, assez bien aménagées. Depuis l'entrée de l'estuaire, compter 6 km. Un bon moyen de laisser la ville se dévoiler depuis le fleuve !

Aux alentours

Les plages

Constituées de longues étendues sableuses typiques de la côte atlantique, les plages de Porto sont très fréquentées en été, même si la houle restreint les possibilités de baignade. Outre les plages de Foz do Douro et de Nevogilde, juste au nord de l'estuaire *(ce sont les plus accessibles avec le bus n° 21 ou 500)*, vous pourrez vous rendre, au sud du Douro, à la **plage de Lavadores** *(bus n° 93)* ou, plus loin, à la **plage de Madalana** *(bus n° 57)*.

En continuant au sud par la N 109, des sorties mènent aux plages de **Valadares**, **Miramar**, **Granja**. Enfin, la sation balnéaire d'**Espinho** est aussi accessible par l'autoroute E 1 en direction de Lisbonne *(22 km au sud de Porto)*.

Matosinhos Plan I A1

8 km au nord-ouest de Porto, par l'IC 1, sortie n° 2. Juste au nord du Castelo do Queijo.

Cette ville est réputée pour certaines réalisations d'architecture moderne de l'école de Porto, dont le chef de file est Álvaro Siza Vieira. Ce dernier réalisa en 1981 la mairie de Matosinhos.

L'église Bom Jesus de Matosinhos se signale par sa façade baroque (18e s.), hérissée de pinacles et de quatre flambeaux, et ornée de blasons. À l'intérieur, le regard est attiré par les magnifiques boiseries du chœur, où s'inscrivent des tableaux représentant la Passion du Christ ; au maître-autel, très ancienne statue du Christ, en bois, objet chaque année d'un important pèlerinage *(voir le calendrier festif p. 34 à 36)*. La nef et le chœur sont surmontés d'un joli plafond à caissons.

Port de Leixões (Porto de Leixões) Plan I A1

Au nord de Matosinhos, à 5 km du fleuve, ce grand port de commerce artificiel, créé à la fin du 19e s., fut transformé dans les années 1930 et terminé en 1985. Il double celui du Douro qui souffrait de l'ensablement périodique du fleuve, offrant ainsi un remarquable débouché aux exportations vinicoles, de bois et aux produits industriels. La construction d'un appontement destiné aux gros pétroliers et d'une raffinerie a permis le développement d'un nouveau secteur. Avec ses 29 docks, il est désormais le deuxième port commercial du pays, juste après celui de Lisbonne. C'est également l'un des plus importants ports de pêche à la sardine du pays, et il dispose d'une marina internationale pour les navires de plaisance.

Leça do Balio

8 km au nord de Porto par la route de Braga (N 14), puis l'A 4 direction Amarante, sortie « Leça ». Suivre ensuite les panneaux vers le « mosteiro ».

Après la première croisade, le domaine de Leça do Balio aurait été concédé aux hospitaliers de Saint-Jean-de-Jérusalem, venus de Palestine probablement en compagnie du comte Henri de Bourgogne. Leça fut la maison mère de cet ordre (actuel ordre de Malte) jusqu'en 1312, date à laquelle le siège fut transféré à Flor da Rosa *(voir Crato, dans « Aux alentours » de Portalegre)*.

L'église-forteresse du monastère★, bâtie en granit dans le style gothique, se signale par les merlons pyramidaux qui soulignent l'entablement marquant l'arête de ses nefs, par sa haute tour crénelée cantonnée de trois balcons et d'échauguettes à mâchicoulis, par sa façade principale très simple ornée de chapiteaux sculptés au portail et d'une rose à l'étage. L'**intérieur**, dépouillé, a des proportions harmonieuses. Les piliers portent des chapiteaux historiés où figurent des scènes de la Genèse et des Évangiles. Dans le chœur, voûté en étoile, remarquez le tombeau du bailli Frei Cristóvão de Cernache, surmonté d'une statue orante peinte (16e s.), et, dans l'abside de gauche, celui du prieur Frei João Cœlho, avec gisant dû à Diogo Pires le Jeune (1515).

Les **fonts baptismaux★**, de style manuélin, ont été sculptés dans la pierre d'Ança *(voir p. 296)* par le même artiste ; de forme octogonale, la cuve repose sur un pied orné de feuilles d'acanthe et d'animaux fantastiques.

Paço de Sousa

28 km à l'est. Sortir de Porto en direction de Braga (N 14), puis prendre l'A 4 direction Amarante et la quitter à la sortie n° 10. Prendre à droite direction Parada, suivre ensuite l'indication « Paço de Sousa » et emprunter un peu plus loin, à droite, la N 106-3. Au rond-point dans Paço de Sousa, prendre à droite et tout de suite à gauche, direction « Mosteiro de Paço de Sousa ».

Paço de Sousa a conservé, d'un ancien monastère bénédictin fondé au début du 11e s., une vaste église romane, restaurée, qui renferme le tombeau d'Egas Moniz.

Egas Moniz : un modèle de droiture

Au 12e s., le roi de León, Alphonse VII, afin de mettre un terme aux aspirations des comtes du Portugal à l'indépendance, vient assiéger la régente Thérèse *(voir Guimarães)* à Lanhoso, puis l'infant Alphonse Henriques à Guimarães (1127). Celui-ci ne peut opposer à son suzerain qu'une petite poignée d'hommes ; il lui délègue donc son ancien précepteur **Egas Moniz**. Ce dernier, en échange de l'abandon du siège de Guimarães, reconnaît au nom de son prince l'autorité du roi de León. Le danger écarté, Alphonse Henriques oublie son serment et se soulève de nouveau (1130). Egas Moniz part alors pour Tolède ; accompagné de sa femme et de ses enfants, il se présente devant Alphonse VII en habit de pénitent, pieds nus, la corde au cou, prêt à payer de sa vie la rançon de cette trahison. Juste prix de sa droiture, il reçoit sa grâce.

Église abbatiale – La façade de l'église présente un portail en tiers-point aux voussures garnies de motifs qui se répètent sur la bordure de la rosace. Les chapiteaux sont décorés de feuillages. Le tympan est soutenu à gauche par une tête de bœuf, à droite par une curieuse tête d'homme. Sur le tympan, à gauche, un homme porte la Lune ; à droite, un autre soutient le Soleil. Deux frises d'arcatures lombardes couvrent les façades latérales de l'église. La frise supérieure repose sur des modillons sculptés de têtes d'animaux.

L'intérieur, à trois vaisseaux à arcs brisés, abrite, à gauche, une statue naïve de saint Pierre et, à droite, près de l'entrée, le tombeau d'Egas Moniz (12e s.). Les faces du tombeau portent des bas-reliefs sculptés de façon assez grossière, illustrant d'un côté la scène de Tolède *(voir encadré)*, de l'autre les funérailles du loyal précepteur. À gauche de l'église, s'élève une tour crénelée.

Santa Maria da Feira

28 km au sud. Quitter Porto par l'A 1, direction Lisbonne, et sortir à Santa Maria da Feira.

Face au bourg qui se disperse sur le versant d'une colline, se dresse, sur une hauteur boisée, le château fort de Santa Maria da Feira, auquel conduit une route pavée et ombragée.

Château fort★ – ℘ 256 37 22 48 - www.castelodafeira.com - été : mar.-vend. 9h30-12h30, 13h30-18h, w.-end et j. fériés 10h-12h30, 13h30-18h30 ; hiver mar.-vend. 9h30-12h30, 13h-17h, w.-end 10h-12h30, 13h-17h30 - 3 €. Érigé au 11e s., il fut reconstruit au 15e s. par le seigneur du lieu, Fernão Pereira, dont le blason s'inscrit au-dessus de la porte. Voici un intéressant exemple d'architecture militaire portugaise d'époque gothique. Un donjon quadrangulaire, flanqué de quatre hautes tours carrées à toits en poivrière, domine une enceinte fortifiée à mâchicoulis que renforce, à l'est, une barbacane.

Par une poterne, on accède à la place d'armes. Sur le chemin de ronde, des latrines sont encore visibles. Un escalier conduit au premier étage du donjon, vaste salle gothique ; la plate-forme supérieure *(60 marches)* offre un panorama sur les fortifications du château, la ville, les collines boisées des environs et le littoral. Dans les salons, film sur l'histoire du lieu ; petite exposition sur les fouilles et les travaux de restauration.

Musée du couvent dos Lóios - *Praça Dr Guilerme Alves Moreira (sur la route montant au château)* - ℘ 256 37 24 50 - mar.-vend. 9h-18h (hiver 17h), w.-end 14h-18h (hiver 17h) - fermé j. fériés - grat. Cet ancien couvent consacré à saint Jean l'Évangéliste, à la façade ornée d'azulejos bleus du 17e s., abrita à partir de 1938 le tribunal. Il accueille aujourd'hui une exposition permanente d'histoire, d'archéologie et d'ethnologie régionales, ainsi que d'intéressantes expositions temporaires.

Porto pratique

Informations utiles

Indicatif téléphonique – *22*

Code postal – *4000*

Police du tourisme – *R. Clube dos Fenianos, 11 (à côté de l'office de tourisme)* - ☏ *222 08 18 33 - 8h-2h.*

Hôpital – *Hospital Santo António - largo Prof. Abel Salazar -* ☏ *222 07 75 00.*

Poste centrale – *Praça G. Humberto Delgado -* ☏ *222 07 12 67 - lun.-vend. 8h-21h, sam. 9h-18h, dim. 9h-12h30, 14h-18h.*

INFORMATIONS TOURISTIQUES

🚹 **Instituto de turismo de Portugal** – *Praça D. João I, 43 -* ☏ *222 05 75 14.*

🚹 **Posto central de turismo** – *R. Clube dos Fenianos, 25 (en haut à gauche de l'av. dos Aliados) -* ☏ *223 39 34 72 - lun.-vend. 9h-17h30, w.-end et j. fériés 9h30-16h30.*

🚹 **Casa da Câmara** – *Terreiro da Sé -* ☏ *223 32 51 74 - lun.-vend. 9h-17h30.*

🚹 **Casa do Infante** – *R. Infante D. Henrique, 63 -* ☏ *222 06 04 12 - lun.-vend. 9h-17h30, w.-end et j. fériés 9h30-16h.*

Rens. sur www.portoturismo.pt.

Porto Card – Pass touristique valable 1 jour *(7,50 € ; 3,50 € en mode piéton)*, 2 jours *(11,50 €)* ou 3 jours *(15,50 €)* : entrée grat. ou réduite dans 18 musées et monuments, voyages illimités (sauf avec la carte 1 jour piéton) dans les bus et tramways de la STCP, le métro et le funiculaire, et certains trains régionaux, rabais dans de nombreux restaurants et magasins ainsi que sur certains spectacles, croisières, visites de caves ou tours en bus. Vente dans les offices de tourisme, les guichets de la STCP ou du métro, et dans certains hôtels.

Internet

Onweb – *Praça G. Humberto Delgado, 291 (en haut à gauche de l'av. dos Aliados) -* ☏ *222 00 59 22 - lun.-sam. 10h-2h, dim. et j. fériés 15h-2h - 1,20 €/h.*

Ribeira – *R. dos Mercadores, 14 (au-dessus de la praça da Ribeira) - www.ribeira.com. pt - lun.-vend. 10h-19h, sam. 13h-20h - 2 €/h.*

Transports

Aéroport – L'aéroport Dr Francisco Sá Carneiro, récemment agrandi et rénové, est situé sur l'EN 107, à 14 km au nord-ouest de la ville. Depuis le printemps 2006, le métro relie directement l'aéroport au centre-ville *(à partir de 6h)*. Moins pratiques, les bus n°s 601 et 602 relient l'aéroport à Cordoaria dans le centre *(durée 1h env.)*. En taxi, compter 15 à 20 €.

En métro – *www.metro-porto.pt*. Il existe cinq lignes de métro à Porto (A, B, C, D et E). Elles relient le stade du Dragão à Matosinhos (Senhor de Matosinhos, ligne A - bleue), au nord-ouest (Póvoa de Varzim, ligne B - rouge), au nord-est (ISMAI, ligne C - verte), et à l'aéroport (ligne E - violette). La ligne D (jaune), reliant Vila Nova de Gaia, est la seule à traverser le Douro et la plus intéressante pour visiter le centre, avec les stations Trindade (le « Châtelet » de Porto), Aliados, São Bento et Jardim do Morro (juste après le pont D. Luís I). Attention, il existe plusieurs zones.

En bus – Porto compte 65 lignes de bus *(autocarros)* gérées par la STCP - *www.stcp. pt*. Il existe aussi 13 lignes de bus de nuit *(rede da madrugada*, sigle « M »)*.
La STCP propose 3 circuits touristiques en bus *(billet valable 24h - 10 €)*.

En tramway – Les petits *eléctricos* (lignes 1, 18 et 22) sont similaires à ceux de Lisbonne. Ligne 1 : dép. au pied de l'église de São Francisco jusqu'à Foz do Douro ; ligne 18 : dép. devant l'église do Carmo jusqu'au bord du Douro ; ligne 22 *(boucle)* : dép. en haut du funiculaire dos Guindais jusqu'à l'église do Carmo.

Taxi – *Rádio Táxi Geral -* ☏ *225 07 39 00.*

GARES FERROVIAIRES

Gare Campanhá – *R. da Estação (à l'ouest de la ville) -* ☏ *808 20 82 08 ou 225 19 13 74.* Liaisons internationales et nationales.

Gare de São Bento – *Praça Almeida Garret (dans le centre) -* ☏ *808 20 82 08 ou 222 05 17 14.* Liaisons banlieue et régionales nord.

Titres de transport – Les tickets en papier ont été remplacés par des cartes magnétiques rechargeables (0,50 €).
La carte magnétique **Andante** peut être utilsée dans le métro et/ou le réseau STCP selon le mode de chargement choisi. Optez pour le chargement multimodal, sinon vous devrez utiliser tous vos titres (métro ou bus) avant de pouvoir changer de mode de transport. Tarifs dégressifs en fonction du nombre de trajets chargés. Attention au choix des zones. En vente à l'aéroport, à l'office de tourisme central, dans les « lojas Andante », à la gare de São Bento, dans certains guichets STCP et dans les billetteries du métro. Il est toujours possible d'acheter une carte pour un trajet à l'unité dans les bus et les trams (1,35 €).

Andante Tour – Deux pass permettent de voyager de façon illimitée dans les métro, bus, tram, funiculaire : Andante Tour 1 (valable 24h après la 1re validation - 5 €) et Andante Tour 3 (valable 72h après la 1re validation - 11 €). En vente dans les offices de tourisme, « lojas Andante » et guichets STCP. Une autre formule permet de bénéficier de tarifs spéciaux de parking.

Si vous avez l'intention de faire beaucoup de visites, la Porto Card peut s'avérer la plus intéressante *(voir plus haut)*.

Visites

Visite en bus et croisières fluviales – *Porto Tours - à côté de la Sé.* Centre de réservation de circuits organisés, y compris les visites en bus de la ville et les balades sur le Douro : croisière des 6 ponts (1h - 10 €), excursions d'un ou plusieurs jours. Dép. du quai de la Ribeira ou du quai Amarelo à Vila Nova de Gaia. Douro Azul - *R. de São Francisco, 4 - ✆ 223 40 25 00 - www.douroazul.com* - est l'une des plus anciennes compagnies.

Visite des caves à vins – Pour visiter les chais de 18 établissements producteurs de porto, rens. dans les offices de tourisme et à l'Associação das Empresas de Vinho do Porto - *R. Dr. António Granjo, 207 - Vila Nova de Gaia - ✆ 223 74 55 20*. On vous remettra une carte répertoriant les chais.

Visite en taxi – *Rent-A-Cab - R. Santa Catarina, 715 - Centro Comercial Rio, Loja D - ✆ 222 00 15 30*. Visite de Porto en « London Cab » à la demi-journée ou à la journée.

Visite en hélicoptère – *Helitours - Alameda Basílio Teles (près du Douro, après le jardin du palais de Cristal) - ✆ 225 43 24 64 - www.douroazul.com*. À partir de 58 €/pers. (min. 4 pers. - durée 10mn).

Se loger

◎ **Pensão Avenida** – **Plan II** - *Av. dos Aliados, 141 - ✆ 222 00 95 51 - planeta.clix. pt/pensaoavenida - 18 ch. 40/50 € ☕* À côté de l'hôtel de ville, une pension centrale (aux 4e et 5e étages d'un immeuble cossu), d'un bon rapport qualité-prix. Chambres très propres, de taille variable. Choisissez-en une donnant sur la place (double vitrage).

◎ **Residencial Vera Cruz** – **Plan II** - *R. Ramalho Ortigão, 14 - ✆ 223 32 33 96 - www.residencialveracruz.com - ▤ - 29 ch. 50 € ☕*. Derrière une façade des plus quelconques, voilà une pension à l'accueil agréable (et francophone). Les chambres, classiques, ont une atmosphère intime. La salle de petit-déjeuner du 8e et dernier étage, avec terrasse orientée vers l'est, offre une vue dégagée sur la ville. Une bonne petite adresse centrale, voisine de l'hôtel de ville.

◎ **Rex Residencial** – **Plan II** - *Praça da República, 117 - ✆ 222 07 45 90 - ▣ - 20 ch. 55 € ☕*. Petit hôtel aménagé dans une ancienne maison particulière, au style assez vieillissant. Ambiance intime et quelques plafonds d'époque intacts.

◎ **América** – **Plan II** - *R. Santa Catarina, 1018 - ✆ 223 39 29 30 - www.hotel-america.net - ▣ - 30 ch. 55 € ☕*. Dans la partie haute de la rua Santa Catarina, cet hôtel un peu excentré offre une alternative moderne au charme désuet du Castelo de Santa Catarina *(voir ci-dessous)*. Chambres au mobilier et parquet de bois clair. Pour ceux qui préfèrent la standardisation des prestations… et de l'accueil !

◎◎ **Castelo de Santa Catarina** – **Plan II** - *R. de Santa Catarina, 1347 - (Mº Marquês, ligne D) - ✆ 225 09 55 99 - www.castelosantacatarina.com.pt -*

▣ - *26 ch. 85/90 €*. Cette maison du 19e s., sorte de « folie » couverte d'azulejos, est située au calme sur les hauteurs de Porto. Accueil charmant et personnalisé. Si l'idée de monter 80 marches ne vous effraie pas, demandez la chambre 141, dans la tour, avec une vue à 360º, ou bien la 122, avec ses meubles d'époque. Réservez dans la maison ancienne plutôt que dans les dépendances.

◎◎ **Pão de Açucar** – **Plan II** - *R. do Almanda, 262 - ✆ 222 00 24 25 - www.residencialpaodeacucar.com - 51 ch. 50/85 € ☕*. Si vous recherchez une adresse agréable et centrale, choisissez cet établissement ouvert sur une rue calme. Spacieuses et confortables, les chambres se répartissent sur plusieurs niveaux et peuvent compter jusqu'à quatre lits. Celles du dernier étage sont plus petites mais ont terrasse, vue sur l'hôtel de ville et air conditionné. Suites.

◎◎ **Da Bolsa** – **Plan II** - *R. Ferreira Borges, 101 - ✆ 222 02 67 68 - www.hoteldabolsa.com - ▤ - 36 ch. 52/100 € ☕*. Une adresse intéressante pour sa situation proche du quartier animé de la Ribeira. Belle façade du 19e s.; en revanche, l'intérieur, aménagé dans un style moderne, manque de charme. Les chambres du dernier étage, plus chères, offrent de belles vues sur le fleuve.

◎◎◎ **Grande Hotel do Porto** – **Plan II** - *R. de Santa Catarina, 197 - ✆ 222 07 66 90 - www.grandehotelporto.com - ▤ ✖ - 99 ch. 107/125 € ☕ - rest. 15 €*. Bien qu'ayant perdu de sa splendeur, ce grand hôtel conserve le charme de la Belle Époque, surtout dans ses salons et dans le restaurant décoré façon « Grand Siècle ». Les chambres sont aménagées dans un style plus fonctionnel et moderne. Parking payant.

◎◎◎ **Pestana Porto** – **Plan II** - *Praça da Ribeira - ✆ 223 40 23 00 - www.pestana.com - ▤ ✖ - 48 ch. 193/222 € ☕ - rest. 35 €*. Difficile de trouver un hôtel mieux placé ! L'ancien Porto Carlton dresse sa façade jaune au bord du Douro avec une vue imprenable sur le fleuve et les chais de la rive opposée. Chambres très confortables et toutes différentes. Une situation idéale pour partir explorer les ruelles pittoresques de la Ribeira.

◎◎◎ **Infante de Sagres** – **Plan II** - *Praça D. Filipa de Lencastre, 62 - ✆ 223 39 85 00 - www.hotelinfantesagres.pt - ▤ ✖ - 72 ch. 195/250 € ☕ - rest. 34/45 €*. Avec ses boiseries, ses meubles d'époque et ses vitraux, cet hôtel de prestige (à la façade pourtant banale) possède un charme tout particulier et plaira aux adeptes des ambiances traditionnelles. Situation centrale près de la praça da Liberdade.

Se restaurer

Casa de Chá – **Plan I** - *R. de Serralves, 977 (dans le parc de la fondation Serralves) - ✆ 226 17 03 55 - avr.-sept. : mar.-vend.*

*12h-19h, w.-end. 10h-20h ; oct.-mars :
w.-end 12h-19h.* Avec ses rideaux en toile,
ses fauteuils en rotin, ses planches
botaniques et sa pergola, ce salon de thé
offre un cadre frais et accueillant. Idéal
pour des brunchs, goûters ou déjeuners
légers, lorsqu'on visite la fondation.

⊝ Guarany – Plan II - *Av. dos Aliados,
85 - ℘ 223 32 12 72 - www.cafeguarany.
com - 9h-00h (1h en été) - 15/20 €.* Sol en
mosaïques, tables et boiseries Art déco,
fresques… et néons, forment le décor
suranné de ce café ancien et très connu de
Porto, fréquenté par une clientèle variée.
Salades, cuisine portugaise et
internationale. Concerts le soir.

⊝ Filha da Mãe Preta – Plan II -
*Cais de Ribeira, 40 - ℘ 222 05 55 15 -
filhadamaepreta@clix.pt - fermé dim. -
15/20 €.* Parmi tous les restaurants à
touristes qui fleurissent sur le quai de la
Ribeira, celui-ci se distingue par une
cuisine simple, mais de caractère : morue,
calamars farcis (spécialité de la maison),
tripes à la mode de Porto ou rognons à la
mode du Minho. Vous ne trouverez pas
plus pittoresque dans toute la ville.

⊝ Cometa – Plan II - *R. Tomaz Gonzaga,
87 - ℘ 222 00 87 74 - fermé dim. - 15/25 € -
réserv. conseillée le w.-end.* À deux pas de
l'église S. João Novo, proche du quartier
de Miragaia, ce petit restaurant niché à
l'angle de deux rues joue la carte du
« rétro » avec une décoration de bistrot
des années 1950. Spécialités atypiques mi-
slaves, mi-méditerranéennes, servies dans
de la vaisselle de grand-mère sur fond de
musique très actuelle.

⊝ Arroz de Forno – Plan II - *R. Mouzinho
da Silveira, 203 - ℘ 222 00 74 65 -
arrozdeforno@clix.pt - fermé dim. - 14/20 €.*
Sur la très grise artère menant au fleuve,
ce vaste restaurant sur deux étages affiche
une décoration contemporaine en pierre
et bois brut qui contraste avec sa carte
spécialisée dans les plats traditionnels
du Douro. Ceux-ci sont servis dans
des cocottes en terre cuite brune,
accompagnés de riz. Demi-doses
conseillées, c'est très copieux !

⊝ Abadia do Porto – Plan II - *R. do
Ateneu Comercial, 22-24 - ℘ 222 00 87 57 -
abadia.porto@sapo.pt - fermé dim. -*

Terrasses sur la praça da Ribeira.

P. De Franqueville/MICHELIN

15/20 €. C'est dans une salle couverte
d'azulejos et surmontée d'une mezzanine
que vous savourerez de la morue braisée,
des tripes à la mode de Porto, des
poissons ou des viandes grillées. Un
restaurant de cuisine locale aux plats
immuables, idéalement situé à proximité
de la rua Santa Catarina.

**⊝ Adega e Presuntaria
Transmontana – Plan II** - *Av. Diogo Leite,
80 - Vila Nova de Gaia - ℘ 223 75 83 80 -
fermé dim. - 15/20 €.* Ce restaurant de Vila
Nova de Gaia, l'autre rive du fleuve
devenue à la mode, affiche souvent
complet derrière sa baie vitrée. Face au
Douro, la jolie salle rustico-moderne
permet de savourer charcuteries,
jambons, viandes à la *plancha*, et
d'excellents plats de viande et de poisson.
Une seconde salle est située à deux pas
(R. Cândido dos Reis, 132).

⊝ Peixes – Plan I - *R. do Ouro, 133-135 -
℘ 226 18 56 55 - fermé dim. - env. 25 €.*
Juste après le ponte d'Arrábida, une
maison intime au bord du Douro pour
dîner au coucher du soleil et contempler
la rive opposée. Tableaux stylisés de
poissons aux murs et, dans l'assiette, la
pêche du jour. Une belle carte des vins et
de petites entrées savoureuses telles que
salade de pois chiches et sardines grillées.

⊝⊝ D. Luís – Plan II - *Av. Ramos
Pinto, 264-266 - ℘ 223 75 12 51 -
fermé lun. - 15/25 €.* Décoration
raffinée pour cette toute petite salle de
Vila Nova de Gaia *(20 places)* dont le bar
arrondi fait écho à la vague de béton qui
orne les murs de pierres apparentes.
On y sert des plats soignés : trois recettes
de morue, *feijoada* marinière, colin,
crevettes… Une halte dont la
tranquillité contraste avec l'animation
environnante. Réservez le week-end.

⊝⊝ D. Tonho – Plan II - *Cais da Ribeira,
13-15 - ℘ 222 00 43 07 - www.dtonho.com -
▤ - env. 30 €.* Installé à l'étage d'une
maison ancienne restaurée avec une
certaine classe, ce restaurant qui
appartient au chanteur Rui Veloso sert
de bons petits plats traditionnels : *posta
mirandesa* (pièce de bœuf), chevreau au
four, tripes à la mode de Porto. Belle vue sur le
Porto. Belle vue sur le Douro.

⊝⊝ Churascão Gaúcho – Plan II -
*Av. da Boavista, 313 - ℘ 226 90 17 34 -
fermé dim. - env. 25 €.* Dans ce restaurant
brésilien, le *rodízio* est à l'honneur : une
spécialité de grillades mixtes servies à
volonté dans un incessant ballet de
serveurs. On viendra en outre vous
chercher à votre hôtel.

⊝⊝ O Chanquinhas – Plan I - *R. de
Santana, 243 - 4450 Leça da Palmeira -
℘ 229 95 18 84 - www.chanquinhas.com -
fermé dim. - ▤ - env. 35 €.* Ancienne
maison seigneuriale reconvertie en un
élégant restaurant de grande renommée.
Son agréable salle à manger laisse
présager du bon niveau de la cuisine.

Faire une pause

Confeitaria Império – *R. Santa Catarina, 149-151 - ℘ 222 00 55 95*. Cette confiserie située dans la partie piétonne de la rua Santa Catarina, axe commerçant incontournable, reste un classique du genre avec son salon de thé où l'on peut déguster la spécialité locale : le *pão de Ló* (sorte de génoise).

Pendant la journée ou en fin d'après-midi, le **Majestic Café** *(r. Santa Catarina, 112)*, avec sa décoration Art nouveau, est toujours un grand classique.

Enfin, il convient de s'installer en fin de journée à une terrasse de la rive opposée du Douro, à Vila Nova de Gaia, où la cité révèle tout son charme au soleil couchant.

En soirée

Bien que l'on dise au Portugal que Porto travaille pendant que Lisbonne s'amuse, la nuit de Porto est riche et variée, avec des établissements pour tous les goûts.

Dans le vieux Porto – Sur les quais de Ribeira, il fait bon s'attarder à l'ombre du velum blanc du **Café do Cais** *(cais da Estiva - ℘ 222 08 83 85 - 11h-2h)*, un café qui a les pieds dans l'eau, idéal pour prendre un verre le soir (ou même en journée) et respirer l'air de la ville.

Derrière les restaurants des quais de la Ribeira se dissimulent aussi plusieurs bars, situés dans des rues parallèles *(r. da Lada, r. Fonte Taurina)*. Ainsi, l'élégant **Aniki-Bóbó** *(r. Fonte Taurina, 36/38 - fermé dim. et lun.)* accueille une clientèle d'architectes, peintres et photographes.

Plus à l'ouest, le long du Douro *(direction Foz)*, de nouveaux lieux sont apparus, comme **Bazaar** *(cais das Pedras, 13)*, un bar-boîte à l'ambiance minimaliste et design, aménagé sur cinq niveaux, avec boutiques de mode et de déco.

Dans le quartier de Boavista, le **Labirinto** *(r. Nossa Senhora de Fátima, 334)* est un sympathique bar-galerie d'art.

À Foz – Le **Maré Alta** *(près du ponte da Arrábida)* est installé sur un bateau qui organise des concerts sur son ponton. Le **Praia da Luz** *(av. do Brasil)* dispose d'une agréable terrasse. Quant au **Bar do Ourigo**, c'est un bar de plage très sympathique. La discothèque **Indústria** *(centre commercial da Foz - av. do Brasil, 843)* est l'une des plus animées de Porto. Également à Foz, la **Caféína** *(r. do Padrão, 100)* est connu pour rester ouvert tard ; c'est un bar fréquenté par les jeunes chefs d'entreprise et les artistes à succès.

À Foz Velha, il y a aussi le sympathique bar **Trinta e Um** *(r. do Passeio Alegre, 564)* et le **Marginal Foz**, un agréable bar-restaurant flottant *(face au n° 191 r. do Ouro)*.

À Matosinhos – Proche de la mer, c'est l'un des quartiers les plus animés des nuits de Porto. Rua Manuel Pinto de Azevedo, au n° 567, le **Via Rápida** *(jeu.-dim.)* est une grande discothèque avec sept bars, sans oublier le **Mau Mau** *(r. do Outeiro), 4)*. Toutefois, le mieux reste encore de se promener dans le quartier, car il y a toujours de nouveaux lieux à découvrir.

Achats

Centro Regional de Artes Tradicionais (CRAT) - *R. da Reboleira, 37 - ℘ 223 32 02 01*. Dans une vieille et belle maison de la pittoresque rue da Reboleira, un espace d'expositions temporaires sur les traditions artisanales de la région avec, au sous-sol, des objets à acheter, traditionnels ou contemporains.

Marché de Bolhão – *R. Formosa - lun.-vend. 8h-17h, sam. 8h-13h*.

A Pérola do Bolhão – *R. Formosa, 279*. Une épicerie fine qui mérite un détour, ne serait-ce que pour sa façade délicieusement rétro. Ses étalages à l'ancienne vous transporteront au temps des colonies avec leurs produits exotiques, leurs épices, le café du Brésil et les fruits secs. Une enseigne intemporelle.

Casa Oriental – *Campo dos Mártires da Patria*. Ici, on ne vend que de la morue : séchée et salée, elle pend en devanture d'une enseigne rendue mythique par une célèbre carte postale en noir et blanc. Une adresse 100 % portugaise.

Vinologia – *R. S. João, 46 - ℘ 222 05 24 68 - www.lamaisondesporto.com - 14h-0h, dim. 18h-0h*. S'il est un lieu idéal pour s'initier aux portos, c'est bien dans ce bar à vins-vinothèque. Plus de 200 variétés (30 à 40 marques et des petits producteurs), à emporter ou à déguster sur place. Conseils et explications très amicales de Jean-Philippe Duhard, amateur français éclairé et passionné. Vins exceptionnels et dégustations thématiques hebdomadaires.

Art Hobler.com – *R. Miguel Bombarda, 624 - ℘ 226 08 44 48 - www.arthobler.com*. Près du musée Soares dos Reis, dans la rue des galeries d'art, une adresse dirigée par une Suisse allemande installée là depuis plus de 15 ans et adepte d'une création contemporaine souvent liée à un univers onirique. Elle expose des artistes portugais et internationaux, avec une prédilection pour la sculpture.

Événement

Festas de São João – La fête de saint Jean *(23 juin)* est très célébrée dans les quartiers de Porto ; pot de basilic, tiges d'oignons et marteau en plastique pour frapper sur la tête du voisin de rigueur !

Vila do Conde

25 731 HABITANTS
CARTE MICHELIN 733 H3 – DISTRICT DE PORTO

Vila do Conde prolonge, au sud, Póvoa de Varzim, vaste et bruyante station balnéaire. Elles forment une agglomération peu amène sur une portion très urbanisée du littoral de la Costa Verde. Port de pêche en haute mer, Vila do Conde a cependant gardé, dans sa partie ancienne qui borde l'estuaire de l'Ave, ses maisons basses traditionnelles, quelques vieux édifices et un certain cachet. À la Saint-Jean s'y déroulent de grandioses défilés, dont ceux des « mordomas » (les « filles à marier ») parées de bijoux d'or et des « rendilheiras » (dentellières) en costume régional.

- ▶ **Se repérer** – À l'embouchure de l'Ave, à 27 km au nord de Porto.
- 👁 **À ne pas manquer** – Le musée de la Construction navale.
- 🕒 **Organiser son temps** – Un séjour de 3h suffit à Vila do Conde.
- 👣 **Pour poursuivre le voyage** – Barcelos, Braga, Porto.

Visiter

Couvent de Santa Clara★

Fermé pour une durée indéterminée.

Sa masse monumentale se dresse au-dessus de l'Ave. Derrière la façade du 18e s. se découvrent des bâtiments du 14e s. Le couvent abrite un collège pour enfants inadaptés.

Église – Fondée en 1318, elle est du type forteresse et a conservé son style gothique d'origine. Sa façade ouest est percée d'une jolie rosace. L'intérieur, à une seule nef, est couvert de plafonds de bois à caissons sculptés (18e s.).

La chapelle de la Conception *(première à gauche)*, du 16e s., abrite les **tombeaux★** Renaissance des fondateurs et de leurs enfants : travaillés dans la pierre d'Ança, ils présentent des faces magnifiquement ouvragées. Sur celui de **Dom Afonso Sanches**, les faces latérales content des scènes de la vie du Christ, et le chevet représente sainte Claire empêchant les Sarrasins d'envahir le monastère de Sainte-Claire à Assise. Sur le **tombeau de Dona Teresa Martins**, le gisant est figuré en habit de religieuse ; les faces latérales évoquent les scènes de la Passion du Christ, et le chevet montre saint François recevant les stigmates. Les tombeaux des enfants sont illustrés, l'un des docteurs de l'Église *(à gauche)*, l'autre des évangélistes *(à droite)*.

La nef est séparée du chœur des religieuses par une jolie grille.

Au sud de l'église, subsistent les arcades du cloître du 18e s. La fontaine centrale est le point d'aboutissement de l'**aqueduc** (18e s.) en provenance de Póvoa de Varzim. Du parvis, belle vue sur la petite cité limitée au sud par l'Ave et, à l'ouest, par l'Océan.

Église paroissiale

Église fortifiée, de style manuélin, elle a été édifiée au 16e s. par des artistes de Biscaye, ce qui explique la présence d'un joli portail platéresque dont le tympan est décoré d'une statuette de saint Jean-Baptiste, protégée par un dais et encadrée par les symboles des évangélistes.

La tour à gauche de la façade date de la fin du 17e s. L'intérieur renferme plusieurs autels et une chaire en bois doré des 17e et 18e s.

En face de l'église paroissiale, le **pilori**, de style Renaissance mais remanié au 18e s., porte un bras de justice brandissant un glaive.

Musée de la Construction navale★ (Museu da Construção Naval)

R. do Cais da Alfândega - ☎ 252 24 07 40 - mar.-dim. 10h-18h - grat.

Vila do Conde a largement participé à l'épopée maritime portugaise au temps des Grandes Découvertes. Avec son excellent port naturel dans l'estuaire de l'Ave, la proximité de communes riches en bois et une main-d'œuvre de qualité, ce fut un des meilleurs chantiers navals de tout le pays.

Le bâtiment jaune safran situé aux abords des quais fluviaux, complètement restauré et réaménagé, est celui des anciennes douanes royales (Alfândega Real) qui percevaient les taxes sur les navires marchands. Il abrite aujourd'hui un petit musée de la construction navale, un centre de documentation sur la navigation au 16e s. et, à côté, un atelier de charpenterie navale. Le tout s'inscrit dans un projet plus ambitieux de restauration de la zone riveraine du centre historique et de construction d'une fidèle réplique d'un vaisseau du 16e s.

Le musée présente, de façon vivante et didactique, les techniques de construction navale, les itinéraires des caravelles sur les lignes d'Afrique, d'Inde ou du Brésil, la nature de leurs cargaisons, etc.

Musée de la Dentelle (Museu-Escola das Rendas de Bilros)

R. São Bento, 70 - ℘ 252 24 84 70 - mar.-dim. 10h-12h, 14h-18h - grat.

Selon un dicton portugais, « là où il y a des filets, il y a des dentelles ». Vila do Conde est réputé pour la fabrication de ses dentelles au fuseau depuis le 16ᵉ s. Ce musée a été créé pour revitaliser cette activité manuelle exigeant une grande habileté. Les dentellières utilisent un coussin cylindrique sur lequel elles disposent les dessins des modèles à réaliser. Elles piquent dessus des épingles entre lesquelles passent les fuseaux contenant des fils de coton, de lin ou de soie. Le musée retrace les différents aspects de cette activité au travers d'une exposition de dentelles anciennes et modernes, de photos, mais surtout grâce à la présence de dentellières qui travaillent sur place.

Aux alentours

Azurara

1 km au sud. Ce village possède une **église** manuéline fortifiée du 16ᵉ s. couronnée de créneaux et, en face, une jolie croix manuéline.

Les plages

Agréables, elles s'étendent au sud. La plus proche est Praia da Árvore.

Circuit des églises romanes

Circuit de 15 km - Env. 45mn.
Prendre la N 206 vers le nord-est, direction Guimarães, jusqu'à Rio Mau (5 km) ; tourner à droite, en face de la poste, sur un chemin non goudronné.

Rio Mau

La petite **église romane São Cristóvão**, très simple, est bâtie en granit ; la décoration fruste des chapiteaux des portails contraste avec celle, plus soignée, des **chapiteaux★** de l'arc triomphal et du chœur, de construction plus récente.

Reprendre la N 206. Deux kilomètres plus loin, à Fontainhas, tourner à gauche en direction de Rates (encore 1 km).

Rates

L'**église de São Pedro**, en granit, a été édifiée aux 12ᵉ et 13ᵉ s. par des moines clunisiens sur les ordres d'Henri de Bourgogne *(voir schéma p. 71).*

La façade est percée d'une rose et d'un portail à cinq arcades, dont deux historiées, et à chapiteaux décorés d'animaux et de figures diverses ; au tympan, un bas-relief représente la Transfiguration. Le portail sud est orné d'un arc alvéolé qui abrite un bas-relief figurant l'Agneau divin. L'intérieur, aux proportions harmonieuses, présente de beaux chapiteaux romans.

Vila do Conde pratique

Informations utiles

Indicatif téléphonique – *252*

Code postal – *4000*

🛈 **Posto de turismo** – *Av. 25 de Abril, 103 - 4480-722 - ℘ 252 24 84 73.*

Se loger

◁ **Le Villageois** – *Praça da República, 94 - ℘ 252 63 11 19 - ✗ - 35/40 €.*
Cet établissement, surtout connu pour son restaurant, dispose aussi de chambres tranquilles à l'étage avec vue (partielle) sur le couvent de Santa Clara. Pas de petit-déjeuner.

Se restaurer

À VILA CHÃ

◁◁ **Caravela** – *7 km au S de Vila do Conde - ℘ 229 28 27 05 - fermé en oct. et lun. en hiver - 15/35 €.* Dans un pavillon d'une petite station balnéaire, ce restaurant propose des poissons frais, dont certains sont pêchés par le patron ! Les plats, savoureux, sont cuisinés avec les légumes du potager en été.

Achats

Centro de Artesano – *R. 5 de Outubro, 207 - fermé dim.* Le centre vend les fameuses dentelles au fuseau confectionnées par les dentellières de la ville, ainsi que de magnifiques pull-overs réalisés avec la « laine des pêcheurs ».

Vallée du **Douro**★★

Vale do Douro

CARTE MICHELIN 733, DE I5 À I10, H10 ET H11

Né en Espagne à 2 060 m d'altitude, le Douro est un fleuve impétueux au cours irrégulier. Il dévale depuis la Meseta espagnole pour venir se jeter dans l'Atlantique à hauteur de Porto. Au passage, il découpe dans le nord montagneux du Portugal une vallée aux versants abrupts et granitiques. Trois siècles de labeur et de passion pour la terre ont transformé ces sols arides en terrasses fertiles plantées de vignes. Elles produisent, entre autres délicieux breuvages, le célèbre vin de Porto. Au milieu des vignobles, des champs d'oliviers et des vergers, les paysages sont ponctués de « quintas » (les maisons de domaines vinicoles), de « solares » (manoirs), de couvents et de petites églises romanes, gothiques ou baroques. C'est un véritable bonheur que de les parcourir en voiture, de serpenter en train le long des rives ou de respirer les parfums fluviaux lors d'une croisière. Au début de l'automne, lorsque débutent les vendanges, la région s'anime et célèbre ses traditions. Pour une route des Vins pas comme les autres…

Les fameux vignobles de la vallée du Douro.

H. Champollion/MICHELIN

- ▶ **Se repérer** – La vallée du Douro court sur 215 km à l'intérieur des terres portugaises, depuis Barca de Alva à la frontière avec l'Espagne jusqu'à son embouchure à Porto.
- 👁 **À ne pas manquer** – Le circuit du Vignoble, notamment entre Peso da Régua et Pinhão, au cœur de la zone de production du porto.
- 🕐 **Organiser son temps** – Depuis Porto, prévoyez une grande journée en voiture pour visiter la vallée du Douro.
- 👪 **Avec les enfants** – Une croisière sur le Douro, une promenade en train touristique (*voir dans l'encadré pratique*).
- 🕯 **Pour poursuivre le voyage** – Le Haut-Douro aux environs de Miranda do Douro, le Parque Arqueológico do Vale do Côa, le manoir de Mateus (*voir Vila Real*).

Comprendre

Un profil et un régime particuliers – Le Douro est l'un des fleuves majeurs de la péninsule Ibérique. Il prend sa source à 2 060 m d'altitude dans la sierra de Urbión en Espagne, puis serpente à travers la Meseta durant 525 km avant d'atteindre la frontière avec le Portugal. Là, sur 112 km, il va creuser son lit dans une région accidentée, entre de hautes parois granitiques, et marquer la frontière entre l'Espagne et le Portugal. Puis, bifurquant vers l'ouest à hauteur de Barca de Alva, il pénètre au sein des terres portugaises. Son profil s'adoucit alors, mais il reste prisonnier des granits et des schistes jusqu'à Porto et son estuaire. Le régime annuel du fleuve, tributaire des fortes pluies d'automne et d'hiver, est très irrégulier : aux étiages, surtout marqués en amont de Régua, s'opposent de fortes crues d'automne et d'hiver dans la région de Porto.

Une voie de navigation – À partir du 18e s., le Douro a joué un rôle important dans le développement de la région. Sillonné de « **barcos rabelos** », typiques embarcations à fond plat et à haute voile carrée conçues pour franchir les rapides, il assurait le transport des fruits et surtout du vin de Porto. Mais la création de routes carrossables et d'une voie ferrée suivant la vallée, de la frontière espagnole jusqu'à Cinfães, près du barrage de Carrapatelo, a mis un terme à cette activité.

Une réserve d'énergie – En raison de l'imperméabilité de ses roches, du profil de son cours d'eau et de l'encaissement de ses vallées, le bassin du Douro constitue une formidable réserve d'énergie. Depuis les années 1960, une dizaine de grands barrages ont été dressés sur le Douro, aussi bien sur son cours portugais qu'international *(voir Miranda do Douro)*. En y ajoutant la quinzaine de barrages édifiés également sur ses affluents, le bassin du Douro fournit une grande partie de l'énergie électrique consommée au Portugal.

En outre, les lacs de retenue formés par les barrages permettent d'assurer l'irrigation des terres cultivables. Le système d'écluses dont sont également pourvus ces barrages a permis la reprise de la navigation sur le Douro, favorisant l'exploitation de nombreuses ressources du sous-sol (gisements d'étain et de wolfram au nord de Miranda, de fer dans la serra do Reboredo, près de Torre de Moncorvo, et à Vila Cova dans la serra do Marão). Des dispositions ont cependant été prises pour faciliter le passage des poissons migrateurs.

Enfin, il existe désormais une volonté politique et économique de faire de la vallée du Douro, en particulier autour des vignobles du porto, un grand pôle touristique du pays, à l'image de Lisbonne, de l'Algarve ou de Madère.

Circuits de découverte

LE BAS-DOURO★

Du barrage de Carrapatelo à Lamego [1]

Circuit de 62 km – Env. 3h. Depuis Porto, prendre l'A 4 direction Amarante, puis la sortie no 10. Suivre ensuite la N 106-3, puis la N 106, direction Entre-os-Rios. Un peu avant cette ville, tourner à droite sur la N 108, direction Porto, puis rapidement à gauche sur la N 224, qui franchit le Douro. Rejoindre alors le barrage de Carrapatelo par la N 222 en longeant la rive gauche du Douro.

La basse vallée du fleuve, baignée par le climat océanique, n'est pas le domaine du grand porto, mais c'est ici que débute la zone du *vinho verde* (vin vert), dont le cœur de la production se trouve plus au nord du pays, dans le Minho. Le porto proprement dit s'élabore beaucoup plus en amont du fleuve, depuis Peso da Régua jusqu'à la frontière espagnole.

Le Douro, élargi par ses barrages successifs, coule encaissé entre les pentes de collines qu'il contourne en d'amples méandres. Les versants schisteux ou granitiques sont plus boisés sur la rive droite et plus cultivés sur la rive gauche, où les villages semblent suspendus au milieu des vignes, des oliveraies et des champs de maïs disposés en terrasses. L'ensemble compose un paysage original, malheureusement assez dégradé par les rappels de la civilisation industrielle et par une urbanisation débridée.

Barrage (Barragem) de Carrapatelo

Long de 170 m, il est doté, rive gauche, d'une usine hydroélectrique et d'une écluse à poissons ; rive droite, l'écluse navigable longue de 90 m présente une dénivellation de 43 m.

Continuer par la N 222 jusqu'à Anreade. Dans le village, tourner à droite par la route d'Ovadas, au sud. Environ 5,5 km plus loin, prendre à gauche.

Prieuré (Priorado) de Santa Maria de Cárquere

Ne subsistent du **prieuré** que l'église et la chapelle funéraire des seigneurs de Resende, reliées par une arche monumentale. L'église, retouchée aux 13e, 14e, 16e et 17e s. (tour carrée à créneaux et chœur gothiques, façade et nef manuélines), a conservé un portail roman orné de colonnettes et de chapiteaux à entrelacs ; le chœur, sous croisée d'ogives, présente *(à gauche)* une porte à fronton aigu et à double cordon de billettes. La chapelle, percée d'une remarquable fenêtre romane aux chapiteaux sculptés de pélicans, abrite quatre sarcophages de pierre sculptés d'animaux (chèvres) et d'inscriptions.

De retour sur la N 222, tourner à droite vers Resende, un important centre viticole, puis continuer en direction de Lamego.

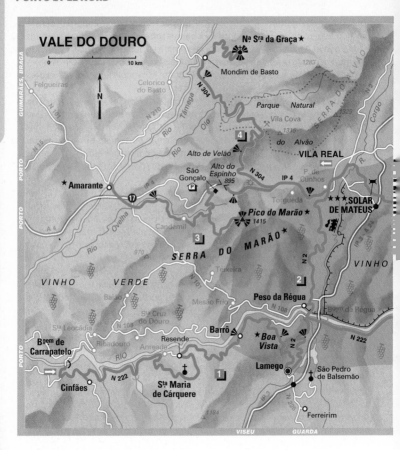

VALE DO DOURO

Barrô

Jolie vue sur les versants de la vallée ; l'église romane du 12ᵉ s. *(dans le village, en contrebas de la route, à gauche)* possède un tympan sculpté et une élégante rosace. *8 km plus loin, tourner à droite sur la N 226.*

Route de Barrô à Lamego★

Cette route dispense une **vue** dominante sur le Douro et le versant nord de sa vallée, zébré de vignes sur échalas et d'oliviers en terrasses ; c'est ici que débute la culture du vin de porto. Villages et propriétés *(quintas)* sont dispersés sur l'amphithéâtre des collines. Arrêtez-vous au **belvédère** *(miradouro)* **da Boa Vista★** : en face, dans une courbe du fleuve, s'entassent les maisons blanches de Régua ; les sommets plus arides et grisâtres de la serra do Marão se découpent à l'horizon.

Lamego *(voir ce nom)*

LE CIRCUIT DU VIGNOBLE DU PORTO★★ 2

Circuit au départ de Lamego

112 km – Env. 3h.

« Dieu créa la Terre et l'homme, le Douro » dit un proverbe local. Il faut avoir vu les rives du Douro complètement sculptées en hauts gradins soutenant chacun quelques rangs de vigne pour comprendre l'immense travail réalisé par les hommes depuis des siècles.

Les vignes sont cultivées sur près de 40 000 ha répartis dans la « région délimitée du Douro ». Le spectacle est particulièrement fascinant de mi-septembre à mi-octobre, quand ces gradins deviennent le domaine de milliers de vendangeurs. Près de la moitié de la production est dévolue à l'appellation d'origine « porto », et c'est des meilleurs raisins, mûrissant au cœur de cette vallée où la température estivale atteint facilement 40 °C, que naît le précieux breuvage. Le reste est utilisé principalement pour la production des vins d'appellation « douro », forts délectables eux aussi.

Lamego *(voir ce nom)*
Par la N 2 qui franchit le Douro, puis s'élève au-dessus de la vallée du rio Corgo, gagner Peso da Régua, au nord.

Peso da Régua

Au confluent du Corgo et du Douro, ce centre économique régional sans grand charme organise l'expédition par train des vins du Haut-Douro à destination de Porto. Il est le siège des deux puissants organismes qui réglementent la production du porto : la Casa do Douro et l'Institut du vin de Porto.

Peso da Régua mise sur le développement du tourisme régional, mais les constructions récentes gâchent quelque peu le paysage, et la route des berges est bruyante et encombrée. La ville constitue le point de départ de promenades en bateau sur le fleuve, le long des célèbres vignobles et des beaux paysages de la vallée *(voir Vallée du Douro pratique)*.

Quitter Peso da Régua par la N 2 et rejoindre Vila Real, 23 km au nord.

Vila Real *(voir ce nom)*
Quitter Vila Real par la N 322 à l'est, en direction de Sabrosa.

Solar de Mateus★★★ *(voir Vila Real)*

Sabrosa

La ville natale de Magellan (qui n'est donc pas né les « pieds dans l'eau » comme le veut la légende !) compte plusieurs demeures seigneuriales du 15ᵉ s. On peut voir la maison natale de l'illustre navigateur (1480-1521), devant laquelle trône une plaque commémorative, hommage du Chili au découvreur de son plus célèbre détroit.

Route de Sabrosa à Pinhão★★

Quittant Sabrosa, la N 323 dégringole vers le Douro en dominant la vallée encaissée du rio Pinhão, à gauche. Les pentes se strient de terrasses couvertes de vignes parmi lesquelles surgissent les *quintas*. Environ 5 km avant Pinhão, se révèle une belle **vue**★ d'ensemble sur le méandre du Douro et le confluent de ce dernier avec le rio Pinhão.

Pinhão

Joli bourg et important centre viticole, Pinhão est situé au confluent du rio Pinhão et du Douro. Ici partait le vin en bateau ou en train depuis la **gare** ornée de 25 panneaux d'azulejos illustrant les sites et les costumes traditionnels de la vallée. Aujourd'hui, le vin est acheminé par camion. Près du fleuve s'alignent des cuves blanches.

Pour ceux qui ont le temps, une excursion jusqu'à la bourgade de plateau de **São João da Pesqueira** *(retraverser le fleuve et faire 18 km de route en lacet par la N 222 à l'est)* permet de découvrir d'autres paysages de vignobles en terrasses dans la vallée du rio Torto. La place principale de São João da Pesqueira s'orne d'une chapelle, d'arcades et de maisons blanches à balcons. Le petit **musée Eduardo Tavares** a ouvert ses portes en 2003 ; il compte une salle où sont exposées les œuvres de ce sculpteur du cru, une autre consacrée à l'archéologie locale, ainsi qu'une petite bibliothèque sur la région du Douro.

À la sortie de Pinhão, la route franchit le Douro, puis la N 222 suit vers l'ouest le fond de la vallée entre des versants schisteux aménagés en terrasses que soutiennent des murettes : la vigne revêt ici l'aspect d'une véritable monoculture. On rejoint de nouveau Peso da Régua après 25 km.

LA SERRA DO MARÃO★
De Vila Real à Amarante ③
De Vila Real à Mondim de Basto ④

Voir ces circuits aux environs de Vila Real.

Vallée du Douro pratique

Informations utiles

À PESO DA RÉGUA

Indicatif téléphonique – *254/255*

Code postal – *4600*

🛈 **Posto de turismo** – *R. da Ferreirinha - ☎ 254 31 28 46.*

🛈 **Rota do Vinho do Porto** – *Largo da Estação - ☎ 254 32 47 74 - www.rvp.pt.* Renseignements touristiques et pratiques sur la vallée du Douro, réservations de croisières au départ de Peso da Régua, liste des *quintas.*

Solar dos Vinhos do Douro e do Porto – *R. da Ferrerinha - ☎ 254 32 09 60.* Rattaché à l'Instituto do Vinho do Porto, cet espace vend la production régionale de porto et organise des dégustations.

À PINHÃO

Internet – *Casa do Povo* – *Largo da Estação, 57 (près de la gare) - grat.*

Transport

Train – Depuis Porto, il est possible de remonter la vallée du Douro en train (ligne Porto-Régua-Pocinho). Plusieurs dép. par jour depuis les gares de São Bento et de Campanhá. Compter 2h jusqu'à Peso da Régua, 2h30 jusqu'à Pinhão.

Visites

👥 **Croisières fluviales** – Une dizaine de compagnies de navigation se partagent le marché des croisières sur le Douro (*voir aussi « Visites » dans Porto pratique*). Départs de **Peso da Régua**, où la plupart des compagnies sont représentées, avec une portion navigable principale d'environ 50 km entre Mesão et Tua. Des parcours beaucoup plus longs sont possibles (jusqu'à huit jours). Autres départs depuis Vila Nova de Gaia, juste en face de Porto, ou Barca de Alva, à la frontière espagnole.

👥 **Petit train** - *Rens. et réserv. auprès de Spidouro* - *☎ 259 30 98 18 - 9h-23h.* Au départ de la gare de Peso da Régua (*av. 5 de Outubro*), un charmant petit train à vapeur du début du 20e s., roulant à la vitesse décoiffante de 30 km/h, a été remis en circulation. Deux lignes sont possibles : la **ligne du Corgo**, qui relie Régua à Vila Real le long d'une voie très escarpée au milieu des vignobles (*50mn env. - 5 dép. par jour en semaine, 4 le sam., 3 le dim.*) ; et la **ligne du Douro** qui longe les berges de la rivière vers l'amont en remontant jusqu'à Pinhão (*25 km - 50mn env.*) et Tua (*38 km - 1h30*).

Se loger

À RIBADOURO

🛏️ **Casa da Torre** – *Porto Manso - 4640-403 - ☎ 255 55 12 32 - casatorre@mail.pt -* 🅿️ 🏊 *- 8 ch. 62/75 € ⌷. Depuis la N 222, entre Cinfães et Oliveira do Douro, prendre la route à gauche qui franchit le Douro, direction Ribadouro.* Dans un site enchanteur d'une beauté peu commune et d'un calme absolu, quatre maisons d'hôte (de 1 à 3 chambres chacune) s'étagent sur une colline, autour de la maison du propriétaire (préférez les maisons situées en hauteur à celle en bord de route). Vue spectaculaire, piscine surplombant le fleuve, tonnelles couvertes de vigne pour conduire aux bâtiments : c'est l'idéal pour se ressourcer.

Se restaurer

À OLIVEIRA DO DOURO

🍽️ **Estalagem Porto Antigo** – *Porto Antigo - Cinfães (juste après le pont sur le Douro, entre Ribadouro et Oliveira do Douro) - ☎ 255 56 01 50 - www. estalagemportoantigo.com -15/25 €.* Installé au bord de l'eau, cet hôtel de charme, qui héberge aussi un centre d'entraînement nautique, propose dans une belle salle à la décoration claire et au parquet de bois une cuisine soignée et goûteuse. On y dîne face au fleuve, dans un cadre enchanteur.

Lamego

9 626 HABITANTS
CARTE MICHELIN 733 I6 – CARTE : VALLÉE DU DOURO P. 360
DISTRICT DE VISEU

À proximité de la vallée du Douro, dans un paysage de collines verdoyantes couvertes de vigne et de champs de maïs, Lamego est une jolie petite cité épiscopale et commerçante connue pour son vin mousseux et son jambon fumé. Riche en maisons bourgeoises des 16e et 18e s., elle est dominée d'un côté par les vestiges d'un château fort du 12e s., de l'autre par le sanctuaire baroque de Nossa Senhora dos Remédios, réputé pour son pèlerinage annuel de septembre.

- **Se repérer** – À 38 km au sud de Vila Real et à 68 km au nord de Viseu.
- **À ne pas manquer** – Le sanctuaire Nossa Senhora dos Remédios.
- **Organiser son temps** – Deux heures suffisent à faire le tour de la ville.
- **Pour poursuivre le voyage** – Amarante, la vallée du Douro, Vila Real et la serra do Marão.

Comprendre

Les « Cortes » de Lamego – C'est à Lamego, en 1143, que s'est réunie la première assemblée territoriale des représentants des nobles, des clercs et des villes de l'histoire du pays. Cette assemblée historique éleva Alphonse Henriques au rang de premier roi du Portugal et proclama la loi successorale interdisant à tout étranger l'accès au trône.

Visiter

Cathédrale (Sé)
De la cathédrale romane primitive (12e s.), ne subsiste que le clocher carré dont le couronnement date du 16e s. L'intérieur a été refait au 18e s.

Chapelle de l'Exil (Capela do Desterro)
R. Cardoso Avelino. Bâtie en 1640, elle est décorée, à l'intérieur, de bois sculpté et doré (18e s.) et d'azulejos (17e s.) ; son **plafond★** à caissons peints, illustrant des scènes de la vie du Christ, est remarquable.

Sanctuaire de Nossa Senhora dos Remédios

Accès possible à pied par l'escalier monumental ou en voiture (4 km). Du pied de l'escalier de 617 marches qui conduit au sanctuaire se dessine une jolie perspective sur cet ensemble baroque. La façade de l'église (18e s.), dont le crépi blanc fait ressortir les élégantes courbes de granit, domine l'**escalier** à double volée, interrompu par des paliers et orné d'azulejos : il est hérissé d'une multitude de pinacles et rappelle celui de Bom Jesus de Braga.

Du parvis de l'église, la vue s'étend sur Lamego, dominé à l'horizon par les hauteurs qui bordent la vallée du Douro.

Nossa Senhora dos Remédios.

Ph. Bourget/MICHELIN

Musée★ (Museu)
Largo de Camões - mar.-dim. 10h-12h30, 14h-17h - fermé 1er janv., dim. de Pâques, 1er mai et 25 déc. - 2 €, grat. dim. et j. fériés le mat.

Il est installé dans l'ancien palais épiscopal, noble édifice du 18e s.

La partie droite du rez-de-chaussée abrite essentiellement la section lapidaire : elle regroupe des sculptures religieuses, du Moyen Âge à l'époque baroque, et une belle collection de blasons qui ornaient autrefois les façades des maisons nobles.

Au premier étage, deux séries d'œuvres méritent une attention particulière. Tout d'abord, les **cinq peintures sur bois★** (début 16e s.) de Vasco Fernandes, dit « Grão Vasco » *(voir Viseu)* : elles faisaient partie d'un polyptyque ornant le retable de la cathédrale de Lamego. De gauche à droite, on reconnaît la Création, l'Annonciation, la Visitation (scène la plus remarquable), la Présentation au Temple et la Circoncision. Ensuite, les **six tapisseries de Bruxelles** : datant du 16e s., elles représentent des scènes puisées dans la mythologie (histoire d'Œdipe et du Temple de Latone dont on notera la richesse de composition). À cet étage, on trouve aussi deux chapelles baroques en bois sculpté et doré, dont celle de Saint-Jean-l'Évangéliste provenant du couvent des Chagas avec niches et statues, un salon chinois, des pièces d'orfèvrerie et des céramiques.

Dans la deuxième partie du rez-de-chaussée, vous pourrez admirez une autre chapelle baroque et quelques beaux azulejos du 16e au 18e s. (remarquez ceux, polychromes, du palais Valmor à Lisbonne).

Aux alentours

Chapelle (Capela) de São Pedro de Balsemão

3 km à l'est de Lamego. Suivre la signalisation à partir de la rue qui descend en face de la chapelle de l'Exil - mai-sept. : mar. 14h-18h, merc.-dim. 10h-12h30, 14h-18h ; oct.-avr. : mar. 14h-17h30, merc.-dim. 9h30-12h30, 14h-17h30 - fermé 3e w.-end du mois, 1er janv., dim. de Pâques, 1er mai et 25 déc.

Une façade du 17e s. masque le sanctuaire que l'on pense être le plus ancien du Portugal : la chapelle serait d'origine wisigothique et remonterait au 7e s. Le petit vaisseau trapu témoigne sur ses murs – où courent des frises en « arête de poisson » – du réemploi de matériaux romains. Il est divisé en trois nefs par deux rangées d'arcades retombant sur des colonnes basses couronnées de chapiteaux corinthiens stylisés (l'un d'eux, à l'entrée du chœur à gauche, repose sur un coussinet à rouleau caractéristique de l'art préroman). Remarquez le sarcophage d'Afonso Pires, évêque de Porto mort en 1362, sculpté de bas-reliefs (Cène, Crucifixion, un couple royal) ; le gisant est soulevé par deux anges. Plafond peint et retables baroques du 17e s.

Ancien monastère de São João de Tarouca

19 km – 30mn env. Quitter Lamego au sud par la N 226 en direction de Trancoso.

La route passe à proximité de **Ferreirim** *(2 km à gauche)* où, de 1532 à 1536, Cristóvão de Figueiredo travailla, avec Gregório Lopes et Garcia Fernandes, à la confection du retable que l'on peut admirer au musée de Lamego.

Deux kilomètres après avoir laissé à droite la route de Tarouca, tourner à droite.

Tapi au creux de la vallée fertile du Barosa, que dominent les hauteurs de la serra de Leomil, l'ancien monastère de São João de Tarouca est entouré de quelques maisons.

L'église *(mêmes horaires que la chapelle de São Pedro de Balsemão, ci-dessus)* a été érigée au 12e s. Elle a subi d'importantes modifications au 17e s. L'intérieur a reçu une décoration baroque ; les chapelles abritent plusieurs tableaux attribués au peintre Gaspar Vaz, dont un remarquable **saint Pierre★** *(3e chapelle de droite)*.

Dans le croisillon gauche, les murs sont tapissés d'azulejos (18e s.) figurant des scènes de la vie de saint Jean-Baptiste et le baptême du Christ. Le monumental tombeau (14e s.) en granit, décoré de bas-reliefs représentant une chasse au sanglier, renferme la dépouille de Dom Pedro, comte de Barcelos, bâtard du roi Denis, auteur de la *Chronique générale de 1344*. Dans le chœur, des azulejos illustrent la vie de saint Bernard.

Vila Real

16 138 HABITANTS
CARTE MICHELIN 733 I6 – CARTE : VALLÉE DU DOURO P. 360
DISTRICT DE VILA REAL

Groupée sur un plateau, au pied de la serra do Marão, parmi les vignes et les vergers, la « ville royale » est un carrefour de communication sans grand relief malgré les nombreuses demeures patriciennes des 16e et 18e s. qui l'agrémentent. Cependant, dans les environs, vous pourrez visiter le magnifique manoir de Mateus, bijou de l'architecture baroque, ou partir à la découverte de la serra do Marão et du Parc naturel d'Alvão.

- **Se repérer** – À la confluence du rio Corgo et du rio Cabril, à 119 km à l'est de Porto et à 25 km au nord de la vallée du Douro.
- **À ne pas manquer** – Le manoir de Mateus, bien entendu !
- **Organiser son temps** – Trois à quatre heures sont nécessaires pour profiter de la ville et de ses environs.
- **Avec les enfants** – Une balade dans la serra do Marão et le Parc naturel d'Alvão.
- **Pour poursuivre le voyage** – Amarante, la vallée du Douro, Guimarães.

Se promener

Les principaux monuments de la ville s'ordonnent autour de l'avenida Carvalho Araújo. Descendre l'avenue à partir de la cathédrale, en restant sur le même trottoir.

Cathédrale (Sé)

Ancienne église conventuelle érigée à la fin de l'époque gothique, elle présente néanmoins certains caractères romans, discernables en particulier dans la facture des chapiteaux de la nef.

Maison de Diogo Cão (Casa de Diogo Cão)

Av. Carvalho Araújo, 19 (plaque). Ainsi appelée parce que le célèbre navigateur y serait né. La façade a été refaite au 16e s. dans le style de la Renaissance italienne.

Hôtel de ville (Câmara Municipal)

Édifié au début du 19e s., il est remarquable par son escalier de pierre à balustres dans le goût de la Renaissance italienne.
Poursuivre tout droit vers le cimetière et le contourner par la gauche.

Esplanade du cimetière

Autour du cimetière, une esplanade récemment aménagée dégage des points de vue intéressants sur le ravin du Corgo et les quelques maisons qui le surplombent. À l'arrière du cimetière, on jouit d'une vue plongeante sur les gorges du Corgo et son affluent, le Cabril.
Revenir sur l'avenida Carvalho Araújo et la remonter sur la droite.
Remarquez la jolie façade de la maison du 16e s. occupée par l'office de tourisme (no 94). *Tourner à droite dans la rua Avelino Patena (à hauteur du palais de justice), puis à gauche dans la rua de 31 de Janeiro.*

Église de São Pedro

Elle est décorée d'azulejos polychromes du 17e s. dans le chœur et d'un joli **plafond★** à caissons en bois sculpté et doré.

Aux alentours

Manoir de Mateus★★ (Solar de Mateus)

3,5 km à l'est par la N 322 direction Sabrosa. ℰ 259 32 31 21 - www.casademateus. com - visite guidée (30mn) juin-sept. : 9h-19h30 ; mars-mai : 9h-18h45 ; oct.-nov. : 9h-18h, déc.-fév. 9h-17h - fermé 25 déc. - 7,50 € (jardins seuls : 4,50 €).

Châtaigniers, vignes et vergers signalent l'approche du bourg de Mateus, que la présence du manoir des comtes de Vila Real a rendu célèbre. Avec ses jardins magnifiques, le **manoir** de Mateus constitue un lieu d'harmonie et de grande beauté, à visiter absolument. Bijou de l'architecture baroque, il fut édifié dans la première moitié du 18e s. par Nicolau Nasoni *(voir encadré p. 339).*
En arrière de pelouses plantées de cèdres, et suivi d'un jardin agrémenté de massifs de buis et d'une charmille formant un « tunnel de verdure », il présente une **façade★★**, précédée d'un miroir d'eau, où repose, couchée, une statue de femme, œuvre du

Le Solar de Mateus.

sculpteur contemporain João Cutileiro. Le corps central du bâtiment, en retrait, se pare d'un ravissant escalier à balustres et d'un haut fronton armorié encadré de statues allégoriques. La cour d'honneur est protégée par une balustrade de pierre ornementée. Les fenêtres d'étage sont surmontées de gâbles moulurés. Sur les corniches des toitures s'élèvent de très beaux pinacles.

À gauche de la façade, lui fait pendant celle d'une fort élégante chapelle baroque érigée en 1750, également par Nasoni.

À l'intérieur du palais, on remarque les magnifiques plafonds en bois de châtaigner sculpté de la grande salle et du grand salon, la richesse de la bibliothèque (nombreuses éditions françaises anciennes), certains meubles (portugais, espagnols, chinois, français en bois peint du 18e s.) et, dans deux salles de l'étage constituées en musée : des **cuivres gravés** par Fragonard et le baron Gérard, des éventails précieux, des vêtements liturgiques, un autel du 17e s., des sculptures religieuses dont un crucifix d'ivoire du 16e s.

Murça
39 km au nord-est de Vila Real, par la jolie route (N 15) menant à Mirandela, aux paysages caractéristiques du Trás-os-Montes.

Ce gros bourg s'étend tout en longueur au pied de la petite serra de Vilarelho. Sur la praça do Múnicipo, remarquez le **pilori** manuélin et la façade blanche de la **chapelle** baroque au portail richement ouvragé. Dans le jardin attenant se trouve une étrange **porca**, sculpture de granit représentant une truie sur son piédestal. On s'interroge encore sur l'origine de ce monument : il évoque pour certains les battues de sangliers organisées dans la région au début du Moyen Âge ; pour d'autres, il serait beaucoup plus ancien et lié aux rites de fertilité de l'âge du fer.

Circuits de découverte

Les deux circuits proposés parcourent la **serra do Marão★** et la **serra de Alvão★**, un bloc de granit et de schiste délimité à l'est par le Corgo, à l'ouest par le Tâmega, au sud par le Douro. Les dislocations qui ont accompagné son soulèvement à l'ère tertiaire ont entraîné d'importantes différences d'altitude entre ses sommets. Le paysage doit sa désolation à la vigueur de l'érosion.

DE VILA REAL À AMARANTE ③
70 km – Env. 1h30. Quitter Vila Real à l'ouest par l'IP 4-E 82, direction Porto.

Dès les premiers versants, les pins et les châtaigniers commencent à remplacer les vignes et les vergers. À partir de Parada de Cunhos, de beaux **panoramas** se développent à droite sur les contreforts de la serra de Alvão et sur Vila Real dans son bassin.

Après Torgueda, laisser à droite la N 304 vers Mondim de Basto (voir itinéraire ④).

L'IP 4, en montée, offre à gauche de belles **vues★** sur le sommet du pic de Marão, point culminant (1 415 m) de la serra.

Après le col (alto do Espinho), quitter l'IP 4 et prendre la route menant au pic de Marão. À hauteur de la pousada de São Gonçalo, située en balcon au-dessus des pentes tapissées de pins, tourner à gauche direction « Alto da Serra ». Rouler 2,5 km, puis bifurquer à droite sur une petite route étroite et en mauvais état (prudence !).

La route s'élève dans un paysage minéral de blocs cristallins ou schisteux, très endommagé par les incendies, et aboutit 9 km plus loin au sommet.

Pico do Marão★
Alt. 1 415 m. De la cime, se déploie un magnifique **panorama** sur tous les autres sommets dénudés de la serra.

Revenir à la route qui dévale la montagne vers Candemil et rejoint Amarante.

La descente sur Amarante, rapide et sinueuse, se fait en corniche au-dessus du rio Ovelha, affluent du Tâmega, riche en truites. Peu avant Candemil, la route s'encaisse dans une vallée rocheuse. La fin du parcours, très verdoyante (cultures, pins, châtaigniers) offre de belles vues à droite sur les vallées affluentes du Tâmega.

Amarante★ *(voir ce nom)*

DE VILA REAL AUX ENVIRONS DE MONDIM DE BASTO [4]

61 km – Env. 1h30. Quitter Vila Real par l'IP 4 et, après Torgueda, prendre à droite la N 304.

La route s'élève vers le col (alto de Velão), d'où se révèle à gauche une **vue** sur le haut bassin du rio Olo. La route traverse ensuite l'extrémité ouest du **Parc naturel d'Alvão**, aux beaux paysages verdoyants parsemés de chaos granitiques, puis amorce une **descente★** en corniche vers Mondim de Basto dans la vallée du Tâmega.

De Mondim de Basto, prendre la N 312 au nord pendant 3,5 km et, à droite, une large route qui grimpe en lacet entre les rochers et les pins, sur 8,5 km.

Chapelle (Capela) de Nossa Senhora da Graça★
Un majestueux escalier mène à la chapelle. De l'esplanade ainsi que du haut du clocher *(54 marches et échelons, le billet s'achète à la boutique face à l'entrée)* s'offre un **panorama** à 360° sur la vallée du Tâmega, Mondim de Basto et la serra do Marão.

Retourner à Mondim de Basto. De là, rejoindre Amarante par Fermil (direction Fafe/Celorico par la N 304), puis à gauche par la N 210

Vila Real pratique

Informations utiles

Indicatif téléphonique – *5000*

Code postal – *259*

🛈 **Posto de turismo** – *Av. Carvalho Araújo, 94 - 5000-657 - ℘ 259 32 28 19.*

🛈 **Parc naturel d'Alvão** – *Centre d'information et d'interprétation - largo dos Freitas - ℘ 259 30 28 30 - www.icn.pt.* Toutes les informations utiles sur la découverte et les balades dans le Parc.

Internet – *Espaco Internet – Av. 1º de Maio (à droite de l'hôtel Miracorgo) - lun.-vend. 10h-14h, 16h-19h - grat.*

Transport

Gare ferroviaire – *R. Dr Jerónimo Amaral - ℘ 259 32 21 93.* Trains pour Peso da Régua, où se prennent les correspondances pour les autres destinations (Porto, etc.).

Se loger

🛏 **Residencial da Sé** – *Travessa de S. Domingos, 19-23 - ℘ 259 32 45 75 - 12 ch. 30 € �. Dans une ruelle calme s'ouvrant sur l'av. Carvalho Araújo, fleurie et animée, l'hôtel fait face à la cathédrale. Chambres simplissimes mais parquetées, pour des clients pas vraiment regardants sur le confort.*

🛏 **Hôtel Miracorgo** – *Av. 1º de Maio, 76/78 - ℘ 259 32 50 01 - ⊠ ▦ - 166 ch. 71 €. Grand édifice dans la partie haute de la ville, moderne et sans charme particulier mais offrant des chambres vastes et confortables, très bien équipées. Les chambres sur l'arrière donnent sur la profonde échancrure du Corgo. Grande piscine. Accueil un peu impersonnel.*

Événements

Feira de São Pedro – Foire de saint Pierre ou des *pucarinhos* (vases en céramique) les 28-29 juin. On y trouve des produits artisanaux de la région, surtout de la vaisselle, de belles poteries noires, des tissus et vêtements en lin.

Festas da Cidade – Fêtes en l'honneur du patron de la cité, saint Antoine *(13-21 juin).*

Amarante★

10 113 HABITANTS
CARTE MICHELIN 733 I5 – DISTRICT DE PORTO

Étagée sur les rives boisées du Tâmega, Amarante dégage le charme d'une petite localité provinciale, empreinte de religiosité. Outre son célèbre pont et ses églises, elle compte de vieilles demeures aux balcons de bois et aux grilles de fer forgé. On y déguste, comme il se doit, de délicieuses pâtisseries, jadis confectionnées par les religieuses. D'Amarante, on peut rayonner sur les versants et les forêts des alentours, une région marquée par l'architecture romane en granit et la production du fameux « vinho verde ».

- ▶ **Se repérer** – Amarante se trouve dans la province du Minho, à 60 km à l'est de Porto par l'A 4.
- 👁 **À ne pas manquer** – L'ensemble formé par le pont et l'église du monastère de São Gonçalo.
- 🕐 **Organiser son temps** – Le noyau de la vieille ville est très concentré ; 1h suffit à en apprécier le charme.
- 👣 **Pour poursuivre le voyage** – La vallée du Douro, Guimarães, Vila Real et la serra do Marão.

Se promener

Pont São Gonçalo

Construit à la fin du 18ᵉ s. sur le Tâmega, il est en granit. Gravée sur l'un des quatre obélisques gardant l'entrée du pont *(sur la rive droite)*, une plaque rappelle les combats qui opposèrent, du 18 avril au 2 mai 1809, le général Silveira, futur comte d'Amarante, aux troupes napoléoniennes commandées par le général Loison.

Église du monastère de São Gonçalo

L'église, érigée en 1540, présente un portail latéral à trois étages de colonnettes de style Renaissance italienne, que couronne un fronton baroque ; la statue de saint Gonzalve se dresse dans la niche centrale du premier étage. À gauche du portail, remarquez, adossées aux piliers d'une loggia, les statues des quatre rois pendant le règne desquels le monastère fut construit. Un dôme, au lanternon revêtu d'azulejos, domine la croisée du transept.

L'intérieur, modifié au 18ᵉ s., abrite un beau mobilier baroque en bois doré : retable du chœur, deux chaires se faisant face et, surtout, le **buffet d'orgue★** (début 17ᵉ s.) que supportent trois tritons. Dans la chapelle à gauche du chœur, le tombeau à gisant polychrome de saint Gonzalve est l'objet d'un culte bien particulier *(voir encadré)*. La chapelle de droite, dite « des Miracles », contient quelques ex-voto.

Au fond du bras gauche du transept, une porte donne accès au cloître Renaissance, sobre, mais dont les galeries voûtées encadrent une fontaine à masques.

Le monastère de São Gonçalo.

Hôtel de ville

Il occupe les anciens bâtiments conventuels *(à droite de l'église, place du Marché).*

Au premier étage, un petit **musée** municipal présente des vestiges archéologiques, sculptures et peintures modernes : toiles d'**Amadeo de Souza Cardoso (1887-1918)**, peintre cubiste né près d'Amarante *(mar.-dim. 10h-12h30, 14h-17h30 - fermé j. fériés - 1 €).*

Église de São Pedro

Ouverte en principe uniquement l'été ; rens. à l'office de tourisme.

Cette construction du 18e s. présente une façade baroque ornée des statues des saints Pierre et Paul.

La nef unique, sous voûte de stuc en berceau, est décorée de bandeaux d'azulejos bleu et jaune du 17e s. ; le chœur, sous voûte de pierre à caissons sculptés, abrite un autel de bois doré. La sacristie est couverte d'un **plafond★** à caissons, en bois de châtaignier élégamment sculpté.

En quête de l'âme sœur

Saint Gonçalo (1187-1259), ou saint Gonzalve, a laissé son empreinte sur la ville. Au début du 13e s., ce prédicateur y construit une chapelle. Un pont est ensuite bâti sur le Tâmega. Un des chemins vers Saint-Jacques-de-Compostelle passe près d'Amarante, et les pèlerins font désormais le détour pour venir écouter le prédicateur en renommée de sainteté. Saint Gonçalo, patron des vieilles filles, a la réputation de favoriser les mariages et la fécondité ; embrasser ou toucher le gisant (dans la chapelle du monastère) permettrait de trouver l'âme sœur. Très populaire et colorée, sa fête se déroule le premier week-end de juin. À cette date, garçons et filles s'échangent avec malice le *bolo de Gonçalo*, un gâteau de forme phallique, qui se réfère à la même tradition.

Aux alentours

La région, en particulier sur la rive droite du fleuve Tâmega, compte un riche patrimoine architectural de style roman, dont le monastère de Travanca. Sur la rive gauche du fleuve, on trouve quelques églises plus modestes.

Travanca

18 km par la N 15 en direction de Porto, puis à gauche dans le village de Trovoada.

L'**église** du 12e s. *(fermée au public)* fait partie d'un ancien monastère bénédictin niché au creux d'un vallon. Bâtie en granit, elle présente une façade large et robuste. Les **chapiteaux★** historiés qui ornent les portails et l'arc triomphal sont remarquables ; parmi les sujets représentés, on reconnaît des oiseaux aux cous enlacés, des dragons, des serpents, des biches, des sirènes, etc.

À gauche de l'église, une tour crénelée avec mâchicoulis s'ouvre à l'arrière par un portail décoré de façon très fruste. L'ancien monastère est aujourd'hui fermé.

Amarante pratique

Informations utiles

Indicatif téléphonique – *255*

Code postal – *4600*

🛈 Posto de turismo – *Alameda Teixeira de Pascoaes (place du Marché, à côté du pont São Gonçalo) - 4600-011 - ℘ 255 42 02 46.*

Se loger

Estoril – *R. 31 de Janeiro, 49 (rive gauche du Tâmega) - ℘ 255 43 12 91 - 7 ch. 35/40 €.* Un établissement en aplomb des eaux dormantes du Tâmega. Terrasse suspendue pour petit-déjeuner enchanteur face au pont et aux monuments sur l'autre rive.

Se restaurer

À VILA MEÃ

🍴 Quinta da Lama – *Real - ℘ 255 73 35 48 - fermé dim. soir et lun. - 15/20 € - d'Amarante, prendre la N 15 vers Porto, puis la N 211-1 à gauche jusqu'à Real (situé avant Vila Meã). Dans le bourg, tourner à gauche, dépasser l'église, puis descendre à droite à hauteur du stade municipal ; l'accès à la quinta est indiqué plus bas, sur un panneau en pierre.* Perdu au milieu des paysages vallonnés du vignoble du *vinho verde*, un ancien moulin à huile conservé dans son jus : les tables entourent la meule, et un four à pain apparaît au fond de la salle. Une adresse d'initiés pour une cuisine régionale délicate et savoureuse.

Sports et Loisirs

ABC Aguas Bravas Clube – *Fontainhas de Baixo - Fridão - ℘ 255 43 29 22.* Canoë et rafting sur le Tâmega.

Guimarães★★

53 040 HABITANTS (DONT 9 000 DANS LE BOURG HISTORIQUE)
CARTE MICHELIN 733 H5 – DISTRICT DE BRAGA

Première capitale du Portugal et berceau de la nation au 12e s., Guimarães est une des villes les plus jeunes d'Europe par sa population et l'une des plus attirantes du nord du pays. Son centre historique médiéval, ensemble architectural homogène réhabilité dans les règles de l'art, a été classé au Patrimoine mondial de l'Unesco en 2001. La ville, dominée par un fier château, est aussi un centre économique dynamique, notamment dans le domaine du textile.

▶ **Se repérer** – Au cœur de la vallée de l'Ave, Guimarães est situé à 22 km au sud-est de Braga et à 54 km au nord-est de Porto.

🅿 **Se garer** – Pour visiter le centre historique, laissez votre voiture dans le parking souterrain donnant sur le largo da República do Brasil, au sud-est de la vieille ville. Sinon, un grand parking gratuit est situé derrière le château.

👁 **À ne pas manquer** – Prendre un verre à la terrasse d'un des cafés du largo da Oliveira ou de la praça de São Tiago, dans le centre historique.

🕐 **Organiser son temps** – Une bonne demi-journée minimum est nécessaire pour profiter de Guimarães. Visitez d'abord la vieille ville avant d'aborder la colline du château et ses monuments.

👥 **Avec les enfants** – Prendre le téléphérique pour monter au mont Penha.

🍃 **Pour poursuivre le voyage** – Braga, Porto.

Comprendre

Le berceau du Portugal – Une tour de défense assurant la protection d'un monastère et de quelques maisons alentour : telle est, au 10e s., la configuration du bourg de Guimarães, fondé peu de temps auparavant par la comtesse Nuña Mumadona, originaire du León.

En 1095, Alphonse VI, souverain de León et de Castille, lègue le comté de Portucale *(voir « Histoire » dans la partie « Comprendre la région »)* à son gendre Henri de Bourgogne. Celui-ci fait aménager en château la tour de Guimarães, capitale du comté, et s'y installe avec sa femme, la princesse Thérèse. De cette union naît, vers 1110, **Alphonse Henri-**

Le créateur du théâtre portugais

Né à Guimarães vers 1470, **Gil Vicente** est un bourgeois qui vit à la cour des rois Manuel Ier et Jean II ; il écrit des divertissements pour le roi et sa suite (farces, tragicomédies) ou des drames religieux *(autos)*. Son œuvre, composée de 44 pièces, constitue une peinture satirique de la société portugaise au début du 16e s. La variété de son inspiration, alliée à la légèreté et à la finesse de son style, fait de ce dramaturge l'un des plus grands écrivains de son époque.

ques qui succède à son père en 1112 (ou 1114). Arguant de l'inconduite notoire de sa mère, qui assure la régence, le jeune prince se révolte et s'empare du pouvoir le 24 juin 1128, à l'issue de la bataille de São Mamede. Puis il engage la lutte contre les Maures, qui se montrent menaçants, et les défait le 25 juillet 1139 à Ourique. Au cours de l'engagement, il est proclamé roi du Portugal par ses troupes ; ce choix est confirmé en 1143 par les Cortes de Lamego *(voir ce nom)* et par son cousin Alphonse VII, roi de León et de Castille (traité de Zamora).

Se promener

LE CENTRE HISTORIQUE★★

Compter environ 3h, visite du musée incluse.

Ce quartier, circonscrit par de larges avenues, se prête à une agréable flânerie. Avec son dédale de rues reliant des places bordées de maisons anciennes en granit, il forme un ensemble harmonieux bien conservé.

Depuis le parking, rejoindre le haut du largo da República do Brasil et prendre, en face, la rua Alfredo Guimarães jusqu'au largo da Oliveira.

Largo da Oliveira

Cette place qui abrite la collégiale Nossa Senhora da Oliveira *(voir ci-après)* forme un bel ensemble médiéval avec ses maisons aux balcons fleuris, sa résidence seigneuriale du 14e s. transformée en **Pousada de Nossa Senhora da Oliveira** *(voir « Se*

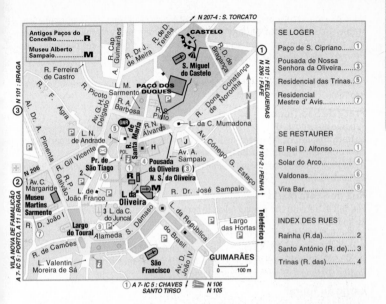

loger » dans l'encadré pratique) et sa galerie d'arcades ogivales du 14ᵉ s. Au-dessus des arcades se tient l'ancien hôtel de ville ou **Antigos Paços do Concelho**, un édifice manuélin du 16ᵉ s. qui abrite un petit musée d'art naïf. ℘ 253 41 41 86 - *lun.-vend. 9h-12h30, 14h-17h30.*

Couvent de Notre-Dame-de-l'Olivier
(Convento da Nossa Senhora da Oliveira)

Mar.-dim. 10h-18h - fermé 1ᵉʳ janv., dim. de Pâques, 1ᵉʳ mai et 25 déc. - 2 €.

Le couvent a été fondé au 10ᵉ s. par la comtesse Mumadona. Plusieurs constructions se sont ensuite succédés sur le site, desquelles il ne subsiste aujourd'hui que la collégiale gothique qui a conservé un cloître et une salle capitulaire d'époque romane *(occupés par le musée).*

Collégiale – Le portail principal est surmonté d'un fronton gothique du 14ᵉ s.
À l'intérieur, remarquez l'autel en argent de la chapelle du Saint-Sacrement *(à droite du chœur).*

Devant la collégiale, un **édicule** gothique contient un *padrão (voir p. 84)* qui commémore la victoire des Portugais et des Espagnols sur les Maures à la bataille du Salado, en 1340. La légende raconte que, lors de l'achèvement de ce porche, en 1342, le tronc d'olivier qui se trouvait devant l'église se couvrit de feuilles : de cet épisode proviendrait le nom de l'église.

Musée Alberto Sampaio★ – *Entrée r. Alfredo Guimarães - ℘ 253 42 39 10 - mar.-dim. 10h-18h (juil.-août jusqu'à 0h) - fermé 1ᵉʳ janv., dim. de Pâques, 1ᵉʳ mai et 25 déc. - 3 € grat. dim. et j. fériés 10h-14h.* Le musée, réaménagé en 2004, est installé dans les bâtiments conventuels. Le cloître roman du 13ᵉ s. possède d'intéressants chapiteaux, essentiellement à motifs végétaux. Dans une chapelle gothique à gauche de l'entrée, observez deux beaux gisants du 15ᵉ s. Dans l'angle est du cloître se trouve la porte de la salle capitulaire, qui arbore un arc outrepassé mozarabe et deux chapiteaux des 11ᵉ s. et 12ᵉ s. Elle est ornée d'un beau plafond à caissons du 18ᵉ s.

Dans les autres salles attenantes, très jolies *talhas douradas* (boiseries sculptées et dorées), retables baroques et pièces d'orfèvrerie, ces dernières constituant l'essentiel du trésor de la collégiale et provenant des dons de Jean iᵉʳ. Parmi elles se distinguent un calice gothique en argent doré rehaussé d'émaux, un ostensoir manuélin attribué à Gil Vicente, poète qui fut également orfèvre à ses heures, et une **croix★** manuéline en argent finement ciselé (16ᵉ s.) où figurent les scènes de la Passion.

À l'étage, dans la salle Aljubarrota, observez, outre la tunique portée par Jean Iᵉʳ à la bataille d'Aljubarrota (1385), le **triptyque★** en argent doré que le roi aurait pris aux Castillans lors de la bataille : il représente au centre la Nativité, à gauche l'Annonciation, la Purification et la Présentation au Temple, à droite l'Adoration des bergers et des Mages.

Dans la salle suivante, dédiée à la sculpture et à la peinture, remarquez une curieuse statue (14ᵉ s.) de sainte Marguerite, d'exécution française, un tableau d'António Vaz, natif de Guimarães et disciple de Grão Vasco, et d'étonnantes peintures sur fresques, dont celles attribuées au peintre connu sous le nom du « Maître délirant de Guimarães » (16ᵉ s.).

Passer sous les arcades des Antigos Paços do Concelho pour déboucher sur la praça de São Tiago.

Praça de São Tiago★

Séparée du largo da Oliveira par les Antigos Paços do Concelho, cette très jolie place au tracé irrégulier typiquement médiéval est bordée de maisons populaires anciennes à encorbellement surmonté du large auvent des toits.

À l'angle nord de la place, passer devant l'office de tourisme pour déboucher sur la rua de Santa Maria.

Rua de Santa Maria

Elle suit le tracé du chemin qui reliait le couvent fondé par la comtesse Mumadona au château. Il faut la parcourir à pied pour découvrir les maisons des 14ᵉ et 15ᵉ s. à grilles de fer forgé et corniches de granit ouvragées.

Retourner sur la praça de São Tiago et prendre, en bas à droite (angle sud-ouest), la rua Dr António Mota Prego puis, à gauche, le largo de João Franco et, enfin, à droite la rua Rainha D. Maria II. Elle débouche sur le largo do Toural.

Largo do Toural

Cette place pittoresque, au curieux pavage ondé, forme un bel ensemble urbain classique. Cœur battant de la cité, souvent très animée, elle est bordée de maisons anciennes aux toitures mansardées et aux façades rythmées d'immenses fenêtres et de belles grilles de fer forgé.

Traverser le largo et tourner à droite dans la rua Paio Galvão.

Musée (Museu) Martins Sarmento

R. Paio Galvão - ☏ 253 41 59 69 - mar.-sam. 9h30-12h, 14h-17h, dim. 10h-12h, 14h-17h - fermé j. fériés et pendant les fêtes officielles, 24 juin et 26 déc.- 1,50 €.

Installé en partie dans le cloître gothique de São Domingos, il comprend de nombreuses pièces archéologiques trouvées dans les cités préromaines de Sabrosa et Briteiros *(voir Braga).*

En sortant du musée, revenir sur le largo do Toural. Emprunter, au sud, la très passante alameda de São Dâmaso, en cheminant dans l'allée centrale ombragée. Un peu plus loin, à droite, apparaît à travers les arbres le clocher de l'église São Francisco.

Église de São Francisco

Mar.-sam. 9h30-12h, 15h-17h, dim. 9h30-13h - grat.

Construite au début du 15ᵉ s., elle a été modifiée au 17ᵉ s. Seuls le portail et le chevet ont conservé leur caractère gothique d'origine. Les chapiteaux du portail principal évoquent la légende de saint François.

H. Champollion/MICHELIN

Les harmonieuses façades de Guimarães.

Gisant de Dona Constança de Noronha.

L'intérieur a subi de malheureuses transformations aux 17e et 18e s. Le chœur, qui abrite un autel baroque en bois doré, est décoré d'**azulejos★** du 18e s. figurant la vie de saint Antoine. Dans la chapelle ouverte dans le bras gauche du transept, beau **gisant★** en granit de Dona Constança de Noronha, épouse de Dom Afonso, premier duc de Bragance.

Sacristie★ – *Accès par le bras droit du transept - 2,50 €.* Elle possède un joli plafond à caissons orné de grotesques ; une table en marbre d'Arrábida s'appuie sur une élégante colonne en marbre de Carrare. La salle capitulaire, qui donne sur un cloître Renaissance (16e s.), est fermée par une belle grille gothique.

Remarquez, à droite de l'église, une élégante façade ornée d'azulejos.

Poursuivre sur la droite de l'alameda de São Dâmaso jusqu'au largo da República do Brasil.

LA COLLINE DU CHÂTEAU

Accès à pied en 15mn (ça grimpe !) depuis le centre par la rua de Santa Maria puis, en face, par le largo de Martins Sarmento – Compter 2h30, visites incluses.

Château★ (Castelo)

℘ 253 41 22 73 - mar.-dim. 9h30-12h30, 14h-17h30 (dernière entrée 30mn av. fermeture) - fermé 1er janv., dim. de Pâques, 1er mai et 25 déc. - grat. ; donjon 1,50 € (fermé mar.).

Le donjon (Torre de Menagem), haut de 28 m, fut construit au 10e s. par la comtesse Nuña Mumadona pour protéger le monastère et la bourgade qui l'entourait. C'est au sud de ce bourg d'origine que se développeront les quartiers médiévaux puis modernes. Le château fut ensuite érigé par Henri de Bourgogne et renforcé au 15e s. Sept tours carrées, bâties sur des affleurements rocheux, encerclent le donjon. Du haut des remparts crénelés, belle **vue** sur Guimarães, cantonné au sud par le mont Penha.

Église de São Miguel do Castelo

Mar.-dim. 9h30-12h30, 14h-17h30 - fermé 1er janv., dim. de Pâques, 1er mai et 25 déc.

Voisine du château, cette petite église romane (12e s.) abrite des dalles funéraires et les fonts baptismaux sur lesquels aurait été baptisé Alphonse Henriques.

Palais des ducs de Bragance★ (Paço dos Duques de Bragança)

℘ 253 41 22 73 - mar.-dim. 9h30-12h30, 14h-17h30 (dernière entrée 30mn av. fermeture) - fermé 1er janv., dim. de Pâques, 1er mai et 25 déc. - 4 €, grat. dim. et j. fériés le matin.

Tout à côté de l'église, ce palais fut construit au début du 15e s. par le premier duc de Bragance, Alphonse Henriques, fils naturel du roi Jean Ier. Son architecture montre une forte influence bourguignonne, surtout dans les toitures et l'aspect insolite des 39 hautes cheminées de brique.

Il fut l'une des plus somptueuses demeures de la péninsule Ibérique mais, à partir du 16e s., la Cour s'étant déplacée à Vila Viçosa, il ne fut plus occupé que par intermittence. Il reste aujourd'hui résidence officielle de la présidence de la République du Portugal, mais n'est quasiment pas utilisé.

Quatre corps de bâtiment le composent, flanqués de tours d'angle massives, ordonnés autour d'une cour et couronnés de créneaux à mâchicoulis. En 1933, le palais a fait l'objet d'une très importante restauration qui lui a rendu son aspect d'origine. Devant sa façade s'élève la statue en bronze d'Alphonse Henriques réalisée par Soares dos Reis (fin 19e s.).

Intérieur – Les salles immenses étaient chauffées par de vastes cheminées. Au premier étage, admirez les **plafonds★** de chêne et de châtaignier des salles des Banquets et des Fêtes, ainsi que les **tapisseries★** des 16e et 18e s. (d'Aubusson, des Flandres et des Gobelins). Remarquez les tapisseries de Tournai, représentant la prise d'Asilah et de Tanger, qui sont les copies de celles exécutées d'après les cartons de Nuno Gonçalves (les originaux font partie du trésor de l'église de Pastrana en Espagne). Des tapis persans, des meubles portugais (17e s.), des porcelaines de Chine, des armes et armures, des tableaux hollandais et italiens complètent cette décoration.

Aux alentours

Mont Penha

En téléphérique – *Largo das Hortas (au sud-est de la ville) - accès depuis le centre par la r. Dr José Sampaio (10mn à pied) - ✆ 253 51 50 85 - www.turipenha.pt - avr.-sept. : lun.-vend. 10h-19h, w.-end et j. fériés 10h-20h - oct.-mars : w.-end et j. fériés 10h-17h30 - fermé pour entretien le dernier lun. du mois - 3,80 € AR (enf. 1,90 € AR).* Vous pouvez rejoindre Penha par les airs, un trajet plaisant et rapide *(10mn)*. Les cabines passent au-dessus d'une forêt de pins, d'eucalyptus et de mimosas, puis, à mesure que l'on s'élève, la végétation fait place à d'énormes blocs de granit polis par l'érosion. La descente offre une vue étendue sur la ville et la campagne environnante.

En voiture – *Circuit de 17 km. Quitter Guimarães par la N 101, direction Felgueiras, au sud-est. Après Mesão Frio, prendre à droite vers Penha.* La route s'élève aussitôt en serpentant parmi les pins et les eucalyptus de la serra de Santa Catarina jusqu'au sommet, le mont Penha (617 m), couronné par la basilique Nossa Senhora da Penha.

Traverser l'esplanade de la basilique Nossa Senhora da Penha, poursuivre jusqu'à la statue de sainte Catherine et se garer.

De là, **panorama★** sur la serra do Marão au sud, sur Guimarães et la serra do Gerês au nord.

Pour revenir à Guimarães, prendre, après l'esplanade, une route étroite qui descend en lacet parmi les rochers et les arbres.

Trofa★

13 km au sud-est. Quitter Guimarães par la N 101, en direction de Felgueiras. Trofa est une localité où quelques femmes travaillent encore le filet et la dentelle ; lorsque le temps le permet, certaines d'entre elles dressent leur métier au bord de la route et exposent leurs travaux (nappes et napperons).

Roriz

17 km au sud-ouest. Quitter Guimarães par la N 105. À 3 km de Lordelo, prendre à gauche une route en direction de Roriz.

Auprès d'un ancien monastère se dresse une intéressante **église** romane en granit du 11e s., rappelant extérieurement celle de Paço de Sousa *(voir p. 350)*. La façade, simple mais harmonieuse, est percée d'un portail aux chapiteaux ornés de feuillages et d'animaux, et aux colonnes agrémentées de coquilles en relief. Comme à Paço de Sousa, des demi-sphères décorent les voussures du portail et la bordure de la gracieuse rosace qui le surmonte. Deux têtes de taureau stylisées servent de linteau. L'avant-toit est bordé d'une frise d'arcatures lombardes.

L'intérieur, sobre, à nef unique, ne manque pas d'élégance.

Guimarães pratique

Informations utiles

Indicatif téléphonique – *253*

Code postal – *4810*

⊞ Posto de turismo – *Alameda de São Dâmaso, 83 - 4810-283 - ℘ 253 41 24 50 - fermé w.-end ; praça de S. Tiago - 4810-300 - ℘ 253 51 87 90.*

Internet – *Espaço Internet – R. Egas Moniz, 29-33 (dans le centre historique) - lun.-vend. 9h30-13h, 14h-22h, sam. 9h30-14h - grat.*

Transports

Gare ferroviaire – *Av. D. João IV - ℘ 808 20 82 08.* Plusieurs trains par jour pour Porto *(40mn de trajet).*

Gare routière – *Alameda Mariano Felgueiras - ℘ 253 51 62 29.* Bus pour Porto, Braga *(ttes les heures en journée, 45mn de trajet),* Lisbonne, Coimbra, etc.

Se loger

⊖ Residencial das Trinas – *R. das Trinas, 29 - ℘ 253 51 73 58 - www. residencialtrinas.com - ▤⊐ - 11 ch. 30 € ⊑.* Une petite pension de la vieille ville très bien tenue et on ne peut plus centrale. Les chambres carrelées, au mobilier à l'ancienne, donnent sur la ruelle pavée das Trinas. Vue un peu moins pittoresque à l'arrière. Le rapport qualité-prix est très intéressant.

⊖ Residencial Mestre d'Avis – *R. D. João I, 40 - ℘ 253 42 27 70 - residencial-avis.planetaclix.pt - ▤ - 16 ch. 35/51 € ⊑.* Près du centre historique, derrière la façade en granit d'un immeuble ancien, se cachent des chambres plutôt confortables, quoique pour certaines un peu défraîchies. Agréable salle de petit-déjeuner. Le propriétaire, sympathique et accueillant, vous donnera plein de tuyaux sur la ville. Une excellente adresse, où l'on parle français, anglais, allemand… et portugais !

⊖⊖⊖ Pousada de Nossa Senhora da Oliveira – *R. de Santa Maria - ℘ 253 51 41 57 - www.pousadas.pt - ▤ - 16 ch. 120/237,60 € ⊑ - rest. 23/42 €.* Dans le cœur historique de la ville, cette *pousada* accueillante dispose d'un bon restaurant pour goûter aux spécialités régionales.

À TABUADELO

⊖⊖ Paço de São Cipriano – *4835-461 - 6 km au S de Guimarães, direction Santo Tirso - ℘ 253 56 53 37 - www. pacoscipriano.com - Ⓟ ⌂ - 7 ch. 110 € ⊑ - table d'hôte 30 €.* Les amateurs de belles demeures historiques seront comblés par cette maison d'hôte en partie du 15e s., entourée d'un domaine de 80 ha à l'écart de Guimarães. Les propriétaires accueillent eux-mêmes leurs visiteurs, qui découvriront à côté d'une ravissante chapelle un véritable jardin à la française avec des buis taillés, des azalées, des roses et des camélias. Les moutons et les vaches viennent même paître jusqu'au bord de la piscine ! Accueil charmant.

Se restaurer

⊖ El Rei D. Alfonso – *Praça de S. Tiago, 20 - ℘ 253 41 90 96 - fermé dim. - 13/20 €.* Dès les premiers beaux jours, le restaurant dispose ses tables sur la ravissante praça de São Tiago. Dans ce décor historique, vous savourerez d'autant mieux la simplicité de la cuisine régionale : apéritif copieux (pain frotté à l'ail, charcuterie locale et melon vert, crème de thon maison), le *caldo verde* (la soupe au chou émincé) et les différentes recettes de morue.

⊖ Vira Bar – *Largo Condessa do Juncal, 27 - ℘ 253 51 84 27 - fermé dim. - 12/20 €.* Ne vous méprenez pas : il s'agit d'un restaurant à la présentation et au service soignés, non d'un bar. Excellentes spécialités de produits de la mer comme les poissons grillés à la braise, le homard, la langouste ou l'inévitable morue. Depuis la salle, vue sur la rue ombragée d'Alameda S. Dâmaso. L'accueil pourrait néanmoins être plus chaleureux.

⊖ Solar do Arco – *R. de Santa Maria, 48/50 - ℘ 253 51 30 72 - reservas@ solardoarco.com - fermé dim. soir - ▤ - 15/25 €.* Au menu gourmand de ce restaurant du centre historique, les spécialités de poissons ont une place de choix : brochettes de gambas, crevettes aux haricots noirs *(feijoada de camarão),* velouté de fruits de mer, etc.

⊖ Valdonas – *R. Val de Donas, 4 - ℘ 253 51 14 11 - www.valdonas.com - 15/22 €.* Probablement le restaurant le plus agréable de la ville à la belle saison avec sa cour intérieure rafraîchie d'une fontaine en pierre. Attablez-vous à l'ombre d'une glycine, bercé par le bruissement de l'eau, pour savourer le traditionnel *caldo verde* (la soupe de chou vert émincé), du porc grillé, un grand choix de poissons et le dessert régional à la crème et au lait.

Achats

Marché – *R. Paio Galvão.* Le vendredi.

Événements

Festas Gualterianas – 1er w.-end d'août. Fête populaire et folklorique.

Festa de São Nicolas – 29 nov.-7 déc. Fête des étudiants.

Festa de Nossa Senhora da Conceição – 8 déc. Fête religieuse.

Festa de Santa Luzia – 13 déc. Fête religieuse.

Braga★

117 272 HABITANTS
CARTE MICHELIN 733 H4 – DISTRICT DE BRAGA

Bienvenue aux amateurs d'art baroque et d'architecture religieuse ! À Braga la pieuse, la « Rome » du Portugal, couverte d'églises et de couvents, les clochers tintent en permanence. Attachée à ses traditions religieuses et agricoles (foires hebdomadaires, « romarias »), la ville se transforme pendant les fêtes de la Semaine sainte et du solstice d'été (la Saint-Jean) en un véritable théâtre de plein air. Mais la capitale du Minho, qui compte une université depuis 1973, est aussi un centre industriel et économique actif. Elle s'est dotée d'un stade de football flambant neuf pour le Championnat d'Europe de 2004, entièrement construit dans une ancienne carrière de granit. Aux alentours de Braga, il faut aussi aller gravir l'escalier de Bom Jesus do Monte pour prendre toute la mesure du merveilleux baroque portugais.

- **Se repérer** – À la confluence des rios Este et Ávado, au pied de la serra da Falperra, Braga se trouve à 54 km au nord-est de Porto et à 22 km au nord-ouest de Guimarães.
- **Se garer** – Utilisez les parkings souterrains du centre-ville, le stationnement en surface étant souvent limité à 2h.
- **À ne pas manquer** – Il faut voir la ville pendant la Semaine sainte ou la Saint-Jean. Sinon, la cathédrale et Bom Jesus do Monte.
- **Organiser son temps** – Braga mérite une journée complète. Démarrez par la visite du centre-ville avant de poursuivre vers Bom Jesus do Monte, à 4,5 km.
- **Avec les enfants** – Les enfants bien en jambes seront contents de compter les (nombreuses) marches de l'escalier de Bom Jesus do Monte !
- **Pour poursuivre le voyage** – La haute vallée du Cávado, Guimarães, Porto.

Comprendre

Une ville très religieuse – De Bracara Augusta, importante place romaine, les Suèves firent, au 5e s., leur capitale. Conquis ensuite par les Wisigoths (à qui l'on doit l'église São Frutuoso) et les Maures, Braga ne retrouva sa prospérité qu'après la Reconquête, lorsqu'elle devint le siège d'un archevêché. Elle fut marquée dès lors par l'influence du clergé qui contribua à son enrichissement architectural : au 16e s., l'archevêque mécène Dom Diogo de Sousa dota la ville de palais, d'églises et de calvaires Renaissance ; au 18e s., deux prélats, Dom Rodrigo de Moura Teles et Dom Gaspar de Bragança, firent de Braga le foyer de l'art baroque au Portugal. Siège du primat des Espagnes, la ville est encore imprégnée de fortes traditions religieuses.

De spectaculaires processions s'y déroulent pendant la Semaine sainte, qui est célébrée avec une solennité exceptionnelle. La Saint-Jean, les 23 et 24 juin, attire des environs et même de Galice une foule considérable, venue assister aux défilés, cortèges, danses

La fontaine du Pélican devant la place de la République.

folkloriques et feux d'artifice dans la ville magnifiquement décorée et illuminée. Le centre-ville est très commerçant et vivant et, dans la **rua do Souto**, un grand nombre de boutiques continuent à vendre objets pieux et articles liturgiques.

Découvrir

Cathédrale★ (Sé)

Entrée largo D. João Peculiar ou r. D. Paio Mendes - ℘ 253 26 33 17 - 8h-18h30 (été 19h) - grat. Compter 1h30 de visite.

Dressée au cœur de la ville, la cathédrale forme un large complexe constitué de l'église elle-même, du cloître attenant et de plusieurs chapelles. De la construction romane d'origine, d'influence clunisienne, il ne subsiste guère que le portail sud et les voussures du portail principal ornées de scènes du *Roman de Renart*. Le portique à arcs festonnés gothiques est l'œuvre d'artistes de Biscaye, attirés à Braga au 16ᵉ s. par Diogo de Sousa. Les encadrements moulurés des fenêtres sont du 17ᵉ s.

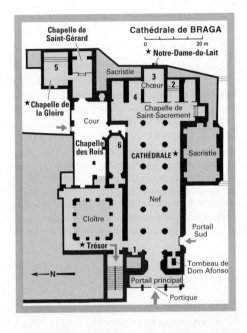

Cathédrale de BRAGA

Ce même prélat fit édifier le chevet hérissé de pinacles et de balustres ; la gracieuse **statue★** de Notre-Dame-du-Lait (Senhora do Leite) qui l'agrémente, protégée par un baldaquin flamboyant, serait due à Nicolas Chanterene.

Intérieur★ – Il a été transformé au 18ᵉ s., et les boiseries dorées des deux orgues contrastent par leur exubérance baroque avec la sobriété architecturale de la nef. La cuve baptismale **(1)** est de style manuélin ; à droite, dans une chapelle fermée par une grille, se trouve le tombeau en bronze (15ᵉ s.) de l'infant Dom Afonso, fils de Jean Iᵉʳ.

La chapelle du Saint-Sacrement (Capela do Sacramento) possède un bel autel (17ᵉ s.) en bois polychrome représentant le Triomphe de l'Église, inspiré d'un tableau de Rubens **(2)**.

Le chœur, œuvre de João de Castilho, protégé par une **voûte★** à nervures complexes de caractère flamboyant, abrite un **autel★** flamboyant en pierre d'Ança dont la partie avant est ornée de scènes figurant l'Ascension ainsi que les apôtres **(3)**. Au fond du chœur, statue de sainte Marie de Braga (14ᵉ s.). À gauche, une chapelle **(4)** est décorée d'azulejos (18ᵉ s.) d'António de Oliveira Bernardes, évoquant la vie de saint Pedro de Rates, premier prélat de Braga.

Les deux **buffets d'orgue★** (18ᵉ s.), placés en vis-à-vis de part et d'autre de la balustrade de la tribune, constituent un ensemble baroque fourmillant de statues.

Trésor ★ (Tesouro) – *Visite guidée (45mn) mar.-dim. 9h-12h, 14h-18h30 - 2 € (avec la visite de la tribune et des trois chapelles ci-dessous).* Le **trésor** de la cathédrale conserve une belle collection d'habits sacerdotaux du 16ᵉ au 18ᵉ s. ainsi que de remarquables pièces d'orfèvrerie : un calice manuélin, une croix en cristal de roche du 14ᵉ s., une croix-reliquaire en argent doré du 17ᵉ s., un coffret mozarabe du 10ᵉ s. en ivoire, un calice du 16ᵉ s. à clochettes, de même qu'un ostensoir du 17ᵉ s., l'ostensoir de Dom Gaspar de Bragança, du 18ᵉ s., en argent doré orné de diamants, quelques statues dont un Christ du 13ᵉ s., celles des saints Crépin et Crépinien, patrons des cordonniers. On y remarquera aussi quelques azulejos du 16ᵉ s.

La **tribune** est occupée par des stalles en bois doré du 18ᵉ s. et offre une belle vue sur l'intérieur de l'église.

Capela de São Geraldo – Cette jolie chapelle gothique dont les murs sont plaqués d'azulejos (18ᵉ s.) évoque la vie de saint Gérard, premier archevêque de Braga.

Capela da Glória★ – Le centre de cette construction, ornée de peintures murales de style mudéjar (14ᵉ s.), est occupé par le **tombeau★** gothique **(5)** du fondateur, Dom Gonçalo Pereira ; en faisant le tour du tombeau, on reconnaît les sujets suivants : la Crucifixion, les apôtres, la Vierge et l'Enfant Jésus, des clercs en prière.

Capela dos Reis – La **chapelle des Rois**, dont la voûte gothique repose sur de jolies consoles à tête humaine, abrite les tombeaux (16ᵉ s.) de Henri de Bourgogne et de sa femme Thérèse, parents du premier roi du Portugal **(6)**, ainsi que la momie d'un archevêque de Braga, Dom Lourenço Vicente (14ᵉ s.), qui combattit à Aljubarrota.

Se promener

Compter 3h, hors visite du musée. Contourner la cathédrale sur la droite par la rua do Souto et se diriger vers la place voisine de l'hôtel de ville.

Fontaine du Pélican (Fonte do Pelicano)

Devant l'hôtel de ville. Belle fontaine baroque dont les jets d'eau – quand ils fonctionnent – sont soufflés par un pélican (à l'allure d'aigle…) et des amours de bronze.

Face à l'hôtel de ville se tient l'entrée ouest de l'ancien palais épiscopal.

Ancien palais épiscopal (Antigo Paço Episcopal)

Constitué de trois édifices des 14ᵉ, 17ᵉ et 18ᵉ s., il abrite au premier étage une très riche bibliothèque publique (documents du 9ᵉ s.) : la petite salle de lecture *(silence de rigueur)* possède un joli plafond à caissons dorés et donne sur le très agréable **jardin de Santa Bárbara**, où trône la fontaine de sainte Barbe (17ᵉ s.).

En sortant du palais, retraverser la place et longer l'hôtel de ville sur le côté droit. Prendre la rue à droite, puis la première à gauche, rua dos Biscaínhos.

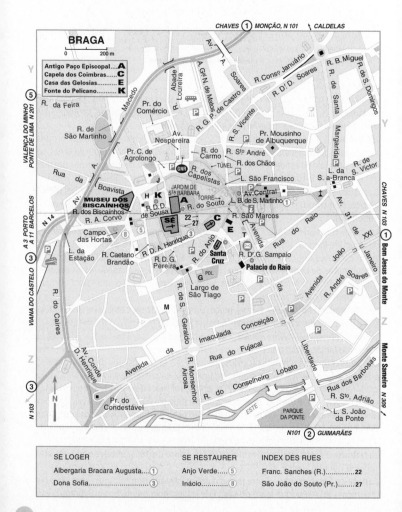

Musée des Biscayens★ (Museu dos Biscaínhos)

R. dos Biscaínhos - ☎ 253 20 46 50 - mar.-dim. 10h-12h15, 14h-17h30 (dernière entrée 30mn av. la fermeture) - fermé 1ᵉʳ janv., dim. de Pâques, 1ᵉʳ mai et 25 déc. - 2 €, grat. dim. et j. fériés le matin.

Ce palais des 17ᵉ et 18ᵉ s. aux plafonds peints ornés de stucs et aux murs couverts de panneaux d'azulejos donne un très bon aperçu de la vie seigneuriale et raffinée qu'on y menait au 18ᵉ s. La **Casa dos Biscaínhos** est décorée d'un mobilier portugais ou étranger de l'époque ; remarquez notamment les *contadores*, petits meubles de rangement de style indo-portugais, incrustés d'ivoire. La maison abrite aussi des tapis d'Arraiolos, de l'argenterie portugaise, des porcelaines de Chine et de la Compagnie des Indes, des tables de jeu, des instruments de musique, etc. L'élégante suite de salons donne sur de beaux jardins avec bassin et statues, dans le goût du 18ᵉ s.

Revenir à l'arrière de l'hôtel de ville, continuer tout droit et tourner à gauche dans la rua Dom Diogo de Sousa, piétonne et très commerçante. Admirez, au passage, le beau plafond de la librairie Cruz, n° 129-133, fondée en 1888. Dépasser la cathédrale et la place du palais épiscopal (entrée principale sud, accès au jardin de Santa Bárbara) et tourner à droite dans la rua Francisco Sanches jusqu'au largo de São João do Souto.

Chapelle des Coimbras (Capela dos Coimbras)

Largo de São João do Souto - se visite uniquement le Jeudi saint 9h-19h. Construite au 16ᵉ s., contiguë à une église du 18ᵉ s., sa tour crénelée, ornée de statues, est de style manuélin. À droite de la chapelle, la **Casa dos Coimbras**, de la même époque, présente un beau portail et des fenêtres de style manuélin. Elle accueille une galerie d'art contemporain.

Longer la chapelle par la droite jusqu'au largo Carlos Amarante où se situe, immédiatement à droite, l'église de Santa Cruz.

Église de Santa Cruz

C'est une vaste église de style baroque maniériste du 17ᵉ s., à deux clochers. L'intérieur surprend par la quantité de boiseries dorées.

Traverser le largo Carlos Amarante et tourner à droite dans la rua de São Lazaro.

Palais du Rayon (Palácio do Raio)

R. São Lazaro. Appelée « palais du Rayon » ou **maison du Mexicain**, cette superbe maison dessinée par André Soares est une résidence du 18ᵉ s. avec une façade baroque de style rocaille revêtue, au 19ᵉ s., d'azulejos bleus. L'encadrement des fenêtres est en granit sculpté. Malheureusement peu mise en valeur, elle abrite des services de l'hôpital de São Marcos.

Revenir en haut du largo Carlos Amarante et tourner à droite dans la rua São Marcos.

Maison des Jalousies (Casa das Gelosias ou Casa dos Crivos)

R. São Marcos, 41. Cette curieuse maison du 17ᵉ s. doit son nom à ses grilles et **jalousies** d'inspiration arabe.

Continuer rua São Marcos et, au bout, prendre à droite la rua do Souto. Traverser l'avenida da Liberdade et poursuivre en face, sur l'avenida Central. Environ 300 m plus loin, après l'église des Congregados, se trouve la chapelle de N. S. da Penha da França.

Chapelle (Capela) de Nossa Senhora da Penha da França

Pour visiter, s'adresser à la résidence Dom Pedro V, à droite de la chapelle.

L'intérieur est agrémenté de beaux azulejos, dus à Policarpo de Oliveira Bernardes, et d'une chaire baroque en bois doré.

Revenir à la place de l'hôtel de ville en redescendant la rua do Souto, puis la rua Dom Diogo do Sousa.

Aux alentours

Bom Jesus do Monte★★

4,5 km à l'est par la N 103, direction Chaves.

Le sanctuaire de Bom Jesus s'élève au sommet d'un escalier monumental qui est l'une des plus surprenantes réalisa-

---

Info pratique

ACCÈS À BOM JESUS DO MONTE

– Par le **funiculaire** qui, en quelques minutes depuis le pied de la montée, franchit 116 m d'altitude - *7h30-18h (été 19h30)* - dép. ttes les 30mn - 1 €AR ;

– par la **route** qui monte en lacet dans la verdure ;

– par le **sentier** puis l'escalier, ou « voie sacrée » *(575 marches jusqu'au parvis - 15 à 20mn)* empruntée par les pèlerins : ce dernier accès est ardu, mais plus intéressant ; il permet d'apprécier la magnificence de l'architecture baroque et la beauté du cadre naturel. *Laisser la voiture sur le parking près du départ du funiculaire.*

L'escalier des Cinq-Sens de Bom Jesus do Monte.

tions de style baroque au Portugal. Taillé dans l'austère granit gris que rehausse la blancheur des murs crépis à la chaux, il est représentatif du baroque du nord du pays (début du 18e s.). Le sanctuaire vers lequel conduit l'escalier est plus austère : il a été construit entre 1784 et 1811 dans le style néoclassique, par Carlos Amarante.

Sens symbolique de la voie sacrée – La voie sacrée, que le pèlerin gravissait à genoux, se compose d'un sentier bordé de chapelles correspondant aux stations du chemin de croix, et se poursuit par l'escalier des Cinq-Sens puis celui des Trois-Vertus. Elle représente le parcours spirituel du croyant qui doit apprendre à maîtriser ses sens et acquérir les trois vertus que sont la foi, la charité et l'espérance pour obtenir le salut.

Funiculaire (Elevador) do Bom Jesus do Monte – Inauguré en 1882, ce funiculaire qui permet d'atteindre directement le sanctuaire fut le premier construit dans la péninsule Ibérique. Il est actuellement le plus ancien au monde utilisant la seule force de gravité de l'eau, grâce à deux réservoirs faisant contrepoids.

Chemin de croix – Tout en bas, un élégant portique donne accès à la première partie de la montée, un sentier en lacet bordé de chapelles dont chacune abrite une scène de la Passion évoquée par des personnages en terre cuite, grandeur nature, d'un réalisme étonnant ; auprès de chaque chapelle se trouve une fontaine ornée de motifs mythologiques.

Escalier des Cinq-Sens – Il est à double volée ; la base en est constituée par deux colonnes où s'enroule un serpent ; l'eau sort de la gueule du serpent et s'écoule en tournoyant le long de son corps. Au-dessus de la fontaine des Cinq-Plaies (l'eau jaillit par les cinq besants figurant dans les armes du Portugal), chaque palier est décoré de fontaines allégoriques se rapportant aux cinq sens : l'eau jaillit des yeux pour la vue, des oreilles pour l'ouïe, du nez pour l'odorat, de la bouche pour le goût. Le toucher est représenté quand à lui par un personnage tenant des deux mains une cruche d'où s'écoule l'eau.

Escalier des Trois-Vertus – Il est orné de fontaines évoquant la foi, l'espérance et la charité ; chaque balustrade est décorée d'obélisques et de statues évoquant des personnages de l'Ancien Testament.

Du parvis de l'église, la **perspective**★ se développe sur l'escalier baroque et sur la ville de Braga.

L'**église** renferme, dans ses chapelles, des reliquaires et des ex-voto. Le chœur est décoré d'un calvaire de même style que les chapelles du chemin de croix.

Chapelle (Capela) São Frutuoso de Montélios★

3,5 km. Quitter Braga par la N 201 direction Ponte de Lima ; à Real, prendre à droite vers São Frutuoso - mar.-dim. 9h30-12h30, 14h-17h30 - 0,50 €.

Cette chapelle wisigothique se trouve sur l'un des chemins portugais de Saint-Jacques-de-Compostelle. Édifiée au 7e s., elle aurait été en partie démolie par les Maures et reconstruite au 11e s. En forme de croix grecque, elle présente une influence byzantine. Elle se composait autrefois de quatre bras surmontés de coupoles et d'arcs en fer à cheval que supportaient 22 colonnes. Les chapiteaux et les frises sont toujours décorés de feuilles d'acanthe. Une porte à droite donne accès à une petite exposition présentant quelques vestiges et retraçant l'histoire de cette chapelle, dont une maquette reconstitue l'aspect d'origine. Dans le prolongement, la sacristie abrite un retable en bois doré placé sur un grand meuble à tiroirs.

À proximité, l'**église de São Francisco** abrite dans sa tribune les stalles Renaissance de la cathédrale de Braga.

Circuit de découverte

À L'EST DE BRAGA PAR BOM JESUS DO MONTE★

44 km – Env. 3h. Quitter Braga par la N 103, direction Chaves.

Bom Jesus do Monte★★ – *Voir ci-contre.*

Mont Sameiro★ – Lieu de pèlerinage très fréquenté, le mont est couronné par un sanctuaire marial (fin 19e-début 20e s.). Dans l'église, devant une salle remplie d'ex-voto, un escalier de 265 marches mène à la lanterne de la coupole (alt. 613 m) qui offre un **panorama★★** immense sur le Minho : on aperçoit au nord-ouest le mont de Santa Luzia qui domine Viana do Castelo, au nord-est la serra do Gerês, au sud-est la serra do Marão ; on distingue en contrebas les vestiges de la cité protohistorique de Briteiros et, à l'opposé, Braga.

Cité de Briteiros (Citânia de Briteiros) – Sur une butte de 337 m d'altitude subsistent les ruines d'une cité datant de l'âge du fer (8e au 4e s. av. J.-C.). Protégée par trois ceintures de murailles, elle s'étendait sur 250 m de long et 150 m de large, et comprenait plus de 150 huttes dont deux ont été reconstituées. Les objets découverts lors des fouilles sont exposés au musée Martins Sarmento de Guimarães *(voir ce nom)*.

Serra da Falperra – Sur une pente boisée de cette petite serra, se dresse l'**église Santa Maria Madalena**. Due à un architecte auquel on attribue également la casa do Raio à Braga *(voir plus haut)*, elle arbore une curieuse façade de style rocaille (18e s.) d'où toute ligne droite est bannie.

La N 309 ramène à Braga.

Braga pratique

Informations utiles

Indicatif téléphonique – 253

Code postal – 4700

🛈 **Posto de turismo** – *Av. da Liberdade, 1 - 4700-251 - ☎ 253 26 25 50.*

Internet – Biblioteca Pública da Universidade do Minho – *Antigo Paço Episcopal - grat.* ; *Café-Bar James Dean – R. Santo André, 85 - ☎ 253 61 76 02 - lun.-sam. 8h-22h, dim. 13h-19h - 1 €/30mn.*

Transports

Gare ferroviaire – *Largo da Estação - ☎ 253 27 82 52. Trains pour Porto (1h env., dép. ttes les 30mn en journée).*

Gare routière – *Praça da Estação Rodoviária - ☎ 253 20 94 00.* Liaisons pour Porto, Viana do Castelo, Vila Real, etc.

Se loger

😊😊 **Dona Sofia** – *Largo São João do Souto, 131 - ☎ 253 26 31 60 - www.hoteldonasofia.com -* 🛏 *- 34 ch. 55/65 € ☑.* Cet hôtel proche de la cathédrale est installé dans une maison ancienne rénovée. Les chambres sont confortables, mais la décoration manque quelque peu d'originalité.

😊😊 **Albergaria Bracara Augusta** – *Av. Central, 134 - ☎ 253 20 62 60 - www.bracaraaugusta.com -* ✗ *- 19 ch. 69/89 €.* Dans une très belle bâtisse en pierre donnant sur la place la plus animée de Braga, cet hôtel climatisé ouvert fin 2005 dispose de chambres très confortables, à la décoration contemporaine sobre et de belle facture. Petit jardin à l'arrière où prendre le petit-déjeuner lorsqu'il fait beau. Également un restaurant.

Se restaurer

😊 **Anjo Verde** – *Largo da Praça Velha, 21 - ☎ 253 26 40 10 - www.anjoverde.com - fermé dim. - 9/15 €.* Une grande baie vitrée, des murs de pierre, une décoration fraîche et reposante : on se sent bien dans ce restaurant végétarien dont les portions légères et savoureuses accompagnent le thé changent des habituelles *dose* et *meia dose* des restaurants traditionnels. Accueil discret.

😊😊 **Inácio** – *Campo das Hortas, 4 - ☎ 253 61 32 35 - fermé à Noël, Pâques, 2 sem. en sept. et mar. -* 🍽 *- 21/34 €.* Savoir-faire et tradition font la réputation et le prestige de ce restaurant typique. Spécialités régionales. Service soigné.

Événements

Solenidades da Semana Santa – Pendant la Semaine sainte, grandes processions spectaculaires et solennelles.

Romaria de São João – La Saint-Jean *(23-24 juin)* réunit une foule considérable.

Foire agricole et artisanale – Tous les mardis, dans le parc des expositions, au sud de la vieille ville.

Barcelos

20 625 HABITANTS

CARTE MICHELIN 733 H4 – DISTRICT DE BRAGA

Barcelos est une petite ville riante du nord du Portugal, sur la rive droite du Cávado, disposant d'un agréable quartier ancien autour d'un pont médiéval. C'est un centre réputé de fabrication de céramique, avec l'omniprésent coq décoratif, devenu une véritable icône touristique. Ne manquez pas non plus le marché du jeudi matin, agricole et artisanal, un des plus importants du Portugal.

- ▶ **Se repérer** – Au cœur de la province du Minho, à 22 km à l'ouest de Braga et à 57 km au nord-est de Porto.
- 👁 **À ne pas manquer** – Le grand marché du jeudi.
- 🕓 **Organiser son temps** – En deux petites heures, vous pouvez faire le tour de Barcelos.
- 🖐 **Pour poursuivre le voyage** – Braga, Viana do Castelo, Ponte de Lima.

Comprendre

Le coq de Barcelos – Un pèlerin, qui se rendait à Saint-Jacques-de-Compostelle, se voit accusé de vol au moment de quitter Barcelos. Incapable, malgré sa bonne foi, de se défendre face à l'apparente évidence des faits, il est condamné à être pendu. Il tente alors une ultime démarche auprès du juge. Comme celui-ci refuse de se laisser convaincre, le pèlerin implore la protection de saint Jacques et, avisant le coq rôti destiné au repas du juge, déclare que, pour preuve de son innocence, le coq se lèvera et chantera. Le miracle a lieu. Le juge, reconnaissant l'innocence du pèlerin, le libère. En souvenir, l'homme fait ériger un monument qui se trouve aujourd'hui au Musée archéologique de la ville.

Se promener

👁 **Bon à savoir** – La plupart des monuments sont regroupés près du **pont médiéval** sur le Cávado, au sud de la ville.

Juste au-dessus du pont se dressent les ruines du palais des ducs de Bragance.

Ruines du palais des ducs de Bragance, comtes de Barcelos
(Paço dos Condes de Barcelos)

La cité fut le siège du premier comté du Portugal et la résidence du premier duc de Bragance, également comte de Barcelos *(voir Bragança)*. Dans les vestiges de cet ancien palais construit au 15e s. a été aménagé un petit musée archéologique de plein air.

Musée archéologique (Museu Arqueológico) – *Largo do Municipio -* 📞 *253 82 47 41 - 9h-17h30 (été 19h) - fermé 1er janv., Vend. saint, dim. de Pâques, 1er mai et 25 déc. - grat.* Outre les stèles et les blasons de la maison de Bragance, on y voit *(à droite des ruines)* le monument (14e s.) qui avait été dressé en l'honneur du coq de Barcelos.

Derrière les ruines du palais se trouve l'église paroissiale.

P. Martins/MICHELIN

Les célèbres coqs de Barcelos.

Le marché

Le **marché**★ de Barcelos, le jeudi matin, est l'un des plus grands et des plus anciens du Portugal. Il se tient sur le **campo da República**, vaste esplanade située au centre de la ville. Très animé, il présente deux parties distinctes : d'un côté, les paysans vendant leurs produits (poules et coqs vivants, montagnes de choux et autres légumes, fleurs…), de l'autre, tout l'artisanat qui déborde largement des frontières régionales : céramique, vannerie, linge de maison en lin brodé à la main, articles en cuir, harnais et, évidemment, d'innombrables coqs peints, de toutes tailles. Façonné en terre cuite par les potiers de Barcelos, le coq, longtemps symbole de la région, est devenu l'emblème touristique du Portugal.

Église paroissiale (Igreja Matriz) – Construite au 13e s., elle a été modifiée aux 16e et 18e s. La façade, très sobre, est flanquée à droite d'un clocher carré ; elle s'ouvre par un portail roman. L'**intérieur**★ est bordé de chapelles baroques ; les murs sont revêtus d'azulejos du 18e s. ; quelques chapiteaux sont historiés.
Dans le petit jardin devant l'église s'élève un pilori.

Pilori – Ce pilori gothique se compose d'une colonne hexagonale portant un gracieux lanternon de granit.

Solar dos Pinheiros – Face au pilori, ce joli manoir gothique construit en granit au 15e s. s'orne de tours d'angle à trois étages.
Contourner l'église paroissiale et prendre en face la rua Cónego Joaquim Gaiolas.

Musée de la Poterie (Museu da Olaria)

R. Cónego Joaquim Gaiolas - ℘ 253 82 47 41 - www.museuolaria.org - mar.-vend. 10h-17h30, w.-end et j. fériés 10h-12h30, 14h-17h30 - fermé 1er janv., Vend. saint, dim. de Pâques, 15 août, 1er nov., 24 et 25 déc. - 2,15 €.

Ce musée abrite la plus grande collection de poteries de tout le pays. Les pièces figuratives de Barcelos, avec leur style naïf et coloré, s'y trouvent en bonne place. Une section est consacrée à la vaisselle noire du village de Prado, avec des illustrations de cette technique ancestrale, aujourd'hui disparue.

👁 **Bon à savoir** – La visite du musée est aussi l'occasion de pouvoir acquérir à juste prix les productions des céramistes encore en activité. Les plus connus sont Mistério (qui perpétue la tradition familiale) et Júlia Ramalho (petite-fille de la déjà célèbre Rosa Ramalho).
Au carrefour devant le musée, monter à gauche la rua Duques de Barcelos.

Tour de Porta Nova
(Torre de Porta Nova)

Vestige des remparts du 15e s., le **donjon** abrite un centre d'artisanat (exposition-vente).
Traverser le largo da Porta Nova.

Église do Bom Jesus da Cruz

De style baroque du nord (18e s.), elle présente un intéressant plan en croix grecque. D'après la légende, le 20 décembre 1504, une croix apparut à cet endroit. L'église fut alors édifiée pour commémorer le miracle.
Traverser le campo da República vers le nord.

Église Nossa Senhora do Terço★

Elle faisait partie d'un couvent de béné-dictins, fondé en 1707. Les murs de la nef

Barcelos pratique

Informations utiles

Indicatif téléphonique – *253*
Code postal – *4750*
🛈 **Posto de turismo** – *Largo Dr José Novais - 4750-329 - ℘ 253 81 18 82 - www.cm-barcelos.pt.* Salle multimédia avec vidéo en français sur la ville. Accès Internet limité mais gratuit.

Événements

Festas das Cruzes – Grande *romaria* début mai.
Feira de Barcelos – Fin juil.-déb. août : artisanat et céramique.

sont couverts d'**azulejos**★ resplendissants (18e s.) figurant la vie de saint Benoît. La voûte de la nef et du chœur est constituée de caissons de bois peints représentant des scènes de la vie monastique. La chaire, en bois doré, est richement ornée.

Viana do Castelo★★

28 725 HABITANTS
CARTE MICHELIN 733 G3 – DISTRICT DE VIANA DO CASTELO

Blottie entre fleuve, mer et montagne, Viana do Castelo est la station balnéaire la plus importante de la Costa Verde, et sans conteste la plus charmante. Sa vieille ville foisonne de belles demeures manuélines ou Renaissance ; ses rues piétonnes et commerçantes convergent sur une grande place entourée de monuments du 16e s., tandis que ses larges jardins s'étendent en bordure du fleuve. Très fréquentée et animée à la belle saison, cette cité du Haut-Minho peut constituer un agréable lieu de séjour, d'autant que sa région propose un riche patrimoine culturel et des paysages variés et verdoyants.

- **Se repérer** – Sur la Costa Verde, à 73 km au nord de Porto, la ville est située sur la rive droite de l'estuaire du Lima et au pied de la colline de Santa Luzia.
- **À ne pas manquer** – La vieille ville et le belvédère de Santa Luzia.
- **Organiser son temps** – En une demi-journée, vous aurez le temps de parcourir la ville.
- **Avec les enfants** – Allez à la plage de Cabedelo, au sud de la ville ; la montée au belvédère de Santa Luzia en funiculaire.
- **Pour poursuivre le voyage** – Braga, Caminha, Ponte de Lima.

Comprendre

Tournée vers la mer – Humble village de pêcheurs au Moyen Âge, la cité connut ensuite un développement prodigieux : le fructueux commerce avec le Brésil et les villes hanséatiques, la pêche à la morue sur les bancs de Terre-Neuve et l'essor des chantiers navals lui apportèrent la prospérité. De cette époque datent les demeures manuélines et Renaissance qui font aujourd'hui le charme de la vieille ville. Après une période de déclin consécutive à l'accession du Brésil à l'indépendance (1822) et à la guerre civile (1846-1847), la ville est redevenue un actif centre de pêche en haute mer. Industries (bois, céramique, pyrotechnie, construction navale, industrie papetière) et artisanat (costumes, broderies) contribuent à sa prospérité.

Se promener

Itinéraire pédestre – Compter 2h-2h30.

LE QUARTIER ANCIEN★ (Bairro Antigo)

Au hasard de flâneries dans ce quartier en partie piétonnier, vous découvrirez de nombreuses demeures aux façades armoriées, ainsi que d'intéressants exemples d'architecture Renaissance et manuéline.

Rejoindre la praça da República depuis l'av. dos Combatentes da Grande Guerra, l'artère principale de la station qui débouche sur la mer.

F. Soreau / MICHELIN

Viana do Castelo vit au rythme des fêtes : ici, une romaria.

Praça da República★

Les édifices qui s'ordonnent autour de cette vaste place, dont la **casa dos Sá Sottomayores** (qui abrite la banque Millenium), en font un pittoresque ensemble urbain.

Fontaine – Construite en 1554 par João Lopes le Vieux, elle compte plusieurs vasques et se termine par un couronnement de motifs sculptés portant une sphère armillaire et la croix de l'ordre du Christ.

Ancien hôtel de ville (Antigos Paços do Conselho) – Seule la façade a conservé son aspect primitif (16ᵉ s.) ; hérissée de merlons, elle est percée d'arcades ogivales au rez-de-chaussée. Au-dessus des fenêtres, à l'étage, on reconnaît l'écusson du roi Jean III, une sphère armillaire, emblème du roi Manuel Iᵉʳ, et le blason de la ville représentant une caravelle, qui rappelle que de nombreux marins de Viana participèrent aux Grandes Découvertes.

Hôpital da Misericórdia★ – *À gauche de l'ancien hôtel de ville.* Cet édifice Renaissance (1589), d'influences vénitienne et flamande, est dû à João Lopes le Jeune. Admirez la très harmonieuse façade, avec ses deux étages de balcons à loggias soutenus par des atlantes et des cariatides qui reposent sur une robuste colonnade aux chapiteaux ioniques.

Attenante, l'**église da Misericórdia** *(à droite)* a été refaite en 1714. Elle est décorée d'azulejos et de bois doré de cette époque.

Longer l'hôpital sur la gauche.

Rua Cândido dos Reis

Elle est bordée de plusieurs demeures qui ont conservé des façades manuélines. On remarquera tout particulièrement, sur le côté droit de la rue, la **Casa dos Alpuins**, puis le **Palácio de Carreira**, qui abrite aujourd'hui les bureaux de l'hôtel de ville. La très belle façade manuéline de ce palais frappe par sa symétrie.

Revenir sur la praça da República et la traverser. En face, par la rua Sacadura Cabral, rejoindre l'église paroissiale.

Église paroissiale (Igreja Matriz)

Bien que la construction date des 14ᵉ et 15ᵉ s., les deux tours carrées crénelées qui encadrent la façade sont encore de style roman, et leur couronnement à arcatures lombardes repose sur des modillons sculptés. Le portail gothique montre trois voussures historiées qui s'appuient sur des statues-colonnes (saint André, saint Pierre et les évangélistes) ; la voussure supérieure est ornée d'un Christ encadré d'anges porteurs des instruments de la Passion.

À l'intérieur, dans le baptistère, un panneau en bois sculpté polychrome (17e s.) représente le baptême du Christ. Dans la troisième chapelle à gauche, belle peinture sur bois du 16e s.

À gauche de l'église, se dresse une maison du 15e s., appelée la **« maison des Vieux »** *(Casa dos Velhos)*.

Face à l'église, la **Casa dos Lunas** *(nos 48 et 50 de la rua Sacadura Cabral)*, de style Renaissance italienne, présente aussi des éléments manuélins.

Continuer dans la rua Sacadura Cabral et prendre à gauche la rua de São Pedro.

Rua de São Pedro

Elle est elle aussi bordée de belles demeures anciennes ; remarquez tout particulièrement la fenêtre manuéline de la **Casa dos Costa Barros**, sur le trottoir de droite.

Revenir vers la rua Sacadura Cabral et continuer en face dans la rua Grande, jusqu'à l'av. dos Combatentes da Grande Guerra. Tourner à droite, remonter l'avenue puis prendre à gauche la rua Manuel Espregueira (piétonne).

Musée (Museu) municipal★

Largo São Domingos - ☏ 258 82 03 77 - juin-sept. : 10h-13h, 15h-19h ; oct.-mai : 10h-13h, 15h-18h - fermé lun. et j. fériés - 2 €.

Ce musée est installé dans l'ancien palais (18e s.) de la famille Barbosa Maciel, l'une des nombreuses familles de la ville à s'être enrichies durant la période faste du commerce avec le Brésil et de la pêche en haute mer. Les murs intérieurs du palais sont revêtus de superbes **azulejos★★** peints en 1721 par Policarpo de Oliveira Bernardes : les sujets traités concernent les continents, la chasse, la pêche, les réceptions, etc. Les salles du premier étage, ornés d'azulejos et de beaux plafonds en bois, présentent des peintures, ainsi qu'une remarquable **collection de faïences portugaises★** (de Coimbra, de Lisbonne, etc.), qui serait la plus importante du Portugal.

Le rez-de-chaussée, sous les plafonds de bois verni à caissons, abrite de beaux meubles indo-portugais du 17e s., sculptés ou marquetés, parmi lesquels un somptueux cabinet en écaille de tortue et ivoire, d'anciennes céramiques et faïences portugaises, italiennes et hollandaises, une petite Vierge à l'Enfant en ivoire ainsi que des vestiges préhistoriques. La cour-jardin attenante rassemble des curiosités archéologiques : statues en ex-voto, pierres tombales.

En sortant du musée, à droite, rejoindre l'église de São Domingos.

« Romaria » de Nossa Senhora da Agonia

Ce pèlerinage, qui se déroule en août, est l'une des fêtes les plus célèbres du Minho. Il comprend une procession, une course de taureaux, des feux d'artifice sur le Lima, des défilés de géants et de nains, des illuminations et, surtout, de remarquables manifestations folkloriques : festival de danses et chants régionaux et, le dernier jour, magnifique défilé costumé.

Église de São Domingos

Construite en 1576, elle présente une façade Renaissance de granit en forme de retable. À l'intérieur, tombeau du fondateur de l'église, Bartolomeu dos Mártires, archevêque de Braga.

Longer l'église sur la droite, traverser la praça do General Barbosa et continuer tout droit.

Église de Nossa Senhora da Agonia

Cette charmante église baroque est connue pour le grand pèlerinage qui s'y déroule en août.

Rejoindre les quais par l'av. Campo do Castelo puis, à gauche, le bas de l'av. dos Combatentes da Grande Guerra. De là, longer les quais jusqu'au ponte Eiffel (10mn).

Pont (Ponte) Eiffel

Ce pont en treillis métallique à deux tabliers superposés (l'un ferroviaire, l'autre routier), de 600 m de long, enjambe le rio Lima à la sortie est de la vieille ville. Il est l'œuvre de Gustave Eiffel.

Revenir en arrière pour retrouvez l'av. dos Combatentes da Grande Guerra et le cœur de la vieille ville.

Aux alentours

Belvédère (Miradouro) de Santa Luzia★★

Le belvédère est juché au sommet de la colline de Santa Luzia, que coiffe une basilique moderne, lieu de pèlerinage. 👥 On y accède en 7mn par le **funiculaire** de Santa Luzia qui, avec ses 650 m, est le plus long du pays (*𝒫 258 81 72 77 - juin-sept. : 10h-20h, oct.-mai : 10h-18h - 3 € AR*), ou en voiture par une route pavée en lacet, grimpant entre des pins, des eucalyptus et des mimosas *(4 km par la route de Santa Luzia, au nord de Viana do Castelo)*.

Basilique de Santa Luzia – *𝒫 258 82 31 73 - 8h-17h (été 19h) - grat. ; montée à la coupole centrale : 0,80 € (escalier ou ascenseur)*. De style néobyzantin plutôt disgracieux, elle est précédée d'un vaste parvis et d'un escalier monumental. Le dôme central est doté d'un lanternon supérieur, qui culmine à 57 m au-dessus du sol *(142 marches à partir de la sacristie ; passage très resserré en fin de montée)*. L'intérieur, éclairé par trois rosaces, se réduit à une abside et à un chœur sous une coupole ornée de fresques.

Du parvis, magnifique **panorama**★★ sur Viana do Castelo et l'estuaire du Lima que dominent à l'horizon, au sud-est, les hauteurs boisées et parsemées des villages blancs de la région de Barcelos. Au-delà du port, contrôlé par le fort São Tiago da Barra (16ᵉ s.), l'Océan écume le long d'immenses plages de sable fin.

Plage (praia) do Cabedelo

Par la N 103 direction Braga. Accessible par bus depuis Viana do Castelo (dép. fréquents depuis la gare routière, av. Humberto Delgado) ou par ferry (embarcadère à droite du monument du 25 Avril).

Très belle **plage** au sud de l'estuaire du Lima, de l'autre côté de la ville.

Viana do Castelo pratique

Informations utiles

Indicatif téléphonique – *258*

Code postal – *4900*

🛈 **Posto de turismo** – *R. do Hospital Velho - 4900 540 - 𝒫 258 82 26 20.*

Internet

Espaço Internet – *Largo de Santa Catarina, 17 - 𝒫 258 84 72 68 - lun.-vend. 13h-20h, sam. 10h-13h, 14h-18h - grat.*

Instituto Português da Juventude – *R. do Poço, 16-26 - lun.-vend. 9h-17h30.* Accès gratuit limité à 30mn. Six postes, dont deux dans le bar, au fond.

Visites

Croisières fluviales – *Praça da Liberdade - 𝒫 962 30 55 95 ou 965 43 36 83 (portable) - www.passeiofluvial.com.* La compagnie Portela, qui gère les ferries permettant de se rendre à la plage de Cabedelo, organise aussi des croisières sur le fleuve *(40mn - 6,50 € ou 1h30 - 10 €)*.

Se loger

🛏️🛏️💰 **Estalagem Casa Melo Alvim** – *Av. Conde da Carreira, 28 - 𝒫 258 80 82 00 - www.meloalvimhouse.com -* ✕ 🅿 🚭 *- 20 ch. 115/200 € ⏷ - rest. : menu 30/45 €.* Cette ancienne maison seigneuriale agrandie se caractérise par la présence de différents styles artistiques. Chambres de très bon confort et belle salle à manger.

À VILE DE PUNHE

🛏️ **Casa da Torre das Neves** – *10 km au SE de Viana do Castelo - 𝒫 258 77 13 00 ou 932 03 29 80 (portable) - www.casatorredasneves.com -* 🚭 🅿 🏊 *- 5 ch. 80/100 € ⏷.* Manoir de famille du 16ᵉ s. aujourd'hui reconverti en confortable maison d'hôte, typique de la région du Minho. Proche de la mer. Tennis. Table d'hôte (25 €).

Se restaurer

🍴🍴 **Os 3 Potes** – *Beco dos Fornos, 7/9 - 𝒫 258 82 99 28 - 16/28 €.* Restaurant typique où se produisent des musiciens et des chanteurs de fado, le samedi en été.

🍴🍴 **Cozinha das Malheiras** – *R. Gago Coutinho, 19 - 𝒫 258 82 36 80 - fermé mar. et 22-28 déc. -* 🍽️ *- 20/25 €.* Ce restaurant aménagé dans une ancienne chapelle à la décoration toutefois plutôt fade vous fera découvrir tous les plats de la gastronomie locale. Spécialités de poissons et de fruits de mer.

🍴🍴🍴 **Casa d'Armas** – *Largo 5 de Outubro, 30 - 𝒫 258 82 49 99 - casadarmas@hotmail.com - fermé merc. et 3 sem. en nov. -* 🍽️ *- 27/35 €.* Ce restaurant installé dans une maison ancienne propose une cuisine régionale savoureuse. Spécialités de viandes et de poissons grillés ainsi que de fruits de mer.

Événements

Romaria de Nossa Senhora da Agonia – Autour du 20 août, ce pèlerinage attire une foule considérable *(voir encadré)*.

Festa das Rosas – Fête des roses : défilés folkloriques et bals durant le 2ᵉ week-end de mai.

Caminha

2 315 HABITANTS
CARTE MICHELIN 733 G3 – DISTRICT DE VIANA DO CASTELO

Contrôlant l'estuaire du Minho, Caminha est situé au point le plus septentrional du littoral portugais. Juste en face se trouve la rive espagnole, que surplombe le mont Santa Tegra. Grâce à sa position stratégique, la ville fortifiée défendit longtemps la frontière nord du Portugal contre les ambitions galiciennes. C'est maintenant un petit port de pêche et un centre artisanal spécialisé dans le travail du cuivre. Une étape de charme malgré le grand nombre de touristes espagnols présents le week-end.

- ▶ **Se repérer** – Caminha est situé à l'extrême nord-ouest du pays, au confluent du Coura et du Minho.
- 🕐 **Organiser son temps** – Prévoyez 1h30 pour visiter la ville.
- 👫 **Avec les enfants** – Gagnez l'extrémité de l'estuaire du rio Minho pour les faire profiter de la longue plage de sable fin de Moledo.
- 🍂 **Pour poursuivre le voyage** – Valença do Minho, Viana do Castelo.

Se promener

Praça do Conselheiro Silva Torres

Ordonnées autour d'une belle **fontaine** circulaire du 16e s. en granit, plusieurs constructions anciennes confèrent à cette place un harmonieux cachet médiéval.

Le **palais des Pitas** (15e s.), au sud, est un édifice gothique dont la façade blasonnée présente d'élégantes fenêtres en accolade.

L'**hôtel de ville**, à l'est, montre, dans la salle des séances, un joli plafond à caissons.

La **tour de l'Horloge** (Torre do Relógio), au nord, est un vestige des anciennes fortifications (14e s.).

En franchissant cette porte, on débouche sur la rua Ricardo Joaquim de Sousa qui conduit à l'église paroissiale.

Église paroissiale (Igreja Matriz)

Avr.-sept. : mar. 14h-18h, merc.-dim. 10h-12h30, 14h-18h ; oct.-mars : mar. 14h-17h30, merc.-dim. 9h30-12h30, 14h-17h30 - grat.

S'élevant juste derrière le pan de fortification le plus avancé sur le fleuve, c'est une église-forteresse bâtie en granit aux 15e et 16e s. par des architectes venus de Galice et de Biscaye. En dehors de quelques éléments gothiques, l'essentiel est de style Renaissance, en particulier les portails des façades ; le portail latéral sud est encadré de pilastres sculptés qui supportent une galerie ; le fronton abrite une Vierge entourée de deux anges. L'intérieur est couvert d'un magnifique **plafond mudéjar★** en érable, dû à un sculpteur espagnol ; encadré de chaînes stylisées, chaque panneau central octogonal est occupé en son milieu par une rose.

Mairie de Caminha

La praça do Conselheiro Silva Torres.

À l'entrée, à droite, statue colossale de saint Christophe, patron des bateliers. La chapelle du Saint-Sacrement, à droite du chœur, contient un tabernacle en bois doré du 17ᵉ s., illustré de scènes de la Passion par Francisco Fernandes.

L'estuaire et la plage★

2 km. Longer à pied la berge du Minho, le long de la grande avenue puis, au niveau du petit port, prendre le premier sentier à droite bordant l'estuaire, à l'orée de la forêt de résineux. En voiture, prendre la première route goudronnée à droite, qui traverse la forêt.

Promenez-vous sur les dunes jusqu'à l'embouchure de l'estuaire, qui s'ouvre sur l'Océan en une très belle et longue plage de sable bordée de pins, la **Praia de Moledo**. Au large, édifiée sur un éperon rocheux telle une sentinelle marine, une vieille **forteresse** portugaise (Forte da Ínsua) veille encore ; elle date de la guerre d'indépendance contre l'Espagne (17ᵉ s.). À l'arrière de la plage, la **pinède de Gelfa et Caramido** s'étend vers le sud, le long de l'Atlantique.

Caminha pratique

Informations utiles

Indicatif téléphonique – *258*
Code postal – *4910*
🅸 **Posto de turismo** – *R. Ricardo Joaquim de Sousa - 4910-155 - 𝄞 258 92 19 52.*

Se loger

⊖ **Residencial Galo d'Ouro** – *R. da Corredoura, 15 - 𝄞 258 92 11 60 - 🍴 - 35/55 €.* Une pension simple dans une maison ancienne jouxtant la charmante praça do Conselheiro Silva Torres. La grande gentillesse de l'accueil, les plafonds moulurés et la situation très centrale font oublier l'âge de la robinetterie. Notez que l'escalier menant au premier étage est très raide.

⊖⊟ **Casa da Eira** – *R. do Ingusto, 274 (Gateira-Moledo) - 𝄞 258 72 21 80 - www.casadaeira.com - 🍴 - 4 ch. 55/80 € 🍴.* Au-dessus de la plage du Moledo, une ravissante petite route bordée d'hortensias serpente dans les hauteurs et conduit à cette maison d'hôte au cadre enchanteur. Le bâtiment principal propose une chambre et les deux autres, trois appartements, le tout jouxtant un superbe jardin planté d'orangers, d'eucalyptus, de citronniers et de lavande, avec la mer comme horizon et, en sus, une piscine-bassin en granit.

À VILAR DE MOUROS

⊖⊟ **Quinta da Cantareira** – *Caminho do Ranhada - Marinhas - 𝄞 258 72 41 67 - www.quintadacantareira.com - 🍴 - 5 ch. 55/80 € 🍴.* Véritable petit paradis pour passer des vacances entre mer et montagne, cette maison en schiste offre une vue magnifique sur la serra d'Arga qui se déploie face à la piscine. La tranquillité des lieux n'a d'égal que la gentillesse des propriétaires, et vous goûterez ici à une atmosphère d'artistes (lui est un sculpteur célèbre au Portugal). La *quinta* compte trois chambres, plus deux autres installées dans un ancien pressoir transformé en annexe indépendante. Petit-déjeuner succulent.

À VILA NOVA DE CERVEIRA

⊖⊟⊟ **Pousada de Vila Nova de Cerveira** – *4920-296 - 𝄞 251 70 81 20 - www.pousadas.pt - ✕ - 26 ch. 150/250 €.* Cette *pousada* occupe un lieu unique et historique : elle a investi un hameau de granit du 14ᵉ s., blotti à l'intérieur de ses remparts. Les maisonnettes sont converties en chambres et suites, dont sept avec terrasse. Seul le restaurant a une vue panoramique sur le fleuve. Un endroit infiniment paisible.

Se restaurer

À MOLEDO

⊖⊟ **Ancoradouro** – *4910-264 - 𝄞 258 72 24 77 - juin -sept. : fermé lun. et mar. midi ; reste de l'année : ouv. uniquement vend., sam. et dim. - 16/30 €.* Derrière la plage du Moledo, à l'orée de la pinède avant Caminha, cette maison aux volets rouges attire tous les vacanciers par son cadre rustique chaleureux et son menu typique composé de viandes et de très bons poissons.

Sports et Loisirs

Centro de Interpretação da Serra d'Arga – *Arga de Baixo - 𝄞 963 25 72 52 ou 916 91 76 88 (mobiles) - cisa@mail.telepac. pt.* Cette association vise à faire découvrir la magnifique serra d'Arga et ses environs. Visites guidées et promenades thématiques vous mèneront sur des chemins ornithologiques, dans les dunes ou la forêt, et des activités telles que le VTT, le trekking ou l'escalade vous seront aussi proposées. Ateliers sur le cycle du lin, du miel ou la fabrication du pain.

Achats

Garrafeira Baco – *R. de S. João, 42 - 𝄞 258 92 11 21 - www.garrafeirabaco.com.* Aux abords de la vallée du Minho, terre du fameux *vinho verde*, entrez chez ce fin connaisseur pour découvrir toute la gamme des vins régionaux et bénéficier de conseils avisés en vue d'acheter le meilleur d'entre eux : l'*alvarinho*.

Événement

Festa de Santa Rita – *Le 2ᵉ w.-end d'août.*

Valença do Minho★

3 483 HABITANTS
CARTE MICHELIN 733 F4 – DISTRICT DE VIANA DO CASTELO

Pendant des siècles, Valença a farouchement gardé la frontière nord du Portugal et le passage du fleuve Minho, du haut de sa butte située sur la rive gauche, face à la ville galicienne de Tui. Dans sa partie ancienne, c'est une très curieuse cité, constituée de deux places fortes de style Vauban, reliées par un seul pont. Les touristes espagnols viennent ici en grand nombre pour acheter les nappes et draps brodés dans les multiples boutiques de la ville consacrées à cette spécialité. La cité ne retrouve son calme que le soir venu, et il fait bon alors déambuler dans ses ruelles pavées.

▶ **Se repérer** – La ville se trouve à 54 km au nord-est de Viana do Castelo et à 71 km au nord de Braga.

👁 **À ne pas manquer** – La ville fortifiée et la vallée du Minho.

🦶 **Pour poursuivre le voyage** – Caminha, Ponte de Lima.

Se promener

La ville fortifiée★

Accès en voiture, depuis le sud, par une route ombragée détachée de la N 13.

Chacune des deux places fortes du 17ᵉ s. se présente dans son état d'orgine. Parfaitement intégrées à la colline, encerclées de douves, elles ont la forme d'un polygone irrégulier et sont défendues par six bastions à double redans et à échauguettes, précédés d'ouvrages avancés. Elles sont fermées, au nord et au sud, par deux portes monumentales blasonnées aux armes du royaume et du gouverneur. Des pièces d'artillerie anciennes demeurent en position devant les embrasures. Des remparts nord, jolie **vue★** sur la vallée du Minho, sur Tui et les monts de Galice.

Chaque enceinte circonscrit un quartier autonome de la ville avec ses églises, ses pittoresques rues étroites et pavées, ses fontaines, ses maisons et ses boutiques.

La ville fortifiée de Valença do Minho.

G. Biudzin / MICHELIN

Aux alentours

Monte do Faro★★

7 km. Quitter Valença par la N 101 vers Monção ; prendre à droite en direction de Cerdal et, peu après, à gauche vers Monte do Faro.

La route s'élève rapidement parmi les pins, tandis que les vues prennent de l'ampleur. Laissez la voiture sur le rond-point final et prenez, à gauche de la route, le sentier qui conduit au sommet *(alt. 565 m)*. De là, s'offre un **panorama★★** époustouflant : au nord et à l'ouest, sur la vallée du Minho parsemée de villages blancs et dominée dans le lointain par les monts de Galice ; à l'est, sur la serra do Soajo ; au sud-ouest, sur les collines boisées de la côte et l'Océan.

Vallée du Minho (Vale do Minho)

52 km de Valença à São Gregório. Sortir de Valença par la N 101, à l'est.

C'est à l'est de Valença que la rive portugaise du rio Minho offre le plus d'intérêt. Le fleuve, qui apparaît majestueusement étalé au début du parcours, s'encaisse jusqu'à devenir invisible entre des pentes aussi abruptes que verdoyantes. La route, pavée et sinueuse, toujours bordée d'arbres (pins, eucalyptus et même palmiers) ou de vignes sur treilles – produisant le célèbre *vinho verde* – traverse de gros villages viticoles.

Monção – Construite au bord du Minho qu'elle domine, cette agréable petite ville est une station thermale dont les eaux soignent les rhumatismes. Quelques maisons anciennes, l'**église paroissiale** qui a conservé certaines parties romanes, le **belvédère★** sur le Minho et les paysages alentour, son vin réputé, l'*alvarinho*, font de Monção une étape agréable.

À 3 km au sud sur la route d'Arcos de Valdevez, on peut voir sur la droite le **palais de Brejoeira** construit au début du 19e s. sur le modèle du palais d'Ajuda à Lisbonne.

En contrebas de la route, les vignes, les champs de maïs et de potirons s'étagent en terrasses face au riant versant espagnol ponctué de villages perchés. L'abondance des cultures et des maisons isolées (au crépi de couleur vive) frappe particulièrement.

Après Melgaço, la N 301, en balcon, ménage des **échappées** plongeantes sur le Minho, toujours très encaissé, jusqu'aux approches de São Gregório (poste frontière).

Sur les chemins de Saint-Jacques

Valença do Minho se trouve sur la grande route qui relie Saint-Jacques-de-Compostelle à Porto : le chemin du nord-ouest pour les pèlerins, qui passe par le bord de mer de Póvoa de Varzim jusqu'à Caminha et s'infléchit ensuite en suivant le cours du Minho. La route le franchit grâce au pont métallique construit par Gustave Eiffel en 1884.

Ponte de Lima★

2 752 HABITANTS
CARTE MICHELIN 733 G4 – DISTRICT DE VIANA DO CASTELO

Au cœur du Haut-Minho, en pleine région de production du « vinho verde », la petite ville de Ponte de Lima est un actif centre viticole. Comme son nom le laisse supposer, un très beau pont médiéval d'origine romaine y enjambe le fleuve Lima. La ville mérite le détour rien que pour ses ruelles bordées de constructions romanes, gothiques, manuélines, baroques ou néoclassiques. Mais on pourra aussi s'attarder dans ses environs enchanteurs, qui comptent un nombre exceptionnel de manoirs – « solares » – et de propriétés seigneuriales – « quintas » – des 16e, 17e et 18e s.

- ⊙ **Se repérer** – À mi-chemin entre Viana do Castelo et le Parc national de Peneda-Gerês ; à 37 km au nord de Braga.
- 👁 **À ne pas manquer** – S'attabler à une terrasse de café sur le largo Principal, face au pont médiéval.
- ⏱ **Organiser son temps** – Prenez la journée pour visiter la ville et explorer la vallée du rio Lima, jusqu'à la frontière espagnole.
- 👥 **Avec les enfants** – Un pique-nique sur les berges verdoyantes du rio Lima.
- ⛵ **Pour poursuivre le voyage** – Braga, la haute vallée du Cávado, le Parc national de Peneda-Gerês, Viana do Castelo.

Se promener

Pont médiéval★
Ce magnifique pont sur le rio Lima, édifié par les Romains sur la voie qui allait de Braga à Astorga, a donné son nom à la ville. Il présente 16 arches en plein cintre alternant avec des piles ajourées munies d'avant-becs, sur une longueur de 277 m par 4 m de largeur. Du pont d'origine, il reste cinq arches et quelques bornes milliaires. Il a été reconstruit au 14e s. par le roi Pierre Ier, qui éleva aussi les remparts et les portes fortifiées.

Largo Principal
La grand-place devant le pont est ornée d'une fontaine du 18e s. à sphère armillaire. Plusieurs terrasses de cafés y offrent une pause agréable.
Longer les quais sur votre gauche (face au pont) et remonter à gauche la rua Cardeal Saraiva.

Église paroissiale (Igreja Matriz)
Angle rua Cardeal Saraiva et rua da Matriz. Remaniée au 18e s., elle conserve un portail roman aux voussures ornées d'un cordon de billettes. À l'intérieur, plafond à caissons de bois et, dans les chapelles latérales, deux retables baroques.

Continuer dans la rua Cardeal Saraiva. En haut, tourner à droite (rua Cândido da Cruz).

Palais des marquis de Ponte de Lima (Paço do Marquês de Ponte de Lima)

La façade du palais percée de fenêtres manuélines est datée de 1464.

Poursuivre rua Cândido da Cruz et continuer en face rua Agostinho José Taveira. À hauteur du théâtre Diogo Bernardes, descendre sur la droite vers la berge du rio Lima.

Église-musée des Terceiros (Igreja-Museu dos Terceiros)

Entrée par l'av. D. Luís Filipe ou l'av. 5 de Outubro - ℰ 258 75 31 36 - mar.-dim. 10h-12h30, 14h-18h - 2,50 €.

Cet ensemble récemment restauré comprend deux églises : Santo António dos Frades (15ᵉ s.) et l'**église des Tertiaires** (membres du tiers ordre de saint François), du 18ᵉ s., ainsi que des bâtiments conventuels. On y remarquera les azulejos hispano-arabes du 16ᵉ s. et, dans l'église des Tertiaires, un rare ensemble de **boiseries★**. Dans la section d'art sacré autour du cloître sont rassemblés des ornements religieux et des statues anciennes.

Retour au pont médiéval en longeant la berge ombragée.

Circuit de découverte

LA VALLÉE DU LIMA

38 km – 1h30. Pour le tronçon Ponte da Barca-Lindoso, voir l'itinéraire ④ de la carte : Parque Nacional da Peneda-Gerês.

Le Lima coule généreusement dans une paisible vallée, particulièrement verdoyante et calme en amont de Ponte de Lima. La vallée est jalonnée de beaux domaines, comme la quinta dos Nóbregas (14ᵉ s.), près de Ponte da Barca.

De Ponte de Lima, suivre la N 203 vers l'est.

Bravães

Église de São Salvador★ – *En cas de fermeture, demander la clef au café situé un peu plus haut, au bord de la route.* Cette petite église du 12ᵉ s. à chevet plat, derrière lequel un campanile fait office de clocher, est l'un des plus beaux édifices romans du Portugal. La façade est percée d'un remarquable **portail★** aux cinq voussures couvertes d'un décor fouillé où l'on reconnaît des colombes, des singes, des personnages humains et des motifs géométriques ; des statues-colonnes sculptées de façon naïve et fruste soutiennent des chapiteaux abondamment historiés. Le tympan, que supportent deux têtes de bovins stylisées, est orné de deux anges adorant un Christ en majesté. Sur le tympan du portail sud, au-dessus de deux têtes de griffons, un bas-relief représente l'Agneau divin.

À l'intérieur, l'arc triomphal est agrémenté d'une frise d'influence arabe et retombe sur des chapiteaux sculptés de motifs stylisés. Un cordon de billettes court, à mi-hauteur, sur tous les murs.

Ponte da Barca

Cette cité verdoyante compte hélas beaucoup de bâtiments abandonnés, mais aussi une petite place (arcades de l'ancien marché du 18ᵉ s. d'un côté, curieux pilori au centre) et de nombreuses maisons nobles (18ᵉ s.) aux parements de granit qui s'harmonisent avec l'habitat populaire. Le pont monumental érigé au 15ᵉ s. au-dessus du Lima doit son nom à la barque à laquelle il se substitua, qui faisait passer d'une rive à l'autre les pèlerins se rendant à Saint-Jacques-de-Compostelle.

Église de São João Baptista – Édifiée de 1717 à 1738 sur les plans de l'architecte régional Manuel Pinto de Villalobos, elle est dotée, de part et d'autre de la nef et du chœur, de chapelles latérales qui lui confèrent une forme inhabituelle. La façade, asymétrique depuis la destruction par la foudre de la tour de droite, mêle les styles maniériste et baroque ; le relief un peu fruste du baptême du Christ proviendrait de l'église primitive du 15ᵉ s. Le plafond en bois de cette église-halle est peint à l'imitation de voûtes à croisée d'ogives ; beau **retable** baroque (1727) en bois doré dans le chœur et, sauvés de l'ancienne église, azulejos polychromes de type tapis dans une chapelle.

De Ponte da Barca à Lindoso, la **route**, bordée de pins, de mandariniers et de lauriers-roses, serpente sur un versant de la serra Amarela, en vue des serras da Peneda et do Soajo, arides et rocailleuses, qui s'élèvent de l'autre côté de la vallée du Lima. À hauteur de l'embranchement pour Entre-Ambos-os-Rios, elle s'engage, en forte montée, dans le **Parc national de Peneda-Gerês** *(voir ce nom)* et offre des vues dominantes sur les méandres du fleuve, qu'élargit un barrage en amont. Son parcours se termine, en corniche, avec l'apparition du château de Lindoso.

Lindoso★

Adossé en amphithéâtre aux flancs sud d'un contrefort de la serra do Soajo, Lindoso étage à 462 m d'altitude ses austères maisons de granit, intégrées au paysage rocheux – malgré la présence de constructions récentes – et entourées de cultures en terrasses, derrière l'éminence où se dressent son château et un ensemble insolite d'*espigueiros*.

Les espigueiros★ – Couvrant une plate-forme rocheuse au pied du château, ces greniers à grain, au nombre d'une soixantaine, forment une extraordinaire concentration, aux allures de cimetière, de petits édifices en granit, juchés sur pilotis et surmontés, pour la plupart, d'une ou deux croix. Leur exécution, très soignée, remonte aux 18ᵉ et 19ᵉ s. Ils sont encore utilisés de nos jours pour le stockage et le séchage du maïs.

Les « espigueiros » de granit font partie du payage du Minho.

Château – ✆ *258 45 28 99 - fermé pour travaux*. Édifié au début du 13ᵉ s., sa situation face à la frontière lui valut d'être attaqué à plusieurs reprises par les troupes de Philippe IV d'Espagne pendant la guerre d'indépendance au 17ᵉ s. Restauré, il offre le spectacle d'un donjon féodal crénelé, élevé à la demande du roi Denis, au milieu d'une petite enceinte quadrilatère du 17ᵉ s. à bastions et échauguettes. Du chemin de ronde, vues sur la vallée du Lima et les farouches montagnes environnantes, portugaises ou galiciennes.

Ponte de Lima pratique

Informations utiles

Indicatif téléphonique – *258*

Code postal – *4990*

🏠 **Posto de turismo** – *Paço do Marquês - 4990-062 - ✆ 258 94 23 35.*

Internet – Bar Galeria S.A. – *Beco das Selas, 5 (dans la vieille ville)* ; Espaco Internet – *Av. António Feijo - lun.-vend. 13h-20h, sam. 10h-20h - grat.*

Se loger

👁 **Bon à savoir** – À partir des années 1980 s'est créée à Ponte de Lima l'**Associação do Turismo de Habitacão** qui propose aux touristes de loger dans de très beaux manoirs ou des *casas rústicas*, l'équivalent de nos gîtes ruraux français. Aujourd'hui, cet organisme offre des possibilités d'hébergement dans tout le Portugal *(voir p. 17 et 24).*

👄 **Beira Rio** – *Passeio 25 de Abril (s'adresser à la pizzeria Beira Rio) - ✆ 258 94 40 44 - 5 ch. 25/40 €.* Face au fleuve, des chambres simples au confort sommaire. Celles qui font face au Lima ont une vue imprenable sur le pont et les cimes à l'arrière. Pas de petit-déjeuner.

👄👄 **Quinta da Aldeia** – *São João da Ribeira (à 3 km du centre, près de l'entrée de l'autoroute A 3) - ✆ 258 74 13 55 - ouv. mai-oct. - 🛏 - 2 ch. 65 €.* Derrière le portail d'entrée envahi de glycines, se cache une grande propriété viticole dominée par une demeure du 17ᵉ s. Près des vieux orangers, des chambres sont aménagées dans une annexe : pour chacune, confort rustique déployé sur deux niveaux, avec cheminée, kitchenette et chaises en rotin. À l'arrière, les vignes s'étendent jusqu'au fleuve. Si vous n'avez pas réservé, adressez-vous au café Havaneza, sur le largo Principal à Ponte de Lima, tenu par les propriétaires.

👄👄 **Casa do Pinheiro** – *R. General Norton de Matos, 50 - ✆ 258 94 39 71 ou 965 00 85 75 (mobile) - casa_do_pinheiro@ sapo.pt - 🛏 - 7 ch. 70/75 € ☐.* Le classicisme distingué de cette maison du 19ᵉ s. transformée en pension plaira sans conteste aux amateurs de style. Les chambres, vastes et très bien aménagées, associent confort bourgeois et tranquillité. Deux d'entre elles, plus grandes encore, disposent d'une petite terrasse ou d'un balcon qui ouvre la vue sur le pont médiéval et le jardin privatif, agrémenté d'orangers, de mandariniers et d'une petite piscine.

Se restaurer

🍴 **A Tulha** – *R. Formosa* – ☎ *258 94 28 79 - fermé lun. - 15/20 €.*
Une grande salle aux pierres et poutres apparentes, avec une cheminée au fond et des bouteilles de vin présentées aux murs : le « Grenier » propose une cuisine régionale aux plats bien garnis. Irrésistible chorizo maison servi chaud en apéritif, ragoût de porc *(sarrabulho)*, rillons, etc.

À PONTE DA BARCA

🍴 **Restaurante Gomes** – *R. Concelheiro Rocha Peixoto, 13* – ☎ *258 45 21 94 - 10/15 €.*
Dans un édifice rustique aux murs épais, une grande salle arrière, percée de petites fenêtres s'ouvrant sur le fleuve et le vieux pont. Carte intéressante de poissons simplement grillés : bar, daurade, espadon, truite, etc.

Achats

Adega Cooperativa – *R. Conde de Bertiandos - 4990-078* – ☎ *258 90 97 00 - www.adegapontelima.com.* Cette coopérative offre au visiteur la possibilité de goûter et d'acheter le fameux *vinho verde (voir p. 9, 91 et 92).*

Marché – Grand marché sur les berges, un lundi sur deux.

Événements

Festa da Vaca das Cordas – Course de taureaux dans les rues, le mercredi de la semaine de l'Ascension.

Feira do Vinho Verde – Le 2e w.-end de juin. L'occasion de se ravitailler en fameux « vin vert » !

Festival d'opéra et de musique classique – Juil.

Parc national
de **Peneda-Gerês**★★
Parque Nacional da Peneda-Gerês

CARTE MICHELIN 733 F5, G5 ET 6
DISTRICTS DE VIANA DO CASTELO, BRAGA ET VILA REAL

Aux confins nord du Portugal, dans une zone isolée, ce parc de 70 000 ha en forme de fer à cheval enserre un morceau d'Espagne entre ses branches. Créé en 1971, il est le seul Parc du pays à posséder le statut de Parc national. Il a pour mission de protéger des paysages et des sites archéologiques de premier plan, ainsi qu'une flore et une faune de grand intérêt. Répartie dans de nombreux hameaux, une population agricole aux traditions vivaces y vit en harmonie avec l'environnement. Les rares routes qui traversent le Parc sont superbes, mais c'est surtout à pied que ses richesses se découvrent.

▶ **Se repérer** – Frontalier de l'Espagne, tout au nord du Portugal, Peneda-Gerês possède plus de 100 km de frontière commune avec la pointe sud-ouest de la province espagnole d'Orense. Depuis son association en 1997 au Parc naturel de Galice, l'ensemble forme le Parque Transfronteiriço Gerês-Xurés, occupant 91 000 ha.

👁 **À ne pas manquer** – La superbe route de Mezio à Lamas de Mouro, qui traverse les paysages somptueux de la serra da Peneda.

👫 **Avec les enfants** – Pique-niquer à l'entrée de la réserve naturelle, à 8 km de Gerês, et se promener jusqu'à la voie romaine.

🕭 **Pour poursuivre le voyage** – Braga, la haute vallée du Cávado, Guimarães, Ponte de Lima, Viana do Castelo.

Comprendre

Le Parc s'inscrit dans une zone très accidentée où le relief de nature granitique s'est érodé en chaos de rochers et en éboulis, formant des paysages impressionnants. Les vallées des rios Lima, Homem, Cávado ont compartimenté cette région en différentes serras. Le territoire du Parc se divise en trois parties principales : au nord, une forêt sauvage à l'indice de pluviosité le plus élevé du Portugal, la **serra da Peneda**, qu'une route permet de traverser ; au sud, la **serra do Gerês**, la zone la plus fréquentée ; enfin, à l'est, la **région du Barroso** autour de la retenue de Paradela *(voir Cávado)*, où les villages ont conservé le four et le bœuf communaux. Pour se rendre de la partie de Peneda à celle de Gerês, il est plus rapide de passer par l'Espagne.

Circuits de découverte

DU RIO CÁVADO AU PORTELA DO HOMEM★★

À partir de São Bento *(sur la N 103)* ⊡

22 km – Compter 3h.

Se détachant de la N 103 entre Braga et Chaves *(voir Haute vallée du Cávado)*, la N 304 entame une descente sinueuse entre de beaux rochers tapissés de bruyère. Après 2 km, on passe devant la Pousada de São Bento, magnifiquement située, d'où s'offre un remarquable panorama sur la retenue de Caniçada.

Confluent de Caniçada★

Deux ponts franchissent successivement le Cávado et son affluent le Caldo, transformés en lacs par le barrage de Caniçada *(10 km plus loin à l'ouest)*. Le premier passe au-dessus des ruines d'un village noyé, qui émergent en période de basses eaux.

Au débouché du pont, sur la presqu'île située entre les deux lacs, prendre à droite du carrefour la N 308 qui franchit aussitôt le deuxième pont. Suivre la direction de Gerês.

Gerês

Située au fond d'une gorge boisée, cette agréable petite station thermale est fréquentée pour ses eaux, riches en fluor, utilisées dans le traitement des maladies du foie et de l'appareil digestif.

Gerês est aussi la principale base d'excursions pour explorer le Parc national : vous y trouverez le **Centre d'information du Parc**, juste après l'établissement thermal.

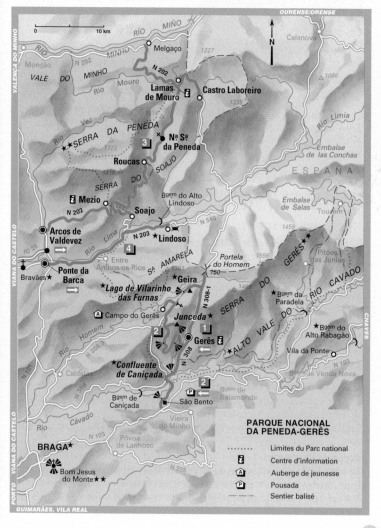

👥 Passé Gerês, la route, bordée d'hortensias au début, monte en lacet à l'ombre de bois de pins et de chênes. Huit kilomètres après Gerês, on entre dans la réserve naturelle, passé une **aire de pique-nique** installée au bord du torrent.

Laisser la voiture et poursuivre à pied jusqu'à la voie romaine (1h30 AR). Un kilomètre après le parking, un pont franchit un torrent ; 700 m plus loin, prendre à gauche la piste vers Campo do Gerês. Après 1,3 km apparaissent les vestiges de la voie romaine ; d'autres se trouvent 700 m plus loin.

Vestiges de la voie romaine★ (Geira)

Les quelques bornes milliaires se dressant au bord de la route sont des vestiges de la voie romaine qui reliait Braga à Astorga sur 320 km en passant par le col de Homem. Ces bornes portaient des inscriptions commémoratives ou honorifiques concernant l'empereur (dynastie des Flaviens au 1er s.), voire parfois le gouverneur de la province. On retrouve sur certaines l'inscription « Bracara Augusta » qui était le nom de Braga.

De belles vues s'offrent ensuite sur le lac de retenue de **Vilarinho das Furnas★**, dont les eaux bleues s'étalent dans un paysage sauvage et rocailleux.

Les bornes milliaires de la voie romaine.

B. Brillon / MICHELIN

Rebrousser chemin et reprendre la voiture.

La route s'élève doucement à travers les bois et franchit le rio Homem qui se faufile en flots tumultueux à travers les rochers. Elle se poursuit jusqu'au défilé du **col de Homem** (Portela do Homem), frontière avec l'Espagne.

SERRA DO GERÊS★★

De Gerês à la retenue de Vilarinho das Furnas ②

15 km – Compter 2h. De Gerês, prendre la N 308 vers le sud, puis tourner à droite.

Route de montée vers Campo do Gerês★★

Cette route en lacet offre de très beaux points de vue sur la retenue de Caniçada et sur les superbes coulées de rocs où se chevauchent d'énormes blocs en équilibre.

Sur la droite, un panneau indique « Miradouro de Junceda ». Une piste de 3 km mène à ce belvédère.

Belvédère (Miradouro) de Junceda★

Une magnifique vue aérienne s'offre sur Gerês et sa vallée.

Revenir à la route et continuer vers Campo do Gerês.

On arrive à un croisement au centre duquel une belle borne milliaire sert de piédestal à un Christ sculpté.

En poursuivant la route sur la droite, on accède à la retenue de **Vilarinho das Furnas**. Sur la gauche, le barrage-voûte a été construit dans un site rocailleux et sauvage. La piste qui longe la retenue *(à prendre à pied)* mène aussi à la voie romaine décrite ci-dessus.

SERRA DA PENEDA★★

D'Arcos de Valdevez à Melgaço ③

Arcos de Valdevez est situé sur la N 202 à 20 km au nord-est de Ponte de Lima. Itinéraire de 70 km – Compter une bonne demi-journée.

Cet itinéraire permet de découvrir la région la plus sauvage du Parc, dans sa partie nord.

Arcos de Valdevez

Agréable petite ville sur les rives du rio Vez, dominée par les tours de deux églises. Entre Arcos et Soajo, la route *(N 202)* s'élève d'abord parmi les châtaigniers, les pins et les platanes, dans des paysages en terrasses essaimés de maisons entourées de vigne. Puis on entre dans un paysage plus sauvage de landes.

Les paysages admirables du Parc national de Penada-Gerês.

Mezio
C'est l'entrée du Parc national. Un centre d'interprétation présente ses caractéristiques géologiques, sa faune et sa flore.
2,5 km plus loin s'amorce la route pour Peneda, mais poursuivre sur Soajo.

Soajo
Ce village isolé possède un très bel **ensemble d'espigueiros★**. Ces séchoirs à grain en granit sur pilotis, au nombre d'une vingtaine, sont regroupés sur une plate-forme, à la périphérie du village. Ils datent des 18ᵉ et 19ᵉ s. Certains sont surmontés d'une ou deux croix *(voir l'iillustration p. 393)*.
Revenir à l'embranchement avec la route de Peneda et la suivre.
Les paysages sont grandioses : montagnes parsemées de blocs de granit, dont certains ont des formes extraordinaires. Quelques hameaux jalonnent la route.

Roucas
Ce village est entouré de champs en terrasses dans lesquels s'éparpillent des *espigueiros* (greniers à grain).

Monastère de Nossa Senhora da Peneda
Dans un **site★** magnifique au pied d'une falaise de granit, le sanctuaire est précédé d'un escalier de 300 marches, que les pèlerins empruntent lors du célèbre pèlerinage de septembre qui attire des foules depuis toute la région. Avant la création de la route, les pèlerins y venaient à pied ou à cheval.

Lamas de Mouro
Autre porte du Parc, ce site est équipé d'un centre d'interprétation et d'un camping.

Castro Laboreiro
Ce village a conservé quelques maisons traditionnelles en granit ainsi que les ruines d'un château d'où s'offre une vue étendue sur les paysages parsemés de rochers.
De Castro Laboreiro, revenir à Lamas de Mouro, puis rejoindre Melgaço par la N 202.

De Ponte da Barca à Lindoso ④
31 km – Voir Ponte de Lima.

Info pratique

Informations utiles

PARQUE NACIONAL PENEDA-GERÊS

🏛 **Siège de Braga** – *Av. António Macedo* - 📞 *253 20 34 80* - lun.-vend. 9h-12h30, 14h-17h30.

🏛 **Délégation de Gerês** – *Vidoeiro* - ⌐ 📞 *253 39 01 10* - lun.-vend. 9h-12h, 14h-17h30.

🏛 **Centre d'information de Mezio** – 📞 *251 46 50 10* - 10h-12h30, 14h-18h.

Se loger

À LAMAS DE MOURO

🛏 **Parque de Campismo** – *N 202 (direction Nossa Senhora da Peneda)* - 📞 *251 46 51 29* - www.versana.pt - ouv. avr.-nov. - 10 € (1 emplacement de tente pour 2 pers.).* Sur la route du col de Largato, un camping d'altitude sous les sapins, recouvert d'une pelouse épaisse. Calme absolu au milieu de la petite vallée en auge et au pied des cimes rocheuses. Bungalows pour les plus frileux.

À GERÊS

🛏🛏 **Quinta de Gestaços** – *N 308 (au S de Gerês)* - 📞 *253 39 14 91* - www. quintadegestacos.com - 6 ch. 50 € ⌐.* Cette coquette maison d'hôte, à la tenue soignée, surplombe la basse vallée de Gerês et la retenue de Caniçada. Grande terrasse au-dessus du jardin potager et des orangers embaumants, avec barbecue

et four à disposition. Chemin privé menant jusqu'au sommet du versant.

Se restaurer

À GERÊS

🍴 **Adega do Ramalho** – *N 308 (à l'entrée S de la ville)* - 📞 *253 39 13 36* - 🚭 - 10/20 €. Une taverne populaire et animée sur le bord de la route. Filet de porc au porto, truite au jambon fumé…

À LAMAS DE MOURO

🍴 **O Vidoeiro** – 📞 *251 46 55 66* - fermé merc. d'oct. à mai - 10/20 €. À l'orée de la forêt balayée par les vents, on vient se réfugier dans ce bar et se réchauffer devant son vieux poêle. Cuisine revigorante servie sur de belles assiettes peintes : plats du jour (cabri, côtelettes, morue, etc.) accompagnés de salade, de pommes de terre et de riz. En dessert, de la *buche doce*, une crêpe épaisse aux œufs et à la cannelle.

Sports et Loisirs

Planalto – *Campo do Gerês (à l'entrée du camping de Cerdeira)* - 📞 *253 35 10 05.* Propose toute l'année un programme de parcours pédestres, en VTT, en kayak, etc.

Equi Campo – *Campo do Gerês* - 📞 *253 35 70 22* - www.equicampo.com. Balades à cheval sur les plateaux parsemés de blocs rocheux.

Centre nautique – *Lugar de Paredes - Rio Caldo* - 📞 *253 39 17 92.* Balades en barque sur les eaux de la retenue de Caniçada.

Haute vallée du **Cávado**★
Alto Vale do Rio Cávado

CARTE MICHELIN Nº 733 H4, 5 ET G5, 6, 7
CARTE : PARC NATIONAL DE PENEDA-GERÊS P. 395
DISTRICTS DE BRAGA ET VILA REAL

Le Cávado s'encaisse en amont de Braga entre la serra do Gerês, au nord, et les serras da Cabreira et do Barroso, au sud. Dans sa haute vallée rocheuse et celle de son affluent, le Rabagão, plusieurs barrages retiennent les eaux du fleuve, teintées de bleu profond. La remontée du fleuve fait assister à une fabuleuse métamorphose des paysages, des versants boisés du Haut-Douro, en aval, aux cimes dénudées et aux plateaux minéraux du Trás-os-Montes, en amont.

- 🧭 **Se repérer** – Au nord-est de Braga, entre le Haut-Douro et le Trás-os-Montes.
- 👁 **À ne pas manquer** – Alturas do Barroso et Vilarinho Seco, villages de montagne traditionnels ; les spectaculaires retenues de Paradela, Alto Rabagão et Venda Nova.
- 🕐 **Organiser son temps** – Comptez une journée pour explorer la haute vallée, parsemée de villages en cul-de-sac qui obligent à de fréquents allers-retours.
- ✿ **Pour poursuivre le voyage** – Braga, Chaves, le Parc national de Peneda-Gerês.

Comprendre

Mise en valeur – Avec une longueur de 118 km, le rio Cávado prend sa source à 1 500 m d'altitude dans la serra do Larouco, tout près de la frontière espagnole. Après la traversée du plateau de Montalegre, sa pente s'accentue brutalement (dénivellation de 400 m en 5 km) tandis que son cours prend une direction nord-est/sud-ouest imposée par une ligne de failles. L'équipement hydroélectrique de cette haute vallée, favorisé par l'imperméabilité des roches granitiques dans lesquelles la rivière a creusé son lit, a été entrepris à partir de 1946 : barrages d'Alto Cávado, de Paradela, de Salamonde et de Caniçada sur le Cávado, d'Alto Rabagão et de Venda Nova sur le Rabagão, et de Vilarinho das Furnas sur le rio Homem. Ces ouvrages produisent annuellement environ 18 % de la production hydroélectrique portugaise.

Circuit de découverte

DE BRAGA À CHAVES

235 km – Compter une journée avec les arrêts. Voir la carte du Parc national de Peneda-Gerês p. 395.

Braga★ *(voir ce nom)*

Quitter Braga par la N 103 vers le nord-est en direction de Chaves.

Dès la sortie de Braga, la vallée du Cávado, à gauche, se fait profonde et sauvage ; la route en escalade le versant sud, couvert de pins et d'eucalyptus. À 8 km, sur le bord gauche de la route, un belvédère offre une vue sur le dernier élargissement, verdoyant, de la vallée. On remarque ensuite, en avant puis à droite, une butte couronnée de rochers aux allures de forteresse médiévale et, 3 km plus loin, le château de Póvoa de Lanhoso dressant son donjon derrière Pinheiro. Après ce village, la vallée du Cávado se soustrait au regard tandis qu'apparaît, à droite, la vallée, parallèle, riante et parsemée de hameaux, du rio Ave. Puis la route s'élève au milieu d'un paysage aux crêtes pelées et rocailleuses souvent hérissées de rocs ruiniformes ; sur les pentes apparaissent de beaux

Dans la haute vallée du Cávado.

B. Brillion/MICHELIN

rochers « en boule », mais aussi des greniers à grain sur pilotis *(espigueiros)* et quelques bovins.

Peu avant Cerdeirinhas, la N 103 revient, en descente, vers le Cávado qu'elle va suivre et dominer désormais, en bordure du Parc national de Peneda-Gerês.

La route devient alors sinueuse, offrant des **vues★** plongeantes sur la **retenue de Caniçada★**, longue de 15 km, et sur celle de Salamonde, au pied des pentes piquetées de pins de la serra do Gerês dont on voit la succession de sommets grisâtres et ravinés.

Quitter la N 103 pour la route de Paradela, à gauche, qui passe sur la crête du barrage de Venda Nova ; au croisement suivant, prendre à droite la N 308-4.

La route tracée en corniche s'élève rapidement, offrant de belles **vues★★** sur l'enfilade de la vallée et sur la serra do Gerês. Peu avant Paradela, remarquez à gauche un village au pied d'une butte schisteuse déchiquetée et creusée, au revers d'une carrière géante.

La route traverse Paradela et aboutit au barrage du même nom, dans les limites du Parc national de Peneda-Gerês.

À Paradela, on pénètre dans la partie est du **Parc national de Peneda-Gerês** *(voir ce nom)*, appelée région de Barroso, où les traditions sont restées extrêmement vivaces : dans les villages, les habitants partagent toujours le four communal ainsi que le bœuf, utilisé pour les travaux des champs.

Retenue de Paradela★

La retenue à 112 m au-dessus du lit du Cávado occupe un beau **site★** de montagne.

À 15 km de Paradela, à **Pitões das Júnias**, on peut voir les ruines romanes d'un monastère bénédictin dont les fondations remontent à la période wisigothique (9ᵉ s.). Le granit taché de lichen s'orne, autour du portail, de frises de feuillage stylisé ; quelques arcades permettent d'évoquer le cloître.

Revenir à la N 103.

Le donjon et les ruines de l'enceinte du château de Montalegre.

La route longe la **retenue de Venda Nova** festonnée de presqu'îles.

Vila da Ponte
Gros village posé sur le bord d'un éperon boisé.
Après Pisões, prendre à droite la route goudronnée qui conduit au barrage do Alto Rabagão.

Barrage (Barragem) do Alto Rabagão★
Cette imposante muraille de béton longue de 2 km, au tracé en baïonnette, est flanquée, côté amont, de trois porches cubiques commandant les vannes.
Gagnez l'extrémité de la route de crête pour avoir la meilleure **vue** sur la retenue.
Revenir à la N 103 et suivre la rive nord du lac, puis tourner à gauche vers Montalegre.

Montalegre
À l'altitude de 966 m, les vieilles maisons à toits rouges de Montalegre entourent l'enceinte d'un château du 14e s., à demi ruiné, dans un joli **site★**. Du pied du donjon, on domine le plateau montagneux et sauvage traversé par le Cávado, et on aperçoit au nord-est la serra do Larouco où ce fleuve prend sa source.
La N 308, route de plateau, bordée de pins et de landes, rejoint la N 103. Celle-ci continue son chemin au travers de landes rocheuses désolées, couvertes de bruyère et sillonnées de petits torrents, jusqu'à ce que le plateau s'effondre brusquement : la **vue★★** embrasse alors un immense bassin cultivé et verdoyant au fond duquel sont tapis les vieux villages de **Sapiãos** et **Boticas**.

Serra do Barroso★
En prenant la N 311 à Sapiãos, on traverse **Carvalhelhos**, célèbre pour ses eaux (*voir les alentours de Chaves*).
Sur une hauteur voisine, à laquelle on accède par un chemin de terre, se trouve le **Castro de Carvalhelhos**, structure fortifiée datant de l'âge du fer dont les fondations, portes et murailles sont bien visibles.
De Carvalhelhos, une route conduit ensuite à **Alturas do Barroso**, village traditionnel de la montagne isolée et austère.
De là, on atteint **Vilarinho Seco★**, le plus caractéristique de ces hameaux de montagne : aucune construction moderne, mais des maisons rustiques en pierres sèches sombres. Celles-ci comptent un étage (le rez-de-chaussée est réservé à la paille et aux animaux), sont pourvues d'un balcon et d'un escalier extérieur en bois et couvertes d'un toit d'ardoises. Les poules et les chèvres errent en liberté sous les *espigueiros* en granit, et les rues sont fréquentées par des attelages de bœufs de la belle race *barrosã*. Pour résister à la rudesse de ce milieu, l'homme y a perpétué des pratiques communautaires, avec des troupeaux et des prés communs, des fours et des moulins collectifs. La descente vers la N 311 se fait dans un paysage de blocs erratiques arrondis et polis par l'érosion.
Rejoindre à Viveiro la N 311 et la suivre à nouveau jusqu'à Sapiãos, puis reprendre la N 103 vers Chaves.

Chaves (*voir ce nom*).

Chaves

20 188 HABITANTS
CARTE MICHELIN 733 G7 – DISTRICT DE VILA REAL

La province aride du Trás-os-Montes réserve ici une heureuse surprise. Blottie au fond d'un bassin d'effondrement fertile, la ville fraîche et discrète de Chaves garde un cachet ancien avec son donjon autour duquel se pressent de pittoresques maisons blanches. Elle forme une agréable station thermale, connue pour son pont romain qui enjambe le Tâmega et son délicieux jambon fumé « presunto ». Aux portes de la ville, la vallée du Tâmega invite à la balade sur ses rives jalonnées de nombreuses autres petites stations thermales.

▶ **Se repérer** – Chaves se trouve à 63 km au nord-est de Vila Real et à 10 km au sud de la frontière espagnole.

🕐 **Organiser son temps** – Une petite journée est nécessaire pour visiter la ville, puis explorer une ou plusieurs stations thermales des environs.

👣 **Pour poursuivre le voyage** – Bragança, la haute vallée du Cávado, Vila Real.

Comprendre

Chaves, qui signifie « clés » en portugais, occupa longtemps une position stratégique, servant de verrou territorial face aux nombreuses invasions.

Grâce au pont bâti sur le fleuve par Trajan, la petite cité d'Aquæ Flaviæ, déjà appréciée par les Romains pour ses eaux thermales, devint une importante étape sur la voie d'Astorga à Braga. Reprise aux Maures en 1160, Chaves fut fortifiée pour assurer le contrôle de la vallée face à la forteresse espagnole de Verín. Au 17e s., on y aménagea des remparts dans le style de Vauban.

Visiter

Pont romain

Le beau jardin sur les rives du fleuve en offre une bonne vue d'ensemble. Bien que le temps lui ait volé ses parapets de pierre et quelques arches, ce pont du 2e s. confère au site un charme certain. Les bornes miliaires qui l'encadrent au sud portent encore des inscriptions romaines.

Praça de Camões

Au cœur du quartier ancien de Chaves, peuplé de maisons blanches rehaussées de balcons à encorbellement colorés, cette place élégante regroupe plusieurs monuments. Au centre se dresse la statue de Dom Afonso, premier duc de Bragance.

Église da Misericórdia★ – La façade de ce petit édifice baroque du 17e s. s'agrémente de balcons et de colonnes torsadées. L'intérieur est tapissé d'azulejos figurant des scènes de la vie du Christ et de la Bible, attribués à Oliveira Bernardes, et abrite un grand retable de bois doré ; le plafond est décoré de peintures du 18e s. dont, au centre, une Visitation.

Musée de la Région de Chaves (Museu da Região Flaviense) – ☎ 276 34 05 00 - 9h-12h30, 14h-17h30 - fermé j. fériés - 1 € (billet combiné avec le Musée militaire). Installé dans l'ancien palais des ducs de Bragance, bel édifice du 17e s., ce musée abrite des collections archéologiques et ethnographiques. Il comprend une salle de vestiges lapidaires préhistoriques – dont la pièce maîtresse est une **figure à forme humaine** mégalithique (environ 2 000 ans av. J.-C.) – et romains (sculptures, bornes milliaires). À l'étage, on peut voir des monnaies et une planche à billets ancienne, une lanterne magique, des récepteurs de radio.

Hôtel de ville – Il présente sur la place une noble façade d'époque classique.

Église paroissiale (Igreja Matriz) – Certaines parties sont romanes, mais elle fut reconstruite à la Renaissance comme en témoigne son portail à pilastres sculptés. Sur un mur de l'abside polygonale, une niche abrite la statue en granit de Santa Maria Maior, considérée comme l'une des plus anciennes statues portugaises. Le chœur est surmonté d'une voûte à nervures.

De l'autre côté de l'église, sur une autre place, se trouve un **pilori** manuélin.

Donjon

☎ 276 34 05 00 - mêmes conditions d'accès que le musée de la Région de Chaves.

Unique vestige du château fort disparu, c'est une puissante tour carrée crénelée, à échauguettes, encore entourée de sa chemise quadrangulaire. Bâti par le roi Denis au 14e s., le château servit de résidence au premier duc de Bragance, bâtard du roi Jean Ier.

Musée militaire (Museu Militar) – Il occupe quatre étages du donjon, les deux premiers exposant des armes et armures anciennes, le troisième évoquant la guerre de 1914-1918 (mitrailleuses, uniformes), le quatrième, les guerres coloniales (armes portugaises et indigènes). De la plate-forme au sommet *(121 marches)*, on bénéficie d'un beau panorama sur la ville, les remparts et le bassin cultivé de Chaves.

Aux alentours

La zone de Chaves est riche en **sources thermales**, nées de la ligne de fracture nord/sud de la région du Haut-Tâmega. Toutes ont des eaux minérales aux propriétés thérapeutiques et font partie d'un ensemble appelé « système thermal du Haut-Tâmega ».

Sources de Chaves (Caldas de Chaves)

Établissement thermal moderne situé dans un parc bordant le Tâmega - 276 33 24 45 - visite guidée (30mn) sur RV 15 jours à l'avance fév.-mi-déc. : lun.-sam. 9h-12h, 17h-19h, dim. et j. fériés 9h-12h - fermé 1er janv. et 25 déc. - grat.

Ces sources d'eau chaude (73 °C) étaient déjà un lieu de villégiature pour les Romains, qui donnèrent à la ville le nom d'Aquæ Flaviæ. Les eaux, alcalines, bicarbonatées et hyperthermales, sont indiquées dans le traitement des maladies de l'appareil digestif, des rhumatismes et de l'hypertension artérielle.

Le battage des foins près de Chaves.

Thermes (Termas) de Vidago

17 km au sud-ouest de Chaves par la N 2 - 229 05 21 00 - www.aquanattur. com.

Située dans un beau parc arboré, accueillant un golf, cette station thermale totalement rénovée par l'architecte Siza Vieira est l'une de celles qui proposent le plus grand nombre de services. Face à l'entrée, la majestueuse façade du **Vidago Palace-Hotel**, de style Art déco, transporte le visiteur au début du siècle. L'atmosphère raffinée de la grande époque se retrouve à l'intérieur, superbement décoré, dans un cadre reposant. L'eau bicarbonatée de Vidago est vendue dans tout le pays, et l'on y soigne les maladies des appareils digestif et respiratoire et du système nerveux.

Les anciens garages devraient abriter un espace dédié à l'art contemporain.

Thermes des Pierres Salées (Termas de Pedras Salgadas)

31 km au sud-ouest de Chaves en continuant sur la N 2 - 229 05 21 00 - www.aquanattur. com - fermé pour travaux.

Dans cette station fondée en 1904 règne une atmosphère nostalgique : belles fontaines, établissements de bains et casino du début du siècle. Les eaux bicarbonatées de Pedras Salgadas sont indiquées dans le traitement des maladies des os et de l'appareil digestif. Le magnifique parc de 40 ha où sont situés les thermes permet aussi une agréable promenade.

Sources Santas de Carvalhelhos (Caldas Santas de Carvalhelhos)

30 km à l'ouest de Chaves par la N 103, puis la N 311 - ☎ 276 41 51 50 - www.carvalhelhos. pt - visite guidée (45mn) juil.-sept. : 8h-12h30, 15h-18h.

La station thermale de Carvalhelhos est installée dans un agréable parc traversé par de petits cours d'eau et entouré des belles montagnes de la serra do Barroso.

Chaves pratique

Informations utiles

Indicatif téléphonique – *276*

Code postal – *5400*

🛈 Posto de turismo – *Terreiro de Cavalaria - 5400-531 - ☎ 276 34 06 61.*

🛈 Região de Turismo – *Av. Tenente Valadim, 39 (1er étage à droite) - ☎ 276 34 06 60.*

Internet – Instituto Português da Juventude *(adjacent à l'office de tourisme)*. Accès grat. limité à 30mn.

Se restaurer

⊜ Adega Faustino – *Travessa do Olival (perpendiculaire à la r. Santo António) - ☎ 276 32 21 42 - fermé dim. - 15 €.* Dans cet ancien cellier à vin, les grands tonneaux en chêne ont conservé leur place habituelle. Au milieu, les longues tables sont garnies de *vinho verde* et de charcuteries régionales, tel le fameux *presunto* du Trás-os-Montes.

⊜⊜ Forte de São Francisco – *Largo da Nossa Senhora da Lapa (derrière le pont-levis du fort) - ☎ 276 33 37 00 - 25/35 €.* Des salles dépouillées ornées de meubles antiques et de retables ont été tranformées en galerie d'art dans un ancien cloître franciscain. Dans la salle du restaurant, ouverte sur le panorama des montagnes, cuisine soignée et raffinée (sanglier au vin…). Service courtois.

Événements

Festas da Cidade – Autour du 8 juillet.

Festa do Folar – Sam. de Pâques.

Feira dos Santos – 30 oct.-1er nov. : grande foire du Trás-os-Montes.

Bragança★

20 086 HABITANTS
CARTE MICHELIN 733 G9 – DISTRICT DE BRAGANÇA

Aux confins de l'austère province du Trás-os-Montes, une citadelle solitaire s'élève à 668 m d'altitude : Bragança. Ce nom prestigieux, dont l'aura ne cesse de fasciner, évoque l'une des plus grandes familles du pays, la dynastie des Bragance, qui régna de 1640 à 1910, et restaura l'indépendance portugaise face à la couronne espagnole. Au-dessus de la ville nouvelle (dite « basse »), la cité médiévale semble immuable à l'abri de ses remparts. Une visite poétique, mais aussi un excellent point de départ pour la découverte du tout proche Parc naturel de Montesinho.

- ▶ **Se repérer** – Bragança s'élève à 138 km au nord-est de Vila Real et à 90 km à l'est de Chaves. À la frontière avec l'Espagne, Portelo, au nord, est distant de 18 km.
- 👁 **À ne pas manquer** – Le Parc naturel de Montesinho et les villages frontaliers.
- 🕑 **Organiser son temps** – Comptez une journée pour la ville et le Parc naturel.
- 👣 **Pour poursuivre le voyage** – Chaves, Mirandela.

Comprendre

Le fief de la maison de Bragance – La cité médiévale fut érigée en duché en 1442 pour Dom Afonso, comte de Barcelos et fils naturel du roi Jean Ier, devenant ainsi le fief de la famille de Bragance. Celle-ci, qui revendiqua la couronne à la mort du roi Sébastien en 1578, régna sur le Portugal de 1640 (date de la fin de l'occupation espagnole) jusqu'à 1910, ainsi que sur le Brésil de 1822 à 1889. Pendant toute cette période, l'héritier du trône recevait le titre de duc de Bragance.

Se promener

LA VILLE MÉDIÉVALE★

Entourée de sa longue enceinte fortifiée et de ses tours, elle couronne la colline. Pour en avoir la meilleure **vue★**, rendez-vous à la Pousada de São Bartolomeu *(2 km au sud-est)* ou au belvédère de la chapelle voisine. Il se dégage de la vieille ville aux ruelles pavées, tranquilles et fleuries, une atmosphère désuète.

Château (Castelo) – *Août : 9h-12h, 14h-18h ; reste de l'année : mar.-dim. 9h-12h, 14h-17h - fermé j. fériés - 1,50 €.* Édifié en 1187, il comprend un donjon carré, haut de 33 m, flanqué d'échauguettes et de plusieurs tours, qui abrite un petit **musée militaire** ; deux salles sont éclairées par des fenêtres gothiques géminées. La plate-forme du donjon offre un panorama sur la vieille ville, la ville basse et les collines proches.

Pilori – De style gothique, il repose sur un sanglier taillé dans le granit qui daterait de l'âge du fer.

Église de Santa Maria – D'origine romane mais totalement remodelée au 18e s., elle présente une élégante façade percée d'un portail encadré par deux colonnes torses garnies de ceps. À l'intérieur, un beau plafond, peint en trompe l'œil, représente l'Assomption.

Hôtel de ville (Domus Municipalis) – *9h-12h, 14h-17h - fermé j. fériés - grat.* Cette construction à cinq pans du 12e s. est le plus ancien hôtel de ville du Portugal. Elle est percée de petites ouvertures en plein cintre. Sous le toit court une frise à modillons sculptés. Le sous-sol est occupé par une citerne ancienne.

La cité médiévale à l'abri de ses remparts.

LA VILLE BASSE

Elle fut construite aux 17e et 18e s.

Praça da Sé – Cette place est ornée d'un ancien pilori devenu calvaire baroque, édifié devant la cathédrale dont l'intérieur, décoré d'azulejos, abrite des autels baroques en bois doré.

Église de São Bento – Cette église du 16e s., d'une seule nef, est couverte par un plafond peint de style Renaissance. Le chœur, surmonté d'un beau **plafond mudéjar**, contient un riche retable en bois doré du 18e s.

Église de São Vicente – Cette église d'origine romane a été entièrement reconstruite au 18e s. L'intérieur présente une grande profusion de bois doré du 17e s. et le chœur est orné d'une voûte peinte et dorée. Selon la légende, c'est là que le futur Pierre Ier et Inés de Castro se seraient secrètement mariés *(voir Alcobaça)*.

Musée (Museu) do Abade de Baçal★ – *R. Abelio Beça, 73 - ☎ 273 33 15 95 - mar.-vend. 10h-17h, w.-end et j. fériés 10h-18h - fermé 1er janv., dim. de Pâques, 1er mai et 25 déc. - 2 €, grat. dim. et j. fériés 10h-14h.* Installé dans l'ancien palais épiscopal, cet agréable musée expose des collections régionales d'archéologie, de peinture, d'ethnologie, de numismatique et d'art sacré. À l'entrée, une vidéo *(20mn)* présente les coutumes de la région du Trás-os-Montes, et une borne interactive fournit des informations sur le musée, la région et ses monuments. Au rez-de-chaussée, belle collection de stèles funéraires, de bornes milliaires et de sangliers en pierre *(berrões)*. Au deuxième niveau, dans la chapelle de l'ancien palais, décorée d'un plafond peint, sont exposés des parements religieux datant du 15e au 18e s. et des images baroques polychromes de saints. Admirez, dans la salle n° 7, une Vierge à l'Enfant en bois polychrome et doré du 15e s. Intéressante collection d'orfèvrerie religieuse.

Aux alentours

Parc naturel (Parque Natural) de Montesinho

Ce Parc très verdoyant, qui englobe les serras de Montesinho et de Coroa, s'étend sur 75 000 ha entre Bragança et la frontière espagnole. La faune, très riche (sangliers, renards, rapaces et l'espèce rare du loup ibérique), y est préservée. La végétation dominante est constituée de chênes et de châtaigniers. Sur les hauteurs poussent la bruyère et le ciste. Cette région a conservé des traditions rurales anciennes, encore visibles dans l'architecture et le mode de vie des habitants. À **Rio de Onor**, village à la fois portugais et espagnol, où la frontière est matérialisée par un petit pont, on peut encore voir les femmes laver le linge dans la rivière. Les coutumes communautaires y sont encore assez vivaces, de même qu'à **Guadramil**, autre hameau frontalier.

Église du monastère de Castro de Avelãs★

3 km à l'ouest. Prendre la route de Chaves. Passer à droite d'un viaduc et, après le pont, tourner immédiatement à gauche. Suivre les indications signalant « Mosteiro ».

Cette église faisait partie d'un monastère bénédictin du 12e s. aujourd'hui disparu. Il n'en reste que le chevet roman, avec son abside et ses absidioles en hémicycle, et ses arcatures aveugles superposées. Unique au Portugal par sa forme et son appareil de brique, elle s'apparente à des églises espagnoles de l'ordre de Cluny et est associée au chemin de Saint-Jacques-de-Compostelle.

Bragança pratique

Informations utiles

Indicatif téléphonique – 273
Code postal – 5300
🅱 **Posto de turismo** – *Av. Cidade de Zamora - 5300-111 - ✆ 273 38 12 73.*
🅱 **Parque Natural do Montesinho** – *R. Cónego Albano Falcão, Lote 5, apart. 90 (dans la ville basse et le bairro Rubacar, 200 m au nord-est de l'office de tourisme) - ✆ 273 30 04 40 - www.icn.pt - lun.-vend. 9h-12h30, 14h-17h30.* Cartes et informations sur la faune et la flore, les circuits de randonnée pédestre ou cycliste et l'hébergement dans le Parc naturel.
Internet – Espaço Município Digital – *Derrière l'hôtel de ville - grat.*

Transport

Gare routière – *Avenida João da Cruz - ✆ 273 30 01 83.* Elle occupe l'ancienne station de chemin de fer désaffectée. Liaisons pour Vila Real, Braga *(4h)*, Porto et Lisbonne.

Se loger

⊖ **Residencial Senhora da Ribeira** – *Travessa da Misericórdia (près de la cathédrale) - ✆ 273 30 05 50 -* 🍽 *- 8 ch. 35/40 €.* Dans une rue silencieuse, à deux pas de la place animée de la cathédrale, des chambres standard et colorées, dont certaines avec vue imprenable sur le château.

À MACEDO DE CAVALEIROS

⊖⊖ **Solar das Arcas** – *Arcas (50 km au SE de Bragança, direction Vila Real, puis Ferreira) - ✆ 278 40 00 10 - www. solardasarcas.com -* 🛏 🍽 *- 9 ch. 75/85 €* 🖃. Dans un hameau silencieux, un manoir du 18e s. faisant face à de magnifiques paysages vallonnés, plantés de milliers d'oliviers. La maîtresse de maison, peintre, a choisi une couleur pour chaque chambre. Petit-déjeuner dans le salon familial. Déjeuner et dîner sur demande.

Se restaurer

⊖ **O Manel** – *R. Oróbio de Castro (près du parking souterrain du centre) - ✆ 273 32 24 80 - fermé dim. -* 🍽 *- 13/17 €.* Une institution locale toujours animée : la carte du jour écrite à la main comprend le fameux pot-au-feu régional *(cozido à transmontana)*, avec son assortiment de viandes (pieds et oreilles de porc, veau, chorizo, etc.). Grand choix de desserts.

⊖⊖ **Solar Bragançano** – *Praça da Sé - ✆ 273 32 38 75 - fermé lun. en hiver -* 🖃 *- env. 25 €.* Sous les lustres de cristal de ce manoir situé en plein cœur de Bragança, des tables décorées avec soin (nappes brodées, bougies, verres anciens) et un service souriant et discret. Cuisine de caractère : faisan aux marrons, lapin sauvage, perdrix aux raisins, risotto au lièvre. Ravissante terrasse envahie par les plantes en été.

Faire une pause

Chave de Douro – *R. dos Combatentes da Grande Guerra (à l'angle de la praça da Sé) - fermé dim.* Un vieux café d'angle avec son décor intact des années 1960 et ses nombreuses embrasures pour observer les passants et la cathédrale.

Événements

Feira das Cantarinhas – Grand marché d'artisanat, du 2 au 4 mai.
Romaria de Nossa Senhora das Graças – Fête de la ville, du 12 au 22 août.
Romaria de São Bartolomeu – Fête de la Saint-Barthélemy au mont São Bartolomeu, le 24 août.

Mirandela

10 775 HABITANTS
CARTE MICHELIN 733 H8 – DISTRICT DE BRAGANÇA

Fondée par le roi Alphonse II, mais d'origine romaine, Mirandela, au cœur de la région du Trás-os-Montes, s'inscrit dans un joli site : adossée à sa colline, elle domine le fleuve Tua que franchit un long pont romain (230 m) reconstruit au 16ᵉ s. et soutenu par des arches asymétriques. Ville blanche et paisible, fleurie et dotée de nombreux espaces verts, c'est une halte agréable.

▶ **Se repérer** – Mirandela se trouve à mi-chemin entre Vila Real et Bragança.

👁 **À ne pas manquer** – Le Musée municipal, dédié aux arts plastiques.

🕑 **Pour poursuivre le voyage** – Bragança.

Visiter

Palais des Távoras (Palácio dos Távoras)

Au sommet de la colline, la mairie occupe un beau palais du 18ᵉ s. dont la façade en granit est composée de trois corps. Le plus élevé, au centre, présente des frontons incurvés surmontés de pinacles.

Au milieu de la place se trouve la statue du pape Jean-Paul II et, à côté, l'église paroissiale, édifice massif construit récemment.

Musée (Museu) municipal Armindo Teixeira Lopes★

Praça do Município - 𝄽 278 20 15 90 - lun.-vend. 9h-12h30, 14h-17h30 - fermé j. fériés - grat.

Installé dans le centre culturel municipal, cet intéressant musée d'arts plastiques, fruit des donations des enfants d'Armindo Teixeira Lopes, expose plus de 400 œuvres de 200 artistes, portugais pour la plupart, du début du 20ᵉ s. à nos jours. Citons entre autres : Vieira da Silva, Tàpies, Cargaleiro, Nadir Afonso, Graça Morais, José Guimarães, Júlio Pomar, Teixeira Lopes.

Le musée organise aussi des expositions temporaires d'artistes contemporains.

Aux alentours

Romeu

12 km au nord-est.

Au cœur du Trás-os-Montes, dans un paysage de vallons boisés de chênes-lièges et de châtaigniers, Romeu forme avec **Vila Verdinho** et **Vale de Couço** un ensemble de coquets villages fleuris qui ont bénéficié d'une restauration soignée dans les années 1960.

Musée des Curiosités (Museu das Curiosidades) – 𝄽 278 93 91 20 - www.quintado-romeu.com - avr.-sept. : mar.-dim. 12h-18h ; reste de l'année : mar.-dim. 12h-16h - 1,50 €.
Collections personnelles de Manuel Meneres, bienfaiteur des trois villages. Dans une salle sont rassemblés des modèles primitifs de machines à écrire, à coudre, stéréoscopes, phénakistiscopes – l'ancêtre du cinéma ; dans une autre, le moindre objet (chaise, poupée, pendule) engendre, une fois son mécanisme remonté, une agréable musique.

Au rez-de-chaussée, on verra en particulier un vélocipède et des automobiles anciennes dont une belle Ford de 1909.

Mirandela pratique

Information utile

🅑 **Posto de turismo** – *Praça da Cocheira - 5370 - 𝄽 278 20 31 43.*

Visites

Train touristique – *Dép. sur le pont romain (Ponte Românica) - 𝄽 935 02 91 33 - hiver : w.-end uniquement - 2 €.* Visite de la ville.

Location de barques – Embarcadère à l'ouest du pont romain.

Événements

Festa de Senhora do Amparo – Fête de Sainte-Marie-Auxiliatrice : elle dure une dizaine de jours, fin juil.-déb. août.

Feira de São Tiago – Foire de la Saint-Jacques (25 juil.)

Miranda do Douro★

1 893 HABITANTS
CARTE MICHELIN 733 H11 – DISTRICT DE BRAGANÇA

Isolée au sein d'une région austère à l'extrême nord-est du Portugal, dominant en à-pic la vallée du Douro, Miranda est une ancienne bourgade où l'on parle encore un idiome particulier, le « mirandês », apparenté au bas latin. Plus que du tourisme, cette ville excentrée aux charmantes maisons blanchies à la chaux vit surtout de ses commerces (textiles, chaussures, bijouterie) destinés aux voisins espagnols qui traversent la frontière pour y faire leurs achats.

- ▶ **Se repérer** – À 105 km à l'est de Mirandela, la ville est séparée de l'Espagne par le rio Douro.
- 👁 **À ne pas manquer** – L'itinéraire magnifique du Haut-Douro, de Miranda do Douro à Barca de Alva.
- 🕐 **Organiser son temps** – Prévoyez une journée complète, voire 2 jours si vous décidez de redescendre ensuite la vallée du Haut-Douro.
- 👫 **Avec les enfants** – Une croisière en bateau sur le Douro, depuis Miranda.
- 👣 **Pour poursuivre le voyage** – La vallée du Douro, le Parc archéologique de la vallée du Côa, les places fortes de l'est et la serra da Marofa (Guarda).

Les gorges du Douro.

Visiter

Cathédrale (Sé)
📞 *226 19 81 10 - été : mar.-dim. 10h-12h30, 14h-18h ; reste de l'année : mar.-dim. 9h30-12h30, 14h-17h30 - fermé 1ᵉʳ janv., dim. de Pâques, 1ᵉʳ mai et 25 déc. - grat.*

Cette cathédrale du 16ᵉ s., bâtie selon les plans de Gonçalo de Torralva et les indications de Miguel de Arruda, présente une austère façade en granit flanquée de deux tours quadrangulaires.

L'intérieur, de type halle, aux voûtes nervurées, abrite une série de **retables★** en bois doré : celui du chœur, œuvre des Espagnols Gregório Hernandez et Francisco Velázquez, représente l'Assomption autour de laquelle s'ordonnent des scènes de la vie de la Vierge ainsi que des évangélistes et des évêques ; l'ensemble est couronné par un calvaire ; de chaque côté du chœur, des stalles en bois doré du 17ᵉ s. sont décorées de jolis paysages peints.

Dans le bras droit du transept, remarquez dans une vitrine l'amusante statuette de l'Enfant Jésus, coiffé d'un haut-de-forme. Il est l'objet de toutes les attentions de la part des habitants de Miranda qui lui ont fait don d'une importante garde-robe. Sa fête a lieu le jour des Rois. Quatre enfants le transportent pendant la procession.

De la terrasse de la cathédrale, belle **vue** plongeante sur le Douro, en contrebas. Derrière la cathédrale s'élèvent les ruines du cloître du palais épiscopal.

Musée régional (Museu da Terra de Miranda)★

Praça D. João III - ☎ 273 43 11 64 - avr.-oct. : mar. 14h-18h, merc.-dim. 9h30-12h30, 14h-18h ; nov.-mars : mar. 14h-17h30, merc.-dim. 9h-12h30, 14h-17h30 - fermé 1ᵉʳ janv., 1ᵉʳ mai et 25 déc. - 2 €.

Situé dans le centre historique de la ville et occupant le bâtiment de l'ancien hôtel de ville du 17ᵉ s., cet intéressant musée ethnographique expose une collection variée de métiers à tisser, des pièces archéologiques, des jouets anciens, des costumes régionaux, une chambre à coucher traditionnelle, une cuisine de Miranda, des armes, des outils agricoles, des céramiques et des costumes des fêtes rituelles du solstice d'hiver. À cette occasion, ceux qui les portent, cachés derrière des masques aux expressions effrayantes, peuvent faire tout ce qui leur est interdit le reste de l'année. L'origine de ces rites, liés aux pratiques initiatiques et de fertilité, se perd dans la nuit des temps.

Circuit de découverte

LE HAUT-DOURO★

136 km – Compter une demi-journée à une journée entière.

Le Haut-Douro constitue une des parties les plus reculées et sauvages du pays. La région, très peu peuplée, conserve des espèces animales rares, comme la cigogne noire et divers rapaces (aigle royal, aigle de Bonelli, vautour fauve). Le fleuve Douro se confond avec la frontière espagnole : les deux pays comptent ici 115 km de frontière commune.

L'essentiel de l'itinéraire s'effectue par la N 221. Très peu fréquentée, elle traverse un plateau fertile et verdoyant au printemps, sec en été, et longe une partie des gorges du Douro.

La danse des « pauliteiros »

Dans la région, les jours de fête et en particulier lors de la Santa Bárbara, le 3ᵉ dimanche d'août, les hommes se réunissent pour la danse des « pauliteiros ». Revêtus d'un jupon de flanelle blanc, d'une veste noire aux broderies multicolores et d'un chapeau noir à ruban écarlate abondamment fleuri, ils exécutent des mouvements scandés, en frappant des baguettes *(paulitos)* les unes contre les autres. Cette danse, évoquant le croisement des épées, aurait une origine guerrière.

Barrage de Miranda do Douro★

3 km après Miranda par la N 221 en direction de l'est. C'est le premier des cinq barrages (Miranda, Picote, Bemposta, Aldeadávila, Saucelle) dressés sur le cours international du Douro. Érigé en 1956-1961 dans un défilé rocheux, il mesure 80 m de haut et 263 m de long à la crête. Il abrite une usine électrique souterraine.

La **croisière en bateau** en amont du barrage, dans les gorges abruptes du Douro, permet notamment d'observer des espèces rares de rapaces *(voir « Visites » dans l'encadré pratique).*

Revenir sur Miranda do Douro, prendre la route de Mogadouro (N 221) sur 27 km puis, à gauche après Fonte da Aldeia, la N 221-6.

Barrage de Picote★

Après avoir traversé Picote, village créé pour le personnel affecté à la construction du barrage, on laisse à droite une route menant à un belvédère. Inauguré en 1958, le barrage, prenant appui sur les versants granitiques du Douro, haut de 100 m et long de 139 m à la crête, est du type voûte.

Rejoindre la N 221 et la suivre sur 29 km vers l'ouest jusqu'à Mogadouro.

Mogadouro

Petite ville assoupie perchée à 920 m d'altitude, Mogadouro n'a gardé que peu de vestiges : quelques ruines et la tour d'un château du 13ᵉ s. fondé par le roi Denis et donné aux templiers en 1297.

L'église paroissiale (Igreja Matriz) du 16ᵉ s. et sa tour du 17ᵉ s. abritent des retables dorés du 18ᵉ s.

Mogadouro est réputé pour son artisanat textile (cuir, soie, lin, laine). La région de Miranda et de la serra de Mogadouro produit en outre une succulente viande de veau.

Rouler ensuite tranquillement, toujours sur la N 221, pendant 46,5 km.

La route, paisible et souvent déserte, offre de beaux panoramas et traverse des paysages de plus en plus sauvages à la végétation spontanée et agreste (pins, genêts).

Freixo de Espada-à-Cinta

Face à un horizon de montagnes, cette bourgade bâtie en schiste et en granit est tapie dans un bassin fertile où l'on cultive la vigne, les oliviers et les orangers. C'est la ville natale du poète satirique et régionaliste **Guerra Junqueiro** (1850-1923).

Église paroissiale (Igreja Matriz)★ – Édifiée à la fin du gothique, cette église-halle s'ouvre par un joli portail gothique agrémenté de motifs manuélins *(voir illustration p. 70)*.

L'intérieur, qui contient une belle chaire en fer forgé, est couvert d'une voûte en réseau ; le **chœur★**, dont la voûte est ornée de clefs pendantes blasonnées, abrite un autel en bois doré avec colonnes torses et baldaquin ; les murs sont entièrement revêtus de caissons peints (16e s.).

Pilori – De style manuélin, il est surmonté d'une tête humaine.

La N 221 se rapproche progressivement du lit du Douro jusqu'à le longer sur une quinzaine de kilomètres, encaissée dans des gorges, face à la frontière espagnole.

Après avoir franchi le fleuve, on arrive à **Barca de Alva**, où la floraison des amandiers constitue, entre la fin février et la mi-mai, un spectacle étonnant.

👁 **Bon à savoir** – Départ possible pour une croisière sur les moyenne et basse vallées du Douro *(voir Vallée du Douro)*.

De là, il est possible de rejoindre Figueira de Castelo Rodrigo, situé 20 km plus loin (voir la Serra da Marofa aux environs de Guarda).

Miranda do Douro pratique

Informations utiles

Indicatif téléphonique – *273*

Code postal – *5210*

🛈 **Região de turismo Nordeste Transmontano** – *Largo do Menino Jesus da Cartolinha - 5210-225 - ☏ 273 43 11 32.*

🛈 **Parque Natural do Douro Internacional** – *R. do Convento - ☏ 273 43 14 57 - www.icn.pt.* Centre d'information de la réserve naturelle protégeant la région du Haut-Douro. Visites guidées sur rendez-vous.

Visites

👪 **Centro Ambiental Luso-Espanhol-Parque Náutico de Miranda do Douro** – *☏ 273 43 23 96 - www.europarques.com.* Balades en bateau en amont du barrage de Miranda do Douro. La compagnie transfrontalière Europarques se trouve au milieu d'un canyon spectaculaire ; l'embarcadère est situé sur la route reliant l'Espagne. Parcours (1h) jusqu'à Vale de Águia. Centre d'information de l'autre côté du pont du barrage, côté espagnol.

Se loger

🛏 **Flor do Douro** – *R. do Mercado Municipal, 7 - ☏ 273 43 11 86 - 22 ch. 30/40 €.* À quelques pas du centre historique, la famille Martins tient à votre disposition des chambres parquetées et spacieuses, dont certaines avec balcon au-dessus des gorges du Douro.

Se restaurer

🍴 **Balbina** – *R. Rainha Dona Catarina, 35 (près de la praça Dom João III) - ☏ 273 43 23 94 - 🍴 - 10/20 €.* Dans une ruelle calme du centre, la rumeur des clients attablés interpelle le passant. Signalé par une discrète pancarte en fer forgé, ce restaurant propose une cuisine régionale à base de viande. Volaille cuite dans son sang *(cabidela)*, saucisses à l'ail mirandesa *(alheiras)* et tranche de veau grillée aux poivrons rouges, spécialité de la maison. Également 8 chambres confortables à l'étage, avec air conditionné.

À MOGADOURO

🍴 **A Lareira** – *Av. Nossa Senhora do Caminho, 58 - ☏ 279 34 23 63 - fermé lun. - env. 15 €.* Dans une grande salle avec cheminée *(lareira* en portugais), on déguste d'excellentes viandes (notamment du veau de la région) accompagnées de vins du cru. Repas savoureux, copieux et à moindre prix, concocté par le propriétaire qui a exercé ses talents de cuisinier en France. Vente de produits régionaux sur place (miel, huile d'olive…). Au-dessus du restaurant, huit chambres sont à louer.

Événement

Festa de Santa Bárbara – 3e dimanche d'août *(voir encadré)*.

Parc archéologique de la vallée du **Côa**★★
Parque Arqueológico do Vale do Côa

CARTE MICHELIN 733 I8 – DISTRICT DE GUARDA

Situé dans un cadre naturel grandiose, dans une région isolée au nord-est du pays, aux confins du Trás-os-Montes et de la Beira Alta, le Parc archéologique de la vallée du Côa a été créé pour préserver l'un des plus importants sites mondiaux de gravures rupestres en plein air du Paléolithique. Inauguré en août 1996, il fait partie, depuis décembre 1998, du Patrimoine mondial de l'Unesco.

- ▶ **Se repérer** – Depuis Lisbonne, accès par Coimbra *(A 1)*, Viseu *(IP 3)*, Celorico da Beira *(IP 5)* puis la N 102-IP 21 ; ou par Torres Novas *(A 1)*, Castelo Branco *(IP 6)*, Guarda *(IP 2)* et Celorico da Beira *(IP 5)*, puis la N 102-IP 2A *(env. 400 km - 4h30 de trajet)*. Depuis Porto, accès par l'E 82/IP 4 en direction de Bragança, puis les N 213, N 215 et N 102 vers le sud à partir de Mirandela *(214 km - 3h à 3h30)*.

- ⏱ **Organiser son temps** – Comptez 2 jours pour visiter tranquillement les trois sites du Parc. Si vous disposez de peu de temps, privilégiez le site de Penascosa, le plus accessible et intelligible. Le mieux est de le découvrir l'après-midi, lorsque la luminosité est optimale. Réservez au moins une semaine à l'avance.

- 👫 **Avec les enfants** – Le parc est un régal pour leur enrichissement culturel. Il faut toutefois faire attention sur les sites de Ribeira de Piscos et Canada do Inferno, dont l'approche est un peu difficile.

- ⛵ **Pour poursuivre le voyage** – La vallée du Douro, le Haut-Douro *(voir Miranda do Douro)*, les places fortes de l'est autour de Guarda.

Gravure rupestre du site de Canada do Inferno.

Fond Lithos

Comprendre

La découverte – Depuis l'époque où les hommes de Cro-Magnon gravaient sur le schiste les animaux qu'ils voyaient dans la nature, le paysage a peu changé. Grâce à l'isolement, l'art rupestre de la vallée du Côa a été préservé jusqu'à nos jours. Il a même été perpétué au cours des siècles par les hommes de toutes les époques qui y sont passés et y ont laissé leur trace, inscrite sur la pierre, jusqu'au 20e s., où fut représenté un train empruntant le pont ferroviaire de Foz do Côa.

Sauvé des eaux – En 1992, lors de la construction du barrage dans la zone de Canada do Inferno, on découvrit des roches gravées datées du Paléolithique (30 000 à 10 000 ans avant notre ère). Après une longue polémique, le nouveau gouvernement, choisissant de conserver cet ensemble exceptionnel d'art rupestre, décida début 1996 de suspendre les travaux du barrage, qui aurait élevé le niveau des eaux de 130 m.

Trois sites distincts – Jusqu'à présent, près de 150 roches gravées ont été découvertes, dont seule une petite partie peut être approchée. Elles sont réparties sur trois sites distincts (Penascosa, Ribeira de Piscos et Canada do Inferno), qui s'étendent sur 17 km le long du rio Côa, près de la confluence avec le Douro. On a aussi trouvé des roches ornementées, dont certaines immergées, sur d'autres sites, et le Parc évolue sans cesse en raison des nombreuses découvertes faites au cours de nouvelles prospections.

L'art rupestre du Paléolithique – Le Paléolithique, ou âge de la pierre taillée, est la période la plus longue (2,5 millions d'années) et la plus reculée de l'histoire de l'humanité. Les gravures les plus anciennes de la vallée du Côa, datées grâce aux espèces animales représentées, ont environ 20 000 ans : elles remontent au Paléolithique supérieur et se rattachent pour la plupart au Solutréen. Si les peintures des grottes de Lascaux en France ou d'Altamira en Espagne sont à peu près de la même époque, elles appartiennent à l'art pariétal. Alors qu'ici, comme sur le site de Siega Verde en Espagne, dans la vallée du rio Águeda, à quelque 80 km, il s'agit d'**art rupestre de plein air**.

Les techniques de gravure utilisées dans la vallée du Côa sont de trois sortes : l'**abrasion**, qui consiste à faire un sillon profond en passant plusieurs fois avec une pierre taillée sur le trait ; le **picotage**, succession de points martelés avec un caillou et formant un trait, parfois complété par abrasion ; et le **trait filiforme**, une incision fine, plus difficile à distinguer. Les animaux les plus fréquemment représentés sont le cheval, l'aurochs et le bouquetin. Généralement, le même rocher sert de support à la représentation de plusieurs animaux, dont les dessins se superposent. La particularité de l'art du Côa réside dans l'extraordinaire beauté des gravures rendue par la représentation du mouvement et de la forme des animaux, associée à un trait simple et sûr.

Découvrir

Le 4x4 est le moyen de transport le plus pratique pour se rendre de site en site.

Penascosa

1h40 AR, dont 40mn en véhicule tout-terrain.

Aménagé dans une maison ancienne en schiste typique de la région, le centre de réception de **Castelo Melhor** *(voir dans l'encadré pratique et voir Guarda)*, point de départ de la visite, allie harmonieusement une architecture traditionnelle préservée et un espace intérieur moderne, équipé de postes multimédias reliés à Internet et d'une salle de conférences et de projection.

👁 **Bon à savoir** – Une agréable terrasse extérieure permet d'attendre en prenant une boisson.

Le trajet en véhicule tout-terrain offre de belles vues panoramiques sur les pentes où l'on cultive les vignes pour le porto, en particulier sur le domaine de la célèbre Quinta da Ervamoira. Penascosa est le site le plus accessible et le plus intelligible. Il se trouve près du fleuve et les véhicules s'arrêtent à quelques mètres des roches gravées. Il doit être visité l'après-midi, afin de bénéficier de la luminosité la plus favorable à la perception des gravures, pour la plupart exécutées suivant les techniques de l'abrasion et du picotage.

Le mouvement des animaux est ici extra-ordinairement reproduit, en particulier dans une probable scène d'accouplement, montrant une jument couverte par un cheval à trois têtes qui traduisent le mouvement du cou. Actuellement, on visite en détail sept roches sur ce site qui en compte beaucoup plus.

Ribeira de Piscos

2h30 AR, dont 1h en véhicule tout-terrain et 40mn à pied.

Situé dans le village de **Muxagata**, où l'on peut voir un pilori du 16ᵉ s., le centre de réception occupe une belle maison du 16ᵉ s., entièrement restaurée *(voir dans l'encadré pratique)*.

La visite offre une très agréable promenade le long de la rivière de Piscos. Les gravures, en majorité filiformes, sont dispersées sur les versants et moins

Le site de Ribeira de Piscos.

P. Martins / MICHELIN

perceptibles. Toutefois, l'une d'elles, assez visible, représente deux chevaux dont les têtes enlacées et les lignes dorsales évoquent deux ailes. La grâce et la pureté du trait sont d'une émouvante beauté. À noter, sur une roche à côté, une figure humaine de la même époque, baptisée « l'homme de Piscos ». On approche actuellement cinq roches sur ce site.

Canada do Inferno

2h AR, dont 20mn en véhicule tout-terrain et 20mn à pied.

Jusqu'à l'ouverture sur place du futur musée-centre d'interprétation, les véhicules partent du **siège du Parc**, à **Vila Nova de Foz Côa** *(voir ci-dessous)*, qui dispose d'une petite boutique.

Ce site, le plus important des trois, se trouve dans une zone plus escarpée de la rive gauche du Côa, sur une pente accentuée de 130 m, d'accès un peu plus difficile. De là, on peut voir le chantier interrompu du barrage, 400 m en aval. La visite doit être faite le matin pour bénéficier de la meilleure visibilité des gravures, en majorité filiformes. Plus de 40 panneaux ont déjà été repérés, comprenant plus de 150 figurations paléolithiques. Témoignant de la continuité de l'activité au cours des siècles, quelques gravures à thèmes religieux datant du 17e s. sont également visibles.

Aux alentours

Vila Nova de Foz Côa

15 km au nord-est de Castelo Melhor sur la N 102.

Dans un paysage de collines dénudées, cette petite ville solitaire mais riante, animée par des étudiants, s'étend sur une longue crête aux pentes garnies de vignes. La région est particulièrement belle lors de la floraison des amandiers (février-mars).

Église paroissiale (Igreja Matriz) – Elle offre une remarquable **façade★** manuéline en granit, à clocher-porche, avec un portail entouré de pilastres en faisceaux, surmonté d'une archivolte décorée de motifs floraux et de coquilles. L'intérieur compte trois nefs dont le plafond de bois peint est soutenu par des colonnes à chapiteaux sculptés de têtes humaines, inclinées de façon à donner une impression d'ouverture vers le ciel. Des retables baroques de bois doré ornent l'abside et une chapelle du bas-côté droit.

Pilori – Beau pilori manuélin en granit, au fût ceint d'une torsade et au faîte sculpté de colonnettes et de statues sous une sphère armillaire et un lys.

Torre de Moncorvo

17 km au nord de Vila Nova de Foz Côa par la N 102, puis la N 325 à droite.

La ville est groupée dans un très vaste paysage de croupes montagneuses arides, au-dessus d'une vallée fertile plantée d'oliviers et de vignes, proche de la confluence du Douro et du Sabor. Au sud-est, la serra do Reboredo recèle de riches gisements de minerai de fer. La vallée du rio Sabor, seule rivière du Portugal restée à l'état sauvage (sans barrage ni retenue d'eau), offre une très belle nature (nombreuses espèces de fleurs sauvages, de champignons et d'oiseaux).

La ville compte plusieurs maisons seigneuriales des 17e et 18e s. (Solar dos Pimentéis, Casa dos Távoras). Ses *amêndoas cobertas*, sortes de pralines, sont très réputées.

Église paroissiale (Igreja Matriz) – Cette imposante église à façade austère, des 16e et 17e s., renforcée de puissants contreforts, présente au centre une tour à avant-corps et un portail Renaissance en plein cintre. L'entablement est surmonté de sculptures dans des niches baroques en forme de coquillage. L'intérieur, sous des voûtes à nervures, abrite un beau retable du 17e s. et, dans le bas-côté gauche, un intéressant triptyque en bois peint illustrant la vie de sainte Anne, mère de la Vierge, et de saint Joachim, son époux. On voit à droite leur rencontre, à gauche leur mariage et, au centre, la présentation de l'Enfant Jésus à ses grands-parents.

Info pratique

Informations utiles

PARC ARCHEOLOGIQUE VALE DO CÔA

⊞ Siège de Vila Nova de Foz Côa – *Av. Gago Coutinho e Sacadura Cabral, 19 A - 5150-610 -* ℘ *279 76 82 60/61 - www.ipa. min-cultura.pt/coa - mar.-dim. 9h-12h30, 14h-17h30 - fermé j. fériés.* Centre d'information et de réservation des visites pour les trois sites.

⊞ Centre de réception de Castelo Melhor – ℘ *279 71 33 44.*

⊞ Centre de réception de Muxagata – ℘ *279 76 42 98.*

Visites

👁 Bon à savoir – Réservez les visites à l'avance, au minimum une semaine, voir plus en haute saison. Les personnes désirant explorer les trois sites doivent prévoir deux jours sur place.

👥 Visites guidées en véhicule tout-terrain – *Mar.-dim. : horaires variables en fonction des conditions naturelles de luminosité, mais en règle générale 9h-12h30, 14h-17h30 (compter 1h30 à 2h30), visites nocturnes possibles - fermé 1er janv., dim. de Pâques, 1er mai et 25 déc. - 5 € par site.* Les visiteurs doivent se rendre directement au centre de réception du site qu'ils vont visiter et arriver 15mn avant le départ (Castelo Melhor pour Penascosa, Muxagata pour Ribeira de Piscos et le siège du Parc, à Vila Nova de Foz Côa, pour Canada do Inferno). Ils sont acheminés jusqu'aux sites en véhicules tout-terrain (sauf pour Ribeira de Piscos, où il faut marcher 2 km), dont la capacité est de huit passagers au maximum (chaque enfant occupe une place dans le véhicule). Les visites sont faites par de jeunes guides de la région, spécialement formés à cet effet. Le Parc peut annuler provisoirement les visites en cas d'intempéries (pluie notamment). Les horaires sont communiqués lors de la réservation.

La visite du site de Ribeira de Piscos peut être complétée par une dégustation de porto ou un déjeuner à la **Quinta da Ervamoira** *(réserv. à l'avance auprès du guide Sonia Teixeira -* ℘ *279 75 93 13 ou 935 26 34 90).* La *quinta* dispose en outre d'un musée consacré à l'environnement de cette zone de la vallée du Côa.

Ne pas oublier… – Prévoyez des chaussures de marche, des bottes en hiver et un chapeau en été, une bouteille d'eau et, si possible, ayez les mains libres (portez un sac à dos) pour marcher plus aisément, surtout à Canada do Inferno et à Ribeira de Piscos, où le terrain irrégulier et pentu oblige à s'accrocher parfois à la végétation et aux pierres. Les personnes sensibles à la chaleur doivent éviter les visites en été, car la température dépasse facilement les 40 °C.

Randonnées – Le Parc peut organiser également des randonnées et des promenades en VTT (vélos non fournis) pour des groupes allant jusqu'à 15 personnes.

Se loger

👁 Bon à savoir – Vila Nova de Foz Côa dispose d'une auberge de jeunesse et de plusieurs hôtels près du siège du Parc archéologique, sur l'avenue Gogo Coutinho.

À TORRE DE MONCORVO

⊖⊖ Casa da Avó – *R. Manuel Seixas, 12 -* ℘ *279 25 24 01 - ⊖ - 4 ch. 65 €.* Au cœur de la vieille ville, en face de l'église paroissiale, cette maison d'hôte centenaire est ornée de plafonds moulurés et décorée de beaux meubles et sièges du 17e s. Chambres confortables dont deux s'ouvrent sur un ravissant jardin arrière et sur les montagnes de la serra do Reboredo. Salle de petit-déjeuner aux beaux murs peints.

Se restaurer

À VILA NOVA DE FOZ CÔA

⊖ A Marisqueira – *R. São Miguel, 35 -* ℘ *279 76 21 87 - fermé dim. en hiver - 8/12 €.* Un établissement populaire au milieu de la rue piétonne, servant des plats roboratifs. Le dimanche, les poulets et le chevreau grillent dans la remise arrière pour le grand plaisir olfactif de la clientèle.

Cartes postales de Madère.

Câmara de Lo

MADEIRA

Funchal

Fun

MADEIRA

MADEIRA

Archipel de Madère

784,8 KM²
CARTE MICHELIN 733 – RÉGION AUTONOME DE MADÈRE

Au beau milieu de l'océan Atlantique, voici un fragment de Portugal qui comblera les amoureux de la nature. Madère et Porto Santo, les deux seules îles habitées de l'archipel, émerveilleront par la beauté et la diversité de leurs paysages : falaises abruptes, côtes déchiquetées par l'Océan, longues plages de sable blond, plateaux râpés par les vents… Sans oublier la profusion de fleurs qui donnent à l'archipel ses couleurs inoubliables et son atmosphère de printemps perpétuel.

▶ **Se repérer** – À près de 1 000 km au sud-ouest de Lisbonne (latitude voisine de celle de Casablanca), l'archipel porte le nom de l'île principale, la plus vaste (740 km²) et la plus peuplée (238 202 habitants). Il comprend aussi l'île de Porto Santo (42 km²), à 40 km au nord-est, et deux groupes d'îlots inhabités : les îles Desertas, à 20 km au large de Funchal, et les îles Selvagens, près des Canaries.

👁 **Bon à savoir** – La température est clémente toute l'année avec quelques pluies en mars, avril et octobre. En janvier, la moyenne est de 16 °C et en juillet de 22 °C. L'heure légale de Madère (comme dans le reste du Portugal) est celle du méridien de Greenwich, soit une heure de moins que la France.

Info pratique

Transport

Accès par avion – De Lisbonne à Funchal, la capitale de l'île, plusieurs liaisons quotidiennes (1h40 de vol) avec correspondance pour Porto Santo (accès à Porto Santo sans supplément si le billet est pris sur le continent). Plusieurs vols quotidiens Paris-Funchal, avec une courte escale à Porto, sont assurés par la TAP.

Se loger

Funchal possède l'essentiel du parc hôtelier. Les autres lieux de séjour se trouvent à Machico, près de l'aéroport, et sur l'île de Porto Santo. Quelques hébergements sont dispersés dans l'île à Santana, Porto Moniz, São Vicente et Ribeira Brava, et l'on peut aussi se loger dans les deux *pousadas* du Pico do Arieiro et dos Vinháticos, situées dans des sites exceptionnels.

Sports et Loisirs

RANDONNÉES À PIED

De plus en plus de randonneurs viennent à Madère ; le réseau de sentiers le long des petits canaux d'irrigation (*levadas*), ainsi que ceux aménagés dans les montagnes autour du pico Ruivo offrent une multitude de possibilités. Ces sentiers sont classés de une à trois étoiles par ordre de difficulté. La Direcção Regional do Turismo possède plusieurs refuges, fermés une partie de l'année, accessibles sur réservation.

👁 **Bon à savoir** – Pour les marcheurs, nous conseillons la carte touristique de Madère vendue sur place.

♿ Certaines promenades sont décrites dans ce guide : Pico Ruivo, Balcões, la levada do Norte à Estreito de Câmara de Lobos et Rabaçal, etc.

BOTANIQUE

L'un des plus grands attraits de l'île de Madère réside dans sa nature exubérante. Outre les promenades le long des *levadas*, où l'on découvre la riche végétation de l'île, ses nombreux jardins et parcs enchantent par leur beauté.
Voici quelques suggestions :

Le **parc das Queimadas** (*voir p. 436*), avec sa forêt laurifère primitive, plonge le visiteur dans le milieu originel de l'île.

La vaste **quinta do Palheiro Ferreiro** (*voir p. 428*) présente un jardin à l'anglaise et une autre partie plus sauvage.

Le **Jardin botanique de Funchal** (*voir p. 427*) et le **jardin tropical du Monte Palace** (*voir p. 429*) sont des lieux où l'on peut admirer des spécimens rares de la flore exotique.

Le **jardin Orquídea** (*r. Pita da Silva, 37 - Bom Sucesso - 9h-18h*), à Funchal, ravira les amateurs d'orchidées avec plus de 4 000 variétés.

Le **jardin de la quinta das Cruzes** (*voir p. 425*), avec son petit parc archéologique et ses vestiges lapidaires, est empreint d'une atmosphère très romantique.

PLAGES

Excepté celle de Praínha, à l'extrême est, Madère n'a pratiquement pas de plages de sable et les amateurs de baignade devront se contenter de piscines (parfois d'eau de mer).
En revanche, **Porto Santo** possède l'une des plus belles plages du Portugal : 8 km de sable blond et une température idéale la majeure partie de l'année. L'eau est un peu fraîche en hiver.

AUTRES SPORTS

La **pêche** et le **golf**, tradition britannique oblige. Madère dispose de plusieurs terrains dont Santo da Serra et Palheiro Golf.

Île de **Madère**★★★
Ilha da Madeira

245 806 HABITANTS – CARTE MICHELIN 733

À près de 1 000 km de Lisbonne, la « perle de l'Atlantique » dresse sa masse volcanique au-dessus des flots. Lorsque les hommes de l'expédition organisée par Henri le Navigateur abordèrent cette île en 1419, première étape des Grandes Découvertes portugaises, ils la baptisèrent « a ilha da madeira » (l'île boisée). Tapissée de fleurs, elle continue d'offrir aux voyageurs les charmes de sa végétation semi-tropicale, la douceur de son climat et des paysages à couper le souffle. Cet extraordinaire jardin flottant est à découvrir absolument !

▸ **Se repérer** – Sur la côte méridionale de l'île se trouve Funchal (103 962 hab.), la capitale de la région autonome de Madère et, à 22 km au nord-est, l'impressionnante piste sur pilotis de l'aéroport de Santa Catarina, où se posent les avions en provenance d'Europe.

👁 **À ne pas manquer** – Funchal et son jardin botanique ; la route panoramique de Funchal à Curral das Freiras et les points de vue sur les montagnes ; la côte nord et la route en corniche entre São Vicente et Porto Moniz ; une descente en traîneau en rotin depuis Monte ; une randonnée en montagne le long d'une *levada* et, pour les plus courageux, l'ascension du pico Ruivo, le point culminant de l'île.

🕐 **Organiser son temps** – Madère mérite un séjour d'au minimum 5 jours. Après une première journée consacrée à la visite de Funchal, on pourra effectuer une excursion à Curral das Freiras, au cœur des montagnes, puis entamer le tour de l'île par la côte nord, en passant par les villes de Santana et Porto Moniz. Le 4ᵉ jour pourra être consacré à une randonnée pédestre le long d'une *levada,* et le dernier jour, allez profiter des superbes panoramas côtiers entre Funchal et Ribeira Brava (au cabo Girão) ou visiter près de Funchal la quinta do Palheiro Ferreiro.

👫 **Avec les enfants** – Ils seront séduits par le formidable relief de l'île. N'hésitez pas à faire une randonnée facile le long d'une *levada* (beaucoup ont de faibles dénivelés) et à leur montrer les amusantes maisons en triangle de Santana.

Comprendre

LA PHYSIONOMIE DE L'ÎLE

Le volcanisme – Séparée des îles Selvagens, des Canaries et de l'Afrique par une fosse marine atteignant 4 512 m de profondeur, entourée de bas-fonds de près de 2 000 m, Madère, comme Porto Santo et les Desertas, a surgi de l'Atlantique à l'époque tertiaire, lors d'une éruption volcanique. Des relèvements sous-marins et plusieurs convulsions ont accentué l'évolution géologique de l'île. Le cratère de Curral das Freiras (où se seraient formés les principaux accidents du relief central de l'île), plusieurs lacs et cheminées de cratères, les piles de basaltes prismatiques bordant les vallées et les côtes attestent leur origine. Le relief a ensuite été modifié par l'érosion : les cours

d'eau ont creusé des vallées encaissées, les vagues ont déchiqueté les falaises qu'elles ont débitées en galets.

Un relief tourmenté – L'île est formée d'une chaîne montagneuse d'altitude supérieure à 1 200 m où culminent quelques pics (pico Ruivo : 1 862 m). Celle-ci s'étend de la pointe de São Lourenço à l'est jusqu'à la pointe de Tristão à

l'ouest, s'abaissant en son centre au col d'Encumeada (boca da Encumeada). Cette structure montagneuse sépare l'île en deux versants nord et sud, bien distincts.

Madère présente un paysage tourmenté et sauvage. Des pics altiers voisinent avec de profonds précipices, couverts d'une végétation dense, au fond desquels des torrents *(ribeiras)* ont creusé leur voie vers la mer. La seule partie plane est le plateau de Paúl da Serra, désert et inhospitalier, qui s'étend sur 20 km² au centre de l'île, à 1 400 m d'altitude, et qui sert de pâturage aux moutons.

Les côtes, très escarpées, sont par endroits entrecoupées d'estuaires où se sont établis de petits ports de pêche. Les plages sont rares et généralement couvertes de gros galets. L'île ne compte qu'une plage de sable : Praínha, à l'est de Machico.

Un climat privilégié – Située à une latitude voisine de celle de Casablanca, Madère jouit d'un climat tempéré toute l'année, la température moyenne étant de 16 °C en hiver et de 21 °C en été. C'est sur la côte sud, bien protégée des vents, que le climat se montre le plus favorable. La pluie y est rare et tombe généralement en mars, avril et octobre. La luminosité y est excellente. La température de l'eau, qui varie de 18 °C à 20 °C, autorise les bains presque toute l'année.

L'intérieur a des températures plus basses et moins régulières. Les nuages s'accumulent sur les sommets, humidifiant les régions montagneuses. Abondante au printemps et à l'automne, la pluie fait de ces régions le « château d'eau » de l'île.

UN JARDIN FLOTTANT

Une végétation luxuriante – Le climat et le relief déterminent trois zones de végétation. Du niveau de la mer jusqu'à 300 m environ, c'est la zone subtropicale. Sur les côtes nord et sud, on cultive la canne à sucre, la banane et quelques légumes. Les figuiers de Barbarie envahissent les zones non irriguées de la côte sud. Au-delà, et jusqu'à 750 m, c'est la zone tempérée chaude, de climat méditerranéen, domaine de la vigne, des céréales (maïs, blé, avoine) et des fruits. Ces derniers sont variés : fruits des pays européens comme les oranges, poires, pommes, prunes, et fruits exotiques, avec les goyaves, avocats, mangues, ananas et *maracujás* (fruits de la passion).

Entre 750 et 1 300 m, on trouve une forêt, appelée **laurissilva** (ou forêt laurifère), dont l'origine remonte à l'ère tertiaire. Cette forêt, qui recouvrait autrefois une grande partie de l'Europe, fut détruite par les glaciations et exceptionnellement préservée dans quelques îles, telle Madère. Composée de nombreuses espèces endémiques dont les *tils*, les *vinháticos*, les bruyères et les lauriers arborescents, elle joue un rôle primordial dans la protection des sols et l'infiltration de l'eau de pluie, et permet de ralentir les effets de l'érosion. Quant aux cimes, au-dessus de 1 300 m, elles sont le domaine des pâturages et des fougères.

Pour sauvegarder ce patrimoine naturel exceptionnel, plus des deux tiers de la superficie de l'île ont été classés parc naturel.

L'île-jardin – Sur toutes les pentes, dans les jardins et même le long des routes, les fleurs et les plantes abondent : hortensias, géraniums, hibiscus, agapanthes, bougainvilliers, fuchsias, euphorbes, mais aussi orchidées, anthuriums et strelitzias (« oiseaux de paradis »), cultivés pour l'exportation. Plusieurs espèces d'arbres se couvrent périodiquement de fleurs : le mimosa, le magnolia, le sumaúma (fleurs rouges ou roses) et le jacaranda (fleurs mauves).

TERRASSES ET « LEVADAS »

Les premiers colons défrichèrent l'île en mettant le feu à l'épaisse forêt qui la couvrait. L'incendie se propagea, dit-on, pendant sept ans, de 1420 à 1427, épargnant cependant certains endroits où subsiste la forêt d'origine.

Une terre sculptée – Cette terre défrichée, il fallut la domestiquer. Grâce à un labeur opiniâtre, les paysans sculptèrent les versants des montagnes en terrasses *(poios)*, qui donnent aujourd'hui à l'île sa physionomie caractéristique. Pour ce faire, ils allèrent chercher au bas des pentes la terre qui manquait plus haut, en la transportant à dos d'homme dans des hottes, car aucun animal de trait n'avait pu s'acclimater à l'île.

Le sanctuaire des randonneurs – Mais c'est surtout à l'irrigation que Madère doit sa richesse agricole. L'île est un énorme réservoir naturel : l'eau de pluie s'infiltre dans la masse des cendres volcaniques et n'est arrêtée que par la couche imperméable de latérite et de basalte. Elle constitue alors des réserves souterraines qui jaillissent en sources. Très tôt, les paysans entreprirent de canaliser l'eau de ces sources, créant un réseau de canaux d'irrigation appelés *levadas*. Ce réseau, qui comptait 1 000 km en 1900, a plus que doublé depuis, notamment grâce au gouvernement portugais qui a entrepris d'élaborer depuis 1939 un vaste système d'irrigation et d'hydroélectricité sur l'île. L'eau est captée vers 1 000 m d'altitude, dirigée vers les centrales hydroélectriques, puis vers les champs, où elle est redistribuée par des agents appointés appelés les *levadeiros*. Des lois sévères régissent la répartition de l'eau, et ce système permet à des champs situés près des côtes, dans des zones plus défavorisées, de profiter de l'eau des cimes. Parmi les *levadas* les plus importantes, figurent la levada do Norte, la levada dos Tornos et la levada do Furado. Si l'on considère la médiocrité des moyens techniques, l'édification des *levadas* a représenté un effort prodigieux. Tunnels et aqueducs leur permettent de suivre imperturbablement les courbes de niveau. Parfois, elles s'accrochent à la paroi et surplombent des à-pics vertigineux, et il faut imaginer les hommes qui les réalisèrent, installés dans des paniers d'osier suspendus au-dessus du vide. Les *levadas* sont longées par un sentier qui permet leur entretien. Ces sentiers sont une merveilleuse opportunité, pour les amateurs de marche à pied, de découvrir des paysages magnifiques sans jamais connaître de vrai dénivelé.

Longer les levadas : la meilleure façon de découvrir Madère.

Toutefois, malgré sa fertilité et son utilisation intensive, la terre madérienne ne suffit plus à faire vivre tous ses habitants, et la densité trop forte de la population (311 hab./km^2) a incité de nombreux jeunes à s'expatrier, principalement vers le Brésil, le Venezuela et le Canada.

LES RESSOURCES DE L'ÎLE

Les cultures – La canne à sucre fut l'une des premières ressources de l'île, cultivée par les colons portugais, auxquels ont succédé des Italiens, des Espagnols, des juifs, des Maures et des esclaves noirs. Le sucre était exporté en Castille, en Angleterre et dans les Flandres. Cependant, au 16e s., cette culture fut en butte à la concurrence brésilienne, et Madère développa alors son vignoble. Aujourd'hui, les bananes représentent l'une des principales productions de l'île, la plupart des plantations se trouvant sur la côte sud, dans la région de Ribeira Brava.

Le vin de Madère – La culture de la vigne fut introduite à Madère dès le 15e s. Les plants importés de Crète produisirent sur le sol volcanique riche et ensoleillé de la côte sud un vin de bonne qualité, le malvoisie. Le vin de Madère acquit un certain prestige en Europe – notamment à la cour de François Ier qui en offrait à ses invités.

En 1660, l'alliance commerciale entre le Portugal et l'Angleterre favorisa l'exportation du vin, et la production s'accrut. De nombreux négociants étrangers, anglais surtout (Blandy, Leacock, Cossart, Gordon) furent attirés à Madère par ce commerce prospère. Les 18e et 19e s. marquèrent l'apogée du vin de Madère, dont Anglais et Américains étaient les principaux consommateurs. Mais en 1852, une épidémie décima les vignes. Seuls quelques Anglais comme Charles Blandy s'attachèrent à reconstituer le vignoble dévasté. Enfin, en 1872, Thomas Leacock réussit à lutter efficacement contre le phylloxéra.

Les vendanges ont lieu à partir de la fin août. Les grappes sont portées au pressoir puis, de là, leur jus livré à Funchal. Traditionnellement, ce transport était fait à dos d'homme, les *borracheiros*, dans des outres qui ne contenaient pas moins de 40 l. Le vin fermente dans des tonneaux tout en étant soumis à de multiples traitements : on y ajoute de l'alcool, on le clarifie à l'aide de blanc d'œuf ou de colle de poisson, et surtout – la plus grande caractéristique du madère – on le soumet à la chaleur. Stocké dans des barriques et des tonneaux, on laisse ainsi le vin pendant au moins trois mois dans des caves chauffées à 45 °C, ce qui provoque sa maturation. Ce procédé s'appelle l'*estufagem* (le chauffage). Les propriétés de la chaleur furent découvertes à l'occasion du transport du vin sous les tropiques au 18e s. À une certaine époque, on a même utilisé les tonneaux de Madère pour lester les bateaux faisant de longs trajets vers l'Inde ou l'Amérique. Pendant le voyage aller-retour, le vin avait tout le temps de chauffer !

La broderie de Madère – En 1856, une Anglaise, **Miss Phelps**, fonde un ouvroir où elle confie à quelques femmes des travaux inspirés de la broderie anglaise, qu'elle dirige ensuite vers des ventes de charité. Des échantillons de ces ouvrages rapportés à Londres remportent un tel succès que Miss Phelps décide de les exporter. Devenue l'une des principales ressources de l'île, la broderie occupe actuellement 30 000 femmes qui travaillent généralement en plein air. Quelques ateliers fonctionnent à Funchal. Les broderies, sur toile, linon ou organdi, sont d'une extrême finesse et d'une grande variété.

L'ART ET L'ARCHITECTURE

L'art à Madère est essentiellement religieux. Dès les débuts de la colonisation, de simples églises et chapelles sont édifiées sur l'île suivant le modèle des sanctuaires portugais. La prospérité amène bientôt un enrichissement artistique. Les échanges commerciaux s'étant intensifiés, par le biais de contacts avec les Flandres, l'art flamand pénètre à Madère. Grâce au mécénat de riches négociants, des chevaliers de l'ordre du Christ, du roi Manuel Ier et de capitaines-donataires, les églises gagnent alors en importance. Contrastant avec une façade qui garde souvent une certaine austérité, leur intérieur s'orne de retables et de triptyques, acquis à Anvers, Lisbonne ou Venise, en échange de cargaisons de sucre.

Quant aux styles architecturaux, ils n'ont touché l'île qu'avec un certain retard, et leur évolution s'est montrée plus lente qu'en métropole. Les premières églises sont romano-gothiques ou manuélines. Aux 17e et 18e s., on surcharge leur intérieur d'éléments baroques, tandis que l'on édifie, dans le même style, la plupart des nouvelles églises. Leur façade blanche, souvent influencée par la Renaissance italienne, reste assez sévère, lorsqu'elle n'est pas soulignée de volutes de **basalte noir**. Elle est généralement percée d'un portail surmonté d'un arc en plein cintre et d'une fenêtre, et flanquée d'un ou deux clochers carrés à toit pyramidal, traditionnellement revêtus de carreaux de faïence. La porte principale est doublée d'une porte « paravent » en bois précieux et marqueterie. À l'intérieur, la nef unique est couverte d'un plafond en berceau de bois peint de fresques baroques, et les retables frappent par leur exubérance. La belle lampe en argent ouvragé fait rarement défaut près du chœur. La sacristie, enfin, abrite souvent une jolie fontaine de lave baroque.

Quelques demeures civiles ne manquent pas non plus d'élégance, tels le palais des comtes de Carvalhal, devenu mairie de Funchal, ou la mairie de Santa Cruz.

Funchal★★

Compter 1 journée pour une promenade dans la ville, 2 jours pour une visite plus approfondie.

La tête dans les nuages et les pieds dans l'eau, telle apparaît souvent la capitale de l'île. Mais lorsque le ciel se dégage, se dessinent alors des collines verdoyantes formant un vaste amphithéâtre autour de la baie. Les petites maisons blanches, semblables à des jouets d'enfants, s'étagent sur les pentes, parfois très raides, qui révèlent de magnifiques perspectives sur l'Océan. Si le fenouil sauvage qui couvrait les hauteurs à l'arrivée des premiers colons a disparu (*funchal* signifie « fenouillède »), la végétation est toujours omniprésente : les bougainvilliers tapissent les murs des *quintas*, les fleurs occupent le moindre espace vacant du centre-ville, des bananeraies poussent en périphérie. Quant aux parcs et jardins botaniques, ils figurent parmi les hauts lieux de Funchal, au même titre que ses grands palaces.

Le fondateur de Funchal

Né à Tomar, au Portugal, d'une famille modeste, **João Gonçalves Zarco** a indubitablement le sang chaud. Il s'éprend d'abord d'une jeune fille noble et la kidnappe pour l'épouser ! Capturé, il vient ensuite implorer la grâce de l'infant Henri et entre à son service comme chevalier. Il se distingue bientôt par son courage à la bataille de Tanger et lors de la conquête de Ceuta, où il est blessé à l'œil par une flèche. Puis il participe à la découverte de Madère en 1419. Dès l'année suivante, il trace sur la côte sud, à l'embouchure de trois *ribeiras*, les plans d'une ville qu'il baptise Funchal, et distribue des terres aux colons. Zarco restera le donataire de la capitainerie de Funchal jusqu'à sa mort (vers 1467). En 1508, le roi Manuel accorde une charte à la cité, devenue prospère grâce au commerce de la canne à sucre (quatre pains de sucre figurent pour cette raison dans ses armes).

La cathédrale émergeant des toits de Funchal.

Les différents quartiers – Funchal, où vit près de la moitié des habitants de Madère, est une cité active qui assure le débouché des principales richesses de l'île. Son port commercial, repérable à sa longue digue, accueille les navires de marchandises ainsi que les paquebots de croisière. Le port de plaisance, ou marina, abrite des voiliers de toutes nationalités et fait face au **centre-ville,** où se trouvent les commerces, les administrations et la plupart des monuments historiques. À l'est de ce quartier s'étend le réseau de ruelles de la **vieille ville** ; à l'ouest, vers Câmara de Lobos, les grands hôtels modernes déterminent la **zone touristique**, le long de l'estrada Monumental. Les habitants de Funchal résident, quant à eux, plutôt sur les hauteurs.

LE CENTRE-VILLE

Commencez votre découverte du centre de Funchal par la cathédrale, au pied de laquelle des fleuristes en costume traditionnel vendent parfois des fleurs exotiques.

Cathédrale★ (Sé)

☎ 291 22 81 55 - 7h30h-12h, 16h-18h30 - grat.

Construite par les chevaliers de l'ordre du Christ à la fin du 15e s., elle fut la première cathédrale portugaise d'outre-mer. De style manuélin, elle présente une façade sobre où le crépi blanc contraste agréablement avec le basalte noir et le tuf rouge. L'abside, décorée de balustres dentelés et de pinacles à torsades, est flanquée d'un clocher carré crénelé, au toit pyramidal revêtu d'azulejos.

La nef, aux arcades de lave peinte soutenues par de fines colonnes, est couverte, comme le transept, d'un remarquable **plafond★** *artesoado* (à caissons et marqueterie, de style mudéjar) en bois de cèdre, aux motifs soulignés d'incrustations d'ivoire. Il est mal éclairé dans la nef – ses motifs sont plus visibles depuis le bras droit du transept.

Le chœur est orné de stalles du 16e s., de style manuélin. Sur la partie haute, les statues dorées d'apôtres, de docteurs de l'Église et de saints, d'exécution assez primitive, ressortent sur un fond bleu. Les jouées sont ornées de sculptures en bois de *til,* où des animaux et des personnages grotesques animent des scènes bibliques.

Au-dessus du maître-autel, douze panneaux de peinture flamande forment un beau retable (16e s.) que surmonte une délicate voûte compartimentée.

À droite du chœur, la chapelle du Saint-Sacrement présente une riche décoration baroque. Elle abrite un tabernacle en argent de la fin du 17e s. La chaire et les fonts baptismaux, du 16e s., en marbre d'Arrábida, ont été offerts par le roi Dom Manuel.

Avenida Arriaga

En face de la cathédrale, l'avenida Arriaga, axe principal de Funchal, est plantée de jacarandas qui, au printemps, se colorent de violet.

À 150 m sur votre gauche, le **fort de São Lourenço** comprend une zone militaire et un palais, devenu résidence officielle du ministre de la République pour la région autonome de Madère. La forteresse d'origine, érigée au début du 16e s. afin d'héberger les capitaines-donataires de l'île, a été prolongée au 18e s. par le palais et ses jardins. La visite du **palais** permet d'admirer une succession de salons nobles,

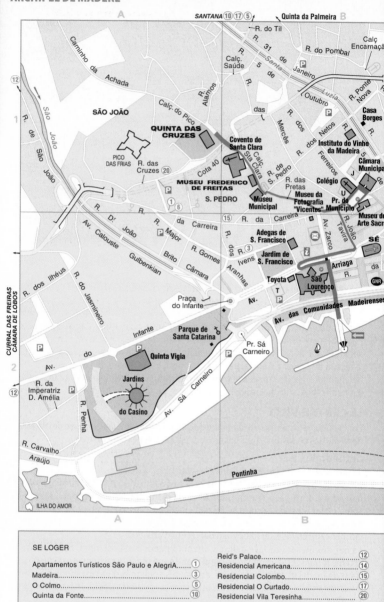

richement décorés. *Entrée par l'av. Zarco - ☎ 291 20 25 30 - visites guidées mar. 10h, vend. 15h, sam. 11h.* La forteresse accueille également un **musée militaire**. *☎ 291 44 54 49 - lun.-vend. 9h-12h, 14h-17h, sam. 10h-12h - grat.*

Sur le même trottoir, au n° 39, à l'angle de la calçada de São Lourenço, jetez un œil au **concessionnaire Toyota**. La façade et l'intérieur de la boutique sont couverts de panneaux d'azulejos, un cadre plutôt insolite pour une exposition de voitures.

En face, au n° 28, à côté de l'office de tourisme, les **caves** *(adegas)* **de São Francisco★**, les plus anciennes de Funchal, occupent l'ancien monastère des franciscains construit au 16ᵉ s. La visite, qui comprend la tonnellerie, les caves et un petit musée, s'achève par une dégustation gratuite *(voir « The Old Blandy Wine Lodge » dans la rubrique « Achats » de l'encadré pratique).*

Juste derrière les caves, entrez dans le **jardin public de São Francisco**, une parenthèse de tranquillité. Ce petit parc botanique, riche en essences diverses, est encadré de vieilles maisons madériennes un peu décrépies.

Revenir vers la cathédrale et tourner à gauche dans la rua João Tavira, l'une des rues principales du quartier piéton commerçant.

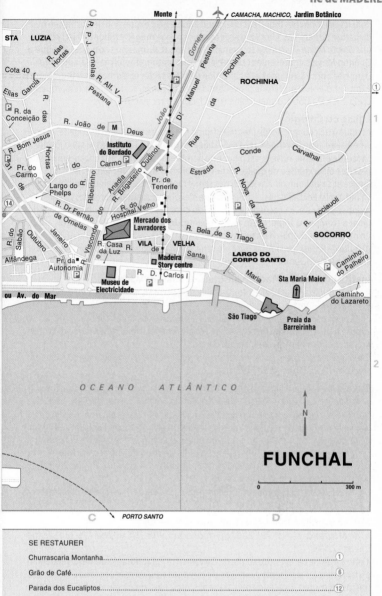

Praça do Município

D'élégants édifices encadrent cette vaste place, pavée de pierres noires et blanches et ornée d'une fontaine. Au sud-est *(sur votre droite)*, l'ancien évêché, doté d'une belle galerie à arcades, accueille désormais le musée d'Art sacré. Au nord-est *(face à vous)*, l'**hôtel de ville** *(câmara municipal)* aux balcons fleuris occupe l'ancien palais du comte de Carvalhal. Surmonté d'une tour qui se dresse au-dessus des maisons, cet édifice du 18e s. abrite une cour intérieure décorée d'azulejos. Enfin, au nord-ouest *(sur votre gauche)*, se trouve l'église du Colégio.

Musée d'Art sacré (Museu de Arte Sacra)

℘ 291 22 89 00 - www.museuartesacrafunchal.org - mar.-sam. 10h-12h30, 14h30-18h, dim. 10h-13h - fermé j. fériés - 3 €.

La principale richesse du musée réside dans sa collection de **tableaux**★ des écoles flamande et portugaise des 15e et 16e s. peints sur bois.

De l'école portugaise, remarquez un triptyque représentant saint Jacques et saint Philippe entre les donateurs du tableau (au dos se trouve une Annonciation). Parmi les peintures de l'école flamande, citons une *Descente de Croix* attribuée à Gérard David dont les personnages montrent une grande noblesse d'expression ; le portrait en pied du patron de Funchal, *Saint Jacques le Mineur*, en toge rouge, attribué à Thierry Bouts ; une *Sainte Marie Madeleine* surprenante par son réalisme ; un triptyque, attribué à Quentin Metsys, représentant saint Pierre dans un somptueux manteau pourpre.

Le musée abrite aussi une belle collection d'objets sacrés et d'ornements liturgiques. Parmi les pièces d'orfèvrerie provenant de la cathédrale, se détache la remarquable **croix** d'argent gothico-manuéline (16e s.), don du roi Manuel Ier.

Église du Colégio

Accolée à un couvent de jésuites transformé en université, l'église du Collège, consacrée à saint Jean l'Évangéliste, a été édifiée au début du 17e s. dans le style jésuite.

Sa façade blanche, austère, est percée de nombreuses fenêtres aux encadrements de basalte noir et creusée de quatre niches abritant des statues de marbre : en haut saint Ignace et saint François Xavier, en bas saint François Borgia et saint Stanislas.

La nef, tapissée d'azulejos, est surchargée d'exubérants autels baroques décorés de grappes de raisin. La sacristie, à gauche du chœur, est couverte d'un beau plafond peint à trompes d'angle. Cette salle élégante, décorée d'une frise d'azulejos, abrite un magnifique chapier à serrures dorées.

À droite de l'église, prendre la rua Bom Jesus et, un peu plus loin sur la gauche, tourner dans la rua 5 de Outubro.

Institut du vin de Madère (Instituto do Vinho da Madeira)

R. 5 de Outubro, 78 - ℘ 291 20 46 00 - www.sra.pt/ivm - lun.-vend. 9h-12h30, 14h-17h - fermé j. fériés - grat.

Créé pour promouvoir le vin de Madère, il propose des dégustations gratuites et expose dans son **musée** une collection d'outils et d'instruments ainsi que des lithographies et des photos, liées à la viniculture.

Revenir praça do Município, la traverser puis continuer vers l'est dans la rua da Carreira, l'une des mieux conservées de Funchal.

Musée de la photographie « Vicentes » (Museu da Fotografia « Vicentes »)

R. da Carreira, 43 - ℘ 291 22 50 50 - lun.-vend. 10h-12h30, 14h-17h - fermé j. fériés - 2,50 €.

Derrière la rue, face à un petit patio, s'élève une façade évoquant une maison de La Nouvelle-Orléans. C'est ici que Vicente Gomes da Silva, premier d'une longue lignée de photographes, installa son studio au milieu du 19e s. Ses appareils et plaques de verre ont été pieusement conservés, le studio de prise de vue reconstitué avec le décor d'origine, et l'on s'émerveille en feuilletant les nombreux albums, précieux témoignages de la vie à Madère au 19e s.

Continuer dans la rua da Carreira, prendre la première rue à droite puis, au bout, tourner à gauche dans la rua da Mouraria.

Musée municipal et aquarium (Museu Municipal)

R. da Mouraria, 31 - ℘ 291 22 97 61 - mar.-vend. 10h-18h, w.-end 12h-18h - fermé j. fériés - 2,50 €.

Cette ancienne demeure du comte de Carvalhal (18e s.) abrite aujourd'hui un aquarium où évoluent les différentes espèces de poissons fréquentant les fonds madériens (rascasses rouges, cigales de mer, murènes, etc.), ainsi qu'un musée d'histoire naturelle riche en animaux naturalisés dont d'impressionnants requins, raies cornues et phoques à ventre blanc.

Du madère pour tous les goûts

Les trois principaux crus sont le **sercial**, dont les plants proviennent du Rhin : vin sec, bouqueté, de couleur ambre et servi frais, idéal pour l'apéritif ; le **boal** qui vient de Bourgogne : brun rougeâtre, sa saveur riche et fruitée en fait surtout un vin de dessert ; le **malvoisie** (ou *Malmsey* pour les Anglais), le plus réputé, rare de nos jours, qui est également un vin de dessert très doux dont la couleur tend vers le violet. On produit aussi le **verdelho**, vin demi-sec qu'on peut servir en toute occasion, le *moscatel* et le *tinto*, vin rouge.

Les madères *vintage*, réalisés à partir des meilleurs vins des années exceptionnelles, ont la propriété de pouvoir être consommés pendant plus de 150 ans. On raconte qu'en 1815 Napoléon, en route vers Sainte-Hélène, fit escale à Madère et reçut du consul anglais un tonneau de vin ; à sa mort, le consul récupéra le vin non entamé qui fut mis en bouteilles. En 1936, un Anglais put se vanter d'avoir dégusté de ce « vin de l'Empereur » plus que centenaire.

Remonter, à droite du musée, la calçada de Santa Clara.

Maison-musée Frederico de Freitas★ (Casa-Museu Frederico de Freitas)

Calçada de Santa Clara, 7 - ℘ 291 22 05 78 - mar.-sam. 10h-12h30, 14h-17h30, dim. 10h-12h30 (dernière entrée 30mn av. fermeture) - fermé j. fériés - 2 €, grat. dim.

Cette grande demeure du 18ᵉ s., ayant appartenu au 19ᵉ s. au médecin Frederico de Freitas, est divisée en deux parties. La **casa da Calçada** accueille des expositions temporaires et une exposition permanente de gravures, dessins et aquarelles illustrant Madère au cours des siècles. Les appartements bourgeois du 19ᵉ s. sont richement décorés : meubles anglais, armes, armoires de style « caisse à sucre » *(voir la quinta das Cruzes ci-dessous)*, instruments de musique, magnifiques cabinets ornés d'ivoire ou d'os de baleine, etc. Une salle d'art sacré contient une belle collection de croix en bois et en ivoire. La **casa dos Azulejos**, de son côté, présente une importante collection d'azulejos du 12ᵉ au 19ᵉ s., de diverses origines (portugais, sévillans, flamands, chinois, iraniens, etc.).

Continuer dans la calçada jusqu'au couvent de Santa Clara.

Couvent de Santa Clara

Calçada de Santa Clara, 15 - ℘ 291 74 26 12 - visite guidée (15-20mn) lun.-sam. 10h-12h, 15h-17h - fermé 1ᵉʳ janv., 15 août, 8 et 25 déc. - 2 €.

Il fut construit au 17ᵉ s., à l'emplacement de l'église érigée par Zarco *(voir encadré p. 420)*, pour recueillir les dépouilles de sa famille ; ses deux petites-filles, fondatrices de l'ancien couvent des clarisses, y sont enterrées.

L'intérieur de l'église, revêtu d'azulejos (16ᵉ au 18ᵉ s.), parmi lesquels des exemplaires sévillans rares, abrite au fond le tombeau gothique de Zarco, surmonté d'un dais et soutenu par des lions.

Poursuivre tout droit ; la calçada de Santa Clara devient la très pentue calçada do Pico.

Domaine des Croix★★ (Quinta das Cruzes)

Calçada do Pico, 1 - ℘ 291 74 06 70 - www.museuquintadascruzes.com - mar.-sam. 10h-12h30, 14h-17h30 - fermé j. fériés - 2,50 €, grat. dim.

Cette *quinta*, ancienne demeure du fondateur de la cité, Zarco, a été transformée en **musée des arts décoratifs**.

Au rez-de-chaussée, des salles basses, anciens celliers, sont consacrées au mobilier portugais (16ᵉ s.) recueilli dans plusieurs demeures de Funchal. On y remarque un grand nombre de cabinets, meubles très répandus au 17ᵉ s., et des armoires et coffres en acajou de style *caixa de açúcar* (« caisse à sucre ») fabriqués avec le bois des coffres dans lesquels était transporté le sucre brésilien. Le fond de la dernière salle est occupé par un retable flamand de la deuxième moitié du 15ᵉ s. représentant une Nativité. Une vitrine contient une partie du trésor trouvé dans l'épave d'un galion hollandais de la Compagnie des Indes orientales qui s'échoua à Porto Santo en 1724.

Les salles du premier étage sont riches en mobilier anglais des 18ᵉ et 19ᵉ s.

La maison est entourée d'un **jardin botanique** planté de kapokiers, dragonniers et araucarias. Une serre abrite des orchidées et une multitude d'autres fleurs. Une partie du jardin a été transformée en « parc archéologique », petit musée lapidaire insolite et romantique au milieu de la végétation exotique, où l'on peut voir deux belles fenêtres manuélines et un fragment du pilori de Funchal, élevé à la fin du 15ᵉ s. et démoli en 1835.

Pour retourner à la cathédrale, redescendre les calçadas do Pico et Santa Clara, tourner à gauche dans la rua de São Pedro et, tout de suite à droite, dans la rua das Pretas. Peu avant la praça do Município, bifurquer à droite dans la rua João Tavira.

LA VIEILLE VILLE (VILA VELHA)

Prévoir 3 à 4h de visite, plutôt en fin de matinée et à l'heure du déjeuner.

Située à l'est du centre-ville actuel, la vieille ville constitue le noyau de la cité ancienne, fondée au 15ᵉ s. Aujourd'hui, les rues étroites sont occupées par des pêcheurs ou des artisans. On y trouve de nombreuses tavernes, bars et restaurants populaires (concentrés rua de Santa Maria), d'où s'échappent d'appétissantes odeurs de poisson grillé et de brochettes.

Depuis le parvis de la cathédrale, longer sur la gauche la rua do Aljube, qui se poursuit par la rua do Bettencourt. Franchir la ribeira Santa Luzia et continuer dans la rua Dr Fernão de Ornelas. Après le pont de la ribeira João Gomes, se trouve un grand marché couvert.

Marché des travailleurs (Mercado dos Lavradores)

Tous les mat. sf dim. et j. fériés.

Installé dans un édifice récent, ce marché est très animé. À l'entrée, les marchandes de fleurs vêtues du traditionnel costume madérien (jupe rayée, corselet, bottes de cuir) proposent des bouquets multicolores. C'est l'endroit idéal pour vous procurer des graines ou des bulbes de fleurs. Autour du patio central sont disposés des étals et des corbeilles regorgeant de fruits et de légumes, que les vendeurs n'hésitent pas à vous faire goûter. Enfin, à ne pas manquer : la salle de vente des poissons, située dans la partie basse, où clients et marchands s'affairent autour des thons et des poissons-épées.

Descendre la rua Brigadeiro Oudinot qui longe la ribeira, puis tourner à gauche dans la rua Casa da Luz juste avant le front de mer.

Musée de l'Électricité-Maison de la Lumière
(Museu de Electricidade-Casa da Luz)

R. Casa da Luz - ℘ 291 21 14 80 - www.eem.pt - mar.-sam. 10h-12h30, 14h-18h - fermé j. fériés - 2 €.

Cet intéressant musée, aménagé dans les locaux de l'ancienne centrale thermique de Funchal, évoque au travers de documents, photos, maquettes et machines, l'histoire de l'électricité et de l'électrification de l'archipel de Madère.

Continuer vers l'est en direction de la vaste esplanade du campo Almirante Reis, où sont localisés le nouveau musée Madeira Story Centre et le départ du téléphérique de Monte (voir plus loin dans « Aux alentours »).

Madeira Story Centre

R. Dom Carlos I, 27-29 - ℘ 291 00 07 70 - www.storycentre.com - 10h-18h - fermé 25 déc. - 9 €.

Ce musée présente de manière chronologique et didactique toute l'histoire de l'île de Madère, depuis les soubresauts volcaniques des origines jusqu'au développement récent du tourisme.

Traverser le campo Almirante Reis vers l'est et continuer le long de la rua Dom Carlos I.

Largo de Corpo Santo★

Charmante placette aménagée devant la chapelle du Corpo Santo, elle est le cœur du vieux Funchal et s'anime à l'heure des repas quand ses restaurants de poisson se remplissent.

Continuer vers l'est jusqu'au fort de São Tiago.

Fort de São Tiago

R. do Portão de São Tiago - ℘ 291 21 33 40 - visite guidée possible (30mn) lun.-sam. 10h-12h30, 14h-17h30 - fermé j. fériés - 2,50 €.

Construit en 1614, il dresse ses murailles jaunes au-dessus de la grève où reposent quelques barques de pêcheurs. La forteresse, qui offre une belle vue sur Funchal, abrite un **musée d'art contemporain** où sont exposées des œuvres d'artistes portugais.

En sortant du fort, tourner deux fois à droite pour rejoindre la rua de Santa Maria.

J. Malburet/MICHELIN

Fleuriste à Funchal.

Église de Santa Maria Maior

Son élégante façade baroque (18ᵉ s.), aux volutes de lave noire soulignant le crépi blanc, est percée d'un sévère portail. L'apôtre saint Jacques le Mineur y est honoré le 1ᵉʳ mai en souvenir des miracles par lesquels, en 1523 et 1538, les épidémies de peste qui ravageaient Funchal furent enrayées. À l'intérieur, observez le plafond peint, en berceau.

En contrebas de l'église s'étend la **plage (praia) da Barreirinha**, aménagée avec des toboggans flottants et une piscine.

Revenir vers le centre-ville par la rua de Santa Maria. Arrivé à la Ribeira, remonter sur la droite la rua Brigadeiro Oudinot jusqu'à la praça de Tenerife. Traverser le pont.

Institut de la broderie, de la tapisserie et de l'artisanat de Madère (Instituto do Bordado, Tapeçaria e Artesanato da Madeira)

R. Visconde do Anadía - ☎ 291 22 31 41 - lun.-vend. 9h-12h30, 14h-17h30 - fermé j. fériés - 2 €.

Cet institut est un organisme qui garantit l'authenticité des broderies fabriquées dans l'île par l'apposition d'un sceau de plomb. Il abrite un musée où sont exposées de merveilleuses broderies anciennes et des objets de l'artisanat de Madère, au travers d'une reconstitution historique présentant une salle à manger et une chambre à coucher.

AUTOUR DU PORT

Promenade d'1h env., à faire plutôt en fin de journée.

Avenida do Mar

Cette large voie fleurie, aussi appelée **av. das Comunidades Madeirenses**, suit le bord de mer et la **marina**, où s'arrêtent les bateaux de plaisance. Le long des quais, en contrebas de l'avenue, s'alignent de nombreux restaurants et cafés dont l'un a pris pour cadre un yacht ayant appartenu aux Beatles, le *Vagrant*. Au cours de votre promenade, attendez-vous à être assailli de propositions de menus, de cartes de visite et de prospectus pour des excursions en mer. Gagnez le bout de la jetée pour bénéficier d'une belle **vue★** sur la ville.

Un peu plus loin sur la droite (en tournant le dos à la ville), le **port commercial** se signale par sa longue digue, la **pontinha**, construite à la fin du 18ᵉ s. pour relier un îlot à la terre et prolongée à deux reprises. Il joue un rôle important puisque la plupart des marchandises parviennent à Madère par voie maritime.

Longer l'avenue, et dépasser la marina puis la praça Sá Carneiro.

Parc de Sainte-Catherine (Parque de Santa Catarina)

Aménagé autour de la chapelle de Santa Catarina, construite en 1425 par Zarco, ce parc est un lieu de promenade agréable en fin de journée, avec une vue imprenable sur le port. Vous pourrez faire une halte sympathique sous les parasols de la cafétéria installée près d'un petit lac. Les Grandes Découvertes sont à l'honneur puisque le parc abrite une statue de Christophe Colomb et, du côté de l'avenida do Infante (au nord), une autre statue représentant Henri le Navigateur sous une grande arche en pierre volcanique.

Maison de la Vigie (Quinta da Vigia)

Située entre le parc de Santa Catarina et les jardins du Casino, cette imposante demeure rose est aujourd'hui le siège du gouvernement régional de Madère.

Jardins du Casino (Jardins do Casino)

Entouré d'un parc planté de beaux arbres exotiques, le casino fut construit en 1979 par l'architecte brésilien Óscar Niemeyer. Notez d'ailleurs sa ressemblance avec la cathédrale de Brasilia au Brésil.

Redescendre vers le centre-ville par l'avenida do Infante.

PARCS ET JARDINS DES PROCHES ENVIRONS

Voir la carte des alentours de Funchal p. 428.

Jardin botanique★ (Jardim Botânico)

Prendre la rua Dr Manuel Pestana, en direction de l'aéroport, puis suivre la signalisation (bus nᵒ 29, 30 ou 31) - ☎ 291 21 12 00 - 9h-18h - fermé 25 déc. - 3 €.

Étagé sur des terrasses qui dominent la vallée de la ribeira de João Gomes, ce jardin a été aménagé dans l'enceinte de l'ancienne quinta de Bom Sucesso. Il rassemble de remarquables exemplaires de la flore de Madère et du monde entier. Dans l'élégante maison blanche aux volets verts, un petit **musée** à l'ancienne présente dans des meubles en bois des collections de botanique, de géologie et de zoologie.

Du belvédère le plus élevé, vous aurez une belle **vue★** sur le port de Funchal et, en contrebas, sur la vallée de la ribeira de João Gomes, cultivée en terrasses.

Domaine de la Palmeraie (Quinta da Palmeira)

Prendre la rua da Carne Azeda au nord puis, à gauche, la rua da Levada de Santa Luzia. Avant un virage à gauche se présente l'entrée de la quinta, dont le nom est inscrit sur le seuil en galets blancs. C'est une propriété privée, mais on peut se promener à pied dans ses jardins. Laisser la voiture près de la grille.

Les terrasses de ce parc très bien entretenu dominent Funchal. On y verra de beaux bancs en azulejos et une fenêtre de pierre, gothique, qui provient de la maison où aurait séjourné Christophe Colomb lors de son passage à Funchal.

Domaine de Palheiro Ferreiro★★ (Quinta do Palheiro Ferreiro)

10 km. Caminho de Quinta do Palheiro, 32 - ☎ 291 79 30 44 - www.palheiroestate. com - lun.-vend. 9h-16h30 - 10 €. Quitter Funchal par la rua Dr Manuel Pestana, route de l'aéroport. Prendre la première route en direction de Camacha puis, après quelques virages, tourner à droite dans une petite route pavée signalisée « Quinta do Palheiro Ferreiro » (propriété privée). Passer la grille d'entrée de la quinta et suivre l'allée de platanes jusqu'au parking. Bus n° 36.

Cette vaste demeure, avec hôtel, restaurant de luxe et terrain de golf, s'inscrit dans le cadre d'un **parc** à l'anglaise très soigné que l'on atteint par des allées bordées de camélias. Plus de 3 000 espèces de plantes y sont représentées, et l'on prend plaisir à flâner parmi les remarquables spécimens d'arbres exotiques et les massifs de fleurs rares.

Aux alentours

Monte★

7 km par la rua do Til, puis la R 103 en direction de Santana – env. 1h. Bus n° 20, 21 ou 48. Mais nous vous conseillons d'emprunter le téléphérique (voir ci-dessous).

À près de 600 m d'altitude, Monte est un lieu de villégiature apprécié pour son climat frais et sa végétation luxuriante dans laquelle se cachent des *quintas* et leurs parcs. Depuis novembre 2000, il est relié par un **téléphérique** au centre de Funchal. Le parcours, qui offre de très belles vues sur la ville et la baie, ne dure que 10 minutes.

P. Martins/MICHELIN

Le jardin tropical de Monte Palace.

Dép. du campo Almirante Reis, dans la vieille ville ; arrivée Caminho das Barbosas à Monte - 𝄞 *291 78 02 80 - www.madeiracablecar.com - 10h-18h (dernière montée 17h45) - fermé 25 déc. - 10 € l'aller, 14,50 € AR.*

Jardin tropical et musée de Monte Palace – 𝄞 *291 74 26 50 - www.montepalace. com - jardins : 9h30-18h ; musée : 10h-16h30 - fermé 25 déc. - 10 €.* Ce jardin est situé autour de l'ancien Monte Palace Hotel, érigé à la fin du 19e s. sur le domaine d'une ancienne *quinta* du 18e s. Il a été acquis en 1987 par l'homme d'affaires Joe Berardo *(voir le centre culturel de Belém à Lisbonne, et le musée d'art moderne à Sintra)* afin d'y installer sa **fondation**. Le jardin offre une délicieuse promenade où l'on découvre, parmi ses allées ombragées, des azulejos anciens, des panneaux en terre cuite évoquant l'histoire du Portugal, des pagodes et des statues, des lacs peuplés de poissons, des plantes exotiques originaires du monde entier et en particulier de Madère.

Le musée présente, au rez-de-chaussée, une collection de **minéraux**, provenant notamment des continents africain et américain. Les deux étages supérieurs sont consacrés à la **sculpture** contemporaine en pierre du Zimbabwe.

Église Nossa Senhora do Monte – Sur une butte, au centre d'un parc, elle fut élevée à l'emplacement de la chapelle édifiée en 1470 par Adão Gonçalves Ferreira qui, avec sa sœur jumelle Ève, fut le premier-né de l'île de Madère. Sa façade au fronton baroque, percée de grandes fenêtres et d'un porche à arcades, est assez décorative. Cette église abrite, dans une chapelle à gauche de la nef, le tombeau en fer de l'empereur Charles d'Autriche. Au-dessus du maître-autel, un tabernacle en argent ouvragé contient une petite statue de Notre-Dame-du-Mont, patronne de Madère, vêtue d'une cape. La statue, découverte au 15e s. à Terreiro da Luta, à l'endroit où la Vierge était apparue à une jeune bergère, est le but d'un important pèlerinage les 14 et 15 août.

Retourner à l'arrivée du téléphérique et suivre la route à droite sur 100 m environ.

Cette petite route mène jusqu'à une place plantée de platanes où s'élève la **chapelle Nossa Senhora da Conceição**, construite en 1906 dans le style baroque. De là, vous découvrirez une vue plongeante sur la vallée boisée de la ribeira de João Gomes.

Route panoramique de Funchal à Curral das Freiras★★

Circuit de 34 km – 2h. Quitter Funchal vers l'ouest par l'avenida do Infante.

Église de São Martinho – L'église paroissiale s'élève sur un pic à 259 m d'altitude.

À hauteur du cimetière, tourner à droite.

Info pratique

Tout schuss depuis Monte★★

Au bas de l'escalier de l'église, vous trouverez le point de départ des fameux **traîneaux en rotin** *(carros de cesto)*, mode de transport inventé par un Anglais vers 1850. Poussés, dirigés et retenus par deux hommes en costume blanc, coiffés d'un canotier et chaussés de bottines – que l'on espère anti-dérapantes –, ces toboggans à deux places dévalent à vive allure le caminho do Monte jusqu'à Livramento, 2 km plus bas. Attraction touristique par excellence, la descente se révèle franchement amusante.

Pico dos Barcelos★ – *Bus n° 4, 9, 12 ou 48*. Entouré d'aloès et abondamment fleuri, ce belvédère (alt. 355 m) offre un panorama sur Funchal, sur Santo António tapi dans la vallée autour de son église et sur São Martinho dont l'église se détache sur fond d'horizon marin.

Suivre la route en direction de Eira do Serrado.

Après quelques kilomètres, la route se rapproche de la ribeira dos Socorridos, dont le nom évoque les « rescapés » qui se seraient réfugiés à cet endroit lors de l'incendie de l'île de 1420 à 1427. **Vue★** saisissante sur le profond défilé – dû à une fracture d'origine volcanique – dans lequel coule le torrent. On en aperçoit au sud l'embouchure, avec les quelques maisons du hameau de Câmara de Lobos.

La route traverse des bois de pins et d'eucalyptus et offre bientôt des vues dégagées sur la vallée. Un belvédère sur la gauche révèle un **panorama★★** magnifique du défilé aux pentes cultivées en terrasses, parsemées de maisons blanches.

Une bifurcation à droite mène à Eira do Serrado. Laisser la voiture.

Eira do Serrado★★ – *10mn à pied AR*. À côté du parking, a été construit en 2000 un complexe avec hôtel, restaurant, café et boutiques de souvenirs. Un chemin, en partie en escalier *(145 marches)*, contourne par la droite le pico do Serrado (1 095 m) et gagne le belvédère. Par beau temps, le panorama est remarquable : le village de Curral das Freiras constelle de ses maisons blanches le creux d'un cirque montagneux aux parois ravinées.

Reprendre la route qui descend vers Curral das Freiras.

Cette route s'est substituée à l'ancien sentier qui parcourait en zigzag les pentes vertigineuses. Creusée dans une paroi rocheuse absolument verticale, elle doit franchir deux tunnels pour atteindre le village.

Curral das Freiras – *Bus n° 81*. Occupant un **site★** encaissé, au fond d'un cirque volcanique grandiose, Curral das Freiras, qui signifie « l'étable des nonnes », était la propriété des religieuses de Santa Clara qui vinrent s'y réfugier lors du pillage de Funchal par des pirates français en 1566. L'église s'élève sur une petite place entourée de cafés.

En remontant à la sortie du village, à gauche de la route, **vue★** sur l'impressionnante couronne de pics.

En revenant sur Funchal, laisser à droite la route du pico dos Barcelos.

Santo António – Quartier résidentiel de Funchal possédant une église baroque.

De Funchal à Ribeira Brava par le cap Girão★ ⑤

30 km à l'ouest – Env. 1h (une voie rapide, la R 214, permet d'effectuer ce trajet en 15mn mais ne présente guère d'intérêt). Voir la carte p. 433. Quitter Funchal par l'avenida do Infante vers l'ouest, puis suivre la R 101.

Câmara de Lobos★ – Son nom, qui signifie « chambre des loups », lui a été donné en raison du grand nombre de phoques *(lobo marinho, littéralement « loup marin »)* qui y vivaient au moment de l'arrivée de Zarco.

La ville, pittoresque, est bâtie autour d'un port protégé par deux falaises volcaniques. En longeant le port à l'ouest, on découvre une vue générale du **site★**. Les maisons

Le site de Curral das Freiras.

blanches à tuiles rouges sont réparties sur des terrasses plantées de bananeraies. Sur la plage, ombragée de palmiers et de platanes, les barques colorées portent, suspendus à des arceaux d'osier, de curieux filets noirs en train de sécher.

Dans la partie haute de la ville, un belvédère doté d'une pergola surplombe la plage de galets et, à droite, la ribeira do Vigário.

Au croisement avec la route principale, une petite terrasse, où Winston Churchill est venu peindre en 1950, domine le port.

Reprendre la R 101 vers l'ouest.

Les bananeraies disparaissent au profit de la vigne qui, dans la région d'Estreito de Câmara de Lobos, fait l'objet d'une véritable monoculture. Autour de Jardim da Serra, la vigne, cultivée en espaliers à plus de 500 m d'altitude, produit le fameux *sercial*.

Estreito de Câmara de Lobos – Cette localité animée, à l'écart de la R 101, est dominée par une église blanche. Une petite route à côté de l'église conduit à la partie haute du village, qui donne accès à la **levada do Norte**★.

Revenir à la R 101. Prendre à gauche en direction du Cabo Girão.

Cap Girão★★ **(Cabo Girão)** – Du belvédère aménagé à l'extrémité de la falaise verticale, on jouit d'une vue étendue sur les plaines côtières jusqu'à la baie de Funchal. L'océan écume à 580 m en contrebas, dessinant des courbes régulières.

La route se poursuit à travers les terrasses et bananeraies, puis descend subitement vers Ribeira Brava.

Ribeira Brava – *Voir la côte sud-ouest.*

La côte est★ 1

90 km – Env. 4h. Voir la carte p. 433. Quitter Funchal par la rua do Conde Carvalhal, et suivre la direction de l'aéroport.

Cet itinéraire suit la côte est de Madère, la plus ensoleillée, au climat le plus doux. Les cours d'eau qui descendent de la montagne ont formé des ravines et des petites rias où se sont installés les villages. Le paysage souvent désolé garde les vestiges des anciennes terrasses cultivées. Le tracé de la côte a été légèrement modifié par la construction de l'aéroport qui a empiété sur la mer.

Belvédère de Pináculo★★ (Miradouro do Pináculo)

2 km après São Gonçalo. Installé sur un promontoire rocheux *(pináculo)*, ce belvédère offre, à travers sa pergola fleurie, une magnifique vue sur Funchal au fond de sa baie et, à l'horizon, sur le cap Girão. On aperçoit au loin les îles Desertas.

Caniço

Dans cette localité, les habitants vivent traditionnellement des cultures de la banane et de la canne à sucre ; les pointes de Garajau et de Oliveira ont été aménagées en zones résidentielles avec hôtels et appartements. Sur la première, une grande statue du **Christ-Roi** a été élevée par une famille de Madère.

Santa Cruz

Bourg de pêcheurs bordé par une plage de galets, Santa Cruz garde des premiers temps de la colonisation plusieurs monuments manuélins.

Sur la place principale occupée par un jardin public, l'**église de São Salvador**★ édifiée en 1533 serait la plus ancienne de l'île. Blanche, flanquée d'un clocher au toit pyramidal, elle se termine par une abside ceinte d'une balustrade de croix du Christ. L'intérieur, à trois nefs, est cou-

---

Info pratique

RANDONNÉE

La levada do Norte ★ – En suivant la *levada* à partir d'Estreito de Câmara de Lobos, on atteint la vallée de la ribeira da Caixa (2h à pied AR), véritable bout du monde enchanteur encadré par les terrasses cultivées. Seul le bruissement de l'eau courant dans le canal accompagne cette promenade parmi les fleurs.

Ceux qui disposent de plus de temps peuvent longer la *levada* jusqu'au cap Girão, puis emprunter un sentier pour gagner Câmara de Lobos (attention, les points de dép. et d'arrivée sont différents. Env. 13 km - compter 4 à5h).

L'aéroport de Madère, entre ciel et mer

Depuis l'allongement de la piste de l'aéroport en 2000, les gros-porteurs peuvent enfin atterrir à Madère, et les passagers n'ont plus à subir les freinages brusques dûs au manque de longueur de la piste. L'arrivée sur l'île n'en demeure pas moins impressionnante puisque les avions se posent sur une plate-forme artificielle, montée sur pilotis à 70 m au-dessus des vagues, coincée entre mer et montagne.

Les amants de Machico

Une légende raconte que, en 1346, une tempête fit échouer un navire anglais à l'embouchure de la rivière. Deux naufragés, Robert Machim et Ana d'Arfet, qui s'étaient enfuis de Bristol pour s'épouser malgré l'opposition de leurs parents, moururent quelques jours après. Leurs compagnons reprirent la mer sur un radeau, furent capturés par des pirates arabes et emmenés au Maroc. Le récit de leurs aventures, transmis par un Castillan au roi du Portugal, aurait incité ce dernier à préparer une expédition pour retrouver l'île inconnue. En débarquant, Zarco aurait découvert au pied d'un cèdre la tombe des deux amants et donné le nom de Machico à cet endroit en souvenir du jeune Anglais Machim.

vert d'un plafond peint. Dans le chœur, dont la voûte est soutenue par des colonnes torses, se trouve la dalle funéraire en métal de João de Freitas, qui fit construire l'église. Remarquez les stalles du collatéral droit, et la jolie chapelle manuéline à gauche.

De l'autre côté de la place, la **mairie** présente de belles fenêtres manuélines.

La route parvient ensuite à l'**aéroport**, construit en 1966, et passe sous la piste d'atterrissage installée sur une plate-forme artificielle, soutenue par une forêt de piliers.

Belvédère (miradouro) Francisco Àlvares Nóbrega★

Une route à gauche mène à ce belvédère portant le nom d'un poète portugais, surnommé « le petit Camões » (1772-1806), qui loua les mérites de Madère. La vue s'étend sur Machico et la pointe de São Lourenço.

Machico

La ville occupe une petite baie au débouché de la large et fertile vallée de la ribeira de Machico. C'est ici que débarquèrent Zarco et ses compagnons. L'année suivante, Tristão Vaz Teixeira reçut de l'infant Henri la direction de la capitainerie de Machico. Le quartier des pêcheurs, nommé Banda d'Além, se trouve à l'est de la rivière, tandis que la vieille ville occupe la rive ouest.

Église paroissiale – Elle borde une place de la vieille ville, bordée de platanes. Édifiée à la fin du 15e s., sa façade manuéline est percée d'une jolie rosace et d'un portail orné de chapiteaux sculptés de têtes d'animaux. Cadeau du roi Manuel Ier, le portail latéral est constitué d'arcs géminés soutenus par des colonnes de marbre blanc. À gauche de la nef, couverte d'un intéressant plafond peint, un arc manuélin ouvre sur la chapelle de São João Baptista, panthéon des donataires.

Chapelle des Miracles (Capela dos Milagres) – Située à l'est de la rivière, la chapelle des Miracles marque l'emplacement de la tombe des amants de Machico (*voir encadré*). Tristão Vaz Teixeira y avait fait construire une chapelle dès 1420. Détruite par une crue en 1803, elle fut réédifiée, mais garda son vieux portail manuélin. En 1829, un négociant anglais, Robert Page, prétendit y avoir retrouvé la croix de cèdre qui surmontait le tombeau des amants.

À la sortie de Machico, suivre la direction de Caniçal.

La route s'élève en offrant des vues sur la haute vallée de Machico, dominée par les sommets. On quitte la vallée par un tunnel foré sous le mont Facho.

Caniçal

Après avoir perdu son rôle de centre de la chasse à la baleine lorsque celle-ci fut interdite en 1981, Caniçal végéta quelques années avant de redevenir l'un des premiers ports portugais pour la pêche au thon, activité importante dont témoignent les dimensions des installations portuaires et de la conserverie.

Musée de la Baleine (Museu da Baleia) – *Largo Manuel Alves -* ℘ *291 96 14 07 -www. museudabaleia.org - mar.-dim. 10h-12h, 13h-18h - fermé 1er janv., 25 et 26 déc. - 1,25 €.* Près du port ancien, au bas du village, ce petit musée évoque la chasse à la baleine dont vécut Caniçal entre 1940 et 1981. Deux films documentaires sont présentés : le plus long *(35mn, en français)*, tourné par un Français en 1978, fait revivre par des images fortes la lutte acharnée des hommes contre leurs adversaires marins. Le second film, plus récent et réalisé par des Portugais *(15mn, en anglais et en portugais)*, retrace l'historique de la chasse à la baleine. La baleinière exposée semble un frêle esquif à côté de la maquette grandeur nature d'un cachalot. Quelques harpons, des maquettes de bateaux et des *scrimshaws* (dents de cachalot ou os gravés) complètent l'exposition.

Passé la zone franche industrielle, suivre les panneaux « Praínha ». Laisser la voiture au parking et descendre l'escalier.

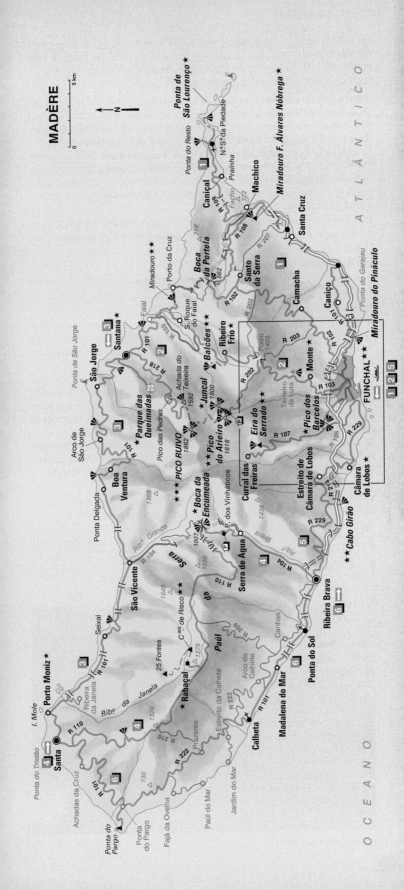

Encadrée de rochers au pied d'un monticule où se dresse l'**ermitage de Nossa Senhora da Piedade**, cette petite plage de sable noir n'a rien de spectaculaire. Mais profitez-en, **Praínha** est l'une des seules plages de sable de Madère.

Continuer la route tout droit jusqu'à la pointe de São Lourenço.

Pointe de São Lourenço★ (Ponta de São Lourenço)

Extrémité est de l'île de Madère, cette pointe formée de roches volcaniques aux tons ocre, rouges et noirs s'étire loin dans la mer. Elle est battue par les flots et les vents, comme en témoignent les nombreuses éoliennes qui hérissent le paysage.

La route se poursuit jusqu'à un parking près de la **baie da Abra**. De là, un sentier mène à un point de vue d'où l'on découvre des rochers surprenants. D'ici, comme du **belvédère de la ponta do Resto** *(route de gauche au premier rond-point après Praínha en suivant les panneaux « Miradouro »)*, vous découvrirez des **vues★★** impressionnantes sur la côte abrupte du nord de l'île.

Revenir à Machico et prendre la direction du col de Portela (« Boca da Portela »).

À mesure que la route prend de l'altitude, les cultures de bananes et de canne à sucre cèdent le pas aux bois de pins et d'eucalyptus.

Col de Portela (Boca da Portela)

Au carrefour du col de Portela (alt. 662 m), montez jusqu'au belvédère qui domine la vallée verdoyante de Machico.

Santo António da Serra

À 660 m d'altitude, sur un plateau couvert de forêts de pins et d'eucalyptus, Santo António da Serra est un lieu de villégiature apprécié des habitants de Funchal pour son climat frais et son site reposant. Ses terrains de golf sont réputés.

Sur la place centrale, où s'élève l'église, pénétrez dans le parc de la quinta da Junta *(entrée à droite de la place)*, ancienne propriété de la famille Blandy. À l'extrémité de l'allée principale bordée d'azalées, de magnolias et de camélias, un belvédère surplombe la vallée de Machico ; au loin, on distingue la pointe de São Lourenço et, par beau temps, la tache blanche de l'île de Porto Santo.

La route *(R 102)* qui mène à Camacha traverse des régions boisées, où quelques cultures de primeurs révèlent la présence de hameaux. À gauche, une pancarte signale une vue sur la levada dos Tornos qui serpente sur le versant opposé de la vallée.

Camacha

Ce bourg, situé dans une zone boisée à 700 m d'altitude, est un centre réputé de vannerie, connu également pour son groupe folklorique : des accords de *braguinha* (guitare à quatre cordes) accompagnent leurs danses gracieuses et alertes ; l'amusant *brinquinho*, bâton supportant une pyramide de poupées et de castagnettes, sert à marquer la cadence.

De Camacha, revenir à Funchal en suivant la signalisation.

Aux abords du Pico do Arieiro.

Panorama du sommet du pico Ruivo

De gauche à droite, on découvre :

– vers l'est, les vallées sauvages de la ribeira Seca, de la ribeira da Metade et du ribeiro Frio qui disparaissent derrière les crêtes en direction de l'Océan ; à l'horizon, la pointe de São Lourenço ;

– plus proche, au sud-est, le pico das Torres précédant le pico do Arieiro ; à droite de celui-ci, le pico do Cidrão (1 802 m) ;

– au sud et à l'ouest, le cirque de Curral das Freiras et le défilé de la ribeira dos Socorridos ; au-dessus, le pico Grande (1 657 m) qui domine le pico das Torrinhas (« des tourelles ») à la silhouette caractéristique ; le pico Casado en forme de cassis ; au loin, le plateau de Paúl da Serra ;

– au nord-ouest, le cratère du Caldeirão do Inferno (« Chaudron de l'Enfer ») ;

– au nord, les vallées de la côte nord séparées par de longues collines ;

– au nord-est, São Jorge et Santana sur leur plateau côtier.

La côte nord et le centre★★

Itinéraires ② , ③ *et* ④ *de la carte p. 433. 220 km au dép. de Funchal – Compter 2 jours.*
Ce tour de l'île, qui permet de voir l'essentiel de Madère, peut être effectué en une journée. Mais nous conseillons à ceux qui veulent profiter des promenades à pied décrites de compter au moins deux jours en faisant une étape, par exemple à Santana ou à Porto Moniz.

DE FUNCHAL À SANTANA PAR LE PICO DO ARIEIRO ②

60 km.
Cette partie de l'itinéraire passe par les plus hauts sommets de l'île avant de redescendre sur la côte nord.
Quitter Funchal par la rua do Til, puis la route EN 103 en direction de Monte (voir « aux alentours » de Funchal) et de Santana.
Après Terreiro da Luta, la route bordée de haies de fleurs s'élève en lacet parmi les bois de pins et d'acacias. Avec l'altitude, le paysage se dénude, et la campagne se couvre de genévriers et de chênes verts.
Au col de Poiso (1 400 m), prendre à gauche la route (R 202) du pico do Arieiro.
Parcourant les crêtes montagneuses de la zone centrale de l'île, cette route offre des perspectives sur la côte sud et sur Funchal ainsi que sur la côte nord. Dans les landes désolées paissent des troupeaux de moutons. À Chão do Arieiro, la route passe en contrebas de l'observatoire météorologique, perché sur une falaise à 1 700 m d'altitude, puis aboutit à proximité de la pousada do Pico do Arieiro.

Belvédère du pico do Arieiro★★ (Miradouro do Pico do Arieiro)

Aménagé sur la cime même du pic, à 1 818 m d'altitude, au terminus de la route, ce belvédère offre un magnifique panorama sur les massifs du centre de l'île. On remarque l'emplacement du cratère de Curral das Freiras, la crête du pico das Torrinhas et le pico das Torres qui précède le pico Ruivo. Au nord-est, on distingue la ribeira da Metade, la butte de Penha da Águia (« rocher de l'Aigle ») et la pointe de São Lourenço.

Belvédère de Juncal★ (Miradouro do Juncal)

Un chemin bien aménagé contourne le sommet (1 800 m) et mène au belvédère *(15mn à pied AR)*. De là, vous aurez une belle vue sur la pointe de São Lourenço et sur toute la vallée de la ribeira da Metade qui débouche au pied de Faial, près du curieux piton rocheux de Penha da Águia.

Ascension du pico Ruivo★★★

Point culminant de l'île de Madère avec ses 1 862 m, le pic Ruivo présente des pentes boisées de bruyères géantes et offre, de son sommet, un panorama incomparable. Il n'est accessible qu'aux marcheurs. Plusieurs sentiers parviennent jusqu'au refuge *(casa-abrigo)*.
Accès par le pico do Arieiro – *8 km à pied - env. 4h AR. C'est le plus connu et le plus spectaculaire des chemins, mais l'absence de garde-fou à certains endroits et l'inégalité du sol rendent parfois la marche difficile et dangereuse pour ceux qui sont sujets au vertige. L'accès par Achada do Teixeira est plus facile (voir plus loin). La meilleure solution, si l'on peut s'organiser avec les moyens de transport locaux, est de partir du pico do Arieiro, de poursuivre à pied jusqu'à Achada do Teixeira et, au-delà, jusqu'à Queimadas et San-*

Info pratique

RANDONNÉE

🥾 **La levada da Serra do Faial** –
À Ribeiro Frio passe la *levada* da Serra
do Faial, un canal de 54 km de long qui
irrigue une partie du versant jusqu'à
Porto da Cruz et Machico. Les
randonneurs expérimentés pourront la
suivre à pied vers l'est jusqu'au col de
Portela (10 km - env. 4h) ou vers l'ouest
jusqu'à Cruzinhas en passant par
Balcões *(voir ci-contre)* et la centrale
hydroélectrique de Fajã da Nogueira
(14 km - env. 8h de marche).

*tana. Du pic do Arieiro à Achada do Teixeira,
compter 3h30 ; 6h pour l'ensemble.*

🥾 Le chemin parcourt d'abord une arête
rocheuse qui domine à gauche la vallée de
Curral das Freiras, à droite celle de la ribeira
da Metade. Un tunnel franchit le cap do
Gato, puis un autre évite la montée difficile
au pico das Torres. À la sortie de ce tunnel,
on découvre un vaste cirque montagneux
où se rejoignent les affluents supérieurs de
la ribeira Seca. Remarquez sur la droite, à
proximité du chemin, les vestiges d'une
étonnante cheminée volcanique.

*Pour poursuivre l'itinéraire en voiture, reve-
nir à Poiso et prendre à gauche la R 103 en
direction de Faial.*

La route descend en lacet parmi les pins et les lauriers arborescents, dont la densité
annonce l'humidité du nord de l'île.

Ribeiro Frio★

Dans un site agréable, les versants qui dominent Ribeiro Frio (la « rivière froide »)
sont riches en espèces végétales et font partie du Parc forestier Flora da Madeira.
Un élevage de truites profite de la fraîcheur de cet environnement. Cet endroit est le
point de départ de plusieurs randonnées le long de la *levada* da Serra do Faial.

Balcões★★

🥾 *40mn à pied AR. Prendre le sentier à gauche du virage en dessous de Ribeiro Frio.*
Le chemin longeant la *levada* da Serra do Faial passe dans des couloirs taillés dans le
rocher basaltique. Il atteint le belvédère de Balcões, situé sur un versant de la vallée de
la Metade, au débouché des cirques de haute montagne. La vue s'étend de la haute
vallée qui part du flanc des pics déchiquetés (pico do Arieiro, pico das Torres et pico
Ruivo) jusqu'à la vallée côtière plus épanouie dont les collines arrondies portent de
riches cultures. À gauche de la Penha da Águia, on aperçoit les maisons de Faial.
Reprendre la route en direction de Faial.

En suivant la vallée, on arrive en vue de **São Roque do Faial**, village perché sur une
crête allongée entre deux vallées. Autour des maisons aux toits de tuiles envahis
par la vigne, les petits champs en terrasses de cultures maraîchères, les plantations
d'osier, les vergers piquetés d'abris à toits de chaume *(palheiros)* composent un
paysage pittoresque.
Prendre à droite en direction de Portela.

Du pont qui enjambe la ribeira de São Roque, on bénéficie d'une jolie vue sur la vallée
de Faial et sur le village perché au sommet de sa falaise. Sur les pentes les mieux exposées, on cultive quelques bananiers, la
canne à sucre et la vigne.
Suivre la direction Porto da Cruz.

Un belvédère offre une des plus jolies
vues★★ de l'île sur **Porto da Cruz,** petit
port niché au pied d'une falaise abrupte,
en bordure d'une plage de galets.
*De Porto da Cruz, revenir en direction de
Faial.*

Quatre kilomètres avant Faial, deux
belvédères à droite de la route offrent
une **vue★** d'ensemble sur **Faial**, la Penha
da Águia, le village de São Roque, au
confluent des vallées de Metade et de
São Roque, et, à l'horizon, la pointe de
São Lourenço.
De Faial suivre la R 101 vers Santana.

Santana★

Situé sur un plateau côtier à 436 m d'altitude, Santana est l'un des plus agréables villages de Madère. Les habitants
vivaient traditionnellement dans de

Une maison traditionnelle de Santana.

B. Brillion/MICHELIN

coquettes et étonnantes chaumières en bois, aux toits pointus, entourées de jardins fleuris clos de haies de buis. Quelques-unes subsistent (entre des constructions plus modernes), notamment à proximité du parc des Queimadas.

Autour de Santana

Les environs de Santana se prêtent à d'innombrables balades.

Parc des Queimadas★ (Parque das Queimadas) – *À partir de la R 101 en direction de São Jorge, prendre à gauche le caminho das Queimadas, en mauvais état, sur 3 km.* Après un bois peuplé d'arbres magnifiques, on parvient à des chaumières, propriété du gouvernement. Là, à 883 m d'altitude, au pied des pentes du pico Ruivo et dans un site enchanteur, les arbres de la forêt primitive de Madère, aux branches couvertes de lichens, se reflètent dans les eaux d'un petit étang. Des sentiers assez difficiles, déconseillés après la pluie, mènent au pico Ruivo et au cratère de Caldeirão Verde *(1h30 de marche).*

Pico das Pedras et achada do Teixeira – *10 km. La route R 218 partant de Santana passe par le pico das Pedras (où se trouve une station expérimentale de botanique), et se poursuit jusqu'au parking du plateau (achada) do Teixeira, à 1 592 m d'altitude.* Derrière le bâtiment situé près du parking se découvre un point de vue sur Faial et, au premier plan, sur une formation basaltique appelée **Homen em Pé** (« l'homme debout »).

Ascension du pico Ruivo★★★ par l'achada do Teixeira – *Pour la description du pico Ruivo, voir plus haut. Compter 2h30 AR. Du parking, un chemin mène au pico Ruivo. Cet accès est beaucoup plus facile et rapide que celui du pico do Arieiro.*

🚶 Un sentier pavé offrant très rapidement une belle **vue★★** sur le massif mène au refuge du pico Ruivo *(1h)*. De là, on peut accéder en 15mn au sommet du pic.

DE SANTANA À SANTA ③

70 km par la R 101 vers l'ouest.

En quittant Santana, on découvre un panorama splendide, à gauche, sur la chaîne de montagnes. La route, agréablement bordée d'hortensias, d'arums, de cannas, traverse des vallées côtières dont le versant ensoleillé porte des cultures variées.

São Jorge

À l'écart de la route principale, son **église** (17e s.) surprend par la richesse de son ornementation baroque dont la présence, insolite dans une paroisse rurale, évoque l'époque fastueuse du roi Jean V : azulejos, retable de bois doré, tableaux, torchères et, dans la sacristie, un élégant chapier et une jolie fontaine baroque.

Avant la descente sur **Arco de São Jorge**, un belvédère à droite de la route offre une **vue★** étendue sur la côte qui s'incurve dans la baie de São Vicente ; en contrebas, la petite vallée dans laquelle est bâti Arco de São Jorge est scandée de gradins d'érosion successifs. Les treilles se font nombreuses sur les pentes les plus abritées. Cette région, comme celle d'Estreito, produit du *sercial,* l'un des fameux vins de Madère.

Boa Ventura

Ce village essaime ses maisons au milieu des vignobles, sur une colline séparant deux vallées *(lombos)*.

À 3 km de Boa Ventura, découvrez la jolie **perspective★** : à droite, sur la côte qui déroule ses indentations au-delà de la rivière dos Moinhos toute proche ; à gauche, sur **Ponta Delgada** avec son église blanche et sa piscine d'eau de mer. Après Ponta Delgada, la côte prend un aspect encore plus austère. La route passe au pied d'une immense falaise verticale, sombre et humide. Les treilles sont maintenant protégées du vent par des clôtures de genêts qui donnent à la campagne l'aspect d'un damier.

São Vicente

Cette petite ville construite à l'embouchure de la ribeira Grande se protège au creux d'une falaise un peu à l'écart de la mer. Les maisons groupées autour de l'église ont fait l'objet d'une rénovation et il est agréable de s'y arrêter. À l'endroit où la rivière se jette dans la mer, un rocher a été creusé pour abriter la chapelle São Vicente.

Grottes de São Vicente (Grutas de São Vicente) – *À 800 m au sud-est de la localité (pancartes) -* 📞 *291 28 01 47/48 - www.grutasecentrodovulcanismo.com - visite guidée (30-40mn) 10h-19h - fermé 25 déc. - 8 €.* Les grottes de São Vicente offrent un voyage captivant au centre de la Terre, le long d'un parcours de 700 m dans les galeries de lave, de basalte et de fer, formées par l'explosion du volcan au Paúl da Serra il y a 400 000 ans.

Route de São Vicente à Porto Moniz★★

Construite en 1950, elle a été surnommée la « route de l'or » en raison de son coût. Taillée de manière spectaculaire en corniche au flanc d'une falaise qui plonge abruptement dans l'Océan, elle représente un véritable exploit dans le domaine des travaux publics. Très étroite à certains endroits – des aires de dégagement y ont été prévues –, elle reste impressionnante, bien qu'elle ait été remplacée en partie par des tunnels. Quelques cascades s'y précipitent du haut du Paúl da Serra et, à certains endroits proches du niveau de la mer, les embruns des vagues l'arrosent. De rares vignes affrontent cette côte inhospitalière.

Trois kilomètres avant le village de Seixal, la route franchit un long tunnel au-dessus duquel tombe une cascade abondante. À la sortie, un belvédère offre un beau **point de vue★** sur le village de Seixal.

Seixal – Il est établi sur un promontoire★ prolongé d'écueils, parmi les vignobles.

Plus loin, à l'embouchure de la ribeira da Janela, se dressent trois îlots. Le plus grand est percé d'une sorte de fenêtre *(janela)*, d'où le nom de la rivière. En s'éloignant du pont, on distingue l'étrange configuration de ce rocher.

Porto Moniz★

C'est le seul port abrité de la côte nord, bien protégé par une langue de terre aplatie, qui s'allonge en direction d'un îlot arrondi, l'ilhéu Mole. La petite péninsule abrite des maisons des pêcheurs. Jusqu'en 1980, la chasse à la baleine y était pratiquée. Les quelques hôtels et restaurants de Porto Moniz en font une ville d'étape.

Au nord du village, la côte est semée d'**écueils★** pointus au milieu desquels a été aménagée une superbe piscine d'eau de mer. Avancez-vous sur les belvédères qui surplombent les gouffres et les arches naturelles creusés par la mer dans les rochers de lave noire.

Après Porto Moniz, la route gravit en lacet la pente raide de la falaise qui domine le village. Deux belvédères offrent des **vues★** plongeantes sur Porto Moniz, dont le bourg se blottit à mi-pente autour de son église, parmi les damiers des champs enclos de genêts ; au-delà, la mer forme une frange d'écume sur les écueils.

Santa

Nom abrégé de Santa Maria Madalena. Remarquez l'église blanche flanquée d'un curieux clocher ressemblant à un minaret.

Après Santa, prendre à gauche la route 204 vers Paúl da Serra et Encumeada, ou suivre l'itinéraire 6 *décrit au chapitre « La côte sud-ouest » (ci-après).*

DE SANTA À RIBEIRA BRAVA PAR PAÚL DA SERRA 4

55 km.

La route 204 relie l'ouest de l'île, près de Santa, au col d'Encumeada. Très agréable et beaucoup plus rapide que la route de la côte sud, elle permet de découvrir ce haut plateau, seule surface plane de l'île, où l'on peut voir paître des vaches et des moutons. En hiver, quand elle est noyée dans les nuages, il vaut mieux l'éviter.

Entre Santa et Rabaçal, la route suit la ligne de crête, offrant de beaux points de vue sur les deux versants de l'île, notamment à gauche sur la **ribeira da Janela**, la plus grande vallée de l'île, très verte et encaissée (forêts de lauriers et de bruyères).

Rabaçal★

Aucun panneau indicateur en arrivant par l'ouest : repérer le parking à gauche de la route. Une petite route sinueuse *(2 km)* s'enfonce sous les frondaisons et mène au refuge de Rabaçal *(casas de Rabaçal)*. Retiré et sauvage, c'est un des endroits préférés des Madériens, qui viennent y pique-niquer le dimanche. De là, vous pourrez marcher jusqu'à la **cascade do Risco★★** ou jusqu'au site des **25 Fontes★** *(voir encadré)*.

Info pratique

RANDONNÉE

La levada do Risco et la levada das 25 Fontes – Un frais sentier le long de la levada do Risco mène à la magnifique cascade do Risco, qui tombe d'une centaine de mètres dans un bassin au fond de la vallée de Ribeira da Janela (depuis le refuge de Rabaçal, 50mn à pied AR). Sur le chemin du retour, avant d'atteindre le refuge de Rabaçal, un embranchement à droite permet de suivre une autre *levada* pour rejoindre le très beau site des 25 Fontes (« 25 Sources »). Le sentier, très étroit et dépourvu de barrières par endroits, est fortement déconseillé aux personnes sujettes au vertige (compter au moins 2h à pied AR).

Paúl da Serra

Surprenante par son horizontalité et son aridité, cette vaste étendue qui se transforme en marais en hiver (le mot *paúl* signifie « marais ») est une lande à moutons. C'est aussi le carrefour de pistes, de routes et de chemins qui permettent de faire des excursions dans le centre de l'île.

La route entre Paúl da Serra et Encumeada domine le versant sud de l'île, offrant de très belles vues sur les sommets qui surplombent la côte plantée de bananiers.

Col d'Encumeada★ (Boca da Encumeada)

Situé à 1 007 m d'altitude, ce col est couronné d'un belvédère dominant les deux versants de l'île. Il offre ainsi une vue générale sur les deux vallées centrales de Madère, qui occupent une zone de fracture volcanique entre le plateau de Paúl da Serra et les massifs proches du pico Ruivo.

La **levada do Norte** passe sous la route, descend à Serra de Água, puis irrigue la région comprise entre Ribeira Brava et Câmara de Lobos. Cette *levada* parcourt 60 km. Construite en 1952, c'est l'une des plus récentes de Madère *(voir encadré p. 431).*

Plus loin, en passant au niveau de la pousada dos Vinháticos, située dans un paysage magnifique de pics dénudés et découpés, on aperçoit des fonds de vallées sculptés en terrasses.

Serra de Água

Ce village est bâti dans un joli **site★**, à mi-pente, au milieu des cultures.

La Ribeira Brava dessine ici une vallée étroite, aux contours harmonieux. La végétation est abondante et variée : saules et peupliers d'Italie prédominent au bord de l'eau.

La côte sud-ouest★

DE RIBEIRA BRAVA À FUNCHAL

35 km. Voir l'itinéraire ⑤ *décrit en sens inverse dans la partie « Aux alentours » de Funchal.*

DE RIBEIRA BRAVA À SANTA ⑥

70 km – Prévoir une journée.

Entre Funchal et Calheta, la partie sud-ouest de l'île bénéficie d'un climat beaucoup plus ensoleillé que la côte nord, et sur ses versants s'épanouissent les bananiers et toutes sortes de fleurs. C'est une région très peuplée ; les villages sont reliés par une route extrêmement sinueuse suivant les courbes du relief. Entre Ribeira Brava et Calheta, une nouvelle route, jalonnée d'ouvrages d'art, a été construite au niveau de la mer pour rendre cette partie de la côte plus facile d'accès.

Ribeira Brava

Cette petite ville, dont le nom signifie « rivière sauvage », est bâtie à l'embouchure de la rivière du même nom, entre deux montagnes couvertes de bananeraies et autres cultures. Une avenue ombragée et animée longe la plage, débouchant sur un petit quai. La tour, vestige d'un fortin du 17e s., témoigne d'une époque troublée par les assauts des pirates. Au centre du bourg, sur une place pavée de galets formant mosaïque, se dresse une coquette petite **église** du 16e s. flanquée d'un clocher au toit décoré d'azulejos. Modifiée par la suite, elle a gardé de l'époque primitive une chaire et des fonts baptismaux manuélins intéressants.

Musée ethnographique de Madère – R. *de São Francisco, 24 -* ℘ *291 95 25 98 - mar.- dim. 10h-12h30, 14h-18h - fermé j. fériés - 2,50 €.* Aménagé dans un ancien moulin à sucre, ce musée est consacré aux activités traditionnelles de l'île (pêche et tissage). On peut y voir reconstitués des intérieurs de maisons. Une petite boutique vend des objets artisanaux.

À Ribeira Brava, prendre la route qui longe la côte au niveau de la mer. Son tracé a nécessité la construction de nombreux tunnels.

Ponta do Sol

Au pied des versants couverts de bananeraies, l'**église** du 16e s., au clocher couvert d'azulejos, présente dans le chœur un plafond mauresque en bois de cèdre peint.

Madalena do Mar

Le village est groupé entre deux rochers au bord d'une plage de galets noirs.

Calheta

Entourée de jacarandas, l'**église** (1639) se dresse sur la droite dans un virage. Elle est intéressante pour le plafond mauresque du chœur : des motifs semblables à ceux du plafond de la cathédrale de Funchal s'assemblent ici en carré.

Après Calheta, on rejoint la route ancienne, tortueuse, qui parcourt l'ouest de l'île.

La côte ouest est la moins peuplée et la plus retirée de l'île. La route, bordée de massifs fleuris, traverse une campagne verdoyante où, parmi les bois de lauriers, de bruyères arborescentes, d'eucalyptus et de pins, sont disséminées quelques terrasses de cultures maraîchères. Elle passe à proximité de la **pointe do Pargo**, limite occidentale de Madère où, lors d'un voyage de reconnaissance, les marins du navire de Zarco pêchèrent un gigantesque pagre *(pargo)*, une espèce de daurade. Son phare se dissimule derrière une colline.

De là, poursuivre sur la route de la côte ouest jusqu'à la jonction avec la R 204. Revenir par Paúl da Serra (itinéraire ⁴ décrit p. 438).

Île de Madère pratique

Information utile

À FUNCHAL

🛈 **Posto de turismo** – *Av. Arriaga 16 - 9000-064 - ℘ 291 21 19 02 - www. madeiratourism.org.*

Internet

À FUNCHAL

Global Net Café – *R. do Hospital Velho, 25 (à proximité du marché) - lun.-vend. 9h-19h, sam. 9h-13h, fermé dim. - 2,50 €/h.*

Centro comercial Tavira *(à proximité de la Sé)* – *lun.-sam. 11h-22h, dim. 16h-22h - 2 €/h.*

Transports

Aéroport – L'aéroport de Santa Catarina est situé à 22 km au nord-est de Funchal. Le service de navettes **Aerobus** assure la liaison entre l'aéroport et Funchal (jusqu'à l'extrémité de l'estrada Monumental, la zone hôtelière de la ville) - dép. env. ttes les 2h entre 8h30 et 0h (4 € - grat. pour les passagers de la TAP sur présentation du talon de la carte d'embarquement). En **taxi** (tarifs fixes), comptez 25 € pour le centre-ville ; 28 € jusqu'à l'extrémité de la zone hôtelière.

Bateau – *Voir Porto Santo p. 443 -* env. 60 € AR en saison - 2h30 de trajet. En principe, un ferry quotidien relie Funchal à Porto Santo tôt le matin et regagne Funchal en fin de journée, mais les horaires peuvent légèrement varier selon la saison. En haute saison, surtout le week-end, achetez vos billets à l'avance. Réserv. dans les agences de voyages, les hôtels ou directement auprès de **Porto Santo Line** – *R. da Praia, 6 - 9000-503 Funchal - ℘ 291 21 03 00 - www.portosantoline.pt.*

Taxis – On trouve facilement des taxis à Funchal. Le compteur affiche une prise en charge de 1,50 € et le prix minimum de la course est de 3,90 € (plus 0,59 € par km sup.). Prix majorés de 20 % de 22h à 7h, les w.-end et les j. fériés. Tarifs forfaitaires pour certains trajets en dehors de Funchal.

Bus – De nombreuses lignes desservent les différents quartiers de Funchal et les environs. Tarifs selon les zones (de 1,15 € pour la zone 1 à 2,10 € pour la zone 3). Si vous comptez effectuer plusieurs trajets, optez pour un ticket hebdomadaire à 15 €, valable pour les trois zones. Le plan et les horaires de bus sont disponibles à l'office de tourisme.

LOCATION DE VOITURES

Un conducteur averti en vaut deux sur les routes étroites et en lacet de l'île. Si vous décidez de louer une voiture, vous n'aurez que l'embarras du choix, les agences de location étant extrêmement nombreuses à Funchal. Elles sont pratiquement toutes représentées à l'aéroport ou dans la zone hôtelière. L'office de tourisme met leurs tarifs à votre disposition, mais pour les comparer, pensez à inclure les 13 % de TVA et le montant de l'assurance.

Rent-a-car Amigos do Auto – *Estrada Monumental - hôtel Baía Azul, loja 5 - Funchal - ℘ 291 77 67 26.*

Moinho – *Estrada Monumental - Edifício Navio Azul, lojas 21, 22, 27 et 28 - Funchal - ℘ 291 76 21 23.*

Auto Jardim – *R. Ivens, 12 (derrière le jardin São Francisco, dans le centre de Funchal) - ℘ 291 21 31 00.*

Visites

Funchal Sightseeing Tours – *Av. do Mar (à côté de la marina de Funchal) - ℘ 968 34 24 13 - nov.-fév. : ttes les 1h30 de 9h à 18h ; mars-oct. : ttes les heures de 9h à 21h -* 7,50 €. Pour découvrir en bus et en 1h l'essentiel de Funchal. Billet valable la journée, on peut donc monter et descendre du bus à son gré.

L'île de Madère – Les agences de voyages de l'estrada Monumental (zone hôtelière) proposent des excursions d'une journée en minibus dans les régions ouest, est, sud-ouest ou nord-est de Madère. Les programmes diffèrent peu de l'une à l'autre ; comparez les prix et les offres promotionnelles.

Possibilité de visiter l'île en taxi, formule intéressante si vous êtes trois ou quatre personnes. Une grille tarifaire fixe est disponible dans les taxis ou à l'office de tourisme. À titre indicatif, il faut compter 45 € pour un trajet Funchal-Pico dos Barcelos-Eira do Serrado-Curral das Freiras avec retour à Funchal.

Se loger

À FUNCHAL

⊖ **Pensão Residencial Mira Sol** – *R. Bela de Santiago, 67* - ℘ *291 20 17 40* - *www.mirasol.biz* - ▣ ⤢ - *15 ch. 35 €* ⊑. On se sent rapidement chez soi dans cette belle demeure de la vieille ville. Choisissez l'une des charmantes chambres sous les toits (elles ont des balcons), mais évitez le côté *ƒ* Bela de Santiago, plus bruyant.

⊖ **Residencial Colombo** – *R. Carreira, 182* - ℘ *291 22 52 31* - *www.residencias-colombo.pt* - *60 ch. 40/45 €* ⊑. Cet édifice moderne du centre-ville dispose d'un solarium sur le toit. En plus des chambres, l'établissement propose des appartements dotés d'une kitchenette et bénéficiant d'une petite terrasse.

⊖ **Residencial Americana** – *Largo do Chafariz, 20* - ℘ *291 21 53 60* - *12 ch. 40/50 €*. Dans un immeuble ancien à deux pas de la cathédrale, pension impeccable dont l'excellent accueil fait oublier les quelques petites imperfections comme la minuscule soupente transformée en salle de petit-déjeuner. Le propriétaire vous donnera une foule de conseils dans un français remarquable.

⊖ **Apartamentos Turísticos São Paulo e Alegria** – *R. Pimenta Aguiar, 2* - ℘ *291 74 19 31* - *www.apartamentossaopaulo.com* - *19 ch. 37,5/65 €* ⊑. Répartis dans deux immeubles voisins en plein centre de Funchal, ces studios avec cuisine équipée et balcon pour certains sont confortables et très propres (les appartements São Paulo viennent en outre d'être rénovés). Une formule idéale pour les familles.

⊖ **Residencial Vila Teresinha** – *R. das Cruzes, 21* - ℘ *291 74 17 23* - *www.pensaoresvilateresinha.com* - ⤢ ✕ - *12 ch. 35/65 €*. La terrasse de cette pension située en contrebas de la quinta das Cruzes offre une belle vue sur la ville. L'adresse dispose aussi d'un restaurant.

⊖⊖ **Madeira** – *R. Ivens, 21* - ℘ *291 23 00 71* - *www.hotelmadeira.com* - ⤢ - *53 ch. 66 €* ⊑. Un hôtel calme, bien tenu et central puisqu'il donne sur le jardin de São Francisco. Les chambres ont de petites terrasses, et une piscine a été aménagée sur le toit avec vue sur la ville.

⊖⊖ **Quinta da Fonte** – *Estrada dos Marmeleiros, 89* - ℘ *291 23 53 97* - ⤢ - *5 ch. 80/100 €* ⊑. Entre Funchal et Monte, cette villa familiale construite en 1850 jouit d'une belle vue panoramique sur la ville et sa baie. La maison décorée de meubles anciens de valeur ainsi que l'accueil des propriétaires illustrent l'art de vivre à Madère. Jardin avec petite chapelle.

⊖⊖⊖ **Reid's Palace** – *Estrada Monumental, 139* - ℘ *291 71 71 71* - *www.reidspalace.com* - ▣ ⤢ ▤ ✕ - *163 ch. 355/675 €* ⊑ - *rest. 56 €*. Tout le confort et le luxe d'un palace à la réputation mondiale, entouré de jardins luxuriants avec des terrasses faisant face à la mer.

À FAIAL

⊖ **Residencial O Curtado** – *R 101* - ℘ *291 57 22 40* - ▣ ⤢ - *37 ch. 25/50 €* ⊑. Difficile de manquer cet édifice rose posté sur la route entre Faial et Santana. En déboursant un peu plus, optez pour une chambre dans le bâtiment du haut : vous y découvrirez l'une des plus belles vues de Madère, unique intérêt de l'établissement.

À SANTANA

⊖ **O Colmo** – *Sitio do Cerrado* - ℘ *291 57 02 90* - *www.hotelocolmo.com* - ▣ ⤢ ✕ - *50 ch. 45/60 €* ⊑. Le seul hôtel confortable de Santana présente un bon rapport qualité-prix. Les chambres spacieuses et d'une propreté irréprochable sont toutes dotées de terrasses, et l'accueil déborde d'amabilité. Vous apprécierez les jacuzzi, sauna et piscine mis à la disposition des clients, surtout après une journée de randonnée. Restaurant très convenable.

Se restaurer

👁 **Bon à savoir** – Les brochettes de viande de bœuf marinée *(espetadas)*, accompagnées de cubes de maïs frit, sont la grande spécialité de Madère. On dégustera également de la viande rôtie à la cannelle, des biftecks *(bifes)* de thon, du poisson frais grillé, des patelles *(lapas)* frites à l'ail et, au dessert, des gâteaux au miel (les fameux *bolo do caco*) ainsi que des fruits délicieux.

À FUNCHAL

👁 **Bon à savoir** – La plupart des restaurants touristiques sont installés autour du largo do Corpo Santo. Leur cuisine est quelconque, mais leur terrasse souvent très agréable. Idem pour les établissements qui se font une rude concurrence face à la marina.

Grão de Café – *R. da Carreira, 232* - *7h-21h, dim. et j. fériés 7h-4h*. Le propriétaire des Apartamentos Turísticos São Paulo a ouvert en rez-de-chaussée ce snack sympathique qui accueille des expositions temporaires d'artistes locaux. Une galerie d'art est également prévue en sous-sol.

⊖⊖ **Jacquet** – *R. Santa Maria, 5* - ℘ *291 22 53 44* - ⤢ - *20 €*. Agréable surprise que ce petit restaurant, typique avec ses tables et ses bancs de bois, dans lequel le propriétaire vous laisse choisir le poisson fraîchement pêché. Celui-ci est ensuite grillé devant les convives derrière le comptoir de la cuisine. Autre spécialité de la maison : les patelles *(lapas)* frites à l'ail. Ambiance populaire garantie !

⊖⊖ **O Jango** – *R. de Santa Maria, 164-166* - ℘ *291 22 12 80* - *www.ojango.net* - *env. 20 €*. Il convient de réserver ou d'arriver tôt à ce petit restaurant toujours plein (surtout le soir), qui sert des plats traditionnels savoureux et préparés avec des produits frais : brochettes, maïs frit, poisson grillé ou curry. Bonne adresse.

🍴🍽 **Churrascaria A Montanha** – *R. Conde Carvalhal, 321 (près du miradouro do Pináculo à l'est de Funchal) - ☏ 291 79 31 82 - 25 € - réserv. conseillée.* Ce grand restaurant perché sur une hauteur dispose d'une terrasse avec une vue magnifique sur la baie. Spécialité de brochettes (grillées dans un énorme four) et cuisine traditionnelle. Certains soirs, des groupes musicaux ou folkloriques s'y produisent.

À SANTO ANTÓNIO

🍽 **Parada dos Eucaliptos** – *Estrada Eira do Serrado, 258 - 8 km au nord ouest de Funchal sur la droite dans la montée en allant vers Eira do Serrado - ☏ 291 77 68 88 - 9h-22h - 🍴 - 10/15 €.* Sur la route d'Eira do Serrado, la véranda de cette modeste auberge ne paie pas de mine. Pourtant, ses *espetadas* (brochettes) de viande cuites au feu de bois y ont une saveur à nulle autre pareille. Cuisine simple, délicieuse et bon marché.

Faire une pause

À FUNCHAL

Golden Gate Grand Café – *Av. Arriaga, 27-29 - ☏ 291 23 43 83 - lun.-sam. 8h-23h.* Cet établissement à la superbe architecture traditionnelle trône sur l'avenue principale de Funchal depuis 1841. En salle ou en terrasse, il propose un joli cadre d'inspiration coloniale pour des pauses sucrées. Son restaurant situé à l'étage est également ouvert midi et soir. Un incontournable.

Café do Teatro – *Av. Arriaga (Edifício do Teatro Municipal) - ☏ 291 22 63 71 - www.cafedoteatro.com - lun.-jeu. 8h-2h, vend.-dim. 10h-4h.* Cet agréable bar à la mode se repère facilement grâce à la belle façade d'azulejos du concessionnaire automobile voisin. On vient y boire un verre face au jardin de São Francisco ou bien simplement picorer un repas léger.

Boutique Lido – *Estrada Monumental, 296.* Cette boulangerie-pâtisserie située dans le quartier des grands hôtels propose de délicieux gâteaux maison ainsi que des spécialités salées ou sucrées, à déguster sans modération dans son salon de thé. Incontournable pour les gourmands !

En soirée

À FUNCHAL

Bar Marcelino « Pão e Vinho » – *Travessa das Torres, 22 - ☏ 291 22 02 16 - 22h-4h.* Dans la vieille ville, à deux pas du largo do Corpo Santo, l'une des meilleures boîtes à fado de Madère.

Sports et Loisirs

Les hôtels ou les nombreux kiosques de la marina de Funchal proposent des croisières quotidiennes en voilier ou à bord de yachts, des excursions de plongée-tuba ou d'observation de fonds marins…

Costa do Sol – *Marina do Funchal - ☏ 291 23 85 38.*

Achats

À FUNCHAL

The Od Blandy Wine Lodge – *Av. Arriaga, 28 - ☏ 291 74 01 10 - www.madeirawinecompany.com - lun.-vend. 9h30-18h30, sam. 10h-13h - fermé j. fériés - 4,20 €.* Visites guidées (en français : lun. -vend. à 11h30) dans les anciennes caves d'un monastère franciscain et dégustation de vins. Boutique sur place.

Événements

Fête de la fleur – Pendant une semaine après Pâques.

Fête de Nossa Senhora do Monte – 15 août.

Fête du madère – Fête des vendanges, première semaine de septembre.

Nouvel An – Le 31 décembre, la ville de Funchal et sa baie s'embrasent d'un somptueux feu d'artifice.

Île de **Porto Santo**★
Ilha de Porto Santo

4 474 HABITANTS – 42 KM²
CARTE MICHELIN 733 – DISTRICT DE FUNCHAL

Tout oppose Porto Santo et Madère. Hormis l'hiver, où ses champs reverdissent sous l'effet de l'humidité, le sol calcaire de Porto Santo, totalement dépourvu de végétation, lui donne la couleur ocre d'un désert. Son relief est assez plat : il est constitué d'une grande plaine où se dressent, au nord-est et au sud-est, quelques « pics » dont le plus élevé, le pico do Facho, ne culmine qu'à 517 m d'altitude. Le climat est doux – moyenne annuelle : 19° – et plus sec qu'à Madère. Mais malgré des traits moins saillants, Porto Santo a un atout irrésistible dans sa manche : sa longue plage de sable blond, qui fait le délice des Madériens et des touristes.

▸ **Se repérer** – L'île est située à 40 km au nord-est de Madère.

👁 **À ne pas manquer** – Sa longue plage de sable doré, unique dans tout l'archipel.

🕐 **Organiser son temps** – Une journée suffit pour découvrir Porto Santo.

La plage de Porto Santo déroule ses 8 km de sable.

Comprendre

Un an après la découverte de l'île en 1419, le premier capitaine-donataire, **Bartolomeu Perestrelo**, arrive à Porto Santo. Ayant eu la fâcheuse idée de peupler l'île de lapins, il se voit incapable d'éviter les méfaits de la prolifération des rongeurs. Il réussit cependant à donner à ce territoire dévasté une certaine prospérité. Mais l'île est longtemps abandonnée par les autorités du Portugal, et ses habitants doivent lutter contre les pirates algériens et français qui, jusqu'au 18ᵉ s., ne leur épargnent ni les pillages ni les massacres. Plusieurs périodes de sécheresse provoquent, en outre, la famine.

Aujourd'hui, les habitants de Porto Santo vivent de la pêche et de quelques cultures (céréales, tomates, melons, pastèques, figues) ; la vigne produit un excellent vin blanc très sucré, moins célèbre cependant que les eaux minérales bicarbonatées, appréciées pour leur valeur thérapeutique, exportées à Madère et dans la métropole.

Se promener

Vila Baleira

La capitale de l'île est à son échelle, vous en ferez donc vite le tour. Le centre est le **largo do Pelourinho**★, jolie place plantée de palmiers, autour duquel se dressent de beaux bâtiments blancs, dont l'église et un édifice armorié abritant la mairie.

Maison de Christophe Colomb (Casa-Museu Cristóvão Colombo) – *Travessa da Sacristia, 2 - ℘ 291 98 34 05 - www.museucolombo-portosanto.com - juil.-sept. : mar.-sam. 10h-12h30, 14h-19h, dim. 10h-13h ; oct.-juin : mar.-sam., 10h-12h30, 14h-17h30, dim.*

10h-13h - fermé j. fériés - 1 €. Une ruelle à droite de l'église mène à cette maison-musée, dotée de deux simples pièces où le célèbre navigateur vécut avec sa femme. Dans un bâtiment annexe, on peut voir des gravures et des cartes évoquant sa vie et ses différents périples.

Du largo do Pelourinho, la large rua Infante D. Henrique, bordée de palmiers, mène à un jardin où se dresse la statue de Christophe Colomb. De là, on peut également accéder à la jetée, d'où l'on découvre une vue d'ensemble sur la ville.

Plage★

Le principal intérêt de Porto Santo reste sa très belle plage, qui attire les touristes et les Madériens. Ses 8 km de sable doré, qui bordent la côte sud de l'île, sont une invitation au farniente ou à la pratique de nombreuses activités nautiques (voile, planche à voile, ski nautique, pêche, etc.)

> ### Christophe Colomb à Porto Santo
>
> Chargé par un Portugais de négocier l'achat d'une cargaison de sucre à Madère, Christophe Colomb vient séjourner à Porto Santo, où il épouse Isabel Moniz, fille du capitaine-donataire Bartolomeu Perestrelo. Il demeure ensuite quelque temps chez son ami João Esmeraldo à Funchal, où il est mis au courant de divers problèmes de navigation qui l'inciteront plus tard à partir à la découverte du monde.

Circuit de découverte

Si vous êtes motorisé, comptez 3 ou 4h pour faire le tour complet de l'île. Vous pouvez donc prévoir de faire l'aller-retour dans la journée depuis l'île de Madère. Il est également possible de s'entendre avec un chauffeur de taxi, de louer une voiture ou, pour les plus sportifs, une bicyclette *(voir dans l'encadré pratique)*. Et pour ceux qui passent plusieurs jours sur Porto Santo, pourquoi ne pas visiter l'île à pied ?

Tour du pico do Facho

30mn. En partant de Vila Baleira, une route contourne le pico do Facho en offrant de beaux points de vue sur les différentes parties de l'île : Vila Baleira, le port, le pico de Ana Ferreira à l'ouest et la plage. Cette route traverse des paysages vallonnés et déserts avec, pour seule présence, des vaches, des moutons et quelques bergers dont on aperçoit les cabanes aux toits de chaume.

Pico do Castelo

En empruntant la route qui gravit les flancs du pic reboisé, vous accédez à un belvédère révélant un panorama de l'île, quadrillée de cultures en damier.

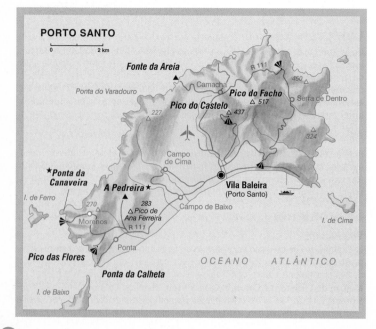

Fontaine du Sable (Fonte da Areia)

Cette « fontaine du sable » est située auprès de curieuses falaises sculptées par l'érosion, qui dominent une côte rocheuse et sauvage.

A Pedreira★

De la route qui, parallèle à la plage, mène à la pointe de Calheta, prendre après l'hôtel Porto Santo une piste à droite. Après 2 km environ, on accède à la carrière (pedreira). Sur le flanc du pico de Ana Ferreira, vous découvrirez une surprenante formation d'orgues basaltiques s'élançant vers le ciel.

Pic des Fleurs (Pico das Flores) et pointe (ponta) de Canaveira★

Sur la route de la pointe de Calheta, suivre la route qui longe le centre hippique jusqu'à un embranchement. La piste de gauche mène au pico das Flores, qui offre une belle **vue** sur les falaises et l'îlot de Baixo. De retour à l'embranchement, empruntez l'autre piste, qui se poursuit jusqu'au Morenos, une jolie aire de pique-nique, puis jusqu'à la pointe de Canaveira. De là, vous découvrirez une **vue**★ assez spectaculaire sur l'îlot de Ferro (« de fer ») aux belles teintes rouges et son phare, ainsi que sur les criques alentour, sauvages et austères.

Pointe de Calheta (Ponta da Calheta)

Séparée de l'îlot de Baixo par une passe dangereuse jonchée d'écueils où la mer écume, cette pointe forme un site agréable avec sa plage hérissée de rochers de basalte noir.

Île de Porto Santo pratique

Information utile

À VILA BALHEIRA

🄸 **Posto de turismo** – *Av. Henrique Vieira de Castro - 9400-165 -* ☎ *291 98 51 89 - www.madeiraislands.travel.*

Transports

Avion – La TAP (☎ *291 98 21 46*) et Air Açores (☎ *296 20 97 20*) assurent une dizaine de liaisons par jour entre Funchal et Porto Santo (à partir de 120 € AR). L'aéroport (☎ *291 98 01 20*) se trouve au nord de Vila Baleira.

Bateau – Porto Santo Line – *R. de Estevão Alencastre - Vila Baleira -* ☎ *291 98 29 38 - www.portosantoline.pt (voir aussi Funchal pratique).* Des taxis ou une navette font la liaison entre l'embarcadère et Vila Baleira ; pour le retour, la navette part de Vila Baleira 45mn avant le dép. du ferry.

Location de voitures – Agence de voyages Dunas – *R. Dr Nuno Silvestre Teixeira, 46 - 9400 Vila Baleira -* ☎ *291 98 30 88/89.*

Location de deux-roues – En face de la station-service de Vila Baleira, à la descente de la navette, boutique de location de vélos (2 €/h ou 10 €/j) et de scooters (7,50 €/h ou 25 €/j).

Visites

Tour de l'île en bus – ☎ *291 98 27 80/24 03 - 7 €.* Dép. quotidien à 14h, retour à 16h au centre de Vila Baleira, près de la station-service.

Se restaurer

👁 **Bon à savoir** – Dans le centre de Vila Baleira, à proximité de la station-service, on peut prendre une glace ou un en-cas à l'une des terrasses des cafétérias tout en surveillant le départ de la navette pour l'embarcadère.

À VILA BALHEIRA

🍽 **Pé na Água** – *Sítio das Pedras Pretas (1 km à l'ouest du centre de Vila Baleira sur la plage) -* ☎ *291 98 31 14 - 10h-0h - 10/30 €.* Dans cette maisonnette en bois, l'accent est mis sur la décoration. Vous savourerez des plats de viande ou de poisson joliment présentés dans une salle où se marient agréablement le rotin et l'acier brossé. De larges baies vitrées s'ouvrent sur une terrasse face à l'Océan, un enchantement à toute heure du jour et de la nuit.

À CALHETAS

🍽 **O Calhetas** - *6 km au sud-ouest de Vila Baleira (navette gratuite à disposition des clients, le soir uniquement) -* ☎ *291 98 43 80 - 10h-22h30 - 10/25 €.* Isolé au bout de la plage de Porto Santo, face à l'îlot de Baixo, ce restaurant exhale un vrai parfum de vacances. Sa terrasse est l'endroit idéal pour déguster un bon plat de viande ou de poisson, un riz aux fruits de mer, ou tout simplement pour prendre un verre.

" Geode " du Maroc

NOTES

NOTES

NOTES

NOTES

NOTES

Porto : villes, curiosités et régions touristiques.
Pessoa, Fernando : noms historiques et termes faisant l'objet d'une explication.
Les sites isolés (châteaux, abbayes, grottes…) sont répertoriés à leur propre nom.

INDEX

CARTES ET PLANS

Manufacture française des pneumatiques Michelin
Société en commandite par actions au capital de 304 000 000 EUR
Place des Carmes-Déchaux - 63000 Clermont-Ferrand (France)
R.C.S. Clermont-Fd B 855 200 507

Compogravure : Nord Compo à Villeneuve-d'Ascq
Impression et brochage : «La Tipografica Varese S.p.A.»
Dépôt légal : 09/2008 – ISSN 0293-9436
Imprimé en Italie : 09/2008